D1632275

LAROUSSE
ENCYCLOPEDIQUE EN COULEURS

JE SÈME À TOUT VENT

LAROUSSE
ENCYCLOPEDIQUE EN COULEURS

2

FRANCE LOISIRS
123 bd. de Grenelle
PARIS

Édition du Club France Loisirs, Paris avec l'autorisation de la Librairie Larousse.

Le présent volume appartient à la dernière édition (revue et corrigée) de cet ouvrage. La date du copyright mentionnée ci-dessous ne concerne que le dépôt à Washington de la *première* édition.

Achevé d'imprimer le 30-4-1987 par Mohndruck, R.F.A.
N° Éditeur 12541 – dépôt légal Mai 1987 – Imprimé en Allemagne.
ISBN 2-7242-0165-5

aplanat → APLANÉTIQUE.

aplanétique adj. (*a* priv., et gr. *planê,* erreur). Se dit d'un système optique ne présentant pas d'aberration géométrique pour un point objet situé à faible distance de l'axe optique. ◆ **aplanat** n. m. et adj. Objectif aplanétique. ◆ **aplanétisme** n. m. Qualité d'un système optique aplanétique. (Après l'achromatisme, l'aplanétisme est la condition la plus importante que doit remplir un

le taureau **Apis**
détail d'une stèle du Serapeum de Memphis (XXVIe dynastie), *Louvre*

bon objectif; elle nécessite qu'il y ait simultanément stigmatisme pour un point de l'axe et pour un point voisin de l'axe. Dans ces conditions, l'image d'une petite portion de plan perpendiculaire à l'axe est de bonne qualité.)

aplanir v. tr. Rendre plan, uni, ce qui était inégal, raboteux : *Aplanir un terrain.* ‖ *Fig.* Faire disparaître ou, du moins, atténuer : *Aplanir un différend, les obstacles.* ‖ — **s'aplanir** v. pr. Devenir plan; apparaître comme plan : *Au sommet de la colline, le terrain s'aplanit.* ‖ *Fig.* Disparaître, s'atténuer (en parlant de difficultés); devenir facile : *Les difficultés se sont aplanies.* ◆ **aplanissement** n. m. Action d'aplanir; état de ce qui est aplani (au *pr.* et au *fig.*) : *L'aplanissement d'une route. L'aplanissement des difficultés.* ● *Surface d'aplanissement,* région de topographie plane, due à divers processus d'érosion. ◆ **aplanisseuse** n. f. Charrue à deux ou plusieurs lames, aplanissant les irrégularités du sol de la route causées par la circulation des véhicules.

aplanospore n. f. Spore incapable de se mouvoir activement.

aplasie n. f. (*a* priv., et gr. *plassein,* façonner). Absence ou arrêt de développement d'un tissu, d'un organe. ◆ **aplasique** adj. Relatif à l'aplasie.

— ENCYCL. ***aplasie.*** Le terme d' « aplasie » implique le caractère congénital de l'anomalie (aplasie d'un membre, d'un muscle, d'une glande, etc.). Toutefois, il est employé pour des anomalies acquises des tissus qui se régénèrent constamment, notamment la moelle osseuse (*aplasie médullaire*). L'aplasie médullaire est caractérisée par une grande diminution des hématies, des leucocytes et des plaquettes du sang, par une moelle osseuse désertique et, sur le plan clinique, par une anémie grave, des hémorragies et des infections. Elle peut être secondaire à l'administration de produits médicamenteux ou à l'exposition à certains agents physiques (rayons X, corps radio-actifs).

aplasique → APLASIE.

aplastique adj. Se dit d'une anémie sans signe de régénération des globules rouges.

aplat n. m. Dans le langage des graveurs, des peintres, des imprimeurs, etc., surface unie, d'une seule teinte.

à-plat n. m. Propriété de la feuille de papier de se présenter d'une manière uniforme et plane. — Pl. *des* À-PLATS.

aplatir v. tr. Rendre plat. ‖ *Fig.* et *fam.* Confondre quelqu'un, le réduire au silence, l'abasourdir : *Aplatir un contradicteur.* ‖ — ***s'aplatir*** v. pr. S'allonger : *S'aplatir par terre.* ‖ *Fig.* et *fam.* S'abaisser platement devant quelqu'un : *S'aplatir devant les supérieurs.* ◆ **aplatissage** n. m. Action d'aplatir. (Dans quelques métiers, s'emploie pour APLATISSEMENT.) ◆ **aplatissement** n. m. Action de rendre plat, de s'aplatir, de s'abaisser; état de ce qui est aplati : *Le choc a causé un léger aplatissement à la boîte.* ‖ *Fig.* Ecrasement : *L'aplatissement des armées ennemies a été total.* ‖ Bassesse : *Aplatissement devant le pouvoir.* ● *Aplatissement d'une ellipse,* rapport au demi-grand axe de la différence entre le demi-grand axe et le demi-petit axe. ‖ *Aplatissement d'une planète,* différence des rayons de l'équateur et du pôle, divisée par le rayon de l'équateur. (La valeur adoptée

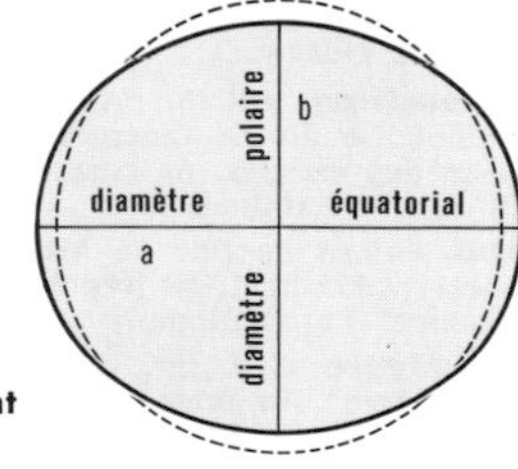

aplatissement
(astron.)

internationalement pour l'aplatissement de la Terre est $\frac{1}{297}$.) ◆ **aplatisseur** n. m. Machine servant à écraser les grains destinés à l'alimentation des animaux. ◆ **aplatissoir** n. m., ou **aplatissoire** n. f. Marteau, laminoir, pour aplatir des métaux.

aplodontie n. f. (gr. *aplous,* simple, et *odous, odontos,* dent). Rongeur des montagnes de l'Amérique du Nord.

aplomb n. m. (de *plomb*). Direction perpendiculaire au plan de l'horizon : *La tour de Pise n'a pas gardé son aplomb.* || Equilibre : *Perdre son aplomb ;* et, au *fig.* : *Il n'a pas retrouvé son aplomb depuis ce deuil.* || Stabilité de la position d'un danseur qui reste maître de son équilibre, en particulier lorsqu'il termine un mouvement. || *Fig.* Assurance que rien ne déconcerte : *Montrer de l'aplomb.* ● LOC. ADV. *D'aplomb,* perpendiculairement au plan horizontal : *Laisser tomber une pierre d'aplomb.* — En équilibre stable : *Ne pas tenir d'aplomb sur ses jambes.* — En parlant des choses, dans une position verticale et, par conséquent, solide : *Un cadre posé bien d'aplomb.* — *Fam.* Bien portant : *Se sentir d'aplomb.* || — **aplombs** n. m. pl. Position des membres d'un animal pour que le corps soit supporté de la façon la plus solide et la plus harmonieuse.

aplophase n. m. V. HAPLOPHASE.

aplustre n. m. (lat. *aplustre*). *Antiq. rom.* Ornement de la poupe des vaisseaux, qui consistait en une pièce de charpente recourbée vers l'avant et taillée en forme de queue de poisson.

aplysie n. f. (*a* priv., et gr. *plunein,* laver). Mollusque marin limaciforme sécrétant un liquide violet. (Nom usuel : *lièvre de mer.*) [Sous-classe des opisthobranches.] ◆ **aplysiidés** n. m. pl. Famille de mollusques gastropodes opisthobranches ayant pour type l'*aplysie.*

apnée n. f. (*a* priv., et gr. *pnein,* respirer). Arrêt plus ou moins prolongé de la respiration.

apneumie n. f. (*a* priv., et gr. *pneumôn,* poumon). Absence de poumons, propre aux amphibiens terrestres à respiration cutanée.

apneumones n. m. pl. (*a* priv., et gr. *pneumôn,* poumon). Holothuries* sans organe respiratoire cloacal.

apneustique adj. (*a* priv., et gr. *pneuma,* souffle). Se dit de divers systèmes respiratoires des insectes, ne comprenant pas tous les organes habituels.

Apo, volcan de l'île de Mindanao (Philippines) ; 2 955 m. C'est le point culminant de l'archipel. Parc national.

apocalypse n. f. (gr. *apokalupsis,* révélation). Livre qui a pour objet la révélation des destinées de l'humanité. (Parmi les innombrables illustrations d'apocalypses, on cite surtout les miniatures de l'*Apocalypse de Saint-Sever* [1028] et les gravures sur bois de Dürer [1498].) || *Spécialem.* Livre canonique, le dernier du Nouveau Testament, et qui a pour auteur l'apôtre saint Jean. (V. art. suiv.) ● *Bête de l'Apocalypse,* monstre symbolique qui joue un grand rôle dans l'Apocalypse de saint Jean. || *Style d'Apocalypse,* très obscur. ◆ **apocalyptique** adj. Relatif aux apocalypses en général, ou à l'Apocalypse de saint

Apocalypse
gravure par A. Dürer *(détail)*
Bibliothèque nationale

Jean : *Genre apocalyptique. Littérature apocalyptique.* || *Fig.* Obscur et trop allégorique (en parlant du style). || Epouvantable et fantastique : *Animaux apocalyptiques.* ● *Nombre apocalyptique,* mystérieux nombre (666 ou 606), dont il est question dans l'Apocalypse et qui semble désigner Néron.

Apocalypse, dernier livre du Nouveau Testament. Ouvrage de saint Jean l'Evangéliste, rédigé sous le règne de Domitien, v. 95. Il se compose de sept visions qui symbolisent le triomphe final de l'Eglise après le règne de l'Antéchrist.

Apocalypse (TENTURE DE L'), tapisseries de Nicolas Bataille (1373-1387), conservées à Angers (château). Sur les 90 compositions, qui mesuraient ensemble 144 m de long sur 5,15 m de haut, il subsiste 69 panneaux et 9 fragments.

apocarpe adj. Se dit d'une fleur dont les carpelles ne sont pas soudés. (Syn. DIALYCARPIQUE.) ◆ **apocarpie** n. f. V. DIALYCARPIE.

apocatastase n. f. (gr. *apo,* loin de, *kata,* sur, et *stasis,* établissement). Nom donné par les anciens philosophes grecs au déterminisme de la nature.

Dans le haut Moyen Age, légat du pape ou d'un patriarche auprès de l'empereur byzantin. ‖ Dans l'Empire byzantin, officier chargé de transmettre les réponses de l'empereur. ‖ En France, sous les Carolingiens, dignitaire du palais dont les fonctions s'apparentent à celles de garde des sceaux.

apocrites n. m. pl. (gr. *apokritos,* distinct). Important sous-ordre d'hyménoptères* comprenant tous ceux dont l'abdomen est séparé

tenture de l'**Apocalypse**
panneau des
« 24 vieillards »

du thorax par un étranglement. (Seules, les tenthrèdes ne sont pas dans ce cas.)

apocryphe adj. et n. (gr. ecclés. *apokruphos,* tenu secret). Se dit d'écrits des premiers siècles de l'Eglise, imités des saintes Ecritures, mais d'origine inconnue, et qui, de ce fait, ne sont pas admis dans le canon biblique. (Très nombreux et souvent parvenus jusqu'à nous de manière fragmentaire, ils se rattachent soit à l'Ancien, soit au Nouveau Testament.) ‖ Se dit d'un texte qui n'est pas authentique, qui est douteux, suspect.

apocynacées n. f. pl. (gr. *apo,* loin de, et *kuôn,* chien). Famille de plantes dicotylédones ayant pour type la pervenche. (Ordre des gentianales.)

apocynum [sinɔm] n. m. Plante aux fleurs ornementales et odorantes, type de la famille des apocynacées, qui capture les insectes sans profit pour elle.

apochromatique [krɔ] adj. et n. m. Se dit d'un objectif de microscope ou d'un objectif photographique dont les aberrations chromatiques sont corrigées pour trois radiations au moins. (La photographie en couleurs exige l'emploi d'objectifs apochromatiques.)

apocope n. f. (gr. *apokopê;* de *apokoptein,* retrancher). Chute d'un phonème ou d'une syllabe à la fin d'un mot, par accident phonétique ou abrégement arbitraire : *Les mots « cinéma », « métro », pour « cinématographe », « métropolitain », sont des exemples d'apocope.* ◆ **apocopé, e** adj. Qui a subi une apocope : *« Or » est une forme apocopée de l'ancien français « ore ».*

apocrisiaire n. m. (gr. *apokrisis,* réponse).

apocytaire → APOCYTE.

apocyte n. m. Partie d'un filament unisérié de thallophyte, terminée par une cloison à chaque bout, mais contenant plusieurs noyaux. ◆ **apocytaire** adj. Constitué par des apocytes.

apode adj. (*a* priv., et gr. *pous, podos,* pied). Dépourvu de pattes. ‖ — ***apodes*** n. m. pl. Nom commun à divers groupes d'animaux mal pourvus en appendices : des holothuries, des crustacés cirripèdes, des amphibiens serpentiformes du sol, et surtout les poissons anguilliformes sans nageoires pelviennes (anguille, congre, murène).

apodème n. m. (gr. *apodêma,* ligature). *Zool.* Diverticule chitineux interne de la carapace des articulés, servant aux insertions musculaires.

apodère n. m. (gr. *apoderein,* écorcher). Charançon au cou allongé, qui roule en cornet les feuilles du noisetier et d'autres plantes.

apodictique adj. (du gr. *apodeiknunai,* démontrer). Se dit d'une proposition démontrée et incontestable (par ex. : tout cercle a un centre). [S'oppose à ce qui est problématique ou simplement assertorique*.]

apodidés n. m. pl. Famille d'oiseaux aux pattes courtes, incapables de marcher, mais qui gobent des insectes en plein vol (ex. le martinet*). [On dit aussi, plus heureusement, MICROPODIDÉS.]

apodie n. f. (*a* priv., et gr. *pous, podos,* pied). Absence de pieds.

apodiformes n. m. pl. Ordre d'oiseaux excellents voiliers, aux humérus très courts. (Ce sont les martinets et les oiseaux-mouches.)

apodose n. f. (gr. *apodosis*). Proposition principale concluante, placée après une subordonnée conditionnelle, dite *protase*. (Ex. : *Si vous ne venez pas me voir* [protase], *je serai fâché* [apodose].)

apoenzyme n. m. Partie protidique d'un enzyme. (V. tableau ENZYME.)

apogamie n. f. (gr. *apo,* loin de, et *gamos,* mariage). Développement d'un être végétal à partir d'une cellule unique, diploïde et non sexuelle. (Ce mode de reproduction s'observe surtout dans les variétés incapables de reproduction sexuée : rose, potentille, hiéracium.) ◆ **apogamique** adj. Qui présente l'apogamie ou qui en résulte.

apogée n. m. (gr. *apo,* loin de, et *gê,* terre). Point de l'orbite d'un astre effectuant autour de la Terre un mouvement de révolution réelle (Lune) ou apparente (Soleil), et où cet astre se trouve à sa plus grande distance de la Terre : *Le moment de l'apogée du Soleil correspond au moment de l'aphélie de la Terre.* ‖ Point de l'orbite des autres planètes le plus éloigné de la Terre, dans l'ancienne théorie qui plaçait la Terre au centre des mouvements planétaires. ‖ *Fig.* Le plus haut degré qu'on puisse atteindre : *Etre à l'apogée de sa gloire.*

apogon n. m. (gr. *apogôn,* sans barbe). Poisson osseux des mers chaudes, couvant ses œufs dans sa bouche. (Famille des percidés.)

apojove n. m. (gr. *apo,* loin de, et lat. *Jove,* ablat. de *Jupiter*). Position correspondant à la plus grande distance à laquelle chacun des satellites de Jupiter s'éloigne de cette planète sur son orbite elliptique. (Le point diamétralement opposé s'appelle *périjove.*)

Apokaukos (Alexis), ministre byzantin († Constantinople 1345). Premier ministre de l'impératrice veuve Anne de Savoie, il lutta contre Jean VI Cantacuzène, qui s'était proclamé empereur, et mourut assassiné.

Guillaume **Apollinaire** par Picasso (1918)

Apolda, v. d'Allemagne (Allem. orient., district d'Erfurt) ; 31 100 h. Bonneterie.

apolitique adj. Qui est en dehors de la politique ; qui ne s'occupe pas de politique. ◆ **apolitisme** n. m. Etat de celui ou de ce qui se place hors de toute doctrine ou attitude politique : *Se targuer d'apolitisme.*

apollinaire adj. Relatif à Apollon. ● *Jeux apollinaires,* jeux institués à Rome lors de la deuxième guerre punique.

Apollinaire (saint), premier évêque de Ravenne (Ier et IIe s.). Une très belle basilique lui est dédiée à Ravenne*. — Fête le 23 juill.

Apollinaire (saint), évêque d'Hiérapolis en Phrygie, au temps de Marc Aurèle (161-180).

Il est l'auteur d'une *Apologie* adressée à l'empereur. — Fête le 7 février.

Apollinaire, en gr. **Apollinaris,** nom de deux grammairiens et rhéteurs grecs chrétiens du IVe s., le père et le fils : **Apollinaire** *l'Ancien* (ou *d'Alexandrie*), et **Apollinaire** *le Jeune* (ou *de Laodicée*) [Laodicée v. 310 - † v. 390]. Le second fut évêque de Laodicée. Il professait que le Christ, sur le plan de l'esprit, ne participait que de la nature divine, et non de la nature humaine. Cette doctrine fut condamnée par l'Eglise dès 377.

Apollinaire (Sidoine). V. SIDOINE APOLLINAIRE.

Apollinaire (Wilhelm Apollinaris DE KOSTROWITZKY, dit **Guillaume**), poète et écrivain français (Rome 1880 - Paris 1918). Sa mère était polonaise. Il fit ses études en France et se trouva très tôt mêlé aux milieux littéraires et artistiques. Il écrivit des romans (*le Poète assassiné,* 1916), des nouvelles, des essais (*les Peintres cubistes,* 1913), mais c'est dans la poésie qu'il s'affirma avec *Alcools** (1913) et *Calligrammes** (1918), recueils qui comptent parmi les œuvres capitales de la poésie moderne. En 1917, Apollinaire fit représenter *les Mamelles de Tirésias,* avec musique de P. A. Birot. Grièvement blessé à la tête pendant la Première Guerre mondiale, trépané, affaibli, il succomba à la grippe espagnole l'avant-veille de l'armistice. Esprit curieux, érudit, mais ne dédaignant pas la mystification, Apollinaire, qui maintient, par sa sensibilité délicate, une part de l'héritage romantique, tente aussi d'approfondir l'univers poétique en traduisant, par une poésie plus directe, toutes les nuances de ses impressions et en liant, dans ses *Calligrammes,* le texte poétique à l'image visuelle de l'objet qu'il décrit.

Apollinaris, source minérale gazeuse d'Allemagne, dans la vallée de l'Ahr, affl. du Rhin.

apollinarisme n. m. Doctrine enseignée par Apollinaire de Laodicée. ◆ **apollinariste** n. Adepte de cette doctrine.

apollinien, enne ou **apollonien, enne** adj. Relatif à Apollon ; qui approche de la beauté idéale d'Apollon. ‖ Dans la philosophie de Nietzsche, se dit de l'homme qui pense et se représente le monde. (S'oppose à DIONYSIAQUE*.)

Apollodore d'Athènes, en gr. **Apollodoros,** dit **le Skiagraphe,** peintre grec (fin du Ve s. av. J.-C.). Son surnom signifie qu'il a innové ou développé le modelé par les ombres et les couleurs.

Apollodore de Damas, en gr. **Apollodoros,** dit **le Damascène,** architecte grec (Ier - IIe s. apr. J.-C.). Il travailla au forum de Trajan et à la basilique Ulpia. Auteur d'un ouvrage sur les machines de guerre, il construisit le pont des Portes de Fer sur le Danube. Il fut banni par Hadrien, qui le fit mettre à mort.

Apollodore de Pergame, en gr. **Apollodoros,** rhéteur grec (v. 104 - † 22 av. J.-C.). Il fonda, à Rome, une école célèbre et compta Octavien, le futur empereur, parmi ses élèves.

apollon n. m. (du nom myth.). Ephèbe (avec une nuance d'ironie). ‖ Beau papillon des montagnes eurasiatiques. (Famille des papilionidés.)

Apollon, en gr. **Apollôn.** *Myth. gr.* Le plus beau des dieux, celui du Jour et du Soleil, fils de Zeus et de Léto, frère d'Artémis, né dans l'île de Délos. Dieu aux attributions multiples, guérisseur et devin (il inspire la *pythie* dans son oracle de Delphes), musicien et poète (il est représenté jouant de la lyre entouré des Muses), il est aussi protecteur des troupeaux (surtout en Arcadie).

Apollon de Piombino
bronze grec, *Louvre*

Giraudon

— *Iconogr.* Nombreuses sont les statues antiques du dieu, depuis l'*Apollon archaïque d'Orchomène* (musée d'Athènes), l'*Apollon de Piombino* (v. 500 av. J.-C., Louvre) et celui du fronton du temple d'Olympie, jusqu'à l'*Apollon Sauroctone* de Praxitèle (réplique au Louvre) ou l'*Apollon du Belvédère* (IVe s. av. J.-C., Vatican). Au XVIIe s., il est célébré dans le château et le parc de Versailles : groupe des *Bains d'Apollon,* par Girardon, Regnaudin, Marsy et Guérin; *Apollon sur son char,* par Tuby. Le Bernin a sculpté *Apollon poursuivant Daphné* (Rome, villa Borghèse), et Delacroix a décoré la voûte de la galerie d'Apollon, au Louvre, d'un *Apollon vainqueur du serpent Python.*

Apollon Musagète, ballet en deux tableaux de Stravinski (chorégraphie de Balanchine, décors et costumes de Bauchant), créé en Amérique et donné la même année (1928) à Paris par les Ballets russes de Serge de Diaghilev.

Apollon, petite planète (non numérotée) découverte en 1932 par Delporte, dont l'orbite est la seule qui s'étende à l'intérieur de l'orbite de la Terre et de celle de Vénus. Son diamètre est inférieur à 3 km. (V. ASTÉROÏDE.)

Apollonia. *Géogr. anc.* Nom donné, dans l'Antiquité, à plusieurs villes en l'honneur d'Apollon. **Apollonia** *d'Illyrie,* à l'embouchure de l'Aoos, centre intellectuel et commercial à l'époque hellénistique. — **Apollonia** *de Thrace,* sur le Pont-Euxin, colonie de Milet fondée en 600 av. J.-C. (Auj. *Sozopol.*)

Apollonios, surnommé **Molon,** rhéteur grec qui enseignait à Rhodes (Ier s. av. J.-C.). Cicéron fut son élève.

Apollonios d'Athènes, sculpteur grec de l'époque d'Auguste, fils de Nestor, auteur du fameux torse du Belvédère (Vatican).

Apollonios de Perga, mathématicien et astronome grec d'Alexandrie (Perga v. 262 - † v. 180 av. J.-C.), auteur d'un traité sur les coniques.

Apollonios de Rhodes, poète et grammairien alexandrin (v. 295 - v. 230 av. J.-C.). Auteur des *Argonautiques*,* ou *Conquête de la Toison d'or,* il vécut à Alexandrie, où il fut en relation avec Callimaque, et à Rhodes.

Apollonios de Tralles, sculpteur grec (Ier s. av. J.-C.). Il exécuta, avec son frère Tauriscos, un groupe, dont *le Taureau Farnèse* est une adaptation partielle et assez fidèle.

Apollonios de Tyane, philosophe néopythagoricien (Tyane, Cappadoce - Ephèse 97), un des hommes les plus étonnants de son temps pour le savoir, la vertu et l'éloquence, auquel on attribua des miracles que Hiéroclès mit en parallèle avec ceux de Jésus-Christ.

apologétique → APOLOGIE.

apologie n. f. (gr. ecclés. *apologia,* défense). Ecrit ou discours tendant à justifier une personne ou une action : *Faire l'apologie de la violence.* ‖ Ecrit ou discours visant à louer une personne ou une chose : *Ne pas craindre de faire sa propre apologie.* ● *Apologie de crimes,* écrit ou paroles justifiant une action expressément réprimée par la loi pénale. ‖ — SYN. : *défense, justification.* ◆ **apologétique** adj. Qui contient une apologie; qui tient de l'apologie : *Une lettre apologétique.* ✦ n. f. Partie de la théologie qui a pour objet de défendre la religion chrétienne contre les attaques des incroyants et des chrétiens non catholiques, et de justifier et de fonder la foi des fidèles eux-mêmes. ◆ **apologique** adj. Syn. de APOLOGÉTIQUE. ◆ **apologiste** n. Celui, celle qui fait l'apologie d'une personne ou d'une chose : *Trouver en quelqu'un un apologiste inattendu.*

Apologie de Socrate (*Apologhia Sôkratous*), un des premiers *dialogues* de Platon, rapportant le discours de Socrate devant ses juges.

apologique, apologiste → APOLOGIE.

apologue n. m. (gr. *apologos,* récit). Récit, en prose ou en vers, dont on tire une instruction morale : *Les apologues d'Esope.*

apoltronnir v. tr. Couper l'extrémité des serres à un oiseau de proie.

apoméiose n. f. Développement de tétraspores anormales, diploïdes. (Ces spores donnent alors, sans fécondation, des sporophytes.)

apomixie n. f. (*apo,* priv., et gr. *mixis,* union). *Biol.* Reproduction sans méiose ni fécondation, à partir d'une seule cellule. (La parthénogenèse, l'apoméiose, l'aposporie, l'apogamie en sont les modalités.)

apomorphine n. f. Composé dérivant de la morphine par perte d'une molécule d'eau, utilisé comme vomitif, le plus souvent dans les empoisonnements.

aponévrose n. f. (gr. *aponeurôsis,* durcissement en tendons). Membrane blanche, luisante, résistante, formée de fibres conjonctives : *L'aponévrose musculaire enveloppe et isole chaque muscle.* ◆ **aponévrosite** n. f. Inflammation d'une aponévrose. ◆ **aponévrotique** adj. Relatif aux aponévroses. ◆ **aponévrotomie** n. f. Section chirurgicale d'une aponévrose.

aponogéton n. m. Plante ornementale des pièces d'eau, aux feuilles flottantes, originaire d'Afrique australe et d'Australie. (Famille des *aponogétonacées.*)

Apophis. V. APOPI.

apophonie n. f. (gr. *apo,* loin de, et *phonê,* voix). Variation dans le vocalisme d'un élément (radical ou affixe) servant à la formation d'un mot. (Ex. : en latin, *facio* devient, en composition, *efficio.*) [V. ALTERNANCE *vocalique.*]

apophtegme n. m. (gr. *apophthegma,* sentence). Parole, sentence mémorable exprimée de façon concise et claire : *Ne parler que par apophtegmes.* || — SYN. : *adage, aphorisme, pensée, précepte, sentence.*

apophyge n. f. (gr. *apo,* loin de, et *phugê,* fuite). Profil concave qui joint le fût d'une colonne à la base ou au chapiteau. (On dit aussi APOPHYSE.)

apophyllite n. f. (gr. *apo,* loin de, *phullon,* feuille, et *lithos,* pierre). Silicate naturel fluoré et hydraté de calcium et de potassium, quadratique.

apophysaire → APOPHYSE.

apophyse n. f. (gr. *apo,* loin de, et *phusis,* croissance). *Anat.* Eminence s'élevant à la surface d'un os. ● *Apophyse articulaire,* apophyse portant une partie lisse servant de jointure avec un autre os. || *Apophyse musculaire,* apophyse où viennent se fixer un ou plusieurs muscles. ◆ **apophysaire** adj. Relatif aux apophyses. ◆ **apophysite** n. f. Ostéite limitée à une apophyse.

Apopi ou **Apophis,** nom porté par trois chefs Hyksos, qui prirent le titre de roi d'Egypte et se succédèrent entre 1615 et 1560 av. J.-C.

apoplectiforme, apoplectique, apoplectoïde → APOPLEXIE.

apoplexie n. f. (gr. *apo* indiquant l'achèvement, et *plessein,* frapper). Coma à début brutal. (L'hémorragie cérébrale est une cause fréquente de l'apoplexie.) || *Par extens.* Accident vasculaire brutal touchant d'autres organes : *Apoplexie utéro-placentaire.* || Brusque dessiccation et mort d'une plante à la suite de l'attaque par un champignon. ◆ **apoplectiforme** adj. Qui ressemble à l'apoplexie. (Syn. APOPLECTOÏDE.) ◆ **apoplectique** adj. et n. Relatif ou prédisposé à l'apoplexie. ◆ **apoplectoïde** adj. Syn. de APOPLECTIFORME.

aporétique adj. (du gr. *aporein,* douter). Qui tombe dans une contradiction : *Une réflexion aporétique.* ● *Philosophes aporétiques,* les sceptiques grecs, disciples de Pyrrhon. ✦ n. f. Théorie des problèmes insolubles (N. Hartmann).

aporia n. f. (gr. *aporos,* inaccessible). Papillon blanc aux nervures noires, dont la chenille vit en société sur diverses rosacées. (Famille des piéridés.)

aporie n. f. (gr. *aporia,* absence de passage, de voie). Contradiction insoluble qui apparaît dans un raisonnement.

aposématique adj. (gr. *apo,* venant de, et *sêma,* signe). Se dit de la coloration très voyante de certains animaux non comestibles.

aposeris [seris] n. f. (gr. *apo,* venant de, et *seris,* laitue). Composée des sous-bois et du bord des eaux, voisine du pissenlit.

aposiopèse n. f. (gr. *aposiôpesis,* silence brusque). Interruption d'une phrase par un silence brusque. (Ex. : *Je pourrais vous dire encore... Mais à quoi bon insister !*)

aposporie n. f. Formation d'un gamétophyte diploïde ou d'un nouveau sporophyte à partir d'une cellule du sporophyte n'ayant pas subi la méiose.

apostasie n. f. (gr. *apostasis,* défection, abandon). Renonciation publique à une confession, aux regards de ceux qui suivent cette confession. (Se dit principalement de l'abandon de la foi chrétienne.) || En parlant d'un religieux, action de renoncer à ses vœux. || Action d'abandonner une doctrine, un parti, par intérêt ou ambition. ◆ **apostasier** v. intr. et tr. Faire acte d'apostasie (au *pr.* et au *fig.*) : *Julien a apostasié la religion chrétienne.* ◆ **apostat** n. m. et adj. Celui qui fait acte d'apostasie.

aposter v. tr. (ital. *appostare,* guetter). Placer quelqu'un pour observer, guetter ou exécuter quelque chose, le plus souvent dans une mauvaise intention : *Aposter des hommes de main.*

a posteriori loc. adv. et loc. adj. (lat. scol. *a posteriori ratione quam experientia,* postérieurement à l'expérience). Se dit de ce qu'on admet en s'appuyant sur l'expérience : *Dans tout gouvernement, les lois sont faites « a posteriori ». Des conclusions « a posteriori ».* (Contr. A PRIORI.) ◆ **apostériorisme** n. m. Méthode de raisonnement *a posteriori.* || Doctrine considérant telle ou telle notion comme acquise *a posteriori.* ◆ **apostérioriste** adj. et n. Qui raisonne *a posteriori* d'une notion. ◆ **apostériorité** n. f. Caractère de ce qui est donné par l'expérience.

apostille n. f. (de l'anc. franç. *postille,* annotation ; de *post illa,* après ces choses). Addition faite en marge d'un acte : *Les apostilles doivent être parafées par tous les signataires du corps de l'acte.* ◆ **apostiller** v. tr. Mettre une apostille en marge ou au bas d'un mémoire, d'une lettre, etc. : *Apostiller une requête.*

apostis [tis] n. m. Pièce de bois sur le côté extérieur de la galère (XVIe et XVIIe s.), portant la *palmante,* ou ensemble des rames.

apostolat, apostolicité, apostolique, apostoliquement → APÔTRE.

apostomes n. m. pl. (gr. *apo,* loin de, et *stoma,* bouche). Groupe de protozoaires ciliés, parasites des crustacés, dont le cycle reproductif comporte des métamorphoses compliquées.

1. apostrophe n. f. (gr. *apostrophê,* action de se retourner). Procédé par lequel on s'interrompt pour adresser la parole à des personnes présentes, absentes ou mortes, à des objets inanimés. (Ex. : *Ô Mort, éloigne-toi.*) || Interpellation brusque et peu courtoise : *Lancer une apostrophe.* ● *Mot en apos-*

trophe, se dit de la fonction grammaticale d'un mot qui désigne la personne ou la chose personnifiée à qui l'on parle. (Ex. : *Ami, entends-tu?*) ◆ **apostropher** v. tr. S'adresser brusquement ou impoliment à quelqu'un : *Un ivrogne qui apostrophe les promeneurs.*

2. apostrophe n. f. (gr. *apostrophos*). Signe graphique (') qui se place entre deux lettres pour indiquer une élision. (L'apostrophe s'emploie : 1° avec *le, la, je, me, te, se, ne, de, que, ce, si* [seulement devant *il*], devant un mot commençant par une voyelle ou un *h* muet; 2° avec *lorsque, puisque, quoique,* devant *il, elle, en, on, un, une;* 3° avec *quelque,* devant *un, une.*)

apostropher → APOSTROPHE 1.

apothécie n. f. (gr. *apothêkê,* réservoir). Organe reproducteur, en forme de coupe, des champignons entrant dans la composition des lichens.

apothème n. m. (gr. *apotithenai,* abaisser).

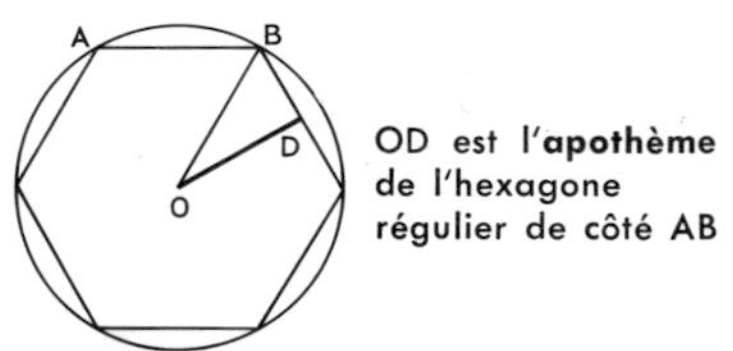

OD est l'**apothème** de l'hexagone régulier de côté AB

Perpendiculaire menée du centre d'un polygone régulier sur un de ses côtés. || Perpendiculaire abaissée du sommet d'une pyramide régulière sur un des côtés du polygone de base.

apothéose n. f. (gr. *apotheôsis*). Admission d'un héros parmi les dieux de l'Olympe : *L'apothéose d'Hercule.* || Divinisation des empereurs romains : *L'apothéose d'Auguste.* || Honneurs extraordinaires rendus à une personne : *La légion d'honneur fut pour lui une apothéose.* || Partie finale d'une pièce à spectacle à laquelle participe toute la troupe.

apothèque n. f. (gr. *apothêkê*). Dans les maisons particulières de l'Antiquité grecque et romaine, magasin de vivres et, plus spécialement, cellier.

Apothètes, en gr. **Apothétai,** gorge du Taygète, où l'on abandonnait les enfants spartiates mal conformés.

apothicaire n. m. (du gr. *apothêkê,* boutique). Anc., pharmacien : *Les apothicaires du XVIIIe siècle ont grandement contribué au développement de la chimie expérimentale.* ● *Compte d'apothicaire,* compte très minutieux, mais difficile à interpréter et à discuter en raison de sa complexité ; compte fortement majoré. ◆ **apothicairerie** n. f. Anc., officine d'apothicaire.

apotoxine n. f. Toxine hypothétique qui, en se formant lors de la seconde pénétration de l'antigène dans l'organisme, détermine le choc anaphylactique*.

1. apôtre n. m. (lat. ecclés. *apostolus;* du gr. *apostolos,* envoyé de Dieu). Chacun des douze disciples que Jésus chargea particulièrement de prêcher son Evangile. (V. *encycl.*) || Se dit aussi de ceux qui, les premiers, ont porté l'Evangile dans une ville ou dans un pays : *Saint Denis est l'apôtre des Gaules.* || *Fig.* Celui qui se voue à la propagation d'une doctrine, d'une opinion, par l'exemple : *Se faire l'apôtre d'une idée nouvelle.* ● *Bon apôtre* (Péjor.), homme artificieux sous des dehors de bonhomie. || *Faire le bon apôtre,* affecter une franchise et une probité qu'on n'a pas. || *Prêcher en apôtre, comme un apôtre,* prêcher en ne se préoccupant que de convertir ses auditeurs. ◆ **apostolat** n. m. Action missionnaire des apôtres et de leurs successeurs. || Prédication d'une doctrine. ◆ **apostolicité** n. f. Propriété par laquelle une doctrine, une institution, une Eglise peut se réclamer des apôtres. (Pour les catholiques, elle est une des marques de la véritable Eglise.) ◆ **apostolique** adj. Qui vient, qui procède directement des apôtres : *Doctrine, traditions apostoliques.* || Qui rappelle les apôtres, leurs traditions, etc. : *Travaux apostoliques.* || Qui concerne le Saint-Siège ; qui en émane : *Le nonce apostolique.* || *Fig.* Qui fait de la propagande : *Montrer une ferveur apostolique pour une doctrine nouvelle.* ● *Chambre apostolique,* tribunal où l'on traite les affaires qui concernent les finances et le domaine de l'Eglise ou du souverain pontife. || *Concile apostolique,* réunion tenue par les apôtres à Jérusalem. || *Constitution apostolique,* recueil touchant la discipline et les cérémonies de l'Eglise, qui se donne pour l'œuvre de saint Clément, disciple des apôtres. || *Lettres apostoliques,* documents émanés de l'autorité des papes. (On en distingue quatre sortes : les bulles, les brefs, les *motu proprio* et les signatures de la cour de Rome.) || *Missionnaire apostolique,* celui qui reçoit ses pouvoirs directement du Saint-Siège. || *Siège apostolique,* évêché de Rome. || *Signature apostolique,* tribunal suprême du Saint-Siège (créé en 1908). ◆ **apostoliquement** adv. De façon apostolique.

— ENCYCL. ***apôtre.*** Les premiers disciples de Jésus-Christ ont d'abord été ceux de Jean-Baptiste : André et Pierre, et les fils de Zébédée, Jacques, dit *le Majeur,* et Jean, tous quatre pêcheurs fixés sur les bords du lac de Tibériade. Par la suite, Jésus se choisit huit disciples, qu'il appela *apôtres* : Philippe, Barthélemy, Matthieu (qui était publicain), Thomas, Jacques, dit *le Mineur,* Simon, Jude et Judas *l'Iscariote,* qui fut traître. La primauté de Pierre semble attestée par plusieurs épisodes évangéliques. Judas, qui s'était donné la mort, fut remplacé par Mathias. Plus tard, la personnalité exceptionnelle de

Paul lui permettra d'être admis parmi les apôtres, bien qu'il n'ait pas connu Jésus vivant. L'ami de Paul, Barnabé, est traditionnellement considéré, lui aussi, comme apôtre.

Apôtres (ACTES DES). V. ACTES DES APÔTRES.

Apôtres (SYMBOLE DES). V. SYMBOLE DES APÔTRES.

2. apôtre n. m. (du lat. *apposita*). Chacune des deux allonges, dites « d'écubier », qui, sur un navire, touchent l'étrave, la consolident et retiennent le beaupré. (L'étambot a aussi ses apôtres.)

apotropaïque adj. (gr. *apotrepein*, détourner). Se dit d'un objet, d'une formule visant à détourner les influences maléfiques.

appairage → APPAIRER.

appairer v. tr. Réunir des pièces qui doivent fonctionner par couple. ‖ Assortir par paire des articles de bonneterie. ◆ **appairage** n. m. Action d'assortir par deux.

« les Quatre **Apôtres** », par Dürer *(détail)*
Pinacothèque de Munich
à gauche : saint Jean et saint Pierre
à droite : saint Paul et saint Marc

Appalaches (MONTS), système montagneux de l'Amérique du Nord, entre l'estuaire du Saint-Laurent et l'Alabama ; 2 037 m au *mont Mitchell,* dans le Sud. C'est un massif montagneux anciennement plissé et pénéplané qui a été rajeuni par l'érosion : cette dernière a dégagé des crêtes de même altitude dans les roches dures et ouvert des dépressions dans les terrains tendres. A l'O. de la chaîne s'étend le *plateau appalachien*, formé d'une pénéplaine (1 261 m dans les Catskill) ; à l'E., le *plateau du Piedmont* est incliné vers la plaine côtière. Les ressources minières sont très importantes : le gisement pétrolier du Nord est aujourd'hui épuisé, mais le bassin charbonnier, aux réserves gigantesques, fournit la majeure partie de la production houillère des Etats-Unis. Gisements de minerai de fer dans le Sud.

appalachien, enne adj. Relatif aux Appalaches. ● *Relief appalachien,* type de relief formé de crêtes parallèles de hauteur relativement constante, séparées par des dépressions allongées. (Il résulte du plissement de terrains alternativement durs et tendres, suivi par une phase d'aplanissement, puis par une reprise de l'érosion sur la surface pénéplanée : ainsi, par « érosion différentielle », les crêtes de roche dure sont mises en valeur.)

Kempter

appaméen, enne adj. et n. Relatif à Pamiers ; habitant ou originaire de cette ville.

apparaître v. intr. (lat. pop. **apparescere* ; du lat. *apparere* [conj. **58**. L'auxiliaire est, en général, *être*]). Devenir visible ; se montrer, le plus souvent d'une manière brusque et inopinée, ou d'une façon à frapper l'attention, l'imagination : *Un nuage apparaît à l'horizon. Dieu apparut à Moïse dans un buisson ardent.* ‖ *Fig.* Sembler évident ; se présenter à l'esprit : *Il m'apparaît que vous vous êtes trompé.* ‖ Se présenter sous tel ou tel aspect : *Cette entreprise m'apparaît comme impossible.* ◆ **apparemment** adv. A en juger par l'extérieur, par l'apparence : *Apparemment, vous avez été malade.* ‖ Selon la vraisemblance : *Vous n'êtes pas surpris par le scandale ; apparemment, vous étiez au courant.* ◆ **apparence** n. f. Ce qui se présente immédiatement à la vue ou à l'esprit : *Une maison de belle apparence. Toutes les apparences sont contre l'accusé.* ‖ Aspect extérieur, qui ne répond pas à la réalité ; semblant : *Cacher sous une apparence bonasse une dureté intraitable.* ‖ — SYN. : *air, dehors, extérieur, façade, phénomène, probabilité, semblant, vraisemblance.* ● *Sauver les apparences,* ne rien laisser paraître qui puisse nuire à la réputation ou blesser les bienséances. ● LOC. ADV. *En apparence,* extérieurement, à en juger d'après ce que l'on voit. ◆ **apparent, e** adj. Qui apparaît clairement ; visible : *Faire des efforts apparents pour réussir.* ‖ Dont l'aspect ne correspond pas à la réalité : *Il n'y a là qu'une contradiction apparente.* ● *Diamètre apparent d'un objet,* angle sous lequel est vu cet objet. ‖ *Héritier apparent,* V. HÉRITIER. ‖ *Puissance apparente,* en courant alternatif monophasé, produit de la tension efficace par l'intensité efficace UI, qui s'évalue en voltampères. ‖ *Résistance apparente,* syn. de IMPÉDANCE. ‖ *Servitude apparente,* V. SERVITUDE. ‖ *Sujet apparent,* V. SUJET. ◆ **apparition** n. f. Action d'apparaître : *L'apparition d'une ombre devant la fenêtre.* ‖ Brève visite ; séjour d'un moment : *Il ne fit qu'une apparition.* ‖ Manifestation visible d'un être surnaturel : *Croire aux apparitions de revenants.* ‖ Manifestation sensible d'une personne ou d'un être dont la présence ne saurait s'expliquer par le cours naturel des choses (elle se distingue de la *vision* en ce qu'elle suppose l'existence réelle de l'objet perçu) : *Les apparitions de la Vierge, à Lourdes.*

apparat n. m. (lat. *apparatus,* préparatifs). Pompe, faste dans la mise et le maintien d'une personne ou le décor d'une cérémonie : *Dîner d'apparat.* ● *Apparat critique,* ensemble des variantes, conjectures, etc., reproduites au bas des pages d'une édition et qui permettent au lecteur de se faire une opinion sur la teneur du texte. ‖ *Lettres d'apparat,* lettres très ornées placées au début des chapitres des manuscrits.

apparaux → APPAREIL.

appareil n. m. (lat. pop. *appariculum ;* de *apparatus,* préparatifs). Assemblage de pièces disposées pour fonctionner ensemble ; instrument nécessaire pour exécuter un travail : *Les appareils ménagers. Un appareil photographique. Allô, qui est à l'appareil?* [téléphonique] ; et, au *fig. : L'appareil des lois.* ‖ Ensemble d'organes concourant à une fonction : *Appareil digestif. Appareil respiratoire. Appareil circulatoire. Appareil locomoteur. Appareil reproducteur.* ‖ *Fig.* Ensemble d'organismes directeurs, administratifs, etc. : *L'appareil du parti.* ‖ *Archit.* Taille et disposition des matériaux durs de construction. (V. *encycl.*) ‖ Ensemble des indications permettant de tailler les pierres d'un ouvrage. ‖ Epaisseur d'une pierre de taille (*grand* ou *petit appareil*). ‖ Avion : *Appareil de bombardement. Appareil de transport.* ‖ Ensemble des bandes, bandelettes agglutinatives, attelles, etc., utilisées en chirurgie dans le traitement des traumatismes ostéo-articulaires. ‖ Ensemble des organes destinés, soit à bord d'un navire, soit dans les arsenaux, à l'exécution des travaux de force : *Le grand et le petit appareil à mâter.* ● *Appareil d'appui,* appareil destiné à permettre les variations de longueur du tablier d'un pont. (Ce type d'appareil peut être fixe ou mobile.) ‖ *Appareil évaporatoire,* ensemble de tout ce qui contribue à la production de la vapeur, comme la chaudière, avec ses tubes, bouilleurs, foyers, portes, grilles, carneaux, cheminée, soupapes de sûreté, etc. ‖ *Appareils de levage, de manutention,* V. LEVAGE, MANUTENTION. ‖ *Appareil moteur,* nom donné particulièrement à la machine. ‖ *Dans le plus simple appareil,* nu. ◆ **apparaux** n. m. pl. Matériel d'équipement d'un navire, comprenant les ancres, les chaînes, les mâts de charge, les treuils, etc. ◆ **appareillage** n. m. Terme générique applicable à l'ensemble des appareils de manœuvre, de réglage, de sécurité ou de contrôle, et des accessoires employés dans les installations électriques. ‖ Ensemble des dispositions à prendre et des manœuvres à exécuter pour qu'un navire quitte le port et prenne sa route : *Appareillage d'un navire.* ◆ **appareiller** v. tr. Placer un appareil de prothèse sur : *Appareiller un moignon.* ● *Appareiller les pierres* ou *les moellons,* donner les mesures précises pour tailler les pierres. ✦ v. intr. Se préparer à partir et, ensuite, quitter le mouillage : *Le paquebot appareille.* ◆ **appareilleur** n. m. Ouvrier qui effectue le traçage et dirige la mise en œuvre de blocs de pierre de construction.

— ENCYCL. **appareil.** *Archit.* ● *Appareils grecs.* Les plus anciens sont dits *cyclopéens,* énormes blocs avec un remplissage de pierraille. Le *pélasgique* est fait d'énormes blocs avec un ravalement sommaire. On distingue encore le *polygonal,* le *trapézoïdal,* l'*hellénique* (pierres équarries en assises régulières), réparti en *isodomon, pseudisodomon, emplecton.*

● *Appareils romains.* L'*opus quadratum,* constitué de pierres de taille, était le plus utilisé. La base du mur pouvait consister en un mortier de petites pierres (*opus caementicium*). Les angles étaient parfois en briques ou en pierres quadrangulaires (*opus incertum* ou *antiquum*). L'*opus reticulatum* (appareil réticulé) était de pierres taillées en losange. L'*opus spicatum* (appareil en arêtes de poisson) se composait de briques posées obliquement. L'*opus mixtum* consistait à couper l'appareil par des lits horizontaux de briques. Le *grand appareil* était un assemblage de pierres de taille liées par des crampons ou des coins.

appareillade → APPAREILLER 2.

appareillage → APPAREIL.

appareillement → APPAREILLER 2.

1. **appareiller** (de *appareil*) → APPAREIL.

2. **appareiller** v. tr. (de *pareil*). Unir à quelque chose de pareil : *Appareiller des vases.* || Procéder à l'appareillement des animaux. || Choisir ou réunir les pièces qui doivent être assemblées. || — ***s'appareiller*** v. pr. S'accoupler, en parlant des animaux. ◆ **appareillade** n. f. Action d'appareiller par couple les perdrix, en vue de la reproduction. (Syn. APPARIADE, APPARIAGE, PARIADE). ◆ **appareillement** n. m. Action d'appareiller, de grouper des objets pareils : *L'appareillement d'un service de table.* || Choix de deux ou de plusieurs animaux pour un travail commun. || Accouplement de deux animaux pour la reproduction. ● *Méthode des appareillements,* mode d'organisation des expériences scientifiques, qui consiste, pour comparer deux traitements, à les essayer sur deux groupes de sujets dont chacun a dans l'autre groupe un homologue lui ressemblant en tous points.

appareilleur → APPAREIL.

apparemment, apparence, apparent → APPARAÎTRE.

apparentage, apparenté, apparentement → APPARENTER (s').

apparenter (s') v. pr. [**à**]. S'allier par le mariage à une famille, à une classe sociale : *S'apparenter à la bourgeoisie.* || *Fig.* Etre proche de ; avoir des caractères communs avec : *Une tolérance qui s'apparente à de l'indifférence.* || Pratiquer l'apparentement lors d'une élection. ◆ **apparentage** n. m. Le fait d'être apparenté à quelqu'un. ◆ **apparenté, e** adj. Pourvu d'une parenté : *Un garçon très bien apparenté.* || Allié : *Il est apparenté aux plus nobles familles.* || *Fig.* Proche de ; qui présente des traits communs avec : *La télévision est plus apparentée au cinéma qu'au théâtre.* ◆ **apparentement** n. m. Nom donné, dans divers systèmes de représentation proportionnelle en matière d'élection, à la faculté offerte à certaines listes de candidats d'une même circonscription de se grouper pour le décompte des voix, afin de gagner des sièges au détriment des adversaires communs.

appariage, appariement, apparié → APPARIER.

apparier v. tr. (du lat. *par,* semblable). Assortir par paires : *Apparier des gants.* || Mettre ensemble le mâle et la femelle : *Apparier des pigeons, des serins.* || — ***s'apparier*** v. pr. *Ornith.* Se mettre par couples pour la reproduction. ◆ **appariage** ou **appariement** n. m. Action d'apparier ; état de ce qui est apparié, assorti : *Un appariement heureux entre le sujet et l'auteur.* ◆ **apparié, e** adj. Assorti par paires : *Deux bas qui ne sont pas appariés.* || Se dit de deux électrons d'un atome possédant des spins opposés et formant un doublet.

appariteur n. m. (lat. *apparitor,* celui qui était chargé d'exécuter les ordres de l'autorité, comme les licteurs, les hérauts, les scribes, etc.). Autref., en France, huissier des cours ecclésiastiques. || Préparateur de laboratoire. || Huissier attaché à une faculté.

apparition → APPARAÎTRE.

apparoir v. impers. (n'est plus usité qu'à l'infin. et dans *il appert*). Ressortir avec évidence (en langue juridique) : *Ainsi qu'il appert des dépositions des témoins.*

appartement n. m. (ital. *appartemento ;* de *appartare,* séparer). Logement composé de plusieurs pièces, généralement de plain-pied, combinées de façon à former un ensemble : *Chercher un appartement à louer.*

appartenance, appartenant → APPARTENIR.

appartenir v. intr. (bas lat. *appertinere ;* de *pertinere,* se rapporter) [conj. **16**]. Etre la propriété soit de fait, soit de droit : *Ce livre lui appartient.* || *Fig.* Etre à la disposition, à la convenance de : *L'avenir appartient aux audacieux. Le choix vous appartient.* || Se donner par amour : *Une femme qui a appartenu à beaucoup d'amants.* || Faire partie de : *Vous n'appartenez plus au personnel de cette maison.* ✦ v. impers. *Il appartient à,* c'est le devoir, le droit, la fonction de : *C'est au directeur qu'il appartient de décider.* ● *Il vous appartient bien de* (Ironiq.), il vous sied bien de : *Il ne vous appartient pas de vous plaindre.* || *Ainsi qu'il appartiendra,* selon ce qui sera convenable. (On dit dans le même sens : *Ce qu'il appartiendra,* ce qui conviendra.) || *A tous ceux qu'il appartiendra,* à tous ceux qui auront droit, devoir ou intérêt à en prendre connaissance. || *Aux dépens de qui il appartiendra,* aux dépens de ceux qui seront désignés à cet effet. || — ***s'appartenir*** v. pr. Etre libre de ses actions, ne dépendre que de soi-même : *Je ne m'appartiens plus, je suis trop occupé.* ◆ **appartenance** n. f. Action d'appartenir : *L'appartenance à un parti.* ||

Parties du harnachement d'un cheval qui se rattachent à la selle (sangles, étriers, etc.). || *Math.* Qualité d'un élément qui fait partie d'un ensemble : *L'appartenance de l'élément* x *à l'ensemble E se note* x ∈ E. ● *Appartenance logique,* rapport de l'individu à la classe dont il fait partie. || — **appartenances** n. f. pl. *Dr.* Dépendances d'un domaine (hangars, cours, etc). ◆ **appartenant, e** adj. *Dr.* Qui appartient de droit : *Les biens à lui appartenants.*

appas → APPÂT.

Appassionata, titre sous lequel l'éditeur hambourgeois Cranz a fait connaître la sonate de Beethoven en *fa* mineur op. 57, composée à Vienne en 1804 et dédiée au comte de Brunswick.

appassionato adv. (mot lat.). *Mus.* Avec passion.

appât n. m. (lat. *pastus,* nourriture ; anc. franç. *past*). Amorce dont on se sert pour attirer le gibier, le poisson, et qui se fixe sur le piège même, sur l'hameçon : *Fixer un appât à l'hameçon.* || *Fig.* Tout ce qui attire, excite à faire quelque chose : *L'appât du gain.* ◆ **appas** n. m. pl. (forme pl. anc. de *appât*). Agréments extérieurs d'une femme, et plus particul. les seins : *Les appas d'une jolie femme.* || *Fig.* et *littér.* Attraits, charmes : *Trouver des appas à l'oisiveté.* ◆ **appâter** v. tr. Attirer avec un appât : *Appâter des poissons.* || Garnir d'un appât : *Appâter un piège.* || Gaver les oiseaux d'une pâtée nutritive (qu'il s'agisse de nouveau-nés ou d'oies engraissées pour leur foie). || *Fig.* Attirer, séduire : *Appâter quelqu'un par de belles promesses.*

appauvrir v. tr. Rendre pauvre : *Ce qui enrichit les uns appauvrit les autres.* || *Fig.* Diminuer la fertilité, la santé, la vigueur : *Appauvrir une terre, une langue.* || — SYN. : *épuiser, exténuer, ruiner.* || — **s'appauvrir** v. pr. Devenir pauvre ; s'épuiser. || *Fig.* Perdre de sa fertilité, de sa vivacité, de sa générosité, de son énergie, de son ressort : *La race s'appauvrit.* ◆ **appauvrissement** n. m. Action de rendre ou de devenir pauvre (au *pr.* et au *fig.*) ; état qui en résulte : *L'appauvrissement d'une nation.*

appeau n. m. (autre forme de *appel*). Sifflet ou instrument à vent avec lequel on imite le cri des oiseaux pour les attirer, les appeler : *L'usage des appeaux est interdit par la loi.* || *Fig.* Tout ce qui est propre à attirer en trompant : *Se laisser prendre à l'appeau.*

appel → APPELER.

appelable, appelant, appelé → APPELER.

Appel au peuple (COMITÉ DE L'), parti bonapartiste, organisé au début de la IIIe République sous la présidence de Rouher, en vue de préparer le rétablissement de l'Empire. Le parti, battu aux élections de 1876, se divisa à la mort du prince impérial (20 juin 1879). L'unité se refit plus tard, à la mort du prince Jérôme-Napoléon, dans le parti bonapartiste, qui devait disparaître peu à peu de la scène politique.

appeler v. tr. (lat. *appellare*) [conj. **3**]. Inviter quelqu'un à venir ou à prêter attention au moyen d'une parole, d'un cri ou d'un signe quelconque : *Appeler un ami dans la rue.* || Mander, faire venir : *Appeler le médecin.* || Nommer à une fonction : *Appeler quelqu'un à occuper un poste important.* || Citer en justice, faire comparaître devant un juge : *Appelé à témoigner.* || Donner un nom à quelqu'un, à quelque chose : *Appeler son fils Henri.* || Donner une qualification à quelqu'un ou à quelque chose : *J'appelle cela une ânerie.* || Vérifier la présence en prononçant le nom de quelqu'un : *Appeler les élèves d'une classe.* || *Fig.* Rendre propre ; destiner : *Son mérite l'appelle à commander.* || Réclamer, rendre nécessaire : *Cette conduite appelle votre sévérité.* || Entraîner, attirer comme conséquence nécessaire : *Un malheur en appelle un autre.* || Recourir à une juridiction supérieure pour faire réformer l'arrêt d'un tribunal inférieur. ● *Appeler aux armes,* essayer de soulever le peuple. || *Appeler l'attention de quelqu'un sur une chose,* l'engager à y réfléchir. || *Appeler les choses par leur nom,* dire nettement, crûment la vérité. || *Appeler la mort sur quelqu'un,* souhaiter que quelqu'un périsse. || *Appeler au secours, à l'aide ; appeler à son secours,* crier pour demander de l'aide ; s'adresser à telle personne, recourir à tel moyen pour venir à bout d'une chose. || *Appeler sous les drapeaux* ou, absol., *appeler,* convoquer au service militaire. || *En appeler à,* s'en remettre à : *J'en appelle à votre témoignage, à votre sagesse.* || *En appeler de,* refuser d'admettre la validité de : *J'en appelle de votre décision.* || *En appeler comme d'abus,* V. ABUS. || *Etre appelé à,* être destiné fatalement à : *Etre appelé à passer à la postérité.* || *Etre appelé par Dieu,* se convertir ; entrer en religion ; mourir. || — **s'appeler** v. pr. Avoir comme nom : *Il s'appelle Pierre.* ◆ **appel** n. m. Invitation pressante à venir, adressée par la voix ou par tout autre moyen : *Percevoir un appel lointain.* || Excitation, action d'inviter à une action : *Un appel à la révolte ;* et, au *fig.*, impulsion, attirance : *L'appel du désir.* || Recours : *Un appel à l'intervention étrangère.* || Vérification des personnes qui doivent être présentes dans un cas donné, faite en appelant successivement tous leurs noms : *Faire l'appel.* || Voie de recours ordinaire par laquelle une partie qui a succombé s'adresse à la juridiction supérieure pour obtenir la réformation de la décision des premiers juges. (Elle ne peut être exercée lorsqu'il s'agit d'un litige d'un montant infime ou lorsqu'il s'agit d'un crime jugé par la cour d'assises, et elle a un double effet : suspensif [l'exécution du jugement de première instance est suspendu par l'acte d'appel et même parfois par le simple délai d'appel] et dévolutif [le litige, en cas d'appel, est soumis à la juridiction du second degré dans toutes les questions de fait et de droit qu'il comporte].) || Ensemble des opérations par lesquelles les jeunes gens appartenant à un contingent sont convoqués sous les drapeaux pour accomplir leur service militaire. (L'appel du contingent comprend successivement le recensement*, la révision*, la présélection*, la répartition et l'incorporation* des recrues [lois des 10 juin 1971 et 10 juillet 1973].) || En sports, phase du saut qui succède à la course, et par laquelle commence le saut proprement dit. || En escrime, battement du pied sans marcher. || Aux cartes, défausse conventionnelle indiquant la couleur que l'on désire voir jouer. ● *Appel d'air,* aspiration d'air. || Dispositif créant une dépression dans un foyer, au moment de l'allumage, afin de faciliter l'entrée de l'air nécessaire à la combustion, avant l'établissement du tirage normal. || *Appel d'un cordage,* direction suivant laquelle il agit, c'est-à-dire transmet l'effort qu'on lui applique. || *Appel de fonds,* demande de nouveaux fonds à des actionnaires, à des associés, à des souscripteurs. || *Appel en garantie,* mise en cause, au cours d'un procès, d'une personne obligée de substituer sa responsabilité pécuniaire civile à celle de la partie qui la met en cause. || *Appel incident,* appel formé en réponse à un appel principal ou partiel, et qui porte sur les points où la partie qui appelle en premier, ayant eu gain de cause, ne fait pas porter sa demande de réformation. || *Appel de langue* (Equit.), action d'exciter le cheval par un claquement de langue. || *Appel à maxima, appel à minima,* appels que le ministère public peut former, en matière correctionnelle, en vue de diminuer ou d'élever la peine. || *Appel nominal,* mode de vote, dans une assemblée délibérante, qui consiste en ce que chaque membre, lors de l'appel de son nom, émet un vote oral public ou dépose son bulletin dans l'urne. || *Appel de note,* signe placé dans le texte pour indiquer qu'il se trouve une note, soit au bas de la page, soit en marge, ou à la fin du chapitre ou du volume. || *Appel principal,* appel formé par la partie qui saisit en premier la juridiction supérieure. || *Cour d'appel,* juridiction de second degré dont la décision porte le nom d' « arrêt ». || *Dispositif d'appel,* organe permettant d'effectuer l'appel à partir d'un poste téléphonique, soit du bureau central téléphonique, soit d'un abonné. || *Faire appel à,* solliciter : *Faire appel au bon sens de quelqu'un.* || *Indicatif d'appel,* abréviation qui identifie un bureau télégraphique ou une station radio-électrique. || *Jambe d'appel,* celle dont le sauteur se sert pour entamer le saut. || *Numéro d'appel,* numéro affecté à la ligne d'un abonné au tableau commutateur du bureau central téléphonique auquel cet abonné est rattaché. || *Sans appel,* définitif : *Une décision sans appel.* ◆ **appelable** adj. *Dr.* Dont on peut appeler. ◆ **appelant, e** n. et adj. *Dr.* Celui, celle qui appelle d'un jugement : *L'appelant. La partie appelante.* || — **appelant** n. m. *Chass.* Oiseau qui, par son cri ou sa forme, attire ses congénères libres. || — **appelants** n. m. pl. *Hist.* Barons anglais qui s'opposèrent à l'absolutisme du roi Richard II, qu'ils réussirent, en 1399, à renverser au profit de Henri de Lancastre (Henri IV). [Leur nom venait de la procédure d' « appel » pour trahison qu'ils avaient engagée, en 1386, contre les favoris du roi.] ◆ **appelé** n. m. Soldat ou gradé du contingent effectuant son service militaire. (Par oppos. aux engagés ou aux militaires de carrière.) ◆ **appellatif, ive** adj. et n. m. S'est dit pour désigner le nom commun, par oppos. au nom propre. ◆ **appellation** n. f. Nom que l'on donne à une chose, à une personne : *Appellation injurieuse.* || Dénomination garantissant l'origine d'un produit et, spécialem., des vins : *Appellation d'origine simple. Appellation d'origine contrôlée.*

appel d'un saut en longueur

Presse-Sports

appelet n. m. Filet pour la pêche du hareng.

Appell (Paul), mathématicien français (Strasbourg 1855 - Paris 1930). Professeur de mécanique rationnelle à la faculté des sciences de Paris, recteur de l'Académie de Paris (1920-1925), il écrivit de nombreux

Manuel-Roger-Viollet

Paul **Appell**

ouvrages sur la mécanique rationnelle, les fonctions elliptiques, hypergéométriques et hypersphériques, les polynômes d'Hermite, etc. (Acad. des sc., 1892.)

appellatif, appellation → APPELER.

appendice [apɛ̃dis] n. m. (lat. *appendix, icis,* ce qui est suspendu à). Complément placé à la fin d'un ouvrage, formé de remarques ou de textes qui n'ont pu trouver place dans le corps de l'ouvrage. ‖ Toute partie qui en complète accessoirement une autre : *Un garage en appendice au bâtiment principal.* ‖ Tout organe étroit, allongé, fixé par une seule extrémité à la masse principale

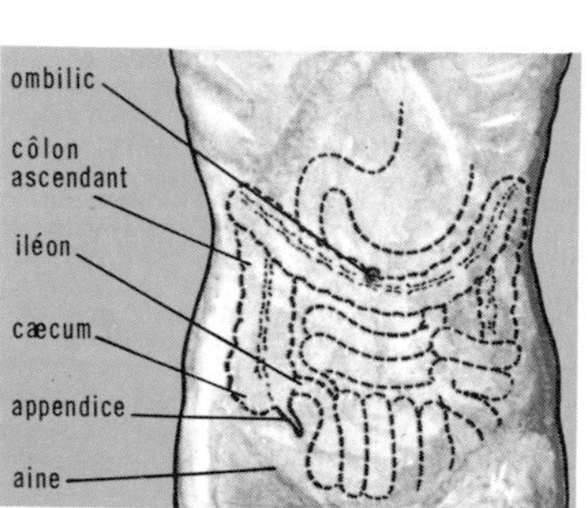

appendice

(appendice cæcal, nasal, caudal, etc.). ‖ *Particul.,* chacune des expansions latéro-ventrales présentes, à raison d'une paire par anneau chez les arthropodes* : antennes, pattes, pièces buccales, etc. ● *Appendice cæcal* ou *iléo-cæcal* ou *vermiculaire,* diverticule creux qui correspond à la partie terminale atrophiée du cæcum. (Il mesure de 4 à 12 cm, naît à 2 ou 3 cm au-dessous de l'abouchement de l'iléon au cæcum, descend généralement le long du bord interne de celui-ci. L'appendice cæcal est fréquemment le siège d'infections.) [V. APPENDICITE.] ◆ **appendicectomie** n. f. Ablation chirurgicale de l'appendice iléo-cæcal. ◆ **appendicite** n. f. Inflammation de l'appendice iléo-cæcal. (V. *encycl.*) ◆ **appendicostomie** n. f. Abouchement à la peau de l'appendice, après ouverture de sa cavité. ◆ **appendiculaire** adj. Relatif aux appendices. ‖ Qui a la forme, la nature, la position d'un appendice. ‖ Relatif à l'appendice iléo-cæcal : *Point douloureux appendiculaire.* ● *Organes appendiculaires,* organes végétaux ne faisant pas partie d'un axe* principal ou secondaire, mais situés latéralement (ex. : la feuille). ‖ — ***appendiculaires*** n. m. pl. Classe de tuniciers de haute mer, qui gardent toute leur vie un aspect lar-

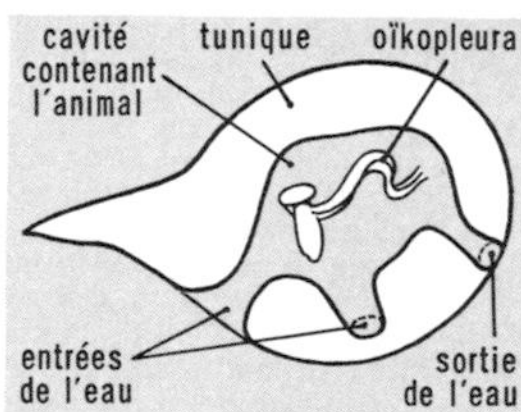

appendiculaires
oïkopleura dans son « nid »

vaire, analogue à celui des vertébrés. ◆ **appendiculé, e** adj. Pourvu d'un ou de plusieurs appendices.

— ENCYCL. ***appendicite.*** L'appendicite aiguë se manifeste par une douleur vive au côté droit, de la fièvre, des vomissements. L'examen révèle, au niveau de la fosse iliaque droite, une douleur très vive, maximale au point de McBurney, situé au milieu d'une ligne unissant l'ombilic à l'épine iliaque antéro-supérieure. L'intervention chirurgicale est nécessaire pour éviter l'apparition de complications (péritonite, abcès, occlusions). L'appendicite aiguë revêt souvent des signes spéciaux et trompeurs en raison du siège anormal de l'appendice (pelvien, rétro-cæcal, sous-hépatique) et en raison de l'âge du malade : le diagnostic est difficile chez le nourrisson et chez le vieillard.

appendicectomie, appendicite, appendicostomie, appendiculaire, appendiculé → APPENDICE.

appendre v. tr. (lat. *appendere,* suspendre). Pendre des ex-voto, des drapeaux, en signe de gratitude envers Dieu ou pour témoigner de la part qu'on prend à une fête.

appentis [apɑ̃ti] n. m. (de *appendre*). Petit toit à une seule pente, appuyé du faîte à un mur, tandis que sa partie inférieure est soutenue par des poteaux. || Petit bâtiment adossé contre un grand.

Appenzell, cant. de la Suisse, enclavé dans celui de Saint-Gall, au S. du lac de Constance ; 415 km^2 ; 60 400 h. Le canton s'étend sur une région de moyennes montagnes (Préalpes de la Suisse orientale), au climat humide. Elevage laitier ; travail artisanal de la broderie (en déclin) ; horlogerie. Le canton est divisé en deux demi-cantons : *Rhodes-Extérieures* (47 600 h. ; ch.-l. *Herisau*) et *Rhodes-Intérieures* (12 800 h. ; ch.-l. *Appenzell* [5 200 h.]).

appert (il). V. APPAROIR.

Appert (Nicolas), inventeur français (Châlons-sur-Marne 1749 - Massy 1841). Ses recherches portèrent sur la conservation des aliments par la chaleur. En 1810, il publia *le Livre de tous les ménages, l'art de conserver pendant plusieurs années toutes les substances animales ou végétales,* qui suscita la création des industries de la conserve.

Larousse

Nicolas **Appert**

Appert (les frères), maîtres de la verrerie de Clichy au XIXe s. Ils inventèrent le soufflage à air comprimé avec réservoir, permettant la fabrication de très grosses pièces (1878) et le moulage des tuyaux de verre.

appertisation n. f. (du nom de l'inventeur *Appert*). Procédé de conservation des denrées périssables par la stérilisation à la chaleur, dans des récipients hermétiquement clos.

appesantir v. tr. Rendre plus pesant, alourdir : *L'eau appesantit les vêtements.* || Rendre moins actif, moins prompt : *Etre appesanti par la digestion.* ● *Appesantir son bras, sa main,* infliger un châtiment, en parlant de Dieu ou d'une autorité supérieure : *Dieu a appesanti sa main sur ce peuple.* || *Appesantir son autorité, appesantir son joug,* rendre son autorité, sa domination plus oppressive : *Les Turcs appesantirent leur joug sur la péninsule balkanique.* || **— s'appesantir** v. pr. Devenir plus lourd : *S'appesantir avec l'âge. Son esprit s'appesantit.* ● *S'appesantir sur,* frapper, accabler : *La main de Dieu s'appesantit sur son peuple.* || Insister sur une chose, en parler trop longuement : *S'appesantir sur les détails.* ◆ **appesantissement** n. m. Etat d'une personne que l'âge, la maladie, etc., ont rendue moins alerte de corps ou d'esprit : *Sentir l'appesantissement des années.*

appétence, appétissant → APPÉTIT.

appétit n. m. (lat. *appetitus,* désir). Inclination par laquelle on est porté à désirer une chose pour la satisfaction d'un besoin (surtout au pl. dans ce sens) : *Satisfaire ses appétits naturels. Les études donnent l'appétit de savoir plus.* || Désir de manger, particulièrement orienté vers certains aliments et dicté non seulement par le besoin, mais par le goût, les traditions et tout le conditionnement extérieur (à cet égard, s'oppose à *faim*). ● *Appétit de loup,* violent appétit. || *Appétit d'oiseau,* très petit appétit. || *Demeurer, rester sur son appétit,* ne pas le satisfaire entièrement ; et, au *fig.,* n'être pas satisfait dans ses désirs. || **— appétits** n. m. pl. Nom usuel de la *civette* ou *ciboulette.* ◆ **appétence** n. f. Désir qui porte vers tout objet propre à satisfaire un penchant naturel et, en particulier, qui porte à désirer un aliment. || Comportement d'un sujet vers un objet donné, déclenché par une pulsion déterminée. ◆ **appétissant, e** adj. Qui excite l'appétit, les désirs : *Mets appétissant. Une femme appétissante.* || — SYN. : *affriolant, aguichant, alléchant, attirant, ragoûtant.*

Lartigue-Rapho

via **Appia**

Appia (VIA), en franç. *voie Appienne,* route de Rome à Brindisi, commencée en 312 av. J.-C. par le censeur Appius Claudius, et bordée de somptueux tombeaux, dont celui de Caecilia Metella.

Appia (Adolphe), metteur en scène suisse

(Genève 1862 - Nyon 1928). Opposé au réalisme historique du décor, il voulait mettre en valeur le jeu de l'acteur lui-même.

Appien, en gr. **Appianos,** historien grec (né à Alexandrie v. 95 apr. J.-C.), auteur d'une *Histoire romaine* où les faits sont groupés par nations.

Appienne (VOIE). V. APPIA (*via*).

Appius (Claudius). V. CLAUDIUS.

applaudir v. tr. (lat. *applaudere*). Approuver, louer en battant des mains, principalement lors d'une représentation artistique, d'un discours, etc. : *Applaudir les acteurs d'une pièce;* et, *absol. : La foule applaudit.* ‖ *Fig.* Louer, admirer : *Applaudir les exploits des sauveteurs.* ‖ — SYN. : *approuver, goûter, louer.* ✦ v. tr. ind. [**à**]. Approuver entièrement; se réjouir de : *Applaudir à une décision.* ‖ — ***s'applaudir*** v. pr. [**de**]. Se féliciter, se réjouir : *S'applaudir d'une résolution.* ◆ **applaudissement** n. m. Action d'applaudir : *Un tonnerre d'applaudissements.* ‖ — SYN. : *éloge, louange.* ◆ **applaudisseur, euse** n. Personne qui applaudit.

Appleton, v. des Etats-Unis (Wisconsin); 57 100 h. Industries du bois; constructions mécaniques; papeteries.

Appleton (sir Edward Victor), physicien anglais (Bradford 1892 - Edimbourg 1965). Il est l'auteur d'études sur l'ionosphère, dont il mesura l'altitude et découvrit une deuxième couche. (Prix Nobel de physique, 1947.)

applicable, applicage, applicatif, application, applique, appliqué → APPLIQUER.

appliquer v. tr. (lat. *applicare*). Mettre une chose sur une autre de manière à l'y rendre adhérente ou à y laisser une empreinte : *Appliquer des couleurs sur une toile, un cachet sur la cire.* ‖ Mettre une chose sur une autre ou contre une autre : *Appliquer des ventouses à un malade, une gifle sur la figure de quelqu'un.* ‖ *Fig.* Faire porter une action, un effort, un procédé sur quelqu'un ou sur quelque chose; employer : *Appliquer un traitement à un malade. Appliquer tout son esprit à un travail.* ‖ Mettre en pratique : *Appliquer un théorème. Appliquer une méthode. Appliquer une règle.* ✦ v. intr. Etre adapté à; prendre la forme de : *Un chandail serré qui applique bien sur le corps.* ‖ — ***s'appliquer*** v. pr. [**à**]. Etre adapté à un cas particulier : *Cette réflexion s'applique bien à la situation.* ‖ S'attacher à une chose, y donner beaucoup de soin, d'attention : *S'appliquer aux détails;* et, *absol. : Un enfant qui s'applique.* ‖ S'efforcer consciencieusement de : *S'appliquer à garder son sang-froid.* ◆ **applicable** adj. Susceptible d'être appliqué, collé sur : *L'or n'est applicable sur certains métaux qu'après une préparation minutieuse.* ‖ *Fig.* Qui peut ou doit être appliqué à quelqu'un, à quelque chose : *Un règlement applicable.* ‖ Qui peut être utilisé, mis en pratique : *Une théorie applicable.* ‖ *Math.* Se dit de deux surfaces telles qu'il existe entre leurs points une correspondance qui conserve les longueurs : *Les surfaces développables sont applicables sur un plan.* ◆ **applicage** n. m. Action d'appliquer quelque chose à un objet pour sa décoration ou sa solidité : *Le travail d'applicage de la céramique.* ◆ **applicatif, ive** adj. *Bot.* Se dit de la préfoliation, lorsque les feuilles sont appliquées face à face l'une contre l'autre. ◆ **application** n. f. Action d'appliquer (au *pr.* et au *fig.*) : *Application d'une couche de badigeon sur un mur. Application de ventouses. Les applications de la science à l'art militaire. L'application pratique d'une proposition.* ‖ Action d'appliquer son esprit à quelque chose; attention soutenue : *Un élève qui travaille avec application.* ‖ Effort pénible : *Un style qui sent l'application.* ‖ Ornement de broderie ou de dentelle rapporté et se distinguant du fond soit par la matière, soit par l'exécution. (On dit également APPLIQUE.) ‖ *Céram.* Procédé qui consiste à poser la couleur vitrifiable sous la couverte, à la façon d'un engobe. ‖ Action de déposer, par divers procédés, sur un subjectile, une peinture, un vernis ou une préparation assimilés, dont le film, après séchage, assurera la protection ou la décoration. (V. *encycl.*) ‖ — SYN. : *attention, contention, méditation, réflexion.* ● *Application d'un ensemble E dans un ensemble E'* (Math.), opération qui consiste à faire correspondre à tout élément de E un élément de E'. (Si l'application recouvre entièrement E', on dit qu'elle a lieu sur E'.) ‖ *Application de la peine,* action de soumettre une infraction à la sanction prévue par la loi. ‖ *Ecole d'application,* école où de jeunes officiers d'active provenant des écoles de formation reçoivent l'instruction technique particulière à leur arme ou à leur service : *L'école d'application de l'artillerie à Châlons-sur-Marne.* (Ces écoles servent également à la formation des élèves officiers de réserve.) ◆ **applique** n. f. Objet fixé au mur d'une manière permanente. ‖ Revêtement mural de marbre ou de mosaïque. ‖ Appareil d'éclairage fixé directement au mur. ◆ **appliqué, e** adj. Studieux, attentif à son travail : *Un écolier appliqué.* ● *Arts appliqués,* syn. d'ARTS DÉCORATIFS*. ‖ *Mathématiques appliquées,* mathématiques considérées dans leur application aux arts et à l'industrie, par oppos. aux *mathématiques pures.* ‖ *Sciences appliquées,* sciences et techniques qui utilisent, pour se développer, les progrès des sciences pures.

— ENCYCL. ***application.*** En peinture, l'application doit être précédée d'une mise en état du subjectile, afin que le produit appliqué conserve toutes ses propriétés spécifiques, comme son adhérence et son brillant. Sur le subjectile mis en état, on dépose alors une *couche primaire* ou *d'impression,* une ou plusieurs *couches intermédiaires,* et une *couche* *de finition.* Dans cette opération, on utilise la brosse ou le pinceau (bâtiment et industrie, pour la première couche et travaux de décoration), le pistolet ou le rouleau. L'industrie fait aussi appel à l'application en vrac ou au tonneau, ainsi qu'à l'application au pistolet dans un champ électrostatique, cette dernière permettant des économies de main-d'œuvre et de produits.

appoggiature n. f. (de l'ital. *appoggiare,* appuyer). *Mus.* Note d'ornement, étrangère à

l'accord sur lequel elle est entendue, placée un degré en dessous ou en dessus de la note principale.

Appoigny, comm. de l'Yonne (arr. et à 9 km au N. d'Auxerre), près de l'Yonne; 2 625 h. Eglise des XIIIe et XVIe s. Poteries.

appoint → APPOINTER 1.

appointage, appointé, e → APPOINTER 2.

appointé, appointements → APPOINTER 1.

1. appointer v. tr. (lat. pop. *appunctare;* de *ad,* et *punctum,* point). Donner des appointements à quelqu'un : *Appointer un employé.* ◆ **appoint** n. m. Somme qui solde un compte : *Payer un achat par un billet à ordre et par un appoint.* ‖ Somme ajoutée à un décompte de paie pour obtenir un « net à payer ». ‖ *Fig.* Aide accessoire, concours : *Apporter l'appoint de ses connaissances.* ● *Faire l'appoint,* compléter une somme par un appoint, ou payer un achat en remettant la somme exacte. ◆ **appointé** n. Personne qui reçoit un salaire : *Un appointé des services de police.* ◆ **appointements** n. m. pl. Rémunération attachée à un emploi, à une fonction : *Recevoir, toucher des appointements.* ‖ — SYN. : *émoluments, gages, honoraires, salaire, traitement, solde.*

2. appointer ou **appointir** v. tr. (de *à* et *pointe*). Tailler en pointe : *Appointer un bâton, un crayon, un fil de fer.* ‖ **— s'appointer** v. pr. S'effiler, se terminer en pointe. ◆ **appointage** ou **appointissage** n. m. Action d'appointer. ◆ **appointé, e** adj. *Hérald.* Se dit de pièces ou de meubles qui se touchent par une pointe.

appointure n. f. (de *point*). Ensemble de points de couture destinés à maintenir réunis les bords de deux morceaux de cuir.

Appomattox, village de Virginie (Etats-Unis), à l'E. de Lynchburg; 1 100 h. A proximité, le 9 avril 1865, l'armée des confédérés du général Lee se rendit aux troupes nordistes du général Grant, mettant ainsi fin à la guerre de Sécession.

T. A. M.

appontage d'un hélicoptère

appontage n. m. Prise de contact d'un aéronef avec la piste d'envol d'un porte-avions. (D'abord commandée à l'aide de deux panneaux maniés à bras par un officier, la manœuvre d'appontage est aujourd'hui rendue automatique grâce à un dispositif optique, dit *miroir d'appontage.*) ◆ **appontement** n. m. Construction en bois ou en fer, destinée à permettre le chargement et le déchargement des navires. ◆ **apponter** v. intr. Prendre contact avec la piste d'envol d'un porte-avions. ◆ **apponteur** n. m. et adj. Sur un porte-avions, officier chargé de diriger les opérations d'appontage.

Apponyi (Antal, comte), diplomate autrichien (Apponyi, prov. de Nitra, 1782 - *id.* 1852), ambassadeur à Londres, Rome et Paris (jusqu'en 1849). — Son neveu GYÖRGY, homme politique (Pozsony [Bratislava] 1808 - Eberhard 1899), fut chancelier du royaume de Hongrie (1846) et président de la Chambre des magnats (1861). — ALBERT (Vienne 1846 - Genève 1933), fils du précédent, président de la Chambre, plusieurs fois ministre, représenta la Hongrie à la conférence de la paix (1919-1920) et à la S. D. N.

apport → APPORTER.

apporter v. tr. (lat. *apportare*). Porter à l'endroit où se trouve quelqu'un : *Apporter un verre à un consommateur.* ‖ Porter avec soi en venant de quelque part : *Le médecin apportera ses instruments.* ‖ Fournir : *Apporter un capital de plusieurs millions.* ‖ *Fig.* Annoncer; transmettre : *Apporter des nouvelles d'un absent.* ‖ Employer, mettre; produire à l'occasion de quelque chose : *Apporter du soin, de l'attention à faire quelque chose.* ‖ Produire, donner : *Le travail apporte des satisfactions.* ‖ — SYN. : *emporter, porter, transporter.* ◆ **apport** n. m. Action d'apporter : *L'apport d'alluvions par les eaux.* ‖ Ce qui est apporté : *L'apport de l'expérience.* ‖ Bien qu'un associé transfère à une société et qui peut être en nature (objet), en numéraire (somme d'argent) ou en industrie (travail). ◆ **apporteur, euse** n. Personne qui fait un apport à une société.

apposer v. tr. (de *poser*). Appliquer, mettre une chose sur une autre : *Apposer une affiche, sa signature, des scellés.* ● *Apposer une clause, une condition à un acte*, l'y insérer. ‖ *Apposer les scellés*, appliquer un sceau de caractère officiel sur la serrure d'une porte d'appartement ou de meuble, afin qu'on ne puisse soustraire aucun des objets qui y sont enfermés. ◆ **apposition** n. f. Action d'apposer : *L'apposition d'un sceau.* ‖ Mot ou groupe de mots qui, placé directement à côté d'un nom ou d'un pronom qu'il précise, ne désigne avec lui qu'une seule et même personne, une seule et même chose. (Ex. : *Paris, capitale de la France.*)

appréciable, appréciateur, appréciatif, appréciation → APPRÉCIER.

apprécier v. tr. (bas lat. *appretiare ;* de *pretium*, prix). Déterminer une valeur matérielle et la traduire en chiffres : *Apprécier des meubles.* ‖ Calculer, évaluer : *Apprécier la distance qui sépare deux villages.* ‖ Déterminer la valeur intellectuelle ou morale : *Apprécier diversement un discours.* ‖ Faire cas de; attribuer de la valeur à; goûter le mérite de : *Apprécier le confort. Apprécier avec reconnaissance les services de quelqu'un.* ‖ — SYN. : *estimer, évaluer, juger, priser.* ◆ **appréciable** adj. Qui peut être apprécié, évalué, constaté (au *pr.* et au *fig.*) : *Une distance difficilement appréciable.* ‖ Assez considérable, digne qu'on en tienne compte : *Des avantages appréciables.* ◆ **appréciateur, trice** n. et adj. Celui, celle qui apprécie : *Un appréciateur de la bonne cuisine.* ◆ **appréciatif, ive** adj. Qui indique une appréciation : *L'état appréciatif d'un mobilier.* ◆ **appréciation** n. f. Action d'apprécier : *Commettre une erreur d'appréciation.* ‖ Jugement qui résulte d'un examen critique : *Porter des appréciations sévères sur quelqu'un.*

appréhender v. tr. (lat. *apprehendere*, saisir). Procéder à l'arrestation d'un délinquant : *Appréhender un malfaiteur.* ‖ *Fig.* Craindre d'avance la venue de quelque chose de désagréable, d'un danger : *J'appréhende de le revoir. J'appréhendais qu'il vînt* (ou *qu'il ne vînt*). ◆ **appréhension** n. f. Crainte d'une chose à venir jugée désagréable ou dangereuse : *Eprouver des appréhensions avant un examen.* ‖ *Philos.* Fait de saisir intellectuellement un objet.

apprendre v. tr. et tr. ind. [**à,** suivi d'un infin.] (lat. *apprehendere,* saisir) [conj. **50**]. Acquérir une connaissance ou un ensemble de connaissances : *Apprendre l'anglais ;* et, absol. : *Un enfant qui apprend facilement.* ‖ Acquérir une habitude : *Apprendre à se taire.* ‖ Etre informé d'une chose qu'on ignorait : *Apprendre une nouvelle.* ‖ Faire acquérir une connaissance ou un ensemble de connaissances : *Apprendre à lire à un enfant.* ‖ Informer quelqu'un d'une chose qu'il ignorait : *Apprendre à des parents que leur fils est sauvé.* ● *Je vous apprendrai à me répondre insolemment !* (Ironiq.), je vous punirai de façon à vous apprendre à ne plus le faire. ◆ **apprenti, e** n. Celui, celle qui apprend un métier : *Former des apprentis.* ‖ Personne qui ne connaît pas les éléments de son métier : *Il se donne pour un grand maître et il n'est qu'un apprenti.* ● *Apprenti marin*, grade le moins élevé du corps des équipages de la flotte. ◆ **apprentissage** n. m. Action d'apprendre un métier manuel ou intellectuel : *L'apprentissage du métier de journaliste.* ‖ Le temps que l'on est apprenti. ‖ *Fig.* Première expérience : *Faire l'apprentissage de la vie.* ‖ *Psychol.* Etablissement de relations entre la personnalité et le milieu. (Ses éléments constitutifs sont le *signe,* ou appel dirigé vers le sujet, la *réponse* du sujet, la *pulsion,* qui suscite la réponse, et le *renforcement,* ou adaptation de la réponse au cours de l'apprentissage.) ‖ Formation professionnelle des jeunes. (La fin de leurs études est sanctionnée par l'obtention d'un C. A. P. [certificat d'aptitude professionnelle].) ‖ Ensemble des processus par lesquels un animal élabore ou modifie un comportement sous l'influence de son environnement. ● *Contrat d'apprentissage,* contrat de travail d'une nature particulière, aux termes duquel un employeur s'engage à verser un salaire et à assurer une formation professionnelle méthodique et complète (donnée pour partie dans l'entreprise, pour partie dans un centre de formation pour apprentis) à un jeune travailleur qui, en échange, s'engage à travailler pour cet employeur pendant la durée du contrat. ‖ *Taxe d'apprentissage,* taxe portant sur le montant annuel des salaires, y compris les avantages en nature, et à laquelle sont astreintes les personnes physiques et les sociétés de personnes exerçant certaines activités, les personnes morales passibles de l'impôt sur les sociétés, et les coopératives agricoles, afin de permettre à l'Etat de couvrir les dépenses que nécessite le développement de l'enseignement technologique et professionnel. ● **appris, e** adj. *Bien, mal appris,* bien, mal élevé : *Un individu fort mal appris.* (On écrit aussi MALAPPRIS.)

apprentis mécaniciens (ECOLES DES), écoles militaires préparatoires de l'armée de l'air (à Saintes, à Nîmes et à Rochefort) et de la marine (à Toulon), destinées à former des jeunes gens de quinze à dix-sept ans, devenant spécialistes militaires de la mécanique.

Apprenti sorcier (L'), ballade de Goethe (1797). L'élève d'un magicien métamorphose un balai en un être vivant, qu'il charge d'aller puiser de l'eau pour remplir une baignoire, mais il ne se souvient plus de la formule qui doit mettre fin à l'enchantement, et l'eau commence à inonder la maison. Le retour du magicien fait tout rentrer dans l'ordre. — Cette ballade a inspiré un scherzo symphonique de Paul Dukas (1897), œuvre humoristique construite sur trois thèmes : celui des sortilèges, celui du jeune apprenti, celui qui s'intitule « motif d'évocation ».

apprentissage → APPRENDRE.

apprêt, apprêtage, apprêté → APPRÊTER.

apprêter v. tr. (lat. pop. **apprestare*; de *praesto*, à la portée de). Mettre en état de servir à bref délai : *Apprêter ses malles pour un voyage.* || Donner de l'apprêt à une étoffe. || Effectuer le tannage des peaux pour fourrures. || Accommoder [un mets] : *Apprêter un civet.* ● *Apprêter les cartes,* les préparer pour tricher ou pour faire des tours. || — ***s'apprêter*** v. pr. Se mettre en état de faire une chose : *S'apprêter à partir.* || Faire des préparatifs de toilette : *S'apprêter rapidement le matin.* ◆ **apprêt** n. m. Nom générique des opérations que l'on fait subir à certains objets (tissus, peaux, etc.) soit pour les préparer à des manipulations ultérieures, soit pour leur donner un éclat et un aspect favorables à la vente, ou pour leur conférer de nouvelles propriétés. || Matière servant à ces opérations : *Une étoffe sans apprêt.* || Ensemble d'une préparation culinaire. || Préparation pour couche intermédiaire, s'appliquant comme une peinture et utilisée pour garnir la surface des subjectiles. || Matière fusible colorée (dite aussi ÉMAIL), employée dans la peinture sur verre, particulièrement dans l'art du vitrail, à partir du milieu du XVIe s. || *Fig.* Affectation, recherche : *Un esprit gracieux et sans apprêt.* || — **apprêts** n. m. pl. Préparatifs, préparation : *Les apprêts d'une fête, d'un départ.* ◆ **apprêtage** n. m. Action ou manière d'apprêter. ◆ **apprêté, e** adj. Qui a reçu l'apprêt. || *Fig.* Où l'on sent trop le travail préliminaire ; dépourvu de naturel : *Style apprêté.* ◆ **apprêteur, euse** n. Ouvrier, ouvrière chargés d'exécuter des apprêts. ◆ **apprêture** n. f. *Rel.* Ensemble des opérations précédant la couvrure : pose des signets et des tranchefiles, préparation des cartons, encollage et ponçage du dos.

apprivoisement → APPRIVOISER.

apprivoiser v. tr. (lat. pop. **apprivatiare*; de *privatus*, privé). Rendre un animal plus traitable ou moins sauvage : *Apprivoiser des oiseaux.* || *Fig.* Rendre familier, docile, doux : *Un enfant qu'on apprivoise lentement.* || — ***s'apprivoiser*** v. pr. Devenir moins farouche : *L'ours finit par s'apprivoiser.* || *Fig.* S'accoutumer ; se familiariser : *S'apprivoiser avec le danger.* || Devenir plus sociable. ◆ **apprivoisement** n. m. Action d'apprivoiser.

approbateur, approbatif, approbation, approbativement, approbativité → APPROUVER.

approchable, approchant, approche, approché → APPROCHER.

approcher v. tr. (bas lat. *appropiare*; de *prope*, près de). Mettre près de quelqu'un ou de quelque chose : *Approcher un fauteuil de quelqu'un.* || Aborder, voir habituellement, trouver accès auprès de quelqu'un : *Approcher les grands hommes.* ● *Approcher la femelle,* s'accoupler avec elle, en parlant du mâle des animaux. ✦ v. tr. ind. **[de]**. Venir près de : *Approcher du but.* (Ne s'emploie qu'avec un nom de chose pour complément.) || Avoir de la ressemblance avec : *Une couleur qui approche de la couleur naturelle.* ● *Approcher des sacrements,* se confesser et communier. ✦ v. intr. Avancer : *Approchez, j'ai à vous parler.* || Etre imminent : *L'heure de la décision approche.* || Au golf, exécuter une approche. || — ***s'approcher*** v. pr. **[de]**. S'avancer, se mettre auprès de quelqu'un ou de quelque chose : *Le bateau s'approche de la côte.* || Devenir proche dans le temps : *La nuit, la vieillesse s'approche.* || Avoir du rapport, de la parenté : *L'intérêt du roman ne se soutient qu'autant qu'il s'approche de la réalité.* ◆ **approchable** adj. Qu'on peut approcher ; accessible. (Ne s'emploie guère qu'avec la négation.) ◆ **approchant, e** adj. Ne s'emploie plus que dans les expressions *quelque chose d'approchant* ou *rien d'approchant,* c'est-à-dire d'analogue, de semblable : *Un tissu de laine beige ou quelque chose d'approchant.* ◆ **approche** n. f. Mouvement par lequel on s'avance vers quelqu'un ou vers quelque chose : *L'approche d'un supérieur m'intimide.* || *Fig.* Mouvement par lequel on cherche à aborder une question : *L'approche du sujet est difficile.* || Proximité dans le temps ou dans l'espace : *A l'approche du danger.* || En parlant des animaux, accouplement. || Progression d'une unité militaire en zone d'insécurité. (On dit plutôt MOUVEMENT EN GARDE.) || Ensemble des manœuvres, à proximité d'un aérodrome, qu'un avion doit effectuer durant sa prise de terrain, avant de se poser sur la piste d'atterrissage. || Au golf, coup joué aux alentours du green en envoyant la balle près du trou. || *Imprim.* Distance naturelle qui existe entre les lettres et le blanc nécessaire que porte chacune d'elles. || Séparation vicieuse de deux lettres consécutives. || Signe typographique servant à indiquer le rapprochement de mots ou de lettres trop éloignés les uns des autres. ● *Courbe aux approches égales,* courbe telle que, si un point pesant est assujetti à la parcourir, sa projection sur une verticale est animée d'un mouvement uniforme. || *Enclenchement d'approche,* mécanisme ou dispositif électrique empêchant la manœuvre d'un signal ou d'un appareil lorsqu'un train, s'approchant de ce signal ou de cet appareil, en parvient à une distance insuffisante pour lui permettre de respecter les conditions de vitesse imposées par cette manœuvre. || *Procédure d'approche,* ensemble des dispositions réglementaires qui régissent les évolutions d'un avion à proximité d'un aérodrome avant son atterrissage. || *Signal d'approche,* signal destiné à renseigner le mécanicien d'un train de l'approche d'un point particulier (gare, ralentissement, signal d'arrêt, etc.). || — ***approches*** n. f. pl. Abords, parages, accès : *Les approches d'une ville. Aux approches du printemps.* ◆ **approché, e** adj. Approximatif : *Il se faisait une idée approchée de l'événement.* ● *Calcul approché,* calcul qui donne une valeur approchée de la quantité calculée. || *Valeur approchée,* valeur qui comporte un certain écart avec la valeur exacte.

approfondi → APPROFONDIR.

approfondir v. tr. Rendre plus profond : *Approfondir un canal.* || *Fig.* Rendre plus intense : *Approfondir un désaccord.* || Pénétrer très avant dans la connaissance d'une chose ; rechercher la cause de : *Approfondir une question.* ◆ **approfondi, e** adj. Minutieux, qui va au fond des choses : *Avoir une connaissance approfondie d'un sujet.* ◆ **approfondissement** n. m. Action d'approfondir (au *pr.* et au *fig.*) : *L'approfondissement d'un chenal. L'approfondissement d'un problème.*

appropriation, approprié → APPROPRIER.

approprier v. tr. (bas lat. *appropriare ;* de *proprius,* propre). Adapter, rendre propre à une destination précise : *Approprier son discours aux circonstances.* || — ***s'approprier*** v. pr. Faire d'une chose sa propriété, le plus souvent indûment : *S'approprier un héritage. S'approprier le mérite d'une découverte.* ◆ **appropriation** n. f. Action d'approprier ; état de ce qui est approprié : *L'appropriation du sol à la culture. L'appropriation des instruments de production.* ● *Appropriation d'un circuit,* montage permettant d'utiliser simultanément un même circuit, au télégraphe et au téléphone. ◆ **approprié, e** adj. [**à**]. En accord avec ; convenable : *Un langage approprié aux circonstances.*

Approuague, fl. de la Guyane française ; 300 km env.

approuvable → APPROUVER.

approuver v. tr. (lat. *approbare,* prouver). Agréer, trouver bon : *Approuver le mariage de son fils.* || Juger bon, louable, en parlant des choses ou des personnes : *Approuver les gestes de clémence.* || Autoriser par une décision administrative : *Ouvrage approuvé par l'autorité.* || — SYN. : *acquiescer, applaudir, consentir, donner raison, goûter, sanctionner.* ● *Approuvé,* mot que l'on emploie au bas d'un acte, d'un compte (reste invariable lorsque le nom suit) : *Approuvé la déclaration ci-dessus.* ◆ **approbateur, trice** n. Personne qui approuve : *Trouver en quelqu'un un approbateur sincère.* || Autref., censeur qui avait officiellement donné son approbation à un ouvrage, avant qu'il fût publié. ✦ adj. Qui témoigne d'une approbation : *Sourire approbateur.* ◆ **approbatif, ive** adj. Qui exprime l'approbation : *Des signes approbatifs.* ◆ **approbation** n. f. Consentement que l'on donne à quelque chose : *Il ne fait rien sans mon approbation.* || Jugement, opinion favorable : *Se soucier de son approbation.* || — SYN. : *acquiescement, adhésion, agrément, applaudissement, assentiment, consentement, ratification.* ● *Approbation des livres, des ordres religieux,* etc., jugement officiel du supérieur ecclésiastique compétent, qui déclare satisfaisants tel écrit, telle institution, etc. || *Approbation préalable,* procédé de tutelle* qui a pour effet de suspendre l'application de la décision prise par une autorité administrative, tant que l'autorité supérieure n'a pas manifesté son accord : *Le budget des communes est soumis à l'approbation préalable du préfet.* ◆ **approbativement** adv. De façon approbative. ◆ **approbativité** n. f. Attitude exagérée d'approbation de tout interlocuteur. ◆ **approuvable** adj. Qui peut être approuvé.

approvisionnement → APPROVISIONNER.

approvisionner v. tr. Munir de provisions ; pourvoir de choses nécessaires : *Approvisionner une ville. Approvisionner une arme.* ◆ **approvisionnement** n. m. Action de munir de provisions un pays, une ville, une armée, etc. : *L'approvisionnement en légumes est difficile l'hiver.* ● *Approvisionnement d'une arme,* introduction dans le magasin d'une ou de plusieurs cartouches en vue d'alimenter le tir. || *Officier d'approvisionnement,* celui qui, dans un corps de troupe, perçoit et distribue aux unités l'habillement, les vivres et divers matériels reçus de l'Intendance. || — ***approvisionnements*** n. m. pl. Les provisions elles-mêmes, quand elles sont rassemblées ; fournitures : *Renouveler ses approvisionnements.* ● *Service des approvisionnements,* service qui, dans une entreprise, a pour but de fournir à tous les autres services ce dont ceux-ci ont besoin. ◆ **approvisionneur, euse** n. Celui, celle qui approvisionne.

approximatif → APPROXIMATION.

approximation n. f. (lat. *approximatio ;* de *approximare,* approcher). Evaluation par à-peu-près, qui approche du chiffre exact que l'on cherche sans y atteindre absolument : *Evaluer par approximation.* || Tout ce qui n'offre pas une exactitude rigoureuse : *Ce ne sont que des approximations de la vérité.* ● *Approximation des racines d'une équation,* calcul approché de ces racines. || *Méthode des approximations successives,* méthode développée par E. Picard pour établir l'existence des intégrales d'une équation différentielle. || *Théorie des approximations,* théorie permettant de déterminer : 1° l'approximation du résultat d'un calcul, si l'on connaît celle des données ; 2° la précision nécessaire des données pour obtenir sur la réponse une précision fixée à l'avance. ◆ **approximatif, ive** adj. Fait par approximation : *Calcul* *approximatif.* ◆ **approximativement** adv. De façon approximative ; par approximation. ‖ De très loin ; très peu : *Portrait qui ressemble approximativement au modèle.*

appui, appui-bras ou **appuie-bras, appui-livres, appui-main, appui-nuque** ou **appuie-nuque, appui-tête** ou **appuie-tête** → APPUYER.

appuyer v. tr. (lat. *ad,* vers, et *podium,* base) [conj. **2**]. Soutenir par le moyen d'un appui : *Appuyer un mur par des étais.* ‖ Faire porter sur, faire soutenir par : *Appuyer une échelle contre un mur. Appuyer ses coudes sur la table.* ‖ Faire peser sur, presser contre : *Appuyer la plume sur le papier ;* et, au *fig. : Appuyer son regard sur quelqu'un.* ‖ *Fig.* Fonder, établir : *Appuyer ses dires sur des preuves.* ‖ Soutenir de son approbation, de son influence : *Appuyer la demande d'un solliciteur, une proposition de loi.* ‖ Renforcer : *Appuyer le sens de ses paroles par un accent particulier.* ‖ *Mar.* Assujettir, caler. ‖ *Théâtr.* Faire monter au cintre un rideau, un décor de toile ou un accessoire. (Contr. CHARGER.) ● *Appuyer une chasse à un bâtiment* (Mar.), le poursuivre sans relâche. ‖ *Appuyer les chiens,* les animer de la trompe ou de la voix. ‖ *Appuyer les vergues* (Mar.), les soutenir contre un vent qui souffle grand frais. ✦ v. intr. [**sur**]. Prendre un point d'appui sur : *Un pied de la table n'appuie pas sur le plancher.* ‖ Peser sur, presser : *Vous appuyez trop sur la pédale.* ‖ Se porter vers une direction : *Appuyer sur la droite, sur la gauche* (ou *à droite, à gauche*). ‖ En parlant du cheval, progresser obliquement. ‖ *Fig.* Insister, s'arrêter sur une idée pour la faire sentir : *Appuyer sur un mot, sur un argument ;* et absol. : *Passez sur cette erreur, n'appuyez pas.* ‖ — **s'appuyer** v. pr. Prendre pour appui : *S'appuyer sur une canne ;* et, au *fig. : S'appuyer sur l'amitié de quelqu'un.* ‖ *Pop.* Faire quelque chose par obligation : *S'appuyer une corvée.* ● *Cheval qui s'appuie,* cheval qui prend sur le mors un appui trop fort. ◆ **appui** n. m. Possibilité de s'appuyer ; soutien : *Prendre appui sur l'épaule d'un ami. Soutenir des terres par un mur d'appui.* ‖ Tout ce qui sert à maintenir quelque chose en équilibre, à en assurer la solidité, la stabilité : *Mettre un appui à un mur lézardé.* ‖ *Fig.* Protection, aide, intervention en faveur de quelqu'un : *Se fier à l'appui d'un ami. Trouver des appuis.* ‖ Temps pendant lequel un membre est employé à soutenir le poids du corps du cheval sur le sol. ‖ Sensation produite sur la main du cavalier par la tension que le cheval exerce sur les rênes. ● *A hauteur d'appui,* à la hauteur ordinaire du coude. ‖ *Appui aérien,* mission de renseignements, de feu ou de transport exécutée par l'aviation militaire au profit des forces de surface terrestres ou maritimes. (L'Ecole d'appui aérien, chargée de l'étude de ces problèmes, a pris en 1951 le nom d'*Ecole des opérations aériennes combinées.*) ‖ *Appui d'un balcon, d'une fenêtre,* partie transversale sur laquelle on peut s'accouder. ‖ *Appui du collier,* chez les chevaux de trait, région de l'avant-main où l'encolure se dégage des épaules. ‖ *Appui direct,* feux fournis par l'artillerie au bénéfice immédiat des unités d'infanterie ou de blindés de premier échelon. ‖ *Appui droit* ou *carré* (Archit.), appui de niveau et en ligne droite. ‖ *Appui évidé* (Archit.), appui orné d'entrelacs ou de balustres. ‖ *Appui en piédestal* (Archit.), appui, quel qu'il soit, qui a une base et une corniche. ‖ *Appui rampant* (Archit.), appui en pente, comme la rampe d'un escalier. ‖ *Barre d'appui,* barre scellée à hauteur d'appui dans le tableau d'une fenêtre. ‖ *Consonne d'appui,* en versification, consonne dans une rime formée par une consonne suivie de la voyelle faisant la rime. ‖ *Mur d'appui,* garde-fou construit sur le bord d'une terrasse, d'un pont, d'un quai, etc. ‖ *Pièce d'appui,* traverse fixe, inférieure, d'une menuiserie extérieure. ‖ *Plaque* ou *semelle d'appui,* plaque métallique placée sous un rail au point où il supporte un choc ou un effort particulier (joint, raccord, croisement, etc.). ‖ *Point d'appui,* organisation défensive dont l'effectif est voisin de celui d'une compagnie. (Les points d'appui constituent les points forts des centres de résistance d'une position.) ‖ *Point d'appui d'un levier,* v. LEVIER. ‖ *Servitude d'appui,* droit réel permettant au propriétaire d'un immeuble d'appuyer une poutre ou tout autre objet sur la construction d'un propriétaire voisin. ‖ *Voyelle d'appui,* voyelle ajoutée à un mot pour en rendre l'articulation plus aisée. (Le langage populaire a créé une voyelle d'appui dans la prononciation de *arc-bouter* [prononcé *arquebouter*].) ● LOC. ADV. *A l'appui,* et LOC. PRÉP. *A l'appui de,* pour appuyer, prouver, soutenir : *Fournir des preuves à l'appui. Produire des documents à l'appui de ses accusations.* ◆ **appui-bras** ou **appuie-bras** n. m. Support généralement mobile, placé dans un véhicule et permettant aux voyageurs d'appuyer leurs bras. ‖ Large bande de tissu doublée, suspendue à hauteur pour soutenir le bras, et située à proximité des places arrière d'une voiture. — Pl. *des* APPUIS-BRAS OU APPUIE-BRAS. ◆ **appui-livres** n. m. Montage de bois ou de métal, permettant de maintenir sans effort un livre dans une position convenable pour la lecture. — Pl. *des* APPUIS-LIVRES. ◆ **appui-main** n. m. Baguette en bois léger, se terminant par une petite boule revêtue de peau ou d'un chiffon, et dont les peintres se servent pour appuyer la main qui tient le pinceau. — Pl. *des* APPUIS-MAINS. ◆ **appui-nuque** ou **appuie-nuque** n. m. Petit élément de dossier, quelquefois amovible ou articulé, placé à la partie supérieure d'un siège et permettant à la personne assise d'appuyer la nuque. — Pl. *des* APPUIS-NUQUE OU APPUIE-NUQUE. ◆ **appui-tête** ou

appuie-tête n. m. Elément de garnissage rembourré, placé de part et d'autre et à la partie supérieure d'un dossier, d'un siège, pour permettre aux voyageurs d'appuyer leur tête de côté. || Dispositif réglable adapté à un fauteuil de dentiste, de coiffeur, etc., et destiné à soutenir la tête. — Pl. *des* APPUIS-TÊTE ou APPUIE-TÊTE. ◆ **appuyoir** n. m. Morceau de bois triangulaire ou sorte de pince articulée dont se sert le ferblantier pour appliquer l'une sur l'autre les pièces qu'il veut souder.

Apra, base navale américaine dans l'île de Guam.

apraxie n. f. (*a* priv., et gr. *praxis,* action). Perturbation caractérisée par une désadaptation des mouvements au but proposé, malgré l'intégrité de la motricité et de la sensibilité du sujet. ● *Apraxie constructive,* incapacité de dessiner sur ordre ou spontanément. || *Apraxie idéatoire,* incapacité d'utiliser correctement les objets usuels. || *Apraxie idéo-motrice,* perturbation dans les gestes élémentaires. ◆ **apraxique** adj. Qui est atteint d'apraxie.

« l'Après-midi d'un faune »
maquette de Léon Bakst (1912) pour Nijinski
bibliothèque de l'Arsenal

Larousse

âpre adj. (lat. *asper*). Qui produit une sensation désagréable aux organes du toucher, de l'ouïe ou du goût : *Une voix âpre. Des pommes âpres. Un froid âpre.* || *Fig.* Aigre, violent : *Une âpre discussion.* || Cupide, avide : *Âpre au gain.* ◆ **âprement** adv. Avec âpreté : *Soutenir âprement son opinion.* ◆ **âpreté** n. f. Etat de ce qui est rude au goût, au toucher, à l'ouïe : *L'âpreté d'un vin.* || *Fig.* Rigueur : *L'âpreté de l'hiver.* || Violence : *L'âpreté des revendications.* || Vivacité, dureté du ton : *Parler avec beaucoup d'âpreté.* || Avidité : *L'âpreté des créanciers.*

après prép. (bas lat. *ad pressum,* auprès de). Marque la postériorité et signifie : 1° à la suite de, à l'issue de : *Après dîner;* 2° derrière : *Entrer après quelqu'un;* 3° au-delà de : *Première rue après le carrefour;* 4° contre : *Crier après quelqu'un* (Fam.); 5° à la poursuite de : *Courir après un lièvre.* || Suivi d'un infinitif passé, une fois que : *Après avoir dîné.* ● *Demander après quelqu'un* (Fam.), désirer sa venue. || *Etre après quelque chose,* s'en occuper. || *Etre après quelqu'un,* s'en occuper sans cesse ou le harceler. || ✦ adv. Derrière, ensuite : *Lui, devant, moi après; nous en reparlerons après.* || ● Loc. ADV. *Après coup,* une fois la chose faite. || *Après quoi,* ensuite. || *Après tout,* en tout cas, au surplus. || ◆ **après que** loc. conj. (avec l'indicatif ou le subjonctif [emploi critiqué]). Une fois que : *Après qu'il eut parlé.* || ◆ **d'après** loc. prép. A l'imitation de, selon : *Peindre d'après nature; d'après lui, tout va bien.*

après-demain adv. Le second jour après celui où l'on est.

après-dîner n. m. Temps qui suit le dîner : *Passer ses après-dîners à travailler.*

après-guerre n. m. ou f. Période de temps qui suit une guerre : *La période difficile de l'après-guerre.* — Pl. *des* APRÈS-GUERRES.

après-midi n. m. (Acad.) ou f. invar. Partie de la journée comprise entre midi et le soir : *Au début de l'après-midi, il faisait encore très chaud.*

Après-midi d'un faune (L'), « églogue » de Stéphane Mallarmé. Commencée à Tournon en 1865, elle fut publiée en 1876. Situés aux limites de la vision et du rêve, ces vers expriment les désirs et les incertitudes du Faune devant deux beautés, l'une inhumaine, l'autre timide — roses, cygnes ou nymphes? — Claude Debussy lui a emprunté les thèmes d'un poème musical, *Prélude à « l'Après-midi d'un faune »,* chef-d'œuvre d'impressionnisme musical (1894). — Le poème de Mallarmé et la musique de Debussy ont inspiré à V. Nijinski un tableau chorégraphique, créé en 1912 par la Compagnie des ballets russes de Diaghilev.

après-ski n. m. Pantalon chaud et confortable que l'on porte après le ski. ‖ Chaussure que l'on met aux sports d'hiver au repos. — Pl. *des* APRÈS-SKIS.

âpreté → ÂPRE.

Apriès, nom grec du pharaon **Hâibria.**

a priori loc. adv. et adj. (du lat. scol. signif. *en partant de ce qui est avant*). Se dit de ce qu'on admet en se fondant sur des données antérieures à l'expérience : *Condamner « a priori » les résultats d'une expérience.* (Contr. A POSTERIORI.) ‖ Avant toute connaissance approfondie ; au premier abord : *« A priori », il ne m'est pas sympathique.* ‖ *Péjor.* En négligeant l'expérience, en dépit des faits : *Il est dangereux de vouloir rédiger des constitutions « a priori ».* ✦ n. m. Raisonnement, ou connaissance, acquis *a priori.* ◆ **apriorisme** n. m. Méthode de raisonnement *a priori.* ● *Apriorisme émotionnel,* théorie de Max Scheler selon laquelle il existe des sentiments originels, préformés avant toute expérience. ◆ **aprioriste** adj. et n. Qui raisonne *a priori.* ◆ **aprioristique** adj. Qui procède *a priori : Méthode aprioristique.* ◆ **apriorité** n. f. Caractère de ce qui est antérieur à toute expérience.

apron n. m. (du lat. *asper,* rugueux). Poisson du Rhône, très voisin de la perche.

à-propos n. m. Qualité de ce qui est dit en temps et lieu convenables : *Avoir l'esprit d'à-propos.* ‖ Pièce de théâtre, poème de circonstance.

aprosexie n. f. (*a* priv., et gr. *prosexis,* attention). Troubles de l'attention, caractérisés par une impossibilité de concentration prolongée.

Apsaras, déesses de rang inférieur dans la mythologie indienne, danseuses et musiciennes.

apseude n. m. (gr. *apseudês,* sans tromperie). Sorte de cloporte.

apsidal, e, aux adj. Se dit, en mathématiques, d'une surface dérivant d'une autre d'après une loi de géométrie particulière.

apside n. f. Autre orthographe de ABSIDE. ● *Ligne des apsides,* grand axe de l'orbite elliptique d'une planète.

Apt, ch.-l. d'arr. de Vaucluse, à 40 km à l'O. de Manosque, au pied du Luberon, dans le *bassin d'Apt ;* 11 560 h. (*Aptésiens* ou *Aptois*). Anc. cathédrale Sainte-Anne, du XIIe s. Fruits confits et confitures. Carrières d'argiles smectiques. Anc. ville gauloise, puis colonie romaine (*Apta Julia*), elle fut, à partir du XIe s., le centre d'un *comté d'Apt* relevant du comté de Provence.

apte adj. (lat. *aptus,* propre à). Naturellement capable de : *Etre apte à occuper un poste.* ◆ **aptitude** n. f. Disposition naturelle à une chose : *Montrer des aptitudes particulières pour le dessin.* ‖ Disposition organique et fonctionnelle, en vertu de laquelle l'animal qui en est doué est plus propre à tel ou tel emploi. ‖ Etat d'une personne que la loi considère comme qualifiée pour jouer un rôle ou exécuter un acte. ‖ Ensemble des conditions de tous ordres exigées des militaires pour remplir une mission déterminée : *Aptitude à faire campagne, à servir outre-mer.* ‖ — SYN. : *capacité, génie, goût, talent.* ● *Certificat d'aptitude professionnelle* (C. A. P.), v. APPRENTISSAGE et ENSEIGNEMENT.

aptère adj. (*a* priv., et gr. *pteron,* aile). Qui est dépourvu d'ailes : *Insectes aptères.* ‖ Se dit des statues de certaines divinités généralement ailées, lorsqu'elles sont représentées sans ailes. ‖ Se dit des temples antiques dépourvus de colonnes sur leurs faces latérales. ◆ **aptérygidés** n. m. pl. Famille d'oiseaux aptères comprenant le seul genre *aptéryx.* ◆ **aptérygotes** n. m. pl. Groupe d'insectes très primitifs, sans ailes. (Ce sont les protoures, les diploures, les collemboles et les lépismes.) [Syn. AMÉTABOLES.] ◆ **aptéryx** n. m. Nom scientifique du *kiwi,* oiseau ratite sans ailes de Nouvelle-Zélande.

temple **aptère** d'Athéna Nikê
(encore dit « de la Victoire **aptère** »)
Acropole d'Athènes

Nestœn - Atlas-Photo

aptine n. m. Carabe indien, africain et sud-européen.

aptitude → APTE.

aptyalisme n. m. (*a* priv., et gr. *ptualon,* salive). *Méd.* Suppression plus ou moins complète de la sécrétion salivaire.

aptychus [kys] n. m. (*a* priv., et gr. *ptux, ptukhos,* chose mise en double). Opercule hypothétique des coquilles d'ammonite, souvent rencontré auprès d'elles.

apud [apyd], mot lat. signif. *dans, chez,* et qu'on emploie dans les références bibliographiques. (On abrège souvent en *ap.*)

Apulée, en lat. **Lucius Apuleius,** écrivain latin (Madaure, Numidie, 125-Carthage v. 180). Il est surtout connu pour son ouvrage les *Métamorphoses**, transmis sous le nom de *l'Ane d'or.*

aquarelles
« Scarborough », par Turner
British Museum

Apulée, en lat. **Lucius Apuleius,** naturaliste latin du IVe s., auteur d'une flore descriptive (*Herbarium*).

Apuleius Saturninus (Lucius), tribun romain († 100 av. J.-C.). Un des chefs du parti populaire, allié de Marius, il fut élu tribun en 101 av. J.-C. A la suite de troubles causés par l'assassinat d'un candidat de la noblesse au consulat, il fut bloqué avec ses amis au Capitole par son ancien ami Marius et massacré.

Apulie, en lat. **Apulia,** nom anc. de la région des Pouilles*, dans l'Italie méridionale. Les Grecs y établirent plusieurs colonies, dont Tarente. Le pays fut conquis par Rome après les guerres samnites et la défaite de Pyrrhos.

apulien, enne adj. et n. Relatif à l'Apulie; habitant ou originaire de ce pays ● *Vases apuliens,* vases de style grec, souvent en forme d'amphore, à figures rouges sur fond noir avec des rehauts blancs (IVe s. av. J.-C.). || — ***apulien*** n. m. Dialecte de l'Italie méridionale, parlé dans les Pouilles.

Apure, riv. du Venezuela, affl. de l'Orénoque (r. g.); 800 km env. Elle est navigable sur 500 km.

apurement → APURER.

apurer v. tr. (de *pur*). S'assurer que les différents articles d'un compte (recettes et dépenses) sont régulièrement établis et appuyés des pièces justificatives : *Apurer les comptes.* ◆ **apurement** n. m. Vérification de l'exactitude d'un compte.

Apurímac, riv. du Pérou, la plus importante des deux branches mères de l'Ucayali; 885 km.

apus [pys] n. m. (*a* priv., et gr. *pous,* pied). Crustacé branchiopode des étangs et des lacs, au fort bouclier dorsal, long de 2 à 3 cm.

Apus, nom lat. de la constellation Oiseau* de Paradis (au génit. : *Apodis;* abrév. : [Aps]).

apyre adj. (*a* priv., et gr. *pur,* feu). Inaltérable au feu et peu fusible.

apyrétique → APYREXIE.

apyrexie n. f. (*a* priv., et gr. *pur,* feu). Absence de fièvre. (Dans toutes les infections, il peut y avoir des phases d'apyrexie.) ◆ **apyrétique** adj. Qui ne s'accompagne pas de fièvre. || Qui fait tomber la fièvre. ◆ **apyrogène** adj. Qui empêche la montée de la température. || Qui ne donne pas de fièvre, en parlant notamment des excipients ou du contenant des médicaments : *Solutés apyrogènes.*

Aq (du lat. *aqua,* eau), abrév. chimique désignant une molécule d'eau.

'Aqaba ou **Akaba** (GOLFE D'), golfe du nord de la mer Rouge, entre la péninsule du Sinaï (Egypte) et l'Arabie Saoudite. Ce golfe prolonge l'effondrement de la mer Morte. Le fond du golfe s'ouvre sur la Jordanie (port

Held

« Vue d'un port »
par Dunoyer de Segonzac
musée de Saint-Tropez

d'*Aqaba*) et sur l'Etat d'Israël (port d'Elath).

aquaculture n. f. Elevage et multiplication des animaux et des plantes aquatiques à des fins commerciales.

aquafortiste [kwa] n. (de l'ital. *acqua forte,* eau-forte). Graveur à l'eau-forte.

aquamanile [kwa] n. m. (lat. *aqua,* eau, et *manus,* main). Bassin pour se laver les mains. || Aiguière ou burette dont on se servait à l'église pour le lavement des mains.

aquaplane [kwa] n. m. Planche remorquée sur l'eau par un canot automobile, sur laquelle se tient debout une personne s'aidant d'une corde fixée à la planche. || Sport qui consiste à se tenir sur cette planche.

aquarelle [kwa] n. f. (ital. *acquerello ;* de *aqua,* eau). Peinture en couleurs délayées dans l'eau. (V. *encycl.*) ◆ **aquarelliste** [kwa] n. Peintre pratiquant l'aquarelle.

— ENCYCL. ***aquarelle.*** L'aquarelle est une peinture à l'eau sur papier ou sur carton. Le lavis d'aquarelle est transparent ; la teinte du papier joue à travers les pigments, les clairs sont réservés. On combine parfois l'aquarelle avec la gouache (aquarelle gouachée). Elle est fragile, mais fraîche et d'exécution rapide. Elle fut introduite en France par les Anglais (Turner, Bonington) et pratiquée par les romantiques. Les impressionnistes (Jongkind, Boudin), puis les néo-impressionnistes (Seurat, Signac) en usèrent. Dunoyer de Segonzac en est un des maîtres.

aquarelliste → AQUARELLE.

aquariophile, aquariophilie → AQUARIUM.

aquarium [akwarjɔm] n. m. (du lat. *aqua,* eau). Bac servant à l'élevage et à l'observation des animaux et des végétaux aquatiques, en particulier des poissons d'ornement. ◆ **aquariophile** adj. et n. Qui pratique l'aquariophilie. ◆ **aquariophilie** n. f. Elevage de poissons d'ornement.

— ENCYCL. ***aquarium.*** Un aquarium d'appartement est en général un bac parallélépipédique aux parois de verre, éclairé par-dessus et latéralement, et, s'il y a lieu, chauffé, épuré par filtration et aéré par une colonne de bulles. Le fond du bac est garni de terre argileuse, couverte d'une forte couche de sable et de quelques cailloux anfractueux servant d'abri aux animaux. On y fait pousser des plantes aquatiques enracinées ou flottantes. Les animaux sont nourris de proies vivantes, et les déchets retirés à la pipette, dans la mesure du possible. Ainsi, l'aquarium est équilibré et l'on n'a jamais à changer l'eau. Il est plus difficile d'entretenir des aquariums marins : l'eau de mer doit y être constamment régénérée ou renouvelée.

Aquarius, nom lat. de la constellation zodiacale du Verseau* (au génit. : *Aquarii;* abrév. : [Aqr]).

aquastat [kwa] n. m. Thermostat servant à la régulation automatique d'une température d'eau, notamment au départ d'un circuit de chauffage.

aquatinte [kwa] n. f. (lat. *aqua,* eau, et ital. *tinta,* teinte). Procédé de gravure à l'eau-forte, imitant le lavis. ◆ **aquatintiste** n. Graveur pratiquant l'aquatinte.

aquatique [kwa] adj. (lat. *aquaticus;* de *aqua,* eau). Plein d'eau, marécageux : *Un paysage aquatique.* ‖ Qui croît, qui vit dans l'eau douce ou sur ses bords : *Plantes, oiseaux aquatiques.* ‖ Qui vit dans l'eau ou à son voisinage immédiat. ● *Animaux aquatiques,* v. tableau.

— ENCYCL. ***milieu aquatique.*** Comparé au milieu aérien, le milieu aquatique se caractérise : 1° par l'absence presque complète de pesanteur, la densité des êtres vivants ne dépassant guère celle de l'eau, d'où la « mollesse » de beaucoup d'animaux sans squelette ou de plantes sans bois, et l'aisance des déplacements verticaux sans points d'appui; 2° par l'inexistence de l'évaporation, ce qui permet aux êtres vivants de déployer de vastes surfaces d'échange (branchies, thalles des algues), aux plantes de puiser leur nourriture dans l'eau sans que racines et vaisseaux soient nécessaires; 3° par l'extrême pauvreté en oxygène (8 cm^3 par litre à 10 °C en eau douce; atmosphère : 200), qui fait des plantes vertes bien éclairées les seuls fournisseurs d'eau respirable pour les êtres exigeants. Pour les conditions particulières à chaque milieu aquatique, v. DOUCE (*eau*) et MARIN (*milieu*).

aquatubulaire [kwa] adj. Se dit d'une chaudière à vapeur ou à eau chaude dont la surface de chauffe est essentiellement constituée par des tubes que parcourt l'eau ou le mélange d'eau et de vapeur, et qui sont exposés à la chaleur du foyer ou des gaz chauds. (AQUITUBULAIRE, plus correct, n'est pas usité.)

aqueduc n. m. (lat. *aquaeductus;* de *aqua,* eau, et *ductus,* conduit). Canal pour conduire l'eau d'un lieu dans un autre. (L'aqueduc peut être souterrain ou hors sol. Dans ce dernier cas, il peut reposer sur la terre même ou être supporté par un mur plein ou percé d'arcades, ou encore par un pont, qui prend également le nom d' « aqueduc ».) ‖ Nom donné, par analogie, à certains canaux qui existent dans les os ou les parties molles : *Aqueduc de Fallope. Aqueduc du limaçon.*

— ENCYCL. L'Egypte antique et l'Assyrie ont établi des aqueducs à ciel ouvert, pour l'irrigation. Les Romains multiplièrent les aqueducs à arcades; les plus célèbres qui

embranchement		subdivisions	milieu et mode de vie
spongiaires ou ***éponges***			marins et fixés
cœlentérés		cténaires	marins nageurs
		cnidaires	marins, fixés ou nageurs
vers	*platodes*	turbellariés	libres, parfois en eaux douces
		trématodes	parasites, larve nageuse
		cestodes	parasites
	nématodes		marins, libres ou parasites
	vermidiens	bryozoaires	marins coloniaux fixés
		brachiopodes	marins isolés fixés
		chétognathes	marins nageurs rapides
	annélides	polychètes	marins, nageurs ou fixés
		oligochètes	fouisseurs (vase, terre)
		hirudinés	nageurs (mer, eaux douces) [sucent le sang]
échinodermes		astéries ophiures oursins encrines holothuries	tous sont strictement marins; seules les encrines vivent fixées
procordés		céphalocordés	marins (côtiers)
		tuniciers	marins, fixés ou nageurs

aqueduc de Maintenon (Eure-et-Loir) construit par Vauban (XVIIe s.)

aient subsisté sont ceux de Ségovie et de Mérida, en Espagne, et celui qu'en France on appelle improprement le « pont du Gard ».

aqueux [kœ], **euse** adj. (lat. *aquosus;* de *aqua,* eau). Qui contient de l'eau ; qui a le goût de l'eau : *La courgette est un légume aqueux.* ‖ Appliqué à une solution, indique que le solvant est l'eau. ● *Humeur aqueuse,* liquide contenu dans la chambre antérieure de l'œil*. ◆ **aquosité** [kɔ] n. f. Qualité de ce qui est aqueux.

à quia [akɥja] loc. adv. (de *à,* et du lat. *quia,* parce que). *Etre à quia,* ne plus savoir que répondre, éprouver un grand embarras pécuniaire ou autre. ‖ *Réduire quelqu'un à quia,* l'amener à ne plus savoir que répondre. (Dans les discussions latines d'autrefois, l'argumentateur embarrassé, mis en face d'une question difficile, se bornait à ânonner *quia..., quia...,* « parce que... ».)

aquicole [kɥi] adj. Relatif à l'aquiculture. ‖ Qui vit dans l'eau. ◆ **aquiculteur** n. m. Celui qui s'occupe d'aquiculture. ◆ **aquiculture** n. f. Art de multiplier et d'élever les animaux et les plantes aquatiques. ‖ Culture des plantes terrestres sur un sol stérile arrosé d'eau contenant tous les produits minéraux nécessaires à la végétation. (En 1944, certains éléments militaires américains du Pacifique ont été alimentés par ce moyen.)

aquifère [kɥi] adj. Qui contient de l'eau en quantité variable, circulante ou stagnante : *Une nappe aquifère.* ● *Système aquifère,* système circulatoire des échinodermes, plein d'eau et assurant l'érection des ambulacres.

aquifoliacées [kɥi] n. f. pl. (lat. *aquifolium* corrupt. de *acutifolium,* houx). Famille d'arbustes dicotylédones, comprenant notamment le houx.

Aquila, prosélyte juif né à Sinope, parent de l'empereur Hadrien. Il donna, au début du IIe s., une traduction grecque du texte hébreu

appareil digestif	exemples
nombreuses « bouches » ; « anus » plus espacés	*éponge de toilette, euplectelle*
sac	*béroé* *hydres, polypes, méduses*
sac ramifié	*planaire*
inexistant	*petite douve*
inexistant	*ténia inerme*
tube	*ascaride du cheval*
tube replié en U	*flustre*
tube replié en U	*lingule, térébratule*
tube replié en U	*sagitta*
tube droit	*néréide, spirographe*
tube droit	*lombric*
tube très ramifié	*sangsue médicinale*
sac réversible	*étoile de mer*
sac non réversible	*ophiure*
tube	*oursin livide, spatangue*
tube replié en U	*lis de mer*
tube replié en Z	*biche de mer, synaptes*
gouttière suivie d'un tube	*amphioxus*
tube replié en U	*ascidies, salpes*

ANIMAUX AQUATIQUES

Exception faite des mollusques, des crustacés et des poissons. (V. MOLLUSQUES, ARTHROPODES, POISSONS.)

de l'Ancien Testament, qui, auprès des juifs, supplanta celle des Septante.

Aquila, nom latin du théologien luthérien **Kasper Adler** (Augsbourg 1488 - Saalfeld 1560). Il aida Luther dans la traduction de l'Ancien Testament.

Aquila (L'), v. d'Italie, dans les Abruzzes, ch.-l. de prov. ; 61 700 h. Evêché. Eglises des XIIIe et XVe s. Textiles.

Aquila, nom lat. de la constellation de l'Aigle (au génit. : *Aquilae;* abrév. [Aql]).

aquilain ou **aquilant** [ki] adj. et n. m. (lat. *aquilus,* brun). Se dit d'un cheval de couleur fauve ou brune.

aquilaria [kɥi] n. m. Arbre de l'Asie du Sud-Est, fournissant des bois résineux et odorants. (Famille des thyméléacées.)

Aquilée, en ital. **Aquileia,** v. d'Italie, sur le golfe Adriatique (prov. d'Udine) ; 3 300 h. Fondée en 181 av. J.-C., colonie de droit latin, elle fut le centre du commerce entre l'Italie et l'Illyrie. Sous le Bas-Empire, la ville connut un grand essor, mais Attila la détruisit en 452. Elle fut le siège d'un patriarcat ecclésiastique dont dépendait Venise (554-1751).

Perrin - Atlas-Photo

Clermont-Dessous (Lot-et-Garonne)

Aquitaine

gisant d'Aliénor d'Aquitaine
abbaye de Fontevrault

Feuillie

aquilegia [kɥi] n. f. V. ANCOLIE.

aquilin, e [ki] adj. (lat. *aquilinus ;* de *aquila,* aigle). Se dit d'un nez recourbé en bec d'aigle.

Aquilius Nepos, consul romain, collègue de Marius (101 av. J.-C.), vainqueur des esclaves siciliens révoltés. Proconsul d'Asie, il fut pris par Mithridate, qui lui fit verser de l'or fondu dans la bouche pour flétrir la cupidité romaine.

Aquilon, le Vent du nord chez les Romains (*Borée* des Grecs).

Aquin (saint THOMAS D'). V. THOMAS D'AQUIN.

Aquin (Antoine D'), médecin français (1620 - Vichy 1696). Médecin de Marie-Thérèse d'Autriche, puis premier médecin de Louis XIV, il fut disgracié en 1693.

Aquin (Louis Claude D'), organiste et compositeur français (Paris 1694 - *id.* 1772). A six ans, il jouait du clavecin devant Louis XIV ; à douze ans, il était organiste. Brillant virtuose et improvisateur, il tint les orgues de Saint-Paul, des Cordeliers, de la Chapelle royale, de Notre-Dame. Il a écrit des pièces pour clavecin, des noëls pour l'orgue, des messes, motets, cantates, divertissements.

aquitain, e [ki] adj. et n. Relatif à l'Aquitaine ; habitant ou originaire de cette région. ‖ — ***aquitain*** n. m. Langue des Aquitains.

Aquitaine, région historique dont l'extension a varié considérablement suivant les époques.

27 av. J.-C. Création de la province d'Aquitaine par Auguste. Elle s'étend jusqu'à la Loire.

IVe s. apr. J.-C. Division de la province en trois : *Aquitaine première* (capit. Bourges), *Aquitaine seconde* (capit. Bordeaux) et *Novempopulanie* (capit. Eauze).

Ve s. Conquête par les Wisigoths.

507. Clovis écrase les Wisigoths à Vouillé et intègre les trois Aquitaines au royaume franc.

768. Pépin le Bref renforce l'implantation franque par le *capitulaire de Saintes,* qui organise le duché d'Aquitaine.

778. Charlemagne, dans la même intention, constitue le duché en royaume, qu'il confie à son fils Louis, le futur Louis le Pieux. L'Aquitaine s'étend alors jusqu'à la basse Loire et comprend les comtés de Berry, d'Auvergne et du Velay.

817. Le royaume d'Aquitaine est donné à Pépin Ier, fils de Louis le Pieux.

838. A la mort de Pépin Ier, les grands

d'Aquitaine résistent par la guerre au prétendant imposé par Charles le Chauve.

867. L'Aquitaine, en grande partie soumise par Charles le Chauve, est donnée par lui à Louis le Bègue.

879. Mort de Louis le Bègue : l'Aquitaine redevient duché.

fin IXe s. - fin Xe s. L'Aquitaine dépend successivement du comté de Poitiers (Rannoux II) [887], de l'Auvergne (Guillaume le Pieux) [de 890 à 918], des comtes de Toulouse (Raymond III Pons) [qui devient duc d'Aquitaine en 936], puis de nouveau des Poitevins (Guillaume « Tête d'Etoupes ») [934-963].

987-1137. La dynastie poitevine, reconnue par les Capétiens, règne sur l'Aquitaine, qui connaît une brillante période (troubadours).

1137. Aliénor, fille du dernier duc d'Aquitaine, épouse le roi de France, Louis VII le Jeune : l'Aquitaine est rattachée à la Couronne.

1152. Le mariage est annulé et Aliénor épouse Henri II Plantagenêt, comte d'Anjou et duc de Normandie, qui devient roi d'Angleterre en 1154 : le duché est rattaché à l'empire anglo-angevin.

XIIe - XIIIe s. L'Aquitaine est progressivement démembrée par la conquête des Capétiens : le traité de Paris (1258-1259) maintient le duché de Guyenne (déformation du mot *Aquitaine*) possession anglaise. Son territoire est très réduit.

1453. Charles VII reconquiert la Guyenne, qui redevient française.

1469. Louis XI donne le duché de Guyenne à son frère Charles.

1472. Retour définitif de la Guyenne à la couronne de France.

L'art en Aquitaine.

V. GUYENNE et GASCOGNE ; LANGUEDOC.

Aquitaine (BASSIN D'), grande région naturelle du sud-ouest de la France, comprise entre les Pyrénées au S., le Massif central au N.-E. et l'océan Atlantique à l'O. C'est un bassin sédimentaire dont la disposition est très différente de celle du Bassin parisien : les terrains secondaires ne forment une auréole régulière qu'en bordure du Massif central. Dans les régions méridionales, l'influence de la chaîne pyrénéenne est prépondérante : les terrains secondaires sont fortement plissés et incorporés à la chaîne. De plus, une masse considérable de matériaux détritiques, résultant des premières érosions des montagnes, est venue s'entasser au tertiaire et au quaternaire dans une grande partie du bassin. Ces terrains constituent aujourd'hui des collines de mollasse ou des plateaux (Lannemezan). Le bassin d'Aquitaine est presque entièrement drainé par le réseau de la Garonne ; seul l'Adour se jette directement dans l'Océan. Le climat de la région se caractérise par sa relative chaleur, encore que dans les régions éloignées de l'Océan l'hiver soit bien marqué. Dans l'ensemble, les pluies sont abondantes, surtout près de la côte, et la sécheresse estivale n'apparaît point. L'agriculture de l'Aquitaine est caractérisée par la polyculture, qui couvre la plus grande partie des régions (blé, maïs, fruits, etc.) ; la monoculture de la vigne fait l'originalité du Bordelais. Les Landes ont été mises en valeur par les plantations de pins (bois de mine, pâte à papier, essence de térébenthine). Le bassin d'Aquitaine connaît un grave dépeuplement. Des Italiens, des Espagnols, des rapatriés d'Afrique du Nord sont venus s'installer dans ces contrées dépeuplées. Au point de vue industriel, elles présentent une sensible déficience. Nombre d'établissements y ont périclité. A une époque récente, une certaine renaissance industrielle s'est produite, en liaison avec la production d'hydro-électricité des Pyrénées (électrochimie, électrométallurgie en bordure de la chaîne), grâce à l'implantation d'industries stratégiques à Toulouse (industries de l'azote, constructions aéronautiques) et autour du gisement de Lacq (industries chimiques). Enfin, le gisement pétrolifère de Parentis est le plus important de France.

Aquitaine, Région du Sud-Ouest regroupant cinq départements (Dordogne, Gironde, Landes, Lot-et-Garonne et Pyrénées-Atlantiques) ; 41308 km^2; 2 656 518 h. Ch.-l. *Bordeaux.*

Aquitaine (SOCIÉTÉ NATIONALE DES PÉTROLES D') **[S. N. P. A.],** société pétrolière fondée en 1941 pour entreprendre des recherches de pétrole et de gaz naturel (elle a notamment découvert le gaz de Lacq).

aquitanien adj. et n. m. (de *Aquitaine*). *Géol.* Se dit de l'étage inférieur de la période miocène.

a quo [akwo] loc. adj. (mots lat. signif. *à partir duquel*). Se dit du jour à partir duquel on commence à compter les délais de procédure. (V. AD QUEM.)

aquosité → AQUEUX.

Ar, symbole chimique désignant, dans la formule d'un composé organique, un radical *aryle.*

ara n. m. (mot tupi). Grand perroquet des forêts d'Amazonie, aux couleurs vives et heurtées, au bec fort et crochu. (Famille des psittacidés.)
→ V. illustration page suivante.

Ara, nom lat. de la constellation Autel* (au génit. : *Arae ;* abrév. : [Ara]).

Arabat (FLÈCHE D'), longue langue de sable rattachée à la presqu'île de Crimée, séparant le Sivach de la mer d'Azov.

Larousse

ara

arabe adj. et n. (ar. *'arab,* nomade qui vit sous la tente dans le désert). Qui a rapport à l'Arabie; habitant ou originaire de cette région. ‖ Se dit de tout musulman de race sémitique. (V. ISLĀM.) ● *Cheval arabe,* cheval de selle très énergique, très résistant, qui a servi, par croisement, à la création de nombreuses races de chevaux. ‖ *Chiffres arabes,* les dix signes de numération écrite, et qui sont : 0, 1, 2, 3, 4, 5, 6, 7, 8, 9. ‖ *Jeux arabes,* ensemble des sauts et des pyramides qu'exécutent les équilibristes nord-africains. ‖ *Littérature arabe.* (V. *encycl.*) ✦ n. m. Langue du groupe méridional des langues sémitiques. (On distingue l'*arabe littéraire* et les *dialectes parlés* de l'arabe répandus dans le Proche-Orient et en Afrique du Nord.) ◆ **arabique** adj. Qui appartient, qui est propre à l'Arabie : *Le désert arabique.* ‖ Se dit des parlers arabes du Hedjaz, du Yémen et de l'Arabie Saoudite. ● *Gomme arabique* (ainsi nommée à cause de l'usage qu'en firent les médecins arabes), substance extraite primitivement d'*Acacia vera,* remplacée maintenant par la *gomme du Sénégal.* (Elle est soluble dans l'eau, incristallisable et fermentescible; sa solution, additionnée d'un antiseptique, est la colle liquide.) ◆ **arabisant, e** n. Savant qui étudie la langue et la civilisation arabes. ◆ **arabisation** n. f. Action d'arabiser. ◆ **arabiser** v. tr. Donner le caractère arabe à. ◆ **arabisme** n. m. Expression propre à la langue arabe. ◆ **arabophone** adj. et n. Qui a l'arabe pour langue : *Les populations arabophones d'Afrique du Nord.*

— ENCYCL. *Langue* **arabe.** Langue d'environ 90 millions de personnes, l'arabe est une réalité linguistique complexe : l'*arabe littéraire* est une langue uniquement écrite, mais uniforme du fait de son caractère religieux et même divin; les *dialectes,* parlés sur un domaine immense, de l'Atlantique à l'Asie centrale, ne possèdent pas d'expression écrite, et leur variété est telle que l'intercompréhension entre « arabophones » n'est pas toujours assurée.

Issu du groupe méridional des langues sémitiques, l'arabe a connu brusquement au VIIe s. une diffusion extraordinaire grâce à l'expansion de l'islām. Langue du Coran, il est devenu, sous sa forme écrite, une des grandes langues de culture.

L'arabe possède un vocalisme pauvre (3 voyelles : *i, u, a*) et un consonantisme riche (27 consonnes). Le trait linguistique fondamental est l'existence de racines consonantiques, souvent trilitères, qui, en se combinant à d'autres éléments phoniques, sont à la base du fonctionnement de la langue.

L'arabe s'écrit de droite à gauche; son alphabet, qui sert à transcrire également le persan et l'ourdou, ne note que les consonnes et les voyelles longues.

— *Littérature* **arabe.** La *littérature arabe,* fille de la religion, doit à cette origine ses caractères dominants : la doctrine de Mahomet faisant de la langue arabe le véhicule exclusif de la pensée religieuse, le domaine de la littérature arabe est celui non d'une nation, mais d'une société musulmane, recouvrant des pays et des langages différents. D'autre part, le style du Coran, jugé inimitable, a influé profondément sur la conception de la prose, considérée comme un art de second rang, confinée aux besognes apologétiques et didactiques.

Ensemble des révélations divines transmises par l'ange Gabriel à Mahomet, le Coran, qui est écrit en une prose rimée déjà pratiquée par les Arabes antéislamiques, contient des récits édifiants, l'énoncé de principes dogmatiques et juridiques, répartis en 114 chapitres, ou surates, eux-mêmes divisés en versets. Il se fixe sous le calife 'Uthmān ibn 'Affān (644-656), à une époque où la littérature s'inspire encore des thèmes en honneur bien avant l'apparition de l'islām : l'inspiration bédouine des *mu'allaqāt* se perpétue dans l'œuvre des poètes al-Akhṭal, Djarīr et al-Farazdaq, plus raffinée chez Mutanabbī. Une réaction moderniste se dessine cependant, qui fait place à des accents plus personnels, chez les poètes érotiques et bachiques Abū Nuwās et Bachchār ibn Burd, et surtout chez les Arabes d'Espagne (Ibn Zaydūn, Ibn Ḥazm, Ibn Quzmān).

La naissance de la prose, liée à l'effort d'organisation de l'empire par le califat 'abbāsside de Bagdad, se produit au contact des cultures grecque et indo-persane. Le Persan Ibn al-Muqaffa' traduit en arabe une version iranienne des contes hindous de Bidpay. Principalement moyen de communication et de culture, la prose est la langue des ouvrages qui unissent l'ampleur des connaissances à l'agrément du style : c'est l'*adab* de Djāḥiẓ et d'Ibn Qutayba al-Dīnawarī. Les grands savants arabes sont aussi de grands écrivains : des philosophes comme Avicenne et Averroès, des moralistes comme Al-Rhazālī, des critiques comme Abū al-Faradj 'Alī al-Iṣfahānī, des historiens comme Ṭabarī, des

géographes et des encyclopédistes comme Yāqūt, Masʿūdī, Ibn Djubayr.
Les bouleversements politiques, l'irruption des Mongols, la conquête ottomane, la disparition du mécénat confinent la littérature dans l'imitation et le plagiat. Les cultures nationales (persane, hindoue, turque, etc.) conquièrent une puissante autonomie. Du XIVe au XIXe s., la littérature arabe connaît une lente décadence. Outre les écrits historiques et sociologiques d'Ibn Khaldūn, seuls survivent les contes des *Mille et Une Nuits* et le roman de chevalerie, qui rassemble autour de personnages plus ou moins légendaires (*le Roman d'Antar*) des thèmes qui ne se fixent pas avant la fin du XIVe s.
Dès la fin du XVIIIe s., l'affaiblissement de la Turquie, la reprise d'un contact continu avec l'Occident mettent le monde arabe en présence des réalisations scientifiques et techniques de l'Europe, dont l'expédition de Bonaparte apporte à l'Egypte la révélation. Cependant, la renaissance culturelle et littéraire, la *nahḍa*, n'a son origine ni en Egypte ni dans les milieux musulmans.
Ce sont les chrétiens de Syrie et du Liban qui lui donnent son impulsion. En relation avec Rome dès le XVIe s., accueillant les missionnaires catholiques et protestants, les chrétiens d'Alep créent un mouvement de purisme linguistique arabe (Djarmānūs Farḥāt, Fāris al-Chidyāq). Cet intérêt pour les lettres arabes se développe grâce aux courants d'opposition à la domination ottomane et grâce à l'action des jésuites. L'influence décisive est celle de l'émigration libanaise

ALPHABET ARABE

1. Isolées 2. Finales 3. Médiales 4. Initiales

FIGURE 1	2	3	4	NOM	VALEUR
ا	ـا	ـا	ا	alif	ā
ب	ـب	ـبـ	بـ	bā'	b
ت	ـت	ـتـ	تـ	tā'	t
ث	ـث	ـثـ	ثـ	thā'	th, th *angl. dur*
ج	ـج	ـجـ	جـ	djīm	dj
ح	ـح	ـحـ	حـ	ḥā'	ḥ
خ	ـخ	ـخـ	خـ	khā'	kh, ch *all.*, j *esp.*
د	ـد	ـد	د	dāl	d
ذ	ـذ	ـذ	ذ	dhāl	dh, th *angl. doux*
ر	ـر	ـر	ر	rā'	r *roulé*
ز	ـز	ـز	ز	zāy	z
س	ـس	ـسـ	سـ	sīn	s
ش	ـش	ـشـ	شـ	chīn	ch
ص	ـص	ـصـ	صـ	ṣād	ṣ *emphat.*
ض	ـض	ـضـ	ضـ	ḍad	ḍ *emphat.*
ط	ـط	ـطـ	طـ	ṭā'	ṭ *emphat.*
ظ	ـظ	ـظـ	ظـ	ẓā'	ẓ, dh *emphat.*
ع	ـع	ـعـ	عـ	ʿayn	ʿ *laryngale*
غ	ـغ	ـغـ	غـ	ghayn	rh, gh, r *grasseyé*
ف	ـف	ـفـ	فـ	fā'	f
ق	ـق	ـقـ	قـ	qāf	q
ك	ـك	ـكـ	كـ	kāf	k
ل	ـل	ـلـ	لـ	lām	l
ه	ـه	ـهـ	هـ	hā'	h
م	ـم	ـمـ	مـ	mīm	m
ن	ـن	ـنـ	نـ	nūn	n
و	ـو	ـو	و	wāw	ū, w
ي	ـي	ـيـ	يـ	yā'	ī, y

en Egypte, au Brésil et aux Etats-Unis. Les musulmans (Djabrān Khalīl Djabrān, Amīn al-Riḥānī, Mikhaīl Nū'āymah) s'engagent résolument dans le mouvement de réforme. Concevant la renaissance islamique, à la suite de Muḥammad 'Abduh, comme un retour aux sources de la foi, les lettrés arabes vivent intensément le conflit entre deux cultures : l'une scientifique et laïque, l'autre traditionnelle et religieuse. Le matérialisme de la pensée européenne et américaine les rebute et suscite des débats.

Le problème des structures intellectuelles se pose au niveau de la langue, et les auteurs modernes cherchent à élaborer une langue néo-classique, à mi-chemin de l'académisme oratoire des écrivains libanais et du réalisme de la langue dialectale.

La Première Guerre mondiale marque la prépondérance des écrivains égyptiens. Malgré Muḥammad Ḥusayn Haykal, qui donne avec *Zaynab* (1914) le premier récit moderne, le roman est encore considéré comme un genre mineur. La nouvelle et le récit historique gardent la faveur des lettrés, qui, à propos des œuvres dramatiques de Tawfīq al-Hakīm et des essais critiques de Ṭahā Ḥusayn, s'engagent dans une nouvelle querelle des Anciens et des Modernes.

La Seconde Guerre mondiale, le succès des mouvements d'indépendance accélèrent l'évolution de la littérature. Tandis que s'affrontent les tenants du « fondamentalisme islamique » et les partisans du « modernisme libéral », les auteurs deviennent des écrivains engagés (*la Terre,* 1954, d'Al-Charqāwi).

arabe (LIGUE), organisme constitué en 1945 sur l'initiative de l'Egypte, et comprenant également l'Arabie Saoudite, l'Iraq, la Jordanie, le Liban, la Syrie et le Yémen. La Libye y a adhéré en 1953, le Soudan en 1956, le Maroc et la Tunisie en 1958, Koweït en 1961, l'Algérie en 1962, le Yémen du Sud en 1967, Bahreïn, les Emirats arabes unis, Oman et le Qaṭar en 1971, la Somalie en 1974 et Djibouti en 1977. L' O. L. P. (Organisation de libération de la Palestine) devient membre à part entière en 1976. Les organismes de la ligue (cinq conseils spécialisés et un secrétariat général permanents) siègent à Tunis depuis 1979 et sont complétés par des institutions culturelles et économiques en vue de renforcer l'unité du monde arabe.

arabe unie (RÉPUBLIQUE) [**R. A. U.**], Etat fédéral constitué en 1958 par l'Egypte, la Syrie et le Yémen. Ces deux pays quittent la fédération en 1961. L'Egypte conserve jusqu'en 1971 le nom de République arabe unie.

arabelle n. f. Annélide polychète de nos côtes. (Famille des eunicidés.)

arabesque n. f. (de l'ital. *arabesco*). Ornement peint ou sculpté employé en décoration. (V. *encycl.*) ‖ Ligne idéale réunissant certains contours et constituant le rythme essentiel d'une composition peinte ou sculptée. ‖ Plus précisément, traitement habituel de la ligne, chez les peintres : *L'arabesque de Rubens, de Matisse,* etc. ‖ Pose de la danse académique dans laquelle le corps s'allonge transversalement, et, tandis qu'une jambe est levée et tendue en arrière et l'autre appuyée à terre, un bras ou les deux continuent la ligne de la jambe levée, en direction généralement opposée. (L'arabesque peut être effacée ou croisée, fondue ou tendue, relevée, sautée en tournant. Introduite dans les ballets au XVIIIe s., elle semble avoir été inspirée par des poses et des motifs orientaux.)

arabes unis (FÉDÉRATION DES ÉMIRATS), Etat du nord-est de l'Arabie, sur le golfe Persique ; environ 83 600 km^2 ; 1 040 000 h. Cap. *Abū Ẓabī.* L'Etat regroupe sept émirats : Abū Ẓabī, 'Adjmān, Chārdja, Dibay, Fudjayra, Ra's al-Khayma et Umm al-Qīwayn.

● *Géographie.* L'économie de ces territoires, associant autrefois élevage extensif (parfois nomade), pêche, très ponctuellement cultures, a été récemment, au moins localement, bouleversée par l'extraction du pétrole. Abū Ẓabī est le plus richement doté à ce point de vue, avec une production annuelle de près de 60 millions de tonnes et des réserves supérieures à 4 milliards de tonnes. Récent, l'apport de Dibay est notable. Malgré la baisse récente du prix du pétrole brut, les Emirats arabes unis disposent encore de revenus considérables dont la répartition, compte tenu de la structure fédérale et aussi de la structure sociale, est très inégale.

● *Histoire.* La Fédération des émirats arabes unis est constituée le 2 décembre 1971 par l'union de six émirats de l'ancienne Côte des Pirates : Abū Ẓabī, 'Adjmān, Dibay, Chārdja, Fudjayra, Umm al-Qīwayn. Le souverain de Ra's al-Khayma rejoint la Fédération le 10 février 1972. Le nouvel Etat adopte Abū Ẓabī pour capitale fédérale et se dote d'un conseil suprême, composé des souverains de chaque principauté, d'un gouvernement et d'une assemblée consultative. Le président de la Fédération Zāyid ibn Sulṭān al-Nahyan, également souverain d'Abū Ẓabī, est réélu chef de l'Etat pour un troisième mandat par le Conseil fédéral, en 1981. Cette même année, la Constitution provisoire est prorogée pour cinq ans.

arabidopsis [psis] n. f. Crucifère aux petites fleurs bleues, sur les terrains siliceux.

Arabie, en ar. **Djazīrat al-'Arab,** péninsule du sud-ouest de l'Asie, sur l'océan Indien et ses dépendances (mer Rouge et golfe Persique). Couvrant environ 3 millions de kilomètres carrés, l'Arabie compte approximativement 15 millions d'habitants. La faiblesse de la densité moyenne de la population tient au caractère désertique de la majeure

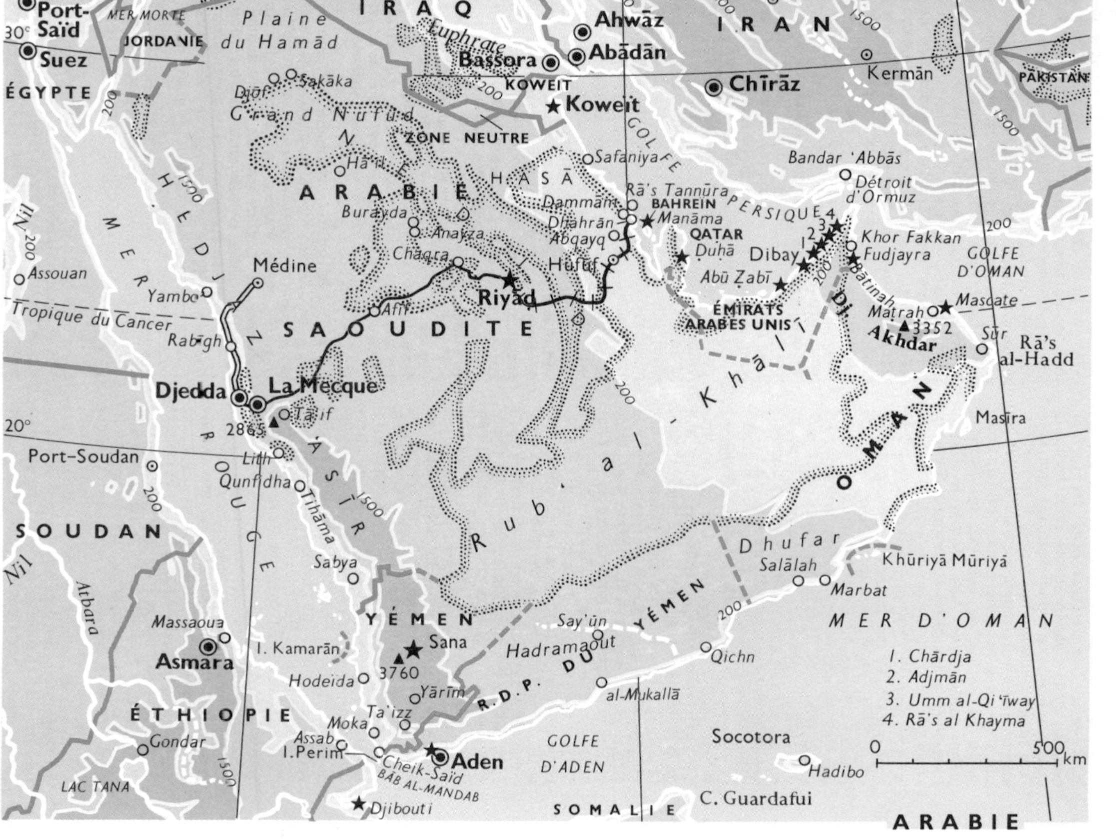

IRAN
IRAQ
ARABIE SAOUDITE
KOWEIT
ZONE NEUTRE
BAHREIN
QATAR
ÉMIRATS ARABES UNIS
OMAN
YÉMEN
R.D.P. DU YÉMEN
ÉGYPTE
JORDANIE
PAKISTAN
SOUDAN
ÉTHIOPIE
SOMALIE
MER ROUGE
GOLFE PERSIQUE
GOLFE D'OMAN
MER D'OMAN
GOLFE D'ADEN
BAB AL-MANDAB
MER MORTE
Tropique du Cancer
Rub' al Khā
Grand Nufud
Plaine du Hamād
HASĀ
HEDJAZ
ASĪR
Dhufar
Dj. Akhdar
Hadramaout
Tihāma
Riyad
La Mecque
Médine
Djedda
Koweit
Chīrāz
Ahwāz
Abādān
Bassora
Kermān
Bandar 'Abbās
Détroit d'Ormuz
Manāma
Duhā
Abū Ẓabī
Dibay
Masqate
Maṭraḥ
Sūr
Rā's al-Hadd
Masīra
Khūriyā Mūriyā
Marbat
Salālah
Qichn
al-Mukallā
Say'ūn
Sana
Yārim
Ta'izz
Moka
Hodeida
Aden
Cheik-Saïd
Djibouti
Assab
I. Perim
I. Kamarān
Massaoua
Asmara
Gondar
LAC TANA
Atbara
Nil
Port-Soudan
Assouan
Suez
Port-Saïd
Euphrate
Safaniya
Rā's Tannūra
Dammām
Dhahrān
Abqayq
Hufūf
Ḥā'il
Burayda
'Anayza
Chaqra
Afīf
Ṭā'if
Qunfidha
Līth
Sabya
Rabigh
Yambo
Sakāka
Djōf
Khor Fakkan
Fudjayra
Bāṭinah
Socotora
Hadibo
C. Guardafui
3352
3760
2865
1500
200
30°
20°
0 500 km
1. Chārdja
2. Adjmān
3. Umm al-Qi'īway
4. Rā's al Khayma
ARABIE

partie de la péninsule, qui correspond essentiellement à l'*Arabie Saoudite* (v. art. suiv.); à la périphérie se succèdent un certain nombre d'Etats indépendants dont le poids démographique et économique est très souvent inversement proportionnel à la surface occupée : les deux républiques du Yémen au sud, l'Oman à l'est, de petites principautés riches en pétrole au nord-est, les Emirats arabes unis (avec Abū Ẓabī), le Qaṭar, Bahreïn (Etat insulaire) et surtout le Koweït.

● *Géographie.* L'Arabie est un vaste plateau qui s'élève des plaines de Mésopotamie et de Syrie, au N., vers le Yémen, au S. Ce plateau calcaire, le *hamad,* est coupé seulement de vallées profondes parcourues par les oueds vers le N. Puis apparaissent vers le S. des plateaux gréseux et calcaires compartimentés par une succession de reliefs de côtes qui s'alignent en hémicycle du Sinaï, au N., à l'Hadramaout, au S.
Ces plateaux bordent un ensemble de régions volcaniques et cristallines. Les montagnes du Hedjaz, de l'‘Asīr (plus de 2500 m), du Yémen (3760 m au djabal Ḥaḍūr Nabī Chu‘ayb) tombent sur la mer Rouge par des escarpements de faille et surplombent une étroite plaine littorale, la Tihāma. La plaine côtière et la bordure montagneuse ne sont pas aussi continues le long de la mer d'Oman; au S., les montagnes de l'Hadramaout ressemblent à celles qui bordent la mer Rouge, mais entre le golfe Persique et le golfe d'Oman s'élèvent des chaînes récentes (djabal Akhḍar, 3020 m). Enfin, dans l'intérieur de la péninsule s'étend l'immense désert sableux du Rub ‘al-Khālī.
L'Arabie est pour l'essentiel un désert qui fait le pont entre ceux du Sahara et ceux d'Asie centrale. L'amplitude diurne de la température atteint parfois 60 °C; l'été est torride, l'hiver relativement frais. Au printemps et en automne, des dépressions atmosphériques venues de Méditerranée apportent quelques pluies. Mais le sud de l'Arabie reçoit les pluies de mousson venues de l'océan Indien; l'‘Asīr, le Yémen, l'Hadramaout, l'Oman, qui forment l'« Arabie Heureuse » des Anciens, ne sont pas des régions désertiques, grâce à cette mousson.
La plus vaste partie de l'Arabie, principalement le nord, est un immense terrain de parcours pour les tribus de Bédouins nomades; ceux-ci se déplacent avec leurs chameaux et leurs moutons vers les régions moins arides aux approches de l'été. Dans les fonds des vallées ou les dépressions, les eaux souterraines forment des sources ou sont atteintes par des puits; là se trouvent de belles oasis, où l'on cultive les palmiers-dattiers, des arbres fruitiers, des céréales. Le sud de l'Arabie, humide et montagneux, est occupé par des paysans pratiquant une culture habile et intensive sur des terrasses. Les cultures sont variées : céréales, canne à sucre, coton, arbres fruitiers tropicaux, vigne, le *qat* dont les feuilles sont un excitant, et surtout le café, qui fit la célébrité de Moka. Sur cette côte, les ports sont nombreux, et la population est extrêmement mêlée : Noirs d'origine africaine, marchands, pèlerins venus de l'Inde, de l'Iran, d'Indonésie. La plus grande partie de la péninsule est peuplée d'Arabes, musulmans sunnites (sauf des zaïdites au Yémen et des chī‘ites à Bahreïn).
Depuis moins de trente ans, l'Arabie est devenue une grande région productrice de pétrole; les concessions, autrefois partagées entre les compagnies américaines et britanniques, sont aujourd'hui la propriété des Etats de la péninsule (les compagnies agissant comme opératrices). La production, en recul, dépasse encore 350 Mt, exportée par le détroit d'Ormuz ou par oléoducs vers la mer Rouge ou la Méditerranée.
Les redevances pétrolières constituent la ressource essentielle et souvent énorme des souverains musulmans. Mais ces revenus n'ont entraîné que des mutations locales en Arabie : la société reste très hiérarchisée, à la fois théocratique et féodale. Les villes n'ont guère évolué, et La Mecque, capitale religieuse de l'islām, est fermée aux non-musulmans.

● *Histoire.* Au cours du Ier millénaire av. J.-C., les royaumes des Minéens, puis de Saba dominèrent successivement l'Arabie du Sud. Ceux d'Hadramaout et de Qatabān se développèrent parallèlement, mais leur importance fut moindre.
Par la mer Rouge, l'Arabie méridionale commerçait avec le royaume nabatéen de Pétra, en Arabie du Nord (IVe s. av. J.-C.-Ier s. apr. J.-C.). Ce royaume devint vassal de Rome dès 60 av. J.-C. et, en 105 apr. J.-C., il fut érigé en province romaine d'Arabie.
Le royaume arabe de Palmyre, qui relaya celui de Pétra, atteignit son apogée au IIIe s. apr. J.-C., mais fut à son tour anéanti par Rome (273).
En Arabie du Sud, le royaume de Himyār, qui avait succédé à celui de Saba, échappa à la domination romaine, mais fut ensuite disputé entre Perses et Byzantins. Le judaïsme et le christianisme, et particulièrement l'Eglise nestorienne, monophysite, se répandirent en Arabie. L'individualisme bédouin s'affirma avec la décadence de l'Empire romain. Pour prévenir l'incursion des tribus nomades, Byzance apporta son soutien aux petits Etats des Arabes *Rhassānides,* sur la frontière syrienne (capit. Bassora), et des *Lakhmides* (capit. Al-Ḥira), établis du côté de la Perse.

C'est à La Mecque, capitale du Hedjaz, qu'en 570 naquit Mahomet*. L'islām*, auquel toutes les tribus d'Arabie étaient ralliées vers 630, réalisa pour un temps l'unité de la péninsule. Après la mort du Prophète, l'Arabie devint le cœur d'un vaste empire, dont la direction lui échappa lors de l'avènement de la dynastie omeyyade (661). Avec le déclin du califat au IXe s., l'Arabie perdit sa cohésion politique : les Kharidjites constituèrent un imāmat indépendant dans l'Oman ; le Yémen, l'Hadramaout se rendirent de même indépendants. A partir de 900, les Qarmates ismaïliens constituèrent en Arabie orientale un puissant Etat, qui rétablit brièvement l'unité de l'Arabie. Au XIIe s., la péninsule tomba sous la suzeraineté de l'Egypte, puis, en 1517, sous celle des Turcs. A partir du XVIe s., les côtes furent fréquentées par les commerçants européens, les Portugais d'abord, puis les Anglais et les Hollandais.

Poli - Rapho

La Mecque

portique d'entrée de la Ka'ba

la Ka'ba

Poli - Rapho

L'histoire de l'Arabie moderne commence avec le mouvement wahhābite* au milieu du XVIIIe s. Né dans le Nadjd, celui-ci contrôla rapidement la péninsule dans son ensemble et amena la restauration d'un gouvernement islamique unifié et indépendant de la Turquie : le gouvernement des Saoudites (occupation de La Mecque et de Médine, 1803). Une expédition égyptienne (1811-1818), suscitée par les Turcs, anéantit les Wahhābites, dont la capitale Al-Dir'iyya fut détruite. Au cours du XIXe s., tandis que les Saoudites établissaient leur nouvelle capitale à Al-Riyād, les Turcs consolidaient leurs positions sur les marges de l'Arabie (Hedjaz, Asir, Yémen), et les Anglais occupaient Aden (1839), puis établissaient leur protectorat sur l'imāmat d'Oman (1891). L'alliance des Wahhābites et des Anglais au cours de la Première Guerre mondiale mit fin à la mainmise turque sur l'Arabie. L'imām des Wahhābites, Ibn Sa'ūd, constitua alors progressivement le royaume d'Arabie Saoudite.

Arabie du Sud (FÉDÉRATION DE L'), fédération constituée en 1962 et 1963, qui regroupait diverses principautés sous protectorat britannique et l'ancienne colonie britannique d'Aden ; 155 400 km²; 712 000 h. Cap. *Al-Ittihad* (auj. *al-Cha'ab*). Elle est devenue indépendante en 1967 sous le nom de République populaire du Yémen du Sud (auj. République démocratique et populaire du Yémen).

Arabie du Sud (PROTECTORAT DE L'), anc. territoire regroupant les principautés du protectorat d'Aden qui n'avaient pas adhéré à la Fédération d'Arabie du Sud (auj. intégrés à la Républ. démocr. et pop. du Yémen).

Arabie Saoudite, principal Etat d'Arabie ; 2 150 000 km²; 11 millions d'hab. Capit. *Riyād*.

● *Géographie*. Constituée d'un vaste plateau s'élevant vers le sud-ouest montagneux, l'Arabie Saoudite, au climat franchement désertique (très chaud et aride), surtout en sa partie centrale, doit son importance à deux faits essentiels : la possession des villes saintes de l'islām (Médine et surtout La Mecque) et la présence de gigantesques gisements de pétrole. Ainsi, le pays dispose d'une influence dans le monde arabe, et hors de celui-ci désormais, sans rapport sinon avec l'étendue qu'il occupe, du moins avec le chiffre, modeste, bien qu'en rapide accroissement, de sa population. L'élevage nomade des moutons et des chameaux pratiqué par les Bédouins du Nord, les cultures du palmier-dattier, des arbres fruitiers, de céréales, dans les oasis ou dans le Sud, plus élevé et relativement moins aride, constituent toujours une ressource fondamentale pour une part notable de la population, mais dans la formation du produit brut de l'Etat ils n'ont qu'une part dérisoire, comparée à celle que constituent les revenus du pactole pétrolier. L'exploitation, localisée sur le golfe Persique ou à proximité, a débuté véritablement il y a une trentaine d'années seulement. L'Arabie Saoudite est aujourd'hui le troisième producteur mondial, ayant fourni près de 230 millions de tonnes de brut, production toutefois en recul sensible depuis 1980 (500 Mt cette dernière année). Les réserves prouvées du pays sont estimées à près de 25 milliards de tonnes (c'est-à-dire près du quart des réserves mondiales), représentant donc une centaine d'années d'exploitation au rythme actuel. Cette exploitation a été développée par les grandes sociétés américaines réunies dans l'Arabian American Oil Company (plus connue sous l'abréviation de « Aramco »), dont l'Arabie Saoudite détient, aujourd'hui, la totalité du capital. La consommation nationale étant infime, on conçoit, avec la hausse récente brutale des prix du brut, la progression fulgurante des revenus pétroliers de l'Arabie Saoudite, de l'ordre de 50 milliards de dollars (plus de 100 en 1980 et 1981), chiffre moyen sans signification réelle, compte tenu de l'inégalité de la distribution des revenus, liée à la persistance d'une société de type féodal.

● *Histoire.* Etat d'origine bédouine, l'Arabie Saoudite est fondée en 1932 par ʻAbd al-ʻAzīz ibn Saʻūd, émir du Nadjd et imām des Wahhābites, dont la politique de guerres et d'accords avec ses voisins permet de fixer les frontières du pays. A sa mort (1953), son fils Ibn Saʻūd pratique un conservatisme rigoureux, cependant que le gaspillage et les dépenses excessives aggravent la crise économique et financière que subit le pays. Il est bientôt contraint d'accorder une délégation temporaire (1958-1964), puis la totalité du pouvoir à son frère, l'émir Fayṣāl. Traditionaliste, celui-ci opère pourtant certaines réformes (abolition de l'esclavage, lois sur les compagnies pétrolières) et consacre une forte part du budget aux projets de développement. Il tente de regrouper autour de lui les forces conservatrices de l'Islām, mais sa politique pro-occidentale provoque des tensions avec le reste du monde arabe.

Fayṣāl est assassiné en 1975. Le prince Khālid lui succède. A sa mort, en 1982, le prince Fahd, son frère, accède au pouvoir.

arabinose n. m. Aldose en C_5, non fermentescible, dont il existe trois isomères qui, par réduction, donnent les arabitols.

ʻArabī pacha ou **Aḥmad ʻArabī al-Husaynī,** officier égyptien (Hārya-Ruzna, Basse-Egypte, 1839- Le Caire 1911). Il essaya de s'opposer à la domination anglaise (1881-1882) en organisant un parti national. Déporté à Ceylan, il rentra en Egypte en 1901.

arabique → ARABE.

Arabique (GOLFE), anc. nom de la **mer Rouge.**

arabis [bis] n. f. Crucifère ornementale des rocailles, dont une espèce est la *corbeille-d'argent.*

arabisant, arabisation, arabiser, arabisme → ARABE.

ʻArabistān. V. KHŪZISTĀN.

arabitol n. m., ou **arabite** n. f. Pentitol obtenu par réduction d'un arabinose.

arable adj. (du lat. *arare,* labourer). Se dit de la partie du sol qui peut être retournée par la charrue. ● *Terres arables,* celles qui sont labourées, ensemencées et qui, aussitôt après la récolte, sont de nouveau labourées, etc.

arabophone → ARABE.

arac n. m. V. ARAK.

Aracajú, port du Brésil, capit. de l'Etat de Sergipe, à l'embouchure du Cotinguiba; 183 900 h. Textiles, savonneries, sucreries.

aracari n. m. Toucan noir, à ventre jaune, de l'Amérique du Sud.

aracées n. f. pl. (du gr. *aron,* arum). Famille de plantes monocotylédones des lieux humides, au rhizome tubéreux, à l'inflorescence en spadice, dont l'arum* est le type.

arachide n. f. (lat. *arachidna;* du gr. *arakhos,* gesse). Plante africaine de grande culture, dont les pédoncules floraux se recourbent vers le sol après la fécondation pour y enterrer le fruit (cacahouète). [Nom sc. : *Arachis hypogæa;* famille des papilionacées.] ◆ **arachinodique** adj. Se dit de l'acide gras présent dans les arachides.

— ENCYCL. ***arachide.*** La graine, qui est donc récoltée dans le sol, peut se manger grillée ou être pressée pour fournir de l'huile. La plante est annuelle, mesure 30 à 40 cm de hauteur; sa culture n'est profitable que dans les pays chauds. La graine est semée en poquets à 7 ou 8 cm de profondeur et à 50 cm les uns des autres. Il est nécessaire de butter les plantes au moment de la floraison.

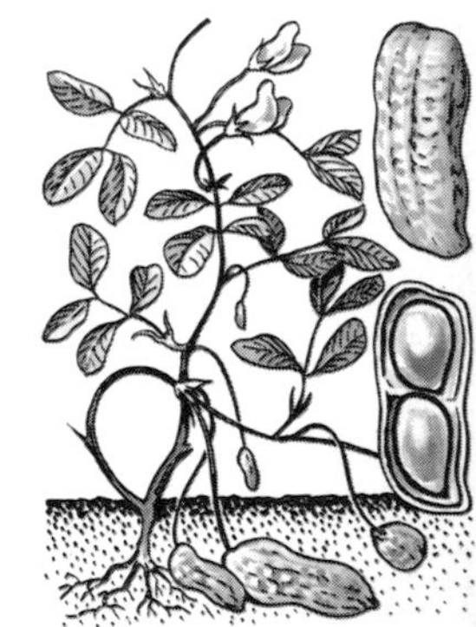

arachide

Les principaux producteurs sont l'Inde et la Chine.

arachinodique → ARACHIDE.

arachnanthe [arak] n. m. Orchidacée de Malaisie et de l'Himalaya.

Arachné, en gr. **Arakhnê** (« araignée »), jeune Lydienne légendaire qui, pour avoir osé défier la déesse Athéna dans l'art de la tapisserie, fut métamorphosée en araignée.

arachnéen, enne [arak] adj. (du gr. *arakhnê,* araignée). Propre à l'araignée. || *Fig.* Qui a la légèreté d'une toile d'araignée : *Une voilette arachnéenne.* ◆ **arachnides** n. m. pl. Classe d'arthropodes terrestres, comprenant les araignées, les scorpions, les acariens, etc. (V. *encycl.*) ◆ **arachnoïde** adj. Qui a l'aspect d'une toile d'araignée. ✦ n. m. Coquillage épineux et finement strié. || Singe américain du genre *atèle**. || Polypier du genre *astræa.* ✦ n. f. L'une des trois membranes qui enveloppent l'axe cérébro-spinal. (L'arachnoïde est située entre la dure-mère, qui lui est externe, et la pie-mère, qui recouvre immédiatement la surface de l'encéphale et de la moelle épinière; entre l'arachnoïde et la moelle épinière se trouve le liquide céphalorachidien.) ◆ **arachnoïdien, enne** adj. Qui a la finesse d'une toile d'araignée. || *Anat.* Qui appartient à l'arachnoïde. ◆ **arachnoïdite** n. f. Inflammation de l'arachnoïde. (V. MÉNINGITE.) ◆ **arachnologie** n. f. Branche de la zoologie qui traite des araignées. ◆ **arachnologue** n. Personne qui s'occupe d'arachnologie.

— ENCYCL. ***arachnides.*** Les arachnides présentent un céphalothorax pourvu d'appendices, suivi d'un abdomen (treize segments plus ou moins fusionnés), qui en est dépourvu. Leur appareil respiratoire est des plus variables (poumons seuls, trachées seules, association des deux systèmes, etc.), mais ne comporte jamais de branchies. Ils se caractérisent surtout par leurs appendices : une paire de chélicères (crochets, venimeux chez les araignées seulement), une paire de pédipalpes (pattes préhensiles, développées en pinces chez les scorpions, les pseudo-scorpions, etc.), quatre paires de pattes marcheuses. Les yeux sont toujours simples, et il n'y a ni antennes ni pièces buccales, ce qui oppose les arachnides aux insectes. Il n'y a pas de métamorphoses. On compte au moins 40 000 espèces, formant trois sous-classes principales : araignées, scorpions et acariens, et huit sous-classes moins importantes.

arachnoïde, arachnoïdien, arachnoïdite, arachnologie, arachnologue → ARACHNÉEN.

arachnothère [rak] n. m. Petit passereau verdâtre, à long bec courbe, d'Indo-Malaisie. (Famille des nectariniidés.)

Arad, v. d'Israël, au-dessus de la mer Morte. Exploitation de gaz naturel.

Arad, v. de Roumanie (région du Banat); 141 400 h. Anc. forteresse. Machines-outils.

aræocère n. m. Coléoptère anthribidé parasite des grains de café.

Arafat (Yasser), homme politique palestinien (Jérusalem 1929). Leader de l'organisation antisioniste al-Fatah depuis 1968, il est président, depuis 1969, de l'Organisation de libération de la Palestine. Il participe, en 1974, à l'O. N. U., au débat sur la Palestine. Malgré un fort mouvement de dissidence, au sein du al-Fatah, appuyé par la Syrie, il est confirmé à la tête de l'O. L. P. en 1984 par le Conseil national de la Palestine.

Arafura ou **Arafoura** (MER D'), mer comprise entre l'Australie et la Nouvelle-Guinée indonésienne.

Aragats, montagne de l'U. R. S. S. (Arménie), au N. d'Erevan. C'est la partie culminante du massif volcanique de l'Alaghez; 4 095 m. Station de recherches astrophysiques.

Aragnouet, comm. des Hautes-Pyrénées (arr. de Bagnères-de-Bigorre), à 23 km au S.-O. d'Arreau, sur un affluent de la Neste d'Aure (*Neste d'Aragnouet*); 260 h. Tunnel routier vers Bielsa (Espagne).

François **Arago**

Larousse

Arago (François), astronome, physicien et homme politique français (Estagel, Roussillon, 1786 - Paris 1853). Directeur de l'Observatoire de Paris, il est surtout connu par ses travaux de physique : découverte de la polarisation rotatoire du quartz, mesure des densités des gaz, de la tension de la vapeur d'eau, découverte de l'aimantation du fer par un courant électrique, etc. Député des Pyrénées-Orientales, il siégea à l'extrême gauche, fut porté par l'acclamation populaire au Gouvernement provisoire en 1848 et devint ministre de la Marine et de la Guerre; il fit abolir l'esclavage dans les colonies françaises. (Acad. des sc., 1809.) — Son frère JACQUES, écrivain (Estagel 1790 - au Brésil 1855), a publié *Voyage autour du monde* (1838-1840), *Souvenirs d'un aveugle* (1838). — EMMANUEL

(Paris 1812 - *id.* 1896), fils de François Arago, républicain ardent, fut ministre plénipotentiaire à Berlin sous la IIe République, et ministre de la Justice, puis de l'Intérieur dans le gouvernement de la Défense nationale du 4 sept. 1870.

Aragón, riv. d'Espagne, affl. de l'Ebre (r. g.); 167 km.

Aragon, en esp. **Aragón,** région du nord de l'Espagne, s'étendant sur les provinces de Huesca, Saragosse et Teruel ; 1 197 000 h.

● *Géographie.* L'Aragon s'étend : au N., sur le versant des Pyrénées, région d'élevage du mouton et de cultures d'orge et de pomme de terre ; au centre, sur le bassin de l'Ebre, où seules les vallées ont de riches cultures irriguées (céréales, luzerne, betterave à sucre) ; au S., sur une partie des monts Ibériques, massifs calcaires arides coupés de bassins (Calatayud, Teruel).

● *Histoire.* Petit comté pyrénéen autour de Jaca (IXe s.), l'Aragon, uni à la Navarre au Xe s., s'en sépare et devient un royaume avec Ramire Ier (1035-1063) ; Sanche Ier Ramírez (1063-1094) récupère la couronne de Navarre en 1076 ; Alphonse Ier (1104-1134) s'empare de Saragosse et en fait la nouvelle capitale. La perte du royaume de Navarre (1134) est compensée par le rattachement du comté de Barcelone (fiançailles de la fille de Ramire II avec Raimond-Bérenger IV, comte de Barcelone, 1137) et de ses annexes : Cerdagne (1147), Roussillon (1172) ; l'Aragon devient alors, par l'intermédiaire des Catalans, une grande puissance maritime. Les conquêtes se succèdent : Baléares (1229-1235), Valence (1238), Sicile (1282), Sardaigne (1322-1325), royaume de Naples (1442), apportant aux Aragonais la maîtrise de la Méditerranée occidentale. Avec l'union de l'Aragon et de la Castille (mariage de Ferdinand et d'Isabelle, 1469), l'histoire de l'Aragon se confond avec celle de l'Espagne*. D'autre part, les grandes découvertes (fin du XVe s.) donnent le premier rôle aux ports de l'Atlantique et entraînent l'effacement commercial de l'Aragon.

Aragon (Jeanne D'), princesse sicilienne (Naples v. 1500 - † 1577), épouse d'Ascanio Colonna. Belle et cultivée, elle inspira les poètes de son temps. Son portrait a été peint par Raphaël (Louvre).

Aragon (Louis), écrivain français (Paris 1897 - *id.* 1982). L'un des promoteurs du surréalisme, avec ses poèmes *Feu de joie* (1920) et *le Mouvement perpétuel* (1926), il débute dans le roman avec *Anicet ou le Panorama* (1921) et *le Paysan de Paris* (1926). Ayant adhéré au communisme, il fait un séjour en U. R. S. S., puis publie de nouveaux romans : *les Cloches de Bâle* (1933), *les Beaux Quartiers* (1936), *les Voyageurs de l'Impériale* (1942), *Aurélien* (1945), *les Communistes* (6 vol., 1944-1951), *la Semaine sainte* (1958), *la Mise à mort* (1965), *Blanche ou l'Oubli* (1967). Cependant, Aragon n'abandonne pas la poésie : il a été, avec Paul Eluard, un des premiers poètes de la Résistance (*le Crève-cœur,* 1941 ; *la Diane française,* 1945). Ses autres œuvres poétiques témoignent d'une inspiration qui sait renouveler les thèmes traditionnels : *les Yeux d'Elsa,* 1942 ; *les Yeux et la Mémoire,* 1954 ; *Elsa,* 1959 ; *les Poètes,* 1960 ; *le Fou d'Elsa,* 1963. Il a été directeur de l'hebdomadaire *les Lettres françaises* (1953-1970). (Acad. Goncourt, 1967-1968.)

Louis Aragon

aragonais, e adj. et n. Qui concerne l'Aragon ou ses habitants ; habitant ou originaire de cette région. ‖ — ***aragonais*** n. m. Dialecte parlé en Aragon. ‖ — ***aragonaise*** n. f. Danse populaire de l'Aragon. (Syn. JOTA.) ◆ **aragonite** n. f. Carbonate de calcium cristallisé, biréfringent, du système orthorhombique. (Chauffée, l'aragonite se transforme en calcite.)

Araguaia, riv. du Brésil, née dans la Serra do Caiapó, qui rejoint le Tocantins (r. g.) ; 2 640 km. Alluvions aurifères.

araguan n. m. Bois produit par une bignoniacée de l'Amérique chaude.

araignée n. f. (de *aragne,* forme archaïque, du lat. *aranea*). Animal articulé, de la classe des arachnides, possédant des filières abdominales pour la soie et des chélicères venimeuses. (V. *encycl.*) ‖ Nom usuel des hémiptéroïdes du genre *gerris.* ‖ L'un des noms usuels de la *vive**. ‖ Nom donné par les bergers à la *mammite gangreneuse* des brebis. ‖ Morceau du bœuf, constitué par le muscle obturateur interne, utilisé en biftecks. ‖ Crochet métallique à plusieurs branches, pour retirer les seaux d'un puits. ‖ Crochet utilisé par les plombiers dans la fixation des pompes. ‖ Mine qui se compose de rameaux divergents, terminés par des fourneaux destinés à éclater simultanément. ‖ Grand filet de pêche, rectangulaire, à mailles carrées. ‖

Leurre utilisé par les pêcheurs à la mouche sèche. || Véhicule très léger, sans carrosserie, utilisé pour les courses au trot attelé. || Point de dentelle formant roue au centre de fils tendus. ● *Araignée de mer,* nom donné au *crabe maïa* à cause de ses huit longues pattes. || *Avoir une araignée au plafond* (Fam.), avoir l'esprit un peu dérangé par une idée fixe. || *Toile d'araignée,* le filet que tisse l'araignée. — ENCYCL. La sous-classe des araignées comprend les trois ordres des mygalomorphes, des liphistiomorphes et des aranéomorphes, ces derniers, les plus nombreux et les plus évolués, étant les araignées au sens le plus restreint du mot. Le corps d'une araignée se compose de deux parties nettement séparées : un céphalothorax, qui porte tous les appendices — crochets venimeux (chélicères), pédipalpes (ou maxillipèdes), quatre paires de pattes marcheuses et souvent tisseuses; un abdomen, sans appendices, mais porteur de presque tous les orifices corporels — stigmates des trachées, ouverture des poumons, orifice de ponte, anus, enfin filières fournissant la soie. La plupart des araignées tissent des toiles pour capturer les insectes, percent leurs proies de leurs crochets pour les tuer et liquéfier leur contenu, puis les sucent en aspirant ce contenu. Mais certaines espèces (lycose) poursuivent leurs proies à la course, et la soie sert à bien des usages : de cocon pour les œufs, de planeur (fil de la Vierge) pour les jeunes, de charnière et fil d'Ariane pour le terrier des mygales, etc. Beaucoup d'araignées dévorent leur mâle aussitôt après la fécondation. Les œufs donnent des jeunes déjà très semblables aux adultes.

Araing (LAC D'), lac des Pyrénées ariégeoises. Installations hydro-électriques alimentant la centrale d'Eylie.

araire n. m. (lat. *aratrum ;* de *arare,* labourer). Instrument de labour, utilisé depuis l'Antiquité pour émietter superficiellement la terre et la rejeter symétriquement des deux côtés de la raie. (L'araire comprend un soc, un sep muni de deux versoirs, un ou deux mancherons et un timon fixé directement au joug ; c'est un instrument à traction animale.)

araignées
de gauche à droite, épeire ; *Dysderida westringi :* ensemble ; crochets venimeux

Noailles

Six

Six

arak, arack ou **arac** n. m. (ar. *'araq*). Nom de diverses eaux-de-vie en usage en Afrique, en Asie, en Amérique et en Océanie.

Arak, bordj du Sahara algérien (dép. des Oasis, arr. d'Ouargla). Gisement de platine.

Arak, anc. **Sulṭānabād,** v. de l'Iran, au pied du Zagros ; 71 900 h. Centre militaire et commercial. Tapis réputés.

Arakan, chaîne montagneuse de Birmanie, entre le golfe du Bengale et le bassin de l'Irrawaddy ; 3 053 m au *mont Victoria.*

Araktcheïev (Alexis Andreïevitch), général et homme politique russe (près de Novgorod 1769 - *id.* 1834). Conseiller de Paul Ier, ministre de la Guerre, il réforma l'armée et créa des colonies militaires.

Aral (MER D'), mer intérieure de l'U. R. S. S. ; 67 000 km^2. C'est un lac très salé, soumis à une forte évaporation, alimenté par le Syr-Daria et l'Amou-Daria (dont le delta progresse rapidement sur la côte sud). La mer d'Aral paraît avoir été reliée à la Caspienne jusqu'à une époque très récente, probablement aux temps historiques.

Araldite n. m. (nom déposé). *Mat. plast.* Matière à mouler à base de résine époxyde.

aralia n. m. Plante vivace ligneuse asiatique et américaine, voisine du lierre. (Type de la famille des araliacées.) ◆ **araliacées** n. f. pl. Famille de plantes à fleurs en ombelles, voisines des ombellifères, et dont la plus connue est le lierre. (Syn. HÉDÉRACÉES.)

aralo-caspien (BASSIN) ou **aralo-caspienne** (DÉPRESSION), nom de la dépression où se trouvent la Caspienne et la mer d'Aral; 3 millions de km^2.

Aram, d'après la Bible, un des fils de Sem, ancêtre des *Araméens.*

Aram, prince légendaire d'Arménie, de la dynastie des Haïq. (C'est du mot *Aram* qu'est formé celui d'*Arménie.*)

Arambourg (Camille), paléontologiste français (Paris 1885 - *id.* 1969), spécialiste des faunes du Maghreb. (Acad. des sc., 1961.)

araméen, enne adj. et n. Qui concerne les Araméens. ‖ — ***araméen*** n. m. Langue sémitique de l'Ouest, qui fut la langue de l'Orient ancien du VIIIe s. av. J.-C. jusqu'à la conquête d'Alexandre. (L'araméen se divise en deux branches maîtresses : l'*araméen occidental* [araméen biblique, palmyrénien, nabatéen, judéo-araméen occidental, samaritain, christo-palestinien, néo-araméen] et l'*araméen oriental* [syriaque, judéo-araméen oriental, mandéen, parlers araméens modernes].)

Araméens, populations de race sémite qui, d'abord nomades, fondèrent divers Etats en Syrie.

Aramits, ch.-l. de c. des Pyrénées-Atlantiques (arr. et à 14 km au S.-O. d'Oloron-Sainte-Marie), anc. capit. du Barétous ; 602 h.

aramon n. m. Cépage très productif du midi de la France. (Les vins des coteaux sont meilleurs que ceux de la plaine. La peau du grain est noire et fine ; la chair est juteuse, mais presque sans saveur, quoique très sucrée.)

Aramon, ch.-l. de c. du Gard (arr. de Nîmes), sur le Rhône, à 13 km au S.-O. d'Avignon ; 3 022 h. (*Aramonais*). Eglise romane. Château. Centrale thermique.

Aramon (Gabriel DE LUITZ, baron D'), marquis **des Iles d'Or** (fin du XVe s. - apr. 1553), ambassadeur de France à Constantinople auprès de Soliman II (1546-1553).

aran n. m. *Fil d'aran,* fil métallique employé pour certaines pêches en Méditerranée.

Aran (ÎLES). V. ARRAN.

Aran (VAL D'), haute vallée des Pyrénées espagnoles (Catalogne). Elle renferme les sources de la Garonne, qui la traverse jusqu'à Pont-du-Roi.

Aranda (Pedro Pablo ABARCA Y BOLEA, comte D'), diplomate et ministre espagnol (Huesca 1719 - Epila 1798). Il expulsa les jésuites d'Espagne.

aranéides n. m. pl. (lat. *aranea,* araignée). Sous-classe d'arachnides comprenant les araignées* au sens large du mot (plus de 30 000 espèces). ◆ **aranéisme** n. m. Intoxication causée par le venin d'araignée. (Elle n'est grave que dans les régions intertropicales.) ◆ **aranéologie** n. f. Partie de la zoologie qui traite des araignées. ◆ **aranéologique** adj. Qui appartient, qui a rapport à l'aranéologie. ◆ **aranéologue** n. Personne qui s'occupe d'aranéologie. (On dit aussi ARANÉOGRAPHE.) ◆ **aranéomorphes** n. m. pl. Ordre d'aranéides comprenant les vraies araignées, aux chélicères transversales. (Syn. LABIDOGNATHES.)

Aranjuez, v. d'Espagne (Nouvelle-Castille, prov. de Madrid) ; 27 250 h. Palais royal bâti par Philippe II ; jardins à la française. Un soulèvement y éclata dans la nuit du 17 au 18 mars 1808. Il aboutit à l'abdication du roi Charles IV en faveur de son fils Ferdinand VII et à l'intervention directe de Napoléon Ier en Espagne (entrevue de Bayonne, 15 juin au 7 juill.).

Arantius. V. ARANZI.

Arany (János), poète hongrois (Salonta, Roumanie, 1817 - Budapest 1882). Il acheva en 1879 sa trilogie *Toldi,* à laquelle il travaillait depuis trente-deux ans et qui compte parmi les chefs-d'œuvre de la littérature magyare. Ses ballades sont d'une perfection remarquable. — Son fils LÁZLÓ (Salonta 1844 - Budapest 1898) a publié des poésies et des contes populaires.

Aranzi, Aranzio ou **Arantius** (Giulio Cesare), anatomiste italien (Bologne 1530 - *id.* 1589). Il a fait connaître la structure du fœtus et du placenta, et décrit les ventricules du cerveau, les noyaux fibreux des valvules de l'aorte et de l'artère pulmonaire.

Arao, v. du Japon, dans l'île de Kyū shū (préf. de Kumamoto) ; 64 200 h.

Ara Pacis Augustae (« autel de la Paix d'Auguste »), monument élevé à Rome par cet empereur, consacré en 13 av. J.-C. et reconstitué dans son site originel (champ de Mars). Ses bas-reliefs sont un des meilleurs témoignages de l'art de cette époque.

Arapaho(s), Indiens qui vivaient à l'O. des Grands Lacs américains.

arapaima [paï] n. m. (mot indigène du Brésil). Poisson osseux des fleuves brésiliens, pouvant atteindre 5 m de long et peser 200 kg, à chair très estimée. (Famille des ostéoglossidés.)

Arapiles, village d'Espagne (León, prov. de Salamanque) ; 550 h. Victoire de Wellington sur Marmont, marquant le début des défaites françaises en Espagne (1812).

araponga n. m. Passereau d'Amazonie, dont le mâle porte des sortes de barbillons et chante d'une voix très métallique. (Genre *procnias ;* famille des cotingidés.)

Ararat (MONT), massif volcanique de la Turquie orientale (Arménie), près des frontières de l'U. R. S. S. et de l'Iran, point culminant de la Turquie (5 165 m au *Grand Ararat*). Selon le récit de la Bible et des légendes arméniennes, l'*arche de Noé* s'y serait échouée à la fin du Déluge.

araschnia n. f. Vanesse d'Europe, dont la chenille vit sur l'ortie, et qui présente chaque année deux générations d'aspect différent à l'âge adulte. (Famille des nymphalidés.)

arase, arasement → ARASER.

araser v. tr. (de *ras*). Mettre de niveau les assises d'une construction. ‖ User jusqu'à disparition des principales saillies du relief, en parlant des agents d'érosion. ◆ **arase** n. f. Pierre de faible épaisseur destinée à combler un vide dans un mur. ◆ **arasement** n. m. Action d'araser ; résultat de cette action. ‖ Lit supérieur d'une assise de maçonnerie, disposé dans un plan parfaitement horizontal. ‖ Extrémité d'une traverse, à la naissance du tenon. ‖ Coup de scie donné à une pièce pour limiter le tenon. ‖ Usure des rayures du canon d'une arme à feu produite par le frottement du projectile.

aratoire adj. (bas lat. *aratorius ;* de *arare,* labourer). Se dit d'un instrument utilisé en agriculture.

Aratos, poète et astronome grec (Soles ou Tarse, Cilicie, v. 315 - en Macédoine v. 240 av. J.-C.). Ce stoïcien a laissé un poème didactique, *les Phénomènes,* sorte d'encyclopédie des connaissances de son temps en matière d'astronomie et de météorologie.

Aratos de Sicyone, chef de la Ligue achéenne (v. 271 - 213 av. J.-C.). Il tenta de libérer le Péloponnèse des macédoniens et fut tué sur ordre de Philippe V de Macédoine.

Aratu, nouveau centre industriel du Brésil, près de Salvador.

Araucana (L'), poème épique d'A. de Ercilla y Zúñiga (1569-1590), sur la découverte de l'Amérique.

Goldner

araucaria

Larousse

araponga

Araucanie, pays des Indiens *Araucans,* dans le Chili central, au S. du río Bío-Bío. Soumise par les Espagnols, l'Araucanie fut libérée par une révolte indienne au XVIIIe s., puis recolonisée à la fin du XIXe s. (Français, Allemands, Suisses, Anglais) dans la région de Frontera. Après la création d'un royaume (1861-1862) par l'aventurier français Antoine de Tounens, le Chili soumit le pays.

Araucan(s) ou **Araukan(s)**, Indiens du Chili, établis entre Copiapó au N. et Chiloé au S., cultivateurs et habiles tisserands.

araucaria n. m. (de *Arauco,* prov. du Chili). Grand conifère forestier de l'Amérique du Sud et d'Océanie, remarquable par ses feuilles persistantes triangulaires engainant les rameaux. (Ornemental dans les parcs européens, il est exploité au Brésil pour son excellent bois. L'espèce océanienne est le *pin colonnaire.* Famille des pinacées.)

Araukan(s). V. ARAUCAN(S).

Aravalli (MONTS), montagnes de l'Inde, limitant le Deccan au N.-O., dans le Rājasthān ; 1 722 m.

Aravis (CHAÎNE DES), chaîne calcaire du massif préalpin des Bornes, dans les Alpes du Nord ; 2 752 m. — Le *col des Aravis* (1 498 m) permet le franchissement de la chaîne.

Arawak(s), Indiens de l'Amérique, dont les multiples tribus sont disséminées entre la Floride, le Paraguay, le littoral péruvien, l'embouchure de l'Amazone et les Antilles. Ils forment une importante famille linguistique et culturelle dont le centre de dispersion fut le bassin de l'Orénoque et le río Negro.

Araxe ou **Araks,** riv. de l'U. R. S. S., drainant la majeure partie de l'Arménie et confondant son delta avec celui de la Koura en Azerbaïdjan ; 994 km. Elle forme la frontière entre l'U. R. S. S. et la Turquie, puis entre l'U. R. S. S. et l'Iran.

arazzi n. m. pl. (de *Arazzo,* anc. nom ital. de *Arras*). Nom générique donné au Moyen

Age aux tapisseries de lisse, dont Arras était le principal producteur.

Arba (L'), comm. d'Algérie (dép. d'Alger, arr. de Dar-el-Baïda [Maison-Blanche]); 21 700 h.

Arbâa (TRIBU DES), tribu nomade d'Algérie, qui se déplace entre Laghouat et le Sersou.

arbalestée → ARBALÈTE.

arbalète n. f. (lat. *arcuballista;* de *arcus,* arc, et *ballista,* baliste). Arc d'acier monté sur un fût appelé « arbrier » et se bandant avec un ressort, ou en utilisant un cric ou une moufle pour les arbalètes lourdes. (Mentionnée au IVe s., proscrite par l'Eglise au XIIe s. comme trop perfide, l'arbalète fut employée jusqu'au XVIe s. Elle envoyait à 150 m des traits, ou carreaux.) || Instrument composé d'une poignée d'acier, employé par certains ouvriers en métaux pour rendre moins fatigant le travail à la lime. || Piège pour les petits mammifères nuisibles. || En chasse sous-marine, syn. de FUSIL. ● *Pêche à l'arbalète,* pêche à la surprise, en projetant l'esche devant le poisson. ◆ **arbalestée** n. f. Portée d'une arbalète. ◆ **arbalétrier** n. m. Soldat

B. N.

arbalétriers, miniature du XVe s. *Bibliothèque nationale*

armé d'une arbalète : *A Marignan (1515), la garde de François Ier comprenait deux cents arbalétriers à cheval.* || *Constr.* Pièce inclinée d'une ferme, en bois ou en métal, assemblée au sommet du poinçon et à l'extrémité de l'entrait. (Les arbalétriers supportent les pannes sur lesquelles sont appliqués les chevrons.) ● *Grand maître des arbalétriers,* officier qui commandait les arbalétriers, l'infanterie et les troupes de siège (XIIIe-XVe s.).

Arban (Francisque), aéronaute français (Lyon 1815 - Barcelone 1849). Il fut le premier à franchir les Alpes en ballon (1849).

Arbaud (Joseph D'), écrivain français de langue d'oc (Meyrargues 1874 - Aix-en-Provence 1950). Majoral du félibrige, il publia des contes, des poèmes et un récit mythique de bestiaire médiéval, *la Bête du Vaccarès* (1926).

Arbeau (Thoinot). V. TABOUROT (Jehan).

A. R. B. E. D., sigle des ACIÉRIES RÉUNIES DE BURBACH, EICH, DUDELANGE, société métallurgique constituée en 1911 par fusion, et dont le siège est à Luxembourg.

Arbèles, en gr. **Arbêla,** en assyrien **Arbailou,** auj. **Erbil,** l'une des principales villes de l'Assyrie. Alexandre vainquit Darios près de là (331 av. J.-C.) et y trouva le trésor des rois achéménides. Cette bataille est représentée notamment sur une mosaïque de Pompéi (musée de Naples).

Arbenz Guzmán (Jacobo), homme politique guatémaltèque (Quezaltenango 1913 - Mexico 1971). Président de la République en 1951, il fut accusé de collusion avec le communisme et dut démissionner en 1954.

Arberoue, anc. pays de la basse Navarre, entre Hasparren et Saint-Palais (Pyrénées-Atlantiques).

arbi n. m. (ar. *ar[a]bi,* sing. d'*arab*). *Arg.* Arabe.

Arbil. V. ERBIL.

arbitrable, arbitrage, arbitragiste → ARBITRE 2.

arbitraire, arbitrairement → ARBITRE 1.

arbitral, arbitralement, arbitration → ARBITRE 2.

1. **arbitre** n. m. (lat. *arbitrium*). *Libre arbitre,* faculté de se décider en l'absence de toute raison. (V. LIBERTÉ.) ◆ **arbitraire** adj. Qui dépend de la seule volonté : *Classification, signe arbitraire.* || Où intervient le caprice, aux dépens de la vérité, de la raison ou de la justice : *Prendre des mesures arbitraires.* || — SYN. : *artificiel, fantaisiste, illégal, injuste, irrégulier, tyrannique.* ●

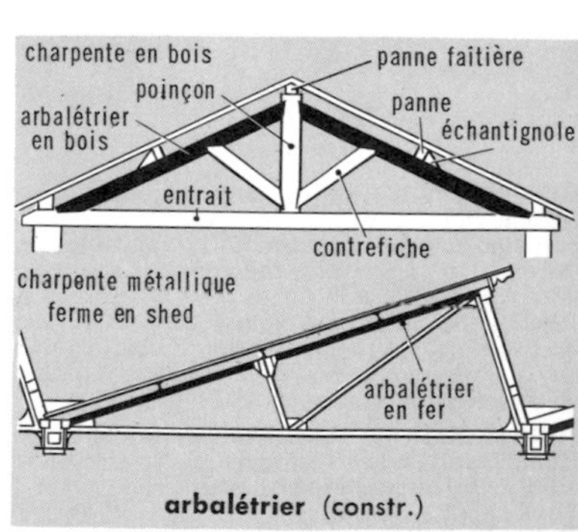

arbalétrier (constr.)

« Bataille d'**Arbèles** »
à gauche, Alexandre le Grand ; Darios sur son char. Mosaïque de Pompéi
Musée national, Naples

Fonction arbitraire, fonction de forme indéterminée, figurant dans l'intégrale générale d'une équation aux dérivées partielles. || *Quantité arbitraire,* quantité à laquelle peut être attribuée une valeur quelconque. ✦ n. m. Despotisme, autorité qui s'exerce sans autre règle que le bon plaisir : *L'arbitraire finit toujours par provoquer la révolte.* ● *Arbitraire légal,* faculté d'appréciation laissée par le législateur à la conscience du juge. ◆ **arbitrairement** adv. De façon arbitraire : *Cette date convient tout spécialement, elle n'a pas été choisie arbitrairement.*

2. arbitre n. m. (lat. *arbiter*). Celui qui est choisi par les parties intéressées pour trancher un différend : *Etre l'arbitre d'une situation.* || Personne chargée de diriger un match, de faire appliquer les règles du jeu. ● *Arbitre rapporteur,* auxiliaire des tribunaux de commerce, que le juge peut désigner pour concilier les parties ou, tout au moins, pour donner un avis sur le litige. ◆ **arbitrable** adj. Se dit de toute contestation qui peut être mise en arbitrage. ◆ **arbitrage** n. m. Action d'arbitrer. || Faculté d'arbitrer : *Laisser la décision à l'arbitrage de quelqu'un.* || Décision rendue par un arbitre : *Respecter l'arbitrage intervenu.* || Toute décision rendue par un tiers pour départager, à leur demande, deux personnes, deux groupes ou deux Etats en désaccord. || Achat et vente simultanés, sur deux places différentes, de monnaies, de marchandises, d'effets et de valeurs, en vue de la réalisation d'un bénéfice grâce à la différence des cours. || Remplacement, dans un portefeuille, d'une valeur par une autre dont le rendement est estimé plus avantageux. ● *Cour supérieure d'arbitrage,* juridiction d'exception au contrôle de laquelle peuvent être soumises en appel les sentences d'arbitrage en matière de conflits collectifs du travail. ◆ **arbitragiste** n. m. *Banq.* et *Bours.* Celui qui fait des arbitrages. ◆ **arbitral, e, aux** adj. Prononcé par des arbitres : *Jugement arbitral.* || Composé d'arbitres : *Tribunal arbitral.* ◆ **arbitralement** adv. Par l'intermédiaire d'un arbitre. ◆ **arbitration** n. f. *Dr.* Estimation faite en gros. ◆ **arbitrer** v. tr. Trancher en qualité d'arbitre : *Arbitrer un conflit.* || Diriger en qualité d'arbitre : *Arbitrer un match.* || Effectuer un arbitrage en Bourse.

Arblay (Mme D'). V. BURNEY.

Arbogast, général barbare au service des Romains († 394). Il fit peut-être étrangler l'empereur Valentinien II pour placer le rhéteur Eugène sur le trône. Vaincu par Théodose, il se tua.

Arbogast (Louis François Antoine), mathématicien français (Mutzig 1759 - Strasbourg 1803), auteur du rapport à la Convention sur l'unification des poids et mesures.

Arbogaste (saint), évêque de Strasbourg († 678).

arbois n. m. Nom usuel d'un *cytise* des Alpes.

Arbois, ch.-l. de c. du Jura (arr. de Lons-le-Saunier), sur la Cuisance, à 11 km au N. de

Poligny; 4 167 h. (*Arboisiens*). La ville est située au débouché de la «reculée» des Planches. Eglise romane Saint-Just; ruines du château Bontemps; maisons à arcades. Maison de Pasteur. Sur les versants de la Cuisance, vignoble d'Arbois, le plus réputé des vignobles jurassiens.

Arbois (MONT D'), sommet dans le massif du Mont-Blanc (Haute-Savoie); 1 829 m. Téléphérique.

Arbois de Jubainville (Henri D'), historien et linguiste français (Nancy 1827 - Paris 1910), professeur de langue celtique au Collège de France (1882), auteur d'une *Histoire des ducs et des comtes de Champagne*. (Acad. des inscr., 1884.)

Arbon, v. de Suisse (cant. de Thurgovie), sur le lac de Constance; 12 300 h. Château du XVIe s.

arboré → ARBRE.

arborer v. tr. (anc. ital. *arborare*, dresser un mât). Planter, élever : *Arborer un drapeau.* ‖ Porter sur soi quelque chose qui attire l'attention : *Arborer un insigne à la boutonnière.* ‖ *Fig.* Montrer, étaler : *Les journaux arborent des titres sensationnels.* ● *Arborer l'étendard de la révolte* (Fig.), se révolter.

arborescent, arboretum, arboricole, arboriculteur, arboriculture, arborisation → ARBRE.

arbouse n. f. (provenç. *arbousso;* lat. *arbuteus*). Fruit de l'arbousier, dont on fait une liqueur digestive. ◆ **arbousier** n. m. Arbrisseau forestier, aux feuilles persistantes, aux fleurs disposées en grelots, aux fruits d'un rouge vif. (Famille des éricacées.)

arbre n. m. (lat. *arbor*). Végétal ligneux, vivace, de grande taille, possédant une tige principale dressée, ou *tronc,* d'où partent des branches de moindre diamètre. (V. *encycl.*) ‖ Pièce de mécanique, utilisée pour transmettre un mouvement ou pour le transformer. (V. *encycl.*) ‖ Pièce cylindrique ou parallélépipédique, sur laquelle est ordinairement adaptée une roue. ‖ Outil qui sert à mettre les ressorts dans les barillets, et à les en retirer. ‖ Mât des anciens navires méditerranéens. ‖ Nom donné à divers dépôts métalliques présentant la forme d'arborisations. (L'*arbre de Jupiter* est un dépôt d'étain, l'*arbre de Saturne,* de plomb, etc.) ● *Arbre à cames,* V. CAME. ‖ *Arbre creux,* dans une machine électrique ou diesel-électrique, pièce cylindrique alésée, recevant le couple fourni par un moteur et transmettant ce couple à l'essieu moteur, dont l'axe est logé dans son alésage et peut subir, par rapport à lui, de petits déplacements verticaux et horizontaux. ‖ *Arbre de la croix,* la croix où Jésus-Christ fut attaché. ‖ *Arbre électrique,* dispositif assurant la synchronisation permanente de deux ou plusieurs arbres mécaniques. (Chaque arbre est entraîné par un moteur asynchrone triphasé à bagues. Les rotors sont couplés en parallèle, et les stators sont alimentés par un même réseau triphasé. Une résistance de glissement est insérée en permanence dans le circuit commun des rotors.) ‖ *Arbre généalogique,* V. GÉNÉALOGIQUE. ‖ *Arbre de grand ressort,* arbre qui porte la fusée, dans des montres anciennes ou dans les chronomètres. ‖ *Arbres de la liberté,* arbres plantés lors de la Révolution de 1789, pour symboliser la liberté conquise. ‖ *Arbres primaire, secondaire, intermédiaire* (Mécan.), arbres de la boîte de vitesses, qui portent les différents engrenages. ‖ *Arbre de roue,* arbre transmettant le mouvement du différentiel à l'une des roues tractrices. ‖ *Arbre de vie,* nom donné par Flourens à la partie centrale blanche du cervelet, qui se découpe en forme d'arborisations sur la partie corticale grise. ◆ **arboré, e** adj. Se dit d'un paysage de savane coupé de boqueteaux ou d'arbres isolés. ◆ **arborescent, e** adj. (du lat. *arborescere,* devenir arbre). Se dit des espèces végétales qui atteignent la taille et le port général d'un arbre : *Fougères arborescentes.* ◆ **arboretum** [tɔm] n. m. Parc planté de nombreuses espèces d'arbres et destiné à l'étude de leurs conditions de développement. (L'arboretum français des Barres, dans le Loiret, fondé en 1821, compte 3 000 espèces.) ◆ **arboricole** adj. Qui se tient ordinairement sur les arbres : *Oiseaux, singes, rongeurs arboricoles.* ◆ **arboriculteur** n. m. Celui qui s'occupe de la culture des arbres. ◆ **arboriculture** n. f. Culture des arbres considérés individuellement. ◆ **arborisation** n. f. Dessin naturel représentant des branches d'arbre, qu'on remarque à la surface ou à l'intérieur de corps minéraux, comme dans les agates. ‖ Ramifications formées par les cristaux de glace sur les vitres. ● *Arborisation protoplasmique,* syn. de DENDRITE. ◆ **arbrier** n. m. Fût de l'arbalète. ◆ **arbrisseau** n. m. Végétal ligneux, vivace, ne dépassant pas 4 m de haut, et ramifié dès la base, de sorte qu'on n'y discerne pas aisément un tronc principal : *L'aubépine, le lilas, le myrte sont des arbrisseaux.* (Quand l'arbrisseau est de petite taille, on lui donne le nom de *sous-arbrisseau.*) ◆ **arbuscule** n. m. (lat. *arbuscula*). Petit arbre. ‖ Très petit organe, parfois microscopique, ramifié à la façon d'un arbre. ◆ **arbuste** n. m. (lat. *arbustum*). Petit arbre ne dépassant pas 7 m de haut et présentant un tronc principal peu ou pas ramifié à la base. (La taille impose souvent un port d'arbuste à des espèces arborescentes, fruitières notamment [oranger]. Les mots *arbuste* et *arbrisseau* sont synonymes dans le langage courant.) ◆ **arbustif, ive** adj. Qui appartient à l'arbuste; qui se compose d'arbustes. ‖ Qui atteint la taille d'un arbuste : *Espèce arbustive.* ● *Vigne arbustive,* vigne que l'on plante au pied des arbres isolés.

— ENCYCL. **arbre.** Sous les climats tempérés, les arbres sont tous soit des angiospermes dicotylédones (« feuillus » et arbres fruitiers), soit des gymnospermes (résineux). Sous les tropiques croissent des espèces arborescentes de monocotylédones (palmiers) et de fougères. Tout arbre comporte une association entre des *parties mortes,* mais imputrescibles (bois de cœur, liège), qui jouent un rôle de soutien et de protection, des *parties vivantes pérennantes,* capables de survivre à la mauvaise saison (bois d'aubier, bourgeons dormants, feuilles des résineux), enfin des *parties saisonnières* (feuilles des dicotylédones, fleurs, fruits). Sous l'équateur, ces dernières parties existent à toute époque, faute de saisons, mais chaque feuille ou chaque fleur n'a qu'une vie assez brève. La longévité

arbre *(v. pages suivantes)*

houppier: ensemble des branches et du feuillage qui constituent la cime de l'arbre

cime

feuilles

branches

tronc ou tige

fût: portion de la tige dépourvue de rameaux

des arbres peut être très grande (plus de 2 000 ans), et leurs fonctions reproductrices n'apparaissent parfois qu'assez tardivement (60 ans chez le chêne). La reproduction naturelle se fait presque uniquement par graines, et le vent joue un rôle important dans la dispersion du pollen et, parfois, des graines elles-mêmes. Spontanément, les arbres se groupent pour former des forêts*, malgré le profit que chacun d'eux trouve à être isolé.

— *Mécan.* On distingue, d'une part, l'*arbre moteur,* ou *arbre de couche,* mis directement en mouvement par la machine motrice (c'est le cas de l'arbre-manivelle, ou *vilebrequin,* des voitures automobiles [v. MOTEUR]), et, d'autre part, les *arbres de transmission**, grâce auxquels les organes à mouvoir reçoivent le mouvement de l'arbre de couche (*arbre à cardan**) ou d'un levier de manœuvre, comme c'est le cas pour les arbres tournants des systèmes d'aiguillage ou de signalisation des chemins de fer.

Les arbres sont supportés de place en place par des *paliers.* La partie de l'arbre tournant dans un palier porte le nom de *tourillon.* Les arbres supportent à leur tour des poulies, des engrenages, des leviers, des cames, etc. Les arbres de grande longueur (au-delà de 5 à 6 m) sont formés de plusieurs tronçons réunis au moyen de joints d'accouplement.

Arbresle (L'), ch.-l. de c. du Rhône (arr. de Lyon), à 18 km au S.-E. de Tarare ; 4 909 h. (*Breslois*). Eglise des XIIIe et XVe s. Teinturerie. Patrie de Thimonnier et de Claude Terrasse.

arbrier, arbrisseau → ARBRE.

Arbroath, port de Grande-Bretagne (Ecosse), sur la mer du Nord ; 19 500 h. Constructions navales ; textile.

Arbus (André), décorateur et sculpteur français (Toulouse 1903 - Paris 1969). Il a conçu des meubles inspirés des styles Louis XVI et Directoire, décoré des palais de l'Etat (Elysée, Rambouillet), puis s'est adonné à la sculpture. (Acad. des bx-arts, 1965.)

arbuscule, arbuste, arbustif → ARBRE.

Arbuthnot (John), médecin et homme de lettres britannique (Arbuthnot, Kincardineshire, 1667 - Londres 1735). Il fut médecin de la reine Anne. Pamphlétaire, il popularisa le personnage de John Bull.

arbutus [tys] n. m. Nom scientifique de l'*arbousier.*

arc n. m. (lat. *arcus*). Arme formée d'une verge de bois ou de métal, que l'on courbe au moyen d'une corde tendue avec effort, et servant à lancer des flèches : *Tirer à l'arc.* (L'arc est l'arme la plus ancienne et la plus répandue dans le monde. Le plus court [0,80 m] est celui des Akkas d'Afrique centrale ; les plus longs sont l'ancien arc anglais, dit *long bow* [2 m], qui contribua aux victoires de Crécy [1346] et de Poitiers [1356],

arc, archer, miniature du XVe s.
Bibliothèque nationale

B. N.

banyan
palmier cocotier
fruit
baobab
cônes
cèdre

cône
pin
parasol
écaille
grain
saules
bouleau
cyprès
peuplier
d'Italie
châtaignier
feuilles et fruit

et l'arc des Indiens du Río Negro [3 m].) || Portion de courbe comprise entre deux points A et B. (Le segment de droite AB est sa *corde;* on dit que la corde sous-tend l'arc ou que l'arc est sous-tendu par la corde. La *flèche* est la distance à la corde du point de l'arc qui en est le plus éloigné. Un arc de cercle s'évalue avec les mêmes unités que l'angle au centre : degré, grade, radian. Deux arcs appartenant à des cercles concentriques sont dits eux-mêmes « concentriques ».) || Courbe que décrit une voûte. || Construction courbe qui s'appuie par ses extrémités sur deux points solides. (V. *encycl.*) || Ressort au moyen duquel on communique à certains outils un mouvement de rotation alternatif. || Tendance de la coque à se recourber par rapport à la partie centrale du navire. || Dispositif (bandeau ou fil métallique) utilisé en chirurgie dentaire pour rendre solidaires plusieurs dents. ● *Arcs aortiques,* V. AORTE. || *Arcs branchiaux,* V. BRANCHIAL. || *Arc de décharge,* arc pratiqué en plein mur au-dessus des vides des portes et des fenêtres, pour reporter la charge de la maçonnerie supérieure sur des points d'appui solides. || *Arc de développement d'une courbe,* longueur d'une voie ferrée suivant un tracé en courbe de rayon constant. || *Arc électrique,* décharge électrique à travers un gaz, produisant une température très élevée et une vive lumière. (V. *encycl.*) || *Arc de grand cercle,* le plus court chemin entre deux points sur la sphère terrestre. — Route que le navire s'efforce de suivre sur la surface des mers, quand les circonstances le permettent. (Cette route est dite *orthodromique,* par oppos. à la route *loxodromique*, qui joint en ligne droite deux points de la surface du globe, coupant sous un angle constant les divers méridiens.) || *Arc rectifiable,* arc dont on peut définir la longueur, laquelle se calcule au moyen d'une intégrale. || *Arc réflexe,* trajet de l'influx nerveux depuis le récepteur sensible (peau

arc, arcade, arceau

Jidébé

par exemple) jusqu'à l'organe qui réagit (muscle), en passant par le centre nerveux. (Cet arc comprend au moins deux neurones, le plus souvent trois ou quatre.) || *Arc sénile,* zone circulaire blanche et opaque entourant la cornée, chez beaucoup de vieillards. (Syn. GÉRONTOXON.) || *Arc simple,* arc provenant de la déformation continue d'un segment de droite. || *Arc de triomphe,* monument commémoratif formant un grand portique cintré et orné de bas-reliefs, d'inscriptions, pour consacrer le souvenir d'un fait mémorable,

Jidébé

arcs-boutants

la gloire d'un vainqueur, etc. (V. *encycl.*) || *Arc vertébral,* pièce constituée par la réunion, en arrière, des pédicules de chaque vertèbre. || *Avoir plus d'une corde* ou *plusieurs cordes à son arc,* exercer plusieurs métiers à la fois; avoir plusieurs moyens de parvenir à ses fins. ● LOC. ADV. *En arc,* en forme d'arc. || *Ferme en arc,* ferme affectant la forme d'un arc (arc de cercle, arc de parabole), le plus souvent sans entrait et libérant une grande hauteur au-dessus du sol. ◆ **arcadage** n. m. Renforcement de la carcasse d'un meuble en rotin par des arcades de même matière. ◆ **arcade** n. f. Ensemble de piliers ou de colonnes laissant entre eux une ouverture dont la partie supérieure est en forme d'arc : *Les arcades de la rue de Rivoli à Paris.* || Ce qui a la forme, l'aspect d'une arcade : *Une arcade de verdure.* || Partie d'un balcon ou d'une rampe d'escalier disposée en fer à cheval. || Courbe décrite par certaines parties osseuses, aponévrotiques, vasculaires, nerveuses. ● *Arcade aveugle,* arcade appliquée contre un mur plein. || *Arcade crurale* ou *fémorale,* bandelette fibreuse tendue obliquement de l'épine iliaque antéro-supérieure au pubis. (Elle correspond au pli de l'aine.) || *Arcade dentaire,* arc formé par la juxtaposition des dents d'un même maxillaire. || *Arcade feinte,* arcade décorative figurée sur un mur, sans relief ni fonction architectonique. || *Arcade de selle* (Bourrell.), partie cintrée qui se trouve à l'avant et à l'arrière de l'arçon. || *Arcade sourcilière,* saillie que présente, de chaque côté, l'os frontal, et qui correspond aux sourcils. ◆ **arcature** n. f. Ensemble des parties d'une construction taillées en forme d'arc. ‖ Ornement composé de plusieurs petites arcades ouvertes ou aveugles (réelles ou feintes), portées par des consoles ou par des colonnes. ◆ **arc-boutant** n. m. Construction en forme de demi-arc, élevée à l'extérieur d'un édifice pour neutraliser la poussée des voûtes gothiques sur croisées d'ogives, en la reportant sur de puissants contreforts formant culée. — Pl. *des* ARCS-BOUTANTS. ‖ Barre d'une porte cochère. ◆ **arc-boutement** n. m. Action d'arc-bouter : *Résister à la poussée grâce à un arc-boutement solide.* ‖ Arrêt du mouvement de deux roues dentées, par suite d'un défaut de construction des dents. ◆ **arc-bouter** v. tr. Soutenir au moyen d'un arc-boutant : *Arc-bouter une voûte.* ‖ Appuyer avec force en se raidissant : *Arc-bouter ses pieds contre une porte.* ‖ — **s'arc-bouter** v. pr. En parlant des personnes, se raidir en pesant sur les pieds ou en s'appuyant contre un objet vertical pour exercer un effort de résistance plus puissant : *S'arc-bouter contre un mur.* ◆ **arc-de-cloître** n. m. Forme de voûte constituée par la surface du solide commun de deux demi-cylindres circulaires de même base et de même rayon, et dont les axes sont orthogonaux. — Pl. *des* ARCS-DE-CLOÎTRE. ◆ **arc-doubleau** n. m. Arc faisant saillie sous l'intrados d'une voûte quelconque, aux fins de renforcement. — Pl. *des* ARCS-DOUBLEAUX. ◆ **arceau** n. m. Partie cintrée d'une voûte ou d'une ouverture ne comprenant qu'une partie du cercle, un quart au plus. ‖ Chacun des arcs en fer, en fonte, etc., d'un ensemble formant bordure. ‖ Tout ce qui a la forme, la courbure d'un arc : *Les arceaux du jeu de croquet.* ‖ Ornement en forme de trèfle à quatre feuilles. ◆ **arcelé, e** adj. Se dit d'un ornement terminé par des arcades et formant la figure connue sous le nom de « quatre-feuilles » : *Une croix arcelée.* ◆ **arcelet** n. m. Cercle de fer allant d'une tempe à l'autre et servant à tendre les cheveux des femmes. ◆ **arc-en-ciel** [arkɑ̃] n. m. Spectre lumineux en forme d'arc de cercle, résultant de la réfraction et de la réflexion des rayons solaires dans les gouttes d'eau de la pluie. (V. *encycl.*) — Pl. *des* ARCS-EN-CIEL. ◆ **arche** n. f. Voûte en forme d'arc, supportée par les piles ou les culées d'un pont : *Les arches portent, en général, le tablier du pont.* (Les désignations des arches sont les mêmes que celles des arcs*.) [V. aussi à son ordre alphab.] ◆ **archer** n. m. Combattant armé d'un arc : *Archer à pied, à cheval.* (Les archers furent employés en France jusqu'au milieu du XVIe s., en Angleterre jusqu'au XVIIe s., en Russie jusqu'au début du XIXe s.) ‖ Agent subalterne de justice et de police, sous l'Ancien Régime. ‖ Nom usuel du poisson *toxotes**. ● *Francs archers,* première troupe d'infanterie française (4 000 h.), instituée par Charles VII en 1445. (Ces archers étaient appelés « francs » parce qu'ils étaient exempts d'impôts.) ◆ **archière** ou **archère** n. f. Au Moyen Age, ouverture longue et étroite pratiquée dans une muraille pour tirer à l'arc ou à l'arbalète. ◆ **archine** n. f. Arc formé par la charpente soutenant le ciel d'une carrière souterraine. ◆ **arciforme** adj. En forme d'arc. ◆ **arçonner** v. tr. Pratiquer l'arcure sur la vigne. ◆ **arc-rampant** n. m. Courbe métallique destinée à soutenir une rampe. ‖ Arc dont les naissances sont à des hauteurs inégales. — Pl. *des* ARCS-RAMPANTS. ◆ **arcure** n. f. Opération qui consiste à courber les branches flexibles d'un arbre fruitier ou les sarments de vigne pour les porter à fruits. ◆ **arqué, e** adj. Courbé en arc : *Un enfant aux jambes arquées.* ● *Cheval arqué*, cheval dont les genoux sont portés en avant par suite du raccourcissement accidentel des tendons. ‖ *Navire arqué,* navire dont la quille est courbée en arc, par suite d'une avarie, de la vétusté ou d'un défaut de chargement. ◆ **arquer** v. tr. (de *arc*). Courber en arc : *Arquer une pièce de bois.* ✦ v. intr. Fléchir, devenir courbe : *Une poutre qui arque.* ‖ *Pop.* Marcher, avancer. ● *Ne plus pouvoir arquer* (Pop.), être décrépit, vieux, fatigué. ‖ — **s'arquer** v. pr. Se déformer, en parlant des mâts, des vergues, et notamment de la quille d'un bâtiment. ◆ **arqûre** n. f. Déviation du genou du cheval en avant de sa ligne d'aplomb. (V. ARQUÉ et BRASSICOURT.)

arche surbaissée ; à droite, arche en plein cintre

— ENCYCL. **arc.** On reconnaît souvent un style architectural par la forme de ses arcs. L'arc en plein cintre est roman, l'arc brisé, en général gothique, comme l'arc trilobé ; la Renaissance présente des arcs en anse de panier ou en accolade ; l'arc outrepassé est général dans l'art musulman ; d'autres formes d'arc ont pu être conjointement utilisées comme renfort ou comme encadrement, surtout au Moyen Age.

● *Arc de triomphe.* S'inspirant sans doute de portes d'enceinte étrusques, Rome éleva des arcs de triomphe en pierre et en brique, dans tout le Bassin méditerranéen. Le premier dont on ait des vestiges est celui de Fabius Allobroginus sur le Forum romain (121 av. J.-C.). Les arcs de triomphe étaient alors à une seule arche et de petites dimensions. A partir du Ier s. av. J.-C., ils se multiplient, grandissent (trois arches) et s'enrichissent (utilisation du marbre, décoration sculptée). Parmi les principaux, il faut citer ceux de Titus, de Septime Sévère et de Constantin à Rome, ainsi que ceux qui subsistent à Timgad, Lambèse, Leptis Magna, Cavaillon, Saint-Rémy, Orange. Le Moyen Age, puis la Renaissance en élevèrent à toutes sortes d'occasions, soit en matériaux légers, soit pour durer. La porte Saint-Martin (1674), l'arc du Carrousel (1805) et celui de l'Etoile (1806-1836), à Paris, par l'architecte Chalgrin

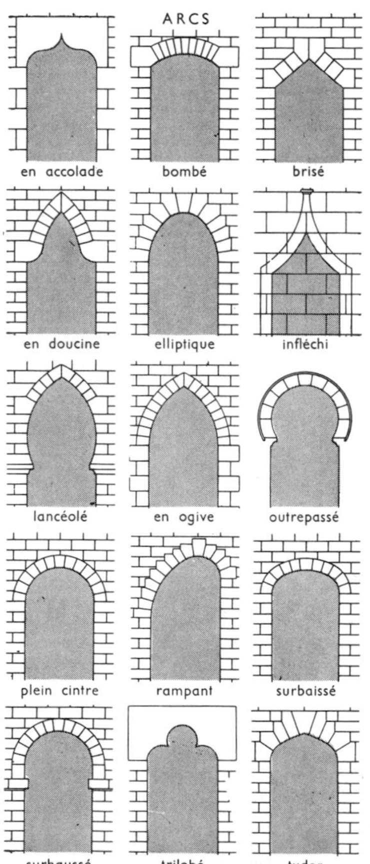

arc de triomphe
Saint-Rémy-de-Provence (v. 40 av. J.-C.)

(qui fit appel pour la décoration sculptée à Rude, Pradier, Cortot et Etex) sont d'inspiration classique.

● *Arc électrique* (ancienn. *voltaïque*). Lorsqu'on écarte progressivement deux conducteurs dans lesquels passait un courant, on voit se produire dans l'intervalle qui les sépare, si celui-ci n'est pas trop grand et si la tension est suffisante, un jet lumineux qui remplit constamment cet espace ; c'est l'arc électrique, découvert par Davy en 1813. On utilise habituellement des électrodes en charbon ; le charbon positif se creuse, et sa température est de l'ordre de 3 800 °C et sa luminance de 10^8 nits. En incorporant aux charbons des sels minéraux, on obtient un arc plus stable, et dont la flamme est la partie la plus brillante. L'arc peut aussi être produit en courant alternatif.

L'arc est utilisé comme source lumineuse dans les projecteurs, comme source de chaleur dans les fours ; la soudure à l'arc a pris un grand développement.

— ***arc-en-ciel.*** L'arc-en-ciel s'observe quand un nuage se résout en pluie dans la partie du ciel opposée au Soleil par rapport à l'observateur. On voit alors, totalement ou partiellement, un ou plusieurs arcs concen-

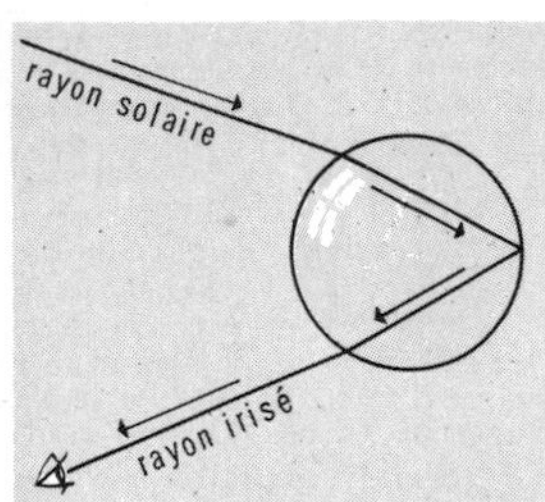

formation de l'arc intérieur

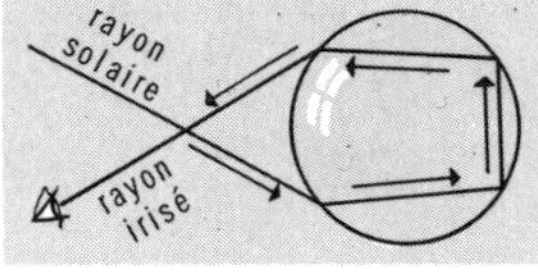

de l'arc extérieur

théorie de l'**arc-en-ciel**. Marche des rayons réfractés et réfléchis à l'intérieur des gouttes d'eau

triques, dont les sept couleurs conventionnelles sont : le violet, l'indigo, le bleu, le vert, le jaune, l'orangé, le rouge. Dans l'arc intérieur, qui est le plus brillant, le violet est vers le bas. Descartes a donné l'explication du phénomène, dû à la dispersion qui accompagne les réfractions à l'entrée et à la sortie des gouttes d'eau sphériques, et à une ou plusieurs réflexions totales intérieures. L'arc-en-ciel ne peut s'observer quand le Soleil est trop élevé sur l'horizon.

Arc, riv. des Alpes du Nord, affl. de l'Isère (r. g.) ; 150 km. Sa vallée porte le nom de *Maurienne**. Ses eaux sont utilisées par de nombreuses centrales hydro-électriques.

Arc, fl. côtier de Provence, qui se jette dans l'étang de Berre ; 72 km.

Arc (PONT D'), arcade naturelle pittoresque qui s'élève à 65 m au-dessus de l'Ardèche.

Arc (sainte Jeanne D'). V. JEANNE D'ARC.

Arcachon, ch.-l. de c. de la Gironde (arr. et à 60 km au S.-O. de Bordeaux), sur le *bassin d'Arcachon;* 13 664 h. (*Arcachonnais*). Station balnéaire et climatique très réputée, fondée en 1823. — Le *bassin d'Arcachon,* le plus vaste des étangs de la région landaise (15 000 ha à marée haute), est la plus grande région d'ostréiculture de France. Construction de bateaux. Conserveries.

arcadage, arcade → ARC.

Arcadelt (Jacob ou Jacques), compositeur flamand (en Flandre 1514 - Paris v. 1560). Il séjourna à Florence et à Rome, puis en France, où il fut chantre de la Chapelle royale, puis maître de chapelle du cardinal de Lorraine. Il a écrit des messes et des motets, des madrigaux et des chansons.

Arcadie, en gr. **Arkadia,** nome de Grèce, dans le centre du Péloponnèse ; 134 950 h. Ch.-l. *Tripolis*. Située au centre du Péloponnèse et pays de pasteurs, l'Arcadie avait gardé sa population primitive de Pélasges. Les cités (Mantinée, Orchomène, Tégée) se groupèrent en confédération, puis entrèrent plus tard dans la Ligue achéenne et lui donnèrent son plus illustre chef, Philopœmen. — En poésie, on appelait autrefois *Arcadie* un pays imaginaire du bonheur pastoral, évoqué par certains poètes et par *les Bergers d'Arcadie,* tableau de Nicolas Poussin (Louvre). → V. illustration page suivante.

arcadien, enne adj. et n. Relatif à l'Arcadie ; habitant ou originaire de cette région. ‖ — ***arcadien*** n. m. Dialecte du grec ancien, qui était parlé en Arcadie et qui appartenait au groupe achéen.

Arcadius (v. 377 - † 408), empereur d'Orient (395-408), fils de Théodose. Dominé par ses deux ministres, Rufin et Eutrope, et par sa femme Eudoxie, il laissa l'Empire dévasté par les Barbares.

arcane n. m. (lat. *arcanum,* mystère). Toute opération dont le secret ne doit être connu que des seuls alchimistes initiés. ‖ *Fig.* Chose mystérieuse ; secret (généralement au plur.) : *Les arcanes de la science*. ‖ Chacune des « lames » du tarot chaldéen. (On distingue les *arcanes majeurs,* réservés au plan céleste ou divin, et à celui des idées, des *arcanes mineurs,* dévolus au plan terrestre.) ‖ Composition métallique employée autrefois pour l'étamage des métaux, et ainsi désignée parce que les ouvriers gardaient le secret de sa préparation.

arcanette n. f. Nom usuel d'une *sarcelle*.

arcanne n. m. (du lat. *arcanna,* empr. à l'ar. *al ḥanna,* henné). Craie rouge délayée dans de l'eau, avec laquelle les charpentiers et les scieurs exécutent des tracés sur les pièces de bois. (On dit aussi ARCAUX n. m. pl.)

arcanson n. m. Résine jaunâtre, obtenue par la distillation de la térébenthine, et appelée le plus souvent *colophane*.

Arcari (Paolo), écrivain italien (Fourneaux, Savoie, 1879 - Rome 1955), auteur du roman *le Ciel sans Dieu* (1922).

Arcas ou **Arkas,** fils de Zeus et de Callisto, et qui donna son nom à l'Arcadie. Métamorphosé en ours par Zeus, ainsi que sa mère, il forme avec elle les constellations de la Grande et de la Petite Ourse.

arcasse n. f. (du lat. *arca,* coffre). Cadre formant l'arrière du navire quand celui-ci est pourvu d'une voûte, ou cul-de-poule. (Les varangue, membrure et barrot de ce cadre sont respectivement appelés *varangue d'arcasse, membrure d'arcasse* et *barrot d'arcasse*. Ils sont d'échantillonnage renforcé à cause du poids de la voûte qu'ils supportent. A la varangue d'arcasse sont fixés les couples dévoyés qui forment la carcasse de la voûte.)

arcature, arc-boutant, arc-boutement, arc-bouter, arc-de-cloître, arc-doubleau → ARC.

Arce (Gaspar NÚÑEZ DE). V. NÚÑEZ.

arceau, arcelé, arcelet → ARC.

arcelle n. f. Protozoaire rhizopode des eaux douces, à capsule en forme de verre de montre.

Arc-en-Barrois, ch.-l. de c. de la Haute-Marne (arr. et à 24 km au S.-O. de Chaumont) ; 1 033 h. (*Arquois*).

arc-en-ciel → ARC.

Arcésilas, en gr. **Arkesilaos,** nom de quatre rois de Cyrène (VIe-Ve s. av. J.-C.).

Arcésilas, en gr. **Arkesilaos,** philosophe grec (Pitane, Eolide, 316 - † v. 241 av. J.-C.), fondateur de la nouvelle Académie. Adversaire du dogmatisme stoïcien, en particulier de Zénon, il s'abstenait de toute affirmation et se contentait pour critérium de la *vraisemblance rationnelle*.

Arc-et-Senans, comm. du Doubs (arr. de Besançon), près de la Loue, à 8 km au N. de Mouchard ; 1 303 h. Fabrique de limes. Une grande et remarquable « saline royale », formée de bâtiments en hémicycle, y fut construite par l'architecte Ledoux de 1775 à 1779. Elle abrite une fondation internationale tournée vers les recherches prospectives.

1. ʿarch n. m. (mot ar. signif. *trône*). Nom du trône de Dieu dans le Coran, et appelé aussi KURSĪ (« siège »).

2. ʿarch n. m. (mot ar.). En Algérie, nom donné à des terres collectives appartenant primitivement à un groupe de populations, groupe agnatique, tribu ou fédération.

archæocidaridés [ke] n. m. pl. Famille d'oursins du carbonifère, à quatre rangées de plaques par zone interradiale.

archæocyathidés [ke] n. m. pl. Importants fossiles du cambrien, constructeurs de récifs calcaires. (C'étaient peut-être des éponges.)

archaïque, archaïsant, archaïser → ARCHAÏSME.

archaïsme [ka] n. m. (du gr. *arkhaios*, ancien). Caractère d'une forme, d'une construction, d'un mot, etc., qui appartient à une époque antérieure à celle où il est employé : *Un écrivain qui affecte l'archaïsme.* ‖ Mot, construction présentant ce caractère, et utilisé de nos jours par goût esthétique, ou par besoin de précision, ou pour créer un effet de surprise chez le lecteur : *Un style émaillé d'archaïsmes.* ‖ Caractère de ce qui est désuet, de ce qui date d'une autre époque : *Une ville qui offre un contraste d'archaïsme et de modernisme.* ◆ **archaïque** adj. Se dit d'un mot, d'une construction, etc., qui présentent un ou plusieurs traits appartenant à une époque antérieure à celle de l'écrivain : *Une tournure archaïque.* ‖ Démodé, désuet : *Offrir un aspect archaïque.* ● *Art, style archaïque*, phase primitive de l'évolution d'un art. ◆ **archaïsant, e** adj. et n. Qui use fréquemment d'archaïsmes. ✦ adj. Se dit d'une phrase ou d'un style qui présentent un certain nombre de traits plus ou moins archaïques : *Une prose archaïsante.* ◆ **archaïser** v. intr. Employer des archaïsmes ou des constructions archaïques.

« les Bergers d'**Arcadie** » *(détail)*
par Nicolas Poussin
Louvre

Giraudon

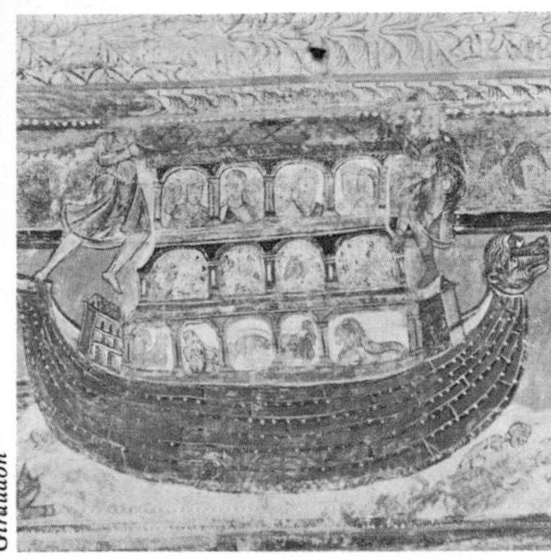

« Arche de Noé », *détail* d'une fresque (XIIe s.), *Saint-Savin-sur-Gartempe*

archal n. m. (lat. *aurichalcum ;* du gr. *oreikhalkos,* laiton). *Fil d'archal,* fil de laiton : *Treillis en fil d'archal.*

archange [kɑ̃ʒ] n. m. (gr. *arkhangelos ;* de *arkhê,* commandement, et *angelos,* ange). Chef des anges (Gabriel, Michel et Raphaël). ◆ **archangélique** [kɑ̃] adj. Relatif à l'archange. ‖ *Fig.* Qui est plus qu'angélique, parfait : *Une patience archangélique.*

Archdeacon (Ernest), animateur français et mécène de l'aviation (Paris 1863 - Versailles 1950). Destiné au barreau, il s'orienta bientôt vers l'étude des sciences, notamment celle de l'aérostation et de l'aviation.

1. arche → ARC.

2. arche n. f. (lat. *arca,* coffre). Grand bateau fermé, en forme de coffre, que, selon la Bible, Noé construisit par ordre de Dieu pour échapper au Déluge : *L'arche de Noé s'échoua sur le mont Ararat.* ‖ Dans un sens mystique, l'Eglise, la communion des fidèles. ‖ Du XIVe au XVIIe s., coffre en bois sculpté, souvent à couvercle bombé, servant à conserver trésors ou archives. ‖ Dans les verreries, four accessoire entourant le four principal. ● *Arche d'alliance,* sanctuaire dans lequel Moïse renferma les tables de la Loi, que Dieu lui avait données sur le mont Sinaï. (Elle est le symbole de la présence de Yahvé au milieu de son peuple.) ‖ *Arche d'élevage,* construction pour abriter les oiseaux élevés sur pré, en liberté. ‖ *C'est l'arche de Noé,* se dit, par plaisanterie, d'une maison où vivent toutes sortes de gens ou de bêtes.

3. arche n. f. Mollusque bivalve, actuel et fossile depuis le silurien, à charnière polyodonte très primitive.

archée [ke] n. f. Araignée à longues pattes, à tête séparée du thorax, à chélicères rappelant des antennes.

archéen [keɛ̃], **enne** adj. et n. m. (du gr. *arkhaios,* ancien). Partie inférieure la plus ancienne du précambrien, formée principalement de gneiss, de micaschistes et de granites. (L'archéen s'étend de — 4 100 à — 800 millions d'années environ.)

archégone [ke] n. m. Organe femelle en forme de bouteille, au fond duquel se trouve l'oosphère (algues, mousses, fougères, certaines gymnospermes). ◆ **archégoniates** n. f. pl. Vaste groupe de plantes à archégones, comprenant les bryophytes* et les ptéridophytes*.

archégosaure [ke] n. m. Stégocéphale* du permien de Rhénanie (long. 1,50 m), au fort squelette externe.

archéidés [ke] n. m. pl. Famille d'araignées, les unes fossiles dans le tertiaire, les autres actuelles (Madagascar, Amérique du Sud).

Archélaos de Milet, en gr. **Arkhelaos,** philosophe grec du Ve s. av. J.-C., l'un des maîtres de Socrate. Sa morale était fondée sur ce principe que le juste et l'injuste n'existent que par la loi.

Archélaos, roi de Macédoine (413 - 399 av. J.-C.). Restaurateur de l'Etat macédonien, il fixa la nouvelle capitale du royaume à Pella et y accueillit poètes et musiciens grecs. Il annexa Lárissa, mais fut assassiné en 399.

Archélaos de Priène, sculpteur grec, fils d'Apollonios (IIIe s. av. J.-C.). Il est l'auteur d'une *Apothéose d'Homère* (British Museum).

Archélaos, dit **le Cappadocien,** général de Mithridate, vaincu à Chéronée et à Orchomène (86 av. J.-C.) par Sulla, avec qui il signa une paix honorable.

Archélaos, roi de Cappadoce (36 av. J.-C. - 14 apr. J.-C.). Sur l'ordre de Tibère, il fut emprisonné à Rome, où il mourut.

Archélaos, fils d'Hérode. Ethnarque de Judée, de Samarie et d'Idumée en 4 av. J.-C., il fut destitué et exilé en Gaule par Auguste (6 apr. J.-C.).

archelet → ARCHET.

archentère [kɑ̃] ou **archentéron** n. m. (gr. *arkhê,* commencement, et *enteron,* entrailles). *Embryol.* Intestin primitif dans la gastrula*.

archéocivilisation [ke] n. f. Science qui dégage les tests de continuité culturelle fournis par l'archéologie, l'histoire des religions, le folklore, l'ethnographie et autres disciplines connexes.

archéogastropodes n. m. pl. V. DIOTOCARDES.

archéologie [ke] n. f. (gr. *arkhaios,* ancien, et *logos,* science). Etude des civilisations anciennes grâce aux monuments et aux objets qui en subsistent. (V. *encycl.*) ● *Archéologie préhistorique*, v. PRÉHISTOIRE. ◆ **archéologique** adj. Relatif à l'archéologie : *Travaux archéologiques*. ◆ **archéologue** n. Savant spécialisé dans la recherche et l'étude des monuments et objets anciens.

— ENCYCL. ***archéologie.*** Quête utopique de la Grèce antique par les humanistes du quattrocento et déjà passion avide de collectionneur, source d'émotions esthétiques, comme celle de Michel-Ange devant le Laocoon, et passe-temps de dilettante qui suscite tout un courant artistique durant le XVIIIe s. — dû aux fouilles d'Herculanum (1709) et de Pompéi (1748) —, l'archéologie connaît ses premières bases techniques grâce à Caylus et à Winckelmann. Le XIXe s. voit non seulement la révélation de grands sites (Botta découvre Khursabād, Layard Nimroud, Taylor Our, Schliemann Troie, Evans la civilisation minoenne), mais aussi les récits des grands voyageurs qui décrivent la Nubie ou Angkor ainsi que les premières constatations, de Boucher de Perthes. L'ampleur et la diversité de ces découvertes sont à l'origine des spécialisations, dont l'égyptologie est l'une des premières (publication, dès 1809, de la *Description de l'Egypte* à la suite de la campagne française et déchiffrement, en 1822, des hiéroglyphes par Champollion).
L'archéologie orientale, avec la lecture de Béhistoun, suit de très peu, de même que l'archéologie gréco-romaine (fondations des grands instituts de recherches : Ecole française d'Athènes [1846], Institut allemand d'archéologie [1874], etc.). Ce n'est qu'au XXe s. que l'archéologie devient une science auxiliaire de l'histoire au même titre que la numismatique, l'épigraphie, la paléographie ou la sigillographie.
On distingue quatre phases de travaux.
● En premier lieu se placent la *détection* et la *prospection* par repérage d'anomalie topographique, présence de tessons de céramique, analyse de la densité végétale par photographie aérienne, archéomagnétisme et sonde photographique.
● La *fouille* consiste non seulement à recueillir des objets, mais aussi à les situer dans leur contexte en réunissant les éléments d'une chronologie relative avant de pouvoir, à la suite d'analyses et de comparaisons, obtenir une chronologie absolue, notamment par le relevé stratigraphique.
Les recherches actuelles sont soutenues par une technologie avancée, indispensable pour les datations, et relevant de disciplines diverses (palynologie, physique avec le carbone 14, chimie avec l'analyse du fluor contenu dans les ossements). Ces méthodes ont souvent été utilisées, d'abord en préhistoire.
L'archéologie sous-marine est également pratiquée avec succès.
● La *sauvegarde* s'exerce de plusieurs façons : déplacement de monument (Abou Simbel), protection d'objet ou de gisement (Pincevent), étude des problèmes de conservation (Lascaux), consolidation ou reconstitution (Bārābudur).
● Devant la multitude de renseignements recueillis, les *publications* se font souvent en plusieurs temps, et les rapports préliminaires précèdent les études exhaustives.

« frise des Archers » *(détail)*
Louvre

Giraudon

archéologique, archéologue → ARCHÉOLOGIE.

archéomagnétisme n. m. Etude du champ magnétique terrestre dans le passé archéologique, utilisant principalement l'aimantation rémanente des briques et des poteries.

archéoptéryx [ke] n. m. Oiseau fossile du jurassique supérieur de Bavière, proche des reptiles par ses dents coniques, ses doigts antérieurs libres et munis de griffes, sa longue queue vertébrale fine, et qui est le plus ancien oiseau connu. (Type de l'ordre des saururés.)

archer → ARC.

Archers (FRISE DES), décoration en panneaux de brique émaillée, du palais de Darios Ier (528-485 av. J.-C.) à Suse. (Auj. en partie au Louvre.)

Archer (Thomas), architecte anglais de l'école baroque (Tanworth, Warwickshire, 1668 - Whitehall 1743). Il traça les plans de la cathédrale de Birmingham (1709-1715).

archère → ARC.

Arches, comm. des Vosges (arr. et à 13,5 km au S.-E. d'Epinal), sur la Moselle ; 2095 h. Tissage du coton ; papeterie.

archet n. m. (de *arc*). Baguette de bois le long de laquelle sont tendus des crins de cheval enduits de colophane, et avec laquelle on frotte les cordes d'instruments tels que le violon, le violoncelle, etc., pour les mettre en vibration. ‖ Dispositif de prise de courant, adopté dans certains systèmes de traction électrique, comportant une pièce en forme d'arc glissant sur le fil de contact et supportée par une ou deux perches articulées autour d'un axe parallèle aux essieux, et maintenues levées à l'aide de ressorts. ‖ Arc d'acier ou de baleine tendu au moyen d'une corde de boyau fixée aux deux extrémités, et dont on se sert dans différents métiers pour imprimer à une pièce un mouvement de va-et vient rapide : *L'archet a été le premier tour.* ‖ Branche à fruit sur un pied de vigne. (Syn. ASTE.) ◆ **archelet** n. m. Petit archet d'horloger, de bijoutier, etc. ‖ Bâton servant à suspendre ou à laisser ouvert un filet de pêche.

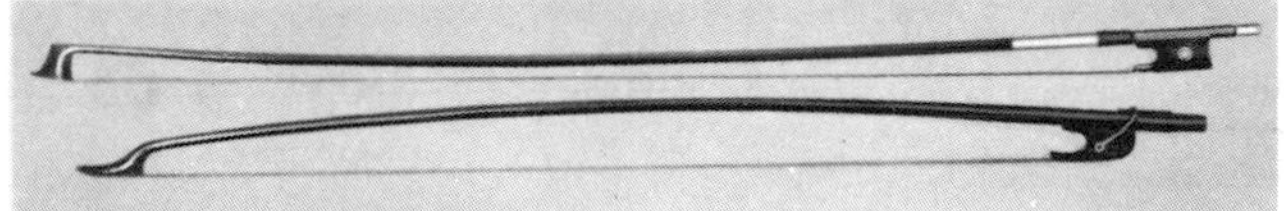

archet

archétypal → ARCHÉTYPE.

archétype [ke] n. m. (gr. *arkhetupos,* modèle primitif). Modèle sur lequel est fait un ouvrage ; original que cet ouvrage reproduit : *L'archétype d'une famille de manuscrits.* ‖ Plâtre moulé sur un bas-relief de matière dure. ‖ Dans la philosophie platonicienne, désigne les Idées* comme modèles éternels des choses. ‖ Représentation commune à un ensemble culturel humain, appartenant à l'inconscient collectif, et connue par l'interprétation symbolique des rêves. (Les mythes populaires constituent généralement l'illustration la plus apparente des archétypes.) ‖ Ancêtre commun, généralement hypothétique, de tout un groupe d'êtres vivants actuels et fossiles. (On dira, par ex., que l'archéoptéryx est l'archétype des oiseaux.) ◆ **archétypal, e, aux** adj. Qui concerne les archétypes : *La réalité archétypale.*

archevêché → ARCHEVÊQUE.

archevêque n. m. (gr. *arkhê,* primauté, et *évêque*). Prélat dont le siège épiscopal porte le titre d'archevêché et qui est d'ordinaire métropolitain d'une province ecclésiastique. (Il n'a pas de pouvoirs d'ordre plus étendus que l'évêque, mais seulement une juridiction plus vaste.) ◆ **archevêché** n. m. Siège d'un archevêque. ‖ Province ecclésiastique placée sous la juridiction d'un archevêque. ◆ **archevêque-évêque** n. m. Titre honorifique donné par le souverain pontife à certains évêques. ◆ **archiépiscopal** [ki], **e, aux** adj. Qui appartient à l'archevêque : *Dignité archiépiscopale.* ◆ **archiépiscopat** [ki] n. m. Dignité d'archevêque. ‖ Temps pendant lequel un archevêque a occupé son siège.

Archiac, ch.-l. de c. de la Charente-Maritime (arr. et à 14 km au N.-E. de Jonzac) ; 873 h.

Archias ou **Arkhias de Corinthe,** membre de la famille des Bacchiades, fondateur de Syracuse (v. 734 av. J.-C.).

Archias, en gr. **Arkhias,** tyran de Thèbes (378 av. J.-C.), imposé par Sparte. Il fut assassiné en plein festin par des conjurés, dont Pélopidas. Averti, il aurait rejeté la dénonciation en disant : « A demain les affaires sérieuses ! »

Archias (Aulus Licinius), poète grec, né à Antioche et établi à Rome, client et ami des Lucullus. Son droit de cité lui étant contesté par Gratius, Cicéron le défendit dans un plaidoyer (*Pro Archia,* 62 av. J.-C.) qui contient un éloge des lettres.

archiatre [kjɑtr] n. m. (gr. *arkhiatros*). Médecin du pape.

archicamérier n. m. Dignitaire du Saint Empire, de l'Espagne sous Charles Quint et de la cour de Rome.

archichambellan n. m. Dans le Saint Empire, titre de l'Electeur de Brandebourg.

archichancelier n. m. En France, sous les Carolingiens, chef de la chancellerie royale. ‖ Titre de deux grands dignitaires de la cour de Napoléon Ier (*archichancelier d'Empire,* donné à Cambacérès ; *archichancelier d'Etat,* donné à Eugène de Beauharnais). ‖ Titre, dans le Saint Empire, porté par les archevêques de Mayence, de Cologne et de Trèves.

archichapelain n. m. Titre donné, du VIIIe au XIe s., au chef de la chapelle royale.

archiconfrérie n. f. Titre que reçoivent du Saint-Siège certaines associations pieuses qui servent de centres à des sociétés affiliées.

archicube n. m. *Arg. scol.* Ancien élève de l'Ecole normale supérieure.

Archidamos, en gr. **Arkhidamos,** nom de plusieurs rois de Sparte de la dynastie des

Eurypontides : **Archidamos Ier** (VIIe s. av. J.-C.) ; — **Archidamos II,** roi de 469 à 426 av. J.-C. ; — **Archidamos III** (v. 400 - † 338 av. J.-C.), roi de 361 à 338 av. J.-C. ; — **Archidamos IV,** vaincu en 294 av. J.-C. par Démétrios Poliorcète. — **Archidamos V** (milieu du IIIe s.), assassiné dès son avènement.

archidiaconat, archidiaconé → ARCHIDIACRE.

archidiacre n. m. Ecclésiastique investi par l'évêque de certains pouvoirs et du droit de visite sur les curés du diocèse. ◆ **archidiaconat** n. m. Dignité d'archidiacre. ◆ **archidiaconé** n. m. Partie d'un diocèse soumise à la juridiction d'un archidiacre.

archidiocésain, e adj. Qui fait partie d'un archevêché.

archiduc n. m. Titre particulier à la maison d'Autriche et qui est porté par les princes de cette maison. ◆ **archiducal, e, aux** adj. Relatif à un archiduc. ◆ **archiduché** n. m. Nom donné parfois au domaine d'un archiduc. ◆ **archiduchesse** n. f. Femme ou fille d'un archiduc. || Princesse de la maison d'Autriche.

archiépiscopal, archiépiscopat → ARCHEVÊQUE.

archière → ARC.

Archiloque, en gr. **Arkhilokhos,** poète lyrique grec (Paros 712 - † v. 664 av. J.-C.). Ses *Iambes,* dont il ne reste que des fragments, étaient surtout célèbres par la violence qu'il y déployait contre ses ennemis.

archiluth n. m. (ital. *arciliuto*). Grand luth à neuf chevilles, dont l'une, plus élevée, tend de six à huit cordes graves en dehors du manche.

archimage → ARCHIMAGIE.

archimagie n. f. Nom donné par les praticiens du Moyen Age à la branche de l'alchimie ayant pour objet la fusion et la transmutation des métaux. ◆ **archimage** n. m. Praticien de l'archimagie.

archimandritat → ARCHIMANDRITE.

archimandrite n. m. (gr. *arkhimandritês ;* gr. *arkhos,* chef, et *mandra,* enclos, et par suite cloître). Nom donné aux supérieurs de couvent dans l'Eglise orthodoxe, puis réservé, à partir du VIe s., aux supérieurs des monastères les plus importants. ◆ **archimandritat** n. m. Dignité d'archimandrite. || Bénéfice d'un archimandrite.

Archimède, en gr. **Arkhimêdês,** savant grec (Syracuse 287 av. J.-C. - *id.* 212). Son œuvre scientifique est considérable : calcul de π avec une approximation aussi grande que l'on veut par la méthode des périmètres et des isopérimètres ; perfectionnement du système numéral grec par un procédé commode pour représenter de très grands nombres ; solution de

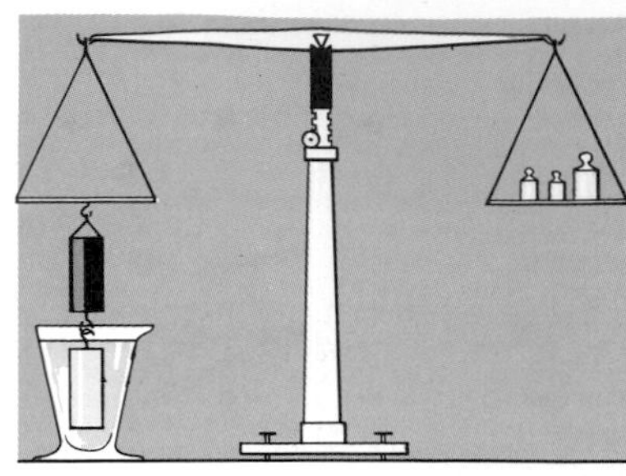

principe d'**Archimède**

Archimède
sculpture
antique
Musée national
Naples

problèmes qui relèvent, en fait, du calcul infinitésimal (aire d'un segment de parabole, d'un secteur de la spirale qui porte son nom, de la sphère, du cylindre, etc.) ; étude des solides engendrés par la rotation d'ellipses, de paraboles et d'hyperboles autour de leurs axes. On lui attribue certaines inventions, telles que vis sans fin, poulie mobile, moufles, roues dentées, leviers. En physique, il fonda la statique des solides et l'hydrostatique, dont il établit les lois fondamentales dans son *Traité des corps flottants.* Ces dernières recherches auraient été entreprises pour répondre à Hiéron, roi de Syracuse, qui lui avait demandé de déterminer si sa couronne était bien en or pur. Ayant trouvé la solution en prenant son bain, il se serait élancé dans la rue en criant : « Eurêka ! Eurêka ! » (« J'ai trouvé ! »). Pendant trois ans, il tint en échec l'armée de Marcus Claudius Marcellus, qui assiégeait Syracuse, en faisant construire des machines pour lancer des traits et des pierres ; on dit aussi qu'il enflammait les vaisseaux romains à l'aide de miroirs ardents. Il fut tué lors de la prise de la ville.

Archimède (PRINCIPE OU THÉORÈME D'), l'un des principes fondamentaux de l'hydrostatique, qui s'énonce ainsi : *Tout corps plongé dans un fluide subit une poussée verticale, dirigée de bas en haut, égale au poids du fluide déplacé et appliquée au centre de gravité de ce fluide.*

archimonastère n. m. Monastère chef d'ordre ou de congrégation.

archimycètes n. m. pl. Etres vivants très primitifs, voisins des champignons. (Ce sont les myxomycètes* et les chytridiales*.)

Archinard (Louis), général français (Le Havre 1850 - Villiers-le-Bel 1932). Polytechnicien, compagnon de Borgnis-Desbordes en Afrique noire (1880-1884), vainqueur d'Ahmadou (1890) et de Samory (1891), il fut l'un des principaux artisans de l'établissement de la France au Soudan.

archine → ARC.

archipel n. m. (de *Archipel* n. pr.). Ensemble d'îles disposées en groupe, sur une surface maritime plus ou moins étendue : *Les Açores forment un archipel.* || *Fig.* Toute agglomération de choses, le plus souvent semblables, qui font penser à un archipel : *Des archipels de glaçons.*

Archipel (de l'ital. *Arcipelago,* mer principale), nom donné autref. à la partie de la Méditerranée orientale comprise entre les Balkans, l'Asie Mineure, les îles de Crète et de Rhodes. On y distinguait, séparés par les Cyclades, la mer de Crète, au S., et l'Archipel proprement dit, ou mer Egée.

Archipenko (Alexander), sculpteur américain d'origine russe (Kiev 1887 - New York 1964), fixé aux Etats-Unis après 1919. Il participa, à Paris (1911-1914), au mouvement cubiste avec des « sculpto-peintures ».

archiphonème n. m. Ensemble des caractères pertinents communs à deux phonèmes, dont l'opposition, ailleurs qu'à la finale, est seulement déterminée par le contexte, à moins que le choix entre les deux sonorités ne soit phonologiquement indifférent : *L'archiphonème de « é » et « è » est « E ».*

archipope n. m. Dans l'Eglise orthodoxe, pope principal.

archipresbytéral, archipresbytérat → ARCHIPRÊTRE.

archiprêtre n. m. Titre qui donne aux curés de certaines églises une prééminence honorifique sur les autres curés. || Dans certains diocèses, titre donné aux curés des chefs-lieux d'arrondissement ou, le plus souvent, des chefs-lieux de canton. ◆ **archipresbytéral, e, aux** adj. Qui appartient à l'archiprêtre. ◆ **archipresbytérat** n. m. Dignité, juridiction de l'archiprêtre.

Archiprêtre de Hita. V. RUIZ (Juan).

archiprieur n. m. Titre que portait le grand maître de l'ordre des Templiers.

archiptères [ki] n. m. pl. Ancien ordre d'insectes qui réunissait les termites, les éphémères et les libellules, tous insectes à métamorphoses incomplètes, au reste fort différents.

archiptérygie [ki] n. f. Membre nageur des poissons dipneustes, dont les rayons ont une disposition pennée.

architecte n. m. (du gr. *arkhitektôn,* maître constructeur). Professionnel titulaire d'un diplôme délivré par l'Etat, accepté par le conseil supérieur de l'ordre des architectes, capable de concevoir la réalisation et la décoration d'édifices de tous ordres et d'en diriger l'exécution. ● *Le Grand, le Suprême, le Divin Architecte* (Fig.), Dieu. (Le *Grand Architecte de l'Univers* désigne Dieu chez les francs-maçons.) || *Architecte paysagiste,* ingénieur spécialisé dans la conception et la réalisation des plans d'ensemble de jardins. ◆ **architectonique** adj. Qui appartient à l'architecture, qui respecte les règles de l'architecture (en particulier en ce qui concerne l'équilibre et la disposition des forces). ● *Esprit architectonique,* faculté au moyen de laquelle on coordonne les diverses parties d'un système. ◆ **architectoniquement** adv. De façon architectonique. ◆ **architectural, e, aux** adj. Relatif à l'architecture : *Un motif architectural.* ◆ **architecture** n. f. Art de construire les édifices. (V. *encycl.*) || Mode de construction, genre, caractère distinctif des ornements d'un édifice. || *Fig.* Structure, forme : *L'architecture du visage.* ◆ **architecturer** v. tr. Construire, en parlant d'une œuvre littéraire ou artistique : *Son livre est mieux architecturé que son œuvre précédente.*

— ENCYCL. **architecture.** Le but de l'architecture est de loger les activités de l'homme. Elle est un art dans la mesure où elle n'obéit pas uniquement à des impératifs techniques, mais laisse une certaine marge à la recherche de la beauté. La destination, la technique et l'esthétique interviennent dans la conception et l'appréciation d'un édifice.

La destination peut répondre à quatre objets différents : architecture religieuse, civile, d'habitation ; urbanisme.

L'*architecture religieuse* varie suivant la religion ; elle peut être soumise à des impératifs, des servitudes de dogme, de rite. Elle comporte les lieux mêmes du culte et les bâtiments accessoires (mosquées, temples, églises, bâtiments monastiques, etc.). L'*architecture civile* concerne tout ce qui n'est ni religieux ni particulier : palais, ministères, administrations, institutions publiques, édifices sanitaires, culturels, sportifs, de spectacle, etc. L'*habitation* est extrêmement variée selon la situation géographique, la position sociale de l'habitant, les goûts de l'époque, les techniques mises en jeu. Le XXe siècle, sauf dans certains pays de forte tradition, donne la primauté aux vastes habitations collectives. Le développement démographique et industriel

conduit à faire l'architecture des architectures : organisation planifiée des villes, ou *urbanisme,* qui, depuis quelques années, se soumet à son tour à une planification plus ample, l'organisation des territoires, qui agit à l'égard des ensembles urbains et ruraux comme autrefois on le faisait avec les éléments de la ville. L'Antiquité et le Moyen Age ont créé de toutes pièces des sites, des villes; l'époque classique également. L'époque moderne tend à créer des régions.
Selon les ressources locales, toutes sortes de matériaux ont été et sont utilisés : le bois, la terre, la pierre, le métal, le béton, le verre déjà et bientôt les matières plastiques de synthèse. Chaque type de matériau, par ses propriétés mécaniques, conduisait à un style correspondant à la meilleure technique d'utilisation. Par les propriétés que ces matériaux possédaient en commun, ils ont pu se rencontrer dans un même style. Désir de renouvellement des formes et progrès technique ont sans cesse réagi l'un sur l'autre pour faire évoluer l'architecture.
La beauté d'une architecture, selon certains, et à certaines époques, tient à la meilleure utilisation scientifique du matériau (fonctionnalisme) ; pour d'autres, il convient d'imposer aux formes des schémas d'harmonie, dont l'origine est souvent intellectuelle (tracés régulateurs) ; pour les uns, tout décor est superflu ; pour les autres, il est nécessaire ; parfois même, il fut tenu pour l'essentiel.

architecture (ÉCOLES D'). Le diplôme d'architecte est délivré par l'Ecole nationale supérieure des beaux-arts, par l'Ecole nationale de Lyon, par les écoles régionales, fondées en 1904 (Bordeaux, Clermont-Ferrand, Grenoble, Lille, Marseille, Montpellier, Nancy, Nantes, Rennes, Rouen, Strasbourg, Toulouse) [architectes diplômés par le gouvernement, D. P. L. G.], et par l'Ecole spéciale d'architecture de Paris, fondée en 1865 (D. E. S. A.). D'autres écoles enseignent l'architecture, mais ne délivrent pas de diplôme officiel.

architecturer → ARCHITECTE.

architeuthis [kitœtis] n. m. Très grand céphalopode bathypélagique (8 m de long), proie des cachalots.

architrave n. f. (ital. *architrave;* de *archi-,* et du lat. *trabs,* poutre). Partie de l'entablement complet, qui porte immédiatement sur les chapiteaux des colonnes ou autres points d'appui. || Grosse moulure séparant le vantail d'une porte de l'imposte. ● *Architrave coupée,* interrompue dans l'espace d'un entre-pilastre. ◆ **architravée** n. f. et adj. Corniche qui se lie directement à l'architrave, sans frise.

architrésorier n. m. Dans le Saint Empire, titre donné à l'Electeur palatin. || Grand dignitaire de la cour de Napoléon Ier (titre porté par Lebrun).

archivage, archiver → ARCHIVES.

archives n. f. pl. (bas lat. *archivum;* du gr. *arkheia,* lieu où l'on conserve les archives). Ensemble de documents provenant d'une collectivité, d'une famille ou d'un individu : *Archives royales. Dépôt des archives. Les Grecs conservaient leurs archives dans les temples.* || Lieu où les archives sont déposées. || Administration qui les conserve. (V. *encycl.*) ◆ **archivage** n. m. Action d'archiver. ◆ **archiver** v. tr. Recueillir, classer dans des archives : *Il faut décider de la date de destruction d'un document avant de l'archiver.* ◆ **archiviste** n. Garde des archives. (Titre réservé, en principe, aux fonctionnaires auxquels sont confiés des dépôts publics d'archives, mais donné également à toute personne dirigeant un dépôt d'archives privées.) ◆ **archiviste-paléographe** n. Titre réservé, en France, aux élèves diplômés de l'Ecole des chartes. ◆ **archivistique** n. f. Science des archives.

— ENCYCL. ***archives.*** On connaît, en France, les archives royales dès le VIIIe s., conservées au palais. Puis les archives suivirent les rois et firent partie du bagage des armées. Philippe Auguste fonda le *Trésor des chartes,* qu'il installa à la tour du Louvre et au Temple. Saint Louis fixa la place des archives à la Sainte-Chapelle, où elles demeurèrent jusqu'à la Révolution. Des décrets et des lois de la Constituante (29 juill. 1789, 12 sept. 1790) et de la Convention (12 brumaire an II) créèrent les Archives nationales, que Napoléon Ier installa (1808) à l'hôtel Soubise, où elles sont encore (l'hôtel de Rohan, restauré, lui a été annexé). Régies par les décrets du 23 février 1897 et du 14 décembre 1911, elles comprennent deux sections : ancienne (documents antérieurs à 1790) et moderne (documents postérieurs à cette date) ; une troisième section (secrétariat) dirige le service administratif des archives tant nationales que départementales, communales et hospitalières, dont les circulaires ont prescrit l'inventaire. Depuis 1884, les archives départementales et communales sont sous la dépendance du ministère de l'Education nationale. Depuis 1945, il existe une direction des Archives de France, rattachée en 1959 au ministère des Affaires culturelles.

archiviste, archiviste-paléographe, archivistique → ARCHIVES.

archivolte n. f. (ital. *archivolto;* du lat. *arcus,* arc, et *volutus,* roulé). Ensemble de moulures ou de voussures plus ou moins ornementées, situées sur la tête des voussoirs d'une arcade, dont elles suivent le contour d'une imposte à l'autre.

archontat → ARCHONTE.

archonte [kɔ̃t] n. m. (gr. *arkhôn,* chef). Magistrat principal dans beaucoup de cités grecques, en particulier à Athènes. (V. *encycl.*) || Titre porté, au Bas-Empire, par plusieurs grands officiers de la cour de Constantinople. ◆ **archontat** n. m. Dignité

ARCHITECTURE

Weiss - Rapho

Interphotothèque - Documentation française

Larousse

couvent de
Sainte-Marie-de-la-Tourette
à Eveux
(Le Corbusier, archit.)

Grigny
la Grande-Borne
(Aillaud, archit.)

Maison de la Radio, Paris
(Henry Bernard, archit.)

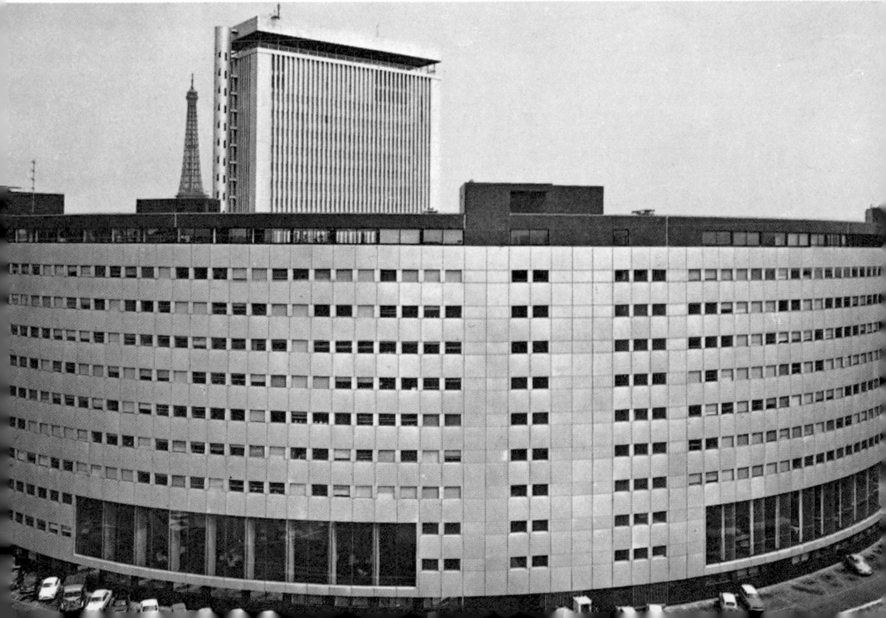

Laroche-Multiphoto

[c]athédrale de Brasília (Oscar Niemeyer, archit.)

Hétier

Marina City, Chicago (B. Goldberg, ar[chit.)]

tours du World Trade Center, à New York
(Yamasaki et Cie, archit.)

U.S.I.S.

le palais de la Haute-Cour à Chandigar[h]
[Le Corbusier, archit.]

Serraillier-Rapho

villa en Finlande (Alvar Aalto, archit.)

gratte-ciel de la Société Pirelli, Milan
(Gio Ponti, archit. en chef)

Algar-Pelayo

les Torres Blancas, Madrid
(Sáenz Oiza, archit.)

Roissy-en-France (Andreu, archit.)

Demeulle

Giraudon

Arcimboldo
« l'Été », *coll. part.*

d'archonte. || Temps pendant lequel l'archonte était en charge.

— ENCYCL. ***archonte.*** A Athènes, la création de l'archontat (686-685 av. J.-C.) marqua le triomphe de l'oligarchie foncière sur la royauté. Le collège annuel des neuf archontes comprenait : l'*archonte-roi,* chef religieux et président de l'Aréopage*, l'*archonte-éponyme,* donnant son nom à l'année, le *polémarque,* chef de l'armée, et les six *thesmothètes,* gardiens des lois. Primitivement réservée à la noblesse des eupatrides, cette magistrature se démocratisa avec les réformes de Solon et surtout d'Aristide (v. 477 av. J.-C.). A la fin du ve s. av. J.-C., l'archonte vit son pouvoir réduit à un rôle honorifique.

archontophœnix [kɔ̃] n. m. Palmier australien.

Archytas de Tarente, en gr. **Arkhutas,** philosophe et savant pythagoricien (Tarente v. 430 - † 360 av. J.-C.). Ami de Platon, ce philosophe fut à la fois mathématicien, astronome, homme d'Etat et général. Il serait l'inventeur de la vis, de la poulie, du cerf-volant, ainsi que l'auteur de plusieurs découvertes en géométrie. Il exerça une influence considérable sur Tarente.

arcifères n. m. pl. Ordre d'amphibiens, comprenant notamment les crapauds et les rainettes, mais non les grenouilles.

arciforme → ARC.

Arcimboldo ou **Arcimboldi** (Giuseppe), peintre italien (Milan v. 1527 - Prague 1593). Il se spécialisa dans les « caprices » allégoriques, où des amoncellements d'objets (fleurs, fruits, coquillages, poissons) composent des figures symboliques (musée de Crémone).

Arcis-sur-Aube, ch.-l. de c. de l'Aube (arr. et à 28 km au N. de Troyes) ; 3 258 h. (*Arcisiens*). Eglise Saint-Etienne, de style flamboyant (XVe-XVIe s.). Confection. Sucrerie. Industries du bois. Patrie de Danton. Le 20 mars 1814, Napoléon Ier y fut mis en difficulté par les Autrichiens.

Arcitenens, anc. nom lat. de la constellation du Sagittaire* et du signe du zodiaque de même appellation.

Arc-lès-Gray, comm. de la Haute-Saône (arr. de Vesoul), faubourg nord de Gray sur la rive droite de la Saône ; 3 222 h. (*Arcisiens*). Construction de machines agricoles.

Arcoat ou **Argoat,** nom breton signif. *pays des bois,* désignant l'intérieur de la Bretagne, par oppos. à l'*Armor,* la côte.

Arcole, comm. d'Italie (Vénétie) ; 4 700 h. Bonaparte y battit les Autrichiens, entraînant lui-même ses troupes à l'assaut du pont d'Arcole (15, 16, 17 nov. 1796).

arçon n. m. (lat. pop. **arcionem ;* de *arcus,* arc). Chacune des deux pièces cintrées, le *pommeau* à l'avant et le *troussequin* à l'arrière, qui, reliées par des bandes de bois, constituent le corps de la selle*. || Se dit quelquefois pour le pommeau de la selle et pour les fontes de la selle. || Sorte d'archet dont se servent les marbriers, les ouvriers stucateurs. || Sarment de vigne que l'on courbe pour lui faire produire plus de fruits. ● *Etre ferme dans ses arçons, sur ses arçons,* se tenir bien en selle. || *Perdre, vider les arçons,* tomber de cheval. || *Pistolet d'arçon,* pistolet placé dans chacune des deux fontes.

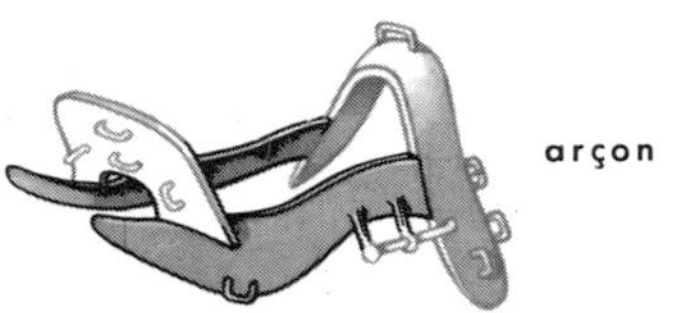

arçon

arçonnage n. m. Syn. de ARCURE. (V. ARC.)

arçonner → ARC.

Arcos (Rodrigo PONCE DE LEÓN, duc D') [1602-1672]. Vice-roi de Naples (1646) ; sa tyrannie provoqua le soulèvement dirigé par le pêcheur Masaniello.

arcosolium [ljɔm] n. m. (lat. *arcus,* arc, et *solium,* urne pour les morts). Forme de tombe (niche creusée dans le tuf) fréquente dans les catacombes chrétiennes, mais connue aussi dans l'Antiquité classique et orientale.

Arcot, v. de l'Inde (Tamilnãd), à l'O.-S.-O. de Madras ; 16 600 h. Ce fut la capitale du Carnatic et le premier enjeu de la rivalité franco-anglaise aux Indes. De 1749 à 1801, elle passa plusieurs fois de l'occupation française à celle de l'Angleterre. Cette dernière l'occupa à partir de 1801.

Arcouest (POINTE DE L'), promontoire de Bretagne (Côtes-du-Nord), près de Paimpol.

arc-rampant → ARC.

Arcs (LES), comm. du Var (arr. et à 10 km au S. de Draguignan) ; 3 915 h.

arctia n. m. (du gr. *arktos,* ours). Papillon dont la chenille (oursonne ou hérissonne) est très poilue. (Nom usuel : *écaille.*)

arctique adj. (gr. *arktikos*). Qui se rapporte au pôle Nord et aux régions environnantes. (Contr. ANTARCTIQUE.) ● *Période arctique,* période du quaternaire, où un grand froid régnait sur les actuelles régions tempérées.

Arctique (ARCHIPEL), archipel canadien compris entre l'Amérique et le Groenland, et dépendant des Territoires du Nord-Ouest. Ses îles principales sont Baffin, Ellesmere et Victoria.

Arctique (OCÉAN OU MER), mer qui s'étend sur la partie boréale du globe, en grande partie couverte par la banquise ; 13 millions de kilomètres carrés env. Les grands fonds (plus de 4 000 m) forment deux bassins séparés par une longue crête sous-marine, la « chaîne » de Lomonossov, qui s'allonge depuis la Nouvelle-Zemble jusqu'à la terre d'Ellesmere. Les côtes scandinaves et soviétiques sont précédées par un large plateau continental, beaucoup plus étroit en face de l'Amérique. La bordure de l'océan Arctique est partagée entre plusieurs mers secondaires séparées par des archipels côtiers ; de la Scandinavie vers l'U. R. S. S. et l'Amérique se succèdent : la mer de Barents, la mer de Kara, la mer des Laptev, la mer de Sibérie orientale, la mer des Tchouktches et la mer de Beaufort, au N. de l'Amérique. Limité par des seuils de faible profondeur, l'océan Arctique a très peu d'échanges avec les eaux des autres océans. En surface se trouve une masse d'eau froide (0 °C) et peu salée ; les eaux « intermédiaires » sont entre 3 et 4 °C, et un peu plus salées ; les eaux profondes sont à 0,85 °C. La banquise, dont la surface chaotique est due aux mouvements qui l'animent, a une épaisseur de 2 à 4 m ; elle est affectée par une dérive (étudiée par Nansen, puis par Papanine), depuis l'île Wrangel jusque vers le pôle et le Svalbard. Les limites de la banquise, variables selon les saisons, permettent l'été une certaine circulation maritime de la mer de Barents au cap Tcheliouskine ; les autres côtes sont cernées de près par les glaces. En 1958, le sous-marin améri-

ARCTIQUE
pétrolier-brise-glace en Alaska

Photothèque Esso

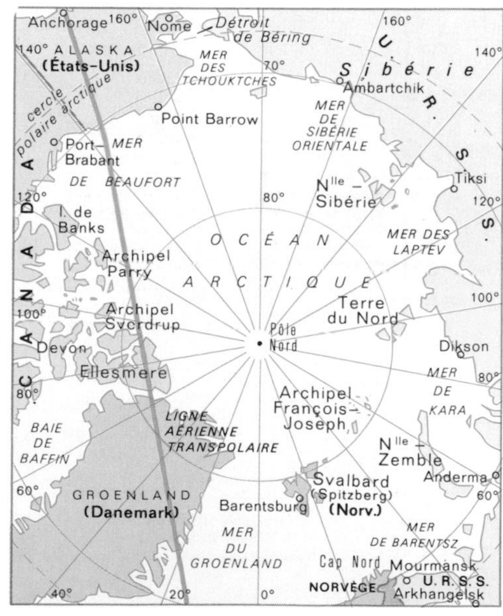

cain *Nautilus* est passé du Pacifique à l'Atlantique par le pôle, sous la banquise.

arctiques (RÉGIONS), ensemble formé par les terres arctiques et l'océan Arctique. L'exploration des régions arctiques, qui débute dès le XVIe s., a été faite pour la recherche des passages menant au Pacifique, soit par l'O. au N. de l'Amérique, soit par l'E. au N. de l'Eurasie. Sir H. Willoughby atteint la presqu'île de Kola en 1553 ; Burrough touche la Nouvelle-Zemble en 1556 ; Pett et Jackmann atteignent la mer de Kara (1580). Ces voyages sont suivis par ceux de Yermak (1581), de Barents (1594), de Dejnev (1648). En 1741, Béring atteint les Aléoutiennes. En 1879, A. Nordenskjöld ouvre le « passage du Nord-Est ». Le « passage du Nord-Ouest » ne fut forcé que par Amundsen en 1906 et par Larsen en 1944. Vers le pôle, Parry atteignit la latitude de 82° 43′ en 1827, et Nansen parvint à 86° 12′ en 1895. En 1900, le duc des Abruzzes atteignit 86° 34′. L'américain Peary gagna le pôle en 1909. Byrd le survola en 1926, le même jour qu'Amundsen. Le Groenland a fait l'objet des expéditions de K. Rasmussen, de Wegener, de Charcot, de Paul-Emile Victor. Les régions polaires soviétiques sont explorées et étudiées intensément depuis le XVIIIe s.

arctiques (TERRES), terres continentales et insulaires situées à l'intérieur du cercle polaire boréal (nord de l'Amérique et de l'Eu-

département de l'Ardèche

recensement de 1982

arrondissements (3)	cantons (33)	nombre d'hab. du canton	nombre de comm. (338)
Largentière (42 682 h.)	Burzet	1 562	5
	Coucouron	2 401	8
	Joyeuse	7 389	16
	Largentière	6 895	13
	Montpezat-sous-Bauzon	2 200	7
	Saint-Étienne-de-Lugdarès	1 010	8
	Thueyts	6 730	13
	Valgorge	891	7
	Vallon-Pont-d'Arc	6 202	11
	Vans (Les)	7 402	14
Privas (109 054 h.)	Antraigues	2 640	11
	Aubenas	17 100	9
	Bourg-Saint-Andéol	12 129	9
	Chomérac	7 798	8
	Privas	17 709	16
	Rochemaure	5 665	7
	Saint-Pierreville	3 602	9
	Vals-les-Bains	10 118	8
	Villeneuve-de-Berg	6 708	17
	Viviers	13 016	6
	Voulte-sur-Rhône (La)	12 569	10
Tournon (116 234 h.)	Annonay (2 cant.)	32 043	15
	Cheylard (Le)	7 340	14
	Lamastre	7 165	9
	Saint-Agrève	4 355	7
	Saint-Félicien	3 760	8
	Saint-Martin-de-Valamas	3 914	11
	Saint-Péray	20 387	10
	Satillieu	6 761	10
	Serrières	7 773	17
	Tournon	18 725	17
	Vernoux-en-Vivarais	4 011	9

LES DIX PREMIÈRES COMMUNES

Annonnay	20 085 h.	*Le Teil*	8 352 h.
Aubenas	13 134 h.	*Bourg-Saint-Andéol*	7 665 h.
Privas	10 638 h.	*La Voulte-sur-Rhône*	5 301 h.
Tournon	9 707 h.	*Saint-Péray*	5 200 h.
Guilherand	9 560 h.	*Le Cheylard*	4 381 h.

RÉGION MILITAIRE : *Lyon* (V[e]). — COUR D'APPEL : *Nîmes.*
ACADÉMIE : *Grenoble.* — ARCHEVÊCHÉ : *Avignon.*

rasie, ensemble de l'archipel Arctique, qui dépendent de l'U. R. S. S., de la Norvège [Svalbard] et du Danemark [Groenland]). Toutes ces contrées sont soumises à des températures fort basses : les moyennes annuelles sont comprises entre — 10 et — 20 °C ; en Sibérie, les moyennes du mois de janvier peuvent être inférieures à — 40 °C. Les vents sont partout extrêmement violents. La température s'élève un peu au-dessus de 0 °C pendant trois ou quatre mois l'été. Cependant, la végétation pousse très vite en raison de l'éclairement presque continu. La formation végétale est la toundra, qui peut être plus ou moins pauvre : quelques mousses ou lichens, ou déjà des buissons et des arbustes rampants. La faune est relativement riche, car il s'agit soit d'espèces migratrices, qui regagnent des terres plus clémentes en hiver, soit d'espèces vivant dans le milieu marin, qui est fort riche en poisson et en plancton. Les populations autochtones de l'Arctique sont essentiellement mongoloïdes, et leurs genres de vie sont étroitement adaptés aux particularités du milieu naturel. Les Lapons et les Samoyèdes, les plus évolués économiquement, pratiquent l'élevage du renne. Les autres peuples vivent essentiellement de chasse et de pêche (ours, renne, phoque). Les terres arctiques sont de plus en plus étroitement intégrées à la vie économique du monde actuel. Elles occupent en effet une position stratégique fort importante, et les lignes aériennes les plus courtes entre l'Europe et

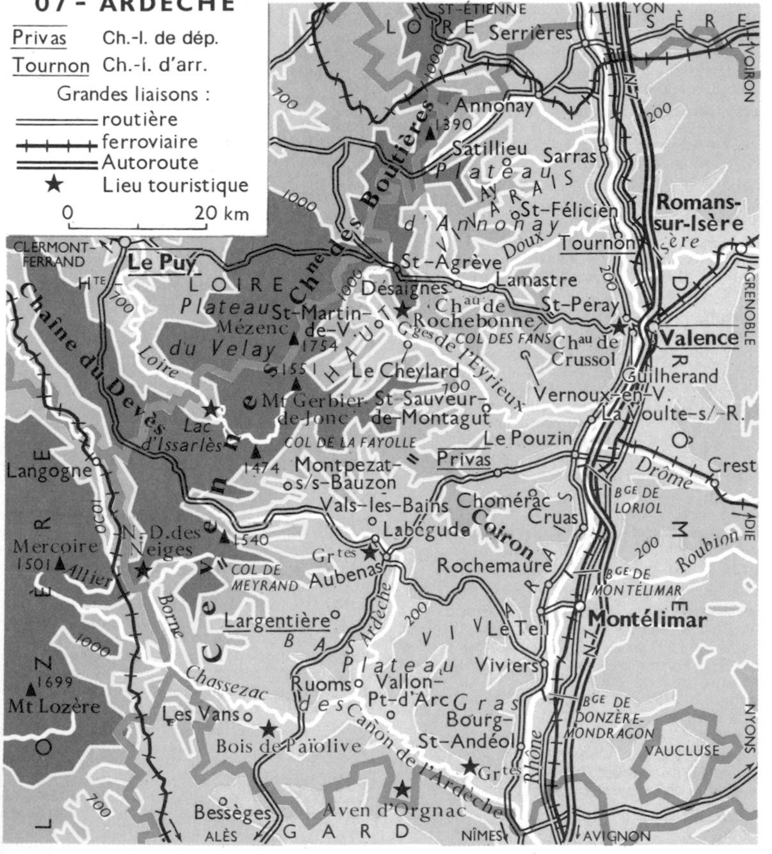

l'Amérique ou le Japon passent par le pôle. Les terres arctiques renferment des ressources minières variées : houille du Svalbard et de Vorkouta, pétrole du bassin de la Petchora et du Mackenzie, apatite de la presqu'île de Kola, pechblende du Grand Lac de l'Ours, grands gisements de minerais de fer de l'Ungava et de Laponie, très nombreux gisements d'or, mines de nickel de Norilsk, etc. Les régions arctiques connaissent, depuis la Seconde Guerre mondiale, un grand essor et un important peuplement de Blancs.

arctium [tjɔm] n. m. (gr. *arktion*). Anc. nom générique de la *bardane**.

arctocyon n. m. (gr. *arktos,* ours, et *kuôn,* chien). Mammifère créodonte, fossile dans l'éocène.

arctogale n. f. Sorte d'hyène indo-malaise.

arctornis [nis] n. m. (gr. *arktos,* ours, et *ornis,* oiseau). Papillon liparidé portant un V noir sur ses ailes blanches, et dont la chenille vit sur le tilleul, le chêne et le bouleau.

arctostaphylos [lɔs] n. m. (gr. *arktos,* ours, et *staphulon,* grappe ; littéral. *raisin d'ours*). Nom donné à une éricacée des rocailles, dont le fruit rouge est comestible.

arcture n. f. Cloporte à sept paires de pattes, les trois dernières étant séparées des autres.

Arcturus, nom donné à l'étoile α Bouvier*, ou α *Bootis*. La sixième des étoiles* les plus brillantes du ciel. Magnit. 0,2. Type spectral K 0. Distance 41 a.l.

Arcueil, comm. du Val-de-Marne (arr. de L'Haÿ-les-Roses), à 2 km au S. de Paris, sur la Bièvre ; 20 146 h. Eglise Saint-Denis (XIIIe s.). Vestiges d'un aqueduc romain. Constructions mécaniques et industries diverses.

Arcueil (ÉCOLE D'), groupe de musiciens qui, dans les années 1920, se réunirent à Arcueil chez Erik Satie. Henri Sauguet, Maxime Jacob, Henry Cliquet-Pleyel, Roger Désormière en faisaient partie.

Arculf, évêque franc. Il fit un voyage en Orient vers 680-690. Son récit, utilisé par Bède dans son *Histoire ecclésiastique de la nation anglaise,* servit de guide des Lieux saints.

arcure → ARC.

Arcy-sur-Cure, comm. de l'Yonne (arr. d'Auxerre), sur la Cure, à 20 km au N.-O. d'Avallon ; 527 h. A 1,5 km au S., des grottes ont livré d'importants vestiges d'industrie préhistorique et des restes de squelettes humains ; gravures magdaléniennes sur les murs de la grotte du Cheval.

Ardabīl ou **Ardébil,** v. de l'Iran, en Azerbaïdjan ; 83 600 h. Centre commercial ; tapis. Mausolée du cheikh Ṣafī al-Dīn Ardabīlī, fondateur de la dynastie séfévide.

Ardachêr Ier, 1er roi perse de la dynastie des Sassanides (v. 226-241). Il tua Artaban IV (224) et se proclama « roi des rois ». Il centralisa l'administration et fit du mazdéisme la religion officielle. — **Ardachêr II** (v. 309 - † 383), roi de Perse (379-383). — **Ardachêr III,** roi de Perse en 628, détrôné en 630.

Ardahan, v. de Turquie (prov. de Kars), sur la Koura ; 6 200 h. Passée sous la souveraineté russe en 1878, elle fut rétrocédée à la Turquie par le traité de Kars (1921).

Ardant du Picq (Charles), officier et écrivain militaire français (Périgueux 1821 - Gravelotte 1870). Il laissa plusieurs recueils de notes sur la discipline, la valeur morale de la troupe, etc., qui, publiés en 1880, exercèrent une grande influence sur les cadres de l'armée de 1914.

ardasse n. m. et adj. Soie grossière de Perse : *Soie ardasse.* ◆ **ardassine** n. f. Soie de Perse la plus estimée et la plus fine. (On la nomme aussi ABLAQUE.)

Ardeal, un des noms roumains de la **Transylvanie.**

Ardéatine (CAVE OU FOSSE), carrière souterraine, près de Rome, où, le 24 mars 1944, 335 patriotes italiens furent massacrés par les Allemands.

Ardèche, riv. des Cévennes, affl. du Rhône (r. dr.) ; 120 km. Elle prend sa source au S. de Bauzon (Tanargue), coule en gorge à travers les Cévennes et le plateau calcaire des Gras. Son régime est très irrégulier en raison des fortes averses sur les Cévennes.

Ardèche (DÉPARTEMENT DE L'), dép. de la bordure sud-est du Massif central, dans le Vivarais ; 5 529 km^2 ; 267 984 h. Ch.-l. *Privas.* Vers l'O., le département s'étend sur les *Cévennes vivaraises,* ensemble de hautes terres granitiques très attaquées par l'érosion ; à l'aval, les vallées ont de belles plantations d'arbres fruitiers. Dans la partie est, on distingue, du N. au S., le *plateau d'Annonay,* la coulée volcanique des *Coirons,* le *bas Vivarais,* formé de plateaux calcaires assez arides. Le département compte peu d'industries : carrosserie à Annonay, textiles, grandes cimenteries vers Le Teil et centrale nucléaire de Cruas, au bord du Rhône. Il n'y a pas de grande ville, et la population a enregistré, depuis le XIXe s. et dans la première moitié du XXe s., une très sensible diminution ; une reprise notable est observée dans la vallée du Rhône. L'agriculture, qui se caractérise fréquemment par sa médiocrité, constitue cependant l'essentiel des ressources. (V., pour les beaux-arts, LANGUEDOC.)

→ V. carte et tableau page précédente.

ardéidés → ARDÉIFORMES.

ardéiformes n. m. pl. (lat. *ardea,* héron). Ordre d'oiseaux échassiers longilignes (ibis, héron, cigogne, marabout, etc.). ◆ **ardéidés**

n. m. pl. L'une des familles de cet ordre, dont le héron est le type.

Ardemans (Teodoro), architecte, sculpteur, peintre et graveur espagnol (Madrid 1664-*id.* 1726). D'origine allemande, élève de Claudio Coello, il commença pour Philippe V la construction du palais de La Granja.

ardemment → ARDEUR.

Arden (John), auteur dramatique britannique (Barnsley, Yorkshire, 1930). Se recommandant aussi bien d'Aristophane que de Brecht, il cherche à concilier des préoccupations didactiques (*Vous vivrez comme des porcs,* 1958; *la Danse du sergent Musgrave,* 1959; *l'Ane de l'hospice,* 1963) avec le désir de susciter la créativité des spectateurs (*The Hero rises up,* 1968).

Arden de Feversham, drame anglais (1586), œuvre dont l'auteur est inconnu, mais que ses exceptionnelles qualités théâtrales firent un temps attribuer à Shakespeare. Un riche bourgeois, Arden, est assassiné par sa femme, Alice, et l'amant de celle-ci, paysan grossier et vulgaire.

Ardena n. m. (nom déposé). Fil de viscose mat.

ardennais, e adj. et n. Relatif aux Ardennes; habitant ou originaire des Ardennes. ● *Chasseurs ardennais,* nom donné, depuis 1933, à des unités frontalières de l'armée belge. ‖ *Cheval ardennais,* race de chevaux de trait réputée pour sa forme et son caractère facile. ‖ *Poule ardennaise,* race de poules très rustique.

Ardenne, région naturelle s'étendant sur l'est de la Belgique, le nord de la France et du grand-duché de Luxembourg; 10 000 km² env.

● *Géographie.* C'est un vieux massif formé de hautes surfaces monotones, qui culminent dans les Hautes-Fagnes, au S.-E. de Liège (694 m au *signal de Botrange*). L'Ardenne est un massif dissymétrique dont la ligne de faîte est reportée vers le S. Plissé au primaire, arasé au secondaire, recouvert par plusieurs transgressions marines, soulevé en masse au tertiaire, il se caractérise par des vallées profondément creusées. Le climat est rude : froid l'hiver, brumeux l'été; les pluies sont abondantes; les sols sont pauvres. La forêt, coupée de landes, couvre une grande partie du pays. Seigle, pommes de terre et prairies d'élevage fournissent les ressources essentielles. Mais la beauté du pays a permis un essor du tourisme, surtout en Belgique.

● *Histoire.* Les immenses forêts de l'Ardenne, connues dès l'époque romaine, donnèrent naissance à des légendes (saint Hubert, les quatre fils Aymon), et de nombreuses abbayes s'y fondèrent (Orval, Saint-Hubert, Saint-Lambert, Saint-Vith, Stavelot). Facteur d'insécurité pour les riches pays d'alentour, le massif fut entouré dès le XVIe s. par des villes fortifiées : Longwy, Sedan, Charleville, Givet, Dinant, Rocroi, Philippeville, Marienbourg. Les défrichements ouvrirent trois axes principaux de circulation : au centre, Malmédy-Sedan; au N., Düren-Chimay par Dinant; au S., Martelange-Arlon vers Montmédy. L'Ardenne fut le théâtre d'importantes opérations militaires au cours des deux Guerres mondiales.

En 1914, trois armées allemandes en marche vers l'O. se heurtèrent, dans les Ardennes, aux IIIe et IVe armées françaises, provoquant du 20 au 24 août de nombreux combats de rencontre (Neufchâteau, Ethe, Virton).

En mai 1940, 7 divisions blindées allemandes (sur 10) occasionnèrent, dans les Ardennes, la rupture du front français de la Meuse à Houx, Monthermé et Sedan.

En décembre 1944, l'Ardenne fut le théâtre de la dernière contre-offensive stratégique menée par la Wehrmacht (von Rundstedt), qui, le 16, engageant 9 divisions blindées,

contre-offensive allemande
des **Ardennes** (1944)

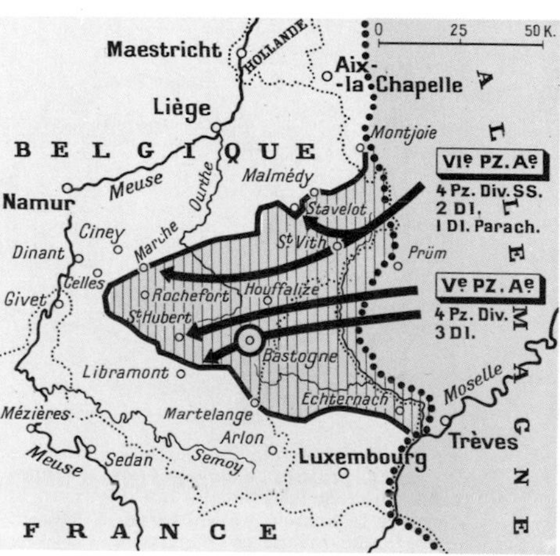

creva le dispositif américain et parvint à 10 km de Givet. Mais la résistance américaine (Bastogne) réussit à briser la poussée allemande.

Ardennes (CANAL DES), canal qui réunit la Meuse canalisée à l'Aisne; 99 km. Il est continué par le canal latéral à l'Aisne.

Ardennes (DÉPARTEMENT DES), dép. du nord-est de la France, s'étendant sur le Bassin parisien et le Massif ardennais; 5 229 km²; 302 338 h. Ch.-l. *Charleville-Mézières.*

Le nord du département s'étend sur la région

des Ardennes : le plateau de Rocroi possède de belles prairies d'élevage; de grandes forêts couvrent les plateaux qui dominent la Meuse et la Semoy. La vallée de la Meuse, aux grands méandres encaissés, est une importante voie de passage et une région industrielle (dont les branches principales, métallurgie et textile, sont toujours en difficulté).

Les plateaux ardennais sont bordés, au S., par une dépression creusée dans les terrains argileux du jurassique inférieur : là se trouve une riche région agricole. Entre la Meuse et l'Aisne s'étendent des plateaux calcaires assez pauvres. Au S. de la vallée de l'Aisne, le département couvre une partie de la Champagne crayeuse. (V., pour les beaux-arts, CHAMPAGNE.)

ardent → ARDEUR.

Ardentes, ch.-l. de c. de l'Indre (arr. et à 14 km au S.-E. de Châteauroux), sur l'Indre ; 3 287 h. (*Ardentais*). Fonderie d'aluminium.

arderelle n. f. V. MÉSANGE.

Ardes, ch.-l. de c. du Puy-de-Dôme (arr. et à 22 km au S.-O. d'Issoire) ; 669 h. (*Ardoisiens*). Race de moutons utilisés pour la production d'agneaux de boucherie.

ardeur n. f. (lat. *ardor ;* de *ardere,* brûler). Chaleur extrême : *L'ardeur du soleil.* ‖ *Fig.* Vivacité, fougue avec laquelle on se porte à quelque chose : *Montrer de l'ardeur au travail.* ‖ — **ardeurs** n. f. pl. Nom donné par les paysans aux maladies de la peau du cheval, accompagnées de vives démangeaisons. ◆ **ardemment** adv. Avec ardeur : *Aimer ardemment. Vouloir ardemment.* ◆ **ardent, e** adj. Qui est en feu (sens usité seulement dan des expressions toutes faites : *Charbons ardents, brasier ardent,* etc.). ‖ Qui chauffe ou enflamme : *Soleil ardent.* ‖ Qui cause une sensation de chaleur, de brûlure : *Fièvre ardente. Soif ardente.* ‖ *Fig.* Plein de passion, de fougue : *Un regard ardent.* ‖ Toujours prêt à, actif : *Etre ardent au travail.* ‖ Violent, acharné : *Lutte ardente.* ‖ Qui approche du roux, en parlant des couleurs : *Une chevelure ardente.* ‖ Se dit d'un yacht à voile qui a tendance à présenter son avant face au vent. (Contr. MOU.) ‖ Vif, éclatant : *Adoucir des tons trop ardents.* ● *Chambre ardente,* v. CHAMBRE. ‖ *Chapelle ardente,* local aménagé pour l'exposition du corps d'un défunt ou de son cercueil avant les obsèques. ‖ *Esprits ardents,* produits alcooliques obtenus par distillation de liqueurs fermentées. ‖ *Etalon ardent,* apte à la génération. ‖ *Meule ardente,* meule formée d'une pierre très dure. ‖ *Miroir ardent, verre ardent,* miroir, lentille faisant converger les rayons solaires en son foyer. ‖ *Roux ardent,* roux qui approche de la couleur du feu. ‖ — **ardents** n. m. pl. *Bal des Ardents* ou *bal des Sauvages,* bal masqué organisé en 1393, en l'honneur du mariage d'une dame d'honneur de la reine Isabeau de Bavière, au cours duquel cinq jeunes seigneurs, déguisés en sauvages avec des maillots enduits de poix,

département des Ardennes

recensement de 1982

arrondissements (4)	cantons (37)	nombre d'hab. du canton	nombre de comm. (460)
Charleville-Mézières (177 160 h.)	Charleville-Centre	13 622	3
	Charleville-La Houillère	16 566	3
	Flize	9 165	22
	Fumay	8 826	5
	Givet	16 293	12
	Mézières-Centre-Ouest	15 692	10
	Mézières-Est	18 649	2
	Monthermé	15 274	8
	Nouzonville	10 429	4
	Omont	2 000	11
	Renwez	6 248	14
	Revin	10 664	2
	Rocroi	8 043	14
	Rumigny	4 543	24
	Signy-l'Abbaye	3 892	11
	Signy-le-Petit	3 776	9
	Villers-Semeuse	13 478	9
Rethel (34 261 h.)	Asfeld	4 947	18
	Château-Porcien	3 891	16
	Chaumont-Porcien	2 843	14
	Juniville	3 885	13
	Novion-Porcien	4 301	23
	Rethel	14 394	17
Sedan (66 837 h.)	Carignan	10 982	26
	Mouzon	6 837	13
	Raucourt-et-Flaba	3 944	12
	Sedan (3 cant.)	45 074	29
Vouziers (24 080 h.)	Attigny	3 212	13
	Buzancy	2 296	17
	Chesne (Le)	2 794	17
	Grandpré	2 350	18
	Machault	2 181	14
	Monthois	2 884	18
	Tourteron	1 232	10
	Vouziers	7 131	15

LES DOUZE PREMIÈRES COMMUNES

Charleville-Mézières	61 588 h.	*Bogny-sur-Meuse*	6 262 h.
Sedan	24 535 h.	*Fumay*	5 811 h.
Revin	10 603 h.	*Vouziers*	5 214 h.
Rethel	9 081 h.	*Vrigne-aux-Bois*	3 897 h.
Givet	7 728 h.	*Carignan*	3 646 h.
Nouzonville	7 355 h.	*Monthermé*	3 103 h.

RÉGION MILITAIRE : *Metz* (VIe). — COUR D'APPEL : *Nancy.*
ACADÉMIE : *Reims.* — ARCHEVÊCHÉ : *Reims.*

furent brûlés vifs par des torches enflammées. || *Mal des ardents,* affection qui présentait les caractères de l'ergotisme et qui a sévi à plusieurs reprises dans certaines provinces de France, en Allemagne, en Espagne du Xe au XIIe s. (L'homme du Moyen Age lui attribuait un caractère surnaturel.)

Ardhanarī (*le Seigneur dont la moitié est féminine*), nom donné au dieu Çiva lorsqu'il est adoré sous forme de divinité androgyne.

Ardigo (Roberto), philosophe italien (Casteldidone, prov. de Crémone, 1828 - † par suicide, Mantoue, 1920), professeur à l'université de Padoue (1881-1920), principal représentant du positivisme en Italie.

Ardil n. m. (nom déposé). Fil ou fibre synthétique, obtenu en partant des protéines végétales de l'arachide.

ardillon n. m. Pointe de métal au milieu d'une boucle, prenant place dans les trous d'une courroie pour arrêter celle-ci. || Contre-pointe de l'hameçon.

ardisia n. m. Important genre d'arbrisseaux de serre (230 espèces; famille des myrsinacées).

ardoisage → ARDOISE.

ardoise n. f. Roche schisteuse grise, bleutée ou mauve, facile à diviser en feuillets minces, employée à divers usages, en particulier pour couvrir les toits : *Clocher couvert en ardoise.* (L'ardoise est une roche sédimentaire provenant de dépôts de vase argileuse, et à laquelle les températures et les pressions élevées subies par ces dépôts au cours des événements géologiques ont conféré sa fissilité.) || Feuille d'ardoise, ou d'autre matière, sur laquelle on écrit ou l'on dessine : *Les élèves des écoles primaires apprenaient à écrire sur une ardoise.* || *Pop.* Compte de marchandises prises à crédit (parce que le montant en était inscrit sur une ardoise) : *Avoir une ardoise chez le bistro.* ● *Ardoise métallique,* plaque de tôle galvanisée ou de zinc que l'on emploie à la couverture des gares, des grands hangars, etc. || *Ardoise de remplissage,* ardoise de largeur réduite, sans tranchis biais, destinée à raccorder un ouvrage de rive latérale avec les ardoises entières de plein comble. ◆ **ardoisage** n. m. Action de recouvrir d'ardoise ou d'un enduit imitant l'ardoise. ◆ **ardoisé, e** adj. De la couleur grise de l'ardoise : *Des reflets ardoisés.* ◆ **ardoiser** v. tr. Couvrir d'ardoises : *Ardoiser un toit.* ◆ **ardoiserie** n. f. Atelier où l'on fabrique des objets en ardoise. ◆ **ardoisier, ère** adj. De la nature de l'ardoise. || — ***ardoisier*** n. m. Exploitant d'une carrière d'ardoise. || Dans les courses cyclistes, personne qui donne aux coureurs des renseignements (marqués sur une ardoise). ● *Maladie des ardoisiers,* v. SCHISTOSE. || — ***ardoisière*** n. f. Carrière d'ardoise : *Les ardoisières de Trélazé.*

couvertures en ardoise

Gamet - Rapho

Ardoise (L'), écart de la comm. de Laudun (Gard), sur le Rhône (r. dr.), à 8 km au N.-O. de Roquemaure. Aciérie (aciers spéciaux).

Ardres, ch.-l. de c. du Pas-de-Calais (arr. de Saint-Omer), à 17 km au S.-E. de Calais; 3 390 h. (*Ardrésiens*). Eglise des XIVe et XVe s. Raffinerie et sucrerie. Industrie textile (toiles). L'entrevue du *Camp du Drap d'or* entre François Ier et Henri VIII d'Angleterre eut lieu entre Ardres et Guines, en 1520. Un traité de paix fut conclu à Ardres en 1546, entre François Ier et Henri VIII, qui restituait Boulogne à la France.

ardu, e adj. (lat. *arduus,* malaisé). D'accès difficile, raide, escarpé : *Sentier ardu.* || *Fig.* Difficile à saisir, pénible à faire : *Travail ardu. Une question ardue.*

Arduin (v. 955-1015), roi d'Italie (1002-1004). Elu et couronné à Pavie, il fut détrôné par l'empereur Henri II.

Ardys ou **Ardus,** nom de trois rois de Lydie. Le dernier, fils et successeur de Gygès, régna de 652 à 637 av. J.-C. Il entreprit des expéditions contre les Ioniens et les Milésiens. Il eut à repousser les Cimmériens.

are n. m. (lat. *area,* surface). Unité de mesure pour les surfaces agraires (symb. a), équivalant à l'aire d'un carré de 10 m de côté, ou décamètre carré. ◆ **aréage** n. m. Mesurage des terres par ares.

area n. f. (mot lat. signif. *place ouverte et libre*). Cour sacrée, parfois entourée de portiques et d'habitations, et plantée d'arbres, site des premières églises d'Orient.

aréage → ARE.

arec ou **aréquier** n. m. (portug. *areca,* d'orig. malaise). Palmier asiatique et indonésien, type de la tribu des arécées, qui fournit le cachou, le bétel, le chou-palmiste et dont l'écorce sert à faire des cordages.

Arecomici. *Géogr. anc.* Peuple de la Gaule méridionale, dont la capitale était Nîmes (*Nemausus*), et qui, avec les Tectosages de Narbonnaise, formait le peuple des Volces.

Aref (Abdul Salam), homme politique iraquien (Bagdad 1921-près de Bassora 1966). Il fut proclamé président de la République à la suite de la révolution du 8 févr. 1963.

aréflexie n. f. Absence ou abolition d'un ou de plusieurs réflexes.

aréique adj. (*a* priv., et gr. *rhein,* couler). Se dit d'une région privée d'écoulement, soit en raison de l'aridité du climat, soit en raison de la perméabilité des terrains (étendues sableuses). [Les zones dépourvues de réseau hydrographique couvrent 17 p. 100 de la surface du globe.] ◆ **aréisme** n. m. Etat d'une région privée d'écoulement naturel.

aremonia n. m. Rosacée sylvestre des montagnes, dont la feuille a neuf folioles de dimensions alternées.

Arena, jardin de Padoue. Là est située la célèbre chapelle consacrée à la Vierge (chapelle dite aussi « des Scrovegni ») et entièrement décorée des fresques de Giotto (1303-1305).

Aréna (Joseph Antoine), officier corse (Ile-Rousse 1771 - Paris 1801). Député de la Corse au Conseil des Cinq-Cents, il fut impliqué dans une conspiration contre Bonaparte, arrêté à l'Opéra le 10 oct. 1800, condamné et exécuté.

arénacé, arénaire, arénaria → ARÈNE.

Arenberg (Louis Engilbert, duc et prince D') [Bruxelles 1750 - *id.* 1820]. Prince possessionné sur la rive gauche du Rhin, il obtint, au congrès de Rastatt, des dédommagements en Westphalie. Il eut deux fils : l'aîné, PROSPER LOUIS (1785 - 1861), duc d'**Arenberg,** se rallia à la Prusse; — le second, PIERRE (1790 - 1877), prince d'**Arenberg,** passa en France; créé duc et pair en 1827, il fut le fondateur de la branche française.

Arendt (Hannah), philosophe et politologue américaine d'origine allemande (Hanovre 1906 - New York 1975). Elle a notamment publié *le Système totalitaire* (1972), *Sur l'antisémitisme* (1973).

arène n. f. (lat. *arena,* sable). Espace circulaire sablé, au centre des amphithéâtres romains, où se livraient les combats de gladiateurs. ‖ Sable où l'on retrouve non usés les minéraux du granite ou du gneiss. (L'arène résulte soit d'une désagrégation par le gel, soit d'une altération chimique.) ‖ *Fig.* Endroit, assemblée où s'opposent des idées, où l'on discute certains problèmes : *L'O. N. U. constitue la principale arène internationale.* ● *Descendre dans l'arène* (Fig.), participer à des luttes politiques ou littéraires. ‖ — ***arènes*** n. f. pl. L'amphithéâtre romain tout entier : *Arènes de Nîmes.* ◆ **arénacé, e** adj. De la consistance du sable. ‖ Qui contient du sable : *Sédiment arénacé.* ◆ **arénaire** n. m. A Rome, toute personne qui paraissait dans l'arène de l'amphithéâtre. ‖ Maître d'arithmétique élémentaire, qui, à Rome, enseignait, à l'aide de chiffres tracés sur le sable. ◆ **arénaria** n. f. Plante caryophyllacée des rochers et des sables, aux fleurs bleues et roses. ◆ **arénicole** adj. Qui vit dans le sable. ✦ n. f. Annélide polychète vivant dans un tube en U qu'elle creuse dans le sable. (Elle a des branchies sur les flancs et sert d'appât pour la pêche en mer.) ◆ **arénisation** n. f. Décomposition des roches cristallines en arène.

Bevilacqua

Arena de Padoue : chapelle des Scrovegni

Arène (Paul), écrivain français et poète provençal (Sisteron 1843 - Antibes 1896). Il doit surtout sa renommée à ses récits de la Provence : *Jean des Figues* (1870), *la Gueuse parfumée* (1876), *la Vraie Tentation de saint Antoine, conte de Noël* (1890), dont la manière s'apparente à celle des *Lettres de mon moulin.* Parmi ses autres œuvres, citons *la Chèvre d'or,* roman (1889), des *Poésies* (1900), des pièces de théâtre et de nombreuses œuvres en provençal.

Arenenberg, château de Suisse (cant. de Thurgovie), sur le lac de Constance. Ce fut l'une des résidences de la reine Hortense et de son fis Louis Napoléon.

arenga n. m. (malais *areng*). Palmier indien et indonésien, dont une espèce fournit du sucre, une autre des fibres textiles.

arénicole, arénisation → ARÈNE.

aréolaire → ARÉOLE.

aréole n. f. (lat. *areola,* dimin. de *area,* aire). *Anat.* Petite cavité entre les faisceaux des fibres, les lamelles, les mailles d'un tissu. ‖ Zone circulaire de décollement des parois cellulosiques de deux vaisseaux voisins, chez les gymnospermes. (Percée d'un trou en son milieu, l'aréole semble permettre certains échanges, en dépit de la persistance de la « lamelle moyenne ».) ‖ Cercle pigmenté qui entoure le mamelon du sein. ‖ Cercle irisé

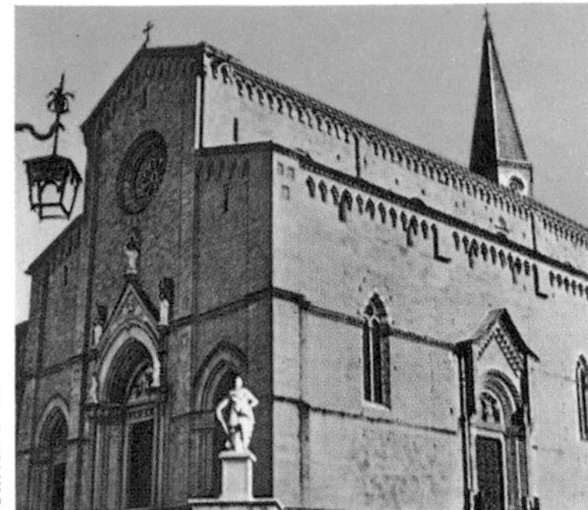

Arezzo, la cathédrale

argali n. m. (mot mongol). Très grand mouton (le mâle, haut de 1,20 m, porte des cornes enroulées de la même longueur) vivant au S. de la Sibérie, dans l'Inde et en Mongolie.

Argamasilla de Alba, v. d'Espagne (Nouvelle-Castille, prov. de Ciudad Real), sur le Guadiana ; 7 500 h. Cervantès y aurait été détenu quelques mois et en a fait la petite patrie de son *Don Quichotte.*

argamasse n. f. (mot ar. signif. *mortier*). Plate-forme en terrasse placée au-dessus d'un édifice, en Orient.

argan n. m., ou **argania** n. f. Fruit de l'arganier, dont l'amande fournit l'*huile d'argan* (alimentation, savonnerie, éclairage), et dont les ruminants domestiques mangent la pulpe. ◆ **arganier** n. m. Arbrisseau épineux strictement limité à la région du Sous (Sud-Marocain) et précieux pour son fruit et son bois dur. (Famille des sapotacées.)

Argan, personnage principal du *Malade imaginaire,* comédie de Molière.

Argand (Aimé), inventeur suisse (Genève 1755 - Angleterre 1803). Il imagina les lampes à pétrole à mèche et cheminée de verre, dites « lampes Quinquet ».

Argand (Jean Robert), mathématicien français (Genève 1768 - Paris 1822). On lui doit la représentation d'une quantité complexe de la forme $a + bi$, en considérant les nombres a et b comme les deux coordonnées d'un point du plan (1806).

Argand (Emile), géologue suisse (Genève 1879 - Neuchâtel 1940). Auteur de travaux sur les régions plissées, il a appliqué la théorie de Wegener à l'Asie et aux Alpes, et dégagé la notion de *plis de fond.*

arganeau n. m. Gros anneau de fer scellé dans le mur d'un quai, et qui sert à amarrer les bateaux. (Syn. ORGANEAU.)

arganier → ARGAN.

argant n. m. Variété de cépage noir, cultivée dans le Jura. (Syn. GROS-MARGILLIEN.)

argas [gɑs] n. m. (mot gr.). Acarien parasite des volailles et des chameaux, éventuellement de l'homme, transmetteur de redoutables maladies.

argé n. f. V. HYLOTOME.

Argéades, en gr. **Argeadia,** dynastie de Macédoine (VIIe-IIIe s. av. J.-C.), qui doit son nom à *Argeios Ier*. Philippe II et Alexandre le Grand furent des Argéades.

Argée (MONT), en gr. **Argaios.** *Géogr. anc.* Montagne de Cappadoce, l'actuel *Erciyaş Dăg.* Une colonie de marchands sémitiques fonda, au pied du mont Argée, la ville de Kanèsh (IIIe millénaire av. J.-C.). Elle répandit le sémitique babylonien et l'écriture cunéiforme parmi les Hittites. Sur son site ont été découvertes les *tablettes cappadociennes.*

Argeios Ier, roi de Macédoine (621 - 615 av. J.-C.), fils et successeur de Perdiccas Ier. — **Argeios II,** roi de Macédoine. Il détrôna Amyntas III en 383 av. J.-C., mais celui-ci reprit son royaume en 381.

Argelander (Friedrich), astronome allemand (Memel 1799-Bonn 1875). Professeur d'astronomie à Bonn, où, en 1845, on lui construisit un observatoire, il établit un *Atlas céleste* des étoiles jusqu'à la magnitude + 10, connu sous le nom de *Bonner Durchmusterung,* et détermina les positions relatives de 22 000 étoiles (1846).

Argelès-Gazost, ch.-l. d'arr. des Hautes-Pyrénées, sur le gave d'Azun, à 13 km au S.-O. de Lourdes ; 3 456 h. (*Argelésiens*). Station thermale et climatique (maladies de l'appareil respiratoire). Lycée climatique.

Argelès-sur-Mer, ch.-l. de c. des Pyrénées-Orientales (arr. de Céret), à 2 km de la Méditerranée et à 21 km au S.-E. de Perpignan ; 5 753 h. (*Argelésiens*). Vins doux. Station balnéaire à ARGELÈS-PLAGE.

argémone n. f. Grande papavéracée d'origine mexicaine, dont le latex fournit un collyre.

Argenlieu (Georges THIERRY D'), en religion **T. R. P. Louis de la Trinité,** amiral français (Brest 1889 - Le Relecq-Kerhuon, Finistère, 1964). Officier de marine (Navale, 1908), entré dans l'ordre des Carmes en 1920, mobilisé en 1939, il rejoint de Gaulle à Londres en 1940. Haut-commissaire dans le Pacifique de 1941 à 1943, il commande les forces navales françaises libres en 1944. Haut-commissaire et commandant en chef en Indochine de 1945 à 1947, il reprend peu après la vie religieuse, tout en restant, jusqu'en 1958, grand chancelier de l'ordre de la Libération.

Argens, fl. côtier de Provence ; 116 km. Il se jette dans le golfe de Fréjus.

Argens (Jean-Baptiste DE BOYER, marquis D'), écrivain français (Aix-en-Provence 1704 - château de la Garde, près de Toulon, 1771), auteur de pamphlets.

Argenson. V. VOYER D'ARGENSON.

argent n. m. (lat. *argentum*). Métal précieux blanc, brillant et très ductile, inoxydable. (V. *encycl.*) ‖ Le même métal mêlé à une certaine quantité de cuivre : *Statue, vaisselle d'argent.* ‖ Toute monnaie de ce métal (se disait par oppos. aux monnaies d'or ou d'autres métaux) : *Voulez-vous être payé en or ou en argent ?* ‖ Toute monnaie, de quelque métal qu'elle soit, ou tout papier accepté comme numéraire : *Avez-vous de l'argent sur vous ? Rendez-moi mon argent !* ‖ Ensemble de numéraire sous quelque forme qu'il existe (actions, obligations, billets de banque, etc.) : *La dépréciation de l'argent. Un homme d'argent.* ‖ Un des deux métaux héraldiques. (Il s'indique en gravure par un fond uni.) ● *Argent allié,* argent qui contient quelques métaux étrangers. ‖ *Argent anglais,* maillechort argenté. ‖ *Argent en bain,* argent en fusion. ‖ *Argent bas,* argent qui est inférieur au titre requis. ‖ *Argent battu,* argent qui a passé sous le marteau. ‖ *Argent blanc,* plomb argentifère. ‖ *Argent de cendrée,* poudre d'argent qu'on retire après l'opération de raffinage. ‖ *Argent chinois,* variété de maillechort argenté. ‖ *Argent comptant,* v. COMPTANT. ‖ *Argent en coquilles,* argent en poudre, broyé avec du miel et de la gomme arabique, et étendu dans des coquilles pour l'usage des enlumineurs. ‖ *Argent corné,* chlorure d'argent naturel. ‖ *Argent de coupelle,* argent pur. ‖ *Argent doré,* vermeil. ‖ *Argent faux,* cuivre argenté. ‖ *Argent filé,* argent qui est retors avec des fils de soie. ‖ *Argent fin,* argent qui a le moins d'alliage. ‖ *Argent fin fumé,* argent auquel on a donné la couleur de l'or en l'exposant à la fumée. ‖ *Argent frais,* argent (monnaie) qu'on vient de recevoir ; dans un emprunt d'Etat, versement constitué par du numéraire, à la différence de celui qui consiste en une remise de titres antérieurs, admis à l'échange. ‖ *Argent fulminant,* nitrure. ‖ *Argent-le-roi,* argent qui, autrefois, était au titre légal. ‖ *Argent trait,* fil d'argent très fin. ‖ *Blanc d'argent,* nom impropre du carbonate de plomb. ‖ *En avoir pour son argent,* en proportion de l'argent qu'on a déboursé ou de la peine que l'on a prise. ‖ *Faire argent de tout,* user de toutes ses ressources pour se procurer de l'argent dans les circonstances difficiles, ou encore savoir tirer bénéfice de tout. ‖ *Faire argent d'une chose,* la vendre ou l'employer d'une façon quelconque pour avoir de l'argent. ‖ *Jeter l'argent par les fenêtres,* prodiguer follement son argent. ‖ *L'argent n'a pas d'odeur,* mot de Vespasien, qui établit un impôt sur ce que nous avons appelé depuis des « vespasiennes ». ‖ *Manger de l'argent,* dépenser de l'argent sans retirer un profit correspondant à la dépense. ‖ *Puissances d'argent,* expression souvent péjorative désignant les hommes ou les groupements qui exercent une action dans les différents domaines de la vie nationale, et en particulier dans le domaine politique, grâce à d'importantes ressources financières : *Etre tributaire des puissances d'argent.* ◆ **argentage** n. m. Dépôt d'une couche d'argent à la surface

argenterie

1. Boîte, par L. Antoine (Louis XIV) ; aiguière (Louis XIV) ; 2. Chandelier, par Duvivier, d'après Meissonier (1740) ; sucrier, par H. Burel (Louis XV) ; 3. Théière, par E. F. Godin (Louis XV).

Larousse - Musée des Arts décoratifs

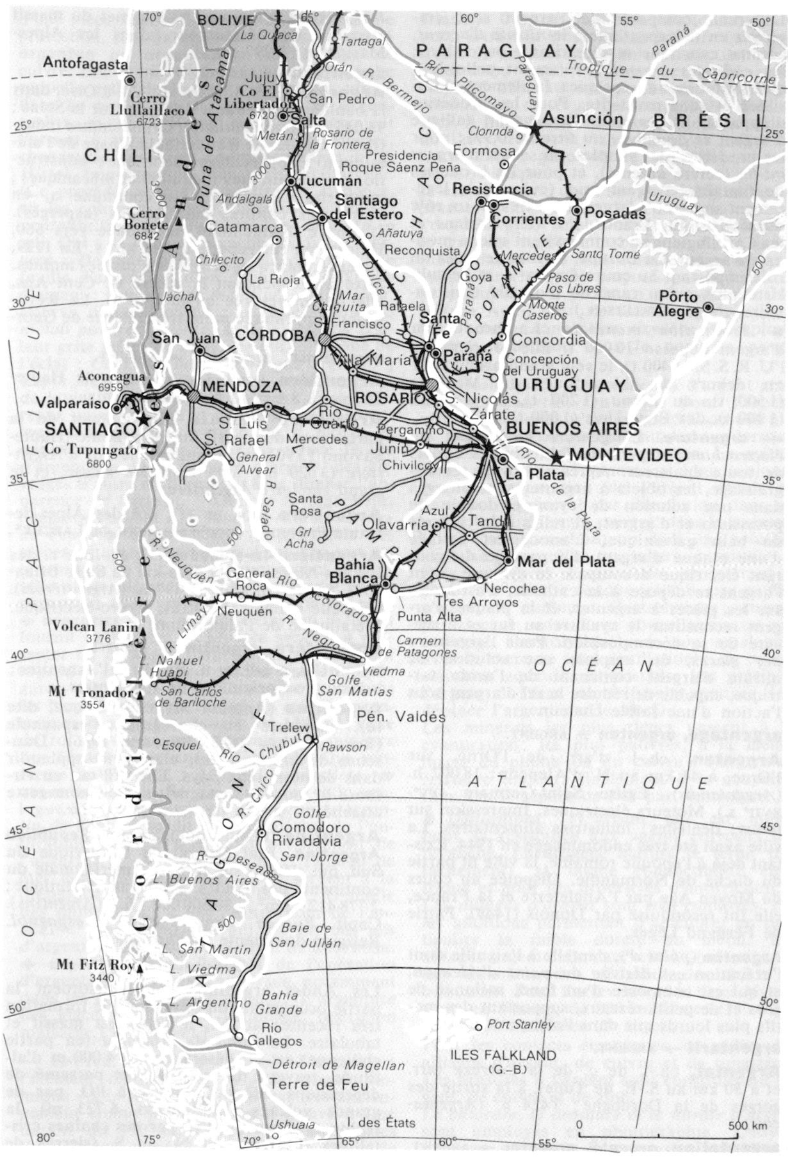
BOLIVIE
PARAGUAY
BRÉSIL
CHILI
URUGUAY
Antofagasta
Cerro Llullaillaco
6723
Co El Libertador
6720
Cerro Bonete
6842
Aconcagua
6959
Co Tupungato
6800
Volcan Lanin
3776
Mt Tronador
3554
Mt Fitz Roy
3440
Tropique du Capricorne
Jujuy
Salta
Tucumán
Santiago del Estero
Catamarca
La Rioja
CÓRDOBA
San Juan
MENDOZA
Valparaiso
SANTIAGO
ROSARIO
BUENOS AIRES
MONTEVIDEO
La Plata
Mar del Plata
Bahía Blanca
Asunción
Formosa
Resistencia
Corrientes
Posadas
Pôrto Alegre
Santa Fe
Paraná
Concordia
Concepción del Uruguay
S. Nicolás
Zárate
Neuquén
General Roca
Viedma
Trelew
Rawson
Comodoro Rivadavia
Rio Gallegos
Ushuaia
Terre de Feu
I. des États
Port Stanley
ILES FALKLAND (G.-B.)
Détroit de Magellan
OCÉAN ATLANTIQUE
OCÉAN PACIFIQUE
Cordillère des Andes
Puna de Atacama
CHACO
MESOPOTAMIE
LA PAMPA
PATAGONIE
Pén. Valdés
Golfe San Matías
Golfe San Jorge
Baie de San Julián
Bahía Grande
0 500 km

Jujuy, de Salta, de Tucumán). Les Andes centrales sont formées de chaînons massifs, encadrant des dépressions arides ; l'Aconcagua domine ce secteur de ses 6 959 m. Plus au S., les Andes se rétrécissent, s'abaissent et se morcellent ; elles sont coupées de vallées transversales et de dépressions lacustres, dues à l'ancienne érosion glaciaire.

Les plaines forment la plus grande partie de l'Argentine ; au N., le Chaco s'étend entre les Andes et le fleuve Paraguay ; entre le Paraná et l'Uruguay, les plaines de l'Entre Ríos sont parsemées de marais. Au centre, la Pampa, très plate, est couverte de sols riches. Vers le S. apparaissent les plateaux calcaires et basaltiques de Patagonie.

L'Argentine est isolée des vents d'ouest, humides, par la barrière des Andes. Aussi le climat est-il relativement sec ; une bande aride traverse le pays, de la puna, au N.-O., à la Patagonie, au S.-E. Les plaines du Chaco sont également assez sèches. Seules les plaines de l'Entre Ríos et de la Pampa sont bien arrosées dans les régions littorales. Les climats argentins sont, pour la plupart, de type continental ; les hivers sont généralement froids, et les étés chauds, sauf en Patagonie. Les formations végétales les plus fréquentes sont des steppes et des prairies ; les forêts sont rares, sauf dans les Andes du Sud et dans le Chaco (bois de quebracho).

Jusqu'au milieu du XIXe s., le pays fut très peu peuplé, et l'activité essentielle était l'élevage des bœufs, gardés par les gauchos ; l'économie reposait sur l'exportation du cuir et de la viande séchée. La mise en valeur agricole de la Pampa date de la seconde moitié du XIXe s. ; l'élevage, presque nomade à l'origine, se perfectionna ; les cultures (blé, maïs) se développèrent et le peuplement s'intensifia grâce à l'immigration d'Italiens et d'Espagnols. Aujourd'hui, la Pampa et l'agglomération de Buenos Aires regroupent plus des deux tiers de la population totale. Après une certaine éclipse lors de la période des grandes exportations céréalières vers l'Europe, l'élevage a repris toute son importance (moutons en Patagonie, grand élevage de bovins dans la Pampa). En dehors des céréales, on cultive la canne à sucre dans la région de Tucumán, le coton dans le Chaco, les vignobles dans la région de Mendoza, et les fruits dans les vallées irriguées du piémont andin. L'industrie, surtout développée durant la Seconde Guerre mondiale, porte essentiellement sur les textiles, les produits alimentaires, les industries métallurgiques de transformation. Les industries de base restent peu importantes, car les matières premières se situent loin des centres de peuplement, dans les Andes. Les sources d'énergie sont représentées par un peu de houille en Patagonie et surtout par le pétrole (Comodoro Rivadavia).

Verdevoye

Buenos Aires

la Terre de Feu

Histoire.

• *La colonisation espagnole.* C'est en 1516 que le navigateur espagnol Díaz de Solís, à la recherche d'un passage vers l'océan Pacifique, découvrit le Río de La Plata. Après

ARGENTINE

PROVINCES	SUPERFICIE EN KM²	NOMBRE D'HABITANTS	CHEF-LIEU	PROVINCES
1. Buenos Aires	307 569	10 796 000	*La Plata*	13. Pampa (L
2. Catamarca	99 818	206 200	*Catamarca*	14. Rioja (La)
3. Chaco	99 633	692 400	*Resistencia*	15. Río Negro
4. Chubut	225 068	262 200	*Rawson*	16. Salta
5. Córdoba	168 854	2 407 100	*Córdoba*	17. San Juan
6. Corrientes	89 355	657 700	*Corrientes*	18. San Luis
7. Entre Ríos	76 216	902 200	*Paraná*	19. Santa Cru
8. Formosa	72 066	292 500	*Formosa*	20. Santa Fe
9. Jujuy	53 219	408 500	*Jujuy*	21. Santiago d Estero
10. Mendoza	150 839	1 187 300	*Mendoza*	
11. Misiones	29 801	579 600	*Posadas*	22. Terre de
12. Nequén	94 078	241 900	*Neuquén*	23. Tucumán

Les provinces de l'Argentine sont réparties en cinq régions : *le Littoral* (provinces n°s 1, 3, 7, 8, 11, 20) ; le *Nord* (provinces n°s 9, 17, 21, 23) ; le *Centre* (provinces n°s 5, 13, 18) ; *région andine* (provinces n°s 2, 10, 12, 14, 16) ; la *Patagonie* (provinces n°s 4, 15, 19, 2
Buenos Aires est le chef-lieu d'un district fédéral de 192 km².

l'expédition malheureuse de Pedro de Mendoza en 1536, il faut attendre 1580 pour que commence la colonisation du pays, avec la fondation de Buenos Aires par Juan de Garay. La colonie dépend d'abord de la vice-royauté de Lima. En 1776, la vice-royauté de Río de La Plata est établie.

● *La conquête de l'indépendance.* En 1806, puis en 1807, Santiago de Liniers repoussa les tentatives de débarquement d'une flotte anglaise. Cette victoire, remportée sans aide extérieure, donna à la colonie le désir de s'émanciper de l'Espagne, dont le prestige était déjà ébranlé par l'invasion des troupes napoléoniennes et par la politique de Ferdinand VII. Le vice-roi Cisneros fut déposé (25 mai 1810), et une junte révolutionnaire se constitua à Buenos Aires. Les succès remportés sur les Espagnols par Belgrado en 1812, par San Martín en 1813 permirent au congrès de Tucumán (1816) de proclamer l'indépendance des « Provinces-Unies d'Amérique du Sud ».

● *Organisation nationale.* Une longue période d'anarchie et de guerre civile opposa les « unitaires », partisans de la centralisation, aux « fédéraux », s'appuyant sur les particularismes régionaux. Elle prit fin en 1829, lorsque Rosas, chef des fédéraux, s'empara du pouvoir. Il établit un gouvernement dictatorial qui dura jusqu'en 1853. Le congrès de Santa Fe élabora alors une constitution libérale et fédérale inspirée de celle des Etats-Unis. Les présidents successifs s'attachèrent à développer la vie économique et à organiser l'administration dans le sens d'une centralisation croissante. De 1916 à 1930, le parti radical occupa le pouvoir. La crise économique de 1929 provoqua une série de coups d'État. En 1943, une coalition militaire porta au pouvoir le colonel Perón. La constitution « justicialiste » de mars 1949, que Perón présenta comme la seule synthèse possible entre le capitalisme et le communisme, sembla marquer son apothéose. Les difficultés économiques, la mort d'Eva Perón (1952), l'opposition de l'Eglise, la désaffection de l'armée provoquèrent la chute de Perón (été 1955). Le chef du parti radical populaire, Frondizi, se heurta à une crise financière et sociale. En avril 1962, il fut remplacé à la présidence par J. M. Guido, auquel a succédé, en 1963, A. Illía. En 1966, le général Ongania prend le pouvoir. Il est remplacé par les généraux Levingstone (1970) puis Lanusse (1971). Mais Juan Perón revient au pouvoir après les élections du 23 septembre 1973. Il meurt en 1974, et sa femme lui succède. Mais, en mars 1976, Isabel Perón est renversée par une junte qui désigne le général Jorge Rafael Videla comme président. Le nouveau régime réprime durement les oppositions. En 1981, la junte est successivement dirigée par le général Viola, puis par le général Galtieri. En 1982, le conflit des Malouines avec la Grande-Bretagne aboutit à la défaite des Argentins. Galtieri est destitué. Le général Bignone lui succède. 1983 voit le retour des civils au pouvoir. Raül Alfonsin, leader du parti radical, est élu président le 30 octobre. Un plan d'austérité est mis en place. En 1985, une nouvelle monnaie, l'austral, rem-

SUPERFICIE EN KM²	NOMBRE D'HABITANTS	CHEF-LIEU
143 440	207 100	*Santa Rosa*
92 331	163 300	*La Rioja*
203 013	383 900	*Viedma*
154 775	662 400	*Salta*
86 137	470 000	*San Juan*
76 748	212 800	*San Luis*
243 561	114 500	*Río Gallegos*
133 007	2 457 200	*Santa Fe*
135 254	652 300	*Santiago del Estero*
20 912	29 500	*Ushuaia*
22 524	968 100	*Tucumán*

LLES PRINCIPALES : *Buenos Aires, sario, Córdoba, Matanza, La Plata, cumán, Mar del Plata, Santa Fe, Bahía Blanca.*

Almasy

prospection minière dans les Andes

place le peso. Net succès aux législatives de novembre du parti radical d'Alfonsin qui conforte sa majorité au Parlement. Le tribunal rend son verdict (9 déc.) dans le procès des chefs militaires au pouvoir entre 1976 et 1982 : réclusion à perpétuité pour le général Vidéla et l'amiral Massera, peines de prison pour trois des accusés et quatre acquittements, dont celui du général Galtieri.

Littérature.

V. AMÉRIQUE LATINE (*Littératures d'*).

armoiries

Indiens des hauts plateaux

Freund

cession dans un village du Nord

Freund

estancia en Patagonie

Freund

argentique, argentite, argenton → ARGENT.

Argenton, riv. du Poitou, affl. du Thouet (r. g.) ; 60 km.

Argenton (Marie Louise Madeleine Victoire LE BEL DE LA BOISSIÈRE DE SÉRY, comtesse D') [Rouen 1680 - † 1748], maîtresse du duc d'Orléans, régent de France.

Argenton-Château, ch.-l. de c. des Deux-Sèvres (arr. et à 17 km au N.-E. de Bressuire); 1 126 h. (*Argentonnais*). Eglise avec portail roman du XIIe s.

Argenton-sur-Creuse, ch.-l. de c. de l'Indre (arr. et à 30 km au S.-O. de Châteauroux); 6 141 h. (*Argentonnais*). Centre touristique et industriel; chemiserie.

Argentré, ch.-l. de c. de la Mayenne (arr. et à 11 km à l'E. de Laval); 1 853 h. (*Argentréens*).

Argentré (Bertrand D'), jurisconsulte français (Vitré 1519-château de Tizé-en-Cesson, Bretagne, 1590), sénéchal de Rennes, auteur d'un *Commentaire sur la coutume de Bretagne* et d'une *Histoire de Bretagne*.

Argentré-du-Plessis, ch.-l. de c. d'Ille-et-Vilaine (arr. de Rennes), à 10 km au S.-E. de Vitré; 3 045 h. (*Argentréens*). Carrières de marbre noir; scieries.

Argent-sur-Sauldre, ch.-l. de c. du Cher (arr. de Bourges), sur la Sauldre, à 21 km au S.-O. de Gien; 2 687 h. (*Argentais*). Château du XVIIIe s. Appareils de levage.

argenture → ARGENT.

Argeş, riv. de Roumanie; 340 km. Née dans les monts Făgăraş, traverse la Valachie, et se jette dans le Danube (r. g.).

Arghezi (Ion Theodorescu, dit **Tudor**), écrivain roumain (près de Gorj, Olténie, 1880 - Bucarest 1967), auteur de poésies lyriques et de romans.

Arghūn, Arğun ou **Arrhūn** (1250 - 1291), fils d'Abaqa, et 4e roi de Perse de la dynastie de Gengis khān.

argien, enne adj. et n. Relatif à Argos ou à l'Argolide; habitant d'Argos ou de l'Argolide.

argilacé → ARGILE.

argile n. f. (lat. *argilla*). Terre glaise molle et grasse, qui, imbibée d'eau, constitue une pâte plastique dont font usage, notamment, les sculpteurs. (V. *encycl.*) ● *Argile à blocaux,* argile mêlée à du sable, à des graviers, à des blocs et formée par l'ancienne moraine de fond d'un glacier. ‖ *Argile à chailles,* argile analogue à l'argile à silex, mais localisée sur les calcaires jurassiques. ‖ *Argile de décalcification,* v. DÉCALCIFICATION. ‖ *Argile rouge,* dépôts argileux marins des grandes profondeurs, formés d'éléments extrêmement fins : débris d'animaux marins, poussières volcaniques, petits grains de poussières cosmiques. ‖ *Argile à silex,* argile contenant des rognons de silex résultant de la décomposition d'une roche calcaire contenant des éléments siliceux (craie). ‖ *Statue aux pieds d'argile,* personne, royaume, etc., dont la puissance repose sur une base fragile. (V. NABUCHODONOSOR.) ◆ **argilacé, e** adj. Qui ressemble à l'argile. ◆ **argileux, euse** adj. Qui tient de l'argile : *Terres argileuses.* ◆ **argilière** n. f. Endroit d'où l'on tire de l'argile.

— ENCYCL. ***argile.*** L'argile, roche terreuse constituée principalement de silicates d'aluminium hydratés, en fines particules, n'est pas une roche primitive, mais un produit secondaire provenant de la décomposition de matériaux silico-alumineux (granite, gneiss, feldspath). On rencontre parfois l'argile au voisinage immédiat de la roche mère; ce sont les argiles les plus pures, les kaolins. Le plus souvent, l'argile a été transportée par les eaux ou le vent; elle est moins pure. Les différentes argiles se distinguent les unes des autres par leur densité, leur plasticité, leur couleur, leur teneur en impuretés minérales ou organiques. On distingue les argiles grasses, très plastiques, et les argiles maigres, peu plastiques; leur emploi est techniquement différent. Pour leur tenue au feu, on distingue les argiles réfractaires et les argiles fusibles, ou au moins vitrifiables. Les gisements d'argile réfractaire, d'argiles à faïence fine, de kaolins sont nombreux en France. Les argiles vitrifiables ou fusibles comprennent les argiles à grès cérame et les marnes. L'argile réfractaire résiste à 1 580 °C environ; les grès cérames se vitrifient de 1 000 à 1 300 °C; les marnes cuisent vers 800 à 1 000 °C.

Les argiles sont aussi utilisées par les sculpteurs et les modeleurs pour faire des maquettes.

argileux, argilière → ARGILE.

argilolite n. f. Roche formée de cendres feldspathiques consolidées en tufs, commune dans le terrain permien.

Argine, nom donné à la dame de trèfle.

arginine n. f. Amino-acide dérivé de la guanidine.

Arginuses, en gr. **Arginoussai.** *Géogr. anc.* Archipel de la mer Egée, à l'E. de Lesbos. Victoire navale des Athéniens sur les Lacédémoniens (406 av. J.-C.). Les stratèges vainqueurs furent exécutés pour n'avoir pas recueilli et enseveli les naufragés.

argiope → ARGIOPIDÉS.

argiopidés n. m. pl. Famille d'araignées comprenant plus de 1 000 espèces, dont l'argiope, l'épeire et la néphile. ◆ **argiope** n. f. Grande araignée à l'abdomen orné de bandes noires.

Argo, navire qui, selon la tradition, transporta les Argonautes en Colchide, à la conquête de la Toison d'or.

Argo (du nom du navire *Argo*), groupe de constellations de l'hémisphère austral, plus communément appelé le NAVIRE ARGO, ou simplem. le NAVIRE. Très étendue, cette constellation a été subdivisée dans l'astronomie contemporaine en trois constellations : les *Voiles**, la *Poupe** et la *Carène**.

argobba n. m. Groupe de langues chamito-sémitiques (argobba nord, à l'E. d'Ankober, et argobba sud, près d'Harrar).

Argolide, en gr. **Argolis** ou **Argholídha,** nome de Grèce, dans le nord-est du Péloponnèse ; 88 700 h. Ch.-l. *Nauplie.*

● *Histoire.* L'Argolide entra dans l'histoire v. 1600 av. J.-C. avec l'installation des Achéens. Devenue le centre de la civilisation achéenne avec Mycènes* et Tirynthe*, elle connut sa plus grande prospérité v. 1400-1200 av. J.-C., mais n'atteignit pas, semble-t-il, à l'unité politique. La conquête dorienne marqua une rupture et entraîna le morcellement en cités rivales, qui adhérèrent plus tard à la Ligue achéenne, puis passèrent sous la domination romaine (146).

argon n. m. (gr. *argon,* inactif). Corps simple gazeux, incolore, qui constitue environ le centième de l'atmosphère terrestre. (V. *encycl.*) ◆ **argonide** n. m. Nom générique des gaz rares de l'air, appartenant à une même famille chimique, dont l'argon est le plus courant.

— ENCYCL. ***argon.*** L'argon (symb. A) est l'élément chimique n° 18, de masse atomique 39,94. Il a été découvert en 1894, lorsque l'on eut observé une différence de densité entre l'azote retiré de l'atmosphère par absorption de l'oxygène et l'azote obtenu par voie chimique. C'est un gaz monoatomique, chimiquement inactif, de densité 1,38, qui se liquéfie à — 187 °C. Il est le plus abondant des gaz rares de l'atmosphère.

On le prépare par distillation de l'air liquide. Il sert pour le remplissage des lampes à incandescence et pour constituer, en chimie, une atmosphère inerte.

argonaute n. m. Céphalopode pélagique de surface, dont la femelle, beaucoup plus grande que le mâle, sécrète une coquille dans laquelle elle couve ses œufs. (Type de la famille des *argonautidés.*)

Argonautes, en gr. **Argonautai,** héros grecs légendaires, commandés par Jason, et qui, sur le navire *Argo,* allèrent conquérir la Toison d'or en Colchide. Jason réussit à s'en emparer grâce à la fille du roi de Colchide, Médée, qui s'enfuit avec lui.

Argonautiques (LES) [en gr. *Argonautika*], poème épique grec d'Apollonios de Rhodes (v. 250 av. J.-C.), ayant pour thème la conquête de la Toison d'or par les Argonautes.

argonide → ARGON.

Argonne, région forestière du Bassin parisien, située à l'E. de la vallée supérieure de l'Aisne, et s'étendant sur 40 km du S. au N., et sur 15 à 20 km d'E. en O. Le sous-sol y est formé par une couche de grès calcareux, la *gaize.* Cette roche résistante est entaillée par de profondes vallées, qui forment des « défilés » (Croix-aux-Bois, Grandpré, les Islettes, etc.). La forêt (45 000 ha) avait donné naissance à des verreries et à des forges, aujourd'hui abandonnées. Outre l'exploitation du bois, l'économie est principalement orientée vers l'élevage.

Argonne (BATAILLE DE L'). Pendant la Première Guerre mondiale, le front stabilisé en Argonne fut illustré par les sanglants combats de Vauquois, de la Gruerie, de Fontaine-Madame, de Fontaine-aux-Charmes, de Bagatelle, du Four-de-Paris, de la Fille-Morte, etc. En 1918, l'Argonne fut le théâtre de la victoire américaine de Montfaucon.

Argos, usuellement **Árghos,** v. de Grèce, en Argolide ; 13 200 h. Ce fut l'un des plus anciens sites de Grèce, occupé d'abord par les Pélasges. A l'époque achéenne, le nom d'« Argos » désignait toute la plaine dont Mycènes était la capitale. Conquise par les Doriens, la ville d'Argos fut longtemps à la tête d'une puissante confédération, en particulier à l'époque du tyran Phidon. Mais la rivalité de Sparte l'affaiblit peu à peu malgré l'alliance d'Athènes. Au IIIe s., elle entra dans la Ligue achéenne. Elle devint romaine en 146 av. J.-C., fut ravagée par les Goths aux IIIe et IVe s. apr. J.-C., puis passa à l'Empire byzantin.

Argos a été un grand centre artistique ; elle a donné les sculpteurs Agéladas et Polyclète. Il ne subsiste que peu de vestiges de la ville antique : restes d'une cité préhistorique et d'une nécropole mycénienne. L'Héraïon, sanctuaire national des Argiens, se trouve au-delà de Mycènes.

Argos, en lat. **Argus.** *Myth. gr.* Prince argien qui avait cent yeux, pour moitié toujours ouverts.

argot n. m. (étym. inconnue). Ensemble des termes particuliers qu'adoptent entre eux les gens d'une même profession ou d'un même groupement social. (V. *encycl.*) ◆ **argotier** n. m. Homme qui connaît, qui parle l'argot. ◆ **argotique** adj. Qui appartient à l'argot : *Mot argotique.* ◆ **argotiser** v. intr. Parler argot. ◆ **argotisme** n. m. Tendance à employer des mots argotiques. ◆ **argotiste** n. Linguiste spécialisé dans l'étude des argots.

— ENCYCL. ***argot.*** On ne peut parler d'« argot » qu'au pluriel. Les argots sont en effet multiples selon les époques, les lieux, les milieux.

La première mention d'un argot en France apparaît au XIIIe s. dans le *Jeu de Saint-Nicolas.* Langages secrets destinés à protéger le groupe qui en use (argots du milieu), parlers de milieux restreints présentant un caractère utilitaire (argots de métiers) ou

le Jylland oriental; 242 200 h. Université. Constructions mécaniques; brasseries.

aria n. m. (déverbal de l'anc. verbe *harier*, harceler). *Fam.* Embarras, ennui, souci : *L'affaire est réglée, c'est un aria de moins.*

aria n. f. (mot ital. signif. *air*). *Mus.* Terme qui a désigné une pièce chantable, puis une mélodie, enfin, vers 1600, le grand air dans l'opéra.

Ariane, lanceur spatial européen. Le premier vol commercial a eu lieu avec succès le 16 juin 1983.

Ariane, en gr. **Ariadnê.** *Myth. gr.* Fille de Minos, roi de Crète, et de Pasiphaé, et sœur de Phèdre. Elle donna à Thésée un fil à dérouler dans le Labyrinthe pour en retrouver la sortie après avoir tué le Minotaure, puis elle s'enfuit avec lui. Abandonnée par Thésée dans l'île de Naxos, elle se jeta de désespoir dans la mer. Suivant une autre version, elle se serait laissé consoler par Dionysos. — Métaphoriquement, le *fil d'Ariane* désigne ce qui nous guide à travers les difficultés d'un problème, les complications d'un raisonnement.

Ariane, tragédie de Thomas Corneille, et son chef-d'œuvre (1672). Ariane aime Thésée, qui lui préfère sa sœur Phèdre.

Ariane et Barbe-Bleue, conte en 3 actes de P. Dukas, sur un livret de Maeterlinck (Opéra-Comique, 1907).

arianisme n. m. Doctrine d'Arius et de ses disciples. (V. *encycl.*) ◆ **arien, enne** adj. et n. Qui concerne ou qui professait l'arianisme.
— ENCYCL. ***arianisme.*** Arius, prêtre d'Alexandrie v. 320, enseignait une doctrine fondée sur la négation de la divinité du Fils, et combattant l'*unité* et la *consubstantialité* des trois personnes de la Trinité. Malgré la déposition d'Arius et la condamnation de sa doctrine au concile de Nicée (325), l'arianisme, soutenu par plusieurs empereurs, déchira l'Orient chrétien jusqu'au concile de Constantinople (381), qui marqua le triomphe définitif de l'orthodoxie nicéenne. Cependant, l'hérésie survécut longtemps chez les peuples germaniques (conversion des Goths par l'évêque arien Ulfilas.

Ariano Irpino, v. d'Italie, en Campanie (prov. d'Avellino); 26 000 h.

Ariarathês, nom de plusieurs rois de Cappadoce (IVe-Ier s. av. J.-C.).

Arias Montano (Benito), érudit espagnol (Fregenal, Estrémadure, 1527 - Séville 1598). Philippe II l'envoya à Anvers diriger l'impression de la *Bible polyglotte* (1569 - 1572), éditée par Plantin.

département de l'Ariège

recensement de 1982

arrondissements (3)	cantons (20)	nombre d'hab. du canton	nombre de comm. (332)
Foix (51 856)	Ax-les-Thermes	2 695	14
	Bastide-de-Sérou (La)	1 814	13
	Cabannes (Les)	3 157	25
	Foix	17 372	25
	Lavelanet	15 594	21
	Quérigut	472	7
	Tarascon-sur-Ariège	8 947	20
	Vicdessos	1 805	10
Pamiers (55 905)	Fossat (Le)	4 694	13
	Mas-d'Azil (Le)	3 917	14
	Mirepoix	12 213	35
	Pamiers	20 757	21
	Saverdun	8 200	14
	Varilhes	6 124	18
Saint-Girons (27 964)	Castillon-en-Couserans	2 862	26
	Massat	1 714	6
	Oust	3 606	8
	Sainte-Croix-Volvestre	1 944	12
	Saint-Girons	11 184	14
	Sant-Lizier	6 654	16

LES DIX PREMIÈRES COMMUNES

Pamiers	15 191 h.	*Saverdun*	3 863 h.
Foix	10 064 h.	*Mirepoix*	3 578 h.
Lavelanet	8 433 h.	*Laroque-d'Olmes*	3 124 h.
Saint-Girons	7 716 h.	*Mazères*	2 398 h.
Tarascon-sur-Ariège	3 916 h.	*Varilhes*	2 007 h.

RÉGION MILITAIRE : *Bordeaux* (IVe). — COUR D'APPEL : *Toulouse.*
ACADÉMIE : *Toulouse.* — ARCHEVÊCHÉ : *Toulouse.*

Arib (PLAINE DES), région d'Algérie, au pied de la chaîne des Bibans.

Aribau (Buenaventura Carlos), économiste et écrivain catalan (Barcelone 1798 - *id.* 1862), auteur d'une *Ode à la patrie* (1833), symbole de la renaissance de la Catalogne.

Aribert Ier, roi lombard (653 - 661). Il fit triompher le catholicisme dans ses Etats.

Arica, port du Chili septentrional (prov. de Tarapacá) ; 87 700 h. Jadis péruvien, ce port fut l'une des causes des guerres du Pacifique. Point de départ du chemin de fer de La Paz et port franc où la Bolivie dispose de facilités. Raffinerie de soufre.

Arich (**El-**) [« la Treille »], port d'Egypte (distr. du Sinaï), sur la Méditerranée, à l'E. de Port-Saïd ; 4 000 h. Le traité d'évacuation de l'Egypte par les Français y fut signé en 1800. Lieu de combats au cours de la campagne de Palestine (1915-1916).

aricie n. f. (d'un n. myth.). Annélide polychète sédentaire, aux anneaux courts. (Type de la famille des *ariciidés.*)

aridas [dɑs] n. m. Taffetas de l'Inde, fabriqué avec des soies communes.

aride adj. (lat. *aridus*). Dépourvu d'humidité, sec, stérile : *Une terre aride.* || *Fig.* Qui manque de sensibilité, de tendresse : *Un cœur aride.* || Qui produit peu et difficilement : *Un auteur aride.* || Dépourvu d'attrait, d'agrément ; qui se prête peu aux développements : *Sujet aride.* || *Céram.* Se dit des matières qui diminuent la plasticité de la pâte. (Syn. ANTIPLASTIQUE.) ◆ **aridité** n. f. Etat de ce qui est aride (au *pr.* et au *fig.*) : *L'aridité d'une terre, du cœur, d'un sujet.* ● *Indice d'aridité,* indice établissant un bilan approximatif du pouvoir humidifiant de l'atmosphère (représenté arbitrairement par P = quantité des précipitations mensuelles) et du pouvoir desséchant (représenté arbitrairement par T = température annuelle moyenne). [L'indice d'aridité d'E. de Martonne (1926) est : $I = \frac{P}{T + 10}$. Les valeurs de I inférieures à 5 caractérisent les déserts ; les valeurs supérieures à 40, les régions très arrosées.]

Ariège, riv. pyrénéenne, affl. de la Garonne (r. dr.) ; 170 km. Née à l'O. du massif du Carlitte, elle passe à Ax-les-Thermes, Tarascon, Foix, Pamiers, et rejoint la Garonne peu avant Toulouse. Nombreuses installations hydro-électriques.

Ariège (DÉPARTEMENT DE L'), dép. des Pyrénées et du bassin d'Aquitaine ; 4 890 km² ; 135 725 h. Ch.-l. *Foix.* Le département a été

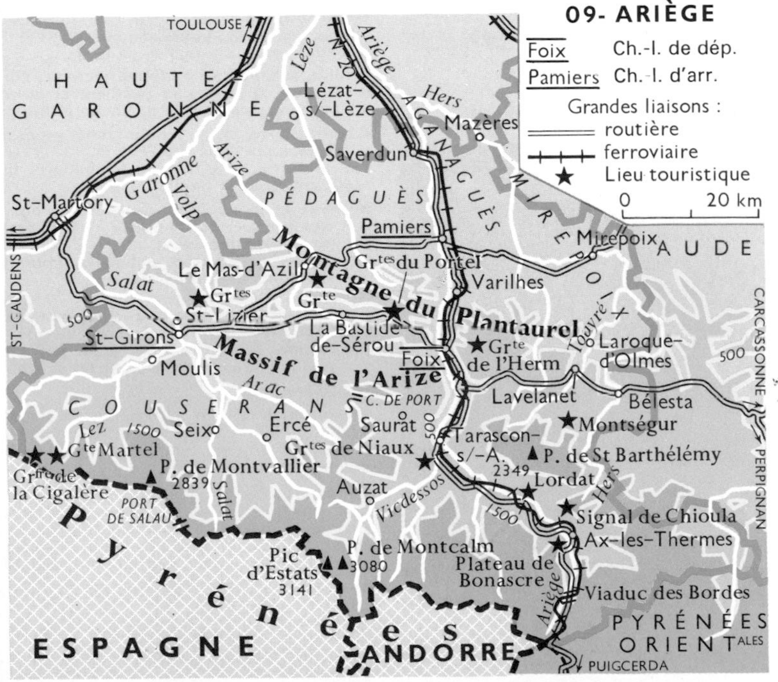

formé par une partie de la Gascogne (Couserans) à l'O., par le comté de Foix au centre, et par une portion du Languedoc à l'E. Le sud appartient aux Pyrénées centrales. Au S.-O., les vallées du Couserans rejoignent le Salat. La haute montagne est limitée, vers le N., par les chaînons des Pyrénées, séparés par des dépressions argileuses. La partie septentrionale s'étend sur un ensemble de collines (région de polyculture). La montagne produit de l'hydro-électricité, mais l'industrie est assez peu importante : petite métallurgie à Foix, textile à Lavelanet. L'activité économique est médiocre, et la population continue à émigrer. (V., pour les beaux-arts, FOIX [*comté de*].)

ariégeois, e adj. et n. Relatif à l'Ariège; habitant ou originaire de l'Ariège. ● *Chien ariégeois,* race française de chiens de chasse à poil ras.

Ariel, mot hébreu employé par Isaïe pour désigner Jérusalem, et par la Cabale pour désigner les mauvais anges.

Ariel, esprit de l'air, dans *la Tempête,* de Shakespeare. — Nom d'un ange rebelle, dans *le Paradis perdu,* de Milton.

Ariel, premier satellite d'Uranus*, découvert en 1851 par W. Lassell à Starfield.

1. arien, enne → ARIANISME.

2. arien, enne adj. et n. V. ARYEN, ENNE.

Arieş, fl. de Roumanie, qui draine le versant est des monts Bihor, affl. du Mureş.

l'**Arioste,** par Titien
National Gallery, Londres

Fleming

Aries, nom lat. de la constellation du Bélier* (au génit. : *Arietis;* abrév. : [Ari]).

Ariès (Philippe), historien français (Blois 1914 - Toulouse 1984). Il est l'auteur notamment d'une *Histoire des populations françaises et de leurs attitudes devant la vie depuis le XVIII*[e] *s.* (1948).

ariette n. f. (dimin. du mot ital. *aria,* air). Petite mélodie de caractère aimable, souvent en *da capo.* ‖ Mélodie voisine de la romance.

Arikamedu, site archéologique de l'Inde, à proximité de Pondichéry. On y trouve les traces d'un établissement de l'âge du fer, et d'un important comptoir commercial qui recevait des marchandises romaines.

arile n. m. Punaise américaine au corselet dentelé, à la piqûre redoutable.

arille n. m. (bas lat. *arillus,* grain de raisin). Enveloppe formée, à la suite de la fécondation, par le funicule de la graine. (Il est charnu chez l'if. Une graine munie d'un arille est dite *arillée.*)

Arimaspes, en gr. **Arimaspoi.** *Géogr. anc.* Peuple légendaire de la Scythie. Les Arimaspes n'avaient qu'un œil et disputaient aux griffons les paillettes d'or de l'*Arimaspios,* fleuve de leur pays.

Arimathie ou **Rama.** *Géogr. anc.* V. de Judée.

Arinthod, ch.-l. de c. du Jura (arr. et à 37 km au S. de Lons-le-Saunier); 1 135 h. (*Arinthodiens*). Tourneries de bois.

Arinna, sanctuaire hittite non identifié, dont la déesse (attributs : la panthère et la colombe) figure en tête du panthéon hittite.

Ariobarzane, en gr. **Ariobarzanês,** nom de plusieurs souverains du Pont (IVe-IIIe s. av. J.-C.), et de trois rois de Cappadoce, qui régnèrent, sous la tutelle romaine.

arion n. m. Sorte de limace rouge ou noire, dite aussi *loche,* très nuisible aux cultures potagères. ◆ **arionidés** n. m. pl. Famille de mollusques gastropodes pulmonés, comprenant notamment l'*arion.*

Arion, en gr. **Ariôn,** poète lyrique grec, né à Méthymne, dans l'île de Lesbos, probablement au VIIe s. av. J.-C. Il aurait inventé le dithyrambe. Selon Hérodote, il fut jeté à la mer par des pirates et sauvé par un dauphin.

arionidés → ARION.

ariophantidés n. m. pl. Importante famille (plus de 2 000 espèces) de mollusques gastropodes pulmonés, munis d'une coquille aplatie, aux tours serrés.

arioso n. m. et adj. (mot ital.; de *aria,* air). *Mus.* Air de grand style, à mouvement large, à haute expression dramatique et lyrique. ‖ Phrase mélodique de courte durée, qui survient dans le cours ou à la fin d'un récitatif.

Arioste (Ludovico ARIOSTO, dit **l'**), poète italien (Reggio Emilia 1474 - Ferrare 1533).

Il a écrit des comédies, des élégies, des stances, des satires, des odes et des madrigaux, mais sa renommée est due surtout au poème *le Roland* furieux* (commencé en 1506, publié en 1516, remanié par la suite), chef-d'œuvre de la Renaissance.

Ariosti (Attilio), compositeur italien (Bologne 1666 - en Espagne ? v. 1740). Père servite, il composa une vingtaine d'opéras, cinq oratorios (*Nabuccodonosor,* 1706), des cantates et de la musique de chambre (*Lezioni per viola d'amore,* 1738).

Arioviste, en lat. **Ariovistus,** chef des Suèves (Ier s. av. J.-C.), vaincu par César, après une campagne difficile, dans la plaine d'Alsace (58 av. J.-C.).

Aripert. V. ARIBERT.

arisarum [rɔm] n. m. Sorte d'arum des haies et des vignes du sud-ouest de la France.

ariser v. tr. Diminuer la surface d'une voile en repliant les ris sur la vergue au moyen de garcettes passées dans les bandes de ris. (On écrit aussi ARRISER.)

Arishima (Takeo), écrivain japonais (Tōkyō 1878 - Karuizawa 1923). Humaniste de tendance nihiliste, il distribua ses biens en 1923 et se tua avec Aki Hatano, elle-même écrivain. Il est l'auteur de contes et de romans : *Cette femme-là, la Mort, les Révoltés, Souffrances issues de la naissance.* — Son frère MIBU (Yokohama 1882) est connu comme écrivain et comme peintre.

Arista (Mariano), général et homme politique mexicain (San Luis Potosi 1802 - † en mer, au large de Lisbonne, 1855). Président de la République mexicaine en 1851, il démissionna en 1853.

Aristagoras, gouverneur de Milet (fin du VIe s. av. J.-C.). Il souleva l'Ionie contre Darios, brûla Sardes, mais fut vaincu. Sa révolte provoqua la première guerre médique*.

aristarque n. m. (du nom propre *Aristarque* [de Samothrace]). Critique éclairé, mais sévère. (Vieilli.)

Aristarque de Samos, en gr. **Aristarkhos,** astronome grec (Samos v. 310 - † v. 230 av. J.-C.). Précurseur de Copernic, il eut le premier l'idée de la rotation de la Terre sur elle-même et en même temps autour du Soleil. Cette doctrine le fit accuser d'impiété. Il avait aussi inventé une méthode permettant de calculer les distances relatives de la Terre au Soleil et à la Lune.

Aristarque de Samothrace, en gr. **Aristarkhos,** grammairien et critique alexandrin (v. 215 - † v. 143 av. J.-C.). Auteur d'éditions et de commentaires d'Hésiode, d'Alcée, de Pindare et spécialement d'Homère.

Aristeas, sculpteur grec du IIe s. (Aphodisias, Carie). Il est l'un des auteurs de deux centaures provenant de la villa d'Hadrien (musée du Capitole, Rome).

aristée n. f. Grande crevette des profondeurs méditerranéennes.

Aristée, en gr. **Aristaios.** *Myth. gr.* Fils d'Apollon et de la nymphe Cyrène. Il apprit aux hommes à élever les abeilles. Il aurait causé involontairement la mort d'Eurydice ; les nymphes la vengèrent alors en faisant périr les abeilles. Sur le conseil du devin Protée, il immola quatre taureaux et autant de génisses, et des entrailles des victimes sortit un essaim d'abeilles. Cette légende a fourni à Virgile le sujet d'un des épisodes des *Géorgiques* (chant IV).

Aristide, en gr. **Aristeidês,** homme d'Etat athénien, surnommé LE JUSTE (v. 540 -† v. 468 av. J.-C.). Il prit part comme stratège à la bataille de Marathon (490) et devint archonte (489-488). Thémistocle, dont il était le rival, le fit frapper d'ostracisme (483-482), mais Athènes, devant le danger perse, le rappela d'exil et il s'illustra à Salamine et à Platées (479). Il fut le créateur de la Confédération maritime de Délos, point de départ de l'empire colonial athénien (476), et présenta le décret rendant les charges de la cité accessibles à tous (478).

Aristide le Juste
musée du Capitole

Anderson-Giraudon

Aristide (Aelius), rhéteur grec (Adriani, Mysie, 129 - † 189), auteur de « déclamations » renseignant sur l'histoire de son temps.

Aristippe de Cyrène, en gr. **Aristippos,** philosophe grec (Cyrène v. 430 av. J.-C.). Créateur de l'école cyrénaïque, il fondait le bonheur sur le plaisir.

aristo → ARISTOCRATIE.

Aristobule, en gr. **Aristoboulos,** philosophe juif d'Alexandrie (v. 150 av. J.-C.). Il aurait voulu harmoniser les doctrines hébraïques et grecques.

Aristobule Ier, en gr. **Aristoboulos,** grand prêtre juif, fils d'Hyrcan ; il prit le titre de roi de Judée et ne régna qu'un an (v. 104 av. J.-C.). — **Aristobule II,** roi de Judée

(67-63 av. J.-C.). Emprisonné à Rome, il fut libéré par César, puis assassiné par les partisans de Pompée.

Aristoclès d'Athènes, en gr. **Aristoklês,** sculpteur grec (v. 510 av. J.-C.). Il est l'auteur de la stèle de l'hoplite Aristion (musée d'Athènes).

aristocrate → ARISTOCRATIE.

Aristocratès, en gr. **Aristokratês,** roi d'Orchomène. Au cours de la deuxième guerre de Messénie, il trahit les Messéniens, ses alliés, au profit des Spartiates ; il fut lapidé, et la royauté supprimée (seconde moitié du VIIe s. av. J.-C.).

aristocratie [si] n. f. (gr. *aristokratia ;* de *aristos,* excellent, et *kratos,* pouvoir). Gouvernement politique où le pouvoir souverain est exercé par une classe sociale privilégiée, généralement héréditaire : *La république de Venise était une aristocratie.* ‖ Classe des nobles, des privilégiés : *S'attaquer à l'aristocratie.* ‖ *Fig.* Petit nombre de personnes qui ont la prééminence dans un domaine quelconque : *L'aristocratie des lettres, de l'industrie, du commerce.* ‖ Distinction : *L'aristocratie du goût.* ◆ **aristo** adj. et n. m. Abréviation populaire du mot *aristocrate : Des manières d'aristo.* ◆ **aristocrate** n. Membre d'une aristocratie, d'une élite : *Les aristocrates de la finance.* ‖ Personne qui se distingue du commun des hommes par sa naissance ou par la qualité de son esprit, de ses manières : *Etre élevé dans un milieu d'aristocrates.* ‖ Pendant la Révolution française, noble ou personne qui passait pour partisan de l'Ancien Régime. ◆ **aristocratique** adj. Qui appartient à l'aristocratie : *Gouvernement aristocratique.* ‖ En parlant des choses, qui tient à l'aristocratie, qui en a la distinction, les grands airs : *Des manières aristocratiques.* ◆ **aristocratiquement** adv. De façon aristocratique. ‖ Avec noblesse, avec grandeur : *Agir aristocratiquement.*

Aristodème, en gr. **Aristodêmos,** roi et héros de la première guerre de Messénie. Il soutint pendant vingt ans la résistance contre Sparte sur le mont Ithôme. Il fut vaincu, et les Messéniens furent réduits à l'état d'hilotes ; il se suicida (v. 716 av. J.-C.).

aristogenèse n. f. Terme de H. F. Osborn, désignant l'apparition de caractères nouveaux dans une lignée, et les nouvelles facultés d'adaptation que procure cette apparition.

Aristogiton, en gr. **Aristogeitôn,** Athénien, meurtrier, avec Harmodios, du tyran Hipparque (514 av. J.-C.).

aristoloche n. f. (gr. *aristolokhia,* qui favorise les accouchements). Plante vivace, toxique, du Midi, cultivée pour recouvrir les tonnelles. ◆ **aristolochiacées** n. f. pl. Famille de plantes à fleurs, au calice coloré, à l'ovaire adhérent, dont le type est l'*aristoloche.* ◆ **aristolochiales** n. f. pl. Ordre de plantes à fleurs, formé pour la famille des aristolochiacées.

Aristomène, en gr. **Aristomenês,** héros messénien qui souleva ses compatriotes contre Sparte (deuxième guerre de Messénie, VIIe s. av. J.-C.). Trahi par Aristocratès, roi d'Orchomène, il se réfugia sur le mont Ira et y résista onze ans. Il mourut en exil à Rhodes.

Ariston, en gr. **Aristôn,** roi de Sparte du VIe s. av. J.-C., qui lutta victorieusement contre Tégée.

Ariston de Chio, en gr. **Aristôn,** philosophe stoïcien, surnommé LA SIRÈNE à cause de son éloquence persuasive (v. 270 av. J.-C.). Il enseigna que le souverain bien réside dans la vertu.

Aristonicos, en gr. **Aristonikos,** fils d'Eumenês II, roi de Pergame. Il souleva contre la domination romaine les esclaves, à qui il promit la fondation d'Héliopolis, cité du Soleil, symbole d'une société égalitaire. D'abord vainqueur du consul Crassus (130 av. J.-C.), il fut vaincu et exécuté (129).

Aristophane, en gr. **Aristophanês,** poète comique grec (Athènes v. 445 - † v. 386 av. J.-C.). Il écrivit une quarantaine de comédies, dont la plupart ne nous sont connues que par des fragments. Onze nous sont parvenues, qui appartiennent à la comédie dite « ancienne » : *les Acharniens** (425) et *la Paix** (421), où l'auteur combat le parti de la guerre ; *les Cavaliers* (424), où il attaque Cléon, le tout-puissant démagogue ; *les Nuées** (423), où il raille Socrate, qu'il confond avec les sophistes ; *les Guêpes** (422), où il tourne en ridicule l'organisation des tribunaux athéniens ; *les Oiseaux** (414), où il s'en prend aux utopies politiques et sociales, comme plus tard dans *Lysistrata** (411) ; *les Thesmophories* (411), qui attaquent Euripide, et *les Grenouilles** (405), qui sont une satire littéraire opposant Eschyle et Euripide. Après la chute d'Athènes, Aristophane,

Anderson - Giraudon

Aristophane
musée du Capitole

renonçant presque entièrement à la satire politique, tenta des voies nouvelles : dans *l'Assemblée des femmes** (392), il fait la satire des théories communistes ; dans la seconde version du *Plutus** (388), sur les effets de la richesse et de la pauvreté, il inaugura la comédie dite « moyenne ». Chez Aristophane, l'intrigue de la comédie n'est qu'un prétexte à des variations satiriques sur des problèmes d'actualité ; mais l'apparente liberté du ton et de la forme ne nuit pas à l'harmonie de l'ensemble, tout en portant la force comique à sa plus haute puissance.

Aristophane de Byzance, en gr. **Aristophanês,** grammairien grec (v. 257 - † 180 av. J.-C.). Il dirigea la bibliothèque d'Alexandrie et fut le maître d'Aristarque.

aristophanesque adj. Dans le genre du poète grec Aristophane : *Comique aristophanesque.*

Aristote, en gr. **Aristotelês,** philosophe grec (Stagire, Macédoine, 384 - Chalcis, Eubée, 322 av. J.-C.). Après la mort de son père, Nicomaque, médecin du roi, Aristote se fixe à Athènes, où il suit durant vingt ans les leçons de Platon. A la mort de son maître (348), il se rend à Atarnée, en Mysie, où il

Aristote
musée du Capitole

Anderson - Giraudon

épouse la sœur (ou la nièce) d'Hermias. En 343, il est précepteur d'Alexandre le Grand ; il revient à Athènes en 335, où il fonde l'école du Lycée, nommée aussi *péripatéticienne,* parce que le maître donnait ses leçons en se promenant avec ses élèves. A la mort d'Alexandre (323), Aristote se réfugie dans l'île d'Eubée. L'Aréopage le condamne à mort. Il meurt au mois d'août 322.

Les traités d'Aristote ne sont que des notes de cours prises par ses auditeurs, et non rédigées par lui ; ils constituent un vaste ensemble encyclopédique, réparti ultérieurement en quatre groupes d'ouvrages.

● Les ouvrages de logique, *les Analytiques,* fondent la logique formelle, la théorie des jugements et des raisonnements ; ils s'achèvent dans une théorie de la connaissance : le premier moment de la connaissance est la *perception,* « pouvoir de discrimination inné en tout animal » ; c'est par la mémoire que nous passons de la perception à l'*expérience,* étayée par des souvenirs répétés ; l'expérience fixe des lois universelles ; à un niveau plus élevé, nous trouvons l'*art* et, enfin, la *science.* Le passage du particulier à l'universel se fait par un processus d'induction fondé sur des lois de la raison. La théorie de la connaissance, empirique dans sa genèse, rationnelle dans son fondement, caractérise ce que l'on nomme, depuis, *conceptualisme**.

● Les ouvrages de philosophie naturelle allient, comme tout le système d'Aristote, un mélange d'observations empiriques et d'exigences rationalistes. L'ouvrage *Des parties des animaux* peut être considéré comme le premier traité d'anatomie et de physiologie comparées ; en géologie, Aristote est le premier à avoir signalé l'accroissement du delta du Nil depuis l'époque d'Homère, et l'envasement du marais Méotide. Le traité *Du ciel* inaugure la cosmographie. Toutes ces descriptions s'inscrivent dans un système de *Physique* profondément vitaliste : tous les êtres sont animés, et la pierre qui tombe est animée du désir de rejoindre son « lieu propre », le centre de la Terre. Le mouvement ne s'explique pas du dehors, par le choc mécanique, mais du dedans, par la force interne, ou « forme substantielle », des corps. Tel est le *dynamisme* aristotélicien.

● Cette systématisation des phénomènes se fonde sur une *métaphysique* qui explique le dynamisme à partir d'un rapport de la *forme* à la *matière,* de l'*acte* et de la *puissance.* La métaphysique fonde la physique sur une théologie, sur une théorie de Dieu comme moteur de l'univers, comme acte pur. Aristote semble hésiter entre la théorie d'un Dieu transcendant, « pensée de la pensée », et celle d'un Dieu immanent, « vivant éternel parfait ».

● Les œuvres de morale et de politique (*Ethique à Nicomaque, Politique, Politique des Athéniens*) allient de façon parfois curieuse les préjugés des cités grecques d'alors (nécessité de l'esclavage, notion de races nées pour être esclaves, morale réservée à l'élite aristocratique) et des vues novatrices et modernes (importance de la pratique en morale ; rôle du milieu géographique, économique et social ; idée d'une science politique fondée sur l'expérience).

Aristote est l'auteur d'une rhétorique et d'une poétique dont se réclamera, au XVIIe s., la littérature classique.

Aristote (COMMENTAIRES SUR), ouvrage d'Averroès*, célèbre dans toutes les écoles du Moyen Age.

Aristote (LE LAI D'), fabliau d'Henri d'Andely, qui montre les excès où l'amour entraîne même les sages ; une femme séduit le vieux philosophe, qu'elle contraint à la transporter à quatre pattes.

aristotélicien, enne adj. et n. Qui concerne ou qui professe la doctrine d'Aristote. ◆ **aristotélique** adj. Se dit d'une doctrine relative à Aristote ou à sa philosophie. ◆ **aristotéliser** v. intr. Soutenir les principes d'Aristote, en tirer les conséquences. ◆ **aristotélisme** n. m. Doctrine d'Aristote et de ses disciples. (Syn. PÉRIPATÉTISME*.)

aristotype ou **aristotypique** adj. Se dit d'un papier photographique à noircissement direct.

Aristoxène, en gr. **Aristoxênos,** philosophe et musicien grec (Tarente v. 350 av. J.-C.), disciple d'Aristote. Il est l'auteur des *Eléments harmoniques,* le plus ancien traité de musique connu. Réagissant contre la théorie pythagoricienne, il voulait qu'on donnât à l'oreille et au sentiment une place plus large qu'au calcul.

Arita, village du Japon (île de Kyū shū), célèbre par sa porcelaine (surtout au XVIIe s.), que les Hollandais firent connaître en Europe sous le nom de « porcelaine d'Imari ».

arithmancie n. f. V. ARITHMOMANCIE.

arithméticien → ARITHMÉTIQUE.

arithmétique n. f. (lat. *arithmetica;* du gr. *arithmêtikê;* de *arithmos,* nombre). Science qui étudie les propriétés élémentaires des nombres rationnels. (L'arithmétique est l'art de trouver d'une manière abrégée l'expression d'un rapport unique qui résulte de la comparaison de plusieurs autres.) [V. *encycl.*] ‖ Livre qui contient les principes de l'arithmétique : *Acheter une arithmétique.* ‖ Tout ce qui suppose un calcul quelconque : *L'arithmétique du budget familial.* ‖ *Fig.* Supputations, calculs de la pensée, de l'esprit, etc. : *L'arithmétique du bonheur.* ● *Arithmétique des lois de probabilité,* branche récente du calcul des probabilités, où est étudiée la décomposition des lois de probabilité, comparable à celle des nombres entiers en facteurs premiers. (Il existe, notamment, des lois indéfiniment divisibles, et des lois stables, parmi lesquelles la loi de Gauss. Les Russes Glivenko, Khintchine, le Français Paul Lévy et le Suédois Cramer ont créé ces théories vers 1935.) ‖ *Arithmétique binaire,* arithmétique fondée sur la numération à base deux. ‖ *Arithmétique décimale,* arithmétique fondée sur la numération à base dix. ‖ *Arithmétique duodécimale,* arithmétique fondée sur la numération à base douze. ‖ *Arithmétique de position,* système de numération écrite, dans lequel la valeur d'un chiffre dépend de sa position. ‖ *Arithmétique transcendante,* étude des propriétés des nombres indépendantes du système de numération. ✦ adj. Fondé sur l'arithmétique ; relatif à l'arithmétique : *Opération arithmétique.* ● *Langage arithmétique,* écriture composée de chiffres. ‖ *Machine arithmétique,* instrument exécutant les principales opérations de l'arithmétique : *Machine arithmétique de Pascal.* ◆ **arithméticien, enne** n. Personne qui sait, qui pratique l'arithmétique. ◆ **arithmétiquement** adv. Conformément à l'arithmétique.
— ENCYCL. ***arithmétique.*** *Math.* Le dénombrement d'objets distincts (unités), qui est à l'origine de l'arithmétique, s'effectue avec les nombres *entiers* ou *naturels* : nombres *concrets,* si l'on tient compte de la nature des objets (huit pommes) ; *abstraits,* dans le cas contraire (huit). La suite des nombres naturels est illimitée.
La *numération décimale,* universellement employée, comporte des groupements dont chacun vaut dix fois le précédent. Les *unités d'ordre supérieur* sont groupées en *classes* (comportant chacune unités, dizaines et centaines) : classe des unités simples, des milliers, des millions, des milliards. Pour les très grands nombres, la IXe Conférence générale des poids et mesures conseille de limiter l'emploi de mots nouveaux par tranches de millions : million (10^6), billion (10^{12}), trillion (10^{18}), quatrillion (10^{24}), quintillion (10^{30}), etc. Chaque nombre jusqu'à neuf est représenté par un chiffre ; au-delà, on utilise plusieurs chiffres, chaque chiffre à gauche d'un autre représentant des unités dix fois plus fortes (emploi du zéro pour les unités manquantes). Un tel nombre se lit par tranches de trois chiffres, correspondant aux classes, et qu'on énonce en commençant par les plus élevées (celles de gauche).
Pour les opérations, v. ADDITION, SOUSTRACTION, MULTIPLICATION, DIVISION. Outre les nombres entiers, l'arithmétique étudie les *fractions* pour les grandeurs susceptibles d'être divisées (longueurs, par ex.), avec le cas particulier des *nombres décimaux* et leur notation spéciale (nombres à virgule). Enfin, son domaine comporte le calcul des radicaux (notamment racine carrée) et l'étude des nombres incommensurables.
Les propriétés des diviseurs et multiples d'un nombre, des nombres premiers, etc., constituent l'*arithmétique supérieure* ou *théorie des nombres.*

arithmétiquement → ARITHMÉTIQUE.

arithmologie n. f. Science générale des nombres, de la mesure des grandeurs.

arithmomancie ou **arithmancie** n. f. Divination qui se pratique au moyen des nombres. (Dans l'Antiquité, l'arithmomancie s'appliquait surtout à la valeur numérique d'un nom, considérée comme possédant des vertus secrètes.)

arithmomane → ARITHMOMANIE.

arithmomanie n. f. Obsession des opérations arithmétiques. ◆ **arithmomane** n. Personne atteinte d'arithmomanie.

Arius, hérésiarque (Libye v. 256 - Constantinople 336), prêtre à Alexandrie, fondateur de la secte des ariens. (V. ARIANISME.)

Arize, riv. des Prépyrénées, affl. de la Garonne (r. dr.) ; 85 km.

Arizona, Etat du sud-ouest des Etats-Unis ; 295 024 km^2 ; 2 717 000 h. Capit. *Phoenix.* L'Arizona est formé de plateaux arides (plateau du Colorado et désert de Gila). Deux grands barrages, le Roosevelt Dam et le Coolidge Dam, permettent l'irrigation (coton, agrumes, céréales). Mais les ressources principales sont fournies par le sous-sol : cuivre, zinc, plomb et or.
● *Histoire.* Territoire exploré dès 1535, l'Arizona fut cédé aux Etats-Unis à la suite de la guerre du Mexique (1848), puis détaché du Nouveau-Mexique et organisé en territoire (1863). Il devint un des Etats de l'Union en 1912. Il possède de nombreux vestiges archéologiques de la civilisation des Indiens Pueblos.

Arjuna (« le Blanc » ou « le Brillant »), fils d'Indra, dans la mythologie hindoue post-védique, l'un des héros du *Mahābhārata* et la figure principale du *Bhagavad-gītā.*

Arjuzanx, comm. des Landes (arr. de Mont-de-Marsan), à 3 km au S.-E. de Morcenx ; 228 h. Exploitation de lignite alimentant une grande centrale thermique.

arkal n. m. Mouflon de l'Afghānistān.

Arkalokhóri, site de la Crète centrale, sanctuaire rupestre minoen (1600-1500 env.), qui a livré un trésor d'armes.

Arkansas, riv. des Etats-Unis, affl. du Mississippi (r. dr.) ; 2 333 km. L'Arkansas prend sa source dans les Rocheuses.

Arkansas, Etat du centre-est des Etats-Unis ; 137 539 km^2 ; 2 286 000 h. Capit. *Little Rock.* L'est de l'Etat est formé par les plaines du Mississippi, région productrice de coton ; l'ouest, par les monts Ouachita et Ozark. Le centre fait partie des grandes plaines céréalières. L'Etat possède de nombreuses mines : houille (peu exploitée), barytine, et surtout bauxite (95 p. 100 de la production des Etats-Unis). Importante industrie de l'alumine (Hurricane Creek).
● *Histoire.* Ce territoire, exploré en 1541 par De Soto, puis par Marquette (1673) et par Cavelier de La Salle (1682), fut cédé aux Etats-Unis (1803). Il devint indépendant en 1819, et fut érigé en Etat en 1836.

Arkhangelsk, port de l'U.R.S.S. (R.S.F.S. de Russie), sur la mer Blanche ; 342 600 h. Exportation du bois. Construction navale ; pêcheries. D'abord simple fort, Arkhangelsk devint, après l'ouverture de la Russie au commerce anglais par Ivan IV (mission Chancellor, 1553), l'unique port russe en relation avec l'Occident jusqu'au XVIIe s. La création de Saint-Pétersbourg (1703), qui déporta les routes commerciales vers l'O. (Baltique), marqua son déclin.

Arkona, dernière citadelle du paganisme slave, et capitale des Rugiens établis dans l'île de Rügen. La ville renfermait un temple consacré à Svantévit et qui fut détruit en 1169.

arkose n. f. Grès feldspathique provenant du remaniement du granite.

Arkwright (sir Richard), mécanicien anglais (Preston, Lancashire, 1732 - Cromford, Derbyshire, 1792). Il contribua beaucoup à diffuser l'emploi de la *mule-jenny,* la première machine de filature semi-mécanique, réalisée par son compatriote Hargreaves, qui ne put, faute de capitaux, installer une filature et prouver la valeur de son invention. C'est l'un des créateurs de l'industrie cotonnière anglaise.

Arlanc, ch.-l. de c. du Puy-de-Dôme (arr. et à 16 km au S. d'Ambret) ; 2 300 h. (*Arlancois*). Eglise romane. Confection.

Arland (Marcel), écrivain français (Varennes-sur-Amance 1899 - Saint-Sauveur-sur-Ecole 1986), auteur de romans (*l'Ordre,* 1929) et d'ouvrages de critique. Il partagea avec J. Paulhan la direction de *la Nouvelle Revue française.* (Acad. fr., 1968.)

Arlandes (François, marquis D'), aéronaute français (Anneyron, Dauphiné, 1742 - † 1809). Major d'infanterie, il fit, avec Pilâtre de Rozier, la première ascension en ballon libre (21 nov. 1783).

Arlberg, col des Alpes d'Autriche, entre les bassins du Rhin et de l'Inn, à 1 802 m d'alt., reliant le Vorarlberg au Tyrol. Il est percé de deux tunnels : un tunnel ferroviaire (ouvert en 1884) et un tunnel routier (ouvert en 1978).

arlequin [kɛ̃] n. m. Personnage reproduisant le type et le costume d'Arlequin. ||

Arlequin par Picasso (1917) *musée d'Art moderne Barcelone*

Held

Spirale

Arles, l'amphithéâtre (arènes) et le théâtre romains

Homme sans principes arrêtés. || Crochet servant à redresser les brins de rotin ou de châtaignier, dans le façonnage des montures de sièges en rotin. || Bateau utilisé pour la chasse au gibier d'eau en rivière. ● *Habit d'arlequin,* œuvre composée de pièces disparates. || *Manteau d'arlequin* ou, simplem., *le manteau,* ensemble de panneaux ou de draperies (on a dit aussi *draperie d'arlequin*) encadrant, latéralement et « en couronnement », l'ouverture de scène, en arrière du rideau d'avant-scène, qui ne découvre ce cadre qu'en se levant. || — **arlequins** n. m. pl. Restes de viande, de poisson ou de pâtisserie provenant de la desserte des tables, et qui se vendaient autrefois à bas prix sur plusieurs marchés de Paris. ◆ **arlequinade** [ki] n. f. Pièce de théâtre où Arlequin joue le principal rôle : *Le Sage, Piron ont composé des arlequinades.* || *Péjor.* Ecrit d'une bouffonnerie involontaire. || Geste, bouffonnerie, pitrerie d'arlequin : *Des arlequinades indignes d'un haut personnage.* ◆ **arlequine** n. f. Femme vêtue d'un habit d'arlequin : *Une arlequine de carnaval.*

Arlequin (ital. *Arlecchino;* de l'anc. franç. *Hellequin,* nom d'un diable malfaisant dans les légendes du Moyen Age), personnage comique, vêtu d'un costume fait de pièces de toutes les couleurs, et qui, de la scène italienne, a passé sur presque tous les théâtres d'Europe. Introduit en France au XVIIe s., Arlequin apporta son costume traditionnel : le masque noir, le chapeau gris, l'habit bigarré et la batte. Mais, alors qu'il était en Italie un bouffon cynique et poltron, en France Arlequin couvrit ses défauts d'une forme moins grossière et plus spirituelle. Marivaux contribua à affirmer encore le personnage (*Arlequin poli par l'amour, le Jeu de l'amour et du hasard*), qui devint le protagoniste dans quantité de comédies, de pantomimes, d'opéras-comiques de la seconde moitié du XVIIIe s.

arlequinade, arlequine → ARLEQUIN.

Arles, ch.-l. d'arr. des Bouches-du-Rhône, au N. de la Camargue, sur la rive gauche du Rhône ; 50 772 h. (*Arlésiens*). La commune, la plus grande de France, s'étend sur 75 810 ha et possède la moitié des rizières du département. La ville est un centre commercial et industriel (métallurgie légère, papeteries, décorticage du riz). Mais ses monuments et ses musées en font aussi un centre touristique important.

● *Histoire.* Ancien comptoir grec (*Théliné*), la ville se développa avec la construction d'un canal (fosses Mariennes) la reliant à la mer. Principale ville de Provence, elle se couvrit de monuments sous Auguste. Au IVe s., elle fut le centre de la préfecture des Gaules et résidence impériale. Evangélisée par saint Trophime, elle fut le siège du primat des Gaules et de nombreux conciles (314, 353).

● *Beaux-arts.* Les ruines gallo-romaines d'Arles sont parmi les plus belles et les mieux conservées du monde romain (aqueduc de Barbegal, amphithéâtre, théâtre, pyramide du cirque, thermes, et, sous le forum, les cryptoportiques et les entrepôts à grains). On y a trouvé de remarquables sculptures

(*Vénus d'Arles*), et, aux Alyscamps, de nombreux sarcophages historiés paléochrétiens. L'église Saint-Trophime (portail historié, cloître) est un des plus beaux monuments de l'art roman provençal. Le *muséon Arlaten* est consacré à l'ethnographie provençale et à Mistral, son fondateur. Le *musée Réattu* contient surtout des tapisseries et des peintures anciennes. Les collections archéologiques sont réparties entre le *Musée païen* et le *Musée chrétien*.

Arles (ROYAUME D'), nom donné quelquefois au royaume de **Bourgogne***.

arlésien, enne adj. et n. Qui se rapporte à la ville d'Arles ; habitant ou originaire de cette ville.

Arlésienne (L'), drame en 3 actes et 5 tableaux, d'Alphonse Daudet, pages symphoniques et chœurs de Georges Bizet (1872).

Arlésienne (L'), un des chefs-d'œuvre de Van Gogh (nov. 1888), exécuté sous l'influence de Gauguin et en compétition avec lui (Metropolitan Museum of Art, New York).

Arles-sur-Tech, ch.-l. de c. des Pyrénées-Orientales (arr. et à 12 km au S.-O. de Céret) ; 2 921 h. Anc. abbaye, dont il reste l'église (XIe-XIIe s.) et un élégant cloître gothique (XIIIe s.). Mine de fer. Tissage de la toile.

Arlette ou **Herlève,** fille d'un bourgeois de Falaise, maîtresse de Robert le Magnifique, duc de Normandie, et mère de Guillaume le Conquérant.

Arletty (Léonie BATHIAT, dite), actrice française (Courbevoie 1898). Au cinéma, elle a joué dans *Pension Mimosa* (1935), *Hôtel du Nord* (1938), *Fric-Frac* (1939), *les Visiteurs du soir* (1942), *les Enfants du paradis* (1944), *le Grand Jeu* (1953), etc. Au théâtre, elle a été l'interprète de *Fric-Frac* (1936) et d'*Un tramway nommé Désir* (1949).

Arleux, ch.-l. de c. du Nord (arr. et à 14 km au S. de Douai), sur la Sensée ; 2 610 h. (*Arleusiens*). Cycles.

Arlington (Henry BENNET, comte D'), homme politique anglais (Arlington, Middlesex, 1618 - Euston, Suffolk, 1685). Membre du ministère de la « Cabal » (1667), il fut accusé d'être l'instigateur d'une politique profrançaise et antiprotestante, et démissionna pour le poste de lord chambellan (1674).

Arlington (CIMETIÈRE NATIONAL AMÉRICAIN D'), nécropole située dans l'Etat de Virginie, sur la rive droite du Potomac, en face de

Arles, église Saint-Trophime

galerie du cloître

détail du portail

F. G. Mayer

« l'Arlésienne », par Van Gogh
Metropolitan Museum, New York

Washington. Le cimetière abrite les corps de nombreuses personnalités militaires américaines et celui du soldat inconnu de la Première Guerre mondiale. Le président Kennedy y fut inhumé en 1963.

Arlit, localité du Niger septentrional, au N. d'Agadès. Gisement d'uranium.

Arlod, anc. comm. de l'Ain (arr. de Nantua), sur le Rhône, intégrée en 1970 à Bellegarde-sur-Valserine. Industries métallurgiques (ferro-alliages).

Arlon, v. de Belgique, ch.-l. de la prov. de Luxembourg ; 14 200 h. Centre commercial. Vestiges gallo-romains. Jourdan y vainquit les Autrichiens (1794).

Arly, torrent des Alpes du Nord, affl. de l'Isère (r. dr.) ; 32 km. Il prend sa source au mont Joly et reçoit le Doron de Beaufort. Installations hydro-électriques.

armada n. f. (de *Armada*), Grande flotte. || *Fig.* Grand nombre de personnes ou de choses : *Une armada de campeurs.*

Armada (L'INVINCIBLE), nom donné à la flotte de 130 vaisseaux, envoyée par Philippe II, en 1588, contre l'Angleterre pour détrôner Elisabeth et rétablir le catholicisme. Elle fut en partie détruite par la tempête.

armadille n. f. Cloporte bombé pouvant se rouler en boule.

Armagh, v. de l'Irlande du Nord, ch.-l. de comté ; 11 700 h. Métropole religieuse depuis le Ve s., c'est la résidence d'un archevêque catholique et d'un archevêque anglican. Centre culturel dès le haut Moyen Age.

armagnac n. m. Eau-de-vie de vin très renommée, que l'on fabrique dans les départements formés par l'ancien pays d'Armagnac, essentiellement dans le départ. du Gers.

Armagnac, région du bassin d'Aquitaine s'étendant sur l'éventail de vallées comprises entre la Save, à l'E., et la Gélize, au N.-O., et qui divergent à partir du plateau de Lannemezan. Polyculture (blé, maïs), grand élevage de volailles. Vignobles donnant des vins rouges (Lectoure, Condom) et surtout des vins blancs distillés pour la production de l'armagnac.

● *Histoire*. Né au Xe s., le comté d'Armagnac atteignit sa plus grande extension entre le XIIIe et le XVe s., en englobant des seigneuries en Agenais, dans le Quercy, dans le Rouergue et en Auvergne. Au XVe s., il joue un rôle politique (querelles des Armagnacs et des Bourguignons). Mais le comte fut vaincu par Louis XI et assassiné en 1473. Henri de Navarre hérita du comté et, devenu roi de France, le rattacha à la Couronne en 1607.

Armagnac (FAMILLES D'). Quatre familles ont porté le titre d' « Armagnac ».

● La première est une famille gasconne, issue, au IXe s., de Sánchez Mittara, fondateur du duché de Gascogne. Ses membres les plus notables sont Bernard VII, chef de la faction des Armagnacs jusqu'à son assassinat en 1418, et son petit-fils, Jean V, assassiné en 1473.

● La deuxième famille d'Armagnac, titrée « d'Alençon », n'est représentée que par Charles II, qui lègue l'Armagnac à sa femme, Marguerite d'Angoulême.

● Celle-ci le lègue à son tour (1527) à son second mari, Henri II d'Albret, tige de la troisième famille d'Armagnac, dont le dernier représentant est Henri IV, roi de France.

● La quatrième famille d'Armagnac est une branche de la famille des Lorraine-Guise, dont un membre, Henri, comte d'Harcourt, fait comte d'Armagnac en 1645, transmet le titre, qui disparaît à la Révolution.

Armagnac (Bernard D') [v. 1400 - † v. 1462], gouverneur du Limousin (1435), puis gouverneur du futur Louis XI (1436).

Armagnac (Georges D'), prélat et humaniste français (v. 1501 - † 1585), ambassadeur de France à Rome (1540-1545), cardinal-archevêque de Tours (1547-1551), puis de Toulouse.

Armagnacs (FACTION DES), parti qui se constitua à la suite de l'assassinat de Louis, duc d'Orléans (1407), et qui avait pour chef Bernard VII d'Armagnac, beau-frère du jeune Charles, fils du duc assassiné. Ses luttes avec la faction des Bourguignons* déchirèrent la France sous Charles VI et sous Charles VII. Le conflit prit fin au traité d'Arras (1435).

armaire n. f. Cavité creusée dans l'intérieur d'un mur, mais sans le traverser de part en part.

Armance, roman de Stendhal (1827). Armance ne veut pas paraître rechercher la fortune d'Octave qu'elle aime ; l'amour d'Octave pour elle ne peut que rester platonique.

Armançon, riv. du Bassin parisien, affl. de l'Yonne (r. dr.) ; 174 km.

Armand (AVEN), gouffre du causse Méjean (Lozère), découvert en 1897 par E. Martel et L. Armand.

Armand (le **Vieil-**). V. HARTMANNSWILLERKOPF.

Armand de Belvezer, dominicain provençal. En 1326, il fut nommé maître en théologie par Jean XXII, puis maître du Sacré Palais en Avignon.

Armand (Louis), ingénieur et administrateur français (Cruseilles, Haute-Savoie, 1905 - Villers-sur-Mer 1971). Entré aux chemins de fer P. L. M. en 1934, il a mis au point le traitement intégral des eaux d'alimentation des chaudières (T. I. A.). Il a été président de la S. N. C. F. et président de l'Euratom (1957-1959). [Acad. des sc. mor. et polit. 1960 ; Acad. fr., 1963.]

Armand-Dumaresq (Charles Edouard ARMAND, dit), peintre français (Paris 1826 *id.* 1895). Il suivit l'armée en Algérie et peignit de nombreux tableaux de batailles (musée de Versailles).

Armande, personnage des *Femmes* savantes,* comédie de Molière. C'est une jeune fille pédante et dédaigneuse, que la passion de la philosophie écarte du mariage.

armateur → ARMER.

armatole n. m. (gr. *armatalós,* homme armé). Dans la Grèce sous domination ottomane (du XVIe au XIXe s.), gendarme grec. (Les armatoles participèrent à l'affranchissement de la Grèce pendant la guerre d'Indépendance.)

armature → ARMER.

Armavir, v. de l'U. R. S. S. (R. S. F. S. de Russie), près du piémont du Caucase; 145 400 h. Constructions mécaniques.

arme n. f. (lat. *arma,* armes). Tout instrument qui sert à attaquer ou à se défendre : *Porter une arme.* || Ensemble des militaires qui, à l'origine, se servaient au combat d'une même catégorie d'armes, et qui constituent auj. chacun des éléments des armées (infanterie, artillerie, chasse aérienne, cavalerie, etc.). [C'est dans ce sens que l'*emploi des armes* est synonyme de « tactique ».] || *Fig.* Moyen d'attaque et de défense : *L'arme de la calomnie. Les armes de l'éloquence.* ● *Arme atomique, automatique,* v. ATOMIQUE, AUTOMATIQUE (*armes*). || *Arme biologique,* celle qui utilise des organismes vivants ou des agents toxiques qu'ils sécrètent contre l'homme, l'animal ou les végétaux. || *Arme blanche,* arme de main qui agit par l'action du fer (sabre, lance, etc.). || *Arme chimique,* celle qui utilise des agents toxiques (gaz) ou neurotoxiques (trilon). || *Arme collective,* arme à feu dont le service requiert plusieurs servants (mitrailleuse, canon, etc.). || *Arme à feu,* celle qui utilise la force explosive de la poudre (pistolet, arquebuse, fusil). || *Arme d'hast,* celle qui, provenant souvent d'instruments agricoles, est constituée par un fer emmanché (pique, épieu, lance, baïonnette). || *Arme d'honneur,* arme donnée jadis à un militaire pour le récompenser d'une action d'éclat. (L'usage en fut repris des Romains par la Convention, et dura jusqu'à la création de la Légion d'honneur.) || *Armes individuelles,* celles qui peuvent être utilisées par un seul homme. || *Arme de jet* ou *de trait,* celle qui constitue par elle-même un projectile (javelot) ou qui le lance (arc, fronde). || *Arme de main,* celle qui est maniée à la main (massue, couteau, poignard). || *Armes montées,* éléments qui utilisaient le cheval (par oppos. aux *armes à pied*). || *Armes spéciales* (ou **N.B.C.**), ensemble des armes nucléaires (ou atomiques), biologiques et chimiques (par opposition aux autres armes dites *armes classiques*). || *Faire arme de tout,* se servir, en guise d'arme, de toutes sortes d'objets; et, au *fig.*, prendre n'importe quel moyen pour réussir. || *Passer l'arme à gauche* (Fam.), mourir. || — **armes** n. f. pl. Entreprise militaire, combat, force militaire : *Fonder un empire par les armes.* || Carrière militaire : *Le métier des armes.* || Autref., escrime : *Faire des armes.* || Emblèmes en couleurs, héréditaires ou constants, propres à des familles ou à des communautés, exceptionnellement à des individus. ● *Armes de la barre,* défenses du sanglier. || *Aux armes !,* cri poussé par une sentinelle appelant les soldats d'un poste de garde. || *Capitaine d'armes,* officier marinier chargé de la discipline générale du bord. || *Commandant d'armes,* dans une localité, sur un navire, officier le plus ancien dans le grade le plus élevé, qui est chargé du service de garnison et de la discipline. || *Donner, fournir des armes contre soi,* donner prise sur soi, par des actes ou par des paroles. || *Etre en armes,* être porteur de ses armes. || *Faire ses premières armes,* participer pour la première fois à une campagne de guerre; débuter dans la carrière militaire ou dans une carrière quelconque. || *Faire tomber les armes des mains de quelqu'un,* le fléchir, l'apaiser. || *Fait d'armes,* acte de bravoure au combat. || *Mettre bas les armes, poser* ou *déposer les armes,* cesser les hostilités, se rendre. || *Passe d'armes,* rencontre entre des combattants, dans une joute, un tournoi; et, au *fig.*, discussion vive ou brillante entre deux personnes. || *Passer par les armes,* fusiller. || *Place d'armes,* lieu de rassemblement des troupes dans une ville de garnison. || *Port d'armes,* droit de porter sur soi des armes, que l'autorité accorde dans certains cas. || *Porter les armes,* faire la guerre. || *Prendre les armes,* s'armer en vue du combat, partir en guerre. || *Prise d'armes,* rassemblement de troupes en armes pour une cérémonie militaire. || *Tourner ses armes contre quelqu'un,* lui faire la guerre après avoir vécu en paix avec lui.

Louis **Armand**

armé → ARMER.

armée n. f. Ensemble des forces militaires terrestres d'une nation : *L'armée française.* || Groupement de moyens militaires affectés à une expédition, à un théâtre d'opérations ou

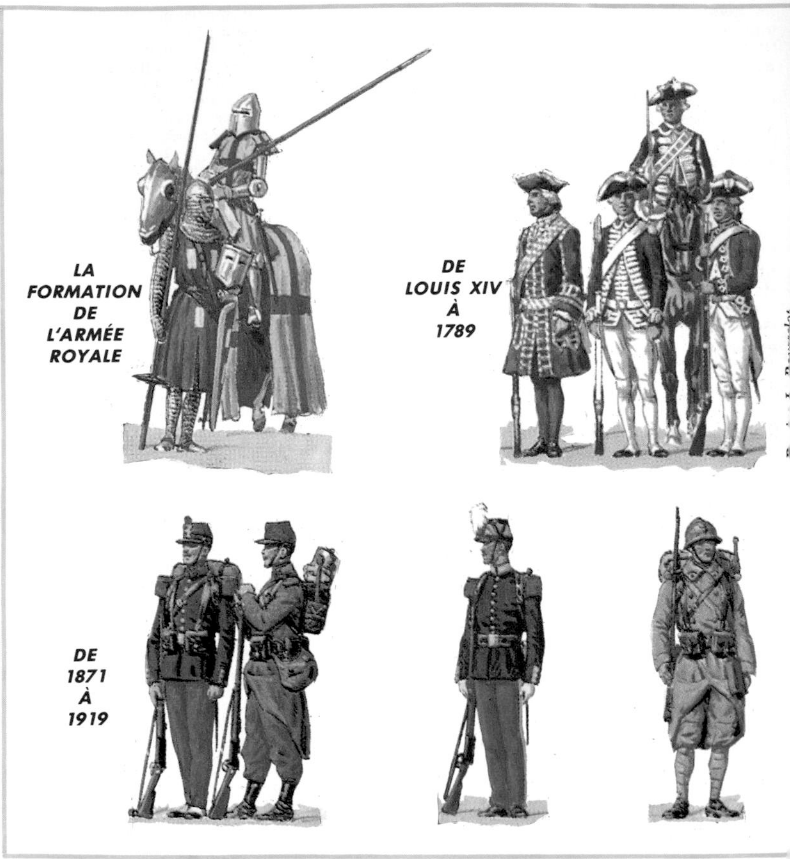

à une mission, ou placés sous le commandement d'un grand chef : *L'armée de l'air, de mer. L'armée d'Italie, de Napoléon.* || Nom donné, depuis 1914, à une grande unité militaire comprenant plusieurs corps d'armée et combinant l'action du combat vers l'avant et l'organisation des arrières : *La 1re armée française du général de Lattre (1944-1945).* || *Fig.* Foule, multitude formant groupe : *Une armée de piétons.* ● *Armée d'armistice,* V. ARMISTICE. || *Armées blanches,* formations contre-révolutionnaires russes qui, de 1918 à 1921, s'efforcèrent de renverser le nouveau régime soviétique par des opérations menées en Sibérie (Koltchak) et en Russie méridionale (Denikine, Wrangel). || *Armée mercenaire,* celle qui est formée de militaires professionnels, nationaux ou étrangers, recrutés par contrat ou par force (fin de l'Empire romain, Italie de la Renaissance, guerre de Trente Ans, etc.). [Sa cohésion repose surtout sur la fidélité de la troupe à la personne de ses chefs.] || *Armée de métier,* au XIXe s., armée recrutée suivant le principe de l'armée nationale, mais dans laquelle une faible fraction du contingent est seule appelée pour un service à long terme (de 5 à 12 ans). [C'est l'armée française de 1815 à 1870, dont l'encadrement est assuré en totalité par des militaires de carrière.] || *Armée de milice,*

armée constituée sur la base des armées nationales, mais dans laquelle le contingent n'est appelé que pour une courte période de service. (Sa valeur repose sur la mobilisation très rapide de ses réserves, comme c'est encore le cas en Suisse.) ‖ *Armée nationale,* celle qui, formée par les citoyens d'une même nation suivant le principe du service militaire obligatoire, traduit sa volonté de se défendre et notamment de préserver l'intégrité de son territoire. ‖ *Armée navale,* réunion, sous les ordres d'un même chef, de plusieurs flottes ou escadres. ‖ *Armée permanente,* armée constituée et entretenue par l'Etat en tout temps (y compris en temps de paix). [Ces armées se sont organisées en Europe aux XVe et XVIe s. Formées de nationaux ou de mercenaires, elles sont souvent renforcées, en cas de danger, par l'appel de milices.] ‖ *Armée rouge des ouvriers et paysans,* nom porté par les forces militaires terrestres soviétiques de 1918 à 1948. ‖ *Aux armées,* expression conventionnelle désignant l'ensemble du territoire où stationnent des forces militaires en opérations. ‖ *Corps d'armée, détachement d'armée, général d'armée, groupe d'armées,* v. CORPS, DÉTACHEMENT, etc. ‖ *Le Dieu des Armées,* dans l'Ancien Testament, expression désignant « Yahvé, le Dieu des troupes d'Israël » (I Sam., XVII, 45). ‖ Expression de l'universelle souveraineté divine. ‖ *La Grande Armée,* nom donné par Napoléon, de 1805 à 1814, à l'ensemble de ses troupes. (Elle comprenait à l'origine six corps français, la réserve de cavalerie, la garde impériale, un corps bavarois, une division badoise et une wurtembergeoise.)

— ENCYCL. Le principe de l'*armée nationale* conduit à la *nation armée,* qui fut le lot de la plupart des Etats avant et après la Première Guerre mondiale. La durée, l'opiniâtreté et l'universalité de la Seconde Guerre mondiale ont montré que les problèmes de défense n'étaient plus le monopole des armées. Le caractère total de la guerre a obligé en effet toutes les nations engagées à mobiliser tout le potentiel non seulement militaire, mais aussi économique, financier, moral, etc.
D'autre part, l'ouverture de l'ère atomique et la généralisation des conflits révolutionnaires ont conduit les pays à faire évoluer leurs armées soit vers une organisation de caractère scientifique et industriel (armée des Etats-Unis d'Amérique), puissante, mais limitée, et forcément composée en majeure partie de professionnels, soit vers une *armée de masse* formée aux méthodes de la guerre révolutionnaire (armée populaire chinoise).
La France a décidé en 1960 de créer un système de trois forces :
— la *force nucléaire stratégique,* qui doit *dissuader,* grâce à ses possibilités de représailles nucléaires, tout agresseur éventuel ;
— les *forces de manœuvre,* limitées, mais puissantes, et dont fait partie la *force d'intervention,* destinées à intervenir dans une guerre classique ou nucléaire ;
— les *forces de défense opérationnelles du territoire,* composées d'unités plus « rustiques », qui font un large appel à la mobilisation et qui doivent participer à la protection et à la défense de l'infrastructure du pays.
La loi de programmation militaire 1984-1988 prévoit la création d'une nouvelle force de 47 000 hommes, appelée *Force d'active rapide* (F. A. R.).

Armée (MUSÉE DE L'), musée constitué en 1905, à l'hôtel des Invalides, à Paris, par la réunion du musée de l'Artillerie (créé en 1685) et d'un musée historique (créé en 1896 avec le concours de la Sabretache, société d'histoire militaire). Ses collections sont réparties entre une section des armes et armures, et une section historique, renfermant des souvenirs militaires allant du Moyen Age à nos jours.

Armée du Salut. V. SALUT (*Armée du*).

armement → ARMER.

armement (DÉLÉGATION MINISTÉRIELLE POUR L'), organisme créé en 1961 et chargé de l'ensemble des programmes d'armement des trois armées. Réorganisée en 1971, elle comprend plusieurs directions : *recherche et moyens d'essais, armements terrestres, constructions navales, constructions aéronautiques,* le *service central des télécommunications et de l'informatique* et le *centre des hautes études de l'armement.* (L'Ecole supérieure de l'armement a été intégrée en 1970 à l'Ecole nationale supérieure des techniques avancées.)

Armenia, v. de Colombie, ch.-l. du dép. de Quindío, à l'ouest de Bogotá ; 137 200 h.

Arménie, en arménien **Hayastan,** région de hauts plateaux et de montagnes de l'Asie, partagée entre l'U. R. S. S., l'Iran et la Turquie, qui en occupe la plus vaste partie.

● *Géographie.* L'Arménie est un pays montagneux, formé par le rapprochement de l'arc du Taurus et de celui de la chaîne Pontique. De grands blocs calcaires ou cristallins s'élèvent jusqu'à 3 000 m d'alt. et dominent des dépressions intérieures ; le tout est surmonté par de grands volcans (*Ararat,* 5 165 m). L'Arménie compte plusieurs grands lacs, dont les principaux sont ceux de Van, de Sevan et de Rezaye. Le climat arménien est très froid l'hiver, chaud et sec l'été. Avant 1914, les paysans chrétiens arméniens peuplaient les dépressions et les grandes vallées, les montagnes étant occupées, l'été, par les Kurdes et leurs troupeaux. Dans toute l'Asie Mineure les colonies de commerçants arméniens étaient nombreuses et actives. Mais, depuis la Première Guerre mondiale, la quasi-totalité des Arméniens a dû quitter le pays et a émigré en Europe occidentale et en Amérique du Nord ; ils ont été remplacés par les Kurdes et par des Turcs. Nombre d'Arméniens se sont réfugiés en U. R. S. S., où ils vivent dans la république d'Arménie.

● *Histoire.* Au VIIe s. av. J.-C., les Arméniens s'installèrent dans la région du lac de Van, où s'était constitué, vers le IXe s. av. J.-C., le royaume d'Ourartou. Les Mèdes occupèrent le territoire de 612 à 549 av. J.-C. De 549 à 330 av. J.-C. ce fut une satrapie des Perses Achéménides. Conquise par Alexandre le Grand, l'Arménie fut, après sa mort, annexée au royaume de Séleucos Ier. En 189 av. J.-C., elle conquit son indépendance (capit. *Artaxata*). En 66 apr. J.-C., elle devint vassale de Rome. Les Romains distinguèrent la Grande Arménie et la Petite Arménie (respectivement à l'E. et à l'O. de l'Euphrate). Dès le IIIe s., les Sassanides envahirent une partie de l'Arménie, et deux zones d'influence distinctes furent délimitées entre la Perse et Rome. Dès cette époque, le christianisme pénétra le pays. Dans le même temps, les raids des Huns et des Khazars la ravagèrent, et des luttes religieuses aboutirent à la séparation de l'Arménie monophysite de l'Eglise d'Occident (concile de Dwin, 506). Vers 640, les Arabes entreprirent la conquête et la conversion de l'Arménie. De nouvelles luttes religieuses éclatèrent. De 885 à 1079, le royaume fut indépendant, avec des maîtres indigènes, les Bagratides (capit. *Ani*). Mais, dès 1080, les Byzantins s'en emparèrent (dynastie Roupénienne), tandis qu'une partie de la population s'enfuyait vers le Taurus et établissait en Cilicie le royaume de Petite Arménie. En 1375, les Mamelouks conquirent ce dernier. Peu après (1386-1394), Tīmūr s'empara de la Grande Arménie et massacra une grande partie de la population. Pendant deux siècles, l'Arménie fut disputée entre les Turcs et les Perses. La partie orientale échut finalement à la Perse, et la partie occidentale à la Turquie. C'est sur la Perse que la Russie conquit, dès 1827, la région d'Erevan. Le congrès de Berlin (1878) lui donna les régions turques de Kars, d'Ardahan et de Batoum. De 1894 à 1916, l'Arménie traversa une des périodes les plus pénibles de son histoire. Un plan d'extermination systématique fut dressé par les Turcs et appliqué notamment en 1895-1896 et en 1915-1918.

Après la révolution d'Octobre, la Russie abandonna l'Arménie, et le traité de Brest-Litovsk (1918) l'érigea en république indépendante. Elle fut reconnue au traité de Sèvres (1920). Mais, la même année, les Turcs obtinrent la restitution des régions de Kars et d'Ardahan, tandis que les Russes proclamaient la république socialiste soviétique d'Arménie. Cet état de choses fut définitivement reconnu par le traité russo-turc de 1921.

● *Littérature.* Les plus anciens textes conservés datent de la conversion de l'Arménie au christianisme, vers 300. Durant tout le Moyen Age et jusqu'au XVIIIe s., la littérature religieuse l'emporte de beaucoup sur les autres genres. Cependant, à partir du XIIIe s., des poètes lyriques, dont l'inspiration rappelle celle de la poésie persane, se succèdent. Les plus remarquables sont Frik, Constantin d'Erzinga, Jean de Telgouran. Ils se relaient jusqu'au XVIIIe s., où se distingue le poète Sayat-Nova. Quant à l'épopée nationale *David de Sassoun,* elle prend forme vers le XIIIe s. et se transmettra, souvent en des versions orales, de génération en génération jusqu'au XIXe s. Au XVIIIe s., l'abbé Mékhithar et sa congrégation, fixée à Venise, préparent la renaissance littéraire en langue classique, puis un renouvellement total, qui s'affirme au cours du XIXe s. et qui élève le dialecte occidental moderne au rang de langue littéraire. Avec les poètes romantiques (Terzian, Tourian, Bechigatchlian), la littérature arménienne se rapproche des littératures d'Europe occidentale, dont tous les genres et toutes les écoles seront représentés : poésie réaliste (Varoujan) et symboliste (Siamantho); le théâtre tragique, qui, d'abord didactique, devient œuvre littéraire (Chanth); le roman réaliste (Zohrab, Arpiarian, Pachalian, Odian); la satire et la comédie (Baronian, Odian); la critique littéraire (Tchobanian). Au milieu du XIXe s. se crée au Caucase, en dialecte oriental, qui devient lui aussi langue littéraire, une littérature qui subit davantage les influences russe et allemande. Le roman est d'abord patriotique (Abovian, Raffi), puis réaliste (Chirvanzadé, Papazian, Aharonian); le théâtre est social (Soundoukian, Chirvanzadé), la poésie, souvent folklorique (Toumanian). La littérature de l'Arménie soviétique compte des poètes et des écrivains de valeur : Issaakian, Tcharentz, Derian, Démirdjian.

● *Beaux-arts.* L'Ourartou fut un centre important de l'art du métal, inspiré du mésopotamien et du hourrite. On a mis au jour des ruines de temples, de citadelles et de villes. Plus tard, l'épanouissement artistique de l'Arménie correspondit à celui de Byzance. A partir du IVe s., l'architecture prit un aspect original, en élaborant de remarquables solutions constructives et stylistiques (églises basilicales à piliers, à plusieurs nefs; à plan central et à coupoles; contre-butement par absides; étagement des volumes). La sculpture connut aussi un grand développement : stèles funéraires du VIIIe au XVIIe s., bas-reliefs à représentations d'animaux, de végétaux. La miniature et les fresques ont également contribué à l'influence de l'Arménie sur l'art médiéval d'Occident.

Arménie (RÉPUBLIQUE SOCIALISTE FÉDÉRATIVE SOVIÉTIQUE D'), en russe **Armianskaïa S. S. R.;** 29 800 km²; 3 222 000 h. Capit. *Erevan.* L'agriculture se concentre dans les bassins de Leninakan et d'Erevan (céréales, vignobles, sériciculture, coton). L'importance de la production d'hydro-électricité (eaux du lac Sévan et de son émissaire, le Razdan) a permis l'industrialisation (produits chimiques, textiles). Mines de cuivre.

arménien, enne adj. et n. Relatif à l'Arménie; habitant ou originaire de ce pays. || Qui appartient à l'Eglise arménienne. ● *Rite arménien,* liturgie des Eglises arméniennes, unies à Rome ou séparées. (L'Arménie, qui dépendait originellement du patriarcat d'Antioche, lui a emprunté sa liturgie. L'arménien ancien a remplacé le syriaque comme langue liturgique.) || — **arménien** n. m. Groupe de langues indo-européennes parlées entre la Mésopotamie, la mer Noire et les vallées du Caucase, et dont le dialecte principal est l'arménien des R. S. F. S. d'Arménie et de Géorgie.

Armentières, ch.-l. de c. du Nord (arr. et à 16 km au N.-O. de Lille), sur la Lys; 25 992 h. (*Armentiérois*). Industries textiles. Brasserie.

armer v. tr. (lat. *armare*). Fournir d'armes : *Armer les civils.* || Garnir d'armes; mettre en état de défense : *Armer une citadelle.* || Lever des troupes : *Etat qui peut armer 500 000 hommes.* || Procéder à l'armement d'un navire. || Mettre en place les avirons d'une embarcation (au commandement de *Armez !*) et y embarquer le personnel. || Revêtir quelqu'un de ses armes. || Garnir, munir, équiper : *Armer un puits de pétrole pour l'extraction.* || Placer une arme à feu à la position de l'armé. || *Fig.* Fortifier, prémunir : *Etre armé contre le découragement.* || Inciter à prendre les armes : *L'injustice arme les opprimés.* ● *Armer chevalier,* recevoir, avec les cérémonies d'usage, dans l'ordre de la chevalerie. (V. ADOUBEMENT.) || *Armer l'oiseau* (Fauconn.), fixer aux jambes de l'oiseau les jets et les sonnettes. || *Armer de pied en cap,* munir d'une armure complète, et, *par extens.,* d'autant d'armes qu'on en peut porter. || *Cheval qui arme ses lèvres,* cheval qui couvre les barres avec ses lèvres, ce qui rend l'appui du mors trop ferme. ✦ v. intr. Faire des préparatifs de guerre : *Toutes les puissances du monde arment.* || — **s'armer** v. pr. Se munir d'armes ou de tout objet pouvant en tenir lieu : *Il s'arma d'un bâton;* et, au *fig.* : *Pour l'aborder, je m'armai de courage.* || Prendre les armes pour faire la guerre : *En 1793, toute la France s'arma pour se défendre.* || Tirer parti, avantage : *L'ingrat s'arme contre son bienfaiteur des bienfaits qu'il en a reçus.* || Se munir de ce qui peut être utile : *En prévision d'une averse possible, il s'arma d'un parapluie.* ◆ **armateur** n. m. Celui qui prend à son compte l'armement d'un navire, qu'il en soit ou non propriétaire. (L'armateur est celui qui exploite un navire de commerce. La loi en fait un commerçant. Il est, le plus souvent, propriétaire du navire [dans le cas contraire, on dit *armateur-gérant*]. L'armateur choisit le capitaine et est responsable des actes de celui-ci pour tout ce qui est relatif au navire et à l'expédition ; il peut s'affranchir des obligations contractées par le capitaine en faisant l'abandon du navire et du fret du dernier voyage.) ◆ **armature** n. f. Assemblage qui maintient ensemble, renforce ou soutient les différentes parties d'un tout : *L'armature d'un abat-jour.* || Charpente cintrée sur laquelle on établit les arcades, les arches, les voûtes. || Ferraillage du béton armé. || Assemblage de pièces de soutien constituant le squelette d'une statue ou l'ossature d'un vitrail. || Charpente d'une boîte de montre ou d'horloge, comportant un fond, un couvercle et une frise. || Pièce de fer doux que l'on place au contact des pôles d'un aimant, afin de conserver son aimantation. || Chacun des deux conducteurs séparés par le diélectrique, dont l'ensemble constitue un condensateur électrique. || Réunion de bémols et de dièses qui se trouvent à la clef, et qui sont affectés au ton et au mode dans lequel le morceau est écrit. (On dit aussi ARMURE.) || *Fig.* Ce qui maintient, soutient : *Maison commerciale qui a une solide armature financière.* ◆ **armé, e** adj. Qui a des armes : *Soldat armé.* || Se dit d'un navire pourvu de son équipage, du combustible et des approvisionnements nécessaires pour prendre la mer et effectuer le voyage prévu. || Se dit d'un conducteur ou d'un câble électrique isolé, sous plomb, dont l'armure est composée de deux feuillards enroulés en hélice de même sens, de manière que l'intervalle libre entre les spires d'une hélice soit recouvert par les spires de la seconde hélice. ● *Béton armé,* v. BÉTON. || *Forces armées,* forces militaires terrestres, navales et aériennes d'un Etat. — ***armé*** n. m. Position d'une arme à feu prête à tirer. (Dans cette position, l'ensemble du percuteur et de la masse percutante, maintenu accroché vers l'arrière sur une tête de gâchette, comprime le ressort, dont la détente lance le percuteur vers l'avant et fait partir le coup.) ◆ **armement** n. m. Action de pourvoir en armes : *Décider l'armement d'une place.* || Ensemble des armes d'une unité, d'une armée, d'un pays : *L'armement d'un bataillon.* || Catégorie d'armes : *L'armement individuel, collectif.* || *Par extens.* Préparatifs de guerre : *Pousser ses armements.* || Etude et technique du fonctionnement des armes : *Un ingénieur d'armement. Un cours d'armement.* || Puissance globale de feu d'un navire de guerre. || Embarquement, sur un navire de guerre, du matériel mobile, du combustible, des munitions, qui doivent le mettre en état d'appareiller et de combattre. (Lors de la construction d'un navire, c'est la phase qui précède celle des essais ; on dit alors *armement pour essai.*) || Phase de la construction d'un navire qui suit celle du lancement et au cours de laquelle on place à bord les appareils moteurs et auxiliaires. || Ensemble des opérations par lesquelles on équipe un navire. || Fait d'affecter un navire à une exploitation donnée. || Société qui fait naviguer des navires pour son propre compte. || Ensemble des entreprises qui exploitent des navires de commerce. || Ensemble des hameçons qui garnissent un leurre.

— ENCYCL. ***armement.*** *Mil.* L'apparition en 1945 de l'arme nucléaire, jointe au développement du moteur-fusée et de l'électronique, a bouleversé l'équilibre précaire des armes antérieures, appelées désormais *classiques.* Aussi le terme d'« armement » recouvre-t-il aujourd'hui un ensemble de matériels de plus en plus diversifiés, qui comprend : les armes à feu classiques (canons, fusils, mitrailleuses...) ; les systèmes d'armes autopropulsées, de type roquette ou missile ; les matériels terrestres motorisés (véhicules de transport, du génie, ponts automoteurs...) et mécanisés (blindés) ; les aéronefs (avions, hélicoptères, hydroptères), avec leur infrastructure ; les matériels aéroportés ou amphibies ; les navires de surface ou sous-marins, avec leur appui aérien ; les moyens de transmission et de détection (radio, radar, sonar) ; les armes nucléaires stratégiques et tactiques ; les moyens d'agression biologiques ou chimiques, ainsi que leurs parades. La *course aux armements,* née au début du XXe s., essentiellement quantitative, cède le pas aujourd'hui à une compétition scientifique et technique. Elle s'applique en effet à des matériels d'une technologie de plus en plus complexe, dont le prix de revient unitaire ne cesse d'augmenter (on estime que le coût d'un avion de combat est multiplié par dix tous les dix ans). Ce fait explique le désir des Etats d'abaisser ce prix de revient en accroissant par l'exportation le volume des séries. La mise au point de ces matériels résulte d'une coopération entre la recherche (laboratoires), l'industrie et les militaires chargés de les employer. Aussi les programmes d'armement s'inscrivent-ils dans une rigoureuse planification menée, en France, dans le cadre de lois-programmes établies, en principe, pour cinq ans.

armeria n. f. V. STATICE.

Armeria, musée d'armes anciennes, constitué par Philippe II en 1564, et installé dans une dépendance du Palais royal de Madrid.

armet n. m. Casque complètement clos, en usage du XVe au XVIIe s.

armeuse n. f. Machine disposant une armure en fils ou en rubans d'acier pour la protection des câbles électriques isolés.

Armide, une des héroïnes de *la Jérusalem délivrée,* du Tasse. Elle a séduit Renaud, qu'elle retient loin de l'armée des croisés, dans ses jardins enchantés. On fait allusion aux *jardins d'Armide,* au *palais d'Armide,* pour désigner un lieu de délices.

Armide, tragédie lyrique de Lully, livret de Quinault (Opéra, 1686). — Gluck reprit le livret de Quinault pour son *Armide,* jouée à l'Opéra en 1777.

armillaire adj. (lat. *armilla,* bracelet). *Sphère armillaire,* assemblage de cercles représentant le ciel et le mouvement des astres, et au centre desquels un globe figure la Terre. ✦ n. m. Champignon couleur de miel, très nuisible aux arbres, dont ses filaments exploitent les racines. ◆ **armilles** n. f. pl. Petits filets ou moulures entourant le chapiteau des colonnes doriques. (On les nomme aussi ANNELETS.)

arminianisme n. m. Doctrine adoptée par les sectateurs d'Arminius, et qui combattait une partie des doctrines de Calvin (XVIIe s.). ◆ **arminien, enne** adj. et n. Qui concerne ou qui professe l'arminianisme.

— ENCYCL. ***arminianisme.*** Reprenant les idées de son compatriote Koornherj, le théologien Arminius s'éleva contre le dogme calviniste de la double prédestination en soutenant que les bienfaits de la grâce sont offerts à tous. Après sa mort (1609), ses adeptes présentèrent aux états de Hollande une « remontrance», résumé de leur doctrine, violemment combattue par Gomar, qui présenta une « contre-remontrance » (1611). Le conflit religieux devint politique, car les arminiens se recrutaient parmi la bourgeoisie libérale de Hollande, et les gomaristes parmi la noblesse et les paysans, avec, à leur tête, la famille d'Orange-Nassau. La condamnation de l'arminianisme au synode de Dordrecht en 1618 (exécution d'Oldenbarneveldt) marqua le triomphe du gomarisme, mais aussi du parti d'Orange sur la bourgeoisie républicaine.

arminidés n. m. pl. Famille de mollusques opisthobranches marins, munis de lamelles respiratoires latérales.

arminien → ARMINIANISME.

Arminius, né v. 18 av. J.-C., chef des Chérusques, et héros populaire allemand sous le nom de HERMANN. Il vainquit les légions de Varus (9 apr. J.-C.), mais fut battu par Germanicus (16).

Arminius (Jacobus), nom latinisé de **Hermann,** théologien protestant hollandais (Oudewater, Hollande, v. 1560 - Leyde 1609), fondateur de la secte des arminiens.

armistice n. m. (lat. *armistitium,* sur le modèle *justitium,* suspension des tribunaux). Convention par laquelle les belligérants suspendent les hostilités, sans toutefois mettre fin à l'état de guerre : *L'armistice du 11 novembre 1918.* ● *Armée d'armistice,* nom donné en France à l'armée organisée dans la zone libre après la défaite de 1940. (Autorisée par la Convention d'armistice, elle fut dissoute lors de l'invasion de la zone libre par la Wehrmacht en novembre 1942.)

armlock n. m. (mot angl.). Clef de bras, dans la lutte, le judo.

armoire n. f. (lat. *armarium ;* de *arma,* ustensiles). Meuble en bois ou en métal, compartimenté intérieurement et servant à ranger

Giraudon

armoire attribuée à Sambin (XVIe s.), *Louvre*

le linge, les vêtements, etc. ● *Armoire chauffante,* armoire spécialement conçue pour sécher ou chauffer. ‖ *Armoire frigorifique,* meuble calorifugé permettant la conservation, à basses températures, des denrées périssables. (Syn. RÉFRIGÉRATEUR.) [V. *encycl.*] || *Armoire à glace* (Pop.), ou simplem. *armoire,* homme à larges épaules carrées. || *Fond d'armoire,* vieux vêtements, vieux linge : *Donner ses fonds d'armoire à une œuvre de bienfaisance.*

— ENCYCL. **armoire frigorifique.** Les armoires frigorifiques, dont l'intérieur est maintenu à une température inférieure à la température ambiante, sont refroidies automatiquement soit par une installation frigorifique *à absorption* (elles peuvent fonctionner à l'électricité, au gaz ou au pétrole), soit par une installation frigorifique *à compression.* Dans ce cas, le compresseur et le moteur sont parfois dans une même enceinte hermétique, ce qui réduit les fuites de fluide. Les armoires frigorifiques, en bois ou en métal, sont à usage domestique (capacité de 50 à 400 litres) ou commercial (boucherie, crémerie, boulangerie, etc.). Elles firent leur apparition vers 1910.

Armoire de fer (l'), coffre dissimulé dans le mur d'un corridor des Tuileries. Le serrurier Gamain, qui y avait travaillé avec le roi Louis XVI, en dénonça le secret en 1792 au ministre Roland. Les documents trouvés dans cette armoire furent des charges accablantes au procès du roi.

armoiries n. f. pl. (du lat. *arma,* armes). Emblèmes en couleurs, héréditaires ou constants, propres à des familles ou à des communautés, exceptionnellement à des individus. (V. HÉRALDIQUE.) ◆ **armorial, e, aux** adj. Relatif aux armoiries : *Traité armorial.* || — ***armorial*** n. m. Recueil des armoiries de la noblesse d'une nation, d'une province, d'une famille : *L'armorial général de la France. L'armorial de Bretagne.* ◆ **armorié, e** adj. *Lettres armoriées,* capitales dont la couleur est figurée conventionnellement, comme dans le blason, par des hachures. ◆ **armorier** v. tr. Décorer d'armoiries : *Faire armorier sa vaisselle, son mobilier, ses livres.*

armoise n. f. (lat. *artemisia;* de *Artémis,* nom myth.). Genre de composés tubuliflores aux feuilles très découpées, fournissant la santonine, le citronnellol, l'estragon, le génépi et l'absinthe.

armoisin n. m. (ital. *armosino* [à cause des armoiries dont on en marquait les balles]). Taffetas mince et terne, façonné en Italie au XVIe s., puis à Lyon, et dont la trame comporte de trois à six fils.

armon n. m. (lat. *artemo*). Ensemble des pièces du train avant d'une voiture hippomobile, sur lesquelles se fixent les brancards ou le timon.

Armor ou **Arvor,** nom celtique de la Bretagne, signif. *sur la mer.* De là vient le nom d'Armorique. On a souvent opposé l'*Armor* (le pays de la mer, les régions côtières) à l'intérieur, l'*Arcoat* (le pays des bois).

armoracia n. f. (de *Armor,* Bretagne côtière). Nom générique du raifort, condiment riche en vitamine C. (Famille des crucifères.)

armorial → ARMOIRIES.

armoricain, e adj. et n. Qui se rapporte à l'Armorique ; habitant ou originaire de l'Armorique. ● *Race armoricaine,* race de bovins exploitée en Bretagne, excellente pour le lait et la viande, de taille moyenne, et dont la robe est pie rouge.

armoricain (MASSIF), région naturelle de l'ouest de la France, s'étendant en Bretagne, en Normandie occidentale, en Vendée, en Anjou et dans le bas Maine. Le Massif armoricain est formé de terrains anciens (surtout précambriens) dont une grande partie s'est trouvée métamorphisée. Les terrains sédimentaires (du cambrien au carbonifère) sont conservés dans les plis synclinaux, dont la direction générale est O.-N.-O., E.-S.-E. (direction dite « armoricaine »). Après la formation de la chaîne hercynienne, le massif a été pénéplané à plusieurs reprises. Aujourd'hui, de vastes surfaces aplanies sont dominées par des ensembles de reliefs plus marqués, correspondant soit aux roches les plus dures, soit à des blocs soulevés : en Bretagne, les monts d'Arrée (384 m) ; en Vendée, le mont Mercure (284 m) ; en Normandie, la forêt d'Ecouves (417 m) ; dans le bas Maine, le signal des Avaloirs (417 m).

armorié, armorier → ARMOIRIES.

Armorique (du celte *armor,* sur la mer), nom donné, aux époques celtique, gallo-romaine et franque, à la contrée de la Gaule occidentale débordant très largement la péninsule de la Bretagne actuelle. La population celtique de la péninsule reçut, du Ve au VIIe s., un afflux d'immigrants celtes venus des îles Britanniques et chassés par les invasions saxonnes. Cette péninsule, peuplée par des Bretons de Grande-Bretagne, s'appela désormais *Britannia,* Bretagne.

Armstrong (John), médecin et poète écossais (Castletown, Roxburghshire, v. 1709 - Londres 1779), auteur d'un poème didactique sur *l'Art de conserver la santé* (1744).

Armstrong (William, baron), industriel et inventeur britannique (Newcastle 1810 - Rothbury 1900). En 1854, il mit au point un canon rayé se chargeant par la culasse, qui fut adopté en 1858 par l'armée anglaise. Fondateur des usines Elswick, il se spécialisa dans les industries d'armement, les machines hydrauliques et hydro-électriques.

Armstrong (Louis), trompettiste, chanteur et chef d'orchestre de jazz, Noir américain (La Nouvelle-Orléans 1900 - New York 1971). Imprégné de la tradition néo-orléanaise, il est le père du jazz classique.

Armstrong (Neil), cosmonaute américain (Wapakoneta, Ohio, 1930). Il fut le premier homme à fouler le sol lunaire, dans le cadre de l'opération « Apollo XI » (20 juillet 1969).

armure

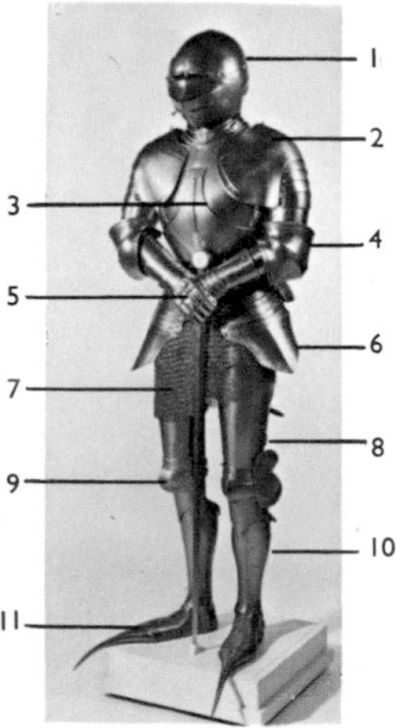

1. Armet
2. Epaulière
3. Plastron
4. Cubitière
5. Gantelet
6. Tassette
7. Cotte de mailles
8. Cuissot
9. Genouillère
10. Jambière
11. Soleret à la poulaine

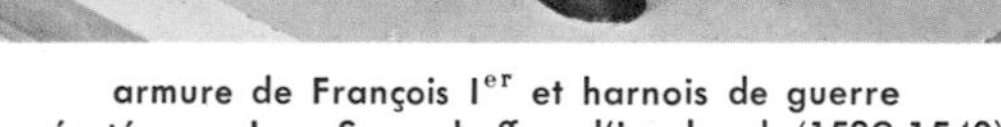

armure de François Ier et harnois de guerre exécutés par Jorg Seusenhoffer, d'Innsbruck (1539-1540)

musée de l'Armée, Paris
Bibliothèque nationale

U.S.I.S.

Louis Armstrong

armure n. f. (lat. *armatura*). Ensemble des armes métalliques défensives (cuirasse, casque, etc.) qui protégeaient le corps de l'homme de guerre, du XIVe au XVIIe s. : *Armure de guerre, de joute, de parade.* ‖ *Fig.* Dureté d'aspect : *Se faire une armure de son mépris.* ‖ Nom donné aux piquants du hérisson, à la carapace de la tortue, à la peau épaisse qui couvre les épaules du sanglier. ‖ Mode d'entrecroisement des fils de chaîne et de trame constituant un tissu. (V. *encycl.*) ‖ Enveloppe en métal dur, destinée à protéger un câble électrique. ‖ Ferrure, pièces de fer servant à maintenir, à fortifier, à préserver une charpente, une meule, une machine. ‖ Bas de ligne pour la pêche des carnassiers. ‖ Engin de carrière, destiné à scier simultanément de nombreuses tranches dans un bloc

armures. Guerre de Cent Ans, vigiles de Charles VII

de pierre ou de marbre. ● *Armure à l'antique,* harnois de parement qui, au XVIe s., rappelait les armes de l'Antiquité classique (telle l'armure de Charles Quint). ‖ *Armures factices,* effets particuliers obtenus, le plus souvent, par tissage d'armures très simples (fondamentales dans la majorité des cas), mais en combinant judicieusement des fils de chaîne et de trame de couleurs variées. ‖ *Armure à tonne,* au XVIe s., armure dont la braconnière formait une sorte de jupon de fer descendant presque jusqu'au genou. (L'armure complète comprenait l'armet, la mentonnière, l'épaulière, la cubitière, le gantelet, le plastron, la braconnière, le cuissot, la genouillère, la jambière, le soleret, etc.)

— ENCYCL. *Text.* Pour représenter l'armure d'un tissu, on utilise le procédé dit *de mise en carte,* dans lequel, sur un papier quadrillé, les interlignes verticaux du quadrillage figurent les fils de chaîne, et les interlignes horizontaux les fils de trame, ou *duites,* du tissu. Si, sur un tel quadrillage, on veut figurer qu'un fil de chaîne évolue au-dessus d'un fil de trame, il suffit, par convention, de colorier la case placée à l'intersection envisagée du fil de chaîne et du fil de trame. On a alors un *pris.* L'absence de coloration d'une case, qui correspond à un *laissé,* figure le passage du fil de chaîne au-dessous du fil de trame correspondant. Par une combinaison judicieuse de pris et de laissés, on peut représenter toutes les évolutions respectives des fils de chaîne et des fils de trame d'un tissu. Très souvent, la mise en carte d'un tissu permet de découvrir une loi de répétition de l'évolution des fils. La surface de la mise en carte qui reproduit cette répétition constitue le *rapport d'armure* du tissu. Les armures fondamentales sont : la *toile**, le *sergé** et le *satin**. (V. TISSU.)

Armures (PALAIS DES), musée des Arts décoratifs de Moscou. Créé au début du XVIe s., il est devenu en 1917 un riche musée d'armes, d'armures, d'émaux, d'orfèvrerie, de pierres précieuses, de parures et de broderies.

armurerie n. f. Atelier ou magasin d'armurier. ◆ **armurier** n. m. Celui qui fabrique, répare ou vend des armes. (Le patron des armuriers, dont le premier statut date de 1409, était saint Georges. Dans les armées, l'appellation d'« armurier » désigne en général des sous-officiers spécialistes de la réception et de l'entretien des armes. Jusqu'en 1940, les maîtres armuriers relevaient du Service de l'artillerie ; depuis la création du Service du matériel, ils appartiennent à celui-ci.)

A. R. N., abrév. de *acide ribonucléique* (R N A dans la terminologie anglo-saxonne).

Arnaud de Brescia, réformateur politique italien (Brescia, fin du XIe s. - Rome 1155). Disciple d'Abélard, il lutta contre la corruption du clergé et prêcha le retour à la simplicité de l'Eglise primitive. Après avoir chassé le pape Eugène III (1145), il établit un nouveau gouvernement à Rome. Livré par Frédéric Barberousse, il fut étranglé, brûlé, et ses cendres jetées dans le Tibre.

Arnaud de Villeneuve, médecin catalan (Villeneuve, près de Montpellier, v. 1235 - † 1313). Très érudit, il s'adonna à l'astrologie, à l'alchimie. Il inventa peut-être la fabrication des liqueurs spiritueuses.

Arnaud de Moles, peintre-verrier français (Saint-Sever - † 1520), auteur des dix-huit verrières du pourtour du chœur de la cathédrale d'Auch.

Arnaud (Henri), pasteur et « colonel » des vaudois du Piémont (Embrun 1641 - Schöneberg, Wurtemberg, 1721). Il s'efforça en vain de rétablir les vaudois en Piémont lorsque Victor-Amédée, duc de Savoie, eut interdit dans ses Etats l'exercice de tout culte non catholique.

Arnaud (BACULARD D'). V. BACULARD.

Arnaud (abbé François), écrivain français (Aubignan, près de Carpentras, 1721 - Paris 1784). Sa guerre d'épigrammes contre Marmontel et les piccinnistes le fit surnommer LE GRAND PONTIFE DES GLUCKISTES. (Acad. des inscr., 1762; Acad. fr., 1771.)

Arnaud de l'Ariège (Frédéric), homme politique français (Saint-Girons, Ariège, 1819 - Versailles 1878), précurseur du catholicisme social. Député sous la IIe République, maire de Paris en 1870, il fut élu député à l'Assemblée nationale, puis sénateur de l'Ariège en 1876.

Arnauld, Arnaut ou **Arnault,** famille française originaire d'Auvergne, mêlée à l'histoire du jansénisme*. Antoine **Arnauld** (Paris 1560 - *id.* 1619), avocat au Parlement de Paris, père de vingt enfants, dont : Robert **Arnauld d'Andilly** (Paris 1589 - † 1674), traducteur d'ouvrages religieux, père du ministre **Arnauld de Pomponne ;** — Marie-Angélique **Arnauld de Sainte-Madeleine,** dite MÈRE ANGÉLIQUE (Paris 1591 - *id.* 1661). Abbesse de Port-Royal-des-Champs, elle réforma son couvent et y introduisit le jansénisme ; — Jeanne Catherine Agnès **Arnauld,** dite MÈRE AGNÈS (1593 - 1671), abbesse de Port-Royal ; — Antoine **Arnauld,** dit LE GRAND ARNAULD (Paris 1612 - Bruxelles 1694), théologien, docteur en Sorbonne et controversiste janséniste contre les jésuites. Il est l'auteur de plusieurs ouvrages : *De la fréquente communion* (1643), qui expose la doctrine janséniste, la *Grammaire générale et raisonnée* (1660) avec Lancelot, et la *Logique de Port-Royal* (1662) avec Nicole.

Arnauld de La Périère (Lothard VON), officier de marine allemand (Poznań 1886 - en France 1941). Issu d'une famille protestante française passée au service de la Prusse, il se classa, pendant la Première Guerre mondiale, comme le premier des commandants de sous-marins allemands (500 000 t de navires alliés coulés). Vice-amiral en 1939, il commanda en 1940 le front de mer (des Pays-Bas à Hendaye) et périt dans un accident d'avion.

Arnault de Mareuil, troubadour de la fin du XIIe s., originaire de Mareuil (Limousin). Auteur de chansons, il a composé également un poème didactique, *Ensenhamen.*

Arnaut Daniel, troubadour (Ribérac v. 1150 - † ?). Il reste de lui dix-huit pièces lyriques. On y trouve une forme nouvelle alors, la *sextine,* dont il est sans doute l'inventeur.

Arnay-le-Duc, ch.-l. de c. de la Côte-d'Or (arr. de Beaune), sur l'Arroux, à 28 km au N.-E. d'Autun ; 2 431 h. (*Arnétois*). Restes de remparts. Maisons du XVIe s. Fabrique de limes. Biscuiterie. En 1570, les catholiques y furent battus par Coligny. Patrie de Bonaventure Des Périers.

Arndt (Ernst Moritz), poète et écrivain politique allemand (Schoritz, île de Rügen, 1769 - Bonn 1860). Par ses *Chants de guerre,* il contribua à soulever l'Allemagne, en 1813, contre Napoléon. Dans son ouvrage principal, *l'Esprit du temps* (1806 et suiv.), Arndt prêcha le retour aux sources de la pureté et de la force germaniques.

Arne (Thomas), compositeur anglais (Londres 1710 - *id.* 1778). Très célèbre de son temps, il laissa une œuvre abondante, vocale et instrumentale, d'un style agréable et facile.

Giraudon

le Grand **Arnauld** par Coysevox *bibliothèque Sainte-Geneviève Paris*

Arneb (ar. *al-arnab,* le lièvre), nom donné à l'étoile α Lièvre* ou α *Leporis*. Magnit. 2,7 ; type spectral F 0.

arnebia n. m. Borraginacée ornementale aux fleurs dorées, dite aussi FAUSSE VIPÉRINE.

Arneth (FORMULE D') [du nom du médecin Joseph *Arneth* (Burgkunstadt, Allemagne, 1873)], formule fondée sur une classification des polynucléaires d'après leur nombre apparent de noyaux.

Arnhem, v. des Pays-Bas, ch.-l. de la Gueldre, sur le Rhin ; 129 100 h. Industries diverses, textiles. Centre de recherches nucléaires. La ville, l'ancienne *Arenacum* des Romains, fit partie de la Ligue hanséatique et entra dans les Etats du duc de Bourgogne (1473).

Arnhem (BATAILLE D'), offensive terrestre et aéroportée, déclenchée par Montgomery dans la région d'Arnhem du 17 au 27 sept. 1944. Trois divisions aéroportées furent lâchées, du 17 au 19 sept., par la IIe armée britannique. En raison de la violence des contre-attaques blindées allemandes, les Alliés n'entrèrent à Arnhem que le 3 avril 1945.

Arnhem (TERRE D'), presqu'île d'Australie, au N. du continent, entre la mer de Timor, la mer d'Arafura et le golfe de Carpentarie.

arnica n. m. ou (Acad.) n. f. (lat. des botanistes, altér. du gr. *ptarmikê;* de *ptarein,* éternuer). Composée vomitive, stimulant énergétique du système nerveux, et qui pousse surtout dans les Vosges.

Arnim (Ludwig Joachim, dit **Achim von**), écrivain allemand (Berlin 1781 - Wiepersdorf 1831). Ses premiers romans (*la Comtesse Dolorès,* 1810 ; *Isabelle d'Egypte,* 1812-1818 ; *les Gardiens de la couronne,* 1817) font une large place au bizarre et au fantastique. Arnim a rassemblé avec Cl. Brentano*, dans *le Cor merveilleux* (1806-1808), les chants populaires de l'Allemagne. — Sa femme Elisabeth BRENTANO, dite *Bettina* (Francfort-sur-le-Main 1785 - Berlin 1859), sœur du poète Cl. Brentano, publia à Berlin (1835) la *Correspondance de Goethe avec une enfant,* souvenir de l'admiration qu'elle avait éprouvée jadis pour le grand poète. La fin de sa vie fut consacrée à des études sociales où elle décrivit la vie du prolétariat industriel qui se constituait alors.

Arnim (Jurgen VON), général allemand (Ernsdorf 1889 - Bad Wildungen 1962). Commandant la IVe armée blindée en Tunisie en 1943, puis, comme successeur de Rommel, les forces de l'Axe en Tunisie, il dut capituler à leur tête le 12 mai 1943.

Arno, fl. d'Italie (Toscane) ; 245 km. Il prend sa source dans les Apennins, au monte Falterona, et traverse Florence et Pise.

Arnobe l'Ancien, en lat. **Arnobius,** apologiste chrétien du début du IVe s., auteur d'un ouvrage *Contre les païens* (*Disputationes adversus nationes*).

arnoglosse n. m. Poisson plat de qualité médiocre, dit aussi FAUSSE LIMANDE.

Arnold de Lübeck, chroniqueur allemand († apr. 1212), abbé de Lübeck. Sa chronique va de 1171 à 1209.

Arnold de Winkelried, héros suisse qui se distingua à la bataille de Sempach (1386), où il trouva une mort héroïque.

Arnold (Benedict), général américain (Norwich 1741 - Londres 1801). Après de brillants débuts dans la guerre de l'Indépendance, il trahit sa patrie.

Arnold (Johann), meunier prussien, connu par un procès célèbre qui fournit à Andrieux le sujet de son conte *le Meunier Sans-Souci.* Il se plaignit à Frédéric II de son seigneur, nommé Gersdorf, qui, en établissant le nouvel étang, enlevait l'eau à son moulin et en exigeait néanmoins le fermage. Le roi lui donna raison.

Arnold (Matthew), poète et critique anglais (Laleham, près de Staines, 1822 - Londres 1888). Auteur de poésies mélancoliques et raffinées (*Poèmes,* 1853 ; *Nouveaux Poèmes,* 1868), il s'intéressa à l'Antiquité et à la philosophie religieuse (*Littérature et dogme,* 1873 ; *Etudes irlandaises et autres,* 1882).

Arnold (Henry Harley), général américain (Gladwyne, Pennsylvanie, 1886 - près de Sonoma, Californie, 1950). Commandant adjoint de l'aéronautique en 1917, il fut le créateur de l'aviation militaire américaine de la Seconde Guerre mondiale, dont il prit, en 1942, le commandement, désormais autonome, et dont il dirigea l'emploi sur l'ensemble des théâtres d'opérations jusqu'en 1945.

Arnold (GRAND NERF OCCIPITAL D'), branche postérieure du deuxième nerf cervical. Il doit son nom à l'anatomiste allemand Friedrich *Arnold* (1803-1890).

Arnolfini et sa femme, peinture de Jan Van Eyck (National Gallery, Londres), représentant en pied le couple Arnolfini (Bruges, XVe s.).

Arnolfo di Cambio ou **di Lapo,** architecte et sculpteur italien (Colle di Val d'Elsa, près de Florence, v. 1240 - Florence v. 1302). Il travailla à Sienne, à Bologne avec Nicola Pisano, puis à Orvieto, à Rome et à Florence, où il dirigea la construction du Palazzo Vecchio et donna les plans de la cathédrale (1301).

Arnolphe, personnage de *l'Ecole des femmes,* comédie de Molière. Tuteur de la jeune Agnès, qu'il veut épouser, il l'élève dans une parfaite ignorance des choses de la vie.

arnoséris [ris] n. m. Composée des sols siliceux, aux fleurs jaunes.

Arnott (Archibald), médecin écossais (Dumfriesshire 1771 - † 1855). Médecin militaire à Sainte-Hélène, il assista Napoléon Ier à ses derniers moments.

Arnoul (saint) [580 - v. 640], évêque de Metz v. 610. Par son fils Anségisel, père de Pépin d'Herstal, il fut l'ancêtre de la dynastie carolingienne. — Fête le 18 juill.

Arnoul ou **Arnulf,** souverain carolingien, roi de Germanie en 887, empereur d'Occident (896-899), fils naturel de Carloman, roi de Bavière. Il mourut à Ratisbonne après une intervention en Italie (899).

Arnoul Ier le Grand, comte de Flandre (918-965), fils et successeur de Baudouin le Chauve. Il dut lutter contre les Normands. — **Arnoul II** LE JEUNE, comte de Flandre (965-988). Il entra dans la vassalité du roi de France.

Fleming

« Arnolfini et sa femme »

Arnoul, évêque d'Orléans en 972 († 1003). Il couronna Robert, fils d'Hugues Capet, et rebâtit la cathédrale d'Orléans.

Arnoul, archidiacre de Séez, puis évêque de Lisieux († 1181). Il s'efforça de maintenir le roi Henri II et les évêques anglais dans l'obédience pontificale lors du schisme d'Octavien, et tenta de réconcilier le roi et Thomas Becket.

Arnould (Sophie), cantatrice française (Paris 1740 - *id.* 1802). Elle débuta à l'Opéra en 1757 et interpréta les œuvres de Rameau, Gluck, etc.

Arnouville-lès-Gonesse, comm. du Val-d'Oise (arr. de Montmorency), à 11 km au N.-N.-E. de Paris ; 10679 h.

Arnouwanda Ier, roi hittite, fils de Souppilouliouma (XIVe s. av. J.-C.). Il dirigea une expédition hittite en Egypte. — **Arnouwanda II,** avant-dernier roi hittite (v. 1200 av. J.-C.).

Arnoux (Alexandre), écrivain français (Digne 1884 - Paris 1973). Il a écrit une œuvre d'inspiration très variée, composée de romans (*la Belle et la Bête,* 1913 ; *Abisag ou l'Eglise transportée par la foi,* 1919 ; *le Rossignol napolitain,* 1937 ; *les Crimes innocents,* 1952 ; *Bilan provisoire,* 1955 ; *le Règne du bonheur,* 1960 ; *Flamenca,* 1964), de pièces (*Huon de Bordeaux,* 1923 ; *l'Amour des trois oranges,* 1947, adaptée de Gozzi) et d'essais (*Paris-sur-Seine,* 1939 ; *Rhône, mon fleuve,* 1944). [Acad. Goncourt, 1947.]

Arnoux (Maurice), pilote français (Montrouge 1895 - Angivilliers, Somme, 1940). Industriel, il remporta la coupe Deutsch de la Meurthe en 1934 (389 km/h sur 2 000 km) et de nombreux records de vitesse et d'altitude. Versé, sur sa demande, dans la chasse en 1939, il fut abattu en combat aérien.

arobe, arrobe ou **arroba** n. f. Mesure de capacité pour les liquides, utilisée dans les pays espagnols et portugais (de 10 à 16 litres). ‖ Poids en usage dans les mêmes pays (de 11 à 15 kg).

Aroe. V. ARU.

aroïdées n. f. pl. V. ARACÉES.

arol n. m. Nom usuel du *pin* cembro.*

aromadendron n. m. (gr. *arôma,* parfum, et *dendron,* arbre). Arbre javanais qui fournit un très beau bois de construction. (Famille des magnoliacées.)

aromal, aromate, aromatique, aromatiquement, aromatisation, aromatiser → ARÔME.

arôme n. m. (gr. *arôma*). Odeur agréable qui s'échappe de différentes substances d'origine végétale ou animale : *Humer l'arôme du jasmin.* ‖ Parfum caractéristique d'un mets. ‖ — SYN. : *bouquet, émanation, exhalaison, fragrance, fumet, odeur, parfum.* ‖ — REM. *Arôme* ne s'écrit avec un accent circonflexe que depuis la dernière édition du *Dictionnaire de l'Académie* (1932). ◆ **aromal, e, aux** adj. Plein d'arômes : *Des fleurs aromales.* ◆ **aromate** n. m. Tout parfum d'origine végétale, utilisé en médecine, en parfumerie ou en cuisine. (On extrait les aromates des plantes les plus diverses : girofle, muscade, vanille, cannelle, poivre, menthe, anis, thym, laurier, moutarde, etc.) ◆ **aromatique** adj. et n. m. De la nature des aromates ; qui exhale une odeur agréable, suave : *Plante, huile aromatique.* ‖ Se dit de composés organiques cycliques dont la formule contient le noyau benzénique. ◆ **aromatiquement** adv. De façon aromatique. ◆ **aromatisation** n. f.

Action d'aromatiser. ‖ Réaction chimique par laquelle un composé acyclique est transformé en aromatique. ◆ **aromatiser** v. tr. Parfumer avec un aromate : *Aromatiser une boisson.*

aromie n. f. Longicorne des saules d'Europe, à odeur musquée.

Aron (Raymond), journaliste et sociologue français (Paris 1905-*id.* 1983). Professeur à la Sorbonne, il est l'auteur de travaux sur la sociologie et sur la philosophie de l'histoire, ainsi que d'essais consacrés à divers grands problèmes contemporains. (Acad. des sc. mor. et polit., 1963.)

aronde n. f. (lat. pop. **hirunda,* pour *hirundo*). Anc. nom de l'*hirondelle.* ‖ Crampon en forme de queue d'aronde, servant à relier deux pièces de charpente ou deux pierres. ● *Assemblage à queue d'aronde* ou *d'hironde,* assemblage dans lequel le tenon

assemblage (bois) à queue d'**aronde**

et la mortaise ont une forme qui rappelle une queue d'hirondelle, et que l'on emploie pour réunir par leurs extrémités des pièces assemblées d'équerre.

Arosa, comm. de Suisse (Grisons) ; 2 600 h. Centre touristique ; station météorologique.

Arouet, nom de famille de **Voltaire***.

Arouhouimi ou **Aruwimi,** affl. du Congo (r. dr.) ; 1 300 km. Il conflue à Basoko.

Aroumain(s) ou **Koutso-Valaque(s),** population de langue roumaine du sud de la Yougoslavie, du nord de la Grèce, de la Bulgarie et de l'Albanie.

Arp (Hans), sculpteur français (Strasbourg 1886 - Bâle 1966). Il a participé aux mouvements dada et surréaliste, et il est l'un des principaux représentants de l'art abstrait (musée national d'Art moderne).

Hans **Arp,** « Concrétion humaine »
musée nat. d'Art moderne

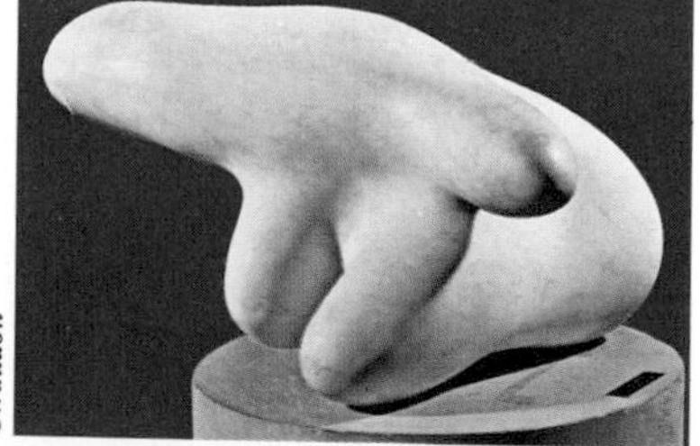

Giraudon

Arpachiyah, site préhistorique de la vallée du Tigre, à l'E. de Ninive. Il montre l'évolution de la culture de Halaf (dernier tiers du Ve millénaire). On y a trouvé des habitations au plan circulaire, des *tholoi* (lieux de culte ou de pèlerinage), et de nombreuses céramiques polychromes.

Árpád, conquérant hongrois († 907), fondateur de la dynastie des *Árpáds,* ou *Árpádiens,* éteinte en 1301.

Arpajon, ch.-l. de c. de l'Essonne (arr. de Palaiseau), sur l'Orge, à 19 km au N.-E. d'Etampes ; 8 028 h. (*Arpajonnais*). Halles du XVIIe s. Foire aux haricots en septembre. Industries diverses.

Arpajon (MAISON D'), famille du Rouergue, issue d'Hugues Ier, sire d'Arpajon (1268).

arpège n. m. (ital. *arpeggio*). Accord dont les notes sont entendues successivement au lieu de l'être simultanément. ◆ **arpégé, e** adj. *Accord arpégé,* accord dont on fait entendre successivement et rapidement toutes les notes. (On le désigne en le faisant précéder d'une ligne verticale ondulée.) ◆ **arpègement** n. m.

arpèges

Action d'arpéger. ◆ **arpéger** v. intr. Faire entendre un accord en détaillant ses notes successivement.

arpent [pɑ̃] n. m. (celte *arepennis,* mesure carrée des Gaulois). Anc. mesure agraire, divisée en 100 perches, et variable suivant les localités (de 34,19 à 51,07 ares). ◆ **arpentage** n. m. Evaluation de la superficie des terres : *Faire l'arpentage d'un champ.* (V. *encycl.*) ● *Chaîne d'arpentage* ou *chaîne d'arpenteur,* chaîne dont on se sert pour arpenter. (C'est un décamètre.) ◆ **arpenter** v. tr. Mesurer la superficie d'un terrain : *Arpenter un champ.* ‖ *Fam.* Parcourir rapidement, à grands pas : *Arpenter la cour de long en large.* ◆ **arpenteur** n. m. Professionnel chargé d'effectuer des relèvements de terrains et des calculs de surface. ◆ **arpenteuse** n. f. Chenille se déplaçant par arpentage, c'est-à-dire par flexion et extension alternées du corps tout entier. (Ce mode de locomotion est propre aux phalènes, ou géométridés.)

— ENCYCL. **arpentage.** L'arpentage comporte des opérations élémentaires : jalonner une droite, mesurer une distance, mener d'un point une perpendiculaire à une droite et, dans le cas d'un point extérieur, déterminer

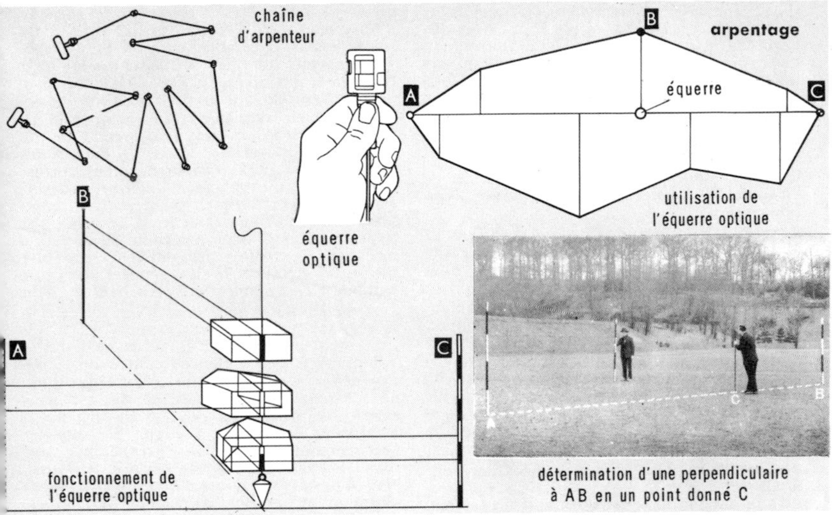

chaîne d'arpenteur

équerre optique

arpentage

équerre

utilisation de l'équerre optique

fonctionnement de l'équerre optique

détermination d'une perpendiculaire à AB en un point donné C

Larousse

son pied. Pour arpenter un terrain polygonal, on le décompose en triangles et en trapèzes rectangles, et on évalue la superficie des composants. Un terrain à contour curviligne est assimilé, au jugé, à un terrain polygonal. Les instruments employés sont la chaîne d'arpenteur, les jalons, les fiches, l'équerre d'arpenteur, les mires, le graphomètre, la boussole, la planchette. Pour un terrain en pente, on mesure les distances horizontalement à l'aide d'une fiche plombée, servant de fil à plomb (méthode dite « de cultellation »).

arpenter, arpenteur, arpenteuse → ARPENT.

arpète ou **arpette** n. (origine contestée). *Arg.* Apprenti, apprentie.

Arphaxad, patriarche hébreu, fils de Sem et ancêtre d'Abraham. — Roi des Mèdes, dans le Livre de Judith, mais inconnu de l'histoire.

Arpino, comm. d'Italie (Latium, prov. de Frosinone) ; 8 400 h. C'est l'antique *Arpinum.*

Arpino (Gennaro ARPINO, dit **Gerald**), chorégraphe américain (West New Brighton 1929), remarquable par l'éclectisme de ses créations (*Incubus,* 1962 ; *The Clowns,* 1968 ; *Chabriesque,* 1972).

arpion n. m. (de *harpe,* griffe de chien). *Arg.* Orteil ; pied.

arqué → ARC.

arquebusade → ARQUEBUSE.

arquebuse n. f. (néerl. *hakebusse,* mousquet à crochet, altéré par l'ital. *archibuso*). Première arme à feu portative montée sur un fût, appuyée, pour le tir, sur une fourche, et utilisée de la fin du XVe au début du XVIIe s. (Elle utilisait la déflagration de la poudre, allumée soit avec une mèche [*arquebuse à mèche*], soit à l'aide d'une roue dentée, ou rouet [*arquebuse à rouet*]. Cadence : un coup toutes les cinq minutes.) ● *Chevalier de l'arquebuse,* membre d'une compagnie formée, au XVIe s., pour s'exercer au tir à l'arquebuse. ◆ **arquebusade** n. f. Coup d'arquebuse. ◆ **arquebuserie** n. f. Atelier de l'arquebusier. ◆ **arquebusier** n. m. Fantassin ou cavalier armé d'une arquebuse.

arquebusiers (XVIe s.)

(Les premières compagnies d'arquebusiers furent formées, en France, en 1525 ; elles disparurent avec l'apparition du mousquet, mais subsistèrent au XVIIe s. dans les milices bourgeoises.) || Aux XVIIe et XVIIIe s., fabricant d'armes à feu montées sur un fût.

arquer → ARC.

Arques, fl. côtier de Normandie, qui rejoint la Manche à Dieppe ; il est formé de la Béthune (45 km), de la Varenne (30 km) et de l'Eaulne (40 km), réunies 6 km avant l'embouchure.

Arques, ch.-l. de c. du Pas-de-Calais (arr. et à 4 km à l'E. de Saint-Omer), sur l'Aa ; 9 245 h. (*Arquois*). Château du XVIIe s. Filatures de jute, corderies, papeteries.

Arques-la-Bataille, comm. de la Seine-Maritime (arr. et à 6 km au S.-E. de Dieppe), sur l'Arques ; 2 742 h. (*Arquais*). Ruines d'un château des ducs de Normandie (XIIe s.) ; église des XVIe et XVIIe s., renfermant un magnifique jubé. Papeterie. Forêt. La ville tire son surnom de la victoire décisive remportée par Henri IV sur les troupes de la Ligue (21 sept. 1589).

arquet n. m. Dans l'industrie textile, petit fil de fer fixé à la brochette qui retient les tuyaux dans la navette, où il sert de ressort.

arqûre → ARC.

Arrabal (Fernando), écrivain espagnol d'expression espagnole et française (Melilla 1932). Ses romans et son théâtre « panique » mettent en scène un monde de victimes et de bourreaux, de personnages dérisoires qui se complaisent tour à tour dans la domination et l'asservissement (*Fando et Lis,* 1964 ; *le Cimetière des voitures,* 1966 ; *l'Architecte et l'empereur d'Assyrie,* 1967 ; *Et ils passèrent des menottes aux fleurs* (1969) ; *le Jardin des délices,* 1969). Au cinéma, on lui doit notamment *Viva la muerte!* (1971) et *l'Arbre de Guernica* (1975).

arracacia n. m. (esp. *arracacha*). Ombellifère de Colombie, au rhizome comestible.

arrachage → ARRACHER.

Arrachart (Ludovic), officier aviateur français (Besançon 1897 - Etampes 1933). Passé dans l'aviation en 1917, il se signala de 1924 à sa mort, due à un accident d'avion, par des records qui en font un des pionniers de l'aviation intercontinentale (Paris-Bassora en 1926 ; Paris-Madagascar en 1931).

arrache, arraché, arrache-clou, arrache-étai, arrachement, arrache-pied (d'), arrache-portes → ARRACHER.

arracher v. tr. (lat. pop. **exradicare,* enlever avec la racine, après changement de préfixe). Enlever de terre : *Arracher des mauvaises herbes.* || Enlever avec effort ce qui tient à quelque chose : *Arracher une dent.* || *Fam.* Déchirer profondément : *Le chat lui arracha la joue.* || Enlever de force à quelqu'un ce qu'il tient : *Arracher la sacoche d'un encaisseur.* || Faire sortir, tirer : *La sonnerie du réveil m'arracha du lit.* || Enlever, emporter hors de : *Arracher quelqu'un à l'affection des siens.* || *Fig.* Détacher avec peine : *Arracher quelqu'un à ses habitudes.* || Tirer, obtenir avec peine, au physique et au moral : *Arracher une augmentation de salaire.* || Enlever de dessus le cuivre des parties déjà engravées, pour faire une correction. || — SYN. : *déraciner, déterrer, extirper, extraire, ravir, retirer.* ● *Arrache !,* commandement fait aux rameurs d'un canot par le patron quand, dans une joute ou par suite de mauvais temps, ils doivent redoubler d'effort. || *Arracher le cœur,* causer une peine extrême : *Des plaintes qui arrachent le cœur.* || *Arracher les yeux à quelqu'un,* expression de menace pour faire entendre qu'on est très irrité contre quelqu'un et qu'on se livrerait volontiers à des violences contre lui. || — **s'arracher** v. pr. Se tirer avec effort hors de : *S'arracher du lit ;* et, au *fig. : S'arracher au charme d'un pays.* || Se disputer : *S'arracher les yeux.* || *Fam.* Se disputer une personne, une chose recherchée par tous : *S'arracher un acteur célèbre.* ● *S'arracher les cheveux,* être au désespoir. ◆ **arrachage** n. m. Action d'arracher des herbes, des racines, etc. : *L'arrachage des pommes de terre.* ● *Treuil d'arrachage,* treuil donnant une forte traction, utilisé pour enlever le soutènement d'une taille en vue du foudroyage. ◆ **arrache** n. m. Système de fermeture métallique semblable à un bouton-pression, mais dont la résistance à l'arrachement est plus forte. ◆ **arraché, e** adj. *Hérald.* Se dit des arbres et des plantes dont les racines sont apparentes. || — **arraché** n. m. En haltérophilie, mouvement amenant d'un seul coup la barre au-dessus de la tête, au bout d'un ou des deux bras tendus. || Type de tissu de laine cardée, dont l'aspect duveteux est obtenu par passage du tissu sur une laineuse, qui ouvre les fils de trame et met en évidence les fibres de laine constitutives. ● LOC. ADV. *A l'arraché* (Fam.), avec un effort violent ; à la limite des forces. ◆ **arrache-clou** n. m. Instrument pour arracher les clous. — Pl. *des* ARRACHE-CLOUS. ◆ **arrache-étai** n. m. *Min.* Appareil de traction à main, pour culbuter des éléments de soutènement qui sont devenus inutiles. (Syn. SYLVESTER.) — Pl. *des* ARRACHE-ÉTAIS. ◆ **arrachement** n. m. Action d'enlever avec effort ce qui tient à quelque chose : *L'arrachement d'une dent, de la peau, d'un clou.* || *Fig.* Action de s'arracher avec peine de ce qui vous retient, vous charme : *L'arrachement à une vie paresseuse.* || Affliction, déchirement causé par une séparation : *L'arrachement des adieux.* || Ensemble des pierres saillantes laissées à dessein dans une maçonnerie pour servir de liaison avec une autre maçonnerie construite ultérieurement. ◆ **arrache-pied (d')** loc. adv. Sans interruption ; avec acharnement : *Travailler d'arrache-pied.* ◆ **arrache-portes** n. m. invar. *Industr. du gaz.* Charpente métallique mobile, sur laquelle est monté un dispositif spécial, utilisé pour enlever et remettre en place les portes d'enfournement et de défournement des chambres horizontales, qu'il s'agisse de fours à gaz ou de fours à coke. ◆ **arrache-racine** ou **arrache-racines** n. m. Houe pour arracher les racines et les tubercules. — Pl. *des* ARRACHE-RACINES. ◆ **arrache-tuyau** n. m. Outil utilisé pour retirer des tubes au fond d'un sondage. — Pl. *des* ARRACHE-TUYAUX. ◆ **arracheur, euse** n. Celui, celle qui fait le métier d'arracher. (Usité surtout dans l'expression péjorative : *Un arracheur de dents.*) ● *Mentir comme un arracheur de dents,* mentir effrontément. ◆ **arracheuse** n. f. Machine utilisée pour l'arrachage des plantes à forte racine (betteraves), des tubercules (pommes de terre), de certaines tiges (lin) et graines (arachides). [Certaines arracheuses réalisent également le nettoyage, le chargement ou l'ensachage des racines et tubercules.] ◆ **arrachis** [ʃi] n. m. Arrachage, enlèvement des arbres ou des souches. ‖ Plant arraché dont les racines sont à nu. ● *Arrachis de bois,* terre forestière défrichée.

Arracourt, ch.-l. de c. de Meurthe-et-Moselle (arr. et à 19 km au N. de Lunéville); 215 h.

Arrais ou **Arraes** (Amador), écrivain portugais (Beja v. 1530 - Coimbra 1600). Evêque de Portalegre, il a écrit des *Dialogues* (1589), qui sont des classiques de la littérature portugaise.

arraisonnement → ARRAISONNER.

arraisonner v. tr. (lat. pop. *adrationare;* de *ad,* à, et *ratio,* raison). *Arraisonner un navire,* constater l'état sanitaire, la nationalité, la composition du personnel d'un bâtiment, sa destination, etc. ◆ **arraisonnement** n. m. Arrêt d'un navire en mer par un bâtiment de guerre, pour contrôler la situation de l'équipage ou pour visiter sa cargaison.

Arran, île de Grande-Bretagne, sur la côte ouest de l'Ecosse. Ch.-l. *Lamlash.*

Arran ou **Aran,** nom de deux groupes d'îles des côtes ouest d'Irlande : *North Arran* (comté de Donegal) et *South Arran* (comté de Galway).

Arran (comtes D'), grands seigneurs écossais. — JAMES HAMILTON, duc DE CHÂTELLERAULT (1515 ? - 1575), fut protecteur du royaume à la mort de Jacques V (1542). — JAMES STUART, favori de Jacques VI (1584-1585), fut condamné à l'exil (1586) et assassiné en 1595.

arrangeable, arrangeant → ARRANGER.

arrangée n. f. Papillon du groupe des noctuelles.

arrangement → ARRANGER.

arranger v. tr. (de *ranger*) [conj. **1**]. Disposer dans un ordre convenable : *Arranger sa coiffure.* ‖ Remettre en bon état (en parlant surtout d'un mécanisme) : *Arranger une montre.* ‖ Faire des réparations, des transformations en vue de la commodité, du confort : *Arranger une maison, un appartement.* ‖ *Fig.* Organiser : *Arranger sa vie.* ‖ Préparer, combiner : *Arranger un projet dans sa tête.* ‖ Convenir à, satisfaire : *Cela m'arrange.* ‖ Régler, terminer à l'amiable : *Arranger un différend.* ‖ *Ironiq.* Traiter cavalièrement, sans égard : *Je l'ai arrangé de la belle manière.* ‖ *Pop.* Donner des coups : *Si tu continues à me menacer, je vais t'arranger.* ‖ Infecter d'un mal contagieux. ‖ — SYN. : *accommoder, adapter, agencer, ajuster, aménager, combiner, disposer, organiser, préparer.* ‖ — **s'arranger** v. pr. Se mettre dans une position, dans une posture commode pour faire une chose (vieilli) : *S'arranger dans un fauteuil pour dormir.* ‖ Se contenter, s'accommoder, prendre son parti de : *Il n'est pas difficile, il s'arrange de tout.* ‖ Prendre ses dispositions : *S'arranger pour être présent.* ‖ Se terminer bien : *L'affaire s'est bien arrangée.* ‖ Se mettre d'accord : *Ils se sont arrangés à l'amiable.* ● *Arrangez-vous!* (Fam.), faites comme vous l'entendez. ◆ **arrangeable** adj. Qui peut être arrangé : *Un différend arrangeable.* ◆ **arrangeant, e** adj. Facile en affaires, accommodant : *Un homme très arrangeant.* ◆ **arrangement** n. m. Action de disposer les choses dans un certain ordre : *L'arrangement des mots dans une phrase.* ‖ Manière dont les choses sont arrangées : *Un arrangement de la toilette.* ‖ Convention, transaction entre particuliers ou entre Etats : *Conclure un arrangement avec son propriétaire.* ‖ Transformation d'une œuvre musicale écrite pour certaines voix, certains instruments ou certains ensembles, en vue de son exécution par des voix, des instruments ou des ensembles différents : par exemple, la réduction d'une œuvre d'orchestre pour le piano. ‖ En musique de jazz, procédé de création qui tend à substituer l'élaboration à l'improvisation. ‖ *Arrangement de* m *objets* p *à* p, chacun des groupes que l'on peut former en prenant p objets parmi m objets distincts, chaque groupe différant des autres, soit par la nature, soit par l'ordre dans lequel se suivent les objets qui le composent. [Le nombre des arrangements A_m^p de m objets p à p est

$$m\,(m-1)\,(m-2)\,\ldots\,(m-p+1).]$$

● *Arrangements de famille,* convention conclue entre les membres d'une même famille, en vue du règlement d'intérêts communs en matière matrimoniale ou successorale. ‖ *Arrangement musical,* adaptation d'une ou de plusieurs musiques aux besoins d'une scène ou d'un tableau de revue : *Faire un arrangement musical sur des airs populaires.* ◆ **arrangeur, euse** n. Personne qui

Arras

adapte un roman, une pièce de théâtre ou un morceau de musique pour une formation.

arraphique adj. (*a* priv., et gr. *raphis, raphidos,* aiguille). Se dit d'une reliure dont les feuillets sont maintenus par la seule application d'une couche de colle sur le dos. (Elle est employée manuellement pour relier les collections de journaux, les liasses de documents, etc. Le même procédé, réalisé industriellement et appelé *reliure sans couture,* est utilisé pour la brochure en grande série des romans, des périodiques, et pour la reliure des livres, spécialement de ceux qui comportent de nombreux hors-texte.)

Arras, ch.-l. du dép. du Pas-de-Calais, à 175 km au N. de Paris, au confluent de la Scarpe et du Crinchon ; 45 364 h. (*Arrageois*). Evêché. Ecole d'agriculture. La ville a été en partie détruite pendant la Première Guerre mondiale, et il a fallu procéder à de nombreuses reconstructions de monuments historiques : la Grand-Place, la Petite Place, bordées de maisons de style flamand ; l'hôtel de ville, du XVIe s., et son célèbre beffroi, haut de 75 m. Arras possède, en outre, une cathédrale du XVIIIe s., un musée d'art religieux et un musée municipal, installé dans le palais Saint-Vaast (XVIIIe s.). C'est aussi un centre industriel important (ferblanteries, industries métallurgiques et textiles, huileries, etc.). Patrie, entre autres, d'Adam le Bossu, de Robespierre, de Vidocq.

● *Histoire*. Anc. capit. des *Atrébates,* célèbre dans l'Empire romain par son industrie des étoffes, la ville fut détruite par les invasions, puis reconstruite par saint Vaast (v. 500). Intégrée au domaine royal en 1180, elle reçut une charte de commune, modèle de celles des villes du Nord. Grand centre bancaire et industriel (draps, tapisserie), capitale du nouveau comté d'Artois (1237), elle entra en décadence dès le XIVe s. (troubles civils). Occupée par Louis XI (1477), prise par les Espagnols (1492), reprise par Louis XIII (1640), Arras fut définitivement cédée à la France en 1659 (*traité des Pyrénées*). [V. ARTOIS.]

Arras (DENTELLE D'), dentelle de fil, au réseau très simple, exécutée aux fuseaux.

Arras (PORCELAINES D'), porcelaines fabriquées à Arras, en pâte tendre, à la fin du XVIIIe s. (Marque : AR bleu.)

Arras (TRAITÉS D'), nom donné à plusieurs traités : en 1191, entre Philippe Auguste et son fils Louis ; en 1414, entre Charles VI et Jean sans Peur ; en 1435, entre Charles VII et Philippe le Bon ; en 1482, entre Louis XI et Maximilien d'Autriche. (V. ARTOIS.)

Arreau, ch.-l. de c. des Hautes-Pyrénées (arr. et à 38 km au S.-E. de Bagnères-de-Bigorre), au confluent des Nestes du Louron et d'Aure ; 816 h. Anc. capit. politique et économique de la vallée d'Aure. Marché agricole et centre touristique. Maisons anciennes.

arrecteur adj. m. *Muscle arrecteur,* muscle redresseur du poil des mammifères. (Syn. HORRIPILATEUR.)

Arrée (MONTAGNE OU MONTS D'), ligne de hauteurs de Bretagne (Finistère et Côtes-du-

Nord), en grande partie couvertes de landes; 384 m.

arrénotokie ou **arrénotoquie** n. f. V. ARRHÉNOTOQUIE.

Arrens, comm. des Hautes-Pyrénées (arr. et à 12 km au S.-O. d'Argelès-Gazost); 827 h. Station d'altitude et de tourisme.

arrérages n. m. pl. (de l'anc. franç. *arrère*). Versements périodiques: *Les arrérages d'une pension, d'une rente.*

Arrest (Heinrich Ludwig VON), astronome allemand (Berlin 1822 - Copenhague 1875). Il fut attaché à l'observatoire de Berlin, puis à celui de Leipzig (1848). Il a découvert plusieurs comètes, mais il s'est surtout occupé de l'observation des nébuleuses et des amas d'étoiles; on lui doit de nombreux ouvrages sur les questions d'astronomie sidérale.

arrestation, arrêt, arrêtage, arrêt-barrage, arrêté, arrête-bœuf → ARRÊTER.

arrêter v. tr. (lat. pop. *adrestare,* s'arrêter; de *restare,* rester). Empêcher d'avancer, d'agir, de fonctionner : *Arrêter une voiture.* ‖ Maintenir fixe quelque chose de mobile : *Arrêter un pendule.* ‖ Intercepter : *Arrêter le courrier de quelqu'un.* ‖ Prendre et retenir prisonnier : *Arrêter un voleur.* ‖ Attaquer à main armée : *Des pillards ont arrêté un train.* ‖ *Fig.* Interrompre quelque action, l'empêcher de s'accomplir : *Arrêter une fabrication.* ‖ Suspendre le cours d'une chose : *La grève a arrêté tout le trafic ferroviaire.* ‖ Empêcher quelqu'un de poursuivre son discours : *On l'arrêta tout court.* ‖ Tenir fixé : *Arrêter son regard sur une chose. Arrêter ses soupçons sur quelqu'un.* ‖ Fixer définitivement; déterminer dans les détails; décider : *Arrêter le jour d'une réunion.* ‖ Régler définitivement : *Arrêter un compte.* ‖ Fixer par un coin, un taquet, etc., une pièce mobile. ‖ Faire plusieurs points l'un sur l'autre, ou un simple nœud, pour que le fil ne glisse pas dans une couture. ✦ v. intr. Cesser d'avancer : *Dites au chauffeur d'arrêter.* ‖ Cesser d'agir, de parler : *Il n'arrête pas, il travaille jour et nuit.* (Ces deux emplois sont surtout fréquents à l'impératif.) ‖ **— s'arrêter** v. pr. Cesser d'avancer, d'agir, de fonctionner : *Ma montre s'est arrêtée. S'arrêter pour souffler.* ‖ Rester plus ou moins longtemps quelque part : *S'arrêter chez un ami.* ‖ *Fig.* Se maintenir, se fixer : *Prenez enfin une résolution et sachez vous y arrêter!* ‖ S'attacher à; s'appesantir sur : *S'arrêter sur un projet.* ◆ **arrestation** n. f. Action de se saisir d'une personne par autorité de justice ou de police, en exécution soit d'une sentence de condamnation ou d'un arrêté d'expulsion, soit d'un mandat* d'amener, d'arrêt ou de dépôt, décerné par le magistrat instructeur ou, en cas de délit ou de crime flagrant, par le procureur de la République. ‖ Situation de la personne arrêtée : *Etre en état d'arrestation.* ‖ — CONTR. : *élargissement, libération, mise en liberté, relaxation.* ● *Arrestation administrative,* arrestation ordonnée ou opérée sans l'intervention du pouvoir judiciaire. ‖ *Arrestation arbitraire,* infraction contre la liberté, commise par un agent des pouvoirs publics qui opère ou ordonne une arrestation non prévue par la loi ou sans l'emploi des formes légales. ◆ **arrêt** n. m. Action d'arrêter, de s'arrêter; suspension d'une action : *Un arrêt de fabrication.* ‖ Station, endroit où s'arrête régulièrement un véhicule de transport en commun : *Un arrêt d'autobus.* ‖ Décision prise après délibération : *Les sévères arrêts de la critique à l'égard d'une œuvre littéraire.* ‖ Décision rendue par une cour à la suite d'un procès. ‖ Défense faite, en cas de troubles, aux navires marchands de quitter momentanément leur mouillage. ‖ Points de finition d'une pince, d'une couture ou d'un pli. ● *Arrêt de cheminement,* dispositif destiné à empêcher les rails d'une voie de chemin de fer de se déplacer sous l'effort du roulement des essieux. ‖ *Arrêt de cuirasse, de lance,* dispositif permettant au chevalier d'assurer sa lance, d'où l'expression : *Mettre la lance en arrêt.* ‖ *Arrêt de glissement,* emboîtement placé en tête de certaines tuiles, où viennent se loger les larmiers des tuiles du rang supérieur. ‖ *Arrêt mobile* ou *taquet d'arrêt,* dispositif destiné à limiter la course d'un véhicule sur une voie ferrée. ‖ *Arrêt de travail,* interruption du travail pour une raison volontaire (congé), physiologique (maladie, maternité, accident) ou sociale (grève, lock-out). ‖ *Arrêt de volée,* au rugby, réception du ballon avant qu'il touche le sol, accompagnée d'une marque du talon sur le sol. ‖ *Chien d'arrêt,* chien dressé à s'arrêter quand il sent le gibier.

Roger-Viollet

chien à l'arrêt

‖ *Coup d'arrêt,* à l'escrime, coup pris sur une marche avec opposition. ‖ *Demi-arrêt,* mouvement de la main du cavalier en haut et en arrière, provoquant un ralentissement du cheval. ‖ *Forcer l'arrêt,* en parlant du chien couchant, se jeter sans commandement sur le gibier. ‖ *Point d'arrêt,* point où se termine une courbe : *L'origine est point d'arrêt pour* $y = \sqrt{x}$. ‖ *Sans arrêt,* continuellement. ‖ *Signal d'arrêt,* signal (fixe ou mobile) présenté à un agent de chemin de fer chargé de la conduite d'un convoi, pour lui prescrire l'arrêt immédiat (signal d'arrêt absolu) ou à distance (signal d'arrêt différé). || *Temps d'arrêt,* court intervalle ou repos entre certains mouvements ; cessation, suspension. || *Tir d'arrêt,* tir destiné à dissocier et à briser une attaque adverse. || *Tomber, rester en arrêt devant,* s'arrêter soudain, ou rester immobile dans la contemplation d'une personne ou d'une chose ; en parlant du chien couchant, sentir le gibier. || — ***arrêts*** n. m. pl. Sanction disciplinaire infligée à un officier ou à un sous-officier, et l'astreignant à demeurer dans un lieu déterminé. (On distinguait, pour les officiers et sous-officiers, les *arrêts simples* [obligation de garder la chambre en dehors du service] et les *arrêts de rigueur* [obligation de garder la chambre de façon continue] ; pour les officiers seulement, les *arrêts de forteresse.* Depuis la réforme du règlement de discipline générale [1966], on distingue les *arrêts,* réservés aux sous-officiers et hommes de troupe, des *arrêts de rigueur,* qui peuvent être infligés à tous les militaires, y compris les officiers.) ◆ **arrêtage** n. m. Couche de vernis appliquée sur un fond, afin d'isoler celui-ci. || Dispositif constitué d'une petite roue dentée, portée par un axe de barillet. ◆ **arrêt-barrage** n. m. Ensemble de planches chargées de matériaux stériles finement broyés, disposées à la partie supérieure

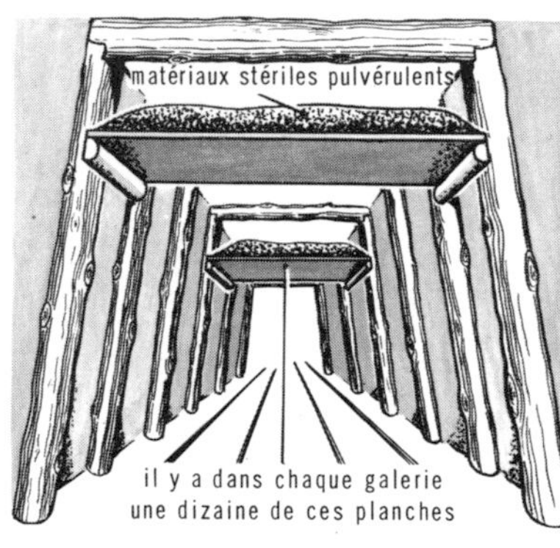

arrêt-barrage

des galeries, en certains points des mines de charbon. (En cas de coup de poussier, les planches sont renversées, et l'écran épais de poussières stériles qui tombe coupe la flamme.) — Pl. *des* ARRÊTS-BARRAGES. ◆ **arrêté, e** adj. Définitif, déterminé, fixe : *Avoir une idée bien arrêtée.* || Se dit d'un dessin achevé, par oppos. à un croquis. || *Hérald.* Se dit d'un animal représenté immobile sur ses pieds. || — ***arrêté*** n. m. Décision d'une autorité administrative : *Un arrêté du ministre, du préfet, du maire.* || Opération consistant à faire les totaux des mouvements d'un compte et à en déterminer le solde. ● *Arrêté d'assurance,* écrit qui constate l'accord des parties, mentionne les traits caractéristiques de l'assurance conclue et marque le point de départ de la couverture du risque en attendant la rédaction de la police. || *Arrêté de compte,* contrat conclu entre celui pour lequel un compte était tenu et celui qui le tenait, en vue de liquider les articles de ce compte et de balancer par un reliquat qui rend l'un d'eux créancier de l'autre. || **arrête-bœuf** n. m. invar. Autre nom de la *bugrane,* dont les racines résistent au soc de la charrue. (Nom générique : *ononis.* Famille des papilionacées.) ◆ **arrêtiste** n. Juriste qui publie et annote un recueil d'arrêts. ◆ **arrêtoir** n. m. Taquet d'arrêt dans un mécanisme. || Petite digue qui arrête l'eau d'un ruisseau de rue.

arrhenatherum [rɔm] n. m. V. FROMENTAL.

Arrhenius (Svante), physicien et chimiste suédois (Wijk, près d'Uppsala, 1859 - Stockholm 1927), créateur de la théorie de l'ionisation des électrolytes (1887), d'une théorie de la queue des comètes, fondée sur la pression de radiation (1900), et de l'hypothèse de la panspermie. (Prix Nobel de chimie, 1903.)

arrhénoblastome n. m. *Gynécol.* Tumeur masculinisante de l'ovaire.

arrhénogénie n. f. Production exclusive de descendants mâles à la suite de fécondations normales. (Cet accident se produit chez certaines espèces de cloportes.)

arrhénotoque → ARRHÉNOTOQUIE.

arrhénotoquie n. f. Production exclusive de descendants mâles par parthénogenèse. (Elle n'exclut pas la production de femelles par les mêmes mères fécondées [par ex., l'abeille].) ● **arrhénotoque** adj. Qui présente ce phénomène.

arrhéphores n. f. pl. *Antiq. gr.* Jeunes filles athéniennes — au nombre de quatre — chargées de broder, chaque année, le *péplos** offert à Athéna au cours de la fête des Panathénées*.

arrhes n. f. pl. (lat. *arrha ;* du gr. *arrhabôn,* gages). Somme d'argent qu'une partie remet à l'autre au moment de la conclusion d'un contrat. (Si la promesse de vente est faite avec des arrhes, chacun des contractants est maître de s'en départir, celui qui les a données, en les perdant, et celui qui les a reçues, en restituant le double. Selon la volonté des parties, les arrhes peuvent constituer un acompte sur le prix ou un mode de dédit.)

Arrhidaios, roi de Macédoine (323-317 av. J.-C.), fils de Philippe II. Il fut assassiné sur l'ordre d'Olympias.

Arrhūn. V. ARGHŪN.

Arria, Romaine qui, pour donner du courage à son mari Caecina Paetus, condamné par l'empereur Claude, se tua la première en disant *Paete, non dolet* (« Paetus, cela ne fait pas de mal »).

Arriaga (Manuel DE), homme politique portugais (Horta, île de Faial, Açores, 1841 - Lisbonne 1917), recteur de l'université de Coimbra, premier président constitutionnel de la République (1911-1915).

Arrien, en gr. **Arrhianos,** en lat. **Flavius Arrianus,** philosophe stoïcien et historien grec (Nicomédie, Bithynie, v. 105 apr. J.-C.). Il rédigea les *Entretiens* et le *Manuel d'Epictète,* son maître, et composa une précieuse histoire d'Alexandre le Grand, intitulée *Anabase.* Ses ouvrages de tactique militaire présentent un réel intérêt.

arriération → ARRIÈRE.

arrière adv. (lat. pop. *adretro;* de *retro,* en arrière). Du côté opposé à celui vers lequel on marche, ou vers lequel on se trouve dans la marche normale. ● *Avoir le vent arrière,* en poupe. ● LOC. ADV. *En arrière,* indique mouvement ou position vers le lieu ou le côté qui est derrière : *Faire un pas en arrière.* ● LOC. PRÉP. *En arrière de,* derrière quelqu'un ou quelque chose d'autre. ‖ — ***arrière!*** interj. Au loin : *Arrière les médisants!* (qu'ils aillent en arrière, qu'ils se retirent de notre présence!). ‖ — ***arrière*** adj. invar. Situé en arrière : *Les roues arrière d'une auto. Le feu arrière d'un train.* ✦ n. m. Partie postérieure d'un véhicule : *L'arrière d'une charrette, d'une automobile.* ‖ La région qui est en arrière du front, à l'intérieur du pays : *L'arrière tenait bon.* ‖ Joueur ayant un rôle défensif, dans certains sports d'équipe. ‖ Partie d'un navire située entre le centre de gravité et le gouvernail. ● *Il reste de l'arrière,* se dit d'un navire dépassé par d'autres navires. ‖ *Il va de l'arrière,* se dit d'un navire quand il cale. ‖ *Les voiles et les manœuvres de l'arrière,* le grand mât et le mât d'artimon. ‖ *Sur l'arrière* ou *sur cul,* se dit d'un navire dont l'arrière est trop enfoncé. ‖ — ***les arrières*** n. m. pl. *Mil.* Espace situé en arrière de la zone des combats, dans lequel les grandes unités déploient leurs moyens de transport, de ravitaillement et de communication. ● *Commandant des arrières,* général dirigeant l'ensemble des services logistiques d'un territoire. ‖ *Prendre les arrières, faire les arrières,* en vénerie, rechercher la voie perdue de l'animal en revenant en arrière. ◆ **arriération** n. f. Etat d'un enfant ou d'un adulte arriéré. ● *Arriération mentale,* insuffisance congénitale du développement intellectuel. (Syn. OLIGOPHRÉNIE.) [V. *encycl.*] ◆ **arriéré, e** adj. et n. Dont le développement intellectuel et, par suite, l'instruction, les mœurs ne sont pas au niveau normal : *Un enfant arriéré. Un pays arriéré.* ✦ adj. Ancien, démodé : *Avoir des idées arriérées.* ‖ — ***arriéré*** n. m. Ce qui est en retard (se dit surtout d'un paiement) : *Payer l'arriéré.*

— ENCYCL. ***arriération mentale.*** C'est une notion peu précise, liée aux critères que l'on utilise pour la définir, et qui sont dépendants du degré de développement technologique de la société considérée. En France, toute personne ayant, au test de Binet et Simon, un Q. I. (quotient d'intelligence) inférieur à 80 peut être considérée comme arriérée; or le Q. I. et les tests qui servent à le mesurer sont actuellement fortement controversés. Entre 80 et 65 de Q. I. on situe la débilité légère, entre 65 et 50 la débilité moyenne, entre 50 et 30 la débilité profonde, au-dessous de 30 on parle d'arriération profonde.
L'arriération pose des problèmes complexes, car la capacité d'utiliser un certain potentiel intellectuel dépend de multiples facteurs : environnement affectif et pédagogique, troubles organiques associés (surdité, cécité, épilepsie, handicaps moteurs). Dans 20 à 40 p. 100 des cas, on ne peut attribuer l'arriération à une cause organique (maladies génétiques, accident périnatal), on est alors obligé de faire intervenir des facteurs d'ordre affectif ou social. Parfois, bien que l'enfant ne souffre pas de carence affective massive, le milieu, très défavorisé du point de vue économique et culturel, ne lui offre pas le minimum de stimulations nécessaires à son développement intellectuel. On parle alors de pseudodébilité.

arrière-ban n. m. Autref., levée en masse ordonnée par le souverain, et qui englobait les combattants non compris dans la première levée, ou *ban.* ‖ La totalité des personnes qui, à un titre ou à un autre, constituent un ensemble : *Convoquer le ban et l'arrière-ban de ses parents.* — Pl. *des* ARRIÈRE-BANS.

arrière-bâtiment n. m. Partie d'une bâtisse qui ne se trouve pas sur la rue. — Pl. *des* ARRIÈRE-BÂTIMENTS.

arrière-bec n. m. Eperon d'une pile de pont, du côté d'aval. — Pl. *des* ARRIÈRE-BECS.

arrière-bief n. m. Bief placé en amont. — Pl. *des* ARRIÈRE-BIEFS.

arrière-bouche n. f. Partie postérieure de la bouche. — Pl. *des* ARRIÈRE-BOUCHES.

arrière-boutique n. f. Pièce située immédiatement derrière la boutique. — Pl *des* ARRIÈRE-BOUTIQUES.

arrière-cavité n. f. *Arrière-cavité des épiploons,* diverticule de la cavité péritonéale situé entre l'estomac, en avant, et le pancréas, en arrière. ‖ *Arrière-cavité des fosses nasales,* partie nasale du pharynx qui communique en haut et en avant avec les fosses nasales, en bas et en arrière avec le pharynx. — Pl. *des* ARRIÈRE-CAVITÉS.

arrière-cerveau n. m. Syn. de RHOMBENCÉPHALE. — Pl. *des* ARRIÈRE-CERVEAUX.

arrière-chœur n. m. Chœur formant clôture, réservé, dans les églises monastiques, aux religieux cloîtrés, qui peuvent ainsi assister aux offices sans être vus par des laïcs. — Pl. *des* ARRIÈRE-CHŒURS.

arrière-corps n. m. invar. Partie d'un bâtiment en saillie de la ligne d'aplomb. ‖ Evidement fait sur l'angle d'un socle. ‖ Morceau ajouté sur le nu d'un ouvrage de serrurerie. ‖ Portion de menuiserie posée en arrière d'une autre.

arrière-cour n. f. Petite cour servant de dégagement : *Un logement qui donne sur une arrière-cour.* — Pl. *des* ARRIÈRE-COURS.

arrière-cousin, e n. Cousin à un degré assez éloigné. — Pl. *des* ARRIÈRE-COUSINS, *des* ARRIÈRE-COUSINES.

arrière-faix n. m. invar. Ce qui reste dans l'utérus après l'expulsion du fœtus, savoir le placenta et les membranes. (Syn. DÉLIVRE.)

arrière-fief n. m. Fief relevant d'un autre fief. — Pl. *des* ARRIÈRE-FIEFS.

arrière-fleur n. f. Résidu de la partie superficielle, dite *fleur,* subsistant sur les peaux chamoisées effleurées par refendage. — Pl. *des* ARRIÈRE-FLEURS.

arrière-fond n. m. Ce qu'il y a de plus profond : *Il y a certaine bonté sur l'arrière-fond d'un homme.* — Pl. *des* ARRIÈRE-FONDS.

arrière-garde n. f. Eléments de sûreté rapprochée qu'une troupe détache derrière elle pour la renseigner et la couvrir. (Les arrière-gardes chargées de mener l'action retardatrice comprennent des éléments de surveillance et des moyens de contre-attaque.) ‖ Division de bâtiments qui se trouve en arrière d'une escadre en formation de combat. ‖ *Mener un combat d'arrière-garde* (Fig.), défendre une cause dépassée par le mouvement général des idées. — Pl. *des* ARRIÈRE-GARDES.

arrière-gorge n. f. Portion du pharynx située derrière les amygdales et le bord mobile du voile du palais. — Pl. *des* ARRIÈRE-GORGES.

arrière-goût n. m. Goût qui revient dans la bouche après qu'on a avalé certains aliments ou certaines boissons et qui, le plus souvent, diffère de celui qu'on avait d'abord éprouvé. ‖ *Fig.* Souvenir, état affectif qui reste après le fait qui lui a donné naissance : *Une discussion qui laisse un arrière-goût d'amertume.* — Pl. *des* ARRIÈRE-GOÛTS.

arrière-graisse n. f. Reliquat des principes fertilisants d'une fumure ou d'un engrais après la récolte. — Pl. *des* ARRIÈRE-GRAISSES.

arrière-grand-mère n. f. Mère du grand-père ou de la grand-mère ; bisaïeule. — Pl. *des* ARRIÈRE-GRAND-MÈRES (OU ARRIÈRE-GRANDS-MÈRES).

arrière-grand-oncle n. m. Frère de l'arrière-grand-père ou de l'arrière-grand-mère. — Pl. *des* ARRIÈRE-GRANDS-ONCLES.

arrière-grand-père n. m. Père du grand-père ou de la grand-mère ; bisaïeul. — Pl. *des* ARRIÈRE-GRANDS-PÈRES.

arrière-grands-parents n. m. pl. Le père et la mère des grands-parents.

arrière-grand-tante n. f. Sœur de l'arrière-grand-père ou de l'arrière-grand-mère. — Pl. *des* ARRIÈRE-GRAND-TANTES (OU ARRIÈRE-GRANDS-TANTES).

arrière-main n. m. Au jeu de paume, coup du revers de la main. ‖ Partie postérieure des animaux, notamment du cheval.

arrière-neveu n. m., et **arrière-nièce** n. f. Le fils, la fille du neveu ou de la nièce, par rapport à l'oncle ou à la tante. (On dit aussi PETIT-NEVEU et PETITE-NIÈCE.) — Pl. *des* ARRIÈRE-NEVEUX, *des* ARRIÈRE-NIÈCES. ‖ — ***arrière-neveux*** n. m. pl. Les descendants, la postérité.

arrière-pays n. m. invar. L'intérieur d'une région, par oppos. au littoral, à un port.

arrière-pensée n. f. Réticence, pensée qu'on n'exprime pas et qui est différente de celle qu'on manifeste : *Agir sans arrière-pensée.* — Pl. *des* ARRIÈRE-PENSÉES.

arrière-petit-cousin n. m., et **arrière-petite-cousine** n. f. Fils, fille d'un petit-cousin. — Pl. *des* ARRIÈRE-PETITS-COUSINS, *des* ARRIÈRE-PETITES-COUSINES.

arrière-petit-fils n. m., et **arrière-petite-fille** n. f. Fils, fille du petit-fils ou de la petite-fille, par rapport au bisaïeul ou à la bisaïeule : *Louis XV était l'arrière-petit-fils de Louis XIV.* — Pl. *des* ARRIÈRE-PETITS-FILS, *des* ARRIÈRE-PETITES-FILLES.

arrière-petit-neveu n. m., et **arrière-petite-nièce** n. f. Fils, fille d'un petit-neveu ou d'une petite-nièce : *Charlotte Corday était l'arrière-petite-nièce de Corneille.* — Pl. *des* ARRIÈRE-PETITS-NEVEUX, *des* ARRIÈRE-PETITES-NIÈCES.

arrière-petits-enfants n. m. pl. Enfants du petit-fils ou de la petite-fille.

arrière-plage n. f. Partie de la plage couverte de matériaux grossiers, qui reste émergée hors des hautes mers moyennes. — Pl. *des* ARRIÈRE-PLAGES.

arrière-plan n. m. Ligne de perspective la plus éloignée de l'œil du spectateur : *Un arrière-plan de montagnes ;* et, au *fig. : Une affaire qui comporte des arrière-plans mystérieux.* — Pl. *des* ARRIÈRE-PLANS.

arrière-point n. m. V. POINT ARRIÈRE.

arrière-port n. m. Partie la plus reculée d'un port. — Pl. *des* ARRIÈRE-PORTS.

arriérer (s') v. pr. (conj. **5**). Se mettre en retard pour ses paiements, pour son travail.

arrière-radier n. m. Ouvrage en maçonnerie, placé en fondations en aval d'une construction hydraulique, pour préserver celle-ci des affouillements. — Pl. *des* ARRIÈRE-RADIERS.

arrière-saison n. f. La fin de l'automne ou le commencement de l'hiver : *Un soleil d'arrière-saison.* ‖ Les derniers mois qui précèdent la récolte ou les vendanges : *Le maïs se vend plus cher dans l'arrière-saison.* ‖ *Fig.* Le commencement de la vieillesse : *Les dernières activités de l'arrière-saison.* — Pl. *des* ARRIÈRE-SAISONS.

arrière-scène n. f. Partie postérieure de la scène d'un théâtre. — Pl. *des* ARRIÈRE-SCÈNES.

arrière-taille n. f. Ce qui, dans une taille de mine, est en arrière de la dernière ligne de soutènement en place. — Pl. *des* ARRIÈRE-TAILLES.

arrière-train n. m. Dans un véhicule à quatre roues, partie qui est portée par les roues de derrière : *L'arrière-train d'un carrosse.* ‖ Elément principal du caisson d'une pièce d'artillerie. ‖ Partie du corps des vertébrés, comprenant les pattes de derrière et la région du tronc où elles sont attachées. ‖ *Pop.* Partie postérieure de l'homme : *Recevoir un coup de pied dans l'arrière-train.* — Pl. *des* ARRIÈRE-TRAINS.

arrière-vassal, e n. Personne qui relevait d'un seigneur vassal d'un autre seigneur. — Pl. *des* ARRIÈRE-VASSAUX, *des* ARRIÈRE-VASSALES.

arrière-voussure n. f. Sorte de voûte, dont la forme peut varier, pratiquée derrière une baie pour couronner l'embrasure. — Pl. *des* ARRIÈRE-VOUSSURES.

arrimage → ARRIMER.

arrimer v. tr. (provenç. *arrimar*). Disposer méthodiquement et fixer solidement ce qui doit entrer dans l'armement ou le chargement d'un navire, d'un véhicule, d'un avion : *Arrimer des bagages sur la galerie d'une voiture.* ◆ **arrimage** n. m. Action d'arrimer : *L'arrimage du chargement dans la cale d'un navire.* ● *Bois d'arrimage,* rondins de bois ou bâches fendues que l'on met de chaque côté d'une futaille pour l'immobiliser. ◆ **arrimeur** n. m. Homme chargé, à bord des navires de commerce, de l'arrimage de la cargaison. ‖ Ouvrier de service au poste d'expédition des matériaux, et qui égalise la surface supérieure des wagons, camions ou péniches, en vue de faciliter le cubage. ‖ Marin de l'aéronavale chargé du réglage et de l'entretien des cellules d'avions. ◆ **arrimeur-juré** n. m. Expert qui constate, à la demande du capitaine, la qualité de l'arrimage à l'arrivée du navire. — Pl. des ARRIMEURS-JURÉS.

Arris, v. d'Algérie, dans le massif de l'Aurès ; 15 000 h.

arriser v. tr. *Mar.* V. ARISER.

arrivage, arrivant, arrivé, arrivée → ARRIVER.

arriver v. intr. (lat. pop. **arripare ;* de *ripa,* rive). [S'emploie toujours avec l'auxil. *être.*] Parvenir au terme de sa route : *Arriver par le train.* ‖ Parvenir jusqu'à, en parlant des choses : *Des cris qui n'arrivent pas jusqu'à une personne.* ‖ Atteindre sa destination : *Le courrier est arrivé.* ‖ *Fig.* Atteindre, parvenir à quelque chose : *Arriver à un certain âge.* ‖ Survenir, se produire : *Que cela ne vous arrive plus ! L'hiver est arrivé.* ‖ Parvenir jusqu'au bout ; réussir : *Travailler dur pour arriver ;* et, suivi d'un infin. : *Arriver à convaincre quelqu'un.* ✦ v. impers. Avoir lieu, advenir : *Il lui est arrivé une aventure singulière. Il arrive qu'il se trompe.* ● *Arriver à ses fins,* réussir dans ce que l'on a entrepris. ‖ *Arriver de son pays,* être naïf, gauche, embarrassé. ‖ *Croire que c'est arrivé,* manifester une excessive confiance en soi. ‖ *En arriver à,* atteindre un résultat : *En arriver à détester quelqu'un.* ‖ *Laisser arriver* ou *laisser porter,* en manœuvre, venir de telle façon que l'avant du navire s'éloigne du lit du vent. ◆ **arrivage** n. m. Arrivée de marchandises, de matériel, par un moyen de transport quelconque : *Un arrivage important de légumes.* ‖ Les marchandises mêmes : *Beaux arrivages.* ◆ **arrivant, e** n. Celui, celle qui arrive : *Les premiers arrivants.* ◆ **arrivé, e** adj. et n. Qui est arrivé : *Les nouveaux arrivés.* ‖ Parvenu, qui a réussi, qui a obtenu la situation qu'il désirait : *Les gens arrivés.* ‖ — **arrivée** n. f. Action d'arriver ; le moment précis où arrive une personne, une chose : *Des cris de joie saluèrent son arrivée. L'arrivée du train. L'arrivée d'une course cycliste ;* et, au *fig. : L'arrivée du printemps.* ● *Angle d'arrivée,* angle que fait la ligne de site avec la tangente à la trajectoire* au point d'impact. ‖ *Ligne d'arrivée,* ligne tracée sur le sol ou matérialisée par un fil de laine, qui permet le classement des concurrents d'une course. ◆ **arrivisme** n. m. Ambition, désir de réussir à tout prix : *Faire une carrière rapide grâce à un esprit d'arrivisme.* ◆ **arriviste** n. et adj. Personne qui veut réussir, arriver à tout prix.

arroba ou **arrobe** n. f. V. AROBE.

arroche n. f. Chénopodiacée cultivée, utilisée comme l'épinard. (Nom générique : *atriplex.*)

arrogamment → ARROGANCE.

arrogance n. f. (lat. *arrogantia*). Attitude qui se manifeste par des manières hautaines, blessantes : *Montrer de l'arrogance dans le triomphe.* ◆ **arrogamment** adv. Avec arrogance : *Répondre arrogamment.* ◆ **arrogant, e** adj. et n. Hautain, méprisant par une confiance excessive en soi. ✦ adj. Qui indique l'arrogance : *Parler sur un ton arrogant.*

arroger (s') v. pr. (lat. *arrogare,* réclamer pour soi) [conj. **1**]. S'attribuer une qualité, un pouvoir, etc., sans y avoir droit : *S'arroger tous les droits. Ils se sont arrogé des pouvoirs excessifs. Les privilèges qu'il s'est arrogés.*

Arromanches-les-Bains, comm. du Calvados (arr. et à 10 km au N.-E. de Bayeux), sur la Manche ; 395 h. Pêche. Station balnéaire. Lieu de débarquement de la 50e division britannique, le 6 juin 1944, Arromanches reste connu par le remarquable port artificiel que les Alliés y installèrent aussitôt, et qui assura, à partir du 1er juillet, un transit quotidien de 9 000 t. Musée du débarquement.

arrondi → ARRONDIR.

arrondir v. tr. Donner une forme ronde à : *Arrondir la bouche pour prononcer un « o ».* ‖ Donner une forme courbe à ; supprimer les angles : *Arrondir une arête trop vive.* ‖ Agrandir, pour faire un tout complet ; étendre : *Arrondir son patrimoine.* ● *Arrondir une robe, une jupe, etc.,* dessiner l'ourlet de telle façon que sa distance au sol soit partout égale. ‖ *Arrondir les angles,* diminuer l'acuité des motifs de dissentiment. ‖ *Arrondir un cap, une île, un rocher,* en contourner les abords. ‖ *Arrondir un cheval,* le dresser à marcher aux trois allures sur un cercle, son corps étant incurvé sur toute sa longueur. ‖ *Arrondir des phrases,* leur donner du rythme, de l'harmonie. ‖ *Arrondir une somme, un résultat,* ajouter ou parfois supprimer des décimales ou des unités pour obtenir un chiffre approximatif plus simple. ‖ — ***s'arrondir*** v. pr. Devenir rond, prendre une forme ronde : *Le pare-choc d'une voiture s'arrondit à ses extrémités.* ● *Sa taille s'arrondit,* se dit d'une personne qui prend de l'embonpoint ou d'une femme devenue enceinte. ◆ **arrondi, e** adj. Se dit de tout phonème dont l'émission comporte un arrondissement des lèvres : ainsi *u* [y] et *eu* [œ]. ‖ — ***arrondi*** n. m. Partie arrondie de quelque chose : *L'arrondi des épaules.* ‖ Manœuvre d'atterrissage qui consiste à décrire dans le plan vertical une trajectoire amenant l'avion tangentiellement au sol. ◆ **arrondissage** n. m. Action d'arrondir une lime ou les dents d'un peigne. ‖ Opération exécutée par le batteur d'or qui aplatit le lingot au marteau. ◆ **arrondissement** n. m. Action d'arrondir ; état de ce qui est arrondi : *L'arrondissement d'un domaine.* ‖ Division du département, qui ne constitue pas une collectivité locale proprement dite, mais une circonscription administrative dépourvue de la personnalité juridique, et dont l'importance a progressivement décru depuis sa création en l'an VIII. (Dans chaque arrondissement se trouve un sous-préfet.) ‖ Subdivision administrative des grandes villes : *Il y a vingt arrondissements à Paris et huit à Lyon.* ‖ Circonscription d'un réseau ferroviaire, d'une conservation forestière, d'une région maritime, etc. ◆ **arrondisseur** n. m. Outil pour arrondir les dents de peigne, un corps de lime, etc. ‖ Appareil formé d'une règle verticale et d'un élément mobile, dont se servent les couturières pour arrondir les jupes. ◆ **arrondissure** n. f. Opération qui a pour objet d'arrondir le dos du livre à relier.

image du film « l'**Arroseur arrosé** »

Cinémathèque française

Arros, riv. gasconne, affl. de l'Adour (r. dr.), en Bigorre ; 100 km.

arrosable, arrosage, arrosement → ARROSER.

arroser v. tr. (lat. pop. **arrosare ;* de *ros, roris,* rosée). Répandre de l'eau ou tout autre liquide sur quelque chose : *Arroser une pelouse. Arroser de larmes une lettre.* ‖ Couler à travers, irriguer : *Un fleuve qui arrose une région.* ‖ Bombarder abondamment et méthodiquement : *Arroser de bombes une ville.* ‖ *Fam.* Offrir à boire à l'occasion d'un événement heureux : *Arroser un succès.* ‖ Distribuer de l'argent pour obtenir une faveur ou un service : *Pour faire passer son communiqué, il arrosa les journaux.* ‖ Répandre du jus ou de la graisse sur une viande en train de rôtir. ● *Arroser la banque,* aux jeux, renouveler le montant initial de la banque, après la perte totale de ce montant. ‖ *Arroser un repas d'une bonne bouteille,* boire une bouteille de vin fin au cours d'un repas. ◆ **arrosable** adj. Que l'on peut arroser. ◆ **arrosage** n. m. Action d'arroser. ‖ *Fam.* Gratification pour services occultes. ‖ Bombardement copieux et méthodique. ◆ **arrosement** n. m. Action d'arroser. (Rare.) ‖ Action d'enduire intérieurement une poterie cuite avec de la glaçure, afin de la rendre étanche. ◆ **arroseur, euse** n. Personne, machine qui arrose : *Arroseuse municipale.* ‖ — ***arroseur*** n. m. Dernière ramification d'un réseau d'irrigation. ◆ **arroseuse-balayeuse** n. f. Machine automobile effectuant l'arrosage et le balayage des rues. — Pl. *des* ARROSEUSES-BALAYEUSES. ◆ **arrosoir** n. m. Récipient muni d'une anse et d'un tuyau, auquel on peut adapter une pomme perforée, et dont on se sert pour arroser.

Arroseur arrosé (L'), l'un des premiers films, tourné par L. Lumière en 1895.

arroseuse-balayeuse, arrosoir → ARROSER.

Arrouch (El-), v. de l'Algérie orientale ; 13 100 h.

Arroux, riv. du Massif central, affl. de la Loire (r. dr.) ; 120 km. Elle passe à Autun.

Arrow (Kenneth J.), économiste américain (New York 1921). Il a notamment généralisé la fonction de Cobb-Douglas, calculé l'élasticité de substitution entre le travail et le capital pour 24 industries, et enrichi l'étude de la maximation de la fonction sociale de bien-être. (Prix Nobel 1972.)

arrow-root [arorut] n. m. (angl. *arrow*, flèche, et *root*, racine). Fécule comestible extraite de diverses plantes : scitaminales, arum, manioc, igname. (On en fait aussi des colles et apprêts.)

arroyo n. m. (mot esp.). Dans les régions tropicales, chenal reliant des cours d'eau.

Arruda (DE), famille d'architectes portugais. DIOGO (Évora - † 1531) travailla à Lisbonne, à Tomar, et fut un des maîtres du style manuelin. — Son frère FRANCISCO († 1547) travailla au Maroc, à Belém et à Elvas, et fut influencé par l'architecture musulmane. — Leur parent MIGUEL († v. 1563) éleva des palais (Lisbonne, Batalha) et des places fortifiées.

ars [ar ou ars] n. m. (lat. *armus*, épaule). Région du cheval où les membres antérieurs se rattachent au poitrail. ● *Frayé aux ars*, blessé à cet endroit.

Ars (curé d'). V. JEAN-BAPTISTE-MARIE VIANNEY (saint).

Arsace, en gr. **Arsakês,** noble parthe, fondateur de la dynastie des Arsacides et de l'Empire parthe (entre 250 et 247 av. J.-C.).

Arsacides, dynastie parthe qui régna sur la Perse de 250 av. J.-C. à 224 apr. J.-C. Fondée par Arsace, elle compta 38 rois.

Ars antiqua, période de l'école polyphonique occidentale qui s'arrête vers 1300. Les musiciens connus en sont Pérotin, Pierre de la Croix, Adam le Bossu, et les théoriciens Jean de Garlande, Francon, etc.

arsenal n. m. (ital. *arsenale* ; de l'ar. *as-sinā'a*, art mécanique). Etablissement industriel d'un port, où les bâtiments de guerre sont construits, réparés, ravitaillés et armés. ‖ Autref., fabrique d'armes, de munitions et de matériels de guerre pour l'armée de terre : *Au XIX*e *s., la France comptait huit arsenaux, à Douai, La Fère, Metz, Strasbourg, Toulouse, Rennes, Besançon et Lyon.* (On dit auj. ATELIER DE CONSTRUCTION ou MANUFACTURE D'ARMES.) ‖ Grande quantité d'armes : *Disposer autour de soi tout un arsenal de projectiles pour résister à un assaut.* ‖ *Fig.* Tout ce qui procure en abondance des moyens d'action : *L'arsenal des lois.*

Arsenal (BIBLIOTHÈQUE DE L'), bibliothèque de Paris (3, rue Sully, IVe arr.). Ses bâtiments, habités par le grand maître de l'artillerie et embellis en 1718 par Germain Boffrand, furent utilisés par Antoine René de Paulmy, qui y rassembla une importante bibliothèque, ouverte au public en 1797. Elle compte aujourd'hui plus de 1,5 million de volumes, 15 000 manuscrits, les archives de la Bastille (2 727 manuscrits ou volumes), 30 000 pièces de théâtre, et la bibliothèque saint-simonienne dite « fonds Enfantin ».

Arsène (saint) [Rome v. 350 - † v. 445], précepteur de l'empereur Arcadius. — Fête le 19 juill.

Arsène (v. 1204 - † 1273), patriarche de Constantinople (1255-1266). Pour avoir excommunié Michel VIII Paléologue, qui avait fait aveugler le jeune Jean IV (1261), il fut déposé et exilé dans l'île d'Oxya (1266).

bibliothèque de l'Arsenal

Larousse

façade de la rue de Sully

Giraudon

chambre de Mme de La Meilleraye

Arsène Lupin, personnage inventé par le romancier Maurice Leblanc en 1907. Ce type de voleur insaisissable, aux allures de gentleman, poursuit ses cambriolages à travers une longue suite de romans.

arséniate → ARSENIC.

arsenic [nik] n. m. (lat. *arsenicum* ; du gr. *arsenikos*, mâle). Corps simple, d'apparence métallique, répandu dans les minerais métalliques. (V. *encycl.*) ‖ Nom usuel de l'*anhydride arsénieux*. (V. *encycl.*) ‖ *Absol.* Tout composé arsenical vénéneux : *Empoisonner par l'arsenic.* ◆ **arséniate** n. m. Sel dérivant d'un acide arsénique. ◆ **arsenical, e, aux** adj. Qui renferme de l'arsenic ; qui a rapport à l'arsenic : *Sels arsenicaux.* ‖ — **arsenical** n. m. Médicament dérivé de l'arsenic. (Les arsenicaux minéraux et les arsenicaux organiques acycliques [cacodylate méthylarsinate de soude], moins toxiques, sont employés comme excitants généraux. Les arsenicaux organiques cycliques possèdent des propriétés particulières ; citons l'emploi de l'acétarsol dans l'amibiase, celui du novarsénobenzol, qui a longtemps été le médicament efficace contre la syphilis.) ◆ **arsenicisme** n. m. Intoxication par l'arsenic. (L'*intoxication aiguë,* due à une erreur ou à des manœuvres criminelles, entraîne des céphalées, des nausées, parfois de la diarrhée et, en quelques heures, la mort par collapsus. L'*intoxication chronique* est généralement une maladie professionnelle [chimistes, teinturiers, etc.] et elle est reconnue comme telle par l'assurance contre les accidents du travail*.) ◆ **arsénié, e** adj. Qui renferme de l'arsenic : *Hydrogène arsénié.* (V. *encycl.*) ◆ **arsénieux, euse** adj. Qui se rapporte à l'arsenic : *Anhydride arsénieux.* (V. *encycl.*) ◆ **arsénifère** adj. Se dit d'un terrain, d'un minerai contenant de l'arsenic. ◆ **arséniophosphate** n. m. Combinaison d'un arséniate et d'un phosphate. ◆ **arséniosulfure** n. m. Combinaison d'arsenic, de soufre et d'un métal. ◆ **arsénique** adj. *Anhydride* et *acide arséniques,* v. *encycl.* ◆ **arsénite** n. m. Sel de l'acide arsénieux. ◆ **arséniure** n. m. Combinaison de l'arsenic avec un corps simple. ◆ **arsénoïque** adj. Qualificatif de composés organiques arséniés RAs_2R', analogues aux composés azoïques. ◆ **arsénolite** n. f. Anhydride arsénieux naturel, du système cubique. ◆ **arsine** n. f. Nom générique de corps dérivés de l'hydrogène arsénié AsH_3 par substitution de radicaux carbonés à l'hydrogène. (V. *encycl.*) ◆ **arsonium** [njɔm] n. m. (de *ars*[*enic*] et [*amm*]*onium*). Radical analogue à l'ammonium, dans lequel l'azote est remplacé par l'arsenic.

— ENCYCL. **arsenic.** *Chim.* L'arsenic, élément chimique n° 33, de masse atomique As = 74,91, a des propriétés intermédiaires entre celles des métaux et celles des métalloïdes. Sous sa forme la plus commune, l'*arsenic gris* ou *métallique,* c'est un solide cristallisé en écailles hexagonales, de densité 5,7, sublimable vers 450 °C, insoluble dans les solvants usuels ; on connaît aussi un *arsenic noir* et un *arsenic jaune,* amorphes. L'arsenic se ternit à l'air par une oxydation lente ; il brûle avec une flamme livide en donnant de l'anhydride arsénieux ; il se combine aux halogènes, au soufre et à divers métaux. Ses principaux minerais sont des sulfures, le réalgar As_2S_2, orangé, et l'orpiment As_2S_3, jaune, et des arséniosulfures, comme le mispickel FeAsS. Mais l'arsenic se trouve aussi dans la plupart des sulfures métalliques naturels, dont le grillage donne comme sous-produit de l'anhydride arsénieux. Une réduction de celui-ci par le charbon permet d'obtenir l'arsenic.

Parmi les composés de l'arsenic, le plus important est l'*anhydride arsénieux* As_2O_3, que l'on désigne souvent sous le nom d'*arsenic blanc,* ou même d'*arsenic.* C'est une poudre blanche inodore, peu soluble dans l'eau, sublimable au rouge sombre. Divers oxydants le transforment en acide arsénique, d'où son emploi dans les dosages. Il donne, avec les bases, des arsénites, sels de l'acide H_3AsO_3, non isolé. C'est un poison très violent, souvent employé criminellement en raison de son absence de couleur, d'odeur et de saveur. On combat ses effets avec la magnésie, qui donne un composé insoluble.

L'*anhydride arsénique* As_2O_5 correspond à l'acide arsénique H_3AsO_4, dont les sels, ou arséniates, présentent de grandes analogies avec les phosphates.

L'*hydrogène arsénié* AsH_3 est un gaz d'odeur alliacée, combustible, que la chaleur décompose avec production d'un dépôt d'arsenic brillant.

L'arsenic est employé dans le plomb de chasse. Beaucoup de ses composés sont utilisés comme colorants, comme toxiques (mort-aux-rats, insecticides), et en médecine.

— *Méd.* L'arsenic existe dans l'organisme à l'état de traces, en combinaisons organiques ; son rôle est sans doute catalytique. La dose toxique d'anhydride arsénieux est de 2 mg par kilogramme de poids. Les méthodes cliniques d'identification et de dosage de l'arsenic permettent de déceler des quantités de l'ordre de 0,000 000 5 g. Dans les cas d'intoxication lente, la localisation de l'arsenic se fait dans les os et les phanères (en particulier les cheveux). L'étude de la répartition de l'arsenic dans les cheveux permet de déduire les dates d'intoxication. L'interprétation des résultats n'en est pas moins délicate en médecine légale, en raison de l'emploi médicamenteux de l'arsenic et de sa présence dans la croûte terrestre.

— ***arsine.*** Les arsines sont, du point de vue de leur constitution, analogues aux amines. Il existe des arsines primaires, secondaires et tertiaires, et des sels d'arsonium quaternaire. Ces composés sont extrêmement toxiques. Le chlore les transforme en chlorarsines, et l'oxydation, en acides arsoniques. Citons la méthylarsine primaire CH_3AsH_2, qui bout à 2 °C.

arsenical, arsenicisme, arsénié, arsénieux, arsénifère, arséniophosphate, arséniosulfure, arsénique, arsénite, arséniure, arsénoïque, arsénolite → ARSENIC.

Ars-en-Ré, ch.-l. de c. de la Charente-Maritime (arr. de La Rochelle), dans la partie occidentale de l'île de Ré ; 1 083 h. (*Arsais*). Maisons anciennes. Station balnéaire. Port de pêche. Marais salants.

arsin n. m. (du lat. *ardere, arsum,* brûler). Au Moyen Age, destruction par le feu de la maison du condamné, et qui fut remplacée plus tard par une amende. ✦ adj. m. *Bois arsin,* bois détruit ou endommagé par le feu.

arsine → ARSENIC.

Arsinoé, nom de plusieurs princesses égyptiennes : **Arsinoé I**re, reine d'Egypte, épouse de Ptolémée II Philadelphe (v. 281 av. J.-C.) et mère de Ptolémée III Evergète ; — **Arsinoé II** *Philadelphe,* née v. 316 av. J.-C. Elle épousa successivement Lysimaque de Thrace, Ptolémée Kéraunos, puis Ptolémée II Philadelphe. Divinisée sous le nom d'APHRODITE ZÉPHYRITIS ; — **Arsinoé III,** assassinée par son époux Ptolémée IV Philopatôr (204 av. J.-C.) ; — **Arsinoé IV,** sœur de Cléopâtre, mise à mort sur ordre d'Antoine (41 av. J.-C.).

Arsinoé, personnage du *Misanthrope,* comédie de Molière. Coquette vieillie, devenue dévote et prude, elle est jalouse de la jeunesse et de la beauté de Célimène.

Arsinoïte (NOME), nom de la prov. du Fayoum, dans l'Egypte gréco-romaine.

arsinoitherium [terjɔm] n. m. (de *Arsinoé,* princesse égyptienne, et du gr. *thêrion,* bête sauvage). Sorte de rhinocéros fossile de l'oligocène du Fayoum (Egypte).

Arslān chāh, sultan seldjoukide d'Iraq (1160-1178).

Arslān Tash, village du nord de la Syrie, à l'emplacement de l'ancienne Hadatou. On y a dégagé les vestiges d'un grand palais assyrien et d'un temple édifié par Téglath-Phalazar III, ainsi que de nombreux ivoires ornés phéniciens et cypriotes.

Arslān Tepe ou **Arslantepe,** site de la ville hittite de Milid, près de Malatya (Turquie), conservant des vestiges archéologiques.

Ars magna ou **Ars Lullana,** ouvrage de Raymond Lulle, essai d'encyclopédie édifié à l'aide de procédés mnémoniques (publié en 1516).

Ars nova, période de l'école polyphonique occidentale après 1300. Le plus grand musicien connu en est Guillaume de Machaut. Les théoriciens sont nombreux. Aux mesures ternaires, à peu près seules employées dans l'*Ars antiqua,* se mêlent les mesures binaires.

arsonium → ARSENIC.

Arsonval (Arsène D'), physicien français (La Porcherie, Haute-Vienne, 1851 - *id.* 1940). Ses travaux concernant l'action thérapeutique des courants de haute fréquence sont à la base des traitements appelés *d'arsonvalisation.* Il est l'auteur de perfectionnements de divers appareils électriques, notamment du galvanomètre à cadre mobile. (Acad. de méd., 1888 ; Acad. des sc., 1894.)

arsonvalisation (d') n. f. Méthode thérapeutique du professeur *d'Arsonval,* utilisant les courants de haute fréquence, de tension élevée et d'intensité relativement faible, et qui a pour objet principal la production de chaleur à l'intérieur du corps. (On écrit aussi DARSONVALISATION.)

Arsouf ou **Arsuf,** auj. **Tel-Arshaf,** site de l'Etat d'Israël, sur la Méditerranée, au N. de Tel-Aviv. *Apollonia* de l'Antiquité, devenue au temps des croisades *Arsur* ou *Arsouf-foum,* siège d'une seigneurie (1101), elle fut fortifiée par Saint Louis, puis détruite par Baybars Ier (1265).

arsouille n. et adj. *Pop.* Débauché crapuleux ; voyou.

Ars-sur-Formans, comm. de l'Ain (arr. de Bourg-en-Bresse), à 9 km à l'E. de Villefranche-sur-Saône ; 719 h. Saint Jean-Baptiste Vianney en fut le curé. Basilique.

Ars-sur-Moselle, ch.-l. de c. de la Moselle (arr. et à 11 km au S.-O. de Metz-Campagne), sur la Moselle ; 5 051 h. (*Arsois*). Boulonnerie ; produits alimentaires.

art n. m. (lat. *ars, artis*). Ensemble de procédés pour bien faire quelque chose ; méthode : *Faire une chose selon toutes les règles de l'art.* || Ensemble des règles d'un métier, d'une profession : *L'art oratoire. L'art militaire.* || Adresse, habileté à faire quelque chose ; talent : *L'art de plaire, de persuader. Il a l'art d'esquiver les difficultés.* || Expression d'un idéal de beauté dans les œuvres humaines : *Vivre pour l'art. Une œuvre d'art.* || Ensemble des œuvres artistiques d'un pays, d'une période, d'une école : *L'art italien. L'art roman.* (V. *encycl.*) || — SYN. : *adresse, dextérité, entregent, habileté, industrie, savoir-faire.* ● *L'art pour l'art,* expression employée dans le *Cours de philosophie* de Victor Cousin (1828), et qui résuma plus tard la doctrine d'une école littéraire illustrée surtout par Théophile Gautier et Baudelaire. (« L'art doit être à lui-même sa propre fin, cherchant à réaliser la beauté pure, sans se préoccuper de morale ou d'utilité. » [Préface de *Mademoiselle de Maupin,* de Th. Gautier, 1835.] En réaction contre le romantisme qui croit à la mission sociale du poète, ces idées, par leur souci de la perfection de la forme, marqueront fortement les poètes parnassiens.) ||

Arsène d'**Arsonval**

Manuel - Roger - Viollet

Art culinaire, art qui consiste à préparer les aliments non seulement selon les règles de la diététique, mais également pour procurer au consommateur les sensations gustatives les plus agréables. || *Art dentaire,* ensemble des techniques chirurgicales, médicales et prothétiques qui constituent la pratique de la chirurgie dentaire. || *Art dramatique,* secteur de la littérature comprenant les œuvres destinées à être représentées sur la scène; ensemble des techniques et des moyens artistiques concourant à cette représentation. || *Art de la guerre,* nom donné à la stratégie par Napoléon Ier et par plusieurs théoriciens militaires. (Machiavel écrivit de 1516 à 1520 un *Discours sur l'art de la guerre.*) || *Art héraldique,* V. HÉRALDIQUE. || *Art militaire,* ensemble des connaissances qui se rapportent à la mise sur pied ou à l'emploi des forces armées, ou, plus généralement, aux problèmes de défense. || *Art nautique,* art de la navigation. || *Art oratoire,* l'éloquence. || *Art poétique,* titre de nombreux ouvrages didactiques, en vers ou en prose, qui définissent les caractères principaux de la création poétique et enseignent les moyens de composer des poèmes. (Les « Arts poétiques » les plus connus sont cités plus loin à leur ordre alphab.) || *Art vétérinaire,* art de soigner les maladies des animaux domestiques. || *Art vivant,* expression employée par Courbet pour désigner le réalisme et les peintres de la vie moderne. (Elle a été appliquée, par la suite, à tout ce qui n'est pas de tradition académique.) || *Homme de l'art,* personne qui a des connaissances dans une matière précise; spécialiste; *partic.,* médecin : *Il va consulter un homme de l'art.* || — **arts** n. m. pl. *Arts décoratifs,* V. DÉCORATIF. || *Arts libéraux,* au Moyen Age, ensemble des matières de l'enseignement. (Dominés par la théologie, les arts libéraux étaient répartis en *trivium* [grammaire, rhétorique, dialectique] et en *quadrivium* [arithmétique, géométrie, astronomie, musique].) || *Arts majeurs, moyens* et *mineurs,* dans l'Italie médiévale, noms donnés aux corps de métiers groupant, à l'intérieur d'une même commune, les artisans d'une même spécialité, répartis en travailleurs, maîtres de métiers et dirigeants de l'art (consuls ou recteurs). [Ces associations, qui possédaient la personnalité morale et juridique, avaient, à l'origine, un caractère strictement économique. Mais, devant la faiblesse du pouvoir central, elles acquirent vite un rôle politique. Florence en est le meilleur exemple. Dès la seconde moitié du XIIIe s., les arts y étaient très hiérarchisés. Les sept *arts majeurs* constituèrent une aristocratie d'affaires qui domina la ville au XIVe s. La cité lui dut sa prospérité matérielle et sa parure monumentale. Ils excluaient de la vie politique les cinq *arts moyens* et les neuf *arts mineurs* (*popolo minuto*). Le régime de la Seigneurie, institué par Cosme de Médicis en 1434, mit fin à la puissance des arts majeurs.] || *Arts mécaniques,* arts qui exigeaient principalement le travail de la main, l'emploi des machines. || *Arts ménagers,* ensemble des techniques ayant pour objet de faciliter la tâche de la ménagère, de contribuer au confort et d'embellir la vie du foyer familial. (Le Salon des arts ménagers a été fondé en 1923 par Jules-Louis Breton.) || *Arts plastiques,* ceux qui, comme la peinture et la sculpture, consistent à reproduire les formes de la nature ou à réaliser des formes imaginaires. (Le terme de « beaux-arts » s'applique à l'architecture, à la peinture, à la sculpture, à la gravure; on y adjoint la musique et la chorégraphie.) || *Faculté des arts,* dans l'anc. université, faculté où l'on enseignait les humanités et la logique. (Elle était la plus importante par le nombre de ses étudiants, qui pouvaient, après y avoir pris leurs grades, poursuivre leurs études dans l'une des trois facultés supérieures.) ◆ **artiste** n. Celui, celle qui cultive professionnellement les beaux-arts : *La sensibilité de l'artiste.* || Celui qui pratique certains métiers manuels : *Artiste capillaire.* ● *Artiste dramatique,* ou, simplem., *artiste,* personne qui interprète une œuvre théâtrale ou musicale : *Les artistes du Théâtre-Français.* ✦ adj. Qui a le sentiment, le goût de l'art : *Les Italiens sont un peuple artiste.* || *Ecriture artiste,* nom donné par les frères Goncourt, en oppos. au négligé du naturalisme, à un style qui recherche les nuances compliquées et les tours inattendus. (En vertu de l'interpénétration des arts, elle prétend imiter certains procédés des arts plastiques, en particulier ceux de la peinture impressionniste. Elle a influé sur le développement de la langue littéraire, de Huysmans à Giraudoux en passant par Proust.) ◆ **artistement** adv. Avec art : *Disposer artistement des fleurs.* ◆ **artistique** adj. Relatif aux arts : *Les richesses artistiques d'un pays.* (V. *encycl.*) || Fait avec art, avec un souci d'art : *Une présentation artistique.* ◆ **artistiquement** adv. De façon artistique.

— ENCYCL. ***enseignement artistique.*** Dans l'Antiquité, l'enseignement artistique se fait directement de maître à élève; au Moyen Age, les monastères y pourvoient. Au XIVe s., les corporations s'en font attribuer l'exclusivité légale, en assimilant l'art à l'artisanat; on accède à la maîtrise par l'exécution d'un « chef-d'œuvre ». La confrérie de Saint-Luc groupe les corporations de peintres.

Au XVIe s., les Italiens introduisent en France les petites académies privées. L'une d'entre elles, devenue en 1648 l'Académie royale de peinture et de sculpture, monopolise l'enseignement des beaux-arts. En 1664 est institué le grand prix de Rome. En 1766 s'ouvre la première école gratuite. La Révolution regroupe les diverses écoles en une Ecole supérieure des beaux-arts. Le XIXe s. voit s'ouvrir les ateliers privés et les académies libres.

En France, l'enseignement artistique est actuellement assuré soit par des écoles nationales, gérées directement par la Direction générale des arts et des lettres, soit par des écoles municipales subventionnées par l'Etat, ou encore par des établissements d'enseignement technique.

1° *Ecoles nationales et municipales.* L'enseignement supérieur est dispensé à Paris à l'Ecole nationale supérieure des beaux-arts* et à l'Ecole nationale supérieure des arts décoratifs*. Il existe six Ecoles nationales des beaux-arts, à Aubusson, Bourges, Dijon, Limoges, Nancy, Nice.

3° *Histoire de l'art.* Dans l'enseignement supérieur, il existe des chaires d'histoire de l'art, générale ou spécialisée. L'université de Paris possède un institut d'histoire de l'art (*Institut d'art et d'archéologie*), conduisant à la licence et à un diplôme. Parallèlement, l'Ecole du Louvre (Service éducatif de la Direction des musées de France) et de nombreuses initiatives semi-officielles ou privées généralisent l'enseignement de l'histoire de l'art.

musée national d'Art moderne, façade sud

.e *certificat d'aptitude à une formation artis- ique supérieure* correspond à une sorte de accalauréat (institué en 1954) et conduit à réparer le diplôme national des beaux-arts institué en 1956), qui comporte sept sections. .es concours de Rome constituent les récompenses les plus élevées ; le lauréat du premier rand prix bénéficie d'un séjour à la Villa Médicis.

° *Etablissements d'enseignement technique.* :n principe, ils doivent former aussi bien des réateurs que des exécutants dans les diverses pécialités artistiques. Les principaux sont : : Collège technique des arts appliqués à l'inustrie, qui comprend de nombreuses sections ; le Collège technique d'art appliqué éminin ; le Collège technique Boulle, consacré aux métiers du meuble et à la décoration 'agencement ; l'Ecole supérieure Estienne es arts et industries graphiques ; le Collège echnique Ganneron, pour le décor sur céramique ; le Collège technique Elisa-Lemonier, qui enseigne notamment le dessin de la ettre.

Art d'aimer (L'), poème d'Ovide, publié aux environs du début de l'ère chrétienne.

art et d'archéologie (INSTITUT D'), institut de l'université de Paris, où sont enseignées les diverses disciplines de l'histoire de l'art et de la musique, ainsi que l'esthétique. Il abrite l'Institut d'urbanisme et la Bibliothèque d'art et d'archéologie (fondation Jacques-Doucet).

Art d'être grand-père (L'), recueil poétique de Victor Hugo (1877). Ses petits-enfants, Georges et Jeanne, inspirent au vieux poète les plus délicieux enfantillages poétiques.

Art de la fugue (L'), œuvre didactique en *ré* mineur de J.-S. Bach (1748-1750). Elle comprend 13 fugues à 4 voix, dont la dernière, inachevée, contient le contre-sujet B. A. C. H., 2 fugues à 3 voix et 4 canons.

Art moderne (MUSÉE NATIONAL D'), musée construit à Paris lors de l'Exposition internationale de 1937. Cent ans après la naissance de leur auteur, les œuvres qu'il contient sont soit transférées au Louvre, soit réparties dans

« le Pont des Arts »
par Paul Signac, *Petit Palais*

des établissements publics. Depuis 1977, une partie des collections du musée a été transférée au Centre national d'art et de culture Georges-Pompidou. Le musée municipal d'Art moderne occupe une aile du bâtiment du premier musée.

Art poétique, titre donné à l'*Epître aux Pisons,* qu'Horace écrivit tout à la fin de sa vie. Le poète n'a pas voulu faire œuvre didactique. C'est une causerie familière où se mêlent les préceptes, l'histoire littéraire, la polémique violente contre les écrivains de l'époque précédente (y compris Plaute), les conseils moraux sur le rôle du poète.

Art poétique (L'), poème didactique de Boileau (1674). Il comporte quatre chants, dont la composition est la suivante : I. *Règles générales communes à tous les genres ;* II. *Les Petits Genres poétiques* (*idylle, élégie, ode, sonnet,* etc.) ; III. *Les Grands Genres* (*tragédie, comédie, épopée*) ; IV. *Règles de vie et de caractère qui s'imposent à l'écrivain.* Au nom de la raison et du bon goût, Boileau critique toutes les formes d'expression qui semblent contraires à la nature (préciosité, burlesque) et propose un idéal poétique où les qualités de la composition et le respect des règles donnent une forme ordonnée à l'inspiration poétique. *L'Art poétique* n'est pas un manifeste littéraire, mais il met sous une forme claire et méthodique des idées que Boileau partageait avec La Fontaine, Molière, Racine et qu'il a reçues d'eux, tout autant qu'il les a suggérées. C'est pourquoi *l'Art poétique* reste un résumé des principes qui ont guidé les grands classiques du XVIIe s.

Art romantique (L'), recueil de 1868, où ont été groupées un grand nombre des pages éparses de Baudelaire critique littéraire. Dans des articles publiés à partir de 1845 dans le *Corsaire-Satan, l'Artiste, la Revue fantaisiste,* le poète a marqué sa situation en face du romantisme (qu'il accueille dans ses aspects déjà symbolistes), du réalisme (qu'il re[pousse]), de « l'art pour l'art », ou « écol[e] païenne » (qui ne suffit pas à ses aspiration[s] esthétiques), et, enfin, du wagnérisme (dan[s] lequel il voit l'art de l'avenir).

arts (CITÉ INTERNATIONALE DES), ensemble d[e] logements et d'ateliers situés quai de l'Hôtel[-]de-Ville à Paris, destinés aux artistes d[e] divers pays.

Arts (PONT DES), passerelle en fer, premièr[e] de ce type, due à l'architecte Dillon (1802[-]1804), et située devant l'Institut à Paris. Ell[e] a été reconstruite en 1983.

Arts (THÉÂTRE DES), enseigne théâtrale uti[-]lisée à diverses reprises par des salles pari[-]siennes : l'Opéra de la rue de Louvois, a[u] début du XIX[e] s. ; l'ancien théâtre des Bat[i]gnolles, de 1906 à 1940 (auj. théâtre Héber[-]tot, du nom de son directeur) ; depuis 1954 l'ancien théâtre Verlaine.

arts graphiques et plastiques (ASSOCIATIO[N] POUR LA DIFFUSION DES) [**A. D. A. G. P.**] association fondée en 1953 à Paris pour [la] défense des intérêts des artistes et la percep[-]tion de leurs droits d'auteurs.

Arts et des Lettres (ORDRE DES), ordre fran[-]çais institué en 1957 pour récompenser l[es]

ordre des **Arts** et des **Lettres**

mérites littéraires et artistiques. Ruban vert rayé de quatre filets verticaux blancs.

arts et métiers (CONSERVATOIRE NATIONAL DES), musée et établissement public d'enseignement supérieur technique, pour l'application des sciences à l'industrie, ainsi que laboratoire spécialisé pour les essais, les mesures et les étalonnages. Il a été fondé en 1794 et installé, en 1802, dans l'ancien prieuré Saint-Martin-des-Champs.

arts et métiers (ECOLE NATIONALE SUPÉRIEURE), école nationale d'enseignement technique supérieur, placée sous l'autorité du ministère de l'Education nationale, et formant des ingénieurs. Elle fut fondée en 1801 à Compiègne, puis transférée en 1806 à Châlons-sur-Marne. En outre, elle comprend auj. les écoles d'Angers, d'Aix-en-Provence, de Cluny, de Lille, de Paris et de Bordeaux.

arts et métiers (ECOLE CATHOLIQUE D'), établissement privé d'enseignement technique supérieur, formant des ingénieurs. Fondée à Reims en 1900, elle fut transférée à Erquelinnes en 1919 et à Lyon en 1940. Elle a été reconnue par l'Etat en 1962.

arts et métiers de Lille (INSTITUT CATHOLIQUE D'), établissement privé d'enseignement technique supérieur, formant des ingénieurs. Fondée en 1898 par des industriels du Nord, cette école est dirigée par les jésuites.

Arts et Traditions populaires (MUSÉE DES). V. POPULAIRE.

Árta, v. de Grèce, en Epire, près du *golfe d'Árta;* 20 500 h. Anc. *Ambracie*, colonie de Corinthe, elle devint la capitale du roi d'Epire Pyrrhos II (v. 295 av. J.-C.), puis le siège d'un despotat indépendant d'Epire (XIIIe-XIVe s.), et fut prise par les Turcs (1449). — Le *golfe d'Árta,* où fut livrée la bataille d'Actium (31 av. J.-C.), est une profonde indentation de la côte ouest de la Grèce, entre les caps de Préveza et d'Actium.

Artaban, nom de quatre rois parthes arsacides : **Artaban Ier** († 191 av. J.-C.), qui obligea Antiochos II à le reconnaître comme roi des Parthes; — **Artaban II,** roi de 127 à 124 av. J.-C.; — **Artaban III** († 44 apr. J.-C.), roi de Médie, puis roi des Parthes (10 apr. J.-C.); — **Artaban IV,** roi des Parthes († 224 apr. J.-C.), dernier souverain arsacide.

Artaban, héros d'un roman de La Calprenède, *Cléopâtre,* et dont la fierté de caractère est devenue proverbiale. (On dit, fam. : *Fier comme Artaban.*)

Artabaze, en gr. **Artabazos,** général de Xerxès, qui dirigea la retraite perse à Platées (479 av. J.-C.).

Artabaze, en gr. **Artabazos,** général de Darios, nommé, par Alexandre, satrape de Bactriane (330 av. J.-C.).

Artabotrys [tris] n. m. Annonacée arbustive afro-asiatique, fournissant l'huile d'ylang-ylang*.

Larousse

Conservatoire national des **arts et métiers**

Artagnan (FAMILLE D'). V. MONTESQUIOU.

Artamène ou le Grand Cyrus, roman de Mlle de Scudéry (1649-1653). Sous des noms empruntés à l'histoire ancienne de la Perse, les lecteurs reconnaissaient des personnalités contemporaines. Ainsi, dans le septième volume, apparaissait la société de l'hôtel de Rambouillet.

Artapharnês, général perse, vaincu avec Datis à Marathon (490 av. J.-C.).

Artatâma Ier, roi de Hourri (XVe s. av. J.-C.), souverain d'Assur. — **Artatâma II,** roi de Hourri, contemporain d'Aménophis III.

Artaud (près de Reims - † 961), archevêque de Reims en 932, puis chancelier de Louis IV d'Outremer.

Artaud (Antonin), écrivain français (Marseille 1896 - Ivry-sur-Seine 1948). Poète surréaliste et comédien, il collabore avec Ch. Dullin, G. Pitoëff et L. Jouvet, et publie *le Manifeste du théâtre de la cruauté* (1932), mais ses essais dramatiques ne rencontrent pas la faveur du public. Après un voyage au Mexique (1936-1937) et en Irlande, il est interné jusqu'en 1946. Son exaltation lucide se retrouve dans des œuvres telles qu'*Héliogabale ou l'Anarchiste couronné* (1934), *Lettres de Rodez* (1946) et *Van Gogh, le suicidé de la société* (1947).

Artavasde, général byzantin du VIIIe s. Il se fit couronner empereur et rétablit le culte des images (740). Vaincu par Constantin V en 742, il fut rendu aveugle et exilé.

Artavazde, nom de plusieurs rois d'Arménie, dont **Artavazde III** (50 av. J.-C.), fils de Tigrane. Cause de désastres dans l'expédition d'Antoine contre les Parthes, il fut mis à mort par Cléopâtre (30 av. J.-C.).

Artaxerxès, nom de trois rois perses : **Artaxerxès Ier** *Longue-Main,* roi de 465 à 424 av. J.-C. ; il conclut avec les Grecs la « paix de Callias » (449) ; — **Artaxerxès II** *Mnémon,* roi de 404 à 358 av. J.-C., qui vainquit en 401 son frère Cyrus, révolté contre lui ; — **Artaxerxès III** *Okhos,* roi de 358 à 338 av. J.-C., qui reconquit l'Egypte (343). Il mourut empoisonné.

artefact n. m. (lat. *artis facta,* effets de l'art). Structure ou phénomène d'origine artificielle ou accidentelle, rencontré au cours d'une observation ou d'une expérience portant sur un phénomène naturel.

artel' n. m. (mot russe). En U. R. S. S., société coopérative de production, dans laquelle la propriété est entre les mains de collectivités ou d'associations de travailleurs (artisans ou agriculteurs). [L'artel' agricole est une forme particulière du kolkhoz.]

artelle n. f. Outil de bois, concave, dont se servent les plombiers pour couler la soudure en petites baguettes.

Artem. V. ARTIOM.

Artem, île de la mer Caspienne (U. R. S. S.), à l'E. de Bakou. Nombreux puits de pétrole.

Artemare, comm. de l'Ain (arr. et à 17 km au N. de Belley), sur le Séran, près du Grand-Colombier ; 914 h. (*Artemariens*). Centre d'excursions. Ganterie ; travail du bois.

artémia n. f. Crustacé branchiopode anostracé, capable de vivre en eau sursalée (jusqu'à six fois la salinité océanique).

Artémis, en gr. **Artêmis.** *Myth. gr.* Fille de Zeus et de Léto, et sœur d'Apollon. Déesse mère à l'origine, elle est caractérisée après Homère comme vierge farouche, et généralement représentée armée de l'arc et des flèches ; c'est la protectrice des bêtes sauvages et des arbres (Artémis Orthia, de Sparte). Déesse très populaire, que l'on retrouve dans tout le monde grec, même en Asie (Artémis d'Ephèse) et en Occident (Syracuse), elle a été assimilée à la Diane des Romains.

Artémise Ire, en gr. **Artemisia,** reine d'Halicarnasse. Elle prit part à l'expédition de Xerxès contre les Grecs, et combattit à Salamine (480 av. J.-C.). — **Artémise II,** reine d'Halicarnasse, sœur et femme de Mausole, à qui elle éleva (353 av. J.-C.) un magnifique tombeau (Mausolée).

artemisia n. f. V. ARMOISE et ABSINTHE.

Artémision (CAP). *Géogr. anc.* Cap au N. de l'île d'Eubée, près duquel les Grecs, commandés par Thémistocle, livrèrent combat à la flotte perse de Xerxès (480 av. J.-C.).

Artemovsk. V. ARTIOMOVSK.

Artenay, ch.-l. de c. du Loiret (arr. et à 20 km au N. d'Orléans) ; 2 003 h. Sucrerie, distillerie. Combats de la Ire armée de la Loire les 10 octobre et 3 décembre 1870.

Artéphius, alchimiste et philosophe hermétique, juif ou arabe (XIIe s.).

artère n. f. (gr. *artêria*). Nom donné aux vaisseaux destinés à porter le sang soit du ventricule droit du cœur aux poumons, soit du ventricule gauche à toutes les parties du corps : *Le battement des artères.* (V. *encycl.*) || Grande voie de communication assurant une circulation vitale : *A Paris, même les grandes artères ne suffisent plus à la circulation automobile.* || Ligne qui relie directement une usine électrique ou une sous-station à un point du réseau de distribution sans fournir le courant le long du parcours. || Conduite principale d'un réseau de transport

Artémis dite « Diane de Versailles » art hellénistique *Louvre*

Larousse

de gaz de ville. (Syn. FEEDER.) ◆ **artériali-sation** n. f. Terme impropre désignan[t] l'hématose* pulmonaire. ◆ **artériectomi[e]** n. f. Résection chirurgicale d'un segmen[t] d'une artère et du plexus sympathiqu[e] qui l'entoure. ◆ **artériel, elle** adj. Relati[f] aux artères. ● *Canal artériel,* conduit san[-]guin qui, chez le fœtus, fait communique[r] l'aorte et l'artère pulmonaire, et qui s'obli[-]tère normalement après la naissance. *Pression artérielle,* v. PRESSION. || *Sang arté[-]riel,* expression impropre désignant le san[g] « rouge », riche en oxyhémoglobine et pauvr[e] en gaz carbonique et en bicarbonates. (C[e] sang est contenu dans le système aortiqu[e] qui est artériel, mais aussi dans le systèm[e] des veines pulmonaires ; le sang de l'artèr[e] pulmonaire, au contraire, est pauvre en oxy[-]gène, et improprement appelé *sang veineux* ◆ **artériographe** n. m. Appareil utilisé pou[r] enregistrer les battements artériels. (Syn

SPHYGMOGRAPHE.) ◆ **artériographie** n. f. Cliché radiographique obtenu après injection, dans une artère, d'un produit opaque aux rayons X. ‖ Etude des battements artériels à l'aide du sphygmographe (ou artériographe). ◆ **artériole** n. f. Petite artère. ◆ **artériolithe** n. m. Concrétion calcaire située dans les parois artérielles au cours de l'athérome*. ◆ **artériologie** n. f. Partie de l'anatomie qui traite des artères. ◆ **artériopathie** n. f. Maladie des artères. ◆ **artériorragie** n. f. Hémorragie d'une artère. ◆ **artériorraphie** n. f. Suture chirurgicale d'une artère. ◆ **artérioscléreux, euse** adj. *Pathol.* Qui concerne l'artériosclérose. ✦ adj. et n. Atteint d'artériosclérose. ◆ **artériosclérose** n. f. Terme très général désignant une maladie involutive du système artériel, faite surtout d'athérome*, de nécrose et de calcification de la média (tunique moyenne de l'artère), et d'inflammation scléreuse de la tunique interne. (L'artériosclérose se localise surtout sur l'aorte, les artères coronaires, les artères du rein, de l'encéphale et des membres inférieurs. Elle s'accompagne ou non d'hypertension artérielle et elle est la cause de la plupart des accidents vasculaires de la sénescence : accidents aigus de thrombose* [ramollissement cérébral, infarctus myocardique], accidents de rupture [hémorragie cérébrale], insuffisance de vascularisation cérébrale [cérébrosclérose]. Ses causes sont multiples : alimentaires [régimes riches en matières grasses], ethniques, héréditaires, métabolitiques [trouble du métabolisme des lipides], etc.) ◆ **artériotomie** n. f. Incision chirurgicale d'une artère. ◆ **artérite** n. f. Altération inflammatoire ou dégénérative des parois artérielles. (Les artérites peuvent être aiguës ou chroniques. Leur gravité tient à la réduction ou à l'arrêt de la circulation que provoque l'épaississement des parois artérielles ou la formation d'une thrombose*. Les artérites dégénératives sont souvent représentées par l'athérome*.)

— ENCYCL. ***artère.*** Le système artériel comprend deux troncs artériels ramifiés : l'artère pulmonaire*, qui part du ventricule droit ; l'aorte*, qui naît du ventricule gauche et qui se subdivise dans tous les organes. Les artères s'anastomosent de diverses manières et, à leur extrémité, se continuent par les capillaires*, qui forment un réseau intermédiaire entre elles et les veines.
La paroi d'une artère comprend trois tuniques : l'*intima,* ou tunique interne, qui comporte un endothélium* et un chorion conjonctivo-élastique ; la *média,* ou tunique moyenne, musculo-élastique ; l'*adventice,* qui est une gaine conjonctivo-vasculaire riche en plexus nerveux. Les artères possèdent deux propriétés physiologiques essentielles : l'élasticité et la contractilité. Le sang circule dans les artères sous une pression* qui dépend du travail du cœur et de la résistance qu'opposent les artérioles et les capillaires périphériques. Les principales affections des artères sont : les anévrismes*, les plaies, les rétrécissements, les oblitérations. Les gros troncs artériels jouissent d'une grande *élasticité ;* après chaque systole ventriculaire du cœur, l'aorte et l'artère pulmonaire humaines hébergent chacune 65 g de sang en surcroît, qui en dilatent les parois, d'où apparition d'une tension* artérielle, lancement d'une onde de choc (pulsation*) et fermeture des valvules sigmoïdes. Grâce à cette élasticité, débit et pression du sang sont d'autant plus constants qu'on s'éloigne plus du cœur. Les petites artères locales, au contraire, sont éminemment *contractiles ;* leur diamètre varie sous l'action du système neuro-végétatif (V. VASO-MOTRICITÉ), ce qui fait varier le débit sanguin à travers l'organe qu'elles desservent. (V. CONGESTION, GELURE.)
Rien n'est plus varié que le système artériel des animaux. Chez les vertébrés, toutefois, les arcs aortiques de l'embryon, qui correspondent en gros aux arcs branchiaux du squelette, laissent, chez l'adulte, quelques traces, notamment l'aorte et l'artère pulmonaire. Chez la plupart des pœcilothermes, ces deux vaisseaux mêlent leur sang, et c'est un sang « gris » qui irrigue les tissus. Les homéothermes (mammifères, oiseaux) bénéficient d'une circulation « double », et leurs tissus ne reçoivent que du sang oxygéné pur. L'organe respiratoire, quel qu'il soit, reçoit toujours de nombreuses artères charriant du sang désoxygéné.

artérialisation, artériectomie, artériel, artériographe, artériographie, artériole, artériolithe, artériologie, artériopathie, artériorragie, artériorraphie, artérioscléreux, artériosclérose, artériotomie, artérite → ARTÈRE.

artésien, enne adj. et n. Relatif à l'Artois ; habitant ou originaire de cette province. ● *Puits artésien,* trou de sonde donnant un jaillissement spontané de liquide, eau ou pétrole.

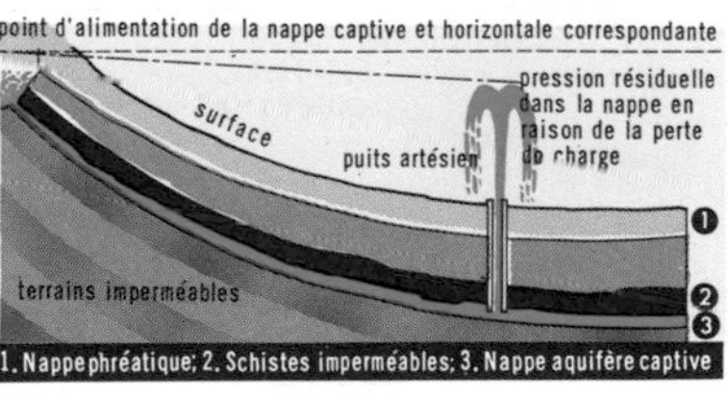

puits artésien

(Au Moyen Age, ces puits étaient nombreux dans l'Artois, d'où leur nom.)

Artevelde (Jacob VAN). V. VAN ARTEVELDE.

Arthénice, anagramme de Catherine de Vivonne, marquise de Rambouillet.

Arthez-de-Béarn, ch.-l. de c. des Pyrénées-Atlantiques (arr. de Pau), à 20 km au S.-E. d'Orthez ; 1 546 h. (*Arthésiens*).

Arthois (Jacobus D'), peintre flamand (Bruxelles 1613 - † 1686?). Il exécuta de nombreux paysages de la région de Soignies (Louvre, Bruxelles).

arthracanthes n. m. pl. Petit ordre de protozoaires actinopodes acanthaires.

arthralgie n. f. Douleur siégeant au niveau d'une articulation. ◆ **arthralgique** adj. Relatif à l'arthralgie.

arthrectomie n. f. Opération consistant à enlever les parties malades d'une articulation en respectant les surfaces articulaires.

arthrifluent, e adj. *Abcès arthrifluent,* abcès froid qui se développe au niveau d'une lésion articulaire de nature tuberculeuse.

arthrite n. f. (du gr. *arthron,* articulation). Inflammation d'une articulation, chez l'homme et chez certains animaux (cheval). [Les arthrites peuvent être consécutives à un traumatisme. Mais elles ont le plus souvent une cause interne. On peut distinguer : les arthrites suppurées microbiennes, par action directe du germe sur place (arthrite tuberculeuse, streptocoque) ; les arthrites inflammatoires sans microbisme local, qui constituent l'élément majeur des rhumatismes* inflammatoires. Il peut s'agir d'une réaction inflammatoire primitive (auto-allergique) ou secondaire, due en particulier à un streptocoque hémolytique pharyngé auquel l'organisme se sensibilise.] ● *Arthrite alvéolo-dentaire,* inflammation du ligament alvéolo-dentaire, entraînant une mobilité douloureuse de la dent dans son alvéole.

arthritique → ARTHRITISME.

arthritisme n. m. Diathèse se manifestant par des troubles très variés selon leur siège et selon leur nature, à tel point que le terme est devenu désuet. (Cependant, on désigne encore par « arthritisme » quelques états tels que la goutte, le rhumatisme chronique, la lithiase, l'obésité, l'eczéma.) ◆ **arthritique** adj. Relatif à l'arthritisme. ✦ adj. et n. Atteint d'arthritisme.

arthrobranchie n. f. La seconde des trois branchies portées par chaque patte thoracique d'un crustacé décapode. (Elle est située entre la *podobranchie* et la *pleurobranchie*.)

arthrocèle n. f. Epanchement articulaire.

classe	subdivisions		milieu
péripates* ou *onychophores			terrestre humide (forêts équatoriales)
tardigrades			généralement terrestre humide (mousses)
pantopodes* ou *pycnogonides			marin (littoral)
mérostomes			marin
trilobites			marin (uniquement fossile)
crustacés	copépodes		généralement marin (plancton)
	cirripèdes		marin (fixé au rocher)
	cladocères		eaux douces
	isopodes et amphipodes		mer, eaux douces, terre humide
	décapodes	crevettes	marin
		écrevisses (ou macroures)	marin (sauf l'écrevisse elle-même)
		crabes (ou brachyoures)	mer, eau douce, terre
		pagures (ou anomoures)	marin ou insulaire
arachnides	acariens		tous les milieux ; ils sont souvent parasites
	faucheurs ou opilions		terrestre
	scorpions		terrestre
	araignées	tétrapneumones	terrestre chaud (déserts)
		dipneumones	terrestre
mille-pattes* ou *myriapodes	carnassiers		vivent dans le sol
	végétariens		ou sous les pierres

arthrocentèse n. f. Ponction d'une articulation.

arthrodèse n. f. Opération destinée à provoquer l'ankylose d'une articulation. (L'arthrodèse est pratiquée comme traitement des arthrites tuberculeuses de l'adulte et de certaines arthroses douloureuses.)

arthrodires n. m. pl. Poissons cuirassés, fossiles du dévonien, de la classe des placodermes. (Genre princ. : *coccosteus.*)

arthrodynie n. f. Douleur articulaire.

arthrographie n. f. Radiographie d'une articulation après injection de produits de contraste ou d'air dans la cavité articulaire.

arthrologie n. f. Partie de l'anatomie qui traite des articulations.

arthrolyse n. f. Opération destinée à rendre la mobilité à une articulation ankylosée.

arthropathie n. f. Nom générique donné à toute maladie des articulations.

arthropitys [tis] n. m. Végétal fossile du carbonifère, du groupe des calamariées.

arthroplastie n. f. Opération destinée à rendre sa valeur fonctionnelle à une articulation, en reconstituant les surfaces articulaires.

arthropleura n. m. Articulé aquatique fossile du carbonifère, très primitif. ◆ **arthropleuridés** n. m. pl. Famille formée pour le seul genre *arthropleura.*

arthropodes n. m. pl. (du gr. *arthron,* articulation, et *pous, podos,* pied). Le plus vaste de tous les embranchements du règne animal (plus d'un million d'espèces), comprenant notamment les crustacés, les mille-pattes, les arachnides et les insectes. (Syn. ARTICULÉS.)

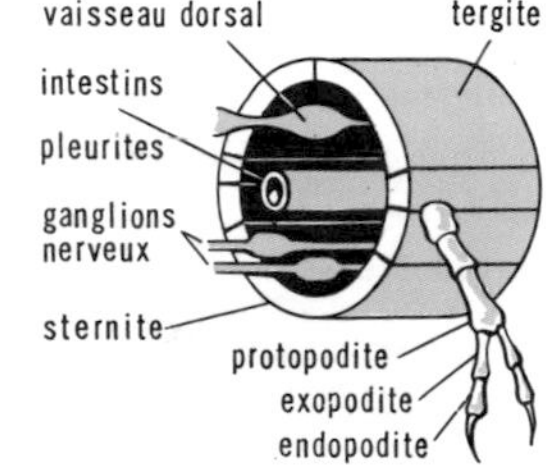

anneau d'un arthropode

appareil respiratoire	exemples
achées rudimentaires	un seul genre : le *péripate*
néant	*macrobiote*
néant	*nymphon*
anchies	*limule*
anchies	*olenus, paradoxides*
anchies	*cyclope*
anchies	*anatife, balane*
anchies	*daphnie*
anchies enfouies	*cloportes, gammare*
anchies abritées permettant e longue survie hors de au	*leander* (ou *salicoque*), *crangon* (ou *crevette grise*)
	homard, langouste
	tourteau, étrille, maïa (ou *araignée de mer*)
	bernard-l'ermite, birgue
achées, ou néant	*hydrachne, tique, sarcopte*
achées	*faucheur*
umons (4 paires)	*scorpion du Midi*
umons (2 paires)	*mygale*
umons (1 paire) et trachées	*épeire, tégénaire*
achées	*scolopendre*
	iule, gloméris

ARTHROPODES

A l'exception des insectes.
(V. tableau INSECTES.)

— Encycl. On range parmi les arthropodes tous les animaux dont le corps, à l'état adulte, est formé d'une suite d'anneaux couverts d'un tégument rigide de chitine, et souplement articulés entre eux, certains de ces anneaux portant des appendices formés de segments eux aussi articulés (typiquement, une paire d'appendices ventro-latéraux à chaque anneau). La croissance n'est possible qu'au prix de changements de peau, ou *mues,* qui, chez de nombreuses espèces, s'accompagnent de changements de forme, ou *métamorphoses.*
Les arthropodes ont tous des pièces buccales, des pattes servant à marcher, des yeux (simples ou composés), et la plupart ont des antennes. La majorité des espèces terrestres respirent par des trachées.

arthrorise n. f. Opération destinée à limiter les mouvements d'une articulation au moyen d'une butée osseuse ou d'un enchevillement.

arthroscopie n. f. Examen endoscopique d'une cavité articulaire.

arthrose n. f. Affection articulaire chronique, non inflammatoire, caractérisée anatomiquement par une altération du cartilage articulaire, par des modifications du tissu osseux qui le soutient, et par une ostéophytose. (L'arthrose est responsable de douleurs et d'impotence. Elle peut être localisée à une articulation en raison de facteurs locaux, tels qu'un traumatisme, une malformation, ou être généralisée ; c'est alors la maladie arthrosique, qui est en rapport avec la sénescence tissulaire.) ◆ **arthrosique** adj. Relatif à l'arthrose. ✦ adj. et n. Atteint d'arthrose.

arthrospore n. f. Spore de champignon formée par une cellule détachée d'un filament cloisonné.

arthrotomie n. f. Ouverture chirurgicale d'une articulation.

Arthur ou **Artus,** chef britannique à demi légendaire qui organisa la résistance celte contre les Saxons (fin du Ve s. - début du VIe s.).

Arthur (CYCLE D') ou **cycle d'Artus,** ensemble de poèmes en vers octosyllabiques et de romans en prose, pour la plupart du XIIIe s., dont le roi Arthur (ou Artus) est le personnage central. Arthur fait figure de héros national de l'Angleterre dès 976, dans l'*Historia Britonum,* puis chez Geoffroi de Monmouth (*Historia regum Britanniae,* 1135). Le poète anglo-normand Wace, en traduisant cette dernière œuvre en un poème de langue vulgaire (*Roman de Brut,* 1155), contribua à diffuser en France la « matière celtique ». Dès lors, le « cycle breton » d'Arthur va inspirer les lais de Marie de France et les romans de Chrétien de Troyes. Arthur est le suzerain de valeureux chevaliers, tels Lancelot, Yvain, Perceval, qui prennent place autour d'une table ronde afin d'éviter toute querelle de préséance. L'amour chevaleresque les rend capables des prouesses les plus extraordinaires, mais la foi mystique les guide parfois aussi, comme dans les romans consacrés à la « quête du Graal ».

Arthur Ier (Nantes 1187 - Rouen 1203), comte de Bretagne (1196-1203), petit-fils de Henri II Plantagenêt. Ecarté de la couronne d'Angleterre par son oncle Jean sans Terre, il fut investi par Philippe Auguste des fiefs d'Anjou et d'Aquitaine (1202). Son oncle le fit assassiner. — **Arthur II** (1262 - château de l'Isle, près de La Roche-Bernard, 1312), 2e duc de Bretagne (1305-1312), fils du duc Jean II et de Béatrice d'Angleterre. — **Arthur III** (1393-1458), comte de Richemont (1393-1457), duc de Bretagne (1457-1458). Il fut fait prisonnier à Azincourt (1415). Connétable de France (1424), il combattit les Anglais.

Arthur (Chester Alan), homme politique américain (North Fairfield, Vermont, 1830 - New York 1886), président républicain des Etats-Unis (1881-1885).

Arthur Tudor, prince de Galles (Ludlow, Shropshire, 1486 - † 1502), fils aîné de Henri VII.

Arthus (Maurice), biologiste français (Angers 1862 - Fribourg 1945). Son nom reste lié à la découverte de l'anaphylaxie locale.

artibée n. f. Chauve-souris hématophage de l'Amérique chaude. (Syn. VAMPIRE.)

Artibonite, fl. de l'île d'Haïti ; 220 km. Il prend sa source en république Dominicaine, traverse la république d'Haïti, se jette dans la baie des Gonaïves.

artichaut n. m. (ital. dialectal *articiocco ;* de l'ar. *al-qarchūf*). Plante alimentaire de la famille des composées. (L'artichaut se multiplie, au printemps, par séparation des œilletons, ou rejetons, qu'on plante en terre fraîche et bien drainée ; on butte les touffes l'hiver, contre les gelées. On consomme le réceptacle et la base des bractées, assez riches en vitamine C. En pharmacie, l'artichaut est utilisé essentiellement comme cholérétique.)

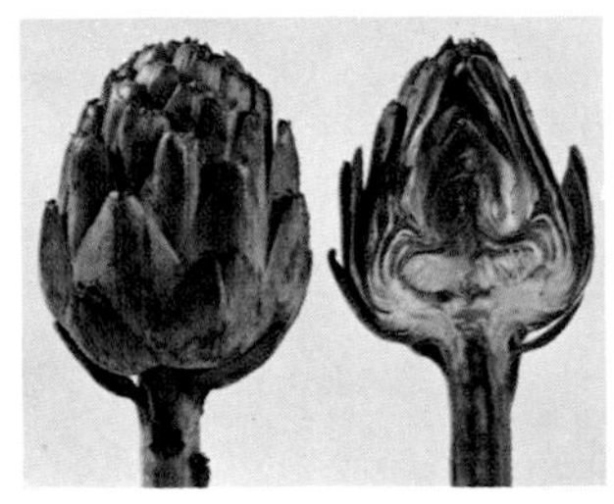

artichaut

|| Pièce de serrurerie, hérissée de pointes, et qui sert à garantir une clôture pour empêcher qu'elle ne soit escaladée.

article n. m. (lat. *articulus ;* dimin. de *artus,* articulation). Partie formant une division ou une subdivision (le plus souvent marquée d'un chiffre) dans un code, un contrat, un traité, un catalogue, etc., et ayant un rapport d'ensemble avec ce qui précède et ce qui suit : *Les articles du Code civil.* || Partie formant un tout distinct dans une publication, un journal : *Publier un article dans une revue.* || Sujet, point, chapitre : *Etre sensible sur l'article de l'honneur.* || Objet que l'on vend dans les boutiques ou les magasins : *Article de mercerie.* || Objet stocké dans le magasin d'une entreprise. || Mot accessoire joint aux noms soit pour les déterminer, soit pour indiquer le genre et le nombre : *L'article s'accorde en genre et en nombre avec le nom auquel il se rapporte.* (V. encycl.) || Elément nettement délimité, aisément détachable, inclus dans une série d'éléments semblables disposés en ligne, chez un animal ou une plante. (Un champignon à structure apocytaire, une patte d'insecte, un fruit de radis sont formés d'articles.) ● *A l'article de la mort,* au moment de mourir. || *Article de foi,* nom donné par les théologiens catholiques aux points de doctrine appartenant à la Révélation. (On ne peut les mettre en doute sans être hérétique.) || *Article de fond,* dans les journaux, celui qui discute une question en présentant le point de vue du journal ou, parfois, seulement celui du rédacteur en chef. || *Articles organiques,* v. ORGANIQUE. || *Article de Paris,* objet de mode ou de bimbeloterie fabriqué à Paris et caractérisé par une certaine élégance et une certaine fantaisie. || *C'est un article à part,* c'est une chose qu'il ne faut pas confondre avec d'autres. || *Faire l'article,* faire valoir une marchandise en la vantant beaucoup. ◆ **articulet** n. m. *Fam.* Petit article dans un journal.

— ENCYCL. Il y a trois sortes d'articles : l'article *défini,* l'article *indéfini* et l'article *partitif.*

Les formes de l'article, indéfini et partitif sont :

	DÉFINI	INDÉFINI	PARTITIF
masc. sing.	*le, l'*	*un*	*du, de l'*
fém. sing.	*la, l'*	*une*	*de la, de l'*
pluriel	*les*	*des*	*des (de)*

● *Article défini.* L'article défini est employé devant les noms communs pris dans un sens déterminé, ce qui indique en outre le genre et le nombre des noms en question : *le chien du berger.* Il s'emploie parfois comme démonstratif : *comment osez-vous parler de la sorte ?* (de cette sorte) ; comme possessif : *il a mal à la tête* (à sa tête) ; pour indiquer une chose ou un objet habituels : *allez chercher le pain ;* avec une valeur distributive : *il vient nous voir le dimanche* (chaque dimanche) ; *une fois l'an* (par an).

Les noms propres de personnes et de villes qui ont par eux-mêmes un sens déterminé ne sont pas précédés de l'article : *Paul, Pierre, Paris, Lyon.* Les autres noms géographiques sont, en général, précédés de l'article défini : *la France, les Alpes, le Rhône, le Perche.*

L'emploi de l'article devant certains noms de famille, d'écrivains ou d'artistes italiens est traditionnel : *le Tasse, l'Arioste,* mais on évitera de dire *le Dante,* car Dante est un prénom. On trouve aussi l'article devant le nom de certaines grandes actrices ou cantatrices : *la Champmeslé, la Malibran.* Mais, dans les exemples suivants, *la Pompadour, la du Barry,* l'article indique une intention de dénigrement. On emploie aussi l'article devant les noms propres accompagnés d'un adjectif : *le doux Racine ;* et devant les noms de famille pour désigner les membres de cette famille : *nous allons ce soir chez les Durand ; la dynastie des Habsbourg.*

● *Article indéfini.* Il s'emploie pour désigner un être ou une chose dont on n'a pas encore parlé ou qu'on n'a pas encore identifiés : *il y avait une fois un roi ; prêtez-moi un livre.* L'article indéfini devant un nom propre marque le mépris ou l'emphase : *un Harpagon, un Voltaire, un Napoléon.* Il indique également l'admiration ou le mépris dans les phrases exclamatives : *cette femme parle avec une grâce, une distinction ! ; en voilà un imbécile !*

● *Article partitif.* L'article partitif se place devant les mots qui désignent des choses que l'on ne peut compter : *donnez-nous de l'eau, du beurre, des fruits.*

Si le nom est précédé d'un adjectif, on emploie, selon certains grammairiens, *de* au lieu de *du, de la, des : nous avons mangé de bonne viande.* Cette règle est inusitée au singulier dans la langue parlée moderne, mais elle est en général observée au pluriel : *nous avons vu de belles voitures.* Cependant, si l'on veut insister sur l'adjectif ou si l'adjectif et le nom sont liés de manière à former une sorte de nom composé, comme *jeunes gens, faux pas, petits pains,* etc., on emploie *du, de la, des* et non *de : voilà de la très bonne bière ; des jeunes gens raffinés ; des petits pois extra-fins.* Dans une proposition négative, *du, de la, des* (ainsi que *un*) sont remplacés par *de* seul : *il y a du vent, il n'y a pas de vent ; je vois une maison, je ne vois pas de maison.*

En français moderne, l'article partitif est très employé pour indiquer une notion de quantité : *faire du cent à l'heure ; faire de la fièvre ; vendre du meuble ; jouer du Mozart.*

● *Article élidé.* L'élision consiste dans la suppression des voyelles *e, a,* qui sont remplacées par une apostrophe. On élide les articles *le* et *la* devant tout mot commençant par une voyelle ou un *h* muet : *l'oiseau, l'amitié, l'histoire.*

● *Article contracté.* Les articles contractés

sont formés par la réunion des articles *le, les* avec les prépositions *à, de.* Les articles contractés sont :

au mis pour *à le* — *du* mis pour *de le*
aux mis pour *à les* — *des* mis pour *de les*

— REMARQUES. ● *Des* peut être le pluriel de l'article partitif singulier *du, de la : prenez des confitures;* mais aussi, et le plus souvent, le pluriel de l'article indéfini : *je vois un homme, je vois des hommes.*
● *Répétition de l'article.* Quand deux adjectifs unis par la conjonction *et* qualifient un même nom, l'article ne se répète pas devant le second : *les langues grecque et latine.* Mais si les adjectifs ne peuvent qualifier ensemble le même substantif, la répétition de l'article est nécessaire : *la haute et la basse Normandie.*
● *Absence d'article.* L'article ne se répète pas quand les noms forment pour ainsi dire une expression indivisible ou quand on parle de personnes ou de choses analogues : *Ecole des ponts et chaussées, des eaux et forêts; les officiers et sous-officiers; les père et mère; journal paraissant les lundi, jeudi et samedi.* On supprime également l'article dans les phrases proverbiales, dans les énumérations : *prudence est mère de sûreté; femmes, moines, vieillards, tout était descendu.*
Le nom est employé sans article dans de nombreux cas; ainsi, dans certaines appositions : *Lyon, capitale régionale;* pour indiquer la date : *venez mardi;* dans de très nombreuses locutions : *prendre parti, faire fiasco, blanc comme neige;* dans certains cas, comme attribut : *il est ingénieur, il devint roi d'Angleterre,* etc. (V. aussi les prép. À et DE.)

Articles (TRAITÉ DES VINGT-QUATRE), traité conclu le 15 octobre 1831. Œuvre de la Conférence de Londres, il fixait définitivement les frontières de la Belgique et confirmait sa neutralité armée, sous la garantie des grandes puissances. Il fut ratifié dès 1832 par les puissances, à l'exception de la Hollande, qui ne signa qu'en 1839.

articulaire, articulation, articulatoire, articulé → ARTICULER.

articuler v. tr. et intr. (lat. *articulare*). Emettre des sons vocaux à l'aide de mouvements des lèvres et de la langue; régler la disposition des organes vocaux pour former un phonème : *Ne pas pouvoir articuler un seul mot.* ‖ Prononcer en marquant nettement chaque syllabe : *Articuler avec force chaque terme.* ‖ Joindre, unir, lier par des charnières, des anneaux, des chaînons, etc. ‖ Joindre des os suivant leurs rapports articulaires. ‖ — ***s'articuler*** v. pr. Se joindre, s'unir par articulation, spécialement en parlant des os, ou des segments du corps des insectes et des crustacés : *L'humérus s'articule avec l'omoplate.* ‖ *Fig.* Se succéder dans un ordre déterminé : *Les parties d'un discours qui s'articulent admirablement.* ◆ **articulaire** adj. Relatif aux articulations : *Surfaces articulaires.* ● *Sens articulaire,* sens kinestésique*. ◆ **articulation** n. f. Ensemble des mouvements des organes phonateurs nécessaires à la formation de phonèmes. ‖ Division du son en fragments distincts, associés ou non à des syllabes. (Ce terme s'applique aussi à certains instruments à vent : flûte, hautbois, orgue.) ‖ Toute région de contact et de fixation entre deux parties du corps d'un individu, plus spécialement lorsque ces deux parties sont mobiles l'une par rapport à l'autre : *Articulation du genou, du tarse d'un insecte.* ‖ Jointure entre deux os, chez l'homme ou les animaux vertébrés. (V. *encycl.,* Anat. et Pathol.) ‖ Partie distincte d'une coquille multiloculaire, marquant une époque d'accroissement du mollusque. ‖ *Bot.* Rétrécissement annulaire se présentant sur certains organes et favorisant leur fragmentation. ‖ Point où se fait la jonction de chacun des membres ou propositions d'une phrase. ‖ Mot grâce auquel se fait cette jonction : *Les conjonctions, les relatifs forment les articulations de la phrase.* ‖ Enumération écrite de faits au cours d'un procès : *Articulation des griefs.* ‖ Assemblage dont l'élément de liaison est constitué par un axe permettant un déplacement angulaire des pièces assemblées. ‖ *Fig.* Disposition des différentes parties d'un raisonnement ou d'un discours : *L'articulation d'un raisonnement.* ● *Articulation des neurones,* V. SYNAPSE. ‖ *Point d'articulation* ou *zone d'articulation d'un phonème,* endroit où le canal buccal est le plus resserré lors de l'émission de ce phonème. ◆ **articulatoire** adj. Relatif à l'articulation : *Les mouvements articulatoires des organes phonateurs.* ◆ **articulé, e** adj. Qui a une ou plusieurs articulations : *Une poupée articulée.* ‖ Se dit d'une phrase dont les divers éléments sont rattachés les uns aux autres par des liens syntaxiques (conjonctions de coordination et de subordination, pronoms relatifs) propres à en faire saisir la composition. ● *Locomotive articulée,* v. MALLET (*locomotive type*). ‖ *Système articulé,* système de pièces réunies les unes aux autres de telle façon que le déplacement d'une pièce entraîne la déformation de la figure géométrique formée par le système. (V. DISTRIBUTION, GENOU, INVERSEUR, MOUVEMENT, PANTOGRAPHE, etc.) ‖ — ***articulé*** n. m. Relation de contact des dents antagonistes entre elles, lorsque les deux arcades dentaires sont en position d'occlusion : *Défaut de l'articulé dentaire.* ‖ — ***articulés*** n. m. pl. Ancien nom des arthropodes*, encore très usité. ‖ Ordre de crinoïdes comprenant toutes les espèces encore actuelles. ‖ Classe de brachiopodes, aux valves articulées par une charnière.

— ENCYCL. ***articulation.*** *Anat.* et *Pathol.* Les articulations sont soit immobiles (synarthroses), soit semi-mobiles (amphiarthroses) ou mobiles (diarthroses). Les articulations mobiles mettent en contact des surfaces articulaires recouvertes de cartilage et séparées par une cavité articulaire. Les deux extrémités osseuses sont réunies par une sorte de manchon fibreux, la capsule articulaire, dont la face interne est tapissée par la synoviale*. Les articulations peuvent être le siège de maladies inflammatoires (arthrites) ou dégénératives (arthroses).

articulet → ARTICLE.

artifice n. m. (lat. *artificium*). Ruse méditée; agissement servant à corriger ou à déguiser la nature : *Tromper la clientèle par des artifices de présentation. Farder la vérité par toutes sortes d'artifices.* ‖ Objet contenant une composition pyrotechnique, et dont l'agencement ingénieux permet l'obtention d'un effet déterminé. (On distingue : les *artifices agricoles,* les *artifices industriels,* les *artifices de théâtre,* les *artifices de divertissement.*) ‖ Terme générique désignant les fusées et toutes compositions fulminantes de nature à déclencher une action explosive. ● *Feu d'artifice,* suite organisée de tirs d'artifice à effets lumineux et sonores, pour une fête; et, au *fig.*, suite de saillies spirituelles : *Une conversation qui est un feu d'artifice.* ◆ **artificialisme** n. m. Théorie de la création selon le modèle de la création artistique ou industrielle (Piaget). ◆ **artificiel, elle** adj. Produit par le travail de l'homme et non par la nature : *Fleurs artificielles. Lumière artificielle.* ‖ *Fig.* Factice, affecté, qui manque de naturel : *Enthousiasme artificiel.* ● *Aimant artificiel,* morceau d'acier qui a été aimanté, par oppos. à l'*aimant* naturel.* ‖ *Escalade artificielle,* ensemble des procédés d'ascension utilisés quand les prises naturelles manquent (pitons, étriers, etc.). ‖ *Horizon artificiel,* horizon constitué par un bain de mercure par rapport auquel les étoiles sont observées par réflexion. ‖ *Prairie artificielle,* culture fourragère de trèfle, de luzerne, de sainfoin. ◆ **artificiellement** adv. De façon artificielle, factice : *Grossir artificiellement un incident.* ◆ **artificier** n. m. Militaire employé à la fabrication ou à la mise en œuvre de pièces pyrotechniques. ‖ Servant d'une arme lourde chargé de la préparation des munitions avant le tir. ‖ Ouvrier chargé de la manipulation des explosifs et, plus spécialement, de la mise à feu. (Syn. MINEUR-BOUTEFEU.) ‖ Ouvrier qui fabrique ou qui tire des artifices. ‖ Ouvrier capable de monter ou de démonter une munition. ◆ **artificieusement** adv. De façon artificieuse. ◆ **artificieux, euse** adj. Plein de ruse; qui s'efforce de tromper par des artifices.

Artigas (José), général uruguayen (Montevideo 1764 - Asunción 1850). En 1815, il forma le premier gouvernement national uruguayen, mais fut battu par les Argentins et les Brésiliens à Tacuarembó (1820).

Artigas (Josep Llorens), céramiste espagnol (Barcelone 1892 - *id.* 1980). Venus à Paris en 1917, il produisit des grès de grand feu (musée national d'Art moderne) et collabora avec des artistes réputés (Raoul Dufy, Miró, Braque).

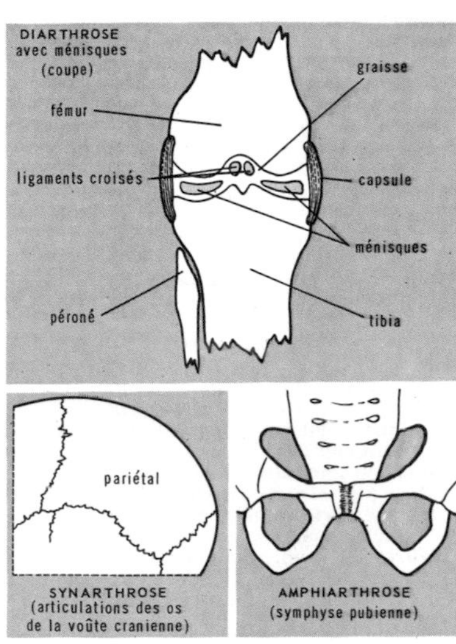

articulation (anat.)

artillerie n. f. (de l'anc. franç. *artiller,* munir d'engins de guerre). Ensemble du matériel de guerre comprenant les bouches à feu, leurs projectiles et les véhicules affectés à leur transport ou à leur ravitaillement. ‖ Corps des militaires chargés, dans l'armée de terre, du service de ces matériels : *L'arme de l'artillerie.* (Les régiments d'artillerie sont articulés en groupes et en batteries. L'artillerie antiaérienne forme, sous le nom de « forces terrestres antiaériennes », une subdivision de l'artillerie.) ‖ *Artillerie de l'air,* celle qui, dans l'armée de l'air, est chargée de la protection antiaérienne des terrains d'aviation contre les avions volant bas. ‖ *Artillerie de campagne,* celle qui est chargée de l'appui des troupes en campagne. ‖ *Artillerie divisionnaire,* celle qui est affectée organiquement à une division. ‖ *Artillerie guidée,* celle qui est équipée de missiles sol-sol ou sol-air. (Le premier groupe d'engins guidés [missiles] fut créé en France en 1955.) ‖ *Artillerie lourde,* celle qui comprend les canons de gros calibre (supérieurs à 105 mm). [La plus puissante était appelée, notamment pendant la Première Guerre mondiale, *artillerie lourde à grande puissance* (A. L. G. P.) et *artillerie lourde sur voie ferrée* (calibre de 400 à 500 mm).] ‖ *Artillerie de marine,* celle qui ressortit aux troupes de marine. (Elle fut appelée, de 1900 à 1958, *artillerie coloniale.*) ‖ *Artillerie de montagne,* celle de petit et de moyen calibre,

canon
boulets
mesures
à poudre
miniature
du XVe s.

B.N.

époque
Louis XIII

dont les matériels sont fractionnables en fardeaux pouvant être portés sur mulets. || *Artillerie navale,* ensemble des moyens de feu de la marine de guerre. (Depuis la fin du XIXe s., elle comprend des canons de très gros calibre [380 à 450 mm] sur les cuirassés, et de nombreuses pièces antiaériennes, dont la mise en œuvre est perfectionnée par la généralisation de la télécommande et du télépointage.) || *Artillerie de tranchée,* nom donné, pendant la Première Guerre mondiale, aux mortiers lourds servis par l'infanterie et employés dans la guerre de tranchée. || *Ingénieur de l'artillerie navale,* ingénieur faisant partie d'un corps créé en 1909, et chargé de l'étude et de la mise au point des bouches à feu de la marine de guerre. (Ce corps a été fondu en 1940 avec celui du génie maritime. L'ancien service de l'artillerie navale a été regroupé de la même façon au sein de la Direction centrale des constructions et armes navales.) || *Service de l'artillerie,* service créé en 1882 et chargé des études techniques et tactiques de l'arme, ainsi que de la fabrication des matériels d'armement et des munitions pour l'ensemble de l'armée de terre. (Ses attributions ont été réparties entre le Service des fabrications d'armement, créé en 1935, et celui du matériel, créé en 1940.) ◆ **artilleur** n. m. Militaire appartenant à l'arme de l'artillerie.

artillerie (ECOLE D'APPLICATION DE L'), école installée à Châlons-sur-Marne depuis 1953 (à Fontainebleau de 1872 à 1940) et chargée de la formation technique des sous-lieutenants d'active et des élèves officiers de réserve d'artillerie. Les cadres des forces terrestres antiaériennes lourdes sont formés à l'*Ecole de spécialisation de l'artillerie antiaérienne,* installée à Nîmes en 1952.

artimon n. m. (ital. *artimone*; lat. *artemon*). *Mât d'artimon* ou *artimon,* mât de l'arrière, le plus petit mât d'un grand bâti-

canon du cuirassé « Vauban » (1975)

canon de 90
(1898)

Larousse

artillerie lourde sur voie ferrée
pièce de 400 (1916)

La

ment. || *Voile d'artimon,* voile en forme de trapèze, la plus rapprochée de l'arrière.

artiodactyles n. m. pl. Mammifères ongulés ayant à chaque patte deux doigts médians égaux, parfois accompagnés de deux doigts latéraux plus petits. (Ils forment les deux ordres des porcins et des ruminants.)

Artiom ou **Artem,** v. de l'U. R. S. S. (R. S. F. S. de Russie), en Extrême-Orient, au N. de Vladivostok ; 56 000 h. Exploitations de lignite.

Artiomovsk ou **Artemovsk,** v. de l'U. R. S. S. (Ukraine), dans le Donbass ; 61 000 h. Salines.

artioploïde n. m. Polyploïde régulier.

artiozoaire n. m. Animal à symétrie bilatérale, formé d'une suite de segments (métamères) plus ou moins semblables : *Les annélides, les arthropodes, les vertébrés sont des artiozoaires.*

artisan n. m. (ital. *artigiano,* qui exerce un métier). Travailleur qui exerce pour son compte personnel un métier manuel. || *Fig.* Auteur responsable, cause d'une chose : *Etre l'artisan de son propre malheur.* ◆ **artisanal, e, aux** adj. Relatif à l'artisan, à la façon d'un artisan : *Une fabrication de caractère artisanal.* ◆ **artisanat** n. m. Méthode de travail propre à l'artisan. || Ensemble des artisans.

— ENCYCL. L'artisan assume la direction de l'entreprise tout en prenant part personnellement à l'exécution du travail et en justifiant d'une qualification professionnelle. Il peut employer (en dehors de sa famille proche et de ses apprentis) un nombre d'auxiliaires qui ne doit pas être supérieur à cinq sous réserve de dérogations. La loi du 26 juillet 1925 porte création des chambres de métiers, établissements publics institués par le gouvernement. La loi d'orientation du commerce et de l'artisanat du 27 décembre 1973 renforce le rôle des chambres de métiers. Celles-ci exercent des activités en matière de représentation, d'administration et de développement du secteur de l'artisanat, ainsi que de formation professionnelle.

artisanal (ORDRE DU MÉRITE), ordre français créé en 1948 pour récompenser la qualité du travail artisanal. Il a été remplacé, en 1964, par l'ordre national du Mérite. Ruban bleu ciel, rayé de trois filets bleu roi, et bordé de deux bandes bleu roi.

artisanat → ARTISAN.

artison n. m. Insecte, quel qu'il soit, qui attaque les matières ouvrées (bois, tissus, pelleteries), comme les vrillettes, les psoques, les teignes.

artiste → ART.

Artiste (L'), revue illustrée, publiée de 1831 à 1904, et à laquelle collaborèrent Baudelaire et Gérard de Nerval.

artistes dramatiques (ASSOCIATION DE SECOURS MUTUELS DES), société fondée en 1840 par le baron Taylor ; elle assure à ses membres des pensions et gère la maison de retraite de Pont-aux-Dames.

artistes peintres, sculpteurs, architectes, graveurs et dessinateurs (ASSOCIATION DES), association fondée en 1844 sur l'initiative du baron Taylor ; elle assure à ses membres des pensions.

artistement, artistique, artistiquement → ART.

Artix, comm. des Pyrénées-Atlantiques (arr. de Pau), à 5 km au S.-E. de Lacq ; 3 332 h. Centrale thermique alimentée par le gaz de Lacq et fournissant l'énergie aux usines d'aluminium de Noguères et de Lannemezan.

artocarpus [pys] n. m. (gr. *artos,* pain, et *karpos,* fruit). Nom générique de l'*arbre à pain,* au fruit farineux comestible après cuisson, et dont le latex fournit de la glu, et le bois, du papier. (Famille des moracées.)

Artois, anc. prov. du nord de la France, correspondant à la majeure partie du dép. du Pas-de-Calais.

Géographie.

L'Artois constitue un seuil entre la Picardie, au S., et la plaine de Flandre, au N. L'Artois méridional est formé par des collines, inclinées de l'O. vers l'E. (300 à 200 m), correspondant à un anticlinal de craie. L'Artois du Nord est un talus menant à la plaine flamande et dominant le bassin houiller du Pas-de-Calais.

Principaux événements historiques.

1180. Philippe d'Alsace, comte de Flandre, fait épouser sa nièce Isabelle à Philippe Auguste, qui va devenir roi de France. Il est prévu que l'Artois, jusqu'alors partie intégrante de la Flandre, reviendra à Isabelle.

1191. Mort de Philippe d'Alsace. L'Artois revient en apanage (traité d'Arras) au futur Louis VIII comme héritage de sa mère Isabelle († 1190). Celui-ci l'incorpore au domaine royal à son avènement (1223).

1237. L'Artois, donné par Saint Louis en apanage à son frère Robert Ier, est érigé en comté.

1382. A la mort de Marguerite, comtesse d'Artois, l'Artois et la Flandre reviennent à son fils Louis II de Mâle.

1384. Mort de Louis de Mâle. Sa fille Marguerite, qui a épousé en 1369 Philippe II le Hardi, lui succède. L'Artois fait alors partie des Etats bourguignons.

1477. Mort de Charles le Téméraire. Louis XI occupe l'Artois, devenu possession des Habsbourg.

1482. Traité d'Arras : l'Artois est donné à une princesse autrichienne, fiancée du Dauphin ; en fait, l'Artois est ainsi rattaché à la France.

1493. Traité de Senlis : Charles VIII cède l'Artois à la maison d'Autriche, mais ne renonce pas à sa suzeraineté.

1529. Paix de Cambrai : l'Artois est totalement séparé de la France et revient aux Habsbourg d'Espagne (Charles Quint).

1659. Traité des Pyrénées : l'Artois, sauf Aire et Saint-Omer, fait retour à la France.

1678. Traité de Nimègue : Aire et Saint-Omer reviennent à la France.

L'art en Artois.

Les guerres et les invasions ont dépouillé l'Artois de ses plus anciennes richesses monumentales. Le souvenir des anciennes abbayes romanes disparues subsiste grâce aux manuscrits enluminés. Les édifices les plus caractéristiques sont ceux qui affirment la puissance communale des XIIIe et XIVe s. (hôtels de ville et beffrois).

Art préhistorique.
Mégalithe de **Fresnicourt-le-Dolmen.**

Arras, la Grand-Place, *à droite,* le beffroi

Rapho

Art roman.
Eglises de **Lillers** (vaste collégiale, nef avec arcades brisées, crucifix en bois), **Guarbecque** (clocher; flèche octogonale du XIIe s.), **Fauquembergues** (qui marque la transition vers le gothique).

● *Sculpture :* fonts baptismaux (XIIe s.) de l'église moderne de **Saint-Venant ;** tombeau de saint Erkembode, dans la basilique Notre-Dame, à **Saint-Omer.**

● *Miniatures :* commentaire de saint Jérôme sur les Psaumes (XIe s.), à la bibliothèque municipale d'**Arras.**

Art gothique.
● *Architecture religieuse :* basilique Notre-Dame (XIIIe-XVe s.), avec une tour carrée, à **Saint-Omer ;** églises d'**Avesnes-le-Comte** (flamboyant), **Ardres, Hesdin** (église en brique), **Aix-Noulette.**

● *Architecture civile :* beffroi de **Béthune,** hôtel de ville et beffroi (reconstruits au XXe s. sur le modèle datant du début du XVIe s.) d'**Arras.**

● *Sculpture :* groupe du Christ, de saint Jean et de la Vierge, appelé *le Grand Dieu de Thérouanne,* dans l'anc. cathédrale de **Saint-Omer.**

● *Peinture :* œuvres de **Bellegambe** (1470-1534) [*Polyptyque* d'Anchin, au musée de **Douai ;** *Adoration de l'Enfant Jésus,* dans la cathédrale d'**Arras**].

● *Tapisserie :* au Moyen Age, **Arras** est la capitale de la tapisserie européenne de haute lisse (*arazzi*).

● *Orfèvrerie :* l'Artois a possédé au Moyen Age d'importants ateliers d'orfèvrerie qui ont laissé de très belles pièces (reliquaires, croix, encensoirs). ***Hugo d'Oignies*** est l'inventeur des filigranes cloisonnés.

Rapho

Art de la Renaissance.
Il se manifeste surtout dans les ornements (frontons, guirlandes sur les façades).

● *Architecture civile :* Grande Place et Petite Place à **Arras ;** hôtel du bailliage d'**Aire.**

● *Sculpture :* tombeau d'Eustache de Croÿ par ***Jacques Dubroeucq*** dans l'anc. cathédrale de **Saint-Omer.**

Art classique.
Hôtel de ville d'**Hesdin** (XVIIe s.) ; palais Saint-Vaast d'**Arras** (XVIIIe s.).

Artois (BATAILLES DE L'), nom donné aux opérations qui, durant la Première Guerre mondiale, se sont déroulées dans les régions d'Arras et de Lens, principalement de septembre à décembre 1914, en mai et septembre 1915 (Notre-Dame-de-Lorette, Ablain-Saint-Nazaire) et avril 1917 (Vimy). Malgré de multiples tentatives, les troupes allemandes ne réussirent jamais à prendre la ville d'Arras.

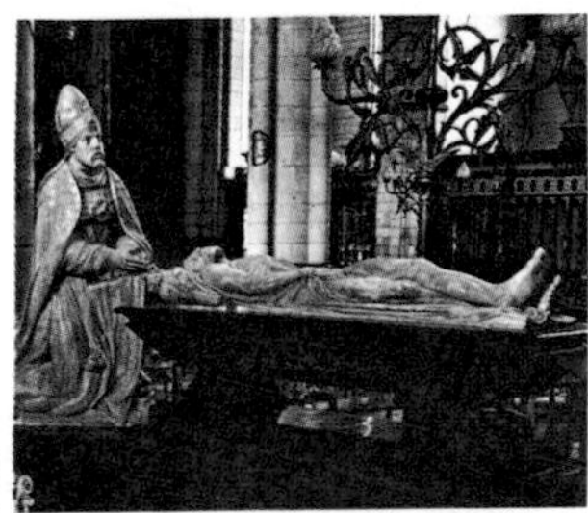
Feher

tombeau d'Eustache de Croÿ

Artois (comte D'), titre donné en 1757 par Louis XV à son petit-fils Charles-Philippe, le futur Charles X.

Artouste (LAC D'), lac des Pyrénées, à l'E. de la vallée d'Ossau, à 1 968 m d'alt. ; 45 ha. Grand réservoir alimentant les centrales hydro-électriques d'Artouste, de Miégebat, du Hourat et de Fabrège.

Artuby, torrent de haute Provence, affl. du Verdon (r. g.) ; 50 km.

Artus. V. ARTHUR.

Aru ou **Aroe,** archipel indonésien de la mer d'Arafoura ; 18 000 h.

Aruba, île néerlandaise de la mer des Antilles (îles Sous-le-Vent), au large du Venezuela ; 60 800 h. ; 190 km^2. Ce fut un centre actif de la traite des Noirs. Elle est dotée en janvier 1986 d'un statut particulier, première étape avant l'indépendance prévue en 1996.

'Arūdj, corsaire turc originaire de Mytilène, fondateur, avec son frère Khayr al-Dīn Barberousse, de l'Etat turc d'Alger. Tué au cours d'une expédition à Tlemcen (1518).

Arudy, ch.-l. de c. des Pyrénées-Atlantiques (arr. et à 18 km au S.-E. d'Oloron-Sainte-Marie), près du gave d'Ossau ; 2 705 h. Travail du bois ; fonderies ; filature de coton.

arum [arɔm] n. m. Plante rhizomateuse toxique des bois humides, aux fleurs unisexuées groupées en un spadice qu'entoure une vaste enveloppe, ou spathe, s'ouvrant à maturité. (Nom usuel : *gouet*. Type de la famille des *aracées*.)

Arundel (Thomas HOWARD, comte D'), grand seigneur anglais (v. 1585 - Padoue 1646). Amateur d'art, il acquit les célèbres marbres de Paros, appelés depuis *marbres d'Arundel,* inscriptions grecques relatant l'histoire d'Athènes de sa fondation jusqu'en 354 av. J.-C. (Ashmolean Museum d'Oxford).

arundinaria n. m. Bambou des régions chaudes. (Famille des graminacées.)

arundo n. m. (mot lat. signif. *roseau*). Nom générique latin de la *canne* de Provence*. (Famille des graminacées.)

arvale n. m. et adj. (lat. *arvum,* champ). *Antiq. rom.* Membre du collège religieux (des *frères arvales*) consacré au culte de *Dea dia,* divinité agricole dont la fête se célébrait au mois de mai.

Arvan, torrent des Alpes du Nord, affl. de l'Arc (r. g.) ; 24 km. Il conflue près de Saint-Jean-de-Maurienne. Centrale hydro-électrique.

Arvant, écart de la comm. de Bournoncle (Haute-Loire, arr. et à 10 km au N.-O. de Brioude). Nœud ferroviaire important.

Arve, riv. des Alpes du Nord, affl. du Rhône (r. g.) ; 100 km. Née au col de Balme, elle draine le massif du Mont-Blanc. Ses eaux et celles de ses affluents alimentent de nombreuses centrales hydro-électriques. Elle conflue avec le Rhône en aval de Genève.

Arvernes, peuple de la Gaule, qui occupait l'Auvergne actuelle. Capit. *Gergovie.*

Arvers (Félix), écrivain français (Paris 1806 - *id.* 1850). Le sonnet « Mon âme a son secret, ma vie a son mystère... » a illustré son nom.

arvicole adj. (lat. *arvum,* champ, et *colere,* habiter). Se dit d'une bête ou d'une plante qui vit dans les champs. ◆ **arvicolinés** n. m. pl. Tribu de mammifères rongeurs (campagnol, lemming, ondatra, etc.).

Arvida, v. du Canada (Québec), dans la région du lac Saint-Jean-Saguenay ; 14 500 h. Importante usine d'aluminium.

Āryabhata ou **Arjabahr,** mathématicien et astronome indien qui vivait v. 476.

aryanisme → ARYEN.

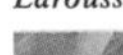
Larousse

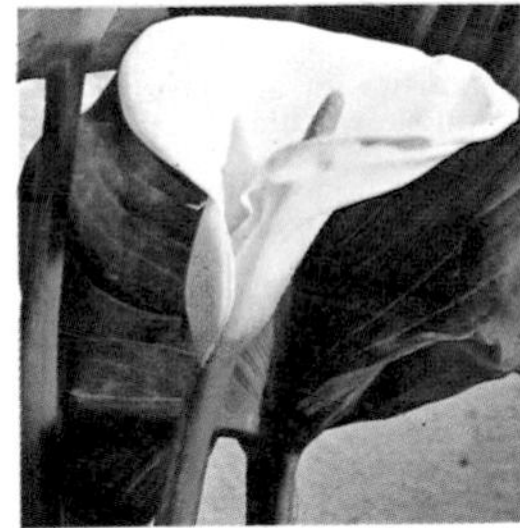

fleur d'arum

aryen, enne adj. et n. Qui concerne les Aryens ou Ārya. ‖ — **aryen** n. m. Groupe indo-iranien de la famille indo-européenne. ◆ **aryanisme** n. m. Caractère propre aux Aryens. ‖ Connaissance, science des Aryens.

Aryens ou **Ārya,** nom qui semble avoir désigné, dans l'Antiquité, les populations du bassin oriental de la Méditerranée qui envahirent le nord de l'Inde. Le terme fut repris par le racisme hitlérien pour désigner les Européens d'origine germanique.

arylamine n. f. Amine aromatique. (Syn. ANILINE.)

aryle n. m. Radical aromatique, dérivant d'un hydrocarbure par perte d'un atome d'hydrogène lié au noyau.

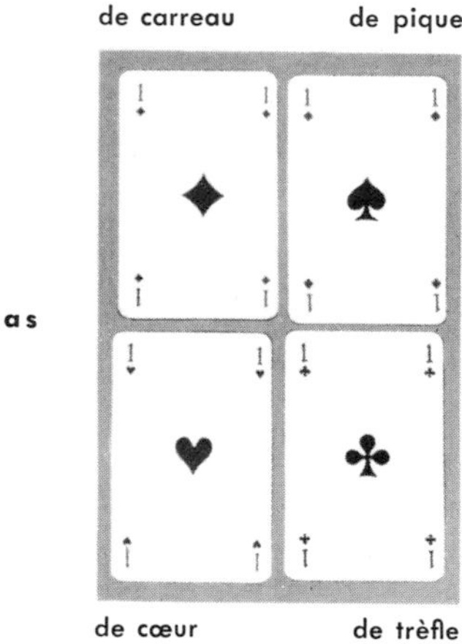

aryténoïde adj. et n. (gr. *arutaina,* vase à puiser, et suffixe *-oïde*). Se dit de deux cartilages du larynx situés au-dessus du cartilage cricoïde. ◆ **aryténoïdien, enne** adj. Relatif au cartilage aryténoïde.

arythmie n. f. (*a* priv., et gr. *rhuthmos,* rythme). Irrégularité et inégalité des contractions cardiaques. (L'arythmie complète, due à la fibrillation auriculaire, est une complication fréquente des cardiopathies.) ◆ **arythmique** adj. Qui n'est pas rythmique. ‖ Irrégulier : *Cœur arythmique.* ‖ Se dit d'un appareil télégraphique imprimant, dont le synchronisme est assuré par le départ simultané des cames d'émission et de réception à partir de la position de repos, pour la transmission de chaque caractère.

Arzachel (Abraham), astronome musulman, né à Tolède, qui vivait v. 1080.

Arzacq-Arraziguet, ch.-l. de c. des Pyrénées-Atlantiques (arr. et à 33 km au N. de Pau); 826 h.

Arzal, comm. du Morbihan (arr. de Vannes), à 6 km à l'O. de La Roche-Bernard; 877 h. Barrage sur la Vilaine, mettant en valeur 10 000 ha de terrains marécageux.

Arzano, ch.-l. de c. du Finistère (arr. de Quimper), à 9 km au N.-E. de Quimperlé; 1 113 h. (*Arzanois*).

Arzawa, peuple et royaume du Taurus cilicien contre lesquels les rois hittites furent souvent en guerre.

Arzew, auj. **Arziw,** port de l'Algérie, à l'E. d'Oran; 22 200 h. Base maritime. Usine de liquéfaction du gaz d'Hassi-R'Mel.

as [ɑs] n. m. (mot lat.). Unité monétaire de bronze, chez les populations primitives de l'Italie centrale, de l'Etrurie, et chez les Romains. (V. *encycl.*) ‖ Carte à jouer marquée d'un seul point : *As de cœur.* ‖ Face d'un dé à jouer marquée d'un seul point. ‖ Moitié de domino ne portant qu'un point. ‖ En termes d'aviron, périssoire à un seul rameur. ‖ *Fam.* Un des premiers dans son genre : *Un as de l'aviation.* ● *As de pique* (Fam.), croupion des volailles servies à table. ‖ *Etre habillé, fichu comme l'as de pique* (Péjor.), être mal vêtu. ‖ *Plein aux as* (Pop.), très riche. ‖ *Six, as et as,* dosage classique de la poudre noire (six parties de salpêtre, pour une de soufre et une de charbon).

— ENCYCL. L'as était, chez les Romains, la base de la numération. Unité de poids (*libra,* livre), l'as équivalait à 329 g; unité de longueur (*pes,* pied), il équivalait à 0,297 m; unité de mesure agraire (*jugerum*), il représentait environ 25 ares; unité de mesure de capacité (*congius*), il valait 3,23 litres. Plus spécialement, l'as était une unité monétaire (*as libralis*), qui était théoriquement une pièce d'une livre (327,45 g). En fait, la pièce ne pesait guère que 273 g, ou 10 onces.

As, symbole chimique de l'*arsenic.*

ASA (de *American Standard Association*), sigle correspondant à l'indice de sensibilité des couches photographiques. Les degrés ASA suivent une progression arithmétique. Une émulsion de 100 ASA est deux fois plus rapide qu'une de 50 ASA.

Asa (911 - 871), 3e roi de Juda. Il se rapprocha d'Israël à la fin de son règne.

Asachi (Gheorghe), écrivain roumain (Iaşi 1788 - Bucarest 1869). Il fonda le premier journal roumain (1829) et prépara la naissance de l'université et du théâtre moldaves.

Asad (Ḥāfiz **al-**), général et homme d'État syrien (Lattaquié 1928). Ministre de la Défense à partir de 1966, il dirige le coup d'Etat de 1970. Président de la République depuis 1971 et secrétaire général du Baath, il gouverne avec les autres partis de gauche et libéralise l'économie. En 1976, il fait intervenir la Syrie dans les affaires libanaises. A l'intérieur, il se heurte, à l'opposition parfois très violente des intégristes musulmans.

Asahigawa, v. du Japon (Hokkaidō); 288 500 h. Industries métallurgiques; produits chimiques.

Asahi Shimbun, quotidien japonais, l'un des plus grands du monde.

Asam, nom d'une famille de peintres allemands. — HANS GEORG (1649 - 1711) travailla en Bavière. — Ses deux fils, COSMAS DAMIAN (Benediktbeuern 1686 - Munich 1739) et EGID QUIRIN (Tegernsee 1692 - Mannheim 1750), travaillèrent à Rome (1712-1713) sous Pierre de Cortone, Pozzo et le Bernin; architectes et décorateurs, mais aussi, le premier, peintre, et le second, sculpteur, ils travaillèrent souvent en collaboration et furent les plus brillants représentants du baroque en Allemagne du Sud (église du monastère de Rohr, église Saint-Jean-Népomucène à Munich).

Asama, le plus grand volcan du Japon, encore en activité (île de Honshū); 2 542 m.

Asandros, lieutenant d'Alexandre, satrape de Carie, vaincu par Antigonos (313 av. J.-C.).

Asandros, roi du Bosphore (Chersonèse Taurique) [† 14 av. J.-C.], détrôné par Mithridate de Pergame et rétabli par Auguste.

Asano, famille de grands seigneurs japonais de la fin du XVIe et du début du XVIIe s.

Asansol, v. de l'Inde (Bengale-Occidental), sur la Damodar; 193 300 h. Houille; métallurgie.

Asaph, chef des lévites sous David.

asaret n. m. (gr. *asê,* dégoût). Petite aristolochiacée vivace des bois humides, aux feuilles d'odeur poivrée, aux fleurs vertes extérieurement et rouges à l'intérieur. (Nom sc. : *asarum.*)

Asarhaddon ou **Assarhaddon,** roi d'Assyrie (680-669 av. J.-C.). Il reconstruisit Babylone et conquit la Basse-Egypte.

asaroton n. m. (gr. *asarôtos,* non balayé). Mosaïque de pavement simulant, en trompe l'œil, des reliefs de repas tombés à terre.

Asasp-Arros, comm. des Pyrénées-Atlantiques (arr. et à 8 km au S. d'Oloron-Sainte-Marie); 614 h. Centrale hydraulique dans la vallée d'Aspe.

Asbest, v. de l'U. R. S. S. (R. S. F. S. de Russie), dans l'Oural; 60 000 h. Mines d'asbeste.

asbeste n. f. (gr. *asbestos,* inextinguible [parce que les Anciens en faisaient les mèches des lampes perpétuelles]). Silicate du genre amphibole, fibreux, inaltérable au feu, dont l'amiante est la variété la plus pure. ◆ **asbestin, e** adj. De la nature de l'asbeste. ◆ **asbestose** n. f. Affection pulmonaire due à l'inhalation des poussières d'amiante. (L'asbestose entre dans le groupe des pneumoconioses.)

Asbestos, v. du Canada (Québec); 11 100 h. Centre d'extraction de l'asbeste.

asbestose → ASBESTE.

Asbjörnsen (Peter Christen), écrivain norvégien (Oslo 1812 - *id.* 1885). De 1842 à 1871, il publia avec Jörgen Moe plusieurs recueils de *Contes* populaires, où il sut dégager de l'influence du danois le norvégien écrit.

asbolane ou **asbolite** n. f. (gr. *absolê,* suie, et *lithos,* pierre). Oxyde hydraté naturel de manganèse, avec oxyde de cobalt, d'aspect terreux, noir, tachant les doigts. (C'est une variété de wad.)

Ascagne ou **Iule** (lat. *Iulius*), fils d'Enée et de Créüse. Emmené par son père en Italie après la prise de Troie, il lui succéda comme roi de Lavinium et fonda Albe-la-Longue. La famille des Iulii prétendait descendre de lui.

Ascain, comm. des Pyrénées-Atlantiques (arr. de Bayonne), sur la Nivelle, à 7 km au S.-E. de Saint-Jean-de-Luz; 2 159 h. Centre touristique. Pierre Loti y écrivit *Ramuntcho.*

Ascalon ou **Migdal Ashqelon,** en ar. **'Asqalān,** une des cinq cités royales des Philistins, sur la Méditerranée, très prospère au temps des Arabes et des croisés (comté de « Japhe et Ascalon »), puis détruite par Saladin. Patrie d'Hérode le Grand.

Ascaniens, dynastie du Saint Empire germanique (de la ville d'*Ascania,* Saxe) dont une des branches régna sur le Brandebourg jusqu'en 1320, une sur la Saxe jusqu'en 1423 et deux autres sur le Lauenburg (jusqu'en 1689) et sur l'Anhalt (jusqu'en 1918).

ascari n. m. V. ASKARI.

ascaride ou **ascaris** [ris] n. m. (gr. *askaris, askaridos,* de *askarizein,* s'agiter). Ver nématode fusiforme, parasite de l'intestin. (Celui de l'homme peut mesurer 25 cm; celui du cheval, encore plus grand, est une espèce favorable à l'étude des chromosomes. *Ascaris lumbricoides* est le plus long des nématodes parasites de l'homme. La femelle est plus longue que le mâle [25-15 cm]. Les œufs pondus dans l'intestin sont éliminés avec les selles. Ingérés par l'homme, ces œufs donnent des larves qui perforent l'intestin grêle, gagnent, par l'appareil circulatoire, le foie et les bronches pour atteindre le tube digestif par l'œsophage. *Ascaris megalocephala* est un ver de grande taille qu'on trouve chez le cheval et chez le bœuf.) ◆ **ascaridiose** n. f. Ensemble des manifestations pathologiques provoquées par les ascaris soit au cours de leur migration larvaire (infiltrats pulmonaires fugaces), soit dans leur habitat définitif (troubles gastro-intestinaux).

Ascasubi (Hilario), poète argentin (Buenos Aires 1807 - Córdoba 1875). Il prit une part active à la lutte contre Quiroga et Rosas. Ses ouvrages (*Santos Vega, Paulino Lucero*), écrits en vers populaires, sont, en quelque sorte, le romancero de la Pampa.

ascendance → ASCENDANT.

ascendant, e [asɑ̃] adj. (lat. *ascendens,* part. prés. de *ascendere,* monter). Qui va en montant : *Mouvement ascendant. La partie ascendante d'une rue.* ‖ Se dit d'un intervalle musical quand le second son est plus aigu que le premier. (Ce mot peut servir à définir un motif, une phrase, etc.) ‖ Se dit d'un astre dont le mouvement s'effectue soit du dessous au-dessus de l'horizon (astres ascendants), soit, pour une planète, du S. au N., en traversant le plan de l'écliptique (nœud ascendant d'une orbite planétaire). ‖ Qui permet de gagner de l'altitude. ● *Sève ascendante,* sève brute qui monte des racines aux feuilles dans les vaisseaux du bois. ‖ *Tige ascendante,* tige couchée à sa base, puis redressée verticalement. ‖ — **ascendant** n. m. (surtout au plur.). Parent dont on descend (père, aïeul, bisaïeul ; mère, aïeule, bisaïeule, etc.) : *Avoir des ascendants d'origine étrangère.* ◆ **ascendance** n. f. Ensemble des générations qui ont précédé une génération actuelle : *Une ascendance qui remonte à la nuit des temps.* ‖ Origine, extraction : *Etre d'une ascendance paysanne.* ‖ Courant aérien possédant une composante verticale, dirigée de bas en haut. (L'ascendance peut être provoquée par une convergence des masses d'air dans les basses couches de l'atmosphère, par un obstacle de relief, par un phénomène thermique, par l'existence, dans une masse d'air, d'un fort gradient thermique vertical.)

schéma de l'installation d'un **ascenseur**

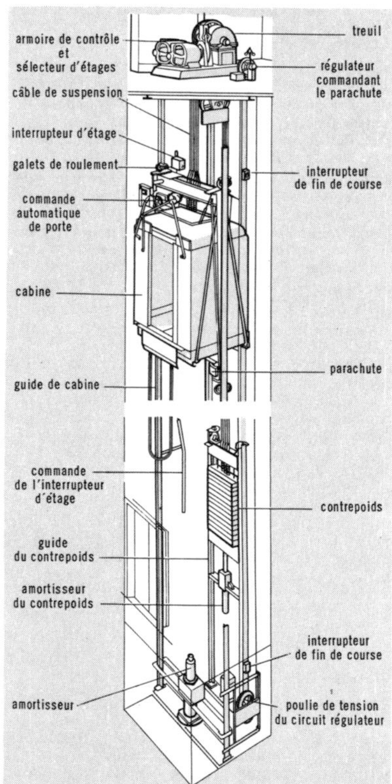

ascendant [asɑ̃] n. m. Influence, autorité morale : *Avoir de l'ascendant sur un auditoire.* ‖ — SYN. : *autorité, empire, influence.*

ascenseur [asɑ̃] n. m. Appareil élévateur permettant de transporter des personnes dans une cabine se déplaçant entre des guides verticaux ou faiblement inclinés sur la verticale, et actionnée par une machinerie : *Un immeuble à ascenseur.* ‖ Syn. de ÉLÉVATEUR À BATEAUX. ● *Renvoyer l'ascenseur* (Fam.), répondre à une complaisance, à un service quelconque par une action comparable.

— ENCYCL. Le premier élévateur hydraulique, construit en 1867, fut inventé par l'ingénieur français Edoux ; il l'appela lui-même « ascenseur ». Les constructeurs envisagèrent ensuite l'utilisation de l'électricité et de l'air comprimé. L'*ascenseur électrique* comporte en particulier : 1° la *gaine* ou *cage d'ascenseur,* espace clos dans lequel se déplacent la cabine et son contrepoids ; 2° les *guides,* assurant le guidage du mouvement vertical de la cabine et de son contrepoids ; 3° la *cabine,* servant à transporter les personnes. Dans les ascenseurs modernes, la porte de la cabine et la porte palière s'ouvrent électriquement et simultanément ; le démarrage de la cabine ne peut se faire que si toutes les portes sont fermées et verrouillées ; 4° le *treuil,* qui constitue le mécanisme d'entraînement des câbles de suspension de l'ascenseur ; 5° les *organes de sécurité* (serrures, verrouillage automatique des portes, parachute pour blocage automatique de la cabine en cas de « survitesse » en descente ou de rupture des organes de suspension) ; les ascenseurs doivent être munis d'un dispositif normal d'arrêt en fin de course ; 6° les *organes de manœuvre,* permettant de provoquer le déplacement de la cabine, le couplage du moteur, son démarrage, la vitesse de régime et, au moment choisi, le ralentissement puis l'arrêt de la cabine.

ascension [asɑ̃sjɔ̃] n. f. (lat. *ascensio ;* de *ascendere,* monter). Action de monter, de s'élever, de gravir : *L'ascension d'un aérostat dans les airs. Faire l'ascension d'une montagne.* (V. ALPINISME.) ‖ *Fig.* Action de s'élever socialement ou moralement : *Faire une* *ascension rapide dans l'échelle sociale.* ‖ Elévation miraculeuse de Jésus-Christ au ciel, selon l'Evangile de saint Marc. (En ce sens, prend une majuscule.) ‖ Fête que l'Eglise célèbre en l'honneur de cet acte miraculeux, quarante jours après Pâques : *Le jeudi de l'Ascension.* ‖ Œuvre d'art représentant Jésus-Christ montant au ciel. (Les sculpteurs médiévaux ont représenté l'Ascension à la porte Miègeville de Saint-Sernin de Toulouse [XIIe s.] et au tympan septentrional de Chartres. La scène a été peinte par Giotto [Arena de Padoue], Mantegna [Offices, Florence] et le Corrège [coupole de Saint-Jean-l'Evangéliste, Parme].) ● *Ascension droite d'un astre,* arc d'équateur céleste compris entre le point vernal et le cercle horaire de l'astre. (Elle se mesure en heures, minutes et secondes dans le sens direct autour de l'axe du monde.) ◆ **ascensionnel, elle** adj. Relatif à une ascension : *Mouvement ascensionnel.* ● *Force ascensionnelle,* force qui, en vertu du principe d'Archimède, permet à un ballon de s'élever dans les airs. ‖ *Vitesse ascensionnelle,* gain d'altitude acquis par un avion dans l'unité de temps. ◆ **ascensionner** v. intr. Faire une ascension. (Vieilli.) ◆ **ascensionniste** n. Personne qui fait une ascension. (Vieilli.)

Ascension (ÎLE DE L'), île anglaise de l'océan Atlantique austral, située à 1 330 km au N.-O. de Sainte-Hélène, dont elle dépend ; 82 km^2 ; 500 h. Découverte par Juan de Nova en 1501, le jour de l'Ascension, elle est anglaise depuis 1815.

ascensionnel, ascensionner, ascensionniste → ASCENSION.

ascèse → ASCÈTE.

ascète [asɛt] n. (gr. *askêtês,* qui s'exerce). Nom que l'on donnait, avant l'institution monastique, à ceux qui menaient une vie d'oraison et de mortification. ‖ Personne qui se consacre aux exercices de piété, aux mortifications. ‖ Personne qui mène une vie austère. ◆ **ascèse** [asɛz] n. f. (gr. *askêsis,* exercice). Etat d'âme de l'ascète. ‖ Application à la pratique des vertus par l'exercice de la volonté, par des privations, etc. : *Se faire une vie d'ascèse.* ◆ **ascétique** adj. Qui est propre à l'ascétisme, aux ascètes : *Pratiques ascétiques.* ‖ Qui témoigne de l'ascétisme : *Un visage ascétique.* ✦ n. m. Traité sur l'ascèse : *Les « Ascétiques » de saint Basile.* ✦ n. f. Partie de la théologie qui traite de l'ascétisme. ◆ **ascétisme** n. m. Morale philosophique ou religieuse (qui peut être une doctrine ou une pratique) fondée sur le mépris du corps et des sensations corporelles, et tendant à assurer par les souffrances physiques le triomphe de l'âme sur les instincts et les passions : *La morale stoïcienne est un ascétisme.* ‖ Manière de vivre de ceux qui professent cette morale : *Faire preuve d'ascétisme dans sa manière de vivre.*

Asch (Cholem), écrivain de langue hébraïque et de langue yiddish (Kutno, Pologne, 1881 - Londres 1957), auteur de romans (*Trois Villes,* 1933 ; *le Nazaréen,* 1939 ; *Marie,* 1949).

Giraudon

Ascension du Christ, par Jean Fouquet (v. 1445), Heures d'Etienne Chevalier *musée Condé, Chantilly*

Aschach, localité d'Autriche (Haute-Autriche), sur le Danube. Grande centrale hydro-électrique (1,6 milliard de kilowatts-heures).

Aschaffenburg, v. d'Allemagne (Allem. occid., Bavière) ; 55 400 h. Château du XVIIe s. (musée et bibliothèque). Stiftskirche, basilique du Xe s., rénovée à l'époque gothique. Produits chimiques ; constructions mécaniques et industrie de la confection pour hommes. Victoire des Prussiens en 1866, qui leur permit d'entrer à Francfort.

Ascham (Roger), humaniste anglais (Kirby Wiske, Yorkshire, 1515 - Londres 1568). Il fut professeur de grec à l'université de Cambridge (1540) et précepteur de la future reine Elisabeth (1548-1550). Dans *le Maître d'école,* il donne aux exercices du corps une large place, ce qui a contribué à créer l'idéal anglais du *gentleman.*

Aschersleben, v. d'Allemagne (Allem. orient., distr. de Halle) ; 34 100 h. Mines de potasse.

ascidiacés n. m. pl., ou **ascidies** n. f. pl.

(gr. *askidion,* petite outre). Classe de tuniciers généralement fixés, souvent solitaires. (Une ascidie est un sac à deux orifices, contenant un filtre qui joue aussi le rôle de branchie. L'eau y circule en sens unique. De nombreux commensaux vivent dans la chambre branchiale. La forme larvaire, voisine d'un têtard de grenouille, fait ranger les ascidies parmi les procordés. La multiplication asexuée au moyen de stolons est fréquente.) ◆ **ascidie** n. f. *Bot.* Urne nectarifère où viennent se noyer les insectes.

ascite [asit] n. f. (gr. *askos,* outre). Epanchement de sérosité dans la cavité péritonéale. ◆ **ascitique** adj. Relatif à l'ascite : *Liquide ascitique.* ✦ n. Atteint d'ascite.

Alinari - Giraudon

Asclépios
Musée profane, Rome

— ENCYCL. **ascite.** L'ascite peut être due à une maladie inflammatoire (péritonite tuberculeuse) ou à des causes mécaniques (gêne circulatoire veineuse provoquée par une cirrhose du foie, par l'insuffisance cardiaque). Elle entraîne une augmentation de volume de l'abdomen et donne à la percussion une matité franche. Le traitement de l'ascite est celui de la maladie causale. Il est parfois nécessaire d'évacuer le liquide par ponction.

ascitique → ASCITE.

asclépiadacées n. f. pl. Famille de gentianales des régions chaudes, à la tige laticifère, aux fleurs pentamères, au pollen amassé en *pollinies.* ◆ **asclépias** [pjɑs] n. f. Asclépiadacée française ornementale des sables, aux fleurs rosées, au latex toxique, qui capture les insectes mais ne les digère pas.

asclépiade n. m. et adj. (d'*Asclépiade,* poète grec qui utilisa ce mètre). Nom de deux vers lyriques grecs et latins : le *petit asclépiade,* qui comprend une base dissyllabique, deux choriambes et un pied dissyllabique indifférent ; et le *grand asclépiade,* qui a trois choriambes au lieu de deux.

Asclépiade de Samos, en gr. **Asklêpiadês,** poète alexandrin (première moitié du IIIe s. av. J.-C.), auteur d'épigrammes.

Asclépiade, en gr. **Asklêpiadês,** médecin grec (Pruse, Bithynie, 124 av. J.-C. - † 40 av. J.-C.). Il exerça la médecine en Grèce, puis à Rome, où il fut l'adversaire des méthodes d'Hippocrate.

Asclépiades, famille de médecins grecs qui prétendaient descendre d'Asclépios. Hippocrate en est le membre le plus célèbre.

asclépias → ASCLÉPIADACÉES.

asclêpieion ou **asklêpieion** n. m. *Antiq. gr.* Sanctuaire consacré à Asclépios, dieu de la Médecine. (C'était un véritable hôpital où se donnaient des consultations sous forme d'oracles ; les principaux *asclêpieia* se trouvaient à Cos, Pergame, Epidaure et Athènes.)

Asclépios, en gr. **Asklêpios,** dieu de la Médecine chez les Grecs, d'après la légende, fils d'Apollon, et particulièrement honoré à Epidaure. Ses attributs étaient le serpent, le coq, le bâton et la coupe. Rome l'adopta, sous le nom d'*Aesculapius* (Esculape), à la suite d'une peste (IIIe s. av. J.-C.).

asclère n. m. (*a* priv., et gr. *sklêros,* dur). Coléoptère bleu et rouge, allongé, des régions tempérées.

ascobolus [lys] n. m. (gr. *askos,* outre, et *bolos,* jet). Champignon ascomycète du fumier. (Ordre des discales.)

ascochyta n. m. (gr. *askos,* outre, et *khutos,* soluble). Champignon imparfait, responsable notamment de l'anthracnose du pois.

ascogène adj. Capable de se transformer en asques. (Se dit de certains filaments des champignons ascomycètes.)

ascogone n. m. Sorte de gamète femelle des champignons ascomycètes, d'où proviennent les filaments ascogènes.

Ascoli (Graziadio Isaïa), linguiste italien (Gorizia 1829 - Milan 1907), auteur de la *Phonologie comparée du sanskrit, du grec et du latin* (1870) et fondateur de l'*Archivio glottologico italiano.*

ascolichen [kɛn] n. m. Lichen dont l'élément champignon forme des asques (c'est le cas général).

ascolies n. f. pl. (gr. *askôlia*). Fêtes dionysiaques champêtres, chez les anciens Grecs.

Ascoli Piceno, v. d'Italie (Marches), ch.-l. de prov. ; 55 500 h. Evêché. Cathédrale du XVe s. Soieries.

Ascoli Satriano, comm. d'Italie (Pouilles,

prov. de Foggia) ; 12 000 h. Pyrrhos y fut victorieux des Romains en 279 av. J.-C.

ascomycètes n. m. pl. (gr. *askos,* outre, et *mukês,* champignon). Classe de champignons à structure apocytaire, dont les spores se forment dans des asques. (Les ascomycètes comprennent des formes aussi diverses que les levures, les morilles, les truffes, de nombreuses moisissures [penicillium, aspergillus], la plupart des lichens, les cloques, les oïdiums, l'ergot du seigle, etc.)

ascophylle n. f. (gr. *askos,* outre, et *phullon,* feuille). Algue brune de nos côtes, aux flotteurs nombreux. (Ordre des fucales.)

ascorbique adj. *Acide ascorbique,* constituant actif de la vitamine C.

ascospore n. f. Tétraspore des champignons ascomycètes, contenue dans un asque.

Ascot, localité de Grande-Bretagne (Berkshire), près de Windsor. Champ de courses.

Ascotán, village du Chili, dans les Andes. Grands dépôts de borax.

ascothoraciques n. m. pl. Crustacés cirripèdes parasites, piqueurs et suceurs, au thorax absorbant.

Ascq, anc. comm. du Nord (arr. et à 8,5 km à l'E. de Lille), intégrée en 1970 à la nouvelle comm. de *Villeneuve-d'Ascq.* Les Allemands y massacrèrent 86 habitants dans la nuit du 1er au 2 avril 1944, en représailles après un attentat.

Ascra ou **Askra.** *Géogr. anc.* V. de Béotie, patrie d'Hésiode.

asdic n. m. (sigle de *Allied Submarine Detection Investigation Committee*). Appareil de détection sous-marine par ultra-sons, mis au point en Grande-Bretagne en 1939 et employé pour le repérage des sous-marins, la navigation sur les hauts fonds, la localisation des bancs de poissons. (Avec le radar, l'asdic a contribué à la défaite des sous-marins allemands pendant la Seconde Guerre mondiale.)

Asdod, l'une des cinq villes principales des Philistins, prise par les Assyriens (fin du VIIIe s. av. J.-C.). Siège d'un évêché jusqu'au VIIe s. C'est aujourd'hui *Ashdod,* nouveau port de l'Etat d'Israël, au S. de Tel-Aviv.

Asdrubal. V. HASDRUBAL.

ase n. f. Syn. de ENZYME. (Le suffixe *-ase* est toujours utilisé pour désigner certains enzymes : *hydrolase, oxydase,* etc.)

aséismicité n. f. Absence de phénomènes séismiques. ◆ **aséismique** adj. Qui ne présente pas de phénomènes séismiques.

Asekrem, partie de l'Atakor, dans le Hoggar (Sahara algérien). Ermitage du P. de Foucauld.

aselle n. m. Cloporte d'eau douce, au corps aplati.

asem ou **asémon** n. m. (gr. *asêmos,* qui ne porte pas de marque). Alliage d'origine égyptienne, de composition variable, imitant les métaux précieux.

asémie n. f. (*a* priv., et gr. *sêma,* signe). Trouble de langage, portant sur l'utilisation des signes pour comprendre ou exprimer des idées.

asemum [mɔm] n. m. Capricorne vivant sur les pins.

Asénides, dynastie bulgaro-valaque qui dura de 1186 à 1280.

Asenjo y Barbieri (Francisco), compositeur et critique espagnol (Madrid 1823 - *id.* 1894). Il a ressuscité la zarzuela et composé notamment *Jouer avec le feu* (1851), *Pain et taureau* (1864).

asepsie n. f. (*a* priv., et gr. *septikos,* putréfié). Méthode de protection qui consiste à empêcher les germes de pénétrer dans l'organisme. (L'asepsie fait appel à la stérilisation de tout ce qu'on emploie en chirurgie [instruments, pansements, vêtements, mains, etc.]. Elle diffère de l'antisepsie, qui est une méthode de destruction des germes préexistants.) ◆ **aseptique** adj. Exempt de tout germe septique : *Pansement aseptique.* ‖ Relatif à l'asepsie : *Méthode aseptique.* ◆ **aseptisation** n. f. Action d'aseptiser. ◆ **aseptiser** v. tr. Rendre aseptique : *Aseptiser un instrument de chirurgie.*

Aser, un des fils de Jacob, chef de l'une des douze tribus hébraïques.

Ases, dieux de la mythologie scandinave. Ils forment une communauté dont le chef est *Odin,* et qui habite dans l'*Asgardr.*

asexué, e [asɛksɥe] adj. Dépourvu de sexe ou de processus sexuel. (La reproduction asexuée est plutôt appelée *multiplication.*)

Asfeld, ch.-l. de c. des Ardennes (arr. de Rethel), sur l'Aisne, à 27 km au N.-E. de Reims ; 1 015 h. (*Asfeldois*). Eglise en brique.

Asfeld (Claude François BIDAL, chevalier, puis marquis D'), maréchal de France (v. 1665 - † 1743). Il combattit en Espagne, pendant la guerre de Succession.

Asgrimsson (Eystein), poète islandais (XIVe s.), auteur d'un poème scaldique, *le Lys.*

Ashanti(s). V. ACHANTI(S).

Ashavérus. V. AHASVÉRUS.

Ashburnham (Bertram, comte D'), pair d'Angleterre (1797-1878). Il avait acheté à des collectionneurs (qui les avaient volés) des manuscrits célèbres et des livres rares, auj. récupérés par la Bibliothèque nationale et par la bibliothèque Laurentienne.

Ashburton (Alexander BARING, 1er baron), banquier et homme politique anglais (Londres 1774 - Longleat 1848). Directeur de la banque Baring, qui prêta à la France 200 millions pour la libération de son territoire (1817), il fut président du « Board of Trade » dans le ministère Peel (1834-1835).

Ashby (William Ross), neurologue et cybernéticien anglais (Londres 1903), auteur d'*Introduction to Cybernetics* (1956).

Ashdod. V. ASDOD.

Asheville, v. des Etats-Unis (Caroline du Nord), dans les Appalaches ; 60 200 h.

Ashi. V. ASSER.

Ashikaga, v. du Japon, dans l'île de Honshū ; 156 000 h. Industrie textile.

Ashikaga, famille noble japonaise, issue des Minamoto, qui, de 1338 à 1573, a donné quinze shōguns au Japon.

Ashkenazim, nom donné jadis aux juifs originaires de Germanie. Par la suite, il ne s'appliqua qu'à ceux des régions occidentales et méridionales.

Ashley (sir William James), historien et économiste anglais (Londres 1860 - Canterbury 1927), disciple de Toynbee, et auteur de l'*Histoire des doctrines et des théories économiques de l'Angleterre* (1888-1893).

Ashmole (Elias), collectionneur et historien anglais (Lichfield 1617 - Londres 1692), fondateur de l'*Ashmolean Museum* à Oxford.

Ashtaroth, v. de l'anc. Palestine, située à l'E. du lac de Génésareth.

Ashtart ou **Ishtar,** nom d'une divinité sémitique, connue chez les Grecs sous le nom d'*Astarté,* déesse de la Guerre chez les Assyriens, de l'Amour à Ourouk et à Sidon, et, en général, déesse de la Fécondité.

Ashton (Frederick), danseur et chorégraphe anglais (Guayaquil 1906), directeur du Royal Ballet de 1963 à 1970. Un des plus grands chorégraphes contemporains, il est l'auteur de nombreux ballets (*Symphonic Variations,* 1946 ; *Roméo et Juliette,* 1955).

Ashton under Lyne, v. de Grande-Bretagne (Lancashire) ; 50 200 h. Textiles.

asiago n. m. (de *Asiago,* comm. d'Italie). Fromage italien, fait avec du lait de vache.

Asiago, comm. d'Italie (Vénétie, prov. de Vicence) ; 6 500 h. Observatoire astronomique. Combats en 1916 et 1917.

asialie n. f. (*a* priv., et gr. *sialon,* salive). Absence de salive. ◆ **asialorrhée** n. f. Absence d'écoulement de la sécrétion salivaire, par asialie ou par obstruction des canaux salivaires.

asianique, asiarque, asiate → ASIATIQUE.

asiatique adj. et n. Relatif à l'Asie ; habitant ou originaire de l'Asie. ‖ Excessif, somptueux, comme dans les anciennes monarchies de l'Orient : *Une magnificence asiatique.* ● *Mode de production asiatique,* notion d'origine marxiste qui caractérise le mode de production dominant d'une société où le surplus de production, issu de communautés villageoises éparses, était prélevé par un Etat despotique, qui assurait en contrepartie l'exécution des travaux publics. ‖ *Style asiatique,* genre d'éloquence latine, qui se caractérisait, au Ier av. J.-C., par l'exubérance du style. ◆ **asianique** adj. et n. (du gr. *asianos*). Relatif aux anciens peuples de l'Asie antérieure ; habitant de cette région. (Les principaux peuples asianiques sont les Sumériens, les Elamites, et ceux des montagnes du Zagros.) ◆ **asiarque** n. m. (gr. *Asia,* Asie, et *arkhos,* chef). Grand prêtre de Rome et d'Auguste, dans la province romaine d'Asie. ◆ **asiate** adj. et n. Originaire d'Asie, en parlant des personnes. ◆ **asiatisme** n. m. Nom donné à une idéologie autochtone asiatique, qui varie selon que l'on considère l'Inde ou le Japon.

asiatique (TRAITÉ POUR LA DÉFENSE DU SUD-EST) [en angl. *Southeast Asia Treaty Organization,* abrév. S. E. A. T. O.]. Traité signé à Manille en 1954 entre l'Australie, les Etats-Unis, la Grande-Bretagne, la Nouvelle-Zélande, le Pākistān, les Philippines, la Thaïlande et la France, qui organise la défense de l'Asie orientale au S. du 21e degré de latitude (à l'exception de Formose). Après les retraits progressifs de la France (1966-1974) et du Pākistān (1967-1972), et le désengagement des Etats-Unis au Viêt-nam (1973), les Etats demeurés dans l'alliance ont décidé, en 1975, sa dissolution.

asiatisme → ASIATIQUE.

aside n. f. Coléoptère méditerranéen des terrains sablonneux.

asidère ou **asidérite** n. f. Météorite pierreuse dépourvue de fer.

Asie, une des cinq parties du monde, située presque entièrement dans l'hémisphère Nord, la plus vaste et la plus peuplée ; 44 millions de kilomètres carrés ; 2 700 millions d'h.

Géographie.

● *Géographie physique.* Traditionnellement limitée à l'O. par l'Oural, la mer Caspienne, le Caucase et le profond fossé tectonique de la mer Rouge, et bordée au S., à l'E. et au N. par les trois grands océans, l'Asie s'étend sur plus de 10 000 km de la péninsule de Taïmyr à Java et de la mer Egée au Japon. Une guirlande de chaînes, d'orogénie alpine, de l'Anatolie à la Nouvelle-Guinée (en passant par le Zagros, le Baloutchistan, l'Hindū Kūch, l'Himalaya, les chaînes birmanes et indonésiennes), et une série de reliefs plus anciens, du T'ien-chan aux Stanovoï (par l'Altaï et les Iablonovyï), individualisent plusieurs ensembles. L'*Asie septentrionale* (exclusivement soviétique) juxtapose plaines (Sibérie occidentale et dépression aralo-caspienne) et plateaux (entre Ienisseï et Lena). L'*Asie centrale* (essentiellement chinoise) associe plateaux et hautes montagnes (Mongolie, Sin-kiang, Tibet). L'*Asie méridionale* est formée de socles anciens, du style africain (Arabie et Deccan). L'*Asie orientale* en bordure du Pacifique, au relief monta gneux jeune et instable (volcanisme et séismes), est morcelée en péninsules (Kamtchatka, Corée, Indochine et Malaisie) et archipels (Japon et Insulinde).

Mais, plus encore que la structure et le relief, c'est le climat qui détermine les grands ensembles géographiques et qui conditionne ainsi la répartition des hommes. La latitude, la disposition du relief, l'absence de façade océanique occidentale (aux latitudes moyennes) permettent de distinguer une *Asie continentale* (englobant l'Asie septentrionale, l'Asie centrale et la partie de l'Asie orientale située approximativement au N. du 40e parallèle) et une *Asie tropicale* et *subtropicale* (comprenant l'Asie méridionale et le S. de l'Asie orientale).

L'Asie continentale est caractérisée par l'opposition thermique extrêmement marquée entre des hivers très froids et des étés chauds, et par la brièveté des saisons intermédiaires. Sous le cercle polaire, Verkhoïansk a une moyenne de janvier inférieure à − 50 °C, mais la moyenne de juillet y dépasse 15 °C. Dans l'oasis de Tourfan (Sinkiang), à la latitude de Rome, la moyenne de janvier est inférieure à − 10 °C, et celle de juillet atteint 32,5 °C. La rigueur des hivers augmente généralement avec la latitude et la continentalité. L'extension de l'anticyclone sibérien en hiver, l'éloignement de l'océan et la barrière himalayenne en été limitent le volume des précipitations, qui sont inférieures à 500 mm sauf près du Pacifique au S. du 60e parallèle. Au-delà du cercle polaire, le sous-sol est perpétuellement gelé; sur une faible épaisseur dégelant en été s'installe la toundra. Plus au S., approximativement là où la moyenne de juillet dépasse 10 °C, commence la grande forêt de conifères (*taïga*), qui occupe la majeure partie de la Sibérie sur des podzols. L'Asie centrale (avec l'Asie moyenne soviétique), privée des influences océaniques aux latitudes de l'Europe occidentale, est très sèche (moins de 250 mm de précipitations) et la steppe, très clairsemée, cède localement la place au désert dans les secteurs orientaux (Taklamakan et Gobi). A l'E., où les précipitations annuelles sont supérieures à 500 mm et les températures relativement clémentes, apparaissent les feuillus (Extrême-Orient soviétique et Mandchourie).

Dans l'Asie tropicale et subtropicale, le contraste thermique s'efface devant les inégalités pluviométriques. Dans la majeure partie de l'Arabie, le Deccan, dans l'ensemble Indochine (sauf le Tonkin) et Insulinde, les moyennes mensuelles ne descendent pas au-dessous de 20 °C. Elles ne s'abaissent jamais au-dessous de 0 °C, si ce n'est dans les régions du bas Houang-ho, de

A. P. N.
la toundra (région de Tchoukotka)

Brunel
chaîne de l'Himalaya : l'Everest

Hétier
rizières aux environs de Hongkong

Almasy
Indonésie : île de Java

OCÉAN ARCTIQUE
Pôle Nord
Cercle polaire arctique
Svalbard
Archipel François-Joseph
Nlle-Zemble
MER DE KARA
Terre du Nord
Pén. de Taïmyr
MER DE LAPTEV
Nlle-Sibérie
I. Vrangel
MER DE SIBÉRIE ORIENTALE
Dt de Béring
Mts de l'Anadyr
C. Navarin
MER DE BÉRING
Mts de la Kolyma
Kamtchatka
Cap Lopatka
50°
OCÉAN PA
Iles Kouriles
MER D'OKHOTSK
Sakhaline
Hokkaidō
40°
Honshū
MER DU JAPON
Corée
MER
Sikhote Alin
Mts Tcherski
Mts de Verkhoïansk
Lena
PLATEAU DE L'ALDAN
PLATEAU DE SIBÉRIE ORIENTALE
Plaine de Sibérie septle
Ienissei
Mts Stanovoï
Mts de la Boureïa
PLATEAU STANOVOÏ
Amour
Pt Khingan
Gd Khingan
Mts Iablonovyï
LAC BAÏKAL
Saïan
Altaï
Altaï mongol
Désert de Gobi
Tien-chan
EUROPE
Oural
Ob
Plaine de Sibérie occidentale
Irtych
HAUTEURS DU KAZAKHSTAN
L. BALKHACH
Volga
Oural
MER NOIRE
Caucase
Taurus
MER CASPIENNE
PLAT. DE L'OUST-OURT
MER D'ARAL
Syr-Daria
Désert de Kyzylkoum
Amou-
Désert de Karakoum
Désert
MER

Péninsule arabique
Rub 'al-Khālī
MER ROUGE
G. D'ADEN
AFRIQUE
Socotora
Golfe Persique
Golfe d'Oman
Ra's al-Hadd
Kūh-i Rūd
Dacht-i Lūt
Dacht-Kevīr
Kūh-i Bābā
Hindū Kūch
Pamir
Désert de Takla-makan
Altyntagh
Karakoram
Nan-chan
Tsaïdam
KOUKOU-NOR
PLATEAU DU TIBET
Himalaya
Everest 8848
Brahmapoutre
Ts'in-ling
Bassin Rouge
Yang-tseu-kiang
Indus
Plaine indo-gangétique
Gange
Désert de Thar
Mts Aravalli
Mts Vindhya
Mts Satpura
PLATEAU DU DECCAN
Ghāts occidentaux
Ghāts orientaux
Côte de Malabār
Côte de Coromandel
C. Comorin
Ceylan
Mts Naga
Arakan
Irawaddy
PLATEAU DU YUN-NAN
Tenasserim
Isthme de Kra
Péninsule Indochinoise
Mékong
GOLFE DE SIAM
Pte de Camau
Hai-nan
MER DE CHINE MÉRIDIONALE
MER D'OMAN
Iles Laquedives
Iles Maldives
GOLFE DU BENGALE
Iles Andaman
Iles Nicobar
OCÉAN INDIEN
Équateur
Détroit de Malacca
Sumatra
Java
MER DE JAVA
Bornéo
Bali
Lombok
Sumbawa
Flores
Sumba
Timor
Célèbes
Moluques
MER DE BANDA
MER DE CÉLÈBES
MER DE SULU
Palauan
Mindanao
Luçon
C. Engaño
Formose
Dt de Formose
Tropique du Cancer
MER DE CHINE ORIENTALE
Ryū kyū
Kyū shū
Shikoku
JAUNE
PACIFIQUE
échelle des altitudes
200 m
500
1000
2000
3000
0
1000
2000 km
50°
60°
70°
80°
90°
100°
110°
120°
10°
20°
30°

GROENLAND
ALASKA
Pôle Nord
Svalbard (Norv.)
Cercle polaire arctique
50°
40°
EUROPE
Tallin
ESTONIE
Riga
LETTONIE
LITUANIE
Vilnious
BIÉLO-RUSSIE
Minsk
Moscou
Kiev
Kichinev
MOLDAVIE
UKRAINE
U.R.S.S.
RUSSIE
KAZAKHSTAN
Ankara
TURQUIE
GÉORGIE
Tbilissi
CHYPRE
Nicosie
Erevan
AZERBAÏDJAN
ARMÉNIE
Bakou
Beyrouth
LIBAN
SYRIE
Damas
ISRAËL
TURKMÉNISTAN
OUZBÉKISTAN
Tachkent
Frounze
Alma-Ata
Oulan Bator
MONGOLIE
Pékin
CORÉE DU NORD
Pyongyang
Séoul
JAPON
Tōkyō

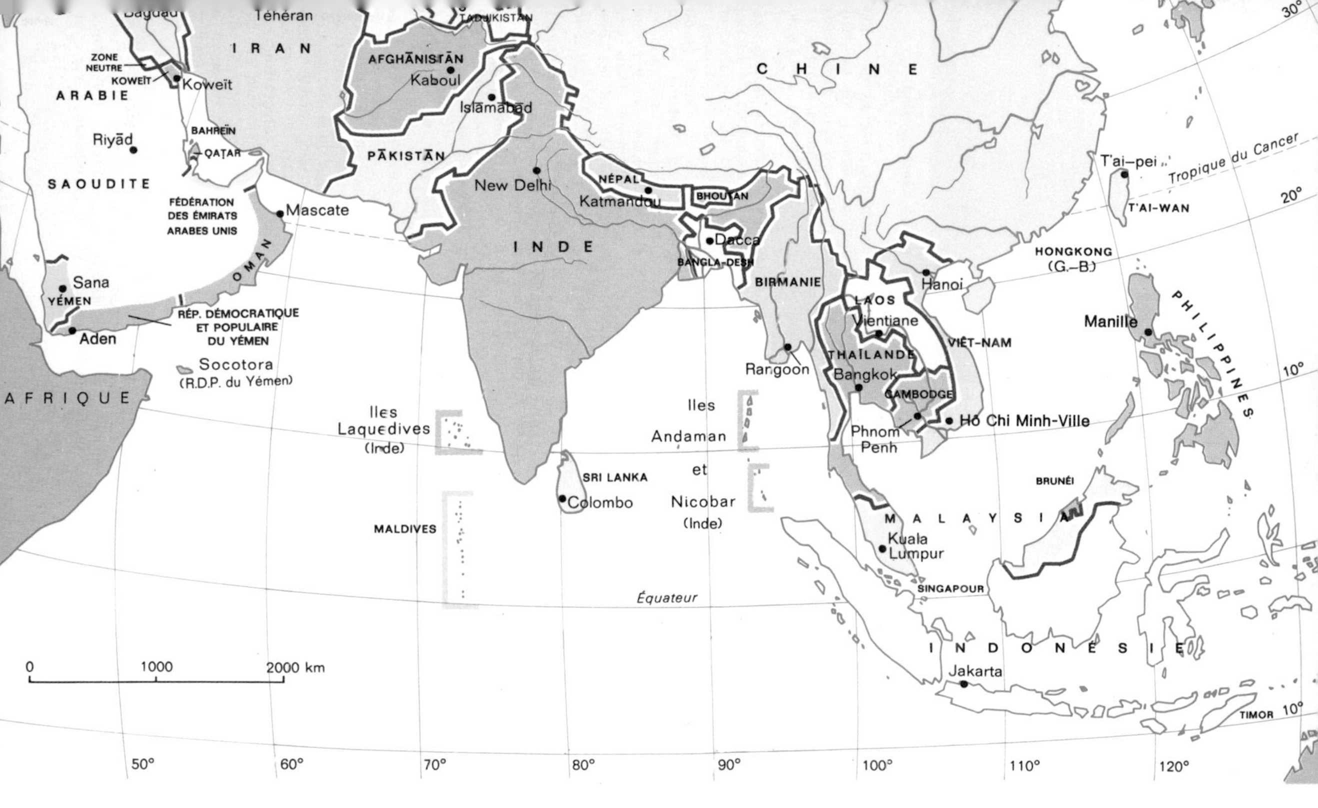
Téhéran
IRAN
AFGHĀNISTĀN
Kaboul
TADJIKISTAN
CHINE
ZONE NEUTRE
KOWEÏT
Koweït
ARABIE
Islāmābād
BAHREÏN
QAṬAR
Riyād
PĀKISTĀN
SAOUDITE
New Delhi
NÉPAL
Katmandou
BHOUTAN
T'ai-pei
Tropique du Cancer
T'AI-WAN
FÉDÉRATION DES ÉMIRATS ARABES UNIS
Mascate
INDE
Dacca
BANGLA-DESH
HONGKONG (G.-B.)
OMAN
Sana
YÉMEN
BIRMANIE
Hanoi
LAOS
Manille
PHILIPPINES
RÉP. DÉMOCRATIQUE ET POPULAIRE DU YÉMEN
Aden
Vientiane
VIÊT-NAM
Socotora (R.D.P. du Yémen)
Rangoon
THAÏLANDE
Bangkok
CAMBODGE
AFRIQUE
Iles Laquedives (Inde)
Iles Andaman et Nicobar (Inde)
Phnom Penh
Hô Chi Minh-Ville
SRI LANKA
Colombo
BRUNÉI
MALDIVES
MALAYSIA
Kuala Lumpur
SINGAPOUR
Équateur
INDONÉSIE
Jakarta
TIMOR
0
1000
2000 km
10°
20°
30°
50°
60°
70°
80°
90°
100°
110°
120°

la Corée du Nord et du Japon septentrional, qui sont rattachées à cet ensemble en raison de leurs régimes pluviométriques. Dans l'Asie tropicale et subtropicale se juxtaposent aux mêmes latitudes les régions les plus arrosées (plus de 5 000 mm fréquemment dans l'Assam) et les régions qui comptent parmi les plus arides du monde (moins de 100 mm dans le centre de l'Arabie). Ce contraste résulte d'un phénomène unique par son ampleur : la mousson. En hiver, l'anticyclone sibérien maintient sur l'ensemble un flux d'air froid et sec ; la relative humidité du Japon est liée à l'insularité ; la permanence des précipitations de l'Insulinde dépend aussi de l'insularité, mais surtout à la latitude équatoriale. Pendant l'été boréal, l'anticyclone de l'océan Indien austral remonte vers le N. Franchissant l'équateur, l'alizé du S.-E. infléchit sa course vers le N., et les vents chargés d'humidité abordent l'Inde, l'Indochine et la Chine. Mis à part la zone équatoriale qui est constamment pluvieuse, les régions frappées de plein fouet par les vents humides (Ghāts occidentaux, flanc méridional de l'Himalaya oriental) sont les plus arrosées (plus de 2 000 mm) ; l'ensemble est recouvert par la forêt dense (parfois dégradée). Le Deccan, à l'abri des Ghāts occidentaux, beaucoup plus sec (localement moins de 500 mm), est un pays de savanes. La forêt tropicale à feuilles persistantes est assez dégradée en Chine du Sud ; elle est mieux conservée dans le Japon méridional, où elle cède progressivement la place aux feuillus à la latitude de Tōkyō. La mousson humide n'atteint pas l'Asie tropicale et subtropicale à l'O. de l'Indus, où soufflent en été des vents secs venus des hautes pressions de l'Afrique tropicale. Sauf sur les hauteurs et sur l'étroite frange méditerranéenne, les précipitations sont toujours inférieures à 500 mm, généralement même à 250 mm (Iran, majeure partie de l'Arabie). La densité de la végétation steppique diminue avec les précipitations, et le désert occupe les cuvettes arides (Rub'al-Kālī, Nufūd). C'est l'Asie sèche, ou *Asie occidentale,* correspondant approximativement au Proche- et au Moyen-Orient, opposée à l'Asie humide, l'*Asie des moussons* (l'Extrême-Orient).

● *Géographie humaine et économique.* Continent le plus vaste (44 millions de kilomètres carrés, près du tiers des terres émergées) et le plus peuplé (environ 2,7 milliards d'habitants, 60 p. 100 de la population mondiale), l'Asie est composée d'éléments blancs, dominants à l'O. et au N., de groupes noirs, dans l'Asie du Sud-Est, et surtout de Jaunes, numériquement prépondérants, occupant la quasi-totalité de l'Asie des moussons.

La répartition des hommes révèle l'influence décisive du climat. Sur 14 millions de kilomètres carrés (moins du tiers de la superficie du continent), l'Asie des moussons groupe

Israël : Abu Gosh (Judée)

2 500 millions d'habitants (plus de 90 p. 100 de la population asiatique) ; 70 millions d'hommes seulement peuplent les 17 millions de kilomètres carrés de l'Asie soviétique, et 130 millions les régions arides de l'Asie occidentale.

Les secteurs les plus densément peuplés, les classiques fourmilières humaines de l'Asie, sont les plaines alluviales ou littorales, et surtout les deltas édifiés par les fleuves : plaine du Gange et delta du Gange et du Brahmapoutre ; deltas du Mékong et du fleuve Rouge, au Viêt-nam ; moyenne et basse vallée du Yang-tseu-kiang ; vaste plaine édifiée par le bas Houang-ho. Dans ces secteurs, la densité dépasse toujours 200, souvent 500 et même 1 000 h. au kilomètre carré.

Malgré la prépondérance de la vie rurale, les villes sont nombreuses, et l'Asie des moussons compte quelques-unes des plus grandes agglomérations du monde (Bombay, Calcutta, Hô Chi Minh-Ville, Djakarta, Hongkong, Chang-hai, Pékin, Tōkyō, Bangkok, Rangoon, Delhi, etc.). En dehors de Tōkyō, la croissance spectaculaire de ces agglomérations résulte, comme en Amérique latine et en Afrique, de l'afflux de ruraux sans qualification, venus des campagnes surpeuplées dans des villes sous-industrialisées, où l'extension des bidonvilles est parallèle en importance à l'aggravation du sous-emploi.

Le développement des villes est une conséquence (surtout indirecte) de l'évolution démographique. Celle-ci est caractérisée par un accroissement annuel de population, au moins égal à 2 p. 100 pour l'ensemble du continent. Le taux de natalité (inférieur à celui de l'Amérique latine) varie généralement entre 30 et 40 p. 1 000 (Chine, Inde, Indonésie, Pākistān, Indochine), s'abaissant exceptionnellement au-dessous de 20 p. 1 000 au Japon. Le taux de mortalité demeure relativement élevé, supérieur à 10 p. 1 000, sauf en Israël et au Japon. L'espérance moyenne de vie à la naissance varie en

Yémen : village près de Ta'izz

Serraillier - Rapho

Iran : mausolée de Pir Bāqrān

Montbrizon - Rapho

Atlas-Photo

Népal : Katmandou

Inde : Bénarès

conséquence ; inférieure à 55 ans en Inde, elle dépasse 70 ans au Japon et en Israël. Le problème du surpeuplement se pose localement, au Bangladesh, en Inde, à Java, à Luçon, etc. ; il a été partiellement résolu au Japon par une efficace politique de contrôle des naissances. Sa solution à l'échelle du continent n'est pas facilitée par la structure de l'économie asiatique.

En dehors de la Sibérie, d'Israël et du Japon, l'agriculture et l'élevage constituent de très loin les activités majeures de la population ; ils revêtent des aspects très différents selon les climats. En Asie occidentale, le noma-

Singapour

Almasy

Picou - Rapho

Thaïlande : Bangkok

disme pastoral et la transhumance se maintiennent dans ou en bordure des régions les plus arides.
Malgré son extension géographique (et le rôle social dévolu aux nomades, contrôlant longtemps les paysans sédentaires des oasis et piémonts irrigués), ce genre de vie concerne moins de 10 p. 100 de la population de l'Asie occidentale. Plus de la moitié de cette population cultive la terre. La steppe anatolienne et le *Croissant fertile* (demi-cercle formé par le piémont des montagnes du Levant, du Taurus et du Zagros) sont le domaine d'une céréaliculture surtout extensive (blé, mil), aux rendements faibles, tributaire des irrégularités climatiques. L'agriculture revêt seulement une forme intensive dans les oasis et les régions irriguées. L'eau est amenée par canaux à partir de barrages (Mésopotamie irakienne, Sud israélien) ou par galeries souterraines au pied de la montagne, ou cherchée en profondeur par des moyens très archaïques (puits à balancier, roue à manège). L'oasis n'est que rarement un jardin, et la superposition du palmier-dattier, de l'arbuste méditerranéen et de la céréale est peu fréquente. Le blé d'hiver est répandu dans l'ensemble de l'Asie occidentale ; le dattier domine sur le pourtour du golfe Persique. Le caractère généralement extensif de l'agriculture explique ici la faible densité moyenne de la population.
Cette densité moyenne est de l'ordre de 180 h. au kilomètre carré dans l'Asie des moussons, malgré d'énormes surfaces presque vides (montagnes de l'Indochine, Bornéo) ou relativement peu peuplées (majeure partie du Pākistān, Sumatra, Mindanao, etc.). L'alimentation est essentiellement assurée par le riz, dont l'extension est justifiée par des conditions de climat (chaleur et humidité d'un été tropical) et de rendement. Fréquemment, les conditions climatiques et l'irrigation autorisent dans l'année une seconde récolte de riz (Tonkin, Kouang-tong) ou, plus souvent, d'orge, de blé, de maïs ou de tubercules (Chine centrale, plaines japonaises). La riziculture exige (temporairement) une main-d'œuvre abondante. Ses rendements varient considérablement selon l'intensité de la culture, mais aussi selon les soins apportés à la terre (qualité de l'irrigation, apports d'engrais) ; dépassant à peine 15 q à l'hectare dans l'Inde, ils sont supérieurs à 40 q pour l'ensemble du Japon. Le riz est rarement une monoculture (le blé domine même dans le N.-O. de l'Inde, plus sec, et dans la Chine du Nord, plus froide) ; il limite cependant l'extension des autres cultures et de l'élevage (lié souvent à la riziculture). Toutefois, diverses plantations localement développées sous l'influence de la colonisation européenne, possèdent une certaine importance (en partie commerciale) : culture du thé en Inde, à Sri Lanka et en Chine ; plantations d'hévéas en

ETATS D'ASIE	PAYS
États indépendants	Afghānistān arabes unis (Emira Arabie Saoudite Bahrein Birmanie Cambodge Chine (T'ai-wan ou Form Corée du Nord Corée du Sud Indonésie Iran Iraq Israël Japon Jordanie Koweït Laos Liban Mongolie Népal Oman Pākistān Philippines Syrie Thaïlande Turquie (avec la T Viêt-nam Yémen Yémen démocrati
États et territoires membres du Commonwealth	Bangladesh Bhoutan Brunei Chypre Hongkong Inde Malaysia Maldives Qatar (Al-) Sabah Sarawak Singapour Sri Lanka (Ceylan
territoires divers	Gaza (territoire d Macao Ryū kyū

La partie asiatique de ***l'U. R. S. S.*** a 17 120 000 km² et 55 millions d'hab.

RFICIE KM²	NOMBRE D'HABITANTS	CAPITALE	STRUCTURE POLITIQUE
650 000	14 750 000	*Kaboul*	république
83 600	1 300 000	*Abū Ẓabi*	Etat fédéral
840 000	11 220 000	*Riyāḍ*	royaume
669	400 000	*Manāma*	Etat
677 950	36 900 000	*Rangoon*	Etat fédéral
175 000	6 200 000	*Phnom Penh*	république
560 000	1 042 000 000	*Beijing (Pékin)*	république
35 961	19 200 000	*T'ai-pei*	république
120 500	20 100 000	*Pyongyang*	république
98 400	42 000 000	*Séoul*	république
904 345	168 520 000	*Jakarta*	république
645 000	45 320 000	*Téhéran*	république islamique
444 442	15 330 000	*Bagdad*	république
20 850	4 200 000	*Jérusalem*	république
369 813	120 800 000	*Tōkyō*	Empire
96 622	3 620 000	*'Ammān*	royaume
15 540	1 900 000	*Koweït*	Etat
236 800	3 460 000	*Vientiane*	république
10 400	3 000 000	*Beyrouth*	république
531 000	1 900 000	*Oulan-Bator*	république
140 753	17 000 000	*Katmandou*	royaume
212 380	1 200 000	*Mascate*	sultanat
803 940	99 580 000	*Islamabad*	république
297 370	56 830 000	*Manille*	république
184 920	10 600 000	*Damas*	république
513 521	52 700 000	*Bangkok*	royaume
776 980	52 110 000	*Ankara*	république
164 100	60 570 000	*Hanoi*	république
195 000	6 100 000	*Sana*	république
290 000	2 100 000	*Aden*	république
142 776	101 500 000	*Dacca*	république
50 000	1 400 000	*Timphu*	royaume
5 800	200 000	*Bandar-Seri-Begawan*	Etat indépendant depuis 1984
9 251	700 000	*Nicosie*	Etat indépendant
1 013	5 500 000	*Victoria*	colonie de la Couronne britannique
288 200	762 000 000	*New Delhi*	Etat indépendant
330 400	15 420 000	*Kuala-Lumpur*	Etat fédéral regroupant la Malaisie, le Sabah et le Sarawak
298	120 000	*Male*	Etat indépendant depuis 1965
22 014	200 000	*Duḥa*	Etat lié par un traité à la Grande-Bretagne
76 112	800 000	*Kota Kinabahu*	territoire membre de la Malaysia
121 914	1 100 000	*Kuching*	territoire membre de la Malaysia
581	2 220 000	*Singapour*	Etat indépendant depuis 1965
65 610	16 400 000	*Colombo*	Etat indépendant
202	428 000	*Gaza*	partie de la Palestine occupée par l'Egypte (jusqu'en juin 1967)
16	270 000	*Macao*	territoire portugais
2 300	973 000	*Naha*	îles sous administration américaine

La partie asiatique de ***l'Egypte***
(péninsule du Sinaï) a 59 000 km² et 132 000 hab.

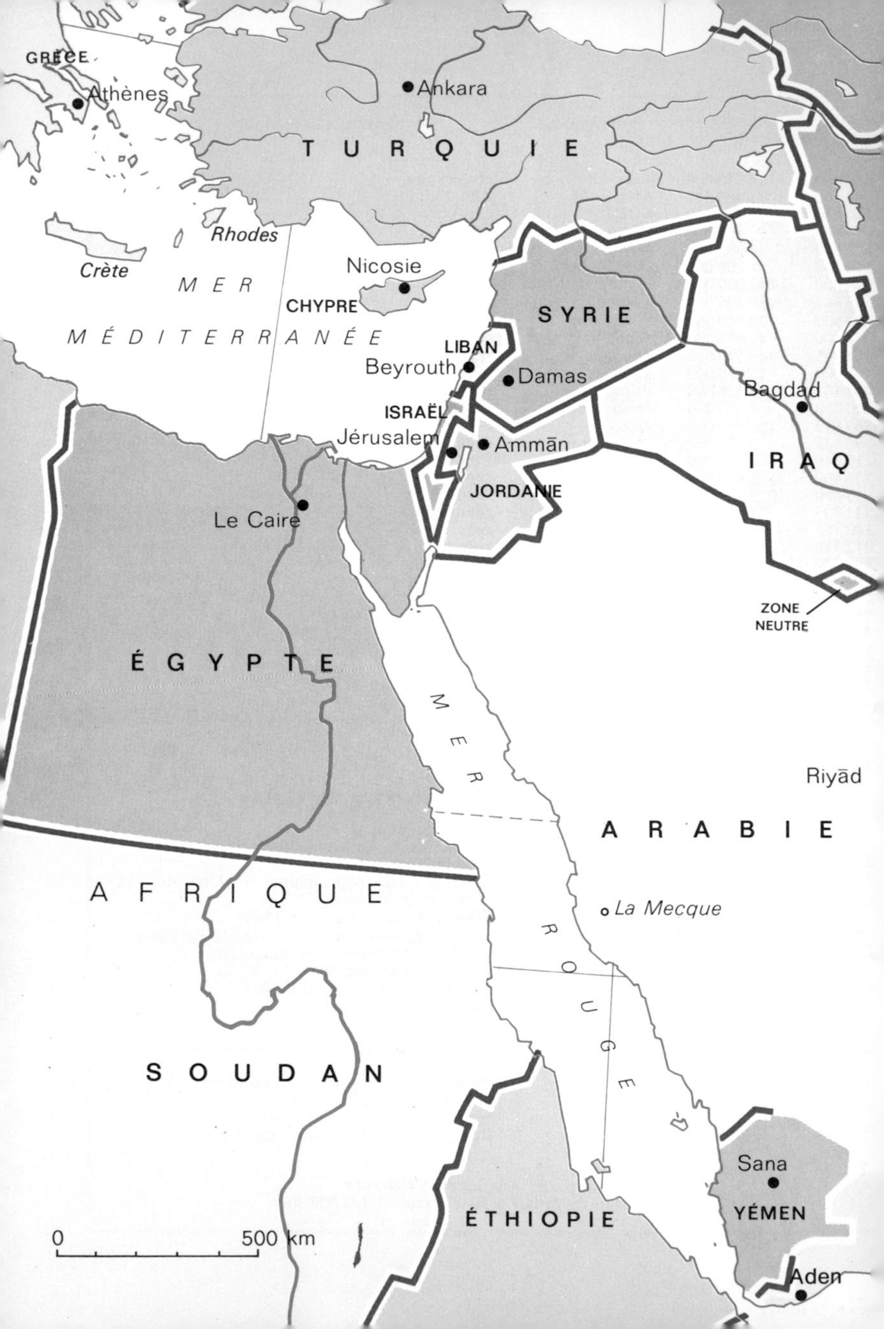
GRÈCE
Athènes
Ankara
TURQUIE
Rhodes
Crète
MER
MÉDITERRANÉE
Nicosie
CHYPRE
SYRIE
LIBAN
Beyrouth
Damas
Bagdad
ISRAËL
Jérusalem
Ammān
IRAQ
JORDANIE
Le Caire
ZONE NEUTRE
ÉGYPTE
MER ROUGE
Riyād
ARABIE
AFRIQUE
La Mecque
SOUDAN
Sana
YÉMEN
ÉTHIOPIE
0
500 km
Aden

MER
CASPIENNE
R. S. S.
Téhéran
IRAN
AFGHĀNISTĀN
Kaboul
PĀKISTĀN
weït
GOLFE
PERSIQUE
Manāma
QAṬAR
Doha
Dibay
(Oman)
G. D'OMAN
Abū Ẓabī
Mascate
ÉMIRATS
ARABES UNIS
Tropique
du Cancer
INDE
20°
AOUDITE
OMAN
OCÉAN
INDIEN
P. D.
YÉMEN
Asie Occidentale
50°
60°

CHINE
MER DE CHINE ORIENTALE
INDE
T'ai-pei
Ryūkyū (Japon)
T'AI-WAN
Tropique du Cancer
BIRMANIE
HONGKONG (G.-B.)
Macao (Port.)
OCÉAN
20°
GOLFE DU TONKIN
PACIFIQUE
Hai-nan
Vientiane
LAOS
Rangoon
MER DE CHINE
Luçon
VIÊT-NAM
PHILIPPINES
THAÏLANDE
Manille
Bangkok
MER
Iles Andaman
CAMBODGE
Phnom Penh
MÉRIDIONALE
GOLFE DE
Hô Chi Minh-Ville
D'ANDAMAN
Palauan
MER
10°

MALAYSIA
Kuala Lumpur
SINGAPOUR
Bandar Seri Begawan
BRUNEI
Sulu
MER DE CÉLÈBES
Sumatra
Bornéo
Célèbes
0°
Équateur
Bangka
Belitung
INDONÉSIE
MER DE JAVA
MER DE BANDA
Jakarta
Java
Bali
Lombok
Sumbawa
Flores
Sumba
Timor
OCÉAN INDIEN
10°
Asie du Sud-Est
100°
110°
0
500
1000 km

Secas

la Grande Muraille

Malaisie, en Indonésie et en Indochine; coton en Inde.
Cette colonisation a aussi prospecté les richesses du sous-sol (houille et manganèse de l'Inde, étain de Malaisie et d'Indonésie, pétrole d'Indonésie), mettant parfois en place une métallurgie primaire (N.-E. de l'Inde); le travail artisanal des textiles et des métaux est de tradition ancienne en Asie occidentale, en Inde. Mais l'industrie revêt encore une importance secondaire à l'échelle du continent. Son développement apparaît indispensable pour assurer l'élévation du niveau de vie, qui est très bas. Groupant environ 60 p. 100 de la population du globe, l'Asie ne possède que 10 p. 100 du revenu mondial (compte non tenu de l'Asie soviétique). L'industrialisation se heurte à des difficultés communes (manque de capitaux et de techniciens nationaux); mais elle varie aussi, selon les pays, avec les richesses naturelles, la structure de l'économie, l'acuité du problème démographique, la mentalité et les structures sociales, etc.
Théoriquement, les moyens de modernisation de l'économie ne manquent pas dans une grande partie de l'Asie occidentale. Le Moyen-Orient est la première région mondiale pour la production du pétrole, qui assure des revenus très substantiels au Koweït, à l'Arabie Saoudite, à l'Iran et à l'Iraq. Mais, trop souvent, ces revenus sont consacrés à des dépenses de prestige.
Dans l'Asie des moussons — et même dans l'ensemble de l'Asie —, le Japon constitue un cas particulier. Le secteur secondaire est plus développé que le secteur primaire, et près de la moitié de la population vit dans des villes de plus de 100 000 h. L'industrialisation, amorcée il y a un siècle (ère Meiji), fait du Japon la troisième puissance économique mondiale (avant l'Allemagne occidentale et la Grande-Bretagne). L'expérience communiste chinoise a d'abord recherché le développement prioritaire d'une industrie lourde, productrice de biens d'équipement. Cette priorité a été en partie abandonnée après 1960 (échec du « bond en avant »), et l'agriculture tient toujours une place fondamentale dans l'économie.
L'expansion économique est recherchée dans un cadre plus libéral en Inde. Mais la libéralité même du cadre, le maintien plus ou moins occulte de structures sociales paralysantes (système des castes), la persistance d'interdits religieux (provoquant la très faible utilisation d'un important troupeau bovin), la démographie « galopante » en hypothèquent sérieusement les chances de succès rapide, malgré l'aide étrangère (Etats-Unis et U. R. S. S., Allemagne occidentale et Japon).

Histoire.

Du fait de ses dimensions et de son relief, l'Asie ne forme pas un ensemble unique. Trois régions ont eu des destins exceptionnels et indépendants les uns des autres : l'Asie occidentale, l'Inde, la Chine.
● L'Asie occidentale a été le foyer des plus anciennes civilisations : dès le IIIe millénaire celle des Sumériens, puis celle des Akkadiens s'épanouissent en Mésopotamie. Les Amorrites s'emparent du pays et fondent Babylone. Les empires babylonien et assyrien acquièrent une solide structure administrative et sociale (code d'Hammourabi). Pillée par les Hittites (v. 1500 av. J.-C.) Babylone est conquise par les Kassites, tandis que les Hourrites, alliés aux Egyptiens, combattent les Hittites. A partir du XIIe s. av. J.-C., les Assyriens dominent la Babylonie. Les Hébreux s'installent en Palestine (Xe s. av. J.-C.). Les Assyriens, une première fois sous Salmanasar III (IXe s. av. J.-C.), puis sous Assurbanipal (VIIe s. av. J.-C.), continuent leur expansion au détriment d'Israël et de la Chaldée. Mais ils sont, à leur tour, vaincus par les Mèdes aidés des Babyloniens, qui fondent l'Empire néo-babylonien, avec Ecbatane pour capitale. Nabuchodonosor II (VIe s. av. J.-C.), après avoir vaincu les Egyptiens, s'empare de Jérusalem après un long siège et déporte les Juifs à Babylone.
Mais le Perse Cyrus écrase les Mèdes (prise d'Ecbatane 555 av. J.-C.), puis les Babyloniens (prise de Babylone, 539 av. J.-C.) et fonde l'Empire perse achéménide, qui est accru par l'occupation de l'Egypte sous Cambyse II. Alexandre le Grand (330-32[illegible] av. J.-C.) le détruit, construit à son tour un immense empire et hellénise l'Asie jusqu'à l'Indus.
● L'évolution de l'Inde contraste avec celle de l'Asie occidentale. A partir du XIIIe [illegible] av. J.-C., les Arya conquièrent progressivement le bassin de l'Indus et le nord du Deccan, où ils instaurent une structure politique et religieuse fondée sur le système des castes, tandis que les Dravidiens demeurent maîtres du Sud. La civilisation indienne se développe en vase clos, model

par le brahmanisme, puis influencée par la spiritualité bouddhique, apparue au ve s. av. J.-C. Des contacts ont lieu avec l'Asie occidentale par l'intermédiaire des Perses (vi^e s. av. J.-C.) et avec le monde grec avec les raids d'Alexandre le Grand (ive s. av. J.-C.). A partir du i^er s. av. J.-C., l'Inde se morcelle en petits Etats.

● De même que l'Inde, la Chine constitue un ensemble où s'est développée une civilisation brillante et originale, due à une suite de dynasties, dont la plus célèbre est celle des Chang (1450-v. 1050 av. J.-C.). Puis la Chine devient féodale jusqu'au jour où les Ts'in créent l'Empire chinois (249-206 av. J.-C.). Ils sont remplacés par les Han, qui, pendant quatre siècles, dominent l'Asie centrale. C'est alors que Marco Polo entreprend son voyage en Chine (1271-1275). L'Empire mongol s'effrite en khānats indépendants. Tīmūr Lang tente de le reconstituer, mais son œuvre ne lui survit pas (1405).

Aussitôt, les Turcs Ottomans, qu'il avait soumis, détruisent l'Empire byzantin en Asie Mineure, puis prennent Constantinople (1453). L'Empire ottoman connaît son apogée avec Soliman le Magnifique (1520-1566). L'expansion asiatique atteint alors ses limites ultimes. Les chāhs séfévides (1502-1736) rétablissent l'indépendance persane, tandis que des descendants de Tīmūr, les Grands Moghols, fondent un Empire indien (1526-1658). Les Chinois retrouvent leur indépendance avec les Ming (1368-1644), puis avec

les bords du Gange, à Bénarès

Tandis que, en Asie occidentale, aux Parthes Arsacides (250-v. 227 apr. J.-C.) succèdent les Perses Sassanides, les Gupta dominent en Inde, et les T'ang reconstituent l'unité de la Chine, morcelée à la chute des Han.

L'apparition de l'islām et sa propagation à travers le Proche-Orient, puis à travers l'Inde, marquent une étape importante de l'histoire de l'Asie. Au xie s. surgissent les Turcs Seldjoukides, contre lesquels l'Europe chrétienne lance les croisades. Pendant ce temps, la Chine est dominée par la dynastie des Song (960-1280), puis par les Mongols de Gengis khān, dont les successeurs soumettent la Perse (xiiie s.).

les Ts'ing, et, à partir du xve s., le Tibet s'organise en théocratie bouddhique (le dalaï-lama). Quant au Japon, longtemps isolé et inconnu, il est pénétré au viie s. par le bouddhisme chinois : contre l'influence chinoise, les guerriers prennent le pouvoir (régime du shōgunat, xiie s.-xixe s.). Des contacts entre l'Europe et l'Asie ont eu lieu dès le Moyen Age. Les routes de la soie, de la Chine du Nord à Byzance, ont maintenu un lien entre l'Orient et l'Occident. A partir du xiiie s., des missionnaires entreprennent des voyages en Asie (du Plan Carpin, 1245). Au xve s., le périple de l'Afrique par Vasco de Gama permet de contourner l'obstacle

Secas

Chine : fête du Dragon, à Pékin

musulman et d'atteindre directement l'Inde ; les Portugais parviennent ainsi à Malacca (1511), puis en Chine, à Macao (1516), et au Japon (1540). Ils sont bientôt suivis par les Espagnols, puis par les Hollandais. A partir du XVIe s., les Russes entreprennent par voie terrestre la colonisation de la Sibérie, qui sera achevée au XIXe s. C'est au XVIe s. que se situe la mission de François Xavier en Extrême-Orient. Les Français, successeurs des Hollandais en Inde, sont, à leur tour, évincés par les Anglais, qui s'imposent dans l'intérieur de l'Asie (fin du XVIIIe s.-début du XIXe s.). Les Français s'orientent vers l'Indochine, qu'ils occupent (1862-1883). Au XIXe s., seuls le Japon et la Chine conservent leur indépendance politique, mais ils sont contraints d'ouvrir leurs ports au commerce européen.

A l'aube du XXe s., le Japon, modernisé par l'empereur Meiji tennō (1867-1912) [l'« ère Meiji »], ouvre, après sa victoire sur la Chine (1895), l'offensive contre les Européens (guerre russo-japonaise, 1904-1905). Cette victoire a des répercussions immenses. Tandis que l'agitation nationaliste est stimulée dans les pays colonisés, la Chine renverse son empereur et proclame la république (1911). La Première Guerre mondiale, au cours de laquelle le Japon et la Chine combattent du côté des Alliés, contraint ceux-ci à des concessions. Après la révolution russe de 1917, les Asiatiques trouvent dans la Russie soviétique un soutien contre les Européens.

Pendant la Seconde Guerre mondiale, le Japon se tourne contre les Alliés. Sa victoire initiale ruine le prestige de l'Occident en Asie. Son écrasement par les Etats-Unis (1945) n'enraye pas le processus d'émancipation (indépendance de l'Indonésie [1945], de l'Inde, du Pākistān et de la Birmanie [1947], du Viêt-nam, du Laos et du Cambodge [1945]). En 1949, la Chine devient une république populaire, dont la force d'attraction se révèle puissante au sein du tiers monde.

Conscients du poids qu'ils représentent dans le monde contemporain, les peuples asiatiques ont tendance à renforcer leur solidarité (conférence de Bandung, 1955) et à se rapprocher des autres peuples du tiers monde).

construction du barrage des Ming, près de Pékin

Asie (DIOCÈSE D'), un des trois diocèses formés en Asie Mineure, en 330, par Constantin Ier.

Asie (PROVINCE D'), province constituée en 129 av. J.-C. après l'héritage du royaume de Pergame par les Romains. Elle fut érigée en province sénatoriale sous Auguste.

Asie antérieure ou **Asie occidentale,** expressions utilisées par les orientalistes modernes pour désigner le Proche-Orient ancien.

Asie Mineure, péninsule de l'Asie occidentale, appelée aussi ANATOLIE. Elle est bordée par la mer Noire, les mers Egée et de Marmara, et par la Méditerranée. Les principales divisions étaient : sur la côte nord, la Bithynie, la Paphlagonie et le Pont; sur la côte ouest, la Mysie, la Lydie et la Carie ; à l'intérieur, la Phrygie, la Galatie, la Cappadoce la Lycaonie et la Pisidie.

Au cours de l'histoire, l'Asie Mineure fut un des principaux points de contact des civilisations orientales et occidentales. Pays de très ancien peuplement, il fut envahi à diverses reprises par le N. Vers 1950 av. J.-C. env. apparut la première dynastie hittite. Au XVe s. av. J.-C., les Hittites formaient un empire puissant, dont le centre était Hattousa (Boğazkale). Cet empire fut disloqué aux XIVe-XIIIe s. av. J.-C. par les attaques de peuples indo-européens, des Grecs probablement (Achéens), qui y établirent de nombreuses colonies. Au XIIe s. av. J.-C., la ruine de Troie et l'invasion des Phrygiens marquèrent la fin du royaume hittite. Le royaume phrygien fut, au VIIe s. av. J.-C., balayé par les Cimmériens, puis l'hégémonie revint, en Asie Mineure, aux rois de Lydie (capit. *Sardes*), mais la victoire de Cyrus, en 546 av. J.-C., sur le dernier roi lydien Crésus fit passer l'Asie Mineure sous la domination perse. Divisée en satrapies, elle connut alors une unification politique d'une certaine durée. Cependant la révolte des Ioniens, en 499 av. J.-C., conduisit aux guerres médiques*.

Alexandre le Grand conquit l'Asie Mineure sur les Perses en 334 av. J.-C. Après sa mort, pendant les guerres des diadoques, le pays fut divisé en petits Etats indépendants. La dynastie des Séleucides gouverna la partie orientale de la péninsule jusqu'à la victoire romaine, en 189 av. J.-C., à Magnésie. Cette victoire et l'héritage du royaume d'Attalos III de Pergame (133 av. J.-C.) firent des Romains les nouveaux maîtres du pays. Ils organisèrent la péninsule en différentes provinces, qui connurent une réelle prospérité.

Le christianisme se répandit rapidement dans les régions bordières du Sud et de l'Ouest, où saint Paul fonda plusieurs églises (Ephèse).

A l'époque byzantine, l'Asie Mineure fut l'objet d'attaques constantes, successivement de la part des Perses (Khosrô II, 616-626), puis des Arabes (668), pour échoir finalement aux Turcs Seldjoukides, qui, à partir de 1067, y établirent l'empire de Rūm (capit. *Iconium*). Elle revint temporairement à l'Occident lorsque les croisés y établirent des Etats éphémères. Les Turcs Ottomans en firent la conquête aux XIIIe-XIVe s. L'histoire ultérieure de l'Asie Mineure fut celle de l'Empire ottoman jusqu'à ce que sa possession en fût contestée en 1833 par l'armée égyptienne d'Ibrāhīm pacha. Le démembrement de l'Empire turc devint effectif au traité de Sèvres de 1920 ; le territoire de la République turque ne dépasse guère désormais les limites de l'Asie Mineure.

asiento n. m. (mot esp. signif. *contrat d'achat*). *Hist.* Contrat autorisant la traite des Noirs dans les colonies espagnoles. (Le premier contrat fut accordé en 1517 à une compagnie génoise. Les Portugais [jusqu'en 1640], les Hollandais [1640-1695], les Français [1701], enfin les Anglais [traité d'Utrecht, 1713] en bénéficièrent successivement.

asilaire → ASILE.

asile n. m. (lat. *asylum ;* du gr. *asulon,* lieu inviolable). Lieu où les criminels, les débiteurs se mettaient à l'abri des poursuites de la justice. ‖ Tout lieu où l'on est à l'abri d'un danger : *Trouver asile dans une grotte au milieu de l'orage.* ‖ Toit, abri : *Recueillir des gens sans asile.* ‖ Etablissement destiné à des indigents, à des incurables ou à des vieillards (vieilli) : *L'asile des vieillards.* ‖ Etablissement hospitalier où l'on soigne les aliénés : *Enfermer quelqu'un dans un asile.* (On dit maintenant HÔPITAL PSYCHIATRIQUE.)

● *Droit d'asile,* droit d'inviolabilité accordé à certains lieux (sanctuaires religieux, ambassades, etc.). ◆ **asilaire** adj. Relatif à l'asile : *Une mentalité asilaire.*

asile n. m. (lat. *asilus,* paon). Grande mouche poilue, qui suce le sang des autres insectes capturés en vol. (Type de la famille des *asilidés.*)

asiminier n. m. Arbrisseau des Etats-Unis, dont le fruit (*asimine*), comestible, fournit une boisson. (Famille des annonacées.)

Asinaros. *Géogr. anc.* Fleuve de Sicile, tributaire de la mer Ionienne. Syracuse y fut victorieuse d'Athènes en 413 av. J.-C. Auj. le *Noto.*

asinien, enne adj. Propre à l'âne.

Asinius Pollio (Caius), homme politique et écrivain romain (76 av. J.-C. - 5 apr. J.-C.). Gouverneur de la Gaule Transpadane, il fit rendre à Virgile son domaine confisqué. Consul en 41 av. J.-C., il mena victorieusement une expédition en Dalmatie. Il est l'auteur de poésies, de tragédies et d'une *Histoire de la guerre civile entre César et Pompée.*

asinus asinum fricat, loc. lat. signif. *l'âne frotte l'âne,* se dit de deux personnes qui se font des éloges réciproques ou qui éprouvent une vive sympathie l'une pour l'autre.

'Asīr, prov. d'Arabie Saoudite, en bordure de la mer Rouge, entre le Hedjaz et le Yémen ; 80 000 km²; 1 million d'habitants. V. pr. *Abhā*. C'est une région montagneuse, assez bien arrosée, aux cultures variées : blé, café, coton, dattiers.

Ask, nom donné au premier homme dans la théogonie scandinave.

askari ou **ascari** n. m. (ar. *'askarī*, soldat). Soldat africain des anciennes troupes coloniales italiennes et allemandes.

Aske (Robert), gentilhomme anglais du Yorkshire, chef du mouvement insurrectionnel contre la réforme de Henri VIII (1536). Il fut exécuté à York (1537).

Askenazim. V. ASHKENAZIM.

Askenazy (Szymon), historien et homme politique polonais (Zawichost 1866 - Varsovie 1935), professeur à l'université de Lwów, auteur de *Napoléon et la Pologne*.

Aškerc (Anton), écrivain slovène (Globoko 1856 - Ljubljana 1912), auteur de *Ballades et Romances* (1890) inspirées de l'histoire nationale.

Askia, dynastie noire fondée en 1492 dans l'Empire songhaï par l'usurpateur Mamadou Touré (roi de 1492 à 1528). Elle prit fin en 1592.

Askold, nom de l'un des chefs scandinaves (Varègues) venus en Russie au IXe s. Fixé à Kiev en 860, il fut tué en 882 sur l'ordre d'Oleg, chef varègue venu du N. La *tombe d'Askold* se voit encore près de Kiev.

askos n. m. (mot gr.). Vase antique à panse recourbée.

Aslin (Charles Herbert), architecte anglais (Sheffield 1893 - Londres 1959). Il est l'auteur de nombreux bâtiments publics à Derby et de bâtiments scolaires dans le Hertfordshire.

Asmar (TELL). V. ESHNOUNNA.

Asmara, v. de l'Ethiopie, ch.-l. de l'Erythrée, sur le chemin de fer de Massaouah à Agordat ; 130 000 h. Vieille cité à 2 400 m d'alt., qui fut prise par les Italiens en 1889. Industries alimentaires. Filature.

asmix n. m. Revêtement routier constitué par une couche d'asphalte apuré et par une couche d'asphalte porphyrique.

Asmodée, en hébr. **Aschmedaï** (nom qui paraît être d'origine persane), dans le Livre de Tobie, démon de la Sensualité et de l'Amour impur. Epris de Sara, il fit successivement périr ses sept époux, mais fut vaincu par Tobie. — Le romancier espagnol Guevara, auteur du *Diable boiteux,* imité en français par Le Sage, a donné le nom d'*Asmodée* au principal héros de son livre, un diable qui montre à celui qui l'accompagne tout ce qui se passe dans les ménages de Madrid. — F. Mauriac l'a choisi comme titre d'une de ses pièces de théâtre (1938).

Asmonéens, nom donné à la famille descendant d'Asmon ; elle comprend les Maccabées, qui dirigèrent le soulèvement religieux contre Antiochos IV. Leurs descendants régnèrent sur la Judée jusqu'en 40 av. J.-C.

Asnam (EL-), auj. **Ech-Chéliff,** ch.-l. de dép. d'Algérie, dans la plaine du Chélif ; 49 100 h. Centre commercial. La ville avait été ravagée par un séisme en 1954. Vestiges d'une basilique chrétienne en 324.

Asne (VAL DE L'). V. ÂNE (*val de l'*).

Asnelles, comm. du Calvados (arr. et à 13 km au N.-E. de Bayeux) ; 336 h. Station balnéaire à Asnelles-sur-Mer. L'un des lieux du débarquement allié du 6 juin 1944.

Asnières-sur-Seine, ch.-l. de c. des Hauts-de Seine (arr. de Nanterre), sur la Seine (r. g.), à 2 km au N.-O. de Paris ; 71 220 h. (*Asniérois* ou *Asniéristes*). Centre industriel : constructions mécaniques, radio-électricité, parfums, industries textiles et alimentaires, etc. Patrie de Henri Barbusse.

Asnières-sur-Oise, comm. du Val-d'Oise (arr. de Montmorency), à 6 km à l'E. de Beaumont-sur-Oise ; 2 186 h. (*Asniérois*). Eglise des XIIe et XIIIe s. renfermant le tombeau de Henri de Lorraine par Coysevox. — Aux environs, abbaye de Royaumont.

Asnyk (Adam), poète polonais (Kalisz 1838 - Cracovie 1897), auteur de *Poésies* (1869) et d'un recueil de sonnets : *Au-dessus des abîmes* (1883-1894).

Asō, volcan du Japon en activité (île de Kyūshū) ; il a cinq pics et un immense cratère, dont le diamètre atteint 20 km.

asocial, e, aux adj. et n. Inadapté à la vie sociale.

Asoka. V. AÇOKA.

asomatognosie n. f. Méconnaissance pathologique d'une partie du corps, en général d'un côté, partiellement ou complètement.

Asôpos. *Géogr. anc.* Nom de plusieurs fleuves grecs et des divinités que la mythologie en a tirées. Le plus célèbre est celui de Béotie, qui naît à l'E. de Leuctres et se jette dans l'Euripe.

Aspar, général byzantin († 471). Ministre tout-puissant, il conspira contre Léon Ier, qu'il avait placé sur le trône d'Orient (457), et fut assassiné.

asparagine, asparagopsis → ASPARAGUS.

asparagus [gys] n. m. (mot lat.). Nom générique de l'asperge, appliqué par les fleuristes au feuillage d'espèces voisines, et dont ils agrémentent les bouquets. ◆ **asparagine** n. f. Amide de l'acide aspartique, dont l'une des trois variétés se trouve dans les germes d'asperges, les betteraves, les pois. ◆ **asparagopsis** [psis] n. m. Algue rouge comestible des îles Hawaii. ◆ **aspartique** adj. Se dit d'un diacide aminé obtenu par hydrolyse de l'asparagine, qui en est l'amide.

Asparuh ou **Isperih,** chef des hordes d'origine turco-mongole qui, en 679, s'installèrent entre le Danube et les Balkans. Il jeta ainsi les fondements de la nation bulgare.

Aspasie de Milet, en gr. **Aspasia,** femme grecque célèbre pour sa beauté et son esprit. Elle eut, semble-t-il, beaucoup d'influence sur Périclès, qui l'avait épousée après avoir répudié sa première femme.

aspe ou **asple** n. m. (allem. *Haspel,* dévidoir). Sorte de dévidoir constitué par une cage formée de barreaux de bois et qui tourne sur elle-même.

Aspe (VALLÉE D'), vallée des Pyrénées françaises (Pyrénées-Atlantiques), où coule le *Gave d'Aspe* (10 km). Elle est suivie par la route du Somport et le Transpyrénéen. Elevage. Installations hydro-électriques.

aspect [aspɛ] n. m. (lat. *aspectus*). Manière dont une chose ou une personne se présente à la vue; apparence, extérieur : *Un homme à l'aspect sévère. Une campagne d'aspect riant. L'affaire avait vraiment un aspect peu engageant.* ‖ Catégorie grammaticale qui embrasse toutes les représentations relatives à la durée, au déroulement et à l'achèvement des procès indiqués par les verbes. ‖ *Math.* Chacune des dispositions qu'un certain nombre de points peuvent affecter sur un plan. ◆ **aspecter** v. tr. Etre orienté dans une direction donnée, en parlant d'un édifice.

Aspendos ou **Aspendus.** *Géogr. anc.* V. du sud de l'Asie Mineure, en Pamphylie, sur l'Eurymédon. Basilique de type grec et théâtre très bien conservé. (Auj. *Belkisköyü.*)

Asper (Hans), peintre suisse (Zurich 1499 - *id.* 1571). Influencé par Holbein et maître de Tobias Stimmer, il fut un célèbre portraitiste (portrait de Zwingli, Kunsthaus, Zurich).

asperge n. f. (lat. *asparagus,* et gr. *asparagos,* jeune tige). Plante potagère de la famille des liliacées, dont on mange les pousses, ou turions, quand elles sont encore tendres. (L'asperge se reproduit par semis ou en plantant les griffes au fond de tranchées; la première cueillette peut se faire trois ans après la plantation, et la production durer de douze à quinze ans.) ‖ *Fig.* et *fam.* Personne maigre et très grande. ‖ *Bx-arts.* Rudenture terminée par un bourgeon entrouvert. ◆ **aspergerie, aspergeraie** ou **aspergière** n. f. Terrain planté d'asperges.

asparagus

Larousse

asperger v. tr. (lat. *aspergere,* répandre) [conj. 1]. Mouiller en projetant un liquide sous forme de pluie : *Une voiture qui asperge les passants.* ◆ **aspersion** n. f. Action d'asperger; résultat de cette action : *Ranimer quelqu'un par des aspersions d'eau froide.* ‖ Action de jeter de l'eau bénite dans une cérémonie religieuse. ● *Baptême par aspersion,* baptême conféré en aspergeant d'eau les catéchumènes. ◆ **aspersoir** n. m. Goupillon pour jeter de l'eau bénite.

aspergerie, aspergeraie, aspergière → ASPERGE.

asperges me (mots lat. signif. *Tu m'aspergeras*), antienne processionnelle qui accompagne l'aspersion d'eau bénite sur les fidèles avant la grand-messe du dimanche.

aspergillales, aspergillose → ASPERGILLUS.

aspergillus [lys] n. m. (lat. *aspergillum,* goupillon). Moisissure ascomycète responsable de l'aspergillose des animaux de ferme. (Elle se reproduit aussi par des conidies disposées en aspersoir, d'où son nom.) ◆ **aspergillales** n. f. pl. Ordre de champignons ascomycètes comprenant des moisissures, telles qu'*aspergillus, penicillium,* etc. ◆ **aspergillose** n. f. Maladie mycosique observée chez l'animal, rarement chez l'homme, et dont l'agent est un champignon ascomycète (*Aspergillus fumigatus*). [Les symptômes sont analogues à ceux de la tuberculose.]

aspérité n. f. (lat. *asperitas*). Inégalité, rugosité, saillie, qui donne de la rudesse à une surface; la rudesse même produite par ces rugosités : *Se blesser aux aspérités du rocher.*

asperme adj. (*a* priv., et gr. *sperma,* semence). Se dit des plantes dont les fruits ne contiennent pas de graines. ◆ **aspermie** n. f. Absence de semence (tant chez l'homme et les animaux que chez les plantes).

Aspern ou **Gross Aspern,** localité d'Autriche, sur la rive gauche du Danube, en face de l'île Lobau. Napoléon y fut tenu en échec par les Autrichiens (21-22 mai 1809). [V. WAGRAM.]

aspersion, aspersoir → ASPERGER.

asperugo n. m. (mot lat.). Borraginacée des décombres, aux fleurs violettes.

aspérula n. f. Rubiacée aromatique des rocailles.

Aspet, ch.-l. de c. de la Haute-Garonne (arr.

et à 15 km au S.-E. de Saint-Gaudens), sur le torrent du Ger, affluent de la Garonne ; 1 081 h. (*Aspétois*). Tour du guet du XIVe s.

asphaltage → ASPHALTE.

asphalte n. m. (gr. *asphaltos,* bitume). Mélange naturel, composé de matériaux calcaires ou siliceux imprégnés de bitume. (V. *encycl.*) ‖ Brai de pétrole. ‖ Préparation destinée au revêtement des chaussées, à base de brai de pétrole. ‖ *Fam.* Rue bitumée, trottoir bitumé : *Arpenter l'asphalte.* ◆ **asphaltage** n. m. Action d'asphalter. ◆ **asphaltène**

Larousse

asphaltage

n. m. Hydrocarbure de masse moléculaire élevée, contenu dans l'asphalte. ◆ **asphalter** v. tr. Couvrir d'asphalte : *Asphalter une rue, un trottoir.* ◆ **asphalteux, euse** ou **asphaltique** adj. Qui contient de l'asphalte ; se dit, en particulier, des pétroles bruts à forte teneur en asphalte, qui servent à la fabrication des bitumes. ◆ **asphaltier** n. m. Navire pétrolier conçu spécialement pour le transport du bitume. (On dit aussi BITUMIER.) ◆ **asphaltite** n. m. Mélange naturel de bitume asphaltique et de matières organiques.

— ENCYCL. ***asphalte.*** L'asphalte naturel est un solide brun noir, se ramollissant entre 50 °C et 100 °C. Les gisements les plus anciennement connus sont ceux de la vallée du Jourdain (bitume de Judée) et des rives de la mer Morte (lac Asphaltite) ; on en trouve en France, dans l'Ain et le Gard. D'autre part, constitué par des hydrocarbures appelés *asphaltènes* et *carbènes,* il représente la fraction la plus lourde du pétrole brut, dont on l'isole par une distillation sous vide. On se servait déjà de l'asphalte dans l'ancienne Egypte et à Babylone pour faire des dallages et comme ciment. Les Egyptiens l'utilisaient pour embaumer les corps (baume de momie).

asphaltène, asphalter, asphalteux, asphaltier, asphaltique, asphaltite → ASPHALTE.

asphérique adj. Se dit, en optique, d'une surface courbe non sphérique.

asphodèle n. m. (lat. *asphodelus ;* gr. *asphodelos*). Liliacée aux feuilles en rosette, aux fleurs blanches en grappes, aux tubercules amylacés.

asphygmie n. f. (*a* priv., et gr. *sphugmos,* pouls). Disparition momentanée du pouls (ordinairement sous l'influence d'un spasme artériel).

asphyxiant → ASPHYXIE.

asphyxie n. f. (gr. *asphuxia ;* de *a* priv., et *sphuxis,* pulsation). Difficulté ou arrêt de la fonction respiratoire : *Asphyxie par strangulation.* (V. *encycl.*) ‖ Dépérissement des racines d'une plante, faute d'oxygène, dans un sol gorgé d'eau. ‖ *Fig.* Suspension de l'exercice des facultés de l'âme ou du corps : *L'asphyxie morale.* ‖ Arrêt lent et progressif du développement : *Asphyxie de l'économie.* ◆ **asphyxiant, e** adj. Qui asphyxie. ● *Gaz asphyxiant,* V. GAZ. ◆ **asphyxié, e** adj. et n. Qui a subi l'asphyxie : *Ranimer des asphyxiés.* ◆ **asphyxier** v. tr. Causer l'asphyxie : *Le gaz carbonique asphyxie.* ‖ *Fig.* et *fam.* Eblouir par des mensonges (vieilli). ‖ — ***s'asphyxier*** v. pr. Se tuer, volontairement ou non, par asphyxie, s'étouffer. ◆ **asphyxique** adj. Relatif à l'asphyxie.

— ENCYCL. ***asphyxie.*** Sous le nom d' « asphyxie », on englobe actuellement les perturbations graves de la fonction respiratoire, c'est-à-dire de l'oxygénation du sang et de l'expulsion du gaz carbonique. L'asphyxie a pour causes : 1° les obstacles mécaniques à la circulation de l'air (pendaison, submersion, corps étranger dans la région trachéo-bronchique), ainsi que toutes les affections pouvant obstruer les voies respiratoires (croup, tumeur des bronches), comprimer les poumons (pleurésie, pneumothorax) ou obstruer les alvéoles (broncho-pneumonie) ; 2° les paralysies des muscles respiratoires (poliomyélite) ; 3° le séjour dans un milieu insuffisamment oxygéné ou contenant un gaz toxique (oxyde de carbone).
Les symptômes de l'asphyxie dépendent de la cause. En cas d'obstacle mécanique, on observe une cyanose avec agitation, mouvements respiratoires et gestes tendant à lutter contre l'obstacle, toux, convulsions. On traite l'asphyxie en en supprimant la cause, en rétablissant les mouvements respiratoires (au besoin par respiration* artificielle) et en apportant à l'organisme l'oxygène nécessaire.

asphyxié, asphyxier, asphyxique → ASPHYXIE.

1. aspic [pik] n. m. (gr. *aspis,* croisé avec *basilic*). Nom donné par les Anciens à un serpent très venimeux, dont l'espèce n'est pas bien déterminée, mais que l'on croit être le naja haje : *Cléopâtre se fit apporter dans une corbeille de figues l'aspic qui devait la piquer au sein.* || Un des noms usuels d'une espèce de vipère*. || Animal fabuleux, souvent figuré au Moyen Age comme emblème de l'incrédulité. || Préparation culinaire consistant en une gelée de viande assaisonnée et colorée, dans laquelle sont introduits, suivant différentes recettes, des filets de volaille ou de poisson, des truffes, des rognons, du foie gras, etc., et que l'on moule en formes variées. ● *Langue d'aspic,* mauvaise langue.

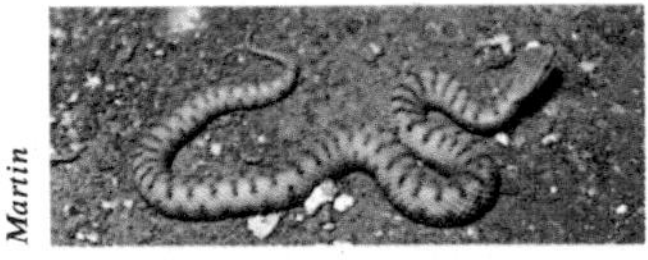

Martin

vipère **aspic**

Brunel

2. aspic n. m. (provenç. *espic*). Grande lavande dont on extrait une essence de qualité inférieure.

aspidie n. f. (gr. *aspis, aspidos,* bouclier). Important genre de fougères (300 espèces).

aspidiotus [tys] n. m. Nom générique du *pou* de San José* et des cochenilles* voisines, redoutables parasites des arbres fruitiers.

aspidistra n. m. Liliacée ornementale de l'Asie du Sud-Est.

aspidobranches n. m. pl. Ordre de mollusques gastropodes prosobranches aux caractères primitifs. (Sous-ordres : diotocardes [ormeau], hétérocardes [patelle].)

aspidophorus [rys] n. m. V. AGONUS.

aspidosperma n. m. Genre d'arbres brésiliens fournissant divers bois commerciaux : quebracho, pau marfim, peroba rose, etc. (Famille des apocynacées.)

Aspin (COL D'), col des Pyrénées (Hautes-Pyrénées), entre le bassin de l'Adour et celui de la Neste d'Aure ; 1 489 m.

aspirail → ASPIRER.

aspiran ou **spiran** n. m. Cépage noir cultivé dans le Languedoc.

aspirant, aspirateur, aspiratif, aspiration, aspiratoire, aspiré → ASPIRER.

aspirer v. tr. (lat. *aspirare,* souffler). Absorber (l'air, un parfum, etc.) par les voies respiratoires : *Aspirer l'air frais à pleins poumons.* || Attirer en créant un vide partiel : *La pompe aspire l'eau.* || *Fig.* Faire pénétrer en soi, absorber : *Aspirer la vie par tous ses sens.* || Emettre un phonème en l'accompagnant d'un souffle distinctement perçu. ✦ v. tr. ind. [**à**]. Etre porté vers une chose ou une action par un profond désir : *Aspirer au bonheur.* ◆ **aspirail** n. m. Ouverture pratiquée dans un poêle, un fourneau, etc., pour donner passage à l'air. ◆ **aspirant, e** adj. Qui aspire. ● *Pompe aspirante,* pompe qui élève l'eau (et, en général, un fluide quelconque) en faisant le vide. ✦ n. Celui, celle qui aspire à un titre, à une dignité, à un emploi. || — ***aspirant*** n. m. Grade le plus élevé des sous-officiers des armées de terre, de mer et de l'air, immédiatement supérieur à celui d'adjudant-chef ou de maître principal. (Depuis 1945, ce grade n'est plus attribué qu'aux élèves officiers d'active et de réserve, et constitue une étape temporaire à l'accession à l'état d'officier. L'uniforme des aspirants est celui des officiers, mais leur insigne est un galon d'or ou d'argent portant en son milieu un mince filet garance ou coupé de deux brides noires.) ◆ **aspirateur** n. m. Nom donné à divers appareils dont le rôle est d'aspirer les fluides (*aspirateur de buées,* placé dans une imposte de fenêtre) ou les poussières (*aspirateur à chariot* ou *aspirateur-balai*). || En médecine, appareil conçu pour vider les cavités contenant des liquides pathologiques (aspiration trachéo-bronchique) ou pour produire le vide dans certains organes (aspiration gastrique ou duodénale). ● *Aspirateur statique,* appareil placé à la partie supérieure de conduits d'évacuation d'air vicié ou de fumées, et utilisant l'effet du vent pour accélérer cette évacuation. ◆ **aspiratif, ive** adj. Qui indique une prononciation aspirée : *La lettre « h » à l'initiale des mots allemands et l'esprit rude en grec sont des signes aspiratifs.* ◆ **aspiration** n. f. Action d'aspirer : *Soulever sa poitrine par de fortes aspirations. L'aspiration de l'eau dans un corps de pompe.* || Action d'émettre un phonème en l'accompagnant d'un souffle distinctement perçu. || Période pendant laquelle un cylindre de moteur aspire les gaz combustibles. (V. ADMISSION.) || Procédé de grillage, appliqué spécialement aux minerais sulfureux, tels que galène, pyrite, minerai de cuivre. || *Mus.* Agrément employé aux XVIIe et XVIIIe s., et qui consistait en une valeur brève ajoutée à la fin de la note réelle, soit en montant, soit en descendant d'un degré. || *Fig.* Ensemble des tendances qui poussent l'homme vers un idéal; vif désir : *L'aspiration au bien-être.* ● *Aspiration gastrique, duodé-*

nale, intestinale, méthode, très employée en chirurgie, consistant en une vidange de l'appareil digestif à l'aide d'un tube souple introduit par le nez ou la bouche. ◆ **aspiratoire** adj. Qui concerne l'aspiration : *Mouvement aspiratoire.* ◆ **aspiré, e** adj. Se dit de tout phonème émis avec une aspiration*. ‖ — **aspirée** n. f. Voyelle ou consonne qui est accompagnée d'une aspiration*.

aspirine n. f. (marque déposée dans certains pays étrangers). Dénomination commune de l'acide acétylsalicylique. (L'aspirine est un analgésique et un antipyrétique remarquable.)

asple n. m. V. ASPE.

asplenium [plenjɔm] n. m. (mot lat. ; gr. *asplênos*). Fougère des fentes des murs.

asporogène adj. (*a* priv. et *spore*). Qui ne fabrique pas de spores.

asporulées n. f. pl. Classe de bactéries comprenant les espèces qui ne forment jamais de spores.

aspre n. m. (gr. *aspros,* blanc). Anc. monnaie byzantine, puis musulmane, d'une valeur infime.

Aspremont, chanson épique, rattachée à la Geste du Roi. Charlemagne est censé combattre les Sarrasins dans le massif d'Aspromonte (*Aspremont*), en Calabre. Roland y fait ses premières armes et conquiert sur son adversaire Eaumont son cheval, Veillantif, et son épée, Durendal.

aspres n. f. pl. (lat. *asper,* rude). Collines caillouteuses du Roussillon, entre la Têt et le Tech.

Aspres-sur-Buëch, ch.-l. de c. des Hautes-Alpes (arr. et à 35 km au S.-O. de Gap), dans le Bochaîne ; 773 h. (*Aspriots*).

Aspromonte, massif granitique d'Italie, à l'extrémité méridionale de la Calabre ; 1 956 m au *Montalto.* Garibaldi y fut battu et fait prisonnier par les troupes de Victor-Emmanuel (août 1862).

Aspropótamos. V. ACHÉLOOS.

asque n. m. (gr. *askos,* outre). Sac reproducteur caractéristique des champignons ascomycètes*, formé après une sorte d'autofécondation, et contenant, à maturité, huit (parfois quatre) ascospores.

Asquith (Herbert Henry), 1er comte **d'Oxford et Asquith,** homme politique britannique (Morley, Yorkshire, 1852 - Londres 1928). Député libéral, ministre de l'Intérieur (1892-1895), chancelier de l'Echiquier (1905), Premier ministre (1908-1916), il défendit le Home Rule, qu'il fit passer en 1914. — Son fils sir ANTHONY, metteur en scène de cinéma (Londres 1902 - *id.* 1968), est l'auteur de *Pygmalion* (1938), *le Chemin des étoiles* (1945), *l'Ombre d'un homme* (1951), etc.

assabler v. tr. Tendre un filet, une ligne sur un fond de sable.

assacu n. m. Bois commercial tendre, fourni par le sablier*, euphorbiacée des Antilles.

assagir v. tr. Rendre sage : *Le malheur assagit l'homme.* ‖ *Fig.* Calmer, apaiser : *Le temps assagit les passions.* ‖ — **s'assagir** v. pr. Devenir sage : *S'assagir avec l'âge.* ◆ **assagissement** n. m. Action de rendre sage ou de devenir sage : *L'assagissement des esprits.*

assai [asai] adv. (mot ital. signif. *beaucoup*). *Mus.* Se joint à un autre terme comme augmentatif : *Presto assai* (très vite).

assaillant → ASSAILLIR.

assaillir v. tr. (lat. pop. *assalire ;* de *ad,* contre, et *salire,* sauter) [conj. **11**]. Fondre sur, se précipiter sur quelqu'un pour l'attaquer (s'emploie surtout au passif) : *Etre assailli par un essaim de guêpes.* ‖ *Fig.* Harceler, tourmenter d'une manière vive et inattendue : *Etre assailli par le remords. Les difficultés l'assaillent.* ◆ **assaillant, e** adj. Qui prend l'initiative du combat : *Les forces assaillantes.* ✦ n. Personne qui donne l'assaut à l'ennemi ou à ses positions : *Repousser les assaillants.* ◆ **assaut** n. m. Bond final de l'attaque, ayant pour objet l'abordage de l'adversaire par le choc afin de le chasser des positions qu'il occupe : *L'assaut de la tour Malakof décida de la prise de Sébastopol'.* ‖ Combat, exercice au fleuret. ‖ *Fig.* Attaque violente : *Subir un assaut de questions perfides.* ● *Assaut vertical,* action menée par des forces terrestres légères et puissamment armées, qui, transportées par voie aérienne (avions spéciaux, dits *de transport d'assaut,* ou hélicoptères lourds), interviennent directement et par surprise sur un adversaire localisé. ‖ *Aviation d'assaut,* formations aériennes spécialisées dans l'intervention par le feu pour appuyer les forces terrestres (Stukas allemands de 1940, Stormoviks soviétiques, etc.). ‖ *Char d'assaut,* v. CHAR. ‖ *Distance d'assaut,* distance d'une position ennemie permettant de donner l'assaut. (A partir de cette distance, l'adversaire ne peut plus, sans danger pour lui, être soutenu par les feux de son artillerie ou de son aviation.) ‖ *Faire assaut de* (Fig.), rivaliser de : *Faire assaut d'érudition, d'esprit.* ‖ *Pont d'assaut,* v. PONT. ‖ *Prendre d'assaut,* envahir ; s'emparer par la force de. ‖ *Vague d'assaut,* appellation donnée, pendant la Première Guerre mondiale, aux formations de l'infanterie déployées en petites colonnes, et qui étaient alors adoptées pour donner l'assaut.

assainir v. tr. Rendre sain, faire disparaître les causes d'insalubrité : *Le dessèchement des marais assainit un pays.* ‖ *Fig.* Purifier, au point de vue moral, intellectuel : *Assainir l'atmosphère trouble d'un procès.* ‖ Equilibrer, stabiliser en débarrassant de ce qui est une cause de dépréciation : *Assainir la monnaie. Assainir un marché.* ◆ **assainissement** n. m. Action d'assainir ; état de ce qui est assaini (au *pr.* et au *fig.*) : *L'assainissement d'un hôpital. L'assainissement des mœurs.* || Assèchement des terres trop riches en eau, par fossés ou par drains. ◆ **assainisseur** n. m. Celui qui a pour rôle d'assainir : *Le mistral est un puissant assainisseur.* || Bloc ou liquide désodorisant à base de produit chimique, lequel, en s'évaporant, détruit les mauvaises odeurs. || Appareil électrique portatif, produisant de l'ozone pour assainir l'air d'une pièce.

assaisonnement → ASSAISONNER.

assaisonner v. tr. (de *saison*). Accommoder les aliments avec des ingrédients propres à en relever le goût : *Assaisonner une salade.* || Servir à relever le goût de : *Le sel assaisonne nos aliments.* || *Fig.* Rendre plus agréable, plus acceptable, en masquant le côté déplaisant : *Assaisonner une conversation de quelques plaisanteries spirituelles.* || *Pop.* Maltraiter en paroles ou en actes. || Infecter d'un mal contagieux. ◆ **assaisonnement** n. m. Action, manière d'assaisonner les mets : *Se charger de l'assaisonnement d'une salade.* || Ce dont on se sert pour assaisonner les aliments, tels le sel, l'huile et le vinaigre, les divers condiments, afin d'en relever le goût.

Assam, Etat de l'Inde, entre le Bangladesh, la Birmanie et la Chine ; 19 903 000 h. Capit. *Dispur.* La région essentielle de l'Assam est la vallée du Brahmapoutre et de ses affluents, entourée de montagnes. C'est un pays fertile, mais malsain. Il a été surtout peuplé à partir du XXe s. Plantations de théiers ; gisements de pétrole et de charbon.

assamais n. m. Langue indo-aryenne dérivée de la māgadhī et parlée dans le nord de l'Assam par environ deux millions et demi de personnes. (On distingue l'assamais proprement dit et le dialecte occidental. L'assamais s'écrit généralement en caractères bengalais. Sa littérature, qui est abondante, remonte au XIVe s.)

assan n. m. Langue paléo-asiatique de l'Ienisseï.

assarmenter v. tr. Débarrasser une vigne des sarments après la taille.

Assas (Louis, chevalier D') [Le Vigan 1733 - près de Klostercamp, Westphalie, 1760], capitaine au régiment d'Auvergne. Alors qu'il était entouré d'ennemis au cours d'une reconnaissance et qu'on le sommait de se taire, il cria : « A moi, Auvergne, ce sont les ennemis ! », et fut massacré.

assassin, e n. et adj. (ital. *assassino ;* de l'ar. *ḥachchāchī,* fumeur de hachisch [v. ASSASSINS]). Celui qui attente, avec préméditation, à la vie d'un être humain : *Arrêter un assassin.* ◆ **assassinat** n. m. Meurtre commis avec préméditation ou guet-apens, et qui est passible de la peine de mort, sauf dans le cas où il est commis par une mère sur la personne de son enfant nouveau-né (réclusion à temps). || Acte de violence injuste, odieuse : *L'assassinat des libertés.* ◆ **assassiner** v. tr. Tuer avec préméditation : *Faire assassiner un ennemi.*

Assassinat du duc de Guise (L'), film d'art français (1908), le premier construit par des écrivains, pour des artistes connus. Réalisé par Le Bargy et Calmettes sur un scénario de Henri Lavedan, il fut interprété par Le Bargy, Albert Lambert, Gabrielle Robinne et Berthe Bovy.

Cinémathèque fr.

assassiner → ASSASSIN.

assassins n. m. pl. (de l'ar. *ḥachchāchīn,* fumeurs de hachisch). Membres d'une secte chī'ite ismaélienne, organisée en société secrète, et qui fut fondée v. 1090 par le Persan Ḥasan ibn al-Ṣabbāḥ. (Enivrés au hachisch, ils se débarrassaient souvent de leurs adversaires par l'assassinat. Baybars, sultan du Caire, mit fin à leur pouvoir en 1272.)

assaut → ASSAILLIR.

assavoir v. tr. Syn. anc. de SAVOIR, seulement usité dans *faire assavoir, c'est assavoir,* locutions qui appartiennent au langage familier ou dialectal.

asse ou **aissette** n. f. (lat. *ascia,* hache). *Tonnell.* Outil à creuser comportant une tête prismatique et un tranchant recourbé concave. ◆ **asseau** n. m. Marteau de couvreur. (On dit aussi AISSETTE, ASSE, ASSETTE, ESSE.)

Asse, torrent des Alpes du Sud, affl. de la Durance (r. g.) ; 70 km.

Asse, comm. de Belgique (Brabant, arr. de Hal-Vilvorde, à 14 km au N.-O. de Bruxelles) ; 25 700 h. Industries chimiques ; textiles.

asseau → ASSE.

assec, asséchage, assèchement → ASSÉCHER.

assécher v. tr. (conj. **5**). Priver d'eau, d'humidité : *Il est difficile, sous un climat humide, d'assécher la terre.* ‖ Mettre à sec : *On a asséché l'étang.* ✦ v. intr. *Mar.* Rester à sec, sans eau : *Ecueil qui assèche à marée basse.* ‖ Vider l'eau d'une cale ou d'un water-ballast. ‖ — ***s'assécher*** v. pr. Perdre son humidité : *Des terres qui s'assèchent.* ◆ **assec** n. m. Temps pendant lequel un étang reste à sec après la pêche, et peut être livré à la culture. ◆ **assèchement** ou, plus rarement, **asséchage** n. m. Action d'assécher; état de ce qui est asséché : *L'assèchement d'un marais, d'une mine.*

A. S. S. E. D. I. C. *(Association pour l'emploi dans l'industrie et le commerce)*, créée en 1958 pour assurer aux chômeurs une indemnisation complémentaire de l'aide publique.

Asselijn (Jan), peintre hollandais (Dieppe 1610 - Amsterdam 1652). Elève d'Esaias Van de Velde, et influencé par Claude Lorrain, il a peint des paysages méridionaux (musée d'Angers).

Asselin (Maurice), peintre français (Orléans 1882 - Neuilly-sur-Seine 1947). Coloriste nuancé, il a pratiqué tous les genres (musée national d'Art moderne).

assemblage, assemblé, assemblée → ASSEMBLER.

assembler v. tr. (lat. pop. *assimulare*, mettre ensemble; de *simul*, ensemble). Mettre ensemble, réunir des choses qui étaient éparses, isolées, séparées : *Assembler les feuilles d'un livre.* ‖ Réunir des pièces, des objets pour composer un tout : *Assembler les pièces d'un jeu de construction.* ‖ Coudre ensemble les parties d'un vêtement : *Assembler les pièces d'un vêtement.* ‖ *Fig.* Réunir, combiner : *Assembler les idées.* ◆ **assemblage** n. m. Action de réunir des pièces faites pour s'adapter l'une à l'autre, de façon à en composer un tout : *Procéder à l'assemblage d'une charpente.* (V. *encycl.*) ‖ Résultat de cette action : *Un mot est un assemblage de lettres.* ‖ Opération qui consiste à réunir par des épingles, puis par des points de bâti, les différentes pièces d'un vêtement à confectionner. ‖ Œuvre d'art obtenue en réunissant des objets divers, caractéristique du dadaïsme, du pop'art, etc. ‖ Obtention d'un vin homogène par réunion des vins d'un même cru. ◆ **assemblé** n. m. Pas fondamental de la danse académique, qui consiste à sauter sur les deux pieds en les assemblant. (Il en existe plusieurs sortes : petits et grands assemblés, soutenus, simples, tournés, etc.) ◆ **assemblée** n. f. Réunion, dans un même lieu, d'un nombre plus ou moins considérable de personnes : *Il parla en présence d'une nombreuse assemblée.* ‖ Réunion de personnes convoquées pour délibérer ensemble en vue de prendre certaines décisions : *Assemblée législative. Assemblée générale.* (V. *encycl.*) ‖ Ancienne sonnerie militaire prescrivant aux troupes de se rassembler. ● *Assemblée de l'épiscopat français*, réunion annuelle des évêques de France. (Cette réunion, instaurée en 1964, a pour objet d'étudier les problèmes qui se posent à l'Eglise en France.) ‖ *Assemblée du clergé de France* (Hist.), réunion des représentants des bénéfices du royaume. (Créée en 1579, elle eut lieu tous les cinq ans de 1625 à 1788. Sa principale fonction était de voter le « don gratuit », taxe volontaire que le clergé s'imposait à la demande du roi.) ‖ *Assemblée de créanciers*, réunion des créanciers d'un commerçant, convoqués par le juge-commissaire en cas de faillite ou de règlement judiciaire. ‖ *Assemblée générale constitutive*, première réunion groupant tous les actionnaires d'une société par actions, convoqués afin de vérifier la sincérité de la déclaration notariée des fondateurs, de voter les statuts, d'approuver l'évaluation des apports et l'attribution d'avantages particuliers à certains actionnaires, de nommer les membres des organes d'administration. ‖ *Assemblée générale ordinaire*, réunion annuelle des actionnaires d'une société par actions ou des membres d'une association. ‖ *Assemblée générale extraordinaire*, réunion des actionnaires d'une société par actions ou des membres d'une association, convoqués entre deux assemblées ordinaires, souvent en vue de procéder à une modification des statuts. ‖ *Assemblée nationale*, celle des deux chambres constituant le Parlement français qui est élue au suffrage universel direct et devant laquelle le gouvernement est responsable. (V. *encycl.*) ◆ **assembleuse** n. f. Machine effectuant automatiquement l'assemblage des cahiers formant le volume.

— ENCYCL. ***assemblage.*** *Constr.* L'assemblage, démontable ou non, peut se faire en queue-d'aronde, par tenon et mortaise, par rainure, enture, etc. Un assemblage démontable en fer peut être maintenu par des vis, des boulons, des manchons, des brides, des raccords, etc. Les assemblages non démontables sont faits par soudure, brasure ou rivetage. L'emploi de la soudure électrique s'est considérablement développé et facilite grandement les travaux d'assemblage métallique.

— ***assemblée.*** **Assemblées révolutionnaires**

● *Assemblée nationale constituante* (9 juil. 1789 - 30 sept. 1791). Elle provoqua la suppression de l'Ancien Régime par la nationalisation des biens du clergé (nov. 1789), l'abolition des privilèges (4 août 1789), la Constitution civile du clergé (juill. 1790), la Déclaration des droits de l'homme (26 août 1789). Elle fut remplacée par l'Assemblée législative.

● *Assemblée législative* (1er oct. 1791 - 20 sept. 1792). Elle déclara la guerre à l'Autriche (20 avr. 1792). Dominée par la Commune de Paris, elle vota, après l'insurrectio

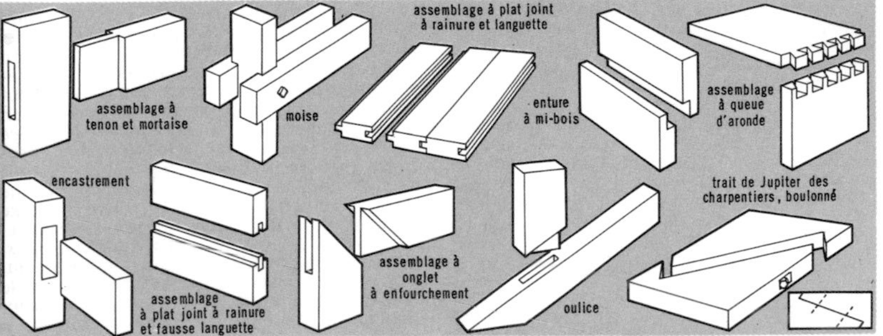

assemblages de bois

du 10-Août, la déchéance du roi et laissa s'accomplir les massacres de Septembre. Elle fit place à la Convention.

● *Convention.* V. ce mot.

Assemblées politiques de 1848 à 1946. ● *Assemblée constituante de 1848.* Elle fut élue au suffrage universel le 23 avril, après la révolution de févr. 1848. Elle se sépara le 27 mai 1849.

● *Assemblée législative* (28 mai 1849 - 2 déc. 1851). Elle approuva l'expédition de Rome, limita le suffrage universel (loi du 31 mai 1850) et établit la liberté de l'enseignement (loi Falloux). Elle fut dissoute par le coup d'Etat de Louis-Napoléon Bonaparte (2 déc. 1851).

● *Assemblée nationale* (1871-1875). Siégeant d'abord à Bordeaux, puis à Versailles (20 mars 1871), elle lutta contre la Commune de Paris, ratifia le traité de Francfort (mai 1871) et contraignit Thiers à démissionner. Après l'échec d'une tentative de restauration monarchique (refus du comte de Chambord), elle vota la Constitution républicaine de 1875.

● *Assemblées de 1876 à 1945.* V. CHAMBRE DES DÉPUTÉS.

● *Assemblées constituantes de 1945 et 1946.* Après le rejet du projet constitutionnel de 1945 (référendum du 5 mai 1946), celui de l'Assemblée de 1946 fut adopté (référendum du 13 oct. 1946).

Assemblées nationales de la IVe République. ● *Première législature* (28 nov. 1946 - 24 mai 1951). Le tripartisme (parti communiste, M. R. P., S. F. I. O.) de 1946 est détruit par l'exclusion du gouvernement des ministres communistes (7 mai 1947). L'axe de la majorité est déplacé vers le centre, qui est attaqué de l'extérieur par la création du R. P. F. du général de Gaulle.

● *Deuxième législature* (5 juill. 1951 - 1er déc. 1955). La deuxième législature voit les partis du centre lutter contre une double opposition, le P. C. et le R. P. F.; celui-ci se trouve quelque temps brisé par de multiples scissions. L'Assemblée est dissoute à la suite d'un vote refusant pour la deuxième fois la confiance au gouvernement (art. 51 de la Constitution).

● *Troisième législature* (19 janv. 1956 - 3 juin 1958). Les élections du 2 janv. 1956 amènent à l'Assemblée une vague « poujadiste » (Union et fraternité française). Les communistes obtiennent une augmentation de 50 sièges, tandis que les républicains sociaux gaullistes en perdent 48. L'instabilité de la majorité gouvernementale et les événements d'Algérie (13 mai 1958) provoquent le rappel du général de Gaulle, qui reçoit des pouvoirs législatifs et constituants.

Assemblées nationales de la Ve République. L'Assemblée nationale est élue pour cinq ans, au suffrage universel direct, par les hommes et les femmes de 18 ans révolus inscrits sur les listes électorales (au scrutin uninominal à deux tours). L'organisation et le fonctionnement en sont réglés par la Constitution et par

Assemblée nationale, nuit du 4 août 1789

Larousse

le règlement intérieur qu'elle établit elle-même sous le contrôle du Conseil constitutionnel. Elle élit son président pour la durée de la législature, et les autres membres de son bureau, pour un an. Ses membres se réunissent par affinités politiques au sein des groupes parlementaires; ils sont également regroupés au sein de six grandes commissions permanentes, chargées d'étudier les projets et propositions de lois qui ne donnent pas lieu à la désignation d'une commission spéciale. Les membres de l'Assemblée (députés) entendent les communications du gouvernement et votent les lois (en cas de désaccord avec le Sénat, ils peuvent — mais seulement sur la demande du gouvernement — passer outre); ils posent aux ministres des questions écrites et des questions orales, mais ils ne disposent plus du droit d'interpellation; ils ne peuvent voter de dépenses nouvelles sans en prévoir le financement; ils peuvent renverser le gouvernement en adoptant une motion de censure à la majorité* constitutionnelle.

Assemblée nationale

Larousse

façade sur le quai d'Orsay

Larousse

salle des séances

● *Assemblée nationale de novembre 1958.* Les élections donnent une majorité presque absolue au parti gaulliste de l'Union pour la nouvelle république (U. N. R.), un recul des partis de gauche (P. C., 10 élus) et une augmentation des indépendants (118 sièges). Le 5 octobre 1962 est adoptée une motion de censure contre le gouvernement de Georges Pompidou, sur le problème de la réforme constitutionnelle (élection du président de la République au suffrage universel). Ce scrutin est suivi de la dissolution de l'Assemblée.

● *Assemblée nationale de novembre 1962.* Un référendum (28 oct.) avait adopté (62 p. 100 des suffrages exprimés) — malgré l'opposition de tous les anciens partis, qui y voyaient une atteinte à la Constitution — un projet gouvernemental portant révision de la Constitution et organisant l'élection du président de la République au suffrage universel direct. Les partis qui soutiennent le général de Gaulle (U. N. R., U. D. T. et indépendants dissidents) obtiennent la majorité. Les accords de la gauche et de l'extrême gauche permettent l'élection de 66 députés socialistes et de 40 communistes. Au centre, le M. R. P. voit son rôle parlementaire encore réduit et, à droite, le Centre national des indépendants subit une grave défaite.

● *Assemblée nationale d'avril 1967.* Les gaullistes, avec 199 sièges, sont en recul, et la majorité (244 sièges) est très réduite par suite du succès de l'alliance conclue entre le parti communiste, qui obtient 73 sièges, et la Fédération de la gauche démocrate et socialiste (118 sièges).

● *Assemblée nationale de juillet 1968.* A la suite de la grave crise de mai-juin 1968, de nouvelles élections législatives valent une grande victoire aux gaullistes, qui, regroupés dans l'Union pour la défense de la République, emportent, avec leurs apparentés, 293 sièges, la F. G. D. S. n'en comptant que 57 et le parti communiste 34.

● *Assemblée nationale de mars 1973.* La majorité ne garde que 275 sièges, les socialistes en comptant 91 et les communistes en retrouvant 73.

● *Assemblée nationale de mars 1978.* La majorité l'emporte avec 290 sièges, les socialistes en comptant 104 et les communistes 86.

● *Assemblée nationale de juin 1981.* Après l'élection de F. Mitterrand à la présidence de la République, le parti socialiste obtient la majorité absolue avec 269 sièges, les communistes en ayant 44.

● *Assemblée nationale de mars 1986.* L'opposition (R. P. R.-U. D. F. et div. dr.) obtient la majorité absolue.

Assemblée des femmes (L'), comédie d'Aristophane, jouée à Athènes en 392 av. J.-C. Conduites par Praxagora, les Athéniennes s'emparent du pouvoir et établissent le communisme absolu. Des scènes plaisantes montrent les inconvénients du système.

assembleuse → ASSEMBLER.

Assen, v. des Pays-Bas, ch.-l. de la Drenthe; 31 800 h. Métallurgie. Mégalithes.

assener ou **asséner** v. tr. (de l'anc. franç. *sen,* sens, direction, emprunté au francique; proprem. « donner une direction ») [conj. **5**]. Porter avec violence un coup bien dirigé : *Assener un coup de bâton;* et, au *fig.* : *Assener un argument à quelqu'un.*

assentiment n. m. (anc. franç. *assentir;* lat. *assentire*). Acte par lequel on affirme son identité de vue avec quelqu'un : *Rencontrer l'assentiment d'une nombreuse assemblée.* || *Log.* V. ADHÉSION. || — SYN. : *acquiescement, adhésion, approbation, consentement.*

asseoir v. tr. (lat. pop. *assedere;* lat. class. *assidere*) [conj. **38**]. Etablir, placer en équilibre sur sa base : *Asseoir une statue sur son socle.* || *Particul.* En parlant d'une personne, mettre sur son séant : *Asseoir un enfant sur un tabouret.* || *Fig.* Etablir sur un fondement solide, poser de manière stable : *Réputation bien assise. Asseoir un gouvernement.* || Etablir la base de l'impôt : *Asseoir l'impôt sur le revenu.* || *Pop.* Déconcerter par un argument décisif ou par une information inattendue : *Asseoir quelqu'un par une nouvelle imprévue.* ● *Asseoir un cheval,* équilibrer un cheval sur son arrière-main. || *Asseoir une coupe,* indiquer la situation d'une coupe dans une forêt. || *Asseoir une figure* (Bx-arts), la disposer dans une position d'équilibre naturel. || *Asseoir une pièce d'artillerie,* tirer un ou deux coups de canon pour que l'affût s'ancre dans le sol. || *Asseoir l'or,* chez les doreurs, le poser sur une préparation qui lui sert de soutien, pour lui donner relief et éclat. || **— s'asseoir** v. pr. Se mettre sur son séant. || *Fig.* Se poser, s'établir : *S'asseoir dans le fauteuil présidentiel.* ● *Allez vous asseoir* (Pop.), laissez-moi tranquille. || *S'asseoir sur quelqu'un, sur quelque chose,* le mépriser. ◆ **assise** n. f. Rangée de pierres posées horizontalement, dans une construction. (On dit aussi RANG.) || *Fig.* Ensemble des éléments qui donnent de la solidité à un système; base, fondement : *Donner des assises solides à une doctrine.* || Couche géologique d'âge déterminé, pouvant servir de repère. || *Bot.* Couche de cellules. || Pièce de montre, généralement circulaire, en forme de rondelle. ● *Assise génératrice,* V. CAMBIUM, PÉRIDERME. || *Assise mécanique* (Bot.), celle qui se déroule par dessiccation en entraînant l'ouverture d'un organe clos (anthère, sporange de fougère). || *Assise en parpaing,* assise dont les pierres ont l'épaisseur même du mur. || *Assise pilifère* (Bot.), celle qui porte les poils absorbants de la pointe des racines. || *Assise de retraite,* première assise au niveau du sol, parce qu'elle est ordinairement en retrait sur les fondations. || *Bâtir par assises réglées,* bâtir avec des pierres de même hauteur, et dont le milieu correspond exactement aux joints de l'assise inférieure. || **— assises** n. f. pl. Au Moyen Age, assemblées principalement judiciaires. (Sous les Carolingiens, les *assises,* ou *plaids,* étaient tenues par les *missi dominici,* plus tard par les magistrats justiciers, *baillis* et *sénéchaux.*) || Lois générales, constitutions votées par les assemblées dites « assises » : *Les assises de Bretagne, d'Antioche,* etc. || Dans l'Angleterre médiévale, documents législatifs issus du conseil royal (*curia regis*). || En parlant des grandes associations, syn. de CONGRÈS : *Les assises du parti radical.* ● *Cour d'assises,* ou simplem. *assises,* juridiction instituée pour juger les faits qualifiés « crimes » par la loi : *Présider les assises. Président des assises.* || *Tenir ses assises,* se constituer en tribunal, tenir séance; en parlant d'une petite société littéraire ou scientifique, se réunir habituellement en un lieu pour y discuter : *Les symbolistes tenaient leurs assises à la Closerie des Lilas.*

Asser ou **Ashi,** docteur juif (Babylone 352/353 - † 427). Il a rédigé le Talmud de Babylone.

Assereto (Gioacchino), peintre italien (Gênes 1600 - *id.* 1649). Elève d'Ansaldo, il travailla avec lui à Gênes (église de l'Annunziata).

assermenté → ASSERMENTER.

assermenter v. tr. Faire prêter serment : *Assermenter un fonctionnaire.* ◆ **assermenté, e** adj. et n. Qui a prêté serment pour l'exercice d'une fonction publique : *Les gardes champêtres, même particuliers, sont assermentés.* || Qui a prêté serment devant un tribunal avant de témoigner à la barre ou d'y exprimer un avis : *Témoin, expert assermenté.* ● *Prêtre, curé, évêque assermentés,* ceux qui, en 1790, avaient prêté serment à la Constitution civile du clergé.

assertif → ASSERTION.

assertion [asɛrsjɔ̃] n. f. (bas lat. *assertio;* de *asserere,* affirmer). Proposition affirmative ou négative qui énonce une vérité de fait. ◆ **assertif, ive** adj. Qui tient de l'assertion : *Proposition assertive.* ◆ **assertorique** ou **assertoire** adj. Se dit d'une proposition, d'un jugement, qui énonce simplement un fait. (Ex. : *L'homme est doué de raison.* S'oppose à PROBLÉMATIQUE, qui exprime la possibilité, et à APODICTIQUE, nécessairement vrai : *Tout cercle a un centre.*)

asservir v. tr. (de *serf*). Réduire à l'esclavage ou à un état de dépendance absolue : *Asservir un peuple.* || *Fig.* Réduire à une dépendance extrême : *Etre asservi à ses passions.* || *Cybern.* Relier deux organes par un dispositif d'asservissement, de manière à créer une dissymétrie telle que les phénomènes intervenant dans le premier se répercutent sur le second, sans que l'inverse soit possible (du moins dans la même mesure). ◆ **asservissement** n. m. Action d'asservir. || Etat de servitude : *Asservissement à un tyran.* || Dépendance absolue : *Asservissement à la* *mode.* ‖ *Cybern.* Etat par lequel une certaine grandeur physique impose ses lois de variations à une autre grandeur, sans que la réciproque soit vraie. ‖ Mécanisme stabilisateur qui, actionné par les appareils commandés, réagit sur le circuit de commande en vue d'imposer à l'ensemble certaines conditions. ◆ **asservisseur, euse** adj. et n. Qui asservit : *Un mécanisme asservisseur.*

assesseur n. m. (lat. *assessor;* de *assidere,* s'asseoir auprès). Celui qui est adjoint, dans certains cas déterminés, à un magistrat, à un fonctionnaire, à quelqu'un qui exerce une autorité, pour l'aider dans ses fonctions et le remplacer au besoin : *Un juge et ses assesseurs.* ◆ **assessorat** ou **assessoriat** n. m. Charge, fonction d'assesseur.

assette n. f. Syn. de ASSE et de ASSEAU.

asseurement ou **assurement** n. m. (de *sûr*). *Dr. féod.* Promesse solennelle donnée à quelqu'un de s'abstenir de toute violence envers lui. (Sa violation constituait un crime capital.)

assez adv. (lat. pop. *ad satis,* suffisamment). Autant qu'il en faut : *L'avare n'a jamais assez d'argent. Avoir assez mangé.* (Syn. SUFFISAMMENT.) ‖ Passablement, pas mal : *Cet enfant est assez intelligent.* ● *Assez peu,* pas beaucoup : *On assure de sa considération des gens que l'on connaît assez peu.* ‖ *Avoir assez d'une personne, d'une chose,* et, ellipt., *en avoir assez,* être fatigué, excédé. ‖ *C'est assez, c'en est assez, en voilà assez,* et, ellipt., *assez !,* cela suffit : *Assez de palabres !*

assibilation → ASSIBILER.

assibiler v. tr. (lat. *ad,* à, et *sibilare,* siffler). Prononcer un son comme s'il avait la valeur de *s.* ‖ — ***s'assibiler*** v. pr. Prendre un son sifflant. ◆ **assibilation** n. f. Transformation subie par un phonème occlusif, et lui donnant les caractéristiques d'un sifflement : *L'assibilation du « t » a eu lieu dans « inertie », « idiotie », etc.*

assidu, e adj. (lat. *assiduus;* de *assidere,* être assis auprès). Constamment présent auprès de quelqu'un ; qui est habituellement en un endroit : *Etre un visiteur assidu de l'Italie.* ‖ Constamment appliqué à quelque chose : *Un étudiant assidu aux cours.* ‖ En parlant des choses, obstiné, constant : *Un travail assidu.* ◆ **assiduité** n. f. Exactitude à se trouver là où l'on est appelé par ses fonctions ou ses obligations : *Etre d'une assiduité remarquable aux réunions d'une société. Un élève qui manque d'assiduité.* ‖ Application constante à une chose : *S'adonner à une tâche avec beaucoup d'assiduité.* ‖ — ***assiduités*** n. f. pl. Instances, manifestations d'empressement auprès d'une femme : *Importuner une femme par ses assiduités.* ◆ **assidûment** adv. Avec assiduité : *Fréquenter assidûment un café.*

assiégeant, assiégé → ASSIÉGER.

assiéger v. tr. (de *siège*) [conj. **1** et **5**]. Faire le siège de : *Assiéger une ville.* ‖ Entourer en s'efforçant de pénétrer : *La foule assiégeait les avenues du château.* ‖ Entourer d'une façon menaçante : *Un navire assiégé par les glaces.* ‖ *Fig.* Tourmenter, importuner : *Etre assiégé de sombres pensées.* ◆ **assiégeant, e** adj. et n. Qui assiège : *Les assiégeants subirent de lourdes pertes.* ◆ **assiégé, e** adj. et n. Qui se trouve dans la place au moment du siège.

1. assiette n. f. (du lat. pop. **assedita,* manière d'être assis). Manière dont un cavalier est assis sur sa selle : *Avoir une bonne assiette.* ‖ Manière dont quelqu'un repose sur ses pieds ; stabilité : *Garder son assiette malgré le roulis.* ‖ Manière dont quelque chose repose sur une base : *L'assiette d'une statue ;* et, au *fig. : Donner une assiette solide à ses convictions.* ‖ Surface occupée par la chaussée et les parties accessoires d'une route. ‖ Détermination de la base d'un droit : *Assiette d'une hypothèque.* ‖ Fixation des limites ou de l'importance d'une coupe forestière. ‖ Différence entre les tirants d'eau avant et arrière d'un navire. (On dit qu'un navire a une « bonne assiette » quand il est dans ses lignes d'eau.) ‖ Tout ce qui, dans une horloge, une pendule, supporte une pièce quelconque. ‖ Face d'un pavé qui doit être posée sur le sol. ● *Assiette d'un cantonnement,* répartition des logements entre les unités qui y stationnent. ‖ *Assiette de l'impôt* ou *d'une cotisation,* somme sur laquelle repose l'impôt*, la cotisation. ‖ *Assiette d'une place, d'un camp,* sa position par rapport au terrain et à l'ennemi. ‖ *Assiette d'un sous-marin,* équilibre d'un sous-marin en plongée. ‖ *Assiette d'une voie ferrée,* ensemble des conditions matérielles relatives à sa solidité, à sa mise en place après tassement des matériaux de ballastage, et à la consistance de sa plate-forme. ‖ *Largeur d'assiette d'une route,* largeur nécessaire, d'après le profil en travers, pour asseoir la route. ‖ *N'être pas dans son assiette* (Fam.), n'être pas à son aise.

2. assiette n. f. Pièce de vaisselle dont le centre est plus ou moins creux, et le bord incliné. ‖ Contenu d'une assiette : *Une assiette de soupe.* ● *Assiette anglaise,* assiette garnie d'un assortiment de viandes froides. ‖ *Assiette creuse,* assiette dont le centre est plus profond, et destinée à contenir de la soupe ou du potage. ‖ *Assiette montée,* assiette posée sur pied, contenant des desserts variés (petits fours, fruits, etc.). ‖ *L'assiette au beurre* (Fig. et fam.), la source des profits et des faveurs. (Se dit en parlant des politiciens au pouvoir et qui en abusent : *Accaparer l'assiette au beurre.*) ◆ **assiettée** n. f. Contenu d'une assiette : *Manger une assiettée de crème.*

Assiette au beurre (L'), hebdomadaire fran-

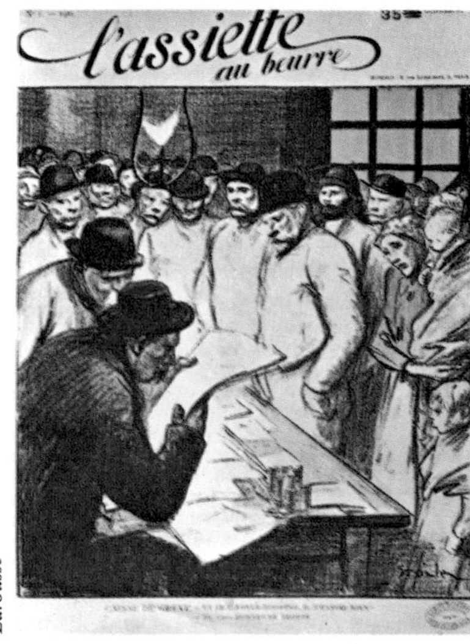

Larousse

« l'**Assiette au beurre** » (n° 1) dessin de Steinlen

çais, fondé en 1901, illustré notamment par Caran d'Ache, Abel Faivre, Steinlen, Van Dongen, Vallotton, Jacques Villon, Juan Gris, Galanis, Jossot, Jules Grandjouan.

assiettée → ASSIETTE 2.

assignable → ASSIGNER.

assignat n. m. Billet émis en France de 1789 à 1796, non convertible en espèces, mais remboursable sur le produit de la vente des biens du clergé. (V. *encycl.*) ‖ Déclaration d'emploi faite sur les immeubles pour les deniers dotaux d'une femme.

— ENCYCL. Pour éviter la banqueroute, l'Assemblée constituante décida, le 21 déc. 1789, l'émission d'un emprunt de 400 millions d'assignats, portant intérêt à 5 %, garantis et remboursables en *biens nationaux* (biens du clergé « mis à la disposition de la nation » le 2 nov. 1789). En 1790, les billets avaient cours forcé et ne portaient plus d'intérêt : l'assignat était devenu papier-monnaie. La multiplication des émissions par les Assemblées révolutionnaires provoqua une inflation, et les assignats se dépréciènt vite. En 1796, l'émission était arrêtée, et les billets, remplacés par des *mandats territoriaux,* eux-mêmes rapidement dépréciés. En févr. 1797, le Directoire décida la suppression des assignats et des mandats.

assignation, assigné → ASSIGNER.

assigner v. tr. (lat. *assignare ;* de *signum,* marque). Fixer pour attribuer ou donner en partage : *Assigner une place à quelqu'un. Assigner un but à quelqu'un.* ‖ Sommer par un exploit de comparaître devant le juge. ◆ **assignable** adj. Qui peut être assigné. ◆ **assignation** n. f. Premier acte d'un procès, par lequel une personne est sommée de comparaître à jour fixe, et qui est délivré par exploit d'huissier. ● *Assignation des parts,* fixation de la part de chacun des copartageants quand il n'y a pas de tirage au sort ; détermination, par un testateur ou par un donateur, de la part de biens attribuée à chacun des bénéficiaires. ‖ *Assignation à résidence,* v. RÉSIDENCE. ◆ **assigné, e** adj. et n. Qui a reçu une assignation.

assimilable, assimilateur, assimilation, assimilatoire, assimilé → ASSIMILER.

assimiler v. tr. (lat. *assimilare ;* de *similis,* semblable). Considérer comme semblable : *L'interdit est assimilé au mineur dans le Code civil.* ‖ Rendre semblable : *Les penchants honteux assimilent l'homme à la brute.* ‖ *Fig.* Pénétrer à fond par l'étude, la réflexion : *Bien assimiler une théorie.* ‖ *Biol.* Transformer les aliments par assimilation. ‖ *Par extens.* Digérer, absorber : *Aliment difficile à assimiler. Cet enfant assimile mal.* ‖ — **s'assimiler** v. pr. Devenir semblable : *Ces immigrants se sont parfaitement assimilés aux habitants.* ‖ Se comparer et s'égaler :

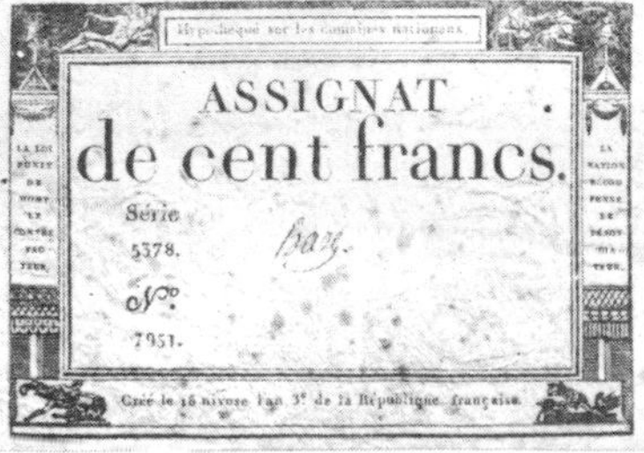

Larousse

assignat de la Révolution (1794)

S'assimiler aux grands hommes. ‖ S'approprier, faire sien : *L'homme peut s'assimiler tout ce qu'il apprend.* ‖ Etre converti en la substance de : *Certains aliments s'assimilent beaucoup plus facilement que d'autres.* ◆ **assimilable** adj. Qui peut être assimilé : *Des situations qui ne sont pas assimilables l'une à l'autre.* ‖ Qui peut être compris : *Des connaissances assimilables.* ◆ **assimilateur, trice** adj. Propre à opérer l'assimilation. ◆ **assimilation** n. f. Action de rapprocher des personnes ou des choses en les présentant comme semblables : *Assimilation injurieuse.*

‖ Action de rendre ou de devenir semblable : *Il se produit une assimilation des habitudes au milieu dans lequel on vit.* ‖ Action de faire siennes les connaissances acquises : *La mémoire aide beaucoup à la faculté d'assimilation.* ‖ Modification apportée à l'articulation d'un phonème par le ou les phonèmes voisins, qui lui communiquent certaines de leurs caractéristiques articulatoires. (Ainsi, le *d* du préfixe *ad* devient un *t* dans *attraction* [de *adtrahere*] par assimilation.) ‖ Fonction caractéristique des êtres vivants, et consistant à transformer en leur propre substance des molécules étrangères. (V. *encycl.*) ‖ Raisonnement allant du différent au semblable. (Contr. DIFFÉRENCIATION.) ‖ Correspondance entre les grades d'un corps militaire (Trésor, poste aux armées, chemins de fer) et ceux d'un autre corps de l'Etat, ou bien entre les grades militaires des troupes combattantes et certaines fonctions occupées par des fonctionnaires (intendance) ou des ingénieurs militaires des services des forces armées. (L'usage de l'assimilation de grades militaires à des qualifications civiles est pratiqué dans les armées étrangères et particulièrement dans l'armée américaine.) ◆ **assimilatoire** adj. Relatif à l'assimilation phonétique : *Changement assimilatoire.* ◆ **assimilé** n. m. Personne qui a le statut d'une catégorie donnée, sans avoir le titre attaché à la fonction : *Cadres et assimilés.* ● *Assimilé spécial,* réserviste exerçant à la mobilisation son activité professionnelle civile, dans un secteur important de l'économie de guerre, et pourvu d'un grade militaire d'assimilation afférent à sa fonction (loi du 8 janv. 1925).

— ENCYCL. **assimilation.** *Biol.* Lorsque les molécules puisées dans le milieu extérieur sont suffisamment simples (eau, gaz carbonique, nitrates, etc.), elles peuvent être fournies par le monde minéral, mais leur assimilation exige un apport considérable d'énergie, fournie par la lumière (photosynthèse) ou par des réactions chimiques (chimiosynthèse). Cette sorte d'assimilation, généralement chlorophyllienne, caractérise les espèces *autotrophes*. Les *hétérotrophes* (animaux, champignons, etc.), au contraire, prennent au monde organique (autres êtres vivants ou morts, sécrétions biologiques, etc.) des molécules aussi complexes que les leurs, et dont le remaniement ne nécessite que peu d'énergie. Autotrophe ou hétérotrophe, l'assimilation permet la croissance et la reproduction. Par extension, ce terme s'applique aussi à la constitution de réserves nutritives intracellulaires, dont la consommation soldera les dépenses énergétiques de l'être vivant. Dans ce sens large, le mot est syn. de ANABOLISME.

Assise

Brunel

vue générale

Puech

basilique San Francesco

assiminéidés n. m. pl. Famille de petits mollusques gastropodes prosobranches.

Assiniboine, riv. du Canada, affl. de la rivière Rouge (r. g.), à Winnipeg ; 960 km.

Assiniboine(s) ou **Assiniboin(s),** Indiens du Canada et des Etats-Unis (famille des Sioux), actuellement dans l'Alberta et le Montana.

Asṣiout, en ar. **Usyūṭ** ou **Asyūt,** v. d'Egypte, ch.-l. de prov., en Haute-Egypte ; 153 900 h. Un important barrage a été construit sur le Nil de 1892 à 1902 et surélevé en 1938 ; il exhausse de 2 m les eaux du Nil aux basses eaux. Assiout fut longtemps la capitale du royaume de Haute-Egypte.

assipondium [djɔm] n. m. (mot lat. formé de *as, assis,* as, et *pondus,* poids). Poids d'une livre, dans l'ancienne Rome.

assise → ASSEOIR.

Assise, en ital. **Assisi,** v. d'Italie (Ombrie, prov. de Pérouse) ; 24 400 h. Ville d'art conservant des ruines romaines, une forteresse médiévale et la basilique San Francesco (XIIIe s.), formée de deux églises superposées, et décorée par Cimabue et Giotto. — Patrie de sainte Claire et de saint François.

Assise (BRODERIE D'), broderie composée de croix, auj. utilisée pour décorer le linge d'usage courant.

assises → ASSEOIR.

Assises d'Antioche, recueil de lois concernant la principauté d'Antioche, rédigé, semble-t-il, sous Bohémond IV (1201-1233).

Assises de Jérusalem, recueil des lois des royaumes de Jérusalem et de Chypre, comprenant les assises de la *cour des bourgeois* (XIIe s.) et les assises de la *haute cour* (XIIIe s.).

Assises des royaumes de Chypre et de Jérusalem, chronique historique écrite à la fin du XIVe s., constituant un des premiers textes grecs en prose écrit en langue populaire.

assistanat, assistance, assistant, assisté → ASSISTER.

assister v. tr. ind. [**à**] ou intr. (lat. *assistere,* se tenir auprès). Etre présent : *Assister à une cérémonie.* ✦ v. tr. Seconder quelqu'un dans ses fonctions, dans son travail : *Il se fit assister par un spécialiste.* ‖ Donner aide, secours, protection à quelqu'un : *Assister un malheureux.* ‖ Prêter en justice son ministère : *Assister d'office un accusé.* ● *Assister un malade, un criminel,* en parlant du prêtre, l'exhorter à mourir en chrétien et le fortifier contre les angoisses de la mort. ◆ **assistanat** n. m. Dans l'enseignement supérieur, fonction d'assistant. ◆ **assistance** n. f. Action d'assister à quelque chose : *L'assistance aux offices religieux.* ‖ Ensemble des personnes présentes à une réunion, à une cérémonie, etc. ; assemblée, auditoire : *Une nombreuse assistance.* ‖ Aide, secours, appui : *Prêter assistance à une personne en difficulté.* ● *Assistance entre époux,* V. MARIAGE. ‖ *Assistance éducative,* ensemble de mesures substituées, en 1938, au droit de correction paternel. (V. ENFANT.) ‖ *Assistance judiciaire,* ancienne dénomination de l'aide* judiciaire. ‖ *Assistance publique,* ensemble des secours alloués par l'Etat ou les collectivités locales aux personnes nécessiteuses ; ensemble des institutions publiques chargées de gérer ce service avant la réforme de 1953-1955, qui a substitué l'expression *l'aide* sociale* à celle *d'assistance.* ‖ *Administration générale de l'assistance publique,* administration sanitaire et sociale chargée, à Paris et à Marseille, de la gestion des services d'aide sociale. ‖ *Assistance technique,* aide apportée à un pays en voie de développement. ◆ **assistant, e** n. et adj. Personne qui en assiste une autre pour la seconder : *Médecin assistant.* ‖ Dans l'enseignement secondaire, professeur auxiliaire de nationalité étrangère, adjoint, dans les lycées, aux professeurs de langues vivantes. ‖ Dans l'enseignement supérieur, professeur de l'enseignement secondaire adjoint aux professeurs de faculté pour la préparation et la correction des travaux pratiques. (Dans les facultés de droit et de sciences économiques, les assistants sont choisis parmi les étudiants préparant l'agrégation de ces facultés.) ‖ Prêtre qui se tient à côté d'un nouvel ordonné pendant sa première messe solennelle. ‖ Chanoine qui assiste l'évêque officiant pendant la célébration de la messe pontificale. ‖ Dans certaines communautés, religieux conseiller du supérieur général. ‖ Adjoint d'un technicien de cinéma. ● *Assistante de police,* membre du personnel féminin de la police, chargé spécialement des affaires relatives aux mineurs. ‖ *Assistant social, assistante sociale,* personne munie d'un diplôme spécial et chargée, par un service social, d'une part d'enquêter sur les besoins d'aide sociale, médicale et matérielle des individus ou des familles, et d'autre part de les éduquer et de les conseiller. (L'accès de cette profession, qui n'est pratiquement exercée que par des femmes, est réservé depuis 1946 aux titulaires du diplôme d'Etat d'assistante sociale, délivré au terme de trois années d'études dans une école de service social.) ‖ — **assistants** n. m. pl. Ceux qui assistent à une réunion, à une cérémonie, à un discours, etc. : *Recueillir les applaudissements des assistants.* ◆ **assisté, e** n. Personne qui bénéficie de l'assistance judiciaire ou de l'aide* sociale.

Assistance publique (MÉDAILLE D'HONNEUR DE L'), décoration française créée en 1903 pour récompenser les personnes dévouées à la cause de l'Assistance publique. (Ruban jaune à trois bandes verticales blanches.)

Associated Electrical Industries Ltd. (A. E. I.), entreprise de constructions électriques de Grande-Bretagne, fondée en 1929 et comprenant cinq groupes : Metropolitan Vickers, Thomson-Houston, Ediswan-Siemens, Hotpoint et le groupe « Etranger ».

Associated Press (A. P.), agence de presse américaine, fondée en 1848, réorganisée à diverses reprises et devenue la plus grande du monde.

associatif, association, associationnisme, associationniste, associativité, associé → ASSOCIER.

associer v. tr. (lat. *associare ;* de *socius,* compagnon). Faire participer à son travail, à son pouvoir, etc. : *Associer tous ses amis à ses succès.* ‖ Mettre en accord, rendre solidaire ; réunir en un ensemble : *Associer des partis dans une entreprise commune.* ‖ Unir, joindre : *Associer des souvenirs.* ‖ — SYN. : *agréger, allier, assembler, joindre, lier, rapprocher, réunir, unir.* ‖ — **s'associer** v. pr. Entrer en société, en alliance : *Deux Etats qui s'associent.* ‖ S'accorder, s'allier : *Elégance qui s'associe à la beauté.* ‖ *Fig.* Se joindre, prendre part, se déclarer solidaire de : *Je m'associe entièrement à votre décision.* ◆ **associatif, ive** adj. Relatif à une association : *Propriété associative.* ◆ **association** n. f. Action d'associer, de s'associer : *Demander l'association de toutes les bonnes volontés.* ‖ Réunion de plusieurs personnes pour un but ou un intérêt commun : *Association politique, culturelle.* || Groupement permanent de personnes en vue d'un objet qui n'est pas exclusivement ou principalement d'ordre patrimonial. (V. *encycl.*) || Réunion de choses diverses pour produire un effet unique : *Une association de couleurs.* || Anc. appellation du FOOTBALL. || Degré de dépendance ou d'indépendance qui existe entre deux ou plusieurs variables mesurées quantitativement ou qualitativement. || Relation entre variables qui sont opposées à travers une corrélation*. || *Psychol.* Groupement particulier d'une série d'éléments acquis par apprentissage*, par ex. des syllabes dépourvues de sens. (Dans une série quelconque 1, 2, 3, 4, on a pu mettre en évidence expérimentalement l'existence d'*associations utiles*, telles que 1-2, 2-3, 3-4, qui constituent un apprentissage correct, et d'*associations perturbatrices,* telles que 1-3, 1-4, qui troublent l'association 1-2.) ● *Association des idées,* fait psychologique consistant en ce qu'une idée, ou une image, en évoque une autre. — Propriété qu'ont les phénomènes psychiques de s'attirer les uns les autres sans l'intervention de la volonté. (On a distingué entre l'association *par contiguïté* [l'hiver évoquant le froid], *par ressemblance* [un tapis vert évoquant une prairie] et *par contraste* [le blanc évoquant le noir].) || *Association microbienne,* association, dans une même infection, de plusieurs espèces microbiennes qui semblent vivre ainsi comme en symbiose. || *Association en participation,* forme particulière de société* commerciale. || *Association syndicale,* groupement de propriétaires formé en vue d'effectuer certains travaux intéressant toutes leurs propriétés et d'utilité générale. (Ils sont munis à cet effet de prérogatives de puissance publique.) || *Association végétale,* ensemble d'espèces végétales que l'on rencontre ordinairement côte à côte.

◆ **associationnisme** n. m. Théorie empiriste qui ramène toute l'activité mentale à l'association des idées, et qui déduit les principes de la connaissance non pas de la raison, mais de la répétition de certains phénomènes semblables constatés dans l'expérience. (Telles sont les théories d'Aristote, qui voit notamment trois conditions à l'association [similitude, contraste, proximité] et réduit ainsi les lois de l'expérience à des habitudes. Telles sont aussi les théories de Stuart Mill, David Hume, Herbert Spencer : l'esprit n'a aucune activité propre puisque l'association est l'évocation automatique et spontanée d'états psychologiques par d'autres états psychologiques. L'associationnisme a été critiqué du point de vue philosophique par Kant, du point de vue psychologique par Bergson, puis par les psychologues de la forme.) || Doctrine des socialistes associationnistes. ◆ **associationniste** adj. et n. Qui concerne ou qui professe l'associationnisme. ● *Socialistes associationnistes,* appellation générique s'appliquant à divers auteurs de la première moitié du XIXe s., en particulier à Blanc, Cabet, Considérant, Fourier, Leroux, Owen. (Les socialistes associationnistes estiment que la Révolution de 1789, en isolant l'homme dans la masse, ne l'a pas vraiment libéré ; ils préconisent l'organisation de petits groupes de producteurs se fédérant librement ; ils sont à l'origine du mouvement coopératif.) ◆ **associativité** n. f. Disposition à s'associer ; loi de composition des idées. || Propriété d'une loi de composition mathématique aux termes de laquelle on peut associer plusieurs facteurs d'un système ordonné et les remplacer par le résultat de l'opération partielle effectuée sur eux sans modifier le résultat final. ◆ **associé, e** adj. et n. Personne qui partage les occupations d'une autre ou qui lui est uni par des intérêts communs : *Déléguer ses pouvoirs à un associé.* || Membre d'une société civile ou commerciale ou d'une association. (Dans ce dernier cas, on dit plutôt *sociétaire.*) || Dans un sens étroit, membre d'une société commerciale qui participe à la gestion des affaires sociales, par opposition à celui qui ne fait que participer aux bénéfices (porteur de parts de fondateur, par exemple). || Dans quelques académies, membre qui participe aux travaux sans jouir des mêmes privilèges que les membres « titulaires ».

— ENCYCL. **association.** On distingue : les *associations de fait,* librement constituées et qui n'ont pas la personnalité juridique ; les *associations déclarées* auprès de la préfecture, qui ont rendu leur titre et leur objet publics par une annonce au *Journal officiel* et qui peuvent ester en justice, acquérir à titre onéreux (mais non à titre gratuit), posséder et administrer les cotisations des membres, des locaux destinés à l'administration, et les immeubles nécessaires au but qu'elles se proposent ; les *associations reconnues d'utilité publique,* qui disposent de la pleine personnalité, mais qui sont placées sous contrôle administratif ; les congrégations*. Les associations autres que les congrégations sont réglementées par la loi de 1901.

assoiffé, e adj. Qui a soif, qui est altéré : *Assoiffé par une longue course.* || *Fig.* Avide de : *Être assoiffé de considération.*

assolement n. m. Division en « soles » des terres labourables d'un domaine, chaque sole étant consacrée à une culture. || Succession périodique, sur une même parcelle, des différentes cultures d'une exploitation. (On dit aussi ROTATION.) [V. *encycl.*] ◆ **assoler** v. t. Alterner les cultures d'un champ.

— ENCYCL. **assolement.** La culture répétée d'une même plante sur la même parcelle donne des récoltes de plus en plus faibles. L'assolement permet l'utilisation judicieuse des ressources du sol, par exemple en faisant succéder une plante à racines superficielles (céréale) à une plante à racines profondes (betterave) ; une légumineuse enrichissant la terre en azote (plante améliorante) à une

céréale avide d'azote (plante épuisante) ; une plante nécessitant des sarclages, donc la destruction des mauvaises herbes, à une plante « salissante » (céréale).
L'assolement permet également d'enrayer le développement des insectes et cryptogames parasites, en déplaçant chaque année la plante hôte. En Beauce et en Brie notamment, on réalise l'assolement triennal : betterave à sucre la première année, blé la deuxième année, avoine la troisième année. Un assolement peut s'étendre sur quatre ans : betterave ou pomme de terre la première année ; céréales de printemps la deuxième année ; trèfle et graminées (prairie temporaire) la troisième année ; blé d'hiver la quatrième année. Des assolements plus compliqués peuvent également être prévus, quelquefois sur dix ou quinze ans.

assoler → ASSOLEMENT.

Assollant (Alfred), écrivain français (Aubusson 1827 - Paris 1886), auteur d'ouvrages pour la jeunesse (*les Aventures merveilleuses du capitaine Corcoran,* 1867).

Assollant (Jean) aviateur français (Versailles 1905 - Diégo-Suarez 1942). Pilote d'essai, il réalise, avec Lefèvre et Lotti, le 13 juin 1929, la première traversée aérienne française de l'Atlantique Nord, puis établit une liaison avec la Réunion.

assombrir v. tr. Rendre sombre : *D'épais nuages assombrissent le ciel.* ‖ *Fig.* Attrister, rendre soucieux : *Les malheurs ont assombri sa jeunesse.* ‖ — **s'assombrir** v. pr. Devenir sombre : *Le ciel s'assombrit.* ‖ *Fig.* Devenir triste, soucieux : *Un visage qui s'assombrit. La situation internationale s'assombrit.* ◆ **assombrissement** n. m. Etat de ce qui s'assombrit (au *pr.* et au *fig.*) : *L'assombrissement du ciel, de l'humeur.*

assommant, assommement → ASSOMMER.

assommer v. tr. (de *somme ;* lat. *somnus,* sommeil). Tuer avec quelque chose de pesant : *Milon de Crotone assommait un bœuf d'un coup de poing.* ‖ Frapper d'un coup qui renverse et étourdit : *Il s'écroula assommé ;* et, au *fig. : Une chaleur qui assomme.* ‖ Alourdir une ligne de pêche par un poids trop important. ‖ *Fig.* et *fam.* Importuner sans répit ; ennuyer excessivement : *Assommer quelqu'un de questions.* ‖ — SYN. : *ennuyer, excéder, fatiguer, importuner, lasser.* ◆ **assommant, e** adj. *Fam.* Fatigant, ennuyeux à l'excès : *Ah ! que tu peux être assommant !* ◆ **assommement** n. m. Façon d'abattre les bestiaux en les assommant. ◆ **assommeur, euse** n. Celui, celle qui assomme : *Un assommeur de bœufs.* ◆ **assommoir** n. m. Instrument propre à assommer. ‖ Piège pour assommer les bêtes puantes, pour attraper les oiseaux. ‖ *Pop.* Débit de boissons où l'on vend des alcools de dernière catégorie. (Vieilli.) ● *Coup d'assommoir* (Fig.), événement imprévu et subit qui stupéfie.

Assommoir (L'), roman d'Emile Zola (1877), de la série des *Rougon-Macquart**. La blanchisseuse Gervaise se débat contre les malheurs provoqués par l'ivrognerie de son amant, Lantier, et de son mari, Coupeau, toujours attirés par « l'assommoir », c'est-à-dire le débit de boissons.

assomptif, ive adj. (du lat. *assumptus ;* de *assumere,* prendre sur soi). *Philos.* Auxiliaire : *Jugement assomptif.*

assomption n. f. (lat. *assumptio ;* de *assumere,* enlever). Enlèvement de la Sainte Vierge dans le ciel. (V. *encycl.*) ‖ Fête célébrant cet événement (15 août). ‖ Œuvre d'art le représentant. ‖ *Log.* Seconde proposition, ou mineure, d'un syllogisme ; matière d'un jugement considérée indépendamment de sa vérité ou de sa fausseté. ◆ **assomptionniste** n. m. Membre d'une congrégation religieuse d'hommes, fondée par le P. d'Alzon à Nîmes

Assomption de la Vierge
par le Greco, *église San Vicente, Tolède*

Giraudon

en 1845, et approuvée par le Saint-Siège en 1864. (Le titre officiel est *augustin de l'Assomption.*)

— ENCYCL. **assomption.** Le dogme catholique de l'Assomption, défini par le pape Pie XII (encyclique *Munificentissimus Deus,* 1er nov. 1950), s'appuie sur le fait de la maternité divine de la Vierge ; de même que Marie a été exemptée du péché originel par son immaculée conception, elle a été exemptée de la corruption du tombeau par son assomption, privilège qu'elle est seule à partager avec Jésus.

La fête de l'Assomption, fixée au 15 août, célèbre donc à la fois la résurrection de la Vierge et son entrée au paradis. La croyance à l'assomption est traditionnelle dans l'Eglise, mais c'est surtout au XVIIe s. qu'elle a fait l'objet d'une véritable construction théologique, par réaction contre le protestantisme et le jansénisme. En France, la fête du 15 août — une des quatre fêtes d'obligation admises par le Concordat de 1801 — est depuis longtemps populaire ; elle a même un caractère national depuis que Louis XIII (10 févr. 1638) fixa au 15 août le déroulement d'une procession destinée à commémorer le vœu qui précéda la naissance — prétendue miraculeuse — du futur Louis XIV. En plaçant au 15 août la Saint-Napoléon, Napoléon Ier et Napoléon III donnèrent plus de lustre à cette fête. Pie XI a désigné la Vierge dans son Assomption comme patronne principale de la France (mars 1922).

— *Iconogr.* Le thème apparaît dès le IXe s. dans la sculpture occidentale ; on le voit sur un bas-relief extérieur du chœur de Notre-Dame de Paris (XIIIe s.). Les *Assomptions* peintes les plus célèbres sont celles de Masolino (Capodimonte), de Filippino Lippi (Santa Maria sopra Minerva, Rome), de Titien (église des Frari, Venise), du Corrège (coupole de la cathédrale de Parme), du Greco (San Vicente, Tolède) et de Rubens (Bruxelles, Vienne en Autriche).

Assomption (l'), riv. du Canada (Québec), affl. du Saint-Laurent (r. g.) ; 160 km. Centrales hydro-électriques.

Assomption, nom franç. de la capit. du Paraguay, **Asunción.**

Assomption (ÎLE DE L'). V. ANTICOSTI.

assomptionniste → ASSOMPTION.

assonance n. f. (du lat. *assonare,* faire écho). Rime imparfaite, reposant seulement sur l'identité de la dernière voyelle accentuée (ainsi « a » long dans *âge* et *âme ;* « ô » nasalisé dans *sombre* et *tondre*). ‖ Jeu de voyelles à l'intérieur d'une phrase poétique. (Ex. : *Tout m'afflige et me nuit et conspire à me nuire* [Racine].) [On dit plutôt, en ce cas, ASSONANCE-MODULATION.] ◆ **assonant, e** adj. Qui produit une assonance : « *Montagne* » *et* « *village* » *sont deux mots assonants.*

assorti, assortiment → ASSORTIR.

assortir v. tr. (de *sorte*). Joindre, mettre ensemble des personnes ou des choses qui ont entre elles des rapports de convenance : *Assortir une paire de bas.* ‖ Fournir d'articles, de marchandises : *Les grossistes assortissent le commerce de détail.* ‖ — **s'assortir** v. pr. Se convenir : *Ces couleurs s'assortissent.* ‖ S'accompagner : *Tout son discours s'assortit de répliques tragiques.* ‖ Convenir à : *Son chapeau s'assortit à son tailleur.* ◆ **assorti, e** adj. Adapté, approprié à : *Une cravate assortie à un costume.* ‖ Dont l'union est harmonieuse : *Des époux assortis.* ‖ Qui est pourvu de tout le nécessaire : *Un magasin bien assorti.* ‖ Composé d'éléments variés : *Hors-d'œuvre assortis.* ◆ **assortiment** n. m. Assemblage de certaines choses qui doivent aller ensemble : *Un assortiment de couleurs.* ‖ Collection de marchandises de même genre : *Un assortiment de vaisselle.* ‖ Ensemble d'articles formant un tout et se vendant simultanément : *Un assortiment de dentelles.* ‖ Plat garni de divers mets. ‖ En filature, groupe de machines formant un ensemble cohérent de production. ‖ Collection de caractères d'imprimerie jugés nécessaires pour recompléter une police, ou y ajouter les sortes exigées par une composition spéciale. ● *Librairie d'assortiment,* librairie qui vend toutes sortes de livres provenant de divers éditeurs. ◆ **assortisseur, euse** n. Personne qui vend de petits coupons d'étoffe. ‖ Ouvrier spécialisé chargé du réassortiment des peaux, suivant la qualité, la hauteur et le coloris du poil, la souplesse de la peau, etc. pour faire un vêtement.

Assos. *Géogr. anc.* V. de la côte d'Asie Mineure, au N. de l'île de Lesbos, en Turquie actuelle. Temple dorique dédié à Athéna, théâtre et agora.

Assouan, en arabe **Uswān,** ou **Aswān** (anc. *Syène*), v. d'Egypte, ch.-l. de prov., en Haute-Egypte, en aval de la première cataracte ; 127 600 h. Grand gisement de fer. Barrage sur le Nil, édifié en 1902 et surélevé en 1912 et 1934 (44 m de hauteur). Le lac de retenue s'étendait en amont jusqu'à Wādī-Halfa. En amont d'Assouan, on a édifié le gigantesque ouvrage, dit *haut barrage d'Assouan,* ou *barrage de Sadd* al-'Alī.*

assouchement n. m. (de *souche*). Pierre formant la base du triangle d'un fronton.

Assouci (Charles COUPPEAU D'), musicien et poète français (Paris 1605 - *id.* 1677). Il publia des poèmes burlesques à partir de 1648. Luthiste, compositeur, il écrivit les airs de diverses pièces et la musique d'*Andromède,* de Corneille. Il a raconté sa vie mouvementée dans *les Aventures du sieur d'Assouci* (1677).

assoupir v. tr. (de *assouvir ;* d'après le lat. **assopire,* endormir). Plonger dans un demi-sommeil (employé surtout au passif) : *Un débit trop monotone assoupit les auditeurs*

|| *Fig.* Atténuer, calmer : *Assoupir une souffrance.* || **— s'assoupir** v. pr. S'endormir doucement : *Le malade s'est enfin assoupi. Il s'assoupit après les repas.* || *Fig.* Se calmer : *Les rancunes s'assoupissent avec le temps.* ◆ **assoupissement** n. m. Etat d'une personne assoupie (au *pr.* et au *fig.*) ; torpeur : *Il tomba dans un profond assoupissement. L'assoupissement de la conscience.* || Commencement de sommeil léger et de courte durée : *L'assoupissement d'un malade.*

assouplir v. tr. Rendre souple (au *pr.* et au *fig.*) : *La gymnastique assouplit les muscles.* || Diminuer la rigueur de : *Le gouvernement assouplit les mesures fiscales.* || **— s'assouplir** v. pr. Devenir souple. ◆ **assouplissage**

haut barrage d'**Assouan**

n. m. Préparation que l'on fait subir aux fils de soie pour les assouplir. ◆ **assouplissement** n. m. Action d'assouplir (au *pr.* et au *fig.*) : *Exercices d'assouplissement. Assouplissement du caractère.*

Assour. V. Assur.

assourdir v. tr. Rendre comme sourd : *Le bruit du marteau-pilon l'avait assourdi.* || Rendre moins sonore : *La neige assourdit les bruits.* || *Fig.* Fatiguer par excès de bruit, de paroles, etc. : *Le brouhaha d'une salle assourdit.* || Rendre sourd un phonème primitivement sonore (ainsi changer *d* en *t*). || Remplir une cloison ou doubler une paroi existante pour éviter la propagation du son. ● *Assourdir les tons, les lumières, les reflets,* diminuer leur éclat. ◆ **assourdissant, e** adj. Qui assourdit : *Un fracas assourdissant.* ◆ **assourdissement** n. m. Action d'assourdir ; résultat de cette action : *L'assourdissement des flots.* || Transformation d'un phonème qui, de sonore, devient sourd : *Ainsi, dans le mot « obtenir », il y a assourdissement du « b » sonore au contact de « t » sourd.*

assouver v. intr. ou **s'assouver** v. pr. En parlant d'un étang, se repeupler de lui-même en poissons.

assouvir v. tr. (lat. pop. *assopire,* calmer ; autre forme de *assoupir*). Rassasier complètement : *Il a de quoi assouvir sa faim.* || *Fig.* Satisfaire pleinement : *Assouvir une vengeance.* ◆ **assouvissement** n. m. Action d'assouvir. || Etat de ce qui est assouvi : *Une passion qui ne trouve pas d'assouvissement.*

Assuérus, nom biblique d'un roi perse nommé **Xerxès** par les Grecs. Il épousa la juive Esther, qui fit rapporter l'ordre d'extermination de son peuple (Livre d'Esther). Le sujet a été traité par Racine dans sa tragédie *Esther.*

assuétude n. f. (lat. *assuetudo,* habitude). Phénomène biologique, voisin de l'accoutumance (engendrée par la consommation de toxiques mineurs), lié à l'absorption de toxiques majeurs.

assujetti → ASSUJETTIR.

assujettir v. tr. (de *sujet*). Ranger sous sa domination : *Assujettir une nation.* || Astreindre à une obligation habituelle et fréquente : *Un métier qui assujettit à l'exactitude.* || *Particul.* Fixer une chose de manière qu'elle soit stable et immobile : *Assujettir une porte.* || Faire entrer une catégorie de personnes dans le champ d'application d'une législation, avec un caractère obligatoire. || — Syn. : *astreindre, dompter, enchaîner, soumettre, subjuguer.* ● *Assujettir un animal,* le maintenir dans une position favorable pour le soigner. (V. CONTENTION.) ◆ **assujetti, e** adj. et n. Tenu de payer certaines taxes, d'acquitter certaines cotisations, ou de s'affilier à un groupement professionnel ou mutualiste. ◆ **assujettissant, e** adj. Qui exige beaucoup d'assiduité : *Travail, métier assujettissant.* ◆ **assujettissement** n. m. Action d'assujettir. ‖ Etat de dépendance, de soumission : *L'assujettissement des vaincus;* et, au *fig. : L'assujettissement à la mode.* ‖ *Fig.* Contrainte, sujétion : *La grandeur a ses assujettissements.*

assumer v. tr. (lat. *assumere,* prendre sur soi). Prendre sur soi, se charger de : *Assumer la responsabilité de la conduite d'une affaire.*

Assur, Assour ou **Ashour,** la plus anc. capit. de l'Assyrie. Elle fut remplacée, vers le Xe s. av. J.-C., par Ninive. Prise par les Mèdes, elle survécut jusqu'aux Sassanides. (Auj. *Qal'at Chergāṭ,* au S. de Mossoul.)

Assur, Assour ou **Ashour,** dieu suprême des Assyriens, dieu guerrier, mais aussi bienveillant. Il a donné son nom à la première capitale du royaume d'Assyrie.

assurable, assurance → ASSURER.

Assurbanipal ou **Assur-Banapli,** en gr. **Sardanapalos,** roi d'Assyrie de 668 à 626 av. J.-C. Avec la conquête de la Basse-Egypte et de l'Elam, son règne marque l'apogée de la puissance assyrienne.

Assur-Dân, nom de trois rois d'Assyrie.

assure, assuré, assurément → ASSURER.

assurer v. tr. (lat. pop. **assecurare,* rendre sûr; de *securus,* sûr). Donner de la solidité, de la stabilité à une chose : *Assurer un volet, une persienne.* ‖ *Fig.* Rendre une chose certaine, en permettre la réalisation : *Assurer la paix, le bonheur de quelqu'un.* ‖ Prendre des moyens sûrs pour qu'une chose ne manque pas; pourvoir à : *Assurer le ravitaillement d'une ville. Assurer une permanence.* ‖ Faire garantir ses biens, garantir quelqu'un contre certains risques, moyennant le paiement d'une somme convenue : *Assurer son mobilier contre l'incendie. Assurer l'équipage d'un navire.* ‖ Affirmer, certifier une chose : *Je lui assurai que c'était une illusion.* ‖ Rendre quelqu'un sûr de quelque chose : *Assurer quelqu'un de son amitié.* ‖ En alpinisme, utiliser une corde pour éviter les chutes. ● *Assurer un bout* (Mar.), amarrer un cordage pour qu'il ne dépasse pas d'une poulie, d'un clan. ‖ *Assurer l'oiseau,* en fauconnerie, apprivoiser l'oiseau. ‖ *Assurer un signal, son pavillon* (Mar.), tirer un coup de canon pour attirer l'attention ou affirmer que c'est bien le pavillon national, et qu'on est prêt à se défendre. ‖ **— s'assurer** v. pr. Se garantir l'appui de quelqu'un : *S'assurer un puissant protecteur.* ‖ Se garantir l'usage de quelque chose : *S'assurer le concours d'un ami. S'assurer un refuge.* ‖ Rechercher la preuve; se procurer la certitude : *S'assurer qu'il n'y a pas de danger. Il s'assura du départ des camions.* ◆ **assurable** adj. Qui peut être assuré, garanti pa[r] une compagnie d'assurances : *Les bestiau[x] malades ne sont pas assurables.* ◆ **assuranc[e]** n. f. Action d'assurer, affirmation à laquell[e] on peut faire confiance; promesse formelle [:] *Donner des assurances de sa solvabilité.* ‖ S'emploie dans les formules de politesse, [à] la fin des lettres : *Veuillez croire à l'assu[-]rance de ma considération,* etc. ‖ Preuve garantie : *Le diplôme n'est pas toujours un[e] assurance de la valeur.* ‖ Confiance absolu[e] en soi, hardiesse : *S'avancer avec assurance*[.] ‖ Contrat par lequel une personne, l'*assu[-]reur,* groupe d'autres personnes, les *assurés* afin de leur permettre de s'indemniser mu[-]tuellement d'une perte éventuelle à laquell[e] elles sont exposées par suite de la réalisatio[n] d'un certain risque, le *sinistre,* moyennan[t] le paiement d'une *prime,* que l'assureu[r] verse dans une masse commune, déductio[n] faite des frais de gestion. (V. *encycl.*) ‖ E[n] alpinisme, ensemble des procédés qui per[-]mettent de progresser avec le minimum d[e] risques de chute. ‖ Excédent de matière qu[i] l'on emploie dans un métal ou un alliage su[r] le poids présumé de la pièce à couler, et qu[i] est destiné à parer soit à des erreurs d[e] calcul, soit à des accidents imprévus. (L'as[-]surance est ordinairement de 1/10 du poid[s] présumé.) ● *Assurance crédit,* assuranc[e] garantissant la bonne fin d'une vente à crédi[t] notamment en matière de commerce exté[-]rieur. ‖ *Assurance maritime,* variété d[e] contrat d'assurance ayant pour objet l'indem[-]nisation des dommages provenant de certain[s] événements maritimes. ‖ *Assurance prospec[-]tion,* système d'encouragement à l'expor[-]tation, fonctionnant en complément d[e] l'assurance crédit, et qui vise à garantir à u[n] exportateur une partie des frais de prospec[-]tion engagés pour s'ouvrir un marché donné ‖ *Assurances sociales,* système légal de pro[-]tection du travailleur et de sa famille contr[e] « les risques sociaux ». (V. *encycl.*) ◆ **assur[e]** n. f. Fil d'or, de soie ou de laine, dont o[n] couvre la chaîne d'une tapisserie de haut[e] lisse. (Prend le nom de *trame* dans les étoffe[s] ordinaires.) ◆ **assuré, e** adj. Hardi, ferme [:] *Parler d'une voix assurée.* ‖ Certain : *C'es[t] un succès assuré.* ‖ Sûr, qui offre une sécu[-]rité : *Une retraite assurée. Un gagne-pai[n] assuré.* ✦ n. Personne qui est garantie pa[r] un contrat d'assurance. ● *Assuré social,* per[-]sonne qui jouit des avantages donnés par le[s] assurances sociales. ◆ **assurément** adv. D[e] façon certaine; sûrement, sans aucun doute [:] *Assurément, il viendra.* ◆ **assureur** n. [m.] Celui qui s'engage, moyennant le paieme[nt] d'une prime ou d'une cotisation, à paye[r] à l'assuré ou au bénéficiaire désigné u[ne] indemnité, un capital ou une rente en cas d[e] survenance d'un risque déterminé.

— ENCYCL. ***assurance.*** La technique d[e] l'assureur consiste à déterminer le monta[nt] de la prime en fonction du calcul des prob[a-]bilités, puis à se couvrir éventuellement pa[r] a réassurance contre les erreurs de ce calcul. On distingue trois grandes variétés d'assurance : l'*assurance de personnes* (assurance en cas de décès, assurance en cas de vie, assurance dotale, assurance contre les accidents, assurance contre la maladie, etc.), l'*assurance de choses* ou *de dommages* (assurance contre l'incendie, le vol, le dégât des eaux, la grêle, la mortalité du bétail, le bris de glace, etc.) et l'*assurance de responsabilité* assurance contre les risques au tiers de l'automobiliste, assurance contre les accidents du travail, assurance de la responsabilité civile de chef de famille, etc.), mais presque tous es contrats des dommages couvrent simultanément une responsabilité.

En France coexistent trois secteurs dans l'industrie de l'assurance : un *secteur public,* constitué par la Caisse nationale de prévoyance et par les compagnies constituant es groupes d'assurances privées nationalisées n 1946 (dans chacun des groupes « Assurances générales de France », « Groupe des Assurances nationales » et « Union des Assurances de Paris » est créée une société ontrôle détenant la totalité des actions des ociétés nationales composant le groupe ; le apital des sociétés contrôles appartient l'Etat) ; un *secteur privé,* constitué par es compagnies non nationalisées et par les ompagnies étrangères ; un *secteur mutualiste* et *coopératif* — bénéficiaire d'un statut iscal privilégié — particulièrement développé n agriculture. Ces trois secteurs sont assez troitement contrôlés par le ministère des Finances. Un Conseil national des assurances éfinit la politique générale des assurances. e personnel des trois secteurs est régi par ne même convention collective.

— ***assurances sociales.*** Depuis 1930, les alariés bénéficient des assurances maladie, naternité, décès, invalidité et vieillesse, mais 'est seulement depuis 1946 que l'assujettissement est obligatoire quel que soit le montant u salaire. (De 1930 à 1946, les salariés les nieux payés pouvaient adhérer à titre facultatif, mais seuls les moins payés étaient assurés obligatoires.) L'assurance vieillesse-survivant est obligatoire pour les non-salariés es professions non agricoles depuis 1949, et our les non-salariés agricoles depuis 1952. es exploitants agricoles et les membres de ur famille qui travaillent avec eux sont ssurés obligatoires pour les risques maladie, naternité et invalidité depuis 1961, et pour le isque accident depuis 1962. Les praticiens onventionnés sont assurés obligatoires pour ertains risques « maladie » depuis 1962. e financement des assurances sociales est à ase de cotisations individuelles. Les prestations fournies par les assurances sociales sont e deux ordres : en espèces et en nature. es prestations en espèces constituent un evenu de remplacement pour l'assuré qui nterrompt son activité, ou correspondent à indemnisation de la famille dont le soutien st décédé. Les prestations en nature sont constituées par les sommes versées en remboursement des dépenses engagées, pour se soigner, par les assurés malades, ainsi que par certaines primes attribuées par l'assurance maternité.

assureur → ASSURER.

Assur-Nasirpal ou **Assur-Nâsir-Apli,** nom de deux rois d'Assyrie ; le second régna de 883 à 859 av. J.-C.

Assur-Uballit Ier, roi d'Assyrie (1363-1328 av. J.-C.). — **Assur-Uballit II,** roi d'Assyrie (612-609 av. J.-C.).

Assy, localité de Haute-Savoie (comm. de Passy), à 15 km au N. de Saint-Gervais. Station de cure. Eglise de Novarina, décorée par Fernand Léger, Matisse, Rouault, Braque, Lurçat, Bonnard et Germaine Richier.

Lanèse-Rapho

Assy : l'église

Assyrie. *Géogr. anc.* Partie septentrionale de la Mésopotamie. Assur, Calach et Ninive en furent les villes principales.

● *Histoire.* L'Assyrie, ou pays d'Assur, apparaît, dans l'histoire de l'Orient ancien, dès le IIe millénaire. Au XVIIIe s. av. J.-C., une dynastie amorrite, contemporaine du premier empire de Babylone, s'installe à Assur. Mais, à partir du XVIIe s. av. J.-C., l'Assyrie subit un effacement de plusieurs siècles, dû aux invasions indo-iraniennes, qui

ART ASSYRIEN

Giraudon

statuette d'or, *Louvre*

char de combat, palais d'Assurbanipal, *Louvre*

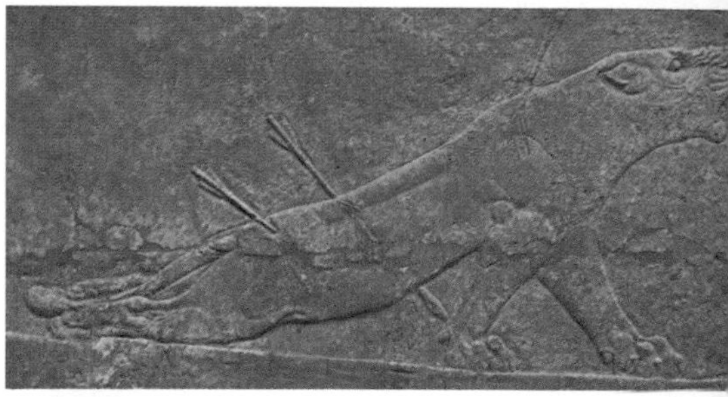

« Lionne blessée »
bas-relief (VIIe s. av. J.-C.), *British Muse*

Goldner

prisonniers de guerre, palais d'Assurbani
(VIIe s. av. J.-C.), *Louvre*

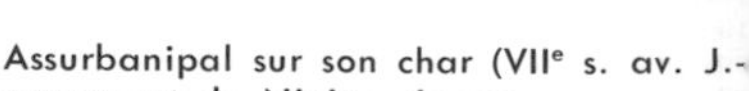

Assurbanipal sur son char (VIIe s. av. J.-
provenant de Ninive, *Louvre*

constituent de nouveaux empires (Hourrites, Cassites, Hittites), et doit supporter la domination de l'Etat hourrite du Mitanni jusqu'au XVe s. av. J.-C. Assur-Uballit Ier, roi d'Assur, soumet à son tour le Mitanni, et c'est le début d'une première extension assyrienne; Toukoulti-Ninourta Ier occupe Babylone, et Téglath-Phalasar Ier (1112-1074) atteint la mer Noire et la Méditerranée. Après une éclipse, Téglath-Phalasar III (745-727) étend son pouvoir sur la basse Mésopotamie, la Palestine et la Syrie, et organise ses conquêtes; il ne se contente plus de paiement de tributs, mais procède à une véritable déportation des peuples vaincus. Sargon II (722-705) conduit de nombreuses expéditions pour maintenir sa domination sur les pays conquis. Avec Assurbanipal (668-626), qui occupe la Basse-Egypte (destruction de Thèbes), l'Empire atteint son apogée. Mais une alliance des Mèdes et des Babyloniens (royaume néo-babylonien de Nabopolassar, 626) met fin à la tyrannie assyrienne; Assur est prise (614), puis Ninive (612), et enfin Harran, refuge du dernier roi d'Assyrie, Assur-Uballit II (612-609).

● *Civilisation.* La religion assyrienne, dans son essence comme dans ses rites, remonte aux plus anciennes traditions religieuses mésopotamiennes; mais, à la tête du panthéon traditionnel, à côté d'Ashtar, devenue surtout déesse de la Guerre, se trouve Assur, le dieu de la Ville. Le roi est le vicaire de la divinité et le chef suprême d'un clergé important.
Les Assyriens mirent sur pied une armée redoutable, nationale (service militaire obligatoire), à laquelle venaient se joindre les contingents des Etats vassaux. Elle se composait, outre l'infanterie, d'une cavalerie avec des chars, et d'un service du génie.
Le droit assyrien diffère du droit babylonien par une plus grande rigueur et par une réduction de la capacité civile de la femme.

● *Beaux-arts.* L'art assyrien apparaît vers le IIIe millénaire, influencé par Sumer et par Akkad. Au IIe millénaire, on le voit profondément marqué par le Mitanni. Après la destruction de l'Empire hittite, les Assyriens relèvent leurs ruines et atteignent l'apogée de leur civilisation (IXe-VIIe s. av. J.-C.). Les Assyriens ont exécuté d'importants travaux, hydrauliques surtout, et ont été de grands bâtisseurs de villes, de palais, de temples (généralement en brique). La tour à étages (*ziggourat*) est un de leurs monuments caractéristiques. Ils revêtent les murs de sculptures : scènes de guerre ou de chasse, génies, taureaux ailés à tête humaine (Louvre). Ils ont pratiqué avec maîtrise les arts du métal (bijoux, armes), l'incrustation, l'ivoirerie, la céramique.

assyrien, enne adj. et n. Relatif à l'Assyrie; habitant ou originaire de l'Assyrie. ‖ — **assyrien** n. m. Dialecte akkadien parlé en Assyrie. ◆ **assyriologie** n. f. Science qui traite des antiquités assyriennes. ◆ **assyriologue** n. Spécialiste d'assyriologie.

Astabène. *Géogr. anc.* Contrée dépendant de la Perse, et située sur les rivages occidentaux de la Caspienne. (Auj. *Daghestan.*)

astacicole, astaciculteur, astaciculture → ASTACIDÉS.

astacidés n. m. pl. (lat. *astacus,* écrevisse). Famille de crustacés décapodes macroures d'eau douce, comprenant l'écrevisse (genre *astacus*) et les formes voisines munies de fortes pinces. ◆ **astacicole** adj. Qui concerne l'élevage des écrevisses. ◆ **astaciculteur, trice** n. Celui, celle qui s'y livre. ◆ **astaciculture** n. f. Elevage des écrevisses.

astacoures n. m. pl. Sous-ordre de crustacés décapodes macroures aux fortes pinces, comprenant des espèces marines (homard) et fluviatiles (écrevisse).

Astaffort, ch.-l. de c. de Lot-et-Garonne (arr. et à 19 km au S. d'Agen); 2004 h.

Astaire (Fred), danseur à claquettes, chanteur et acteur américain (Omaha, Nebraska, 1899). Il interpréta à l'écran quelques-unes des meilleures comédies musicales américaines avec Ginger Rogers comme partenaire jusqu'en 1939, puis avec Eleanor Powell, Rita Hayworth, Judy Garland et Cyd Charisse.

Astaroth, un des noms donnés autref. à la planète VÉNUS.

astarté n. f. Mollusque bivalve marin des eaux froides, à la coquille épaisse, équivalve, vivant enfoui dans la vase. [Famille des *astartidés.*]

Astarté. V. ASHTART.

astasie n. f. (*a* priv., et gr. *stasis,* station). Perte plus ou moins complète de la possibilité de se tenir debout. (Elle s'associe le plus souvent à une abasie.) ◆ **astatique** adj. *Physiq.* Qui présente un état d'équilibre indifférent : *Système astatique.* ‖ Se dit d'un système d'aiguilles aimantées sur lequel le champ magnétique terrestre est sans action. ✦ adj. et n. Atteint d'astasie.

astate ou **astatine** n. m. (gr. *astatos,* instable). Elément chimique n° 85 (symb. At), de la famille des halogènes, obtenu artificiellement, et dont aucun isotope n'est stable.

astatique → ASTASIE.

aste n. m. Branche à fruit sur un pied de vigne. (Syn. ARCHET.)

aster [astɛr] n. m. (gr. *astêr,* étoile). Plante herbacée, généralement vivace, dont plusieurs espèces sont cultivées comme ornementales. (Famille des composées.) ‖ *Cytol.* Ensemble des plis rayonnants qui entourent le ou les centrosomes. (Le rapport entre les asters et le fuseau achromatique est discuté.)

astéréognosie n. f. (*a* priv., gr. *stereos,* solide, et *gnôsis,* connaissance). Perte de la faculté de reconnaître les objets par la discrimination des poids et la localisation spatiale donnée par la différenciation des stimulations tactiles. (Elle est due à certaines lésions corticales pariétales.)

Asteria, fille de Cœos et de Phoibê, et sœur de Léto. Métamorphosée en caille par Zeus, à qui elle avait résisté, elle se précipita dans la mer, où elle devint l'île de Délos.

astérides → ASTÉRIE 1.

1. astérie n. f. Etoile* de mer en général. || *Partic.* Le genre *asterias,* grand ravageur des moulières. ◆ **astérides** n. m. pl. Classe d'échinodermes comprenant les étoiles* de mer, ou astéries. (Syn. STELLÉRIDES.) ◆ **astérinidés** n. m. pl. Famille d'astérides présentant de 5 à 8 bras très courts. (Genre princ. : *asterina.*)

astérie

2. astérie n. f. Point étincelant que l'on observe parfois dans une lame cristalline taillée perpendiculairement à l'axe et frappée par un rayon lumineux.

astérinidés → ASTÉRIE 1.

asterion n. m. (gr. *asterios,* petite étoile). Point situé à la rencontre de l'occipital, du pariétal et du temporal.

astérisme n. m. Chacune des figures arbitraires qu'on suppose dessinées dans le ciel, et auxquelles on rapporte les étoiles qui s'y trouvent comprises.

astérisque n. m. (gr. *asteriskos,* petite étoile). Signe typographique en forme d'étoile (*), pour indiquer un renvoi, une lacune, etc. || S'emploie aussi, simple ou triple, à la suite de l'initiale d'un nom propre qu'on ne veut pas écrire complètement. || S'emploie à l'initiale d'un mot non attesté, d'une racine hypothétique. (Par ex., le francique **hatjan,* forme conjecturale [qui a donné le français *haïr*], est précédé d'un astérisque.) ◆ **astéronyme** n. m. Ensemble d'astérisques (généralement trois) employés en typographie pour remplacer un nom qu'on ne veut pas faire connaître.

Astérix, héros de bande dessinée créé en 1959 par le scénariste René Goscinny et le dessinateur Albert Uderzo pour l'hebdomadaire *Pilote.*

astérocarpus [pys] n. m. Résédacée aux tiges grêles, des rocailles.

astéroïde n. m. Chacune des petites planètes visibles seulement avec des moyens optiques puissants, et circulant entre les orbites de Mars et de Jupiter. (Le nombre total des astéroïdes découverts dépasse, de nos jours, 1 560. Leur masse totale n'est pas supérieure au tiers de celle de la Terre.)

astéroïte n. f. Variété manganésifère d'hédenbergite à structure rayonnée.

astérolinum [nɔm] n. m. Petite primulacée des sables, aux fleurs verdâtres.

astéronyme → ASTÉRISQUE.

astérozoaires n. m. pl. Sous-embranchement des échinodermes, comprenant les stellérides et les ophiurides, formes libres aux bras non ramifiés.

asthénie n. f. (*a* priv., et gr. *sthenos,* force). Diminution des forces. || Affaiblissement fonctionnel. (Contr. HYPERSTHÉNIE.) ◆ **asthénique** adj. Qui tient à l'asthénie. ✦ adj. et n. Atteint d'asthénie. ◆ **asthénomanie** n. f. Habitude morbide de l'asthénie, succédant à l'asthénie vraie.

asthénopie n. f. (*a* priv., gr. *sthenos,* force, et *ops,* œil). Incapacité de la vue à se soutenir longtemps.

asthénospermie n. f. (gr. *asthenês,* faible, et *sperma,* semence). Diminution de la mobilité des spermatozoïdes, dont le nombre reste normal. (L'asthénospermie est une cause de stérilité.)

asthmatique → ASTHME.

asthme [asm] n. m. (gr. *asthma,* respiration difficile). Affection caractérisée par une gêne respiratoire en rapport avec un rétrécissement du calibre des bronches. (V. *encycl.*) ◆ **asthmatique** adj. Relatif à l'asthme : *Toux asthmatique.* ✦ adj. et n. Affecté d'un asthme.

— ENCYCL. ***asthme.*** L'asthme franc se manifeste par des accès de suffocation paroxystique (ou *crise d'asthme*), liés au spasme, à la congestion ou à l'hypersécrétion bronchique. L'accès se traduit par une gêne respiratoire intense, prédominant sur l'expiration. Le rythme respiratoire est ralenti. La crise se termine en une ou deux heures, après l'émission de quelques crachats collants, contenant de petits grains perlés. La répétition des accès peut aboutir, à la longue, à l'asthme intriqué, ou asthme à dyspnée continue ; la gêne respiratoire est alors permanente. L'état de mal asthmatique est rare : il provoque une asphyxie aiguë, qui peut s'accompagner de défaillance cardiaque et entraîner la mort.

On traite les crises par les substances broncho-dilatatrices (théophylline), éventuellement par les dérivés de la cortisone. La morphine doit être proscrite; l'adrénaline est contre-indiquée. Le traitement d'une cause déclenchante ou favorisante (surtout allergie, mais aussi infection bronchique, anomalies des voies respiratoires, perturbations cardiaques, endocriniennes ou neurovégétatives) et les cures thermales peuvent faire disparaître les crises, les espacer ou les atténuer. L'asthme s'observe peu chez les animaux (*asthme nasal des chiens; asthme des bovins* après la fièvre aphteuse).

asti n. m. Vin d'Italie de la région d'Asti, souvent mousseux (*asti spumante*).

Asti, v. d'Italie, ch.-l. de prov., dans le Piémont; 77 900 h. Vignobles produisant des vins réputés. Evêché. Nombreux monuments : tour de San Secondo, d'origine romaine; cathédrale gothique (1309-1354); palais Alfieri, maison natale du poète.
— *Hist.* Anc. colonie romaine (*Asta colonia*), siège d'un évêché aux IVe-Ve s., elle eut son autonomie reconnue par Frédéric Barberousse en 1159. Base militaire française en Italie jusqu'en 1529, elle fut incorporée au domaine de Savoie en 1575.

astic → ASTIQUER.

Astico, riv. d'Italie, née dans les Alpes Dolomitiques, affl. du Bacchiglione (r. g.); 57 km.

asticot n. m. Larve vermiforme des mouches, plus partic. de la mouche à viande, utilisée pour escher l'hameçon. ◆ **asticotier** n. m. Pêcheur de truites à l'asticot.

asticoter v. tr. (de *dass dich Gott...!*, que Dieu te [damne]!, juron allemand transcrit d'abord en *dasticoter*). *Fam.* Taquiner jusqu'à l'irritation, l'énervement : *Il passait ses journées à l'asticoter.*

asticotier → ASTICOT.

astigmate → ASTIGMATISME.

astigmatisme n. m. (*a* priv., et gr. *stigma, -atos,* point). Défaut de courbure des milieux réfringents de l'œil, tel qu'un point lumineux donne sur la rétine non un point, mais une tache de forme et de dimensions spéciales. || Aberration que peut présenter un objectif, et qui se manifeste par une différence de netteté entre les lignes horizontales et les lignes verticales. (V. *encycl.*) ◆ **astigmate** adj. et n. Atteint d'astigmatisme. ◆ **astigmomètre** n. m. Syn. de OPHTALMOMÈTRE.
— ENCYCL. **astigmatisme.** Lorsqu'on diaphragme suffisamment un système optique, le faisceau issu d'un point de l'objet se réduit à un pinceau étroit; on montre que les rayons émergents s'appuient tous sur deux petits segments de droites perpendiculaires que l'on appelle *focales*. Si les deux focales sont dans le même plan, elles se réduisent à leur point d'intersection, et le système est

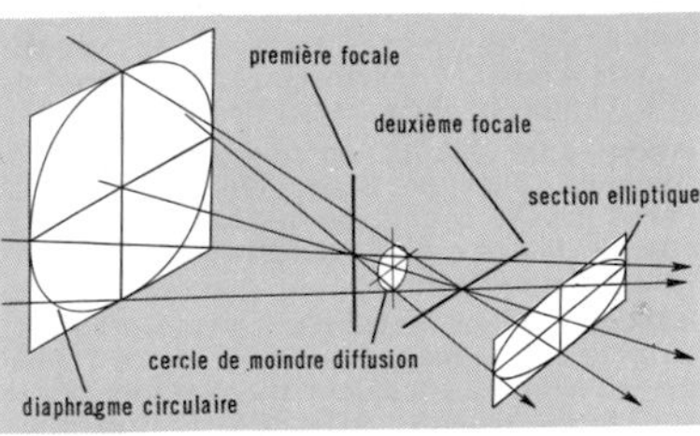

astigmatisme (opt.)

stigmatique; sinon la section du pinceau est généralement elliptique, mais il existe entre les deux focales une section circulaire (cercle de moindre diffusion), non ponctuelle. L'astigmatisme nuit à la qualité des images de points situés loin de l'axe du système.

astigmomètre n. m. V. OPHTALMOMÈTRE.

astiquage → ASTIQUER.

astiquer v. tr. (de *astic*). Faire briller en frottant : *Astiquer des cuivres.* || — ***s'astiquer*** v. pr. *Pop.* Faire une toilette soignée. ◆ **astic** n. m. Mélange de blanc d'Espagne, d'alcool et de savon, servant à nettoyer les pièces métalliques d'équipement militaire. ◆ **astiquage** n. m. Action d'astiquer.

Astolphe. V. AISTOLF.

astome → ASTOMIE.

astomie n. f. Monstruosité due à l'absence congénitale de bouche. ◆ **astome** adj. et n. m. Se dit des êtres ou des organes dépourvus d'un orifice présent dans les autres types. (Les mousses sans opercule sont astomes. Les ciliés holotriches sans bouche, parasites d'invertébrés, forment l'ordre des *astomes*.)

Aston, riv. des Pyrénées, affl. de l'Ariège (r. g.); 24 km. Centrale hydro-électrique.

Aston (Francis William), physicien anglais (Harborne 1877 - Londres 1945). Dans ses

Francis William **Aston**

études sur la décharge dans les gaz raréfiés, il découvrit les isotopes, pour l'étude desquels il perfectionna le spectrographe de masse de J. J. Thomson. (Prix Nobel de chimie, 1922.)

Astor (John Jacob), commerçant américain (Waldorf, pays de Bade, 1763 - New York 1848). Il fit le commerce des fourrures, organisa l'American Fur Company et fonda la ville d'*Astoria* (1811).

Astor (William Waldorf), homme d'affaires et politicien américain (New York 1848 - Brighton 1919), fondateur du Waldorf Hotel, ancêtre du Waldorf Astoria.

Astorga, v. d'Espagne (prov. de León); 10 100 h. Evêché. Cathédrale (XVe-XVIIe s.). Sa résistance en 1810 lui valut de passer pour le « tombeau des Français ».

Astrabad, site archéologique de l'Iran, au S.-E. de la mer Caspienne. En 1841, on y découvrit des objets précieux datant du IIe millénaire av. J.-C.

astræa n. f. Madrépore compact, aux cloisons dentées. ◆ **astræidés** n. m. pl. Importante famille de madrépores aux calices méandriformes, aux cloisons dentées (*astræa*) ou lisses sur les bords.

astragale n. m. (gr. *astragalos*). Moulure en bandeau convexe de section semi-circulaire, traitée parfois avec des motifs décoratifs alternés, et que les Grecs ont utilisée pour souligner d'autres registres moulurés. || Espèce de cordon en cuivre ou en fer, au haut des barreaux d'une grille, d'un balcon ou d'une rampe. || Moulure située le long du bord supérieur des marches. || Dans un revêtement en faïence, frise en faïence ou en

Giraudon

astragale

mosaïque située dans la partie haute, généralement au-dessous du rang supérieur. || Bourrelet aménagé autour du canon des anciennes pièces d'artillerie. || Papilionacée plus ou moins épineuse fournissant la gomme adragante. || Os du tarse, de forme grossièrement cubique, situé entre les deux malléoles et le calcanéum. (V. PIED.) ◆ **astragalectomie** n. f. Extirpation chirurgicale de l'astragale. ◆ **astragalien, enne** adj. *Anat.* Relatif à l'astragale : *Tête astragalienne.*

astrakan n. m. (de *Astrakhan'* n. géogr.). Fourrure noire, grise ou marron, qui est la dépouille d'agneaux karakul* de quelques jours ou d'agneaux mort-nés (*breitschwanz*), originaires de la Boukharie, de l'Afghānistān, du Turkmenistan, de l'Iran et de l'Afrique du Sud.

Astrakhan', v. de l'U. R. S. S. (R. S. F. S. de Russie), à la tête du delta de la Volga, au dernier pont sur ce fleuve; 410 500 h. Pêcheries, conserveries; cellulose; raffineries de pétrole. Au XIIIe s., Astrakhan' devint un des centres de l'Etat mongol de la Horde d'Or, puis la capitale d'un khanat tatar, prise par le tsar Ivan IV le Terrible en 1554.

astral → ASTRE.

astrantia [sja] n. f. Ombellifère des montagnes, ornementale.

astrapie n. f. (gr. *astrapê,* éclat). Beau paradisier de Nouvelle-Guinée.

astrapothériens n. m. pl. Mammifères fossiles du tertiaire de Patagonie.

astre n. m. (lat. *astrum ;* gr. *astron*). Corps céleste de forme bien déterminée (Soleil, étoiles, Lune, planètes, comètes) : *Observer les astres.* (Le Soleil et les étoiles sont des astres lumineux par eux-mêmes, tandis que la Lune, les planètes avec leurs satellites, et les comètes ne font que réfléchir la lumière solaire.) || *Fig.* Symbole de l'éclat, de la beauté : *Beau comme un astre.* ● *L'astre du jour* (Poét.), le Soleil. || *L'astre des nuits, l'astre nocturne, l'astre d'argent* (Poét.), la Lune. ◆ **astral, e, aux** adj. Qui appartient aux astres; relatif aux astres : *Les influences astrales.* ● *Corps astral,* l'un des sept « aspects », ou « principes », admis par les occultistes comme concourant à la composition des êtres. || *Lampe astrale,* lampe dont la lumière tombe de haut en bas sans porter d'ombre par ses appuis.

Astrée, en gr. **Astraia.** *Myth. gr.* Fille de Zeus et de Thémis. Au temps de l'âge d'or, elle résidait parmi les hommes. Elle est devenue la constellation de la Vierge.

Astrée (L'), roman en cinq parties d'Honoré d'Urfé (1607-1628). L'action se situe dans le Forez, sur les bords du Lignon, et retrace l'amour du berger Céladon pour la bergère Astrée. Au XVIIe s., il a eu une immense

astrakan

influence et a développé le goût des analyses de sentiments (préciosité).

astreignant → ASTREINDRE.

astreindre v. tr. (lat. *astringere,* serrer) [conj. **55**]. Soumettre quelqu'un à une obligation dont il lui est difficile ou pénible de s'acquitter : *Astreindre quelqu'un à un travail pénible.* ‖ **— *s'astreindre*** [***à***] v. pr. S'assujettir à, s'obliger à, se plier à : *S'astreindre à une stricte discipline.* ◆ **astreignant, e** adj. Qui tient sans cesse occupé : *Une tâche astreignante.* ◆ **astreinte** n. f. Procédé indirect de contrainte, qui consiste à condamner un débiteur à payer au créancier une somme d'argent par jour de retard tant qu'il refusera d'exécuter son obligation. (L'astreinte est comminatoire [c'est-à-dire uniquement destinée à contraindre le débiteur à s'exécuter], indéterminée dans le temps [jusqu'à ce que le débiteur ait payé], provisoire ou définitive. ‖ *Fig.* Obligation : *Se soumettre difficilement aux astreintes de son métier.*

Astrid Bernadotte, princesse de Suède (Stockholm 1905 - près de Küssnacht, Suisse, 1935), fille du prince Charles de Suède, et épouse de Léopold III, roi des Belges. Elle mourut accidentellement.

N. Y. T.

astrild n. m. Petit passereau granivore des régions chaudes, aux teintes vives. (Les *bengalis* et les *sénégalis* des oiseleurs sont des astrilds. Famille des plocéidés.)

astringence → ASTRINGENT.

astringent, e adj. et n. m. (du lat. *astringere,* resserrer). *Méd.* Qui resserre : *Médication astringente.* (La médication astringente a pour effet de diminuer ou de supprimer la réaction inflammatoire et les exsudations des tissus. Les astringents à usage interne [sels de bismuth, tanin, ratanhia] sont utilisés contre la diarrhée. Les astringents à usage externe [nitrate d'argent, préparations de zinc, de plomb] empêchent les écoulements des plaies.) ◆ **astringence** n. f. Qualité de ce qui est astringent. ‖ Propriété que possèdent les matières tannantes de se combiner à la peau pour la transformer en cuir.

astrobiologie n. f. Théorie selon laquelle tous les phénomènes de l'univers reproduisent des lois mathématiques ou esthétiques.

astrocarpus [pys] n. m. V. ASTÉROCARPUS.

astrocaryum [rjɔm] n. m. Palmier épineux d'Amérique tropicale.

astrocyte n. m. Cellule de la substance grise du système nerveux, dite aussi CELLULE EN ARAIGNÉE à cause de ses ramifications nombreuses et rayonnantes.

astrodôme n. m. Coupole transparente, en matière plastique, aménagée à la partie supérieure du poste de pilotage d'un avion pour permettre au navigateur de faire le point astronomique.

astroïde n. f. Hypocycloïde à quatre rebroussements.

astroides [astrɔidɛs] n. m. Polypier encroûtant, jaune orangé, des petits récifs frangeants de nos côtes.

astrolabe n. m. (ar. *uṣṭurlāb,* emprunté au gr. *astron,* astre, et *lambanein,* prendre). Instrument usité autref. pour observer la position des astres et déterminer leur hauteur au-dessus de l'horizon.

astrologie n. f. Art divinatoire consistant à déterminer l'influence des astres sur le cours des événements terrestres et à en tirer des prédictions d'avenir. (L'astrologie s'attache en particulier à déterminer l'avenir des individus d'après la position des astres au moment de leur naissance.) [Syn. ASTROMANCIE.] ◆ **astrologique** adj. Relatif à l'astrologie : *Prédictions astrologiques.* ● *Figure astrologique,* description de l'aspect général des astres au-dessus de l'horizon au moment de l'observation. ◆ **astrologue** n. Personne qui s'adonne à l'astrologie.

astrométrie n. f. Branche de l'astronomie* qui comprend l'ensemble des méthodes permettant de déterminer les positions et les mouvements des astres, Terre comprise. ◆ **astrométrique** adj. Relatif à l'astrométrie.

astronaute, astronauticien → ASTRONAUTIQUE.

astronautique n. f. (mot créé par Rosny aîné). Science qui a pour objet la navigation interplanétaire. ◆ **astronaute** n. Voyageur de l'espace interstellaire. ◆ **astronauticien, enne** n. et adj. Personne qui effectue des recherches sur l'astronautique ou qui s'y intéresse. ◆ **astronef** n. m. Véhicule interplanétaire.

— ENCYCL. ***astronautique.*** La conquête de l'espace a toujours tenté les hommes, et des écrivains comme Jules Verne et Wells ont beaucoup contribué, par leurs œuvres, au développement de l'astronautique dans l'esprit du public.

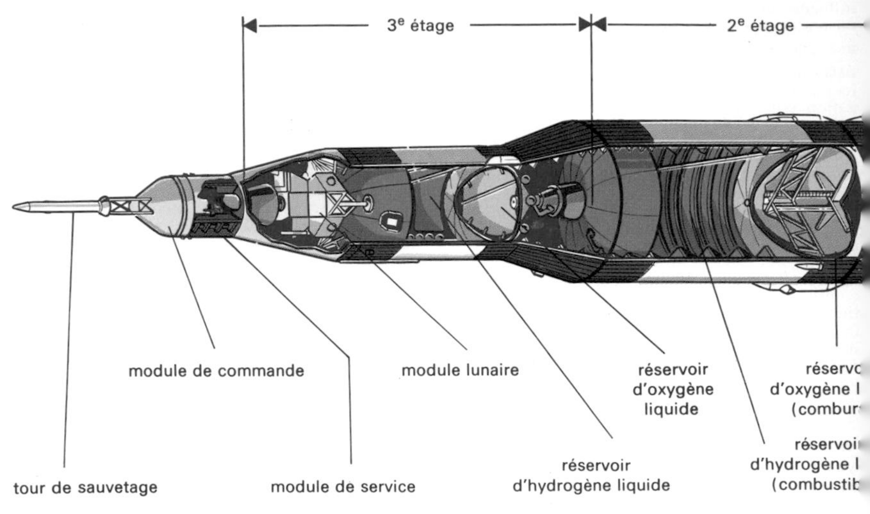

Les premières études techniques dans ce domaine sont celles du savant russe K. E. Tsiolkovski, qui propose en 1903 une fusée à hydrogène et à oxygène liquides pour la navigation spatiale. Les recherches sur la fusée sont conduites par Robert H. Goddard aux Etats-Unis, R. Esnault-Pelterie en France, H. Oberth et E. Sänger en Allemagne, où elles aboutissent au V2. Dès la fin de la Seconde Guerre mondiale, les études théoriques se multiplient ; le premier congrès international d'astronautique se tient à Paris en 1950. Américains et Soviétiques annoncent que leur participation à l'Année géophysique internationale (1957-1958) comportera l'envoi de satellites artificiels autour de la Terre. Le 4 octobre 1957, le premier satellite artificiel, « Spoutnik 1 », est placé par les Soviétiques sur une orbite de 227 km de périgée et 947 km d'apogée. Le premier satellite américain, « Explorer 1 », suit le 31 janvier 1958. Aux engins soviétiques et américains viennent s'ajouter des satellites construits par la Grande-Bretagne, le Canada (1962), l'Italie (1964), la France (1965), l'Organisation européenne de recherches spatiales (1968), l'Allemagne fédérale (1969), le Japon, la Chine (1970), les Pays-Bas (1974) et l'Inde (1975).

L'envoi de sondes automatiques vers la Lune débute en 1959 avec la série des « Luna » soviétiques : « Luna 3 », en particulier, fournit les premières photographies de la face cachée de la Lune, mais ce n'est qu'avec « Luna 9 », en 1966, que sera réalisé le premier atterrissage en douceur sur le sol de l'astre. En 1962, le survol de Vénus par la sonde américaine « Mariner 2 » marque le début de l'exploration des planètes par des engins spatiaux. Mars est survolé pour la première fois avec succès en 1965 par « Mariner 4 » (E.-U.), Jupiter en 1973 par « Pioneer 10 » (E.-U.) et Mercure en 1974 par « Mariner 10 » (E.-U.) ; la mise en orbite d'engins autour de Mars intervient à partir de 1971 avec « Mariner 9 » (E.-U.), et autour de Vénus à partir de 1975 avec « Venera 9 » et « Venera 10 » (U. R. S. S.). Mais dès 196 « Venera 4 » (U. R. S. S.) réussit à se poser en douceur sur Vénus, et en 1971 « Mars 3 » (U. R. S. S.) réalise à son tour le même exploit sur Mars. Ce n'est toutefois qu'avec les engins américains « Viking », en 1976, que débute l'étude *in situ* du sol martien.

Le développement de l'astronautique auto rise d'autre part la réalisation de vols spa tiaux humains. Premier cosmonaute lanc dans l'espace, le Soviétique Gagarine accom plit le 12 avril 1961 une révolution autour d la Terre à bord du vaisseau « Vostok 1 » Leonov effectue le 18 mars 1965, lors du vo « Voskhod 2 », la première sortie dans l'es pace hors d'un vaisseau cosmique.

Le 15 décembre 1965, la cabine habité américaine « Gemini 6 » rejoint autour de Terre la capsule « Gemini 7 », égalemen habitée, réalisant ainsi le premier rende vous spatial. Puis, le 16 mars 1966, le

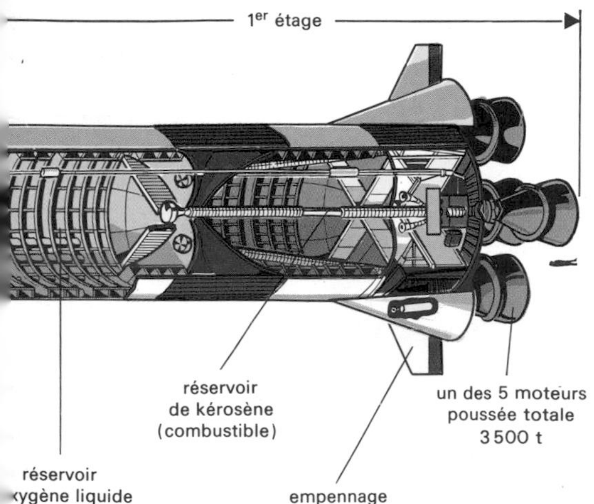

fusée « Saturn V »
hauteur totale : 107,70 m
poids au départ : 2 900 t

Américains réussissent le premier rendez-vous avec jonction de deux engins mis en orbite séparément : la cabine habitée « Gemini 8 » et une fusée « Agena ». L'acquisition des techniques de rendez-vous et d'arrimage dans l'espace constitue en effet un préalable indispensable aux opérations de débarquement sur la Lune prévues dans le cadre du programme Apollo. En décembre 1968, le vaisseau américain « Apollo 8 » est le premier engin habité à survoler la Lune. L'exploration par des hommes du satellite naturel de la Terre débute le 20 juillet 1969 avec l'atterrissage dans la mer de la Tranquillité des astronautes Armstrong et Aldrin, à bord du module lunaire d'« Apollo 11 ». Le programme Apollo s'achève en 1972, après six débarquements humains sur la Lune ayant permis notamment le retour sur Terre, à des fins d'analyse, de 387 kg d'échantillons du sol lunaire. Mais le côté spectaculaire de l'exploration de la Lune ne saurait faire oublier l'intérêt scientifique des vols humains autour de la Terre. En 1971, les Soviétiques lancent le premier exemplaire d'un nouveau type de satellite, prototype de stations orbitales futures, conçu pour accueillir pour des séjours de longue durée des équipages successifs de cosmonautes et permettre ainsi l'étude de la Terre et de son atmosphère, du Soleil et des astres en général, ainsi que celle des problèmes concernant l'utilisation à des fins pratiques des conditions très particulières qui règnent dans l'espace (vide, apesanteur, flux de radiations). Dans le même but, les Américains placent en orbite en 1973 le laboratoire « Skylab » dans lequel se succèdent trois équipages d'astronautes pendant respectivement 28 jours, 59 jours et 84 jours. En 1975, le vol commun, avec jonction dans l'espace d'un vaisseau soviétique « Soyouz » habité par deux cosmonautes et d'une cabine américaine « Apollo » occupée par trois astronautes, illustre une amorce de coopération entre les Etats-Unis et l'U. R. S. S. en matière d'astronautique.

Depuis 1957, ont été lancés quelque 2 000 satellites artificiels et sondes spatiales. La mise au point, en 1981, de la navette spatiale américaine, engin mi-avion, mi-fusée, réutilisable, permettra le transport d'astronautes et de matériel entre la Terre et une altitude de quelques centaines de kilomètres. Avec « Columbia », « Challenger », « Discovery » et « Atlantis », la N. A. S. A. dispose, en 1985, d'un parc de navettes suffisant pour la réalisation de son programme spatial. Ce dernier est remis en cause après l'explosion, en vol, de « Challenger » le 28 janvier 1986. Sept astronautes, dont deux femmes, étaient à bord. Enfin, on assiste à la mise en orbite autour de la Terre d'un nombre de plus en plus grand de satellites d'applications : satellites météorologiques, de télécommunications, de télédétection des ressources terrestres, d'aide à la navigation (aérienne ou maritime), et d'applications militaires (alerte au lancement de missiles, détection d'explo-

U. S. I. S.

le vaisseau « Apollo » photographié à partir
du module qui assure la liaison avec le sol de la Lune

U. S. I. S.

rencontre avant accostage d'un « Apollo » américain
(à gauche) et d'un « Soyouz » soviétique

essai d'un module lunaire
autour de la Terre

James B. Irwin et le premier
véhicule lunaire (mission *Apollo XV*)

la station orbitale *Skylab* après accostage
du véhicule « Apollo » (à gauche)

Sygma-Taylor

la navette Challenger

sions nucléaires, télécommunications militaires, etc.).

La propulsion par fusée* s'impose pour les véhicules spatiaux parce qu'elle est la seule qui puisse atteindre les vitesses de satellisation (7,9 km/s) ou de libération de l'attraction terrestre (11,2 km/s). Pratiquement, on n'a utilisé jusqu'à présent que des fusées à propergol, tirant leur énergie de la combinaison du combustible et du comburant qui y sont stockés avant le lancement. A l'alcool et à l'oxygène liquide des V2 ont rapidement succédé le kérosène ainsi que l'oxygène liquide. Mais la poudre, apparue sur divers lanceurs de faible tonnage, cède généralement la place aujourd'hui à d'autres propergols solides.

L'hydrogène, que suggérait Tsiolkovski, est employé pour l'alimentation des étages supérieurs de certaines fusées (la « Saturn V » américaine en particulier) ; il a été longtemps éliminé à cause de sa faible densité, qui entraînait un poids excessif de réservoirs, mais son emploi a pu se développer avec l'allégement général des structures ; il permet un accroissement de 50 à 100 p. 100 des charges utiles.

Les recherches se poursuivent activement dans le monde pour la mise au point de propulseurs non propergoliques, dans lesquels la poussée est obtenue grâce à l'éjection, non plus de gaz dégagés par une réaction chimique, mais d'un propulsif utilisant l'énergie libérée par un réacteur nucléaire ou par un générateur électrique, l'avantage résidant dans la possibilité d'obtenir des vitesses d'éjection beaucoup plus grandes, une impulsion spécifique (poussée créée par kilogramme de matière consommée par seconde) bien supérieure, et par là même d'accroître très sensiblement la charge utile lancée dans l'espace.

Déjà, depuis 1964, certains satellites ont été dotés, pour leur orientation et leur stabilisation dans l'espace, de propulseurs électriques expérimentaux : moteurs à propulsion ionique où le propulsif (césium, rubidium ou mercure) est éjecté sous forme d'ions auxquels un champ électrostatique puissant communique une grande vitesse, ou moteurs à propulsion par éjection de plasma, fonctionnant grâce à l'éjection d'un plasma, mélange non séparé d'ions et d'électrons à très haute température.

astronium [njɔm] n. m. Arbre de l'Amérique chaude, fournissant le bois d'*urunday*. (Famille des anacardiacées.)

astronome → ASTRONOMIE.

astronomie n. f. (gr. *astron,* astre, et *nomos,* loi). Science qui a pour objet l'étude de l'Univers : astres de toutes sortes : planètes, comètes, étoiles, météorites ; matière interstellaire, galaxies et matière intergalactique, et qui cherche à déterminer leur constitution, leurs positions relatives, les lois de leurs mouvements, leur formation, ainsi que les lois de leur évolution, aussi bien dans le passé que dans l'avenir. ‖ Branche de cette science qui a pour objet la connaissance spéciale d'une classe de corps célestes : *Astronomie cométaire. Astronomie planétaire.* ‖ Ouvrage traitant de cette science. ‖ Ensemble des connaissances astronomiques d'un peuple ou d'un individu : *L'astronomie des Chinois.* (V. *encycl.*) ◆ **astronome** n. Spécialiste des calculs et des études sur les mouvements et la structure des astres. ◆ **astronomique** adj. Relatif à l'astronomie : *Tables astronomiques. Découvertes astrono* *miques.* || *Fig.* Enorme, exagéré : *Prix astronomiques.* ● *Unité astronomique,* unité de longueur égale au rayon de l'orbite circulaire que décrirait autour du Soleil une planète de masse négligeable, soustraite à toute perturbation, et dont la révolution sidérale serait de : 365,256 898 3 jours moyens. ◆ **astronomiquement** adv. Suivant les lois de l'astronomie.

— ENCYCL. ***astronomie.*** L'astronomie est sans doute la plus ancienne des sciences et aussi celle qui a le plus puissamment contribué à l'évolution de la pensée humaine. Née des besoins de la vie quotidienne (mesure du temps, agriculture, navigation, etc.), et des craintes de l'homme primitif devant les grands phénomènes naturels, elle est restée étroitement associée aux superstitions astrologiques jusqu'au début des Temps modernes. L'astronomie ancienne (Chaldéens, Grecs, Egyptiens, Chinois) est jalonnée par les noms d'Aristote (IVe s. av. J.-C.), d'Hipparque et de Ptolémée.

L'astronomie classique a pris naissance vers le XVIe et le XVIIe s., grâce aux travaux de Copernic, de Tycho Brahé, de Kepler et de Newton.

Le XVIIIe s. et le début du XIXe s. ont vu le champ de l'astronomie, jusqu'alors limité aux astres du système solaire, s'étendre au domaine stellaire. L'astronome anglais Herschel fut l'initiateur de cette évolution. Depuis, les recherches et les découvertes se sont multipliées à l'extrême. La branche la plus ancienne de l'astronomie est l'*astrométrie,* appelée aussi *astronomie fondamentale* ou *de position,* dont l'objet est la détermination des positions et des mouvements des astres. C'est à elle qu'incombe l'établissement des catalogues d'étoiles, en particulier du « catalogue fondamental » donnant les positions de 1 535 étoiles brillantes régulièrement réparties dans le ciel auxquelles sont rapportées les coordonnées de tous les autres astres lointains. Les catalogues stellaires ont rendu possible la détermination précise de la précession et de la nutation et du mouvement du système solaire dans l'espace ; ils autorisent d'autre part la mise en évidence des faibles mouvements propres des étoiles. L'existence de ces mouvements propres et la nécessité pour les astronomes de disposer de mesures de plus en plus précises font de l'établissement des catalogues stellaires un travail permanent. Mais l'astrométrie s'occupe également de l'étude du mouvement relatif des étoiles doubles, d'où se déduit la masse de ces objets, et de la mesure des parallaxes qui permet de déterminer la distance des étoiles proches ; plus généralement, elle commande les recherches concernant la cinématique et la dynamique de notre Galaxie et des autres galaxies. Il lui appartient également d'établir l'échelle astronomique de temps. Pratiquement, on peut dire que toutes les connaissances sur la forme et le mouvement de la Terre, sur les mouvements du système solaire et de notre Galaxie, sur l'échelle et l'évolution de l'Univers dépendent étroitement des mesures astrométriques.

Intimement liée à l'astrométrie, la *mécanique céleste* traite des lois régissant les mouvements des astres. Les calculs d'orbites relèvent de son domaine, ainsi que l'établissement des annuaires astronomiques et des éphémérides (tables fournissant des données numériques, quotidiennes ou autres, sur la position du Soleil, de la Lune, des planètes, etc.). Depuis l'avènement de l'astronautique, la mécanique céleste trouve une nouvelle application avec le calcul des trajectoires des satellites artificiels, habités ou non, et des sondes interplanétaires.

Au XIXe s., l'apparition de la photographie et de la spectroscopie, et le développement de la photométrie ont permis l'essor d'une nouvelle branche de l'astronomie, l'*astrophysique,* qui applique les diverses méthodes de la physique à l'étude de l'Univers. Technique fondamentale de l'astrophysique, la spectrographie, née de l'association de la photographie et de la spectroscopie, permet d'analyser jusque dans ses moindres détails la lumière des astres. Elle renseigne notamment sur la composition chimique des étoiles, les conditions physiques (température et pression) régnant dans leurs couches supérieures, leurs vitesses radiales, l'existence de champs magnétiques à leur surface, etc.

Depuis le début du XXe s., la mise en service de télescopes géants (le record étant détenu, depuis 1975, par le télescope de Zelentchouskaïa en U. R. S. S. dont le diamètre atteint 6 m) a contribué pour une large part à l'extraordinaire développement de l'astrophysique, en autorisant l'étude d'objets de plus en plus lointains.

La sensibilité de l'œil humain à la lumière et le fait que l'atmosphère terrestre se laisse traverser par les radiations lumineuses issues du cosmos expliquent la longue histoire de l'astronomie optique. Mais, dans la gamme des rayonnements électromagnétiques, la lumière visible ne représente qu'un domaine très étroit : celui des radiations dont la longueur d'onde est comprise entre 0,08 et 0,4 micromètre environ. On connaît l'existence, depuis la fin du XIXe s., de rayonnements de longueurs d'onde plus grandes (infrarouge, ondes hertziennes) et plus courtes (ultraviolet, rayons X et gamma). L'étude du ciel dans ces divers domaines constitue l'objet de branches récentes de l'astronomie, en rapide développement. La découverte fortuite du rayonnement radioélectrique de la Voie lactée en 1931 par l'Américain Jansky a marqué le début de la *radioastronomie,* dont l'objet est l'étude des astres dans le domaine des ondes hert-

nébuleuse du Crabe (NGC 1952 ou Messier 1), dans le Taureau

ziennes. A l'actif des radioastronomes peuvent être portées notamment une meilleure connaissance de la structure spirale de notre Galaxie, la mise en évidence de plusieurs dizaines de molécules organiques dans l'espace interstellaire, la découverte des quasars en 1961 et celle des pulsars en 1967.

A la différence des radiations lumineuses et des ondes radioélectriques, ni les rayons gamma, ni les rayons X, ni la majeure partie de l'ultraviolet et de l'infrarouge d'origine cosmique ne peuvent être captés de façon satisfaisante à la surface de la Terre, par suite de l'absorption et des émissions parasites dues aux molécules de l'atmosphère. A partir de 30 km d'altitude, niveau atteint par les ballons-sondes, la totalité de l'infrarouge et l'ultraviolet jusqu'à 1 900 Å de longueur d'onde deviennent accessibles ; à partir de 100 km, altitude accessible par les fusées, l'ouverture du domaine spectral se prolonge jusqu'à 1 000 Å. Mais ce n'est qu'au-delà de 300 km que l'ensemble des rayonnements cosmiques peut être parfaitement étudié, e

le développement de l'*astronomie spatiale* est allé de pair avec celui de l'astronautique. L'étude systématique du ciel dans l'ultraviolet a débuté en 1968 avec l'observatoire orbital américain OAO-2; celle dans le domaine des rayons X, en 1970, avec le satellite « SAS-1 », appelé aussi « Uhuru »; et celle dans le domaine des rayons gamma en 1972 avec l'engin « SAS-2 ». Mais, dès 1962, l'astronomie a pu bénéficier des données recueillies par des satellites spécialement conçus pour l'étude des radiations invisibles du Soleil. D'autre part, l'exploration à l'aide d'engins spatiaux de la Lune, des planètes et du milieu interplanétaire est à l'origine d'un progrès considérable dans notre connaissance du système solaire.
Ce regard nouveau sur le cosmos qu'autorisent les techniques modernes bénéficie au premier chef à l'astrophysique théorique, qui

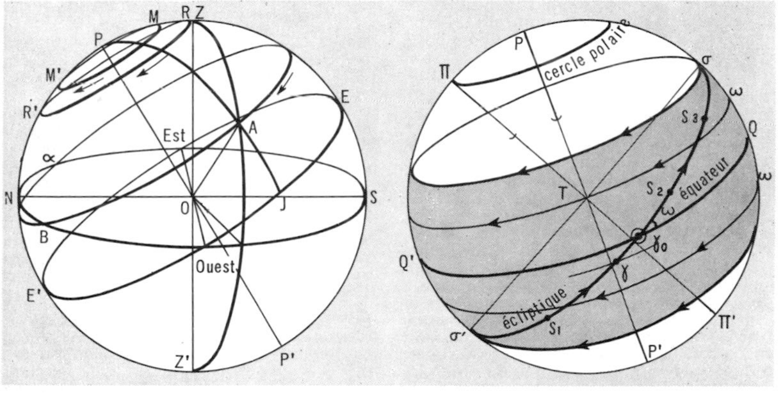

mouvement diurne

introduction du mouvement de la Terre autour du Soleil

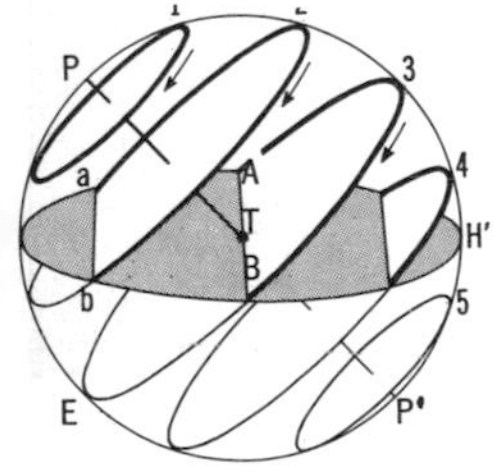

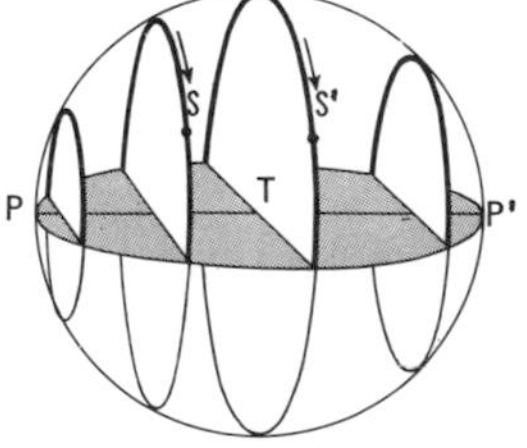

Pour un observateur situé à l'équateur, les étoiles S et S′ décrivent des petits cercles tous perpendiculaires au plan de l'horizon. Toutes les étoiles sont visibles. Il y a constamment égalité entre les jours et les nuits.

ɔur un observateur situé, à ı surface de la Terre T, sous ne latitude moyenne (ligne es pôles PP′ faisant un ngle entre 23° et 67° avec plan de l'horizon HH′), étoile 1 et l'étoile 5 sont es étoiles circumpolaires, étoile 2 se lève en *a* et se ouche en *b*, l'étoile 3 se lève ı A et se couche en B, etc.

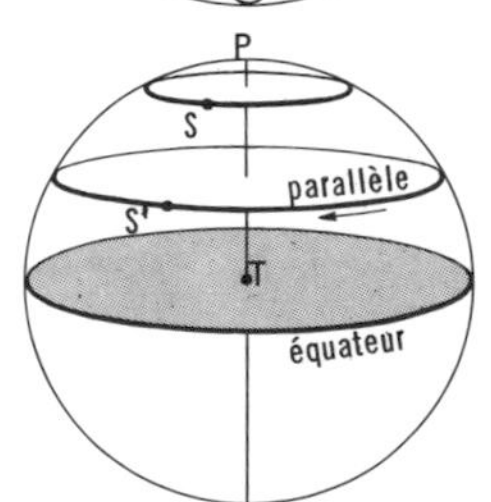

Pour un observateur situé sous une latitude polaire, les étoiles S et S′ décrivent des petits cercles parallèles à celui de l'équateur, qui se confond ici avec celui de l'horizon. Seules, les étoiles boréales sont visibles.

joint les données de l'observation aux principes de la physique théorique pour élaborer des « modèles » susceptibles de rendre compte de la structure et de l'évolution des astres. A ce domaine, peuvent être rattachées la *cosmogonie,* qui étudie la formation et l'évolution des corps célestes particuliers, et la *cosmologie,* qui cherche à rendre compte de la structure et de l'évolution de l'Univers considéré dans son ensemble. Cette dernière discipline a été profondément renouvelée par l'énoncé, en 1916, par Einstein, de la théorie de la relativité générale, et par la mise en évidence, à partir de 1924, par l'Américain Hubble, de très nombreuses galaxies analogues à la nôtre paraissant toutes s'éloigner à des vitesses proportionnelles à leurs distances comme si l'Univers était en expansion.
Aujourd'hui, l'Univers conserve encore le secret de son histoire et de sa structure d'ensemble. Mais l'astronomie, dont le champ d'investigation s'étend désormais jusqu'à des distances estimées de l'ordre de 10 milliards d'années de lumière, a tout de même le mérite de nous en révéler l'immensité et l'architecture grandiose en nous montrant des planètes et des satellites gravitant autour d'étoiles ; des étoiles, souvent groupées en amas, rassemblées par milliards au sein de galaxies ; et des galaxies de types très divers groupées elles-mêmes en amas, voire en superamas gigantesques, en certaines régions de l'espace.

astrophotographie n. f. Photographie des astres. ◆ **astrophotographique** adj. Relatif à l'astrophotographie.

astrophysicien → ASTROPHYSIQUE.

astrophysique n. f. Partie de l'astronomie* qui étudie les astres, grâce à l'application des diverses méthodes de la physique. ◆ **astrophysicien, enne** n. Spécialiste d'astrophysique.

Astros (Paul Thérèse DAVID D'), cardinal français (Tourves 1772 - Toulouse 1851). Il participa aux négociations du Concordat. En 1806, il rédigea le *Catéchisme impérial.* Il fut archevêque de Toulouse en 1830 et cardinal en 1850.

Astruc (Jean), médecin français (Sauve, Languedoc, 1684 - Paris 1766). Premier médecin du roi de Pologne, médecin consultant de Louis XV, et régent de la faculté de Paris, il a écrit des traités de médecine et un ouvrage théologique.

Astruc (Zacharie), sculpteur et écrivain d'art français (Angers 1835 - Paris 1907). Il fut le défenseur et l'ami d'Edouard Manet. Son *Marchand de masques* (jardin du Luxembourg) a été populaire.

astuce n. f. (lat. *astutia*). Manège habile de dissimulation et de petites ruses en vue de se procurer un avantage quelconque aux dépens des autres : *Déjouer l'astuce de quelqu'un. Etre plein d'astuce.* || Dans un sens favorable, manière d'agir qui dénote de l'ingéniosité, de l'habileté : *Connaître les astuces d'un métier.* || *Arg. scol.* Plaisanterie, jeu de mots. ◆ **astucieusement** adv. De façon astucieuse : *Se tirer astucieusement d'embarras.* ◆ **astucieux, euse** adj. Malin, adroit et rusé en même temps : *Un avocat astucieux.* || Habile, ingénieux : *Réponse astucieuse.*

Astures. *Géogr. anc.* Peuple du nord-ouest de l'Espagne (Tarraconaise).

Asturias (Miguel Angel), poète et romancier guatémaltèque (Guatemala 1899-Madrid 1974). Il se révéla en 1930 avec ses *Légendes du Guatemala,* dans lesquelles revit l'esprit des anciens dieux mayas. Il publia ensuite *Monsieur le Président* (1946), dans lequel il décrit une atroce dictature, et une trilogie : *l'Ouragan* (1950), *le Pape vert* (1954), *les Yeux des enterrés* (1960). Dans *Week-end au Guatemala* (1956), il évoque la crise politique de 1954. (Prix Nobel 1967.)

asturien, enne adj. et n. Relatif aux Asturies ou à leurs habitants ; habitant ou originaire des Asturies. || — ***asturien*** n. m. Dialecte parlé dans les Asturies.

Asturies (les), en esp. **Asturias,** région historique du nord de l'Espagne, correspondant approximativement à l'actuelle province d'Oviedo. Les Asturies s'étendent sur le versant nord de la chaîne Cantabrique. Leurs gisements houillers, les plus importants de la péninsule Ibérique, et d'autres richesses minières (fer et surtout zinc) en font l'un des grands foyers industriels de l'Espagne (métallurgie lourde en particulier).
● *Histoire.* Peuplées dès le paléolithique (peintures rupestres d'Altamira), les Asturies furent romanisées tardivement ; elles constituèrent, avec la Lusitanie et la Cantabrie, la Tarraconaise (2 av. J.-C.). Occupé par les Suèves, puis par les Wisigoths (584), mais épargné par la conquête arabe, le pays fut le siège d'un royaume chrétien. Alphonse III le Grand (866 - 910) réunit aux Asturies la Galice et le León. Son fils Ordoño II (914-924) transféra la capitale à León, dont son royaume prit le nom.

Astyage, en gr. **Astuagês,** dernier roi des Mèdes (584 - 549 av. J.-C.). Sa fille Mandane épousa le roi des Perses Cambyse Ier et fut mère de Cyrus, qui détrôna Astyage en 549 av. J.-C. et prit le titre de « roi des Perses et des Mèdes ».

Astyanax, fils d'Hector et d'Andromaque. D'après *l'Iliade,* il fut précipité du haut des murailles de Troie. Selon une version adoptée par Racine dans *Andromaque,* il suivit sa mère à la cour de Pyrrhos.

Asunción, en franç. **Assomption,** capit. du Paraguay, sur le río Paraguay ; 392 800 h.

Un établissement fut fondé à son emplacement en 1537 par Juan de Ayolas. Le centre de la ville a été reconstruit de 1850 à 1865 dans le style de la Renaissance italienne ; le Panthéon a été achevé en 1864. Raffinerie de sucre ; industrie textile.

Asura, êtres connus, dans la mythologie indo-iranienne, par leurs luttes contre les dieux (*deva*).

asyllabie n. f. Variété d'aphasie dans laquelle le malade peut lire séparément les lettres d'une syllabe, mais est incapable de les assembler.

asyllogistique adj. Qui ne peut être mis sous forme de syllogisme.

asymbolie n. f. Amnésie des symboles, se traduisant par l'impossibilité pour le malade de reconnaître un objet, par exemple tactilement. (Cette amnésie ne concerne généralement qu'un type particulier de perception ; elle n'est liée à aucun trouble visuel, mais à une lésion localisée du cortex.)

asymétrie n. f. Absence totale de symétrie. ◆ **asymétrique** adj. Qui manque de symétrie : *Un visage asymétrique.* ‖ Se dit parfois d'une valve de mollusque bivalve lorsque l'avant et l'arrière sont différents. (C'est le cas général. On dit plutôt INÉQUILATÉRAL.) ● *Carbone asymétrique*, V. ISOMÉRIE.

asymptote n. f. (*a* priv., gr. *sun*, avec, et *piptein*, tomber). Droite telle que la distance d'un point d'une courbe à cette droite tend vers zéro quand le point s'éloigne à l'infini sur la courbe : *L'hyperbole a deux asymptotes.* (On dit aussi ASYMPTOTE RECTILIGNE ou DROITE ASYMPTOTE. On peut considérer l'asymptote comme une tangente dont le point de contact est à l'infini.) ● *Asymptote d'une surface*, droite rencontrant la surface en deux points rejetés à l'infini. ‖ *Courbes asymptotes*, courbes, au nombre de deux, à branches infinies, telles que, si un point s'éloigne indéfiniment sur l'une d'elles, il existe sur l'autre un point variable dont la distance au premier tend vers zéro. ‖ *Développable asymptote d'une surface*, enveloppe des plans asymptotes, qui devient un cône pour les surfaces du second degré à centre (cône réel dans le cas de l'hyperboloïde). ‖ *Plan asymptote d'une surface*, plan tangent dont le point de contact est à l'infini. ‖ *Point asymptote d'une courbe*, point P tel que, si un point parcourt la courbe, sa distance au point P tend vers zéro : *La spirale logarithmique* « $\rho = ae^{\theta}$ » *admet l'origine pour point asymptote.* ◆ **asymptotique** adj. Relatif à l'asymptote. ● *Direction asymptotique*, direction d'un point à l'infini sur une courbe ou une surface. (La parabole admet une direction asymptotique : celle de l'axe.) ‖ *Espace asymptotique*, espace compris entre une courbe et son asymptote. ‖ *Ligne asymptotique d'une surface*, ligne tracée sur la surface, admettant en chaque point le plan

Asunción, le Panthéon

Irmer

tangent pour plan osculateur. ‖ *Tangente asymptotique d'une surface*, tangente à une ligne asymptotique.

asynchrone adj. Qui n'est pas synchrone. ● *Alternateur asynchrone*, machine asynchrone fonctionnant en alternateur. ‖ *Machine asynchrone*, machine à courants alternatifs dont la fréquence des forces électromotrices induites n'est pas dans un rapport constant avec la vitesse. ‖ *Moteur asynchrone*, moteur qui ne tourne pas en synchronisme avec le champ magnétique tournant produit par le courant alternatif polyphasé qui l'alimente. ‖ *Moteur asynchrone synchronisé*, moteur à induction, démarrant en machine asynchrone et fonctionnant normalement en moteur synchrone grâce à une excitation en courant continu.

asynclitisme n. m. (*a* priv., gr. *sun*, avec, et *klinein*, pencher). Défaut de coïncidence entre l'axe du bassin et l'axe de la tête du fœtus pendant l'accouchement.

asyndète n. f. (gr. *asundeton* ; de *a* priv., et *sundein*, joindre). Absence de liaison entre deux ou plusieurs termes, entre deux ou plusieurs phrases, qui sont cependant en rapport étroit. (Ainsi l'absence de coordination dans : *Boulets, mitraille, obus, mêlés aux flocons blancs, / Pleuvaient* [Hugo].)

asynergie n. f. (*a* priv., gr. *sun*, avec, et *ergon*, travail). Perturbation de la faculté d'association des mouvements élémentaires dans les actes complexes. (On l'observe surtout dans les affections du cervelet.)

asystolie n. f. Ensemble des phénomènes morbides dus à l'insuffisance cardiaque et au trouble profond de la circulation qui en résulte (crises d'étouffement, hépatomégalie douloureuse, œdèmes des membres inférieurs, oligurie). ◆ **asystolique** adj. Relatif à l'asystolie. ✦ adj. et n. Qui est atteint d'asystolie.

At, symbole chimique de l'*astate*. ‖ Symbole de l'*ampère-tour,* unité de force magnétomotrice et de potentiel magnétique.

atabek n. m. (turc *ata,* père, et *bek* ou *beg*). Tuteur ou précepteur d'un prince.

Atabyria. *Géogr. anc.* Nom donné parfois à l'**île de Rhodes,** dont le plus haut sommet est le mont *Atabyrion,* ou *Atáviros*.

Atacama, région désertique du Chili septentrional, s'étendant en bordure de la côte, dans une dépression intérieure, et plus à l'E. au-delà de la Cordillère occidentale, sur la *Puna de Atacama,* haute plaine en partie occupée par le *Salar de Atacama*. Nombreuses ressources minières : borax, nitrate, fer, argent, cuivre. L'agriculture est réduite aux vallées irriguées ; les ports principaux sont Iquique, Antofagasta.

atacamite n. f. (de *Atacama* n. géogr.). Oxychlorure hydraté naturel de cuivre, vert émeraude, exploité comme minerai.

Atahualpa (1500 - Cajamarca 1533), souverain inca (1525), étranglé sur ordre de Pizarro.

Atakor, partie centrale du Hoggar (Sahara algérien). Les points culminants sont le pic *Ilamane* (2 910 m), l'*Assekrem* (2 804 m) et le *Tahat* (2 918 m).

Atakora, chaîne de montagnes de l'Afrique occidentale, dans le nord du Togo et du Bénin.

Atakpamé, v. du Togo, ch.-l. de la région des Hauts-Plateaux ; 16 800 h.

Atala, roman de Chateaubriand (1801), épisode qui se rattache aux *Natchez** et au *Génie* du christianisme,* où il prendra place en 1802. Le cadre en est l'Amérique du Nord à la fin du XVIIe s. Prisonnier d'une nation ennemie, le Natchez Chactas est sauvé par la fille du chef de cette nation. Elle s'enfuit avec lui au désert, mais un vœu de sa mère lui défend d'épouser celui qu'elle aime, et elle s'empoisonne ; un missionnaire, le P. Aubry, qui a reçu sa dernière confession, aide Chactas à l'ensevelir. Ce roman contribua à l'avènement de l'exotisme romantique.

Atalante, en gr. **Atalantê.** *Myth. gr.* Fille du roi Iasos, et célèbre pour son agilité à la course. Ne voulant épouser que celui qui l'aurait vaincue à la course, elle dépassait tous ses concurrents et les tuait. Sur le conseil d'Aphrodite, Hippomène laissa tomber trois pommes d'or et, tandis qu'Atalante les ramassait, il atteignit le but. Mais il osa l'étreindre dans le temple de Déméter, qui, indignée, fit d'eux un couple de lions pour traîner son char. — D'après une légende arcadienne, Atalante fut exposée après sa naissance et nourrie par une ourse ; elle devint une chasseresse célèbre et épousa Méléagre.

atalantia n. m. Rutacée d'Asie orientale et d'Australie, au fruit non comestible, mais utilisée comme porte-greffe ou pour l'hybridation.

'Aṭā Malik. V. DJUWAYNĪ.

ataman n. m. V. HETMAN.

Atanassoff (Cyril), danseur français d'origine bulgare (Puteaux 1941), créateur du *Sacre du printemps* (de M. Béjart, 1965).

Atar, dans la religion mazdéenne, le Feu, considéré comme le fils du grand dieu Ahura-Mazdâ.

ataraxie n. f. (gr. *ataraxia ;* de *a* priv., et *taraxis,* trouble). Calme d'esprit, état d'une personne qui ne se laisse troubler par rien. ‖ Etat d'indifférence émotionnelle, créé artificiellement par des tranquillisants comme la chlorpromazine.

Atargatis, déesse syrienne de la Fertilité, vénérée en particulier à Hiérapolis.

Atatürk (« Père des Turcs »), surnom de **Mustafa Kemal.**

atavique → ATAVISME.

atavisme n. m. (lat. *atavus,* ancêtre). Réapparition, dans une lignée, de caractères ancestraux disparus depuis une ou plusieurs générations. (L'atavisme s'observe parfois dans les élevages et fournit des animaux de moindre valeur, rappelant ceux qui étaient utilisés avant l'introduction de races améliorées.) ‖ *Spécialem.* En médecine, hérédité des grands-parents aux petits-enfants. ‖ *Fig.* Instincts héréditaires, habitudes ancestrales : *Le vieil atavisme paysan.* ◆ **atavique** adj. Relatif à l'atavisme : *Caractères ataviques.*

ataxie n. f. (*a* priv., et gr. *taxis,* arrangement). Incoordination des mouvements. (L'ataxie est due à des troubles de la sensibilité profonde [tabès] ou à une atteinte cérébelleuse.) ◆ **ataxique** adj. Qui appartient à l'ataxie : *Démarche ataxique.* ✦ adj. et n. Atteint d'ataxie.

Atbara, riv. d'Ethiopie et du Soudan, affl. du Nil (r. dr.), née sur le plateau d'Ethiopie ; 1 100 km. La ville soudanaise d'*Atbara* est située au confluent avec le Nil (36 000 h.).

Atchana, site archéologique de la Syrie du Nord, entre Alep et la côte. Vestiges d'un palais hittite.

atchiki n. m. (mot basque). A la pelote, action de garder la pelote avant de la relancer.

Atchinsk, v. de l'U. R. S. S. (R. S. F. S. de Russie), en Sibérie. Cimenterie. Usine d'alumine.

Atê, fille de Zeus et d'Eris ; divinité malfaisante assimilée à la Fatalité.

Ateius Capito (Caius), jurisconsulte romain

(† 22), dont le disciple Sabinus fonda l'école des sabiniens.

atèle n. m. Singe platyrhinien du Brésil, à longue queue préhensile, aux longs membres, très agile.

atélectasie n. f. (du gr. *atelês,* incomplet, et *ektasis,* extension). *Pathol.* Absence ou défaut d'extension, de dilatation : *Le poumon du fœtus n'ayant pas respiré est en état d'atélectasie.* (Dans la pratique, l'atélectasie désigne l'affaissement de tout un territoire pulmonaire dépendant d'une grosse bronche qui est oblitérée [par un corps étranger ou par une sténose* inflammatoire ou tumorale], d'où l'absence de ventilation.) ◆ **atélectasique** adj. En état d'atélectasie : *Poumon atélectasique.*

atéleste n. m. Petit coléoptère de l'extrême bord des eaux.

1. atélie n. f. (gr. *ateleia*). Dans la Grèce ancienne, exemption d'impôts ou de charges au profit d'une personne ou d'un groupe.

2. atélie n. f. (*a* priv., et gr. *telos,* fin). Etat d'un organe devenu inutilisable au cours de l'évolution d'une lignée par suite d'une régression constante. ◆ **atélique** adj. Marqué d'atélie. (L'œil pinéal du lézard, les muscles du pavillon de notre oreille, les dents de l'embryon de baleine sont des organes atéliques.)

atelier n. m. (de l'anc. franç. *astelle,* éclat de bois ; lat. *astula*). Local où des artisans, des ouvriers travaillent ensemble au même ouvrage ou pour la même personne : *Atelier de couture. Atelier de fabrication.* ‖ Dans la franc-maçonnerie, compagnie de francs-maçons réunis sous le même vocable distinctif, ayant son administration propre. ‖ *Bx-arts.* Ensemble des collaborateurs d'un maître. ‖ Ensemble des élèves formés par un maître. ‖ Local organisé pour l'exécution de travaux artistiques, photographiques. ‖ Local où l'on élève des vers à soie. (Syn. MAGNANERIE.) ‖ Equipe de soldats groupés en vue d'une même mission (instruction pratique, organisation du terrain, etc.). ● *Ateliers de charité,* chantiers publics destinés à employer des ouvriers sans travail, et institués par des édits au cours des XVIe, XVIIe et XVIIIe s. (Nombreux au début de la Révolution, ils furent dissous en 1791.) ‖ *Atelier monétaire,* syn. de HÔTEL DES MONNAIES. ‖ *Ateliers nationaux,* chantiers créés à Paris par le gouvernement provisoire de la IIe République, en 1848, sous le contrôle d'une commission présidée par Louis Blanc. (Les ouvriers y étaient occupés à des travaux de terrassement ou de voirie ; mais leur nombre croissant rendait l'opération onéreuse, et la propagande socialiste les envahissait. Aussi l'Assemblée constituante ordonna-t-elle leur dissolution et l'envoi des ouvriers en province. Leur refus d'obéir provoqua une insurrection qui fut réprimée par le général Cavaignac.) [V. JUIN 1848 (*journées de*).] ‖ *Règlement d'atelier,* V. RÈGLEMENT *intérieur.* ◆ **atelier-magasin** n. m. Organisme de ravitaillement et d'entretien d'une base aérienne militaire. — Pl. *des* ATELIERS-MAGASINS.

Six

atèle

Atelier (L'), troupe d'acteurs organisée et dirigée par Ch. Dullin, et qui, après avoir débuté en 1922 par des spectacles d'essai, s'établit au théâtre Montmartre. L'Atelier fit connaître en France, entre autres, Pirandello, et joua de jeunes auteurs, comme Salacrou, Bernard Zimmer, Marcel Achard, etc. Ce fut l'un des théâtres du Cartel. Dullin le quitta en 1940, et la direction est depuis lors assumée par André Barsacq.

Atelier (L'), « Organe des intérêts moraux et matériels des ouvriers », quotidien qui parut de 1840 à 1850, sous l'influence de P. J. Buchez, de tendance chrétienne, mais séparé du catholicisme social.

Atelier du peintre (L'), composition de Gustave Courbet, qui s'y est représenté entouré de ses amis (1855 ; Louvre ; 3,59 × 5,96 m).

Atelier du sculpteur, en lat. **Apparatus sculptoris,** ou, par abrév., *Sculptor* (au génit. *Sculptoris*), constellation* de l'hémisphère austral, située au-dessus de la Grue* et du Phénix*. (V. CIEL.)

atelier-magasin → ATELIER.

atélique → ATÉLIE 2.

Atella. *Géogr. anc.* Ville osque de la Campanie, qui a donné son nom aux *atellanes**.

atellanes n. f. pl. Chez les Latins, comédies bouffonnes qui, selon la tradition, avaient pris naissance à Atella. (On les jouait en fin de représentation, après les tragédies.)

atelloire n. f. → ATTELLOIRE.

a tempo loc. adv. (mots ital. signif. *à temps*). *Mus.* Indique que l'on doit reprendre le mouvement primitif et régulier.

atemporel, elle adj. Se dit d'une forme verbale n'exprimant pas un temps : *Le présent est atemporel dans la phrase « deux et deux font quatre ».*

atérien, enne adj. (de *Bir el Ater,* site de l'Algérie orientale, sur l'oued Djebbana). Se dit d'une industrie paléolithique d'Afrique du Nord, entre le moustérien et le capsien. (Elle comprend des outils de type moustérien, ainsi que des pointes et racloirs pédonculés.)

atermoiement → ATERMOYER.

atermoyer v. intr. (de l'anc. franç. *termoyer,* vendre à terme) [conj. **2**]. Remettre les choses à plus tard, gagner du temps par des faux-fuyants : *Il ne faut pas atermoyer, mais aller de l'avant.* ◆ **atermoiement** n. m. Délai qu'un créancier accorde à son débiteur pour se libérer. ‖ Action de remettre à plus tard ; ajournement, tergiversation : *Multiplier les atermoiements.*

Aterphone n. m. (nom déposé). *Constr.* Double vitrage en glaces, serti dans un cadre en acier inoxydable, et enfermant une couche d'air sec.

ateuchus [atœkys] n. m. Bousier* du midi de la France.

Ateuf (El-), v. du Sahara algérien (dép. des Oasis, arr. d'Ouargla), dans le Mzab ; 2000 h.

Atger (Xavier), collectionneur français (Montpellier 1758 - *id.* 1833). Le *musée Atger* de Montpellier est constitué de ses dons (peintures, dessins).

Atget (Eugène), photographe français (Libourne 1856 - Paris 1927). Sa principale source d'inspiration est un Paris, souvent désert, étrange, dont il capta l'atmosphère magique, presque irréelle.

Ath, v. de Belgique, ch.-l. d'arr. du Hainaut, à 25 km au N.-O. de Mons ; 24000 h. Industries alimentaires.

Athabaska, riv. du Canada (1 200 km), qui naît dans les Rocheuses (glacier de Columbia) et se jette dans le *lac Athabaska* (11 500 km²) ; celui-ci, dont les rives recèlent des gisements d'uranium, se déverse dans le grand lac de l'Esclave par la rivière de l'Esclave. Sables bitumineux dans la région.

Athalaric (v. 516 - † 534), roi des Ostrogoths d'Italie (526), fils d'Amalasonte.

athalie n. f. Mouche à scie (hyménoptère tenthrédinidé), nuisible aux crucifères.

Athalie, reine de Juda (v. 841 - 835 av. J.-C.), fille d'Achab et de Jézabel. Elle épousa Joram, roi de Juda. A la mort de son fils Ochosias, elle fit tuer tous ses descendants, excepté Joas, qui fut sauvé et rétabli sur le trône par le grand prêtre Joad. Elle fut massacrée par le peuple.

Athalie, tragédie de Racine, avec chœurs, la dernière œuvre dramatique de l'écrivain, composée à la demande de Mme de Maintenon pour les demoiselles de Saint-Cyr (1691). Le grand prêtre Joad, prophète inspiré et politique réaliste, tient tête aux fureurs d'Athalie et triomphe d'elle. Racine a composé une tragédie puissante, où l'on sent la présence du Dieu d'Israël, qui entraîne Athalie à sa perte.

Athamanie, région de la Grèce ancienne, située en Epire. Elle fit partie du royaume de Macédoine à partir de 189 av. J.-C.

athamanta n. f. Ombellifère velue, aux feuilles en lanières.

Athanagild, roi des Wisigoths d'Espagne (v. 554 - 567), père de Galswinthe, femme de Chilpéric, et de Brunehaut, femme de Sigebert.

Athanaric, roi des Wisigoths († Constantinople 381), allié à l'empereur Théodose.

Athanase (saint), Père de l'Eglise grecque et docteur de l'Eglise (Alexandrie v. 295 - *id.* 373). Diacre du patriarche d'Alexandrie Alexandre, il participa au concile de Nicée. Devenu patriarche d'Alexandrie (328), et fidèle aux décisions nicéennes, il resta toute sa vie un farouche opposant à l'arianisme en dépit des persécutions et de cinq exils successifs. Son action a été décisive en Orient pour la défense de l'orthodoxie nicéenne. — Fête le 2 mai.

Athaulf, roi des Wisigoths (410-415), successeur d'Alaric Ier. Il épousa Placidie, sœur de l'empereur Honorius. Il fut assassiné à Barcelone.

athée n. (*a* priv., et gr. *theos,* dieu). Celui, celle qui nie l'existence de Dieu. ✦ adj. Incroyant : *Une société athée.* ◆ **athéisme** n. m. Doctrine philosophique qui nie l'existence de Dieu. ◆ **athéistique** adj. Relatif à l'athéisme.

— ENCYCL. L'athéisme est un courant philosophique matérialiste se caractérisant par le refus de tout dualisme et de toute transcendance. Ses principaux représentants sont Héraclite, Démocrite, Epicure, Lucrèce, Copernic, Galilée, Spinoza et les encyclopédistes du XVIIIe s. Jusqu'alors violemment réprimé par les tenants des pouvoirs (Eglise surtout), l'athéisme s'est renouvelé au XIXe s. sous l'influence de Marx, d'Engels et de Nietzsche. Pour Marx, l'idée de Dieu et les pratiques religieuses qui s'y rattachent relèvent de l'arsenal idéologique qu'utilise la bourgeoisie pour maintenir son pouvoir et l'exploitation capitaliste. Selon Nietzsche, la proposition « Dieu est mort » n'a de valeur que si elle est proférée par le « surhomme » qui affirme joyeusement la vie et non par le

« dernier des hommes » qui substitue l'adoration de la foule à celle de Dieu.
Au XXe s., les développements des sciences, de la psychanalyse et de l'épistémologie ont contribué au renforcement de l'athéisme en en renouvelant les raisons, tandis que l'agnosticisme pratique a continué à s'étendre.

Athelstan. V. ÆTHELSTAN.

athématique adj. et n. m. Se dit d'un mot dans lequel le suffixe ou la désinence se rattache directement à la racine, sans l'intermédiaire d'une voyelle thématique. (Ex. : en latin *lec-tum* [participe de *lego*], en face de *audi-tum* [du verbe *audio*], où l'on note la voyelle thématique *i*.)

Athéna ou **Athêna.** *Myth. gr.* L'une des principales divinités helléniques, appelée également PALLAS. Fille de Zeus, de la tête duquel elle sortit tout armée, déesse guerrière, mais aussi déesse de la Raison et de la Sagesse, protectrice de l'artisanat, elle est la divinité éponyme d'Athènes, à qui elle a fait don de l'olivier. Elle fut assimilée à Minerve par les Romains.

athenaeum. V. ATHÉNÉE.

Athenæum (THE), périodique anglais, littéraire et artistique, fondé en 1828 par James Silk Buckingham. En 1921, il a fusionné avec *The Nation*.

Athênagoras, philosophe grec du IIe s. apr. J.-C., connu par son *Apologie pour les chrétiens,* adressée à Marc Aurèle et à son fils Commode.

Athênagoras, prélat orthodoxe (Tsaraplana [auj. Vassilikón] 1886 - Istanbul 1972), patriarche œcuménique de Constantinople (1948). En 1964, sa rencontre avec Paul VI a préludé au rapprochement entre orthodoxes et catholiques.

athénée n. m. (gr. *athênaion,* temple d'Athéna). Temple d'Athéna à Athènes. ‖ Temple édifié à Rome par Hadrien. (On dit aussi ATHENAEUM.) ‖ A la fin du XVIIIe et au début du XIXe s., établissement recevant des conférenciers, littérateurs et savants. ‖ En Belgique, établissement secondaire d'enseignement public pour les garçons.

Athénée, en gr. **Athênaios,** grammairien et rhéteur grec, né à Naucratis, en Egypte (IIIe s. apr. J.-C.). Il publia *le Banquet des sophistes* (apr. 228), sorte de répertoire universel de l'Antiquité, sous forme de propos de table.

Athénée (THÉÂTRE DE L'), l'un des théâtres de Paris, dirigé de 1934 à 1940 et de 1945 à 1951 par Louis Jouvet, qui y reprit tous ses succès (*Knock* notamment) et y créa les principales pièces de Giraudoux.

Athènes, en gr. **Athênai** ou **Athína,** capit. de la Grèce ; 886 000 h. (3 027 000 avec Le Pirée et les autres banlieues). Archevêché. Université. Située dans une plaine traversée par le Céphise et par son affluent l'Ilissós, la ville est dominée par les collines de l'Hymette, du Pentélique, du Parnès, et s'étend au pied de l'Acropole. Avec son port, Le Pirée, elle concentre les deux tiers des activités industrielles de la Grèce : sidérurgie, textiles, confection, industries mécaniques, produits chimiques, produits alimentaires.

temple d'Athéna Nikê — Athènes — les Propylées

Held

J. C. Thiallier - Rapho

● *Histoire.* Au temps légendaire des rois (avant le xe s. av. J.-C.), Athènes, limitée au rocher escarpé de l'Acropole, réalisa, avec Thésée, l'unification politique définitive de l'Attique, en éliminant la bourgade rivale d'Eleusis. A ce groupement des habitants autour d'une seule capitale (ou *synœcisme*) s'ajouta l'arrivée de réfugiés — notamment des Ioniens venus du Péloponnèse — fuyant devant l'invasion dorienne. La noblesse terrienne des Eupatrides réussit à évincer la monarchie, qu'elle remplaça, v. 683 av. J.-C., par un collège d'archontes. Mais les transformations économiques et sociales ébranlèrent la domination de l'aristocratie, dont les pouvoirs furent diminués par les réformes successives de Dracon, qui établit le fondement du droit public écrit, et de Solon, nommé archonte en 594 av. J.-C. Celui-ci favorisa les petits métayers en réduisant les dettes, groupa les citoyens en quatre classes selon leur fortune, en faisant de l'argent le nouveau critère de la puissance sociale à la place de la terre, traditionnel monopole de l'aristocratie. Enfin, il mit en place les organismes politiques : la *boulê,* sénat de 400 membres ; l'*ecclésia,* assemblée générale des citoyens ; et le tribunal de l'*héliée.* Pisistrate, appuyé sur le nouveau parti populaire, s'empara à deux reprises du pouvoir (560 à 527 av. J.-C.), et la ville connut sous son gouvernement démagogique une période d'enrichissement. Cependant, Athènes ne devait trouver son équilibre politique qu'avec les réformes de Clisthène (507 av. J.-C.), qui acheva d'en faire une démocratie. Après la destruction de l'ancien cadre tribal (*genos*), le peuple fut regroupé en dix tribus, sans distinction de rang ni de fortune, les magistrats, élus et responsables, et l'ensemble des citoyens, consultés pour toute affaire importante. Les guerres médiques (490, 480-479 av. J.-C.) entraînèrent les Athéniens, sous l'impulsion de Thémistocle, à construire une flotte. La victoire de Salamine (480 av. J.-C.) devait donner à la cité la maîtrise maritime et lui permettre de constituer sous son autorité une confédération (confédération de Délos), bientôt transformée en véritable empire. Au ve s. av. J.-C., Athènes connut une extraordinaire période de prospérité sous le gouvernement de Périclès (443-429 av. J.-C.). La ville, embellie par de nouveaux monuments (Parthénon), rayonna alors par son activité commerciale, littéraire (Sophocle, Euripide, Aristophane, Socrate) et artistique sur tout le monde grec. Le port d'Athènes, Le Pirée, relié à la ville par les « longs murs », devint le centre du commerce de la Méditerranée orientale. Mais le début du IVe s. av. J.-C. vit la rivalité d'Athènes et de Sparte (guerre du Péloponnèse, 431-404 av. J.-C.). Tout d'abord, Athènes, atteinte par une épidémie de peste, réussit cependant à maintenir le *statu quo* (paix de Nicias, 421 av. J.-C.). Mais, minée à l'intérieur par l'opposition violente des oligarques et des démocrates, elle subit le désastre de l'expédition de Sicile (415-413 av. J.-C.), et, malgré la victoire des Arginuses, la flotte athénienne fut anéantie (Aigos-Potamos, 405 av. J.-C.).

plan d'Athènes
à gauche, **époque antique**
à droite, **époque contemporaine**

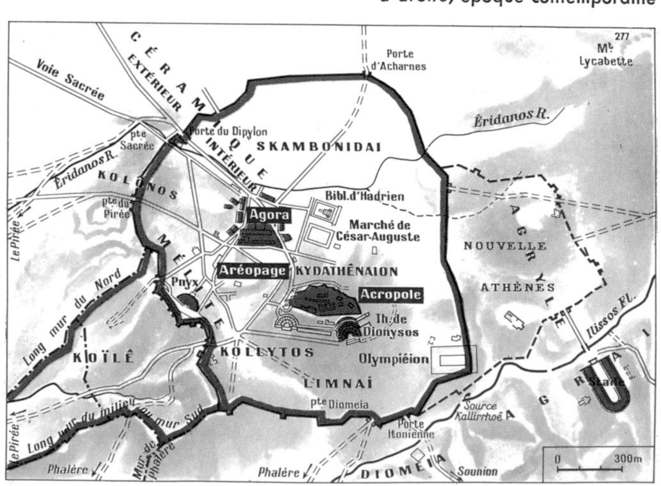

Sparte lui imposa alors le gouvernement aristocratique des Trente (404-403 av. J.-C.). La réaction menée par des exilés, dont Thrasybule, provoqua le rétablissement d'un régime démocratique renforcé. Socrate en fut une des victimes (399 av. J.-C.). Mais le redressement commercial (reconstitution d'une deuxième confédération, 378 av. J.-C.) et la prospérité qui suivit accentuèrent le déséquilibre social et entraînèrent une baisse de l'esprit civique. Cependant, Philippe de Macédoine menaçait la Grèce. Les exhortations de Démosthène, conscient du danger, ne purent secouer l'apathie des Grecs, encouragée par les partisans d'un pacifisme à outrance (Eschine). Athènes, battue à Chéronée (338 av. J.-C.), dut subir la tutelle macédonienne. Malgré des sursauts d'indépendance (guerre lamiaque, 323-322 av. J.-C.), le rôle politique d'Athènes était terminé pour plusieurs siècles, mais elle devait demeurer encore pendant longtemps un foyer de civilisation. Elle subit ensuite la tutelle romaine, et son alliance avec Mithridate lui valut

Domergue

Athènes, vue générale

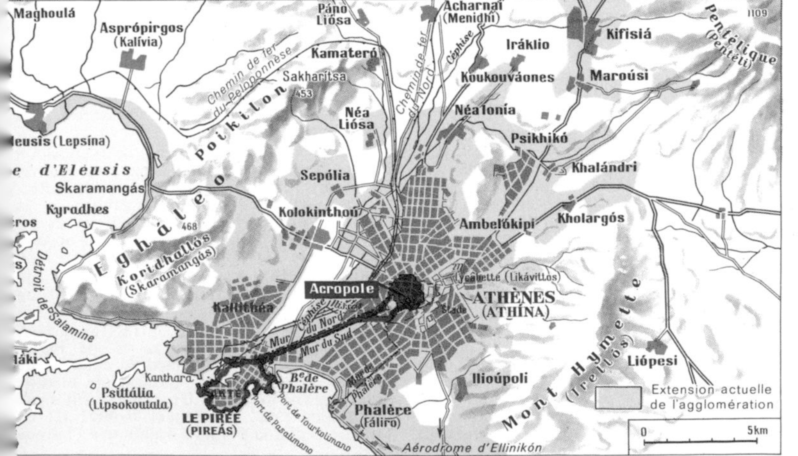

d'être prise d'assaut par Sulla (86 av. J.-C.). Puis elle fut occupée successivement par les Goths (v. 253 apr. J.-C.), les Hérules (267), Alaric (396), pillée par les Normands de Sicile (1147), et ne retrouva un rôle politique momentané qu'en tant que capitale du *duché latin d'Athènes* (1205-1456). Méhmet II s'en empara (1456), puis les Vénitiens (1687), et de nouveau les Turcs (1688). Elle est la capitale du royaume de Grèce depuis 1834.

● *Topographie antique.* L'Acropole* forme le noyau de l'Athènes antique. Il se constitua, au S., une ville basse, aristocratique; au N. et à l'O., des quartiers ouvriers et commerçants. Avant le VIIe s. s'établit l'agora du Céramique, entre l'Acropole et la butte de Kolônos Agoraios. Des enceintes successives agrandies enveloppèrent la ville et de nouveaux quartiers. Au Ve s. av. J.-C., Périclès fit reconstruire les édifices de l'Acropole (Parthénon, Erechthéion, etc.), élever l'Odéon, remanier les bâtiments de l'agora, dresser l'Héphaïstéion. Au IVe s. av. J.-C., Lycurgue fit construire de nouveaux monuments. Le développement de la ville se poursuivit aux époques hellénistique (portique d'Attalos et d'Eumenês) et romaine (Odéon d'Hérode Atticus).

● *Musées.* Le *Musée national archéologique* est le plus important; il présente chronologiquement les œuvres les plus belles de la civilisation grecque. Le *musée de l'Acropole* renferme surtout des vestiges sculptés de temples. Le *musée de l'Agora* groupe un choix de ce qui fut trouvé sur l'agora. Les *Musées épigraphique* et *numismatique* sont importants, de même que le *Musée byzantin.*

Athènes (CHARTE D'), ouvrage rédigé en 1933 par un groupe d'architectes et traitant des principes de l'aménagement des villes.

Athènes (DUCHÉ D'), seigneurie de l'empire latin d'Orient, qui dura de 1205 à 1456.

Athènes (ECOLE FRANÇAISE D'ARCHÉOLOGIE D'), établissement créé en 1846 pour l'étude de la langue et de la civilisation grecques. Les membres de l'Ecole sont au nombre de six. Ils sont choisis par une commission de l'Académie des inscriptions parmi les spécialistes du grec; le séjour à l'école dure trois ans. L'Ecole française d'Athènes s'est spécialisée dans les fouilles archéologiques; celles de Delphes et de Délos lui ont été confiées.

athénien, enne adj. et n. Relatif à Athènes ou à ses habitants; habitant ou originaire d'Athènes. ‖ — ***athénienne*** n. f. Meuble créé vers 1780, formé d'une vasque soutenue par trois pieds.

Athénion, l'un des chefs des esclaves siciliens révoltés contre les Romains en 104 av. J.-C.

Athénodore de Rhodes, en gr. **Athênodôros,** sculpteur grec. Il est l'un des auteurs du *Laocoon* (30-25 av. J.-C.) [Vatican].

athèques n. m. pl. (*a* priv., et gr. *thêkê,* carapace). Sous-ordre créé pour les tortues (sphargidés*) dont la carapace n'est pas soudée au squelette interne.

athérine n. f. Poisson osseux orné d'une bande latérale argentée. (Noms usuels : *prêtre, abusseau.*)

athérix n. m. Mouche du bord des eaux, qui pond en groupe et qui peut transmettre, par piqûre, une filaire à la grenouille. (Famille des leptidés.)

athermane adj. (*a* priv., et gr. *thermos,* chaleur). Se dit d'un corps qui ne se laisse pas traverser par les radiations infrarouges.

athermique adj. Qui ne dégage ni n'absorbe de chaleur : *Réaction chimique athermique.*

athéromateux → ATHÉROME.

athérome n. m. (gr. *athêra,* bouillie). Dégénérescence de la tunique interne des artères, entraînant localement la formation de dépôts de cholestérine et de sels de chaux. (V. *encycl.*) ◆ **athéromateux, euse** adj. Qui concerne l'athérome. ✦ adj. et n. Atteint d'athérome. ◆ **athérosclérose** n. f. Affection dégénérative des artères associant les lésions de l'artériosclérose et de l'athérome.
— ENCYCL. ***athérome.*** L'athérome est l'élément majeur de l'artériosclérose*; les dépôts lipidiques (cholestérol) qui se forment au niveau de la tunique interne des artères s'associent à une calcification radiologiquement visible et à une sclérose de la média*. La cause de l'athérome artériel n'est pas parfaitement connue. Il survient autour de la cinquantaine, plus ou moins tôt suivant les prédispositions familiales ou raciales. Certains facteurs (troubles endocriniens, surcharge alimentaire, obésité) jouent, dans son apparition, un rôle reconnu.

athérure n. m. Porc-épic africain et indomalais.

athésie n. f. V. ATHÉTOSE.

athétèse n. f. (*a* priv., et gr. *thetos,* adopté). *Linguist.* Rejet d'une leçon fausse ou d'un passage apocryphe.

athétose n. f. (gr. *athetos,* sans position fixe). Affection caractérisée par des mouvements involontaires lents, reptatoires, affectant surtout l'extrémité des membres et la face. (Le plus souvent, l'athétose est due à une encéphalopathie infantile et s'accompagne d'une hémiplégie marquée.)

Athis ou **Athis-de-l'Orne,** ch.-l. de c. de l'Orne (arr. d'Argentan), à 9 km au N.-E. de Flers; 2 369 h. (*Athisiens*). Tissus; amiante.

Athis-Mons, ch.-l. de c. de l'Essonne (arr. de Palaiseau), à 18 km au S. de Paris; 29 006 h. (*Athégiens*). Centre de contrôle de la navigation aérienne. Affinage de métaux non ferreux; malterie. Un traité y fut signé le 23 juin 1305, par lequel Robert III de Flandre cédait la Flandre wallonne à Philippe le Bel.

athlète n. m. (gr. *athlêtês;* de *athlos,* combat). Celui qui disputait des concours dans des jeux publics, organisés en général dans le cadre des fêtes et jeux panhelléniques. (Les Grecs distinguaient, parmi les athlètes, les coureurs, les lutteurs, les lanceurs de disque ou de javelot, les pugilistes et les pancratiastes. Au IVe s., l'athlétisme devint un métier. Les avantages accordés aux vainqueurs étaient nombreux, et leur prestige très grand.) ‖ Personne qui pratique les sports athlétiques. ‖ Homme robuste, d'une forte constitution : *Etre taillé en athlète.* ● *Athlète complet,* homme qui réussit dans tous les sports athlétiques. ◆ **athlétique** adj. Propre à l'athlète ; qui convient à un athlète : *Une musculature athlétique.* ◆ **athlétiquement** adv. En athlète ; de façon athlétique. ◆ **athlétisme** n. m. Ensemble des exercices corporels où se retrouvent les gestes naturels de l'homme (courses, sauts, lancers), et destinés à entretenir ou à améliorer sa valeur physique. (Le temps, la distance et la hauteur constituent les bases du classement dans le sport de l'athlétisme, ce qui le distingue de la gymnastique.) [V. *encycl.*]

— ENCYCL. ***athlétisme.*** L'athlétisme connut une faveur particulière dans l'Antiquité grecque (jeux Olympiques) ; après un abandon total, il fut de nouveau pratiqué en Angleterre dès le début du XIIe s., mais il ne se développa réellement qu'au XIXe s. dans les collèges anglais. Les universités d'Oxford et de Cambridge eurent un rôle prépondérant dans le renouveau de l'athlétisme d'amateur. Les premiers championnats eurent lieu en 1866. Peu à peu, d'autres pays adoptèrent l'athlétisme, dont la France, à la fin du XIXe s.

Juxtaposant courses et concours (sauts et lancers), l'athlétisme est un sport dont l'extension est aujourd'hui universelle. Pratiqué exclusivement, ou presque, par des amateurs, il est la base des jeux Olympiques, seule compétition rassemblant, tous les quatre ans, l'élite des athlètes mondiaux.

Pour les hommes, il existe douze *courses* principales. Le 100 mètres et le 200 mètres sont les épreuves de sprint pur, le 400 mètres est une course de vitesse prolongée, comme tend à le devenir le 800 mètres. Le 1 500 mètres, le 5 000 mètres et le 10 000 mètres constituent les épreuves de demi-fond et de fond. A ces courses plates individuelles s'ajoutent deux courses de relais — le 4 × 100 mètres et le 4 × 400 mètres —, et trois courses individuelles d'obstacles — le 110 mètres haies et le 400 mètres haies, comportant chacun le franchissement de dix haies (hautes respectivement de 1,067 m et 0,914 m), et le 3 000 mètres steeple, marqué, entre autres obstacles, par le franchissement de la « rivière » (fosse remplie d'eau large de 3,60 m).

Les *concours* comprennent quatre épreuves de sauts et quatre épreuves de lancers. Il s'agit, d'une part, du saut en hauteur, du saut en longueur, du triple saut et du saut à la perche et, d'autre part, des lancers du poids (sphère en métal lourd pesant 7,257 kg), du disque (engin presque plat, de forme circulaire, pesant 2 kg), du marteau (boulet de 7,257 kg — comme le poids —, accroché à un câble en fil d'acier) et du javelot (long de 2,60 m et pesant 800 g).

Les épreuves féminines sont moins nombreuses.

Il existe d'autres épreuves, plus ou moins régulièrement disputées, et dont les plus célèbres sont le décathlon et le marathon. Le décathlon, réservé aux hommes, consiste en l'addition des points obtenus, selon les performances accomplies, dans dix épreuves (100 mètres, 400 mètres, 1 500 mètres, 110 mètres haies, hauteur, longueur, perche, poids, disque, javelot). Le marathon est une course de fond disputée sur 42,195 km, qui doit son origine et son nom au célèbre soldat de Marathon.

Atholl ou **Athol** (comtes, marquis et ducs D'), titre écossais porté par une branche de la famille Stuart de 1457 environ à 1595, puis par les Murray à partir de 1629. Ses principaux représentants sont : JEAN STUART, 4e comte **d'Atholl** († en 1579) ; — JOHN MURRAY, 1er marquis **d'Atholl** (1631-1703). Il participa à la pacification des Hautes Terres d'Écosse après la révolution de 1688 ; — Son fils JOHN MURRAY, 1er duc **d'Atholl,** s'opposa à l'Acte d'Union en 1707.

Athos (MONT), montagne de la Grèce, à l'extrémité sud-est du Áyion Óros (« montagne sainte »), la plus orientale des péninsules de la Chalcidique ; 2 033 m. Séparé de la terre ferme par un canal qui aurait été

mont **Athos,** monastère de Vatopedhíou

Bottin

O. D. F.

saut de haies

saut en hauteur

Presse-Sports

départ d'une course de 100 mètres

course de relais

saut à la perche

O. D. F.

triple saut

Presse-Sports

course de fond

lancement du javelot

lancement du disque

lancement du poids

construit par Xerxès v. 480 av. J.-C., le mont était, dès le VIIe s., habité par des ermites. Au XVe s., on comptait trente couvents ; il en reste vingt, de rite orthodoxe. L'Athos a le statut d'une république monastique intégrée à la Grèce (3 100 h.).

athous [atɔys] n. m. (gr. *athôos*, impuni). Taupin dont la larve vit dans le terreau des forêts et le vieux bois.

athrepsie n. f. (*a* priv., et gr. *threpsis*, action de nourrir). Etat cachectique progressif de certains nourrissons, causé par un défaut d'assimilation des aliments. (L'athrepsie s'observe chez des enfants âgés de moins de trois mois, nés dans de mauvaises conditions, nourris avec un lait pauvre ou altéré. La diarrhée chronique peut être la cause des troubles.) ‖ Maladie des chats et des chiens jeunes, caractérisée par un amaigrissement extrême et un arrêt de croissance. ◆ **athrepsique** adj. Relatif à l'athrepsie : *Débilité athrepsique*. ✦ adj. et n. Atteint d'athrepsie.

Athus, anc. comm. de Belgique (prov. de Luxembourg, arr. d'Arlon), auj. réunie à Aubange. Sidérurgie.

athymie n. f. Etat caractérisé par l'absence de manifestations affectives extérieures, et fréquent chez les schizophrènes.

athyrium [rjɔm] n. m. (*a* priv., et du gr. *thurion*, petite porte). Fougère des bois, dite, à tort, « fougère femelle ».

athyroïdie n. f. Absence de sécrétion thyroïdienne.

Ati, localité du Tchad, ch.-l. de la préfecture du Batha ; 6 400 h.

Atilia, nom d'une *gens* romaine. Elle compta parmi ses membres : MARCUS **Atilius** *Regulus*, général romain, consul en 256 av. J.-C., qui fut tué par les Carthaginois ; — Son fils MARCUS **Atilius** *Regulus*, consul en 227 et en 217 av. J.-C., qui prit part à la guerre contre Hannibal ; — LUCIUS **Atilius,** poète comique latin, contemporain de Térence (IIe s. av. J.-C.) ; — LUCIUS **Atilius,** affranchi, jurisconsulte du temps de Tibère.

atimie n. f. (gr. *atimia*). Dans la Grèce ancienne, privation des droits civils et politiques.

Atitlán, lac du Guatemala, au N. du volcan *Atitlán* (3 505 m).

Atjeh ou **Achem,** région de Sumatra (Indonésie), au N. de l'île. Pétrole.

Atjeh(s), Achinois, Atchinais, habitants de l'ancien sultanat d'Atjeh, au N.-O. de Sumatra. Indonésiens fortement métissés de Dravidiens, ils sont musulmans et conservent des coutumes préislamiques. Leur langue écrite est le malais, mais leur langue parlée est un mélange de batak, de malais et d'hindoustānī.

Atkinson (Thomas Witlam), architecte, peintre et voyageur anglais (Cawthorne, Yorkshire, 1799 - Lower Walmer, Kent,

1861). Il publia un ouvrage sur l'ornementation des cathédrales anglaises (1829), puis, après 1848, explora l'Asie centrale.

Atlan (Jean-Michel), peintre français (Constantine 1913 - Paris 1960). Ses compositions de formes dynamiques cernées de noir sont d'un riche effet décoratif (musée national d'Art moderne).

Atlanta, v. des Etats-Unis, capit. de la Géorgie, sur le Piedmont appalachien; 497 000 h. Aéroport. Textiles. Fondée en 1837, la ville fut le lieu de combats pendant la guerre de Sécession.

atlante n. m. (ital. *atlante,* par analogie avec le géant *Atlas,* qui portait le ciel sur ses épaules). Nom donné aux caryatides viriles soutenant un entablement. (On dit aussi TÉLAMON.)

Larousse

atlantes, quai des Célestins, à Paris

atlante n. m. Mollusque gastropode prosobranche hétéropode de haute mer, capable de nager activement.

Atlantes. *Géogr. anc.* Peuple de l'Afrique du Nord, habitant, dans l'Antiquité, le versant sud de l'Atlas. — Habitants de l'Atlantide.

atlantic adj. et n. f. (mot angl.). Se dit d'un type de locomotive pour trains de voyageurs (en France, symbole 221).

Atlantic City, v. des Etats-Unis (New Jersey), sur la côte de l'Océan; 47 900 h. Grande station balnéaire.

Atlantide, île hypothétique sur laquelle quelques auteurs de l'Antiquité, à la suite du *Critias** de Platon, ont laissé des récits légendaires. Selon eux, à une époque reculée, les Grecs eurent à repousser un peuple, les Atlantes, sortis d'une grande île située à l'O. de Gibraltar.

Atlantides. *Astron.* Nom ancien donné aux **Pléiades***.

atlantique adj. Relatif à l'océan Atlantique : *Littoral atlantique.*

Atlantique (OCÉAN), océan compris entre l'Europe, l'Afrique et l'Amérique; 106 200 000 km². Isolé de l'océan Arctique par un seuil jalonné par les îles Britanniques, l'Islande et le Groenland, l'Atlantique s'ouvre largement sur l'océan Antarctique. Relativement étroit, il dessine une sorte de S. Près des côtes s'étend une marge continentale plus ou moins large; une dorsale médiane, profonde de 1 500 à 3 000 m, s'étire depuis l'île Jan Mayen, au N., jusqu'aux environs de l'équateur, où elle prend une direction O.-E. Interrompue par la fosse de la Romanche (7 640 m), la dorsale se continue dans l'hémisphère Sud, jalonnée par les îles de l'Ascension, Tristan da Cunha, Gough et Bouvet. A partir de l'île Gough, un rameau se dirige vers le N.-E., vers les côtes africaines (crête de Walfish Bay). Entre les continents et cette dorsale se creusent des bassins, profonds de 6 000 à 7 000 m.
Aux latitudes équatoriales, un courant orienté vers l'O. se divise en deux branches; l'une se dirige vers le S., le long des côtes de l'Amérique du Sud; l'autre, vers le N., alimentant le Gulf Stream; un courant froid descend du N., le long des côtes de l'Amérique du Nord (courant du Labrador); le long des côtes d'Afrique coule vers le S.-O. le courant froid des Canaries. Dans l'Atlantique Sud, le courant chaud du Brésil coule vers le S., le long des côtes américaines; le courant froid de Benguela se dirige vers le N., le long des côtes d'Afrique.
Dans l'Antiquité, seules sont connues les côtes situées entre le nord des îles Britanniques et les îles Canaries. Du VIIIᵉ au XIᵉ s., les Normands fréquentent les rivages de la Norvège, de l'Islande, du Groenland, du Spitzberg et de la Nouvelle-Ecosse. La découverte de l'Amérique par Christophe Colomb fut suivie, au XVIᵉ s., par de grands progrès dans la connaissance des côtes de ce continent. A partir du XVIIᵉ s. commence l'exploration hydrographique, effectuée d'abord par des Hollandais, puis par les Anglais et les Français au XVIIIᵉ s. Au XIXᵉ s., de nombreuses croisières océanographiques furent organisées et ont permis de dresser une carte bathymétrique détaillée de l'Océan.

Atlantique (CHARTE DE L'), déclaration faite le 14 août 1941 par Roosevelt et Churchill, et relative aux principes de leur politique de sécurité après la défaite allemande.

Atlantique (FRONT DE L'), nom donné, lors de la libération de la France en 1944-1945, à l'ensemble des positions françaises qui bloquèrent les troupes allemandes repliées sur le littoral atlantique à Lorient, Saint-Nazaire, Rochefort, La Rochelle et Royan. Les troupes françaises chargées de cette mission formèrent le *détachement d'armée de l'Atlantique,* commandé par le général de Larminat.

Atlantique (MUR DE L'), position fortifiée construite par les Allemands de 1941 à 1944 sur les côtes de l'Atlantique, de la Manche et de la mer du Nord. Pièce maîtresse de la stratégie défensive allemande de l'Ouest, il fut réalisé par l'organisation Todt grâce à la réquisition de 175 000 travailleurs. En juin 1944, 60 divisions étaient affectées par Rundstedt à la défense du mur de l'Atlantique, dont 30 étaient réparties de Dunkerque à Brest.

Atlantique Nord (PACTE DE L'), ou **O. T. A. N.** (*Organisation du traité de l'Atlantique Nord*), ou **N. A. T. O.** (*North Atlantic Treaty Organization*), accord signé à Washington le 4 avr. 1949 entre la Belgique, le Canada, le Danemark, la France, la Grande-Bretagne, l'Islande, l'Italie, le Luxembourg, la Norvège, les Pays-Bas, le Portugal et les Etats-Unis, puis, en 1952, par la Grèce et la Turquie, enfin, en 1955, par l'Allemagne fédérale, en vue de « sauvegarder la paix et la sécurité, et de développer la stabilité et le bien-être dans la région de l'Atlantique Nord ». Alliance politique et militaire, l'O. T. A. N. comprend un organe exécutif, dit *Conseil de l'Atlantique Nord,* dirigé par un secrétaire général, et dont le siège est à Bruxelles. Il dispose d'un comité militaire de qui relèvent les grands commandements intégrés : celui des *forces alliées en Europe* (S. H. A. P. E.*), celui de l'*Atlantique* (S. A. C. L. A. N. T.) installé à Norfolk (Etats-Unis), celui de la *Manche* à Portsmouth et le *groupe stratégique Canada-Etats-Unis* chargé de la défense du continent nord-américain. La réalisation, dans les années 1955-1960, de l'équilibre entre les puissances nucléaires américaine et soviétique ayant mis en cause la valeur de la protection assurée par les Etats-Unis à leurs alliés, la France, tout en restant membre de l'alliance, décidait en 1966 de retirer ses forces de l'organisation militaire intégrée du pacte. Ses organes de commandement furent alors transférés de France en Belgique (1967). En 1974, tenant compte de l'évolution de la situation internationale, une déclaration signée à Bruxelles par tous les Etats membres réaffirmait le caractère indivisible de leur défense commune. En 1982, l'Espagne devient membre de l'alliance.

atlantisme n. m. Doctrine des partisans du pacte de l'Atlantique Nord.

atlantosaure n. m. Gigantesque reptile dinosaurien, fossile dans l'infracrétacé des montagnes Rocheuses. (Son fémur mesure 2 m. Type de la famille des *atlantosauridés.*)

atlas [atlas] n. m. (de *Atlas* n. pr.). Recueil de cartes géographiques dressées dans le dessein de présenter un ensemble complet et cohérent sur un sujet donné (géographie physique et politique du monde, d'un pays, d'une région ; économie, histoire). [V. *encycl.*] ‖ Tout recueil de cartes, de tableaux, de planches, destiné à faciliter l'intelligence d'un ouvrage : *Un dictionnaire muni d'un atlas.* ‖ Nom donné à la première vertèbre cervicale, parce qu'elle supporte le poids de la tête, comme Atlas supportait le monde, suivant la légende. ● *Atlas céleste,* recueil de cartes célestes classées par constellation ou par zones de déclinaison et d'ascension droite. ◆ **atloïdé, e** ou **atloïdien, enne** adj. Qui concerne la vertèbre atlas.

— ENCYCL. **atlas.** Les premiers atlas généraux furent ceux de Stieler (1817-1839) et de Berghaus (1848-1849), réédités de nombreuses fois. Le premier comporte une édition française par Fernand Maurette (1909). L'*Atlas universel de géographie,* de Vivien de Saint-Martin et Schrader (1re éd. de 1877 à 1912), fut réédité en 1921. L'*Atlas historique et géographique,* de Vidal de La Blache, qui date de 1894, continue à être tenu à jour. *The Times Survey Atlas of the World,* de J. G. Bartholomew (1920), est également tenu à jour. L'Institut De Agostini de Novare a publié son *Grande Atlante* en 1922, réédité en 1938. Olinto Marinelli a publié en 1927 l'*Atlante internazionale del Touring Club italiano* (éd. refondue en 1954). L'*Atlas international Larousse* (1re éd. en 1949, réédité en 1957) a été publié en trois langues (français, anglais, espagnol). L'atlas soviétique *Mira* a été réédité en 1954.

Les atlas nationaux rassemblent des cartes géologiques, climatiques, géomorphologiques, pédologiques, phytogéographiques, mais aussi des cartes démographiques, agricoles et industrielles. Le plus ancien de ces atlas nationaux est celui de Finlande (1899). L'*Atlas de France* a été publié sous le patronage du Comité national de géographie de 1931 à 1945.

Atlas. *Myth.* Géant, fils de Clyméné et de Japet, père des Hyades, des Pléiades et des Hespérides. Pour avoir pris part à la lutte des Titans contre les dieux, Zeus le condamna à soutenir le ciel sur ses épaules.

Atlas, nom de divers massifs montagneux de l'Afrique du Nord. (On distingue l'Atlas tellien, l'Atlas de Blida, l'Atlas mitidjien, l'Atlas saharien, le Haut Atlas, le Moyen Atlas, l'Anti-Atlas.)

Atlas (**Haut**) ou **Grand Atlas,** chaîne de montagnes du Maroc, la plus élevée de l'Afrique du Nord ; 4 165 m au *djebel Toubkal.* Longue de 750 km, du cap Ghir, sur l'Atlantique, à la plaine du Tamlelt, cette chaîne, qui comprend des ensembles de roches anciennes, s'est formée principalement au début de l'ère tertiaire. De part et d'autre de l'oued Rdat et du col de Tizi n'Tichka s'étendent deux parties très différentes. A l'O., la montagne est formée de terrains anciens formant de lourdes crêtes; c'est un pays peuplé de paysans sédentaires. A l'E. de l'oued Rdat, le Haut Atlas oriental est une chaîne calcaire, beaucoup plus sèche qu'à l'O., et peuplée de semi-nomades.

Atlas (Moyen), montagne marocaine située entre le Haut Atlas et la chaîne du Rif, et orientée du S.-O. au N.-E. C'est une chaîne calcaire plissée de style jurassien, occupée par des semi-nomades, qui font transhumer leurs troupeaux entre la montagne et les régions plus basses situées à l'E. et à l'O.; 3 354 m au *Bou Naceur.*

Atlas de Blida, montagne d'Algérie appartenant aux chaînes du Tell, et dominant, au S., la plaine de la Mitidja; 1 629 m. Elle est limitée à l'E. par les gorges de la Chiffa, et à l'O. par le massif de Tablat.

Atlas mitidjien, montagnes d'Algérie, fermant vers le S. la plaine de la Mitidja. D'E. en O., on distingue le massif de Miliana, l'Atlas de Blida, le massif de Tablat.

Atlas saharien ou **Atlas présaharien,** ensemble montagneux d'Algérie, s'allongeant sur 700 km de Figuig à Biskra. De structure assez simple, s'abaissant de l'O. vers l'E., il est formé par les monts des Ksour (2 236 m), le djebel Amour, les monts des Ouled Naïl et les monts du Zab. Ce sont des lieux d'estivage pour les tribus semi-nomades qui sont en voie de sédentarisation.

Atlas tellien, ensemble montagneux d'Algérie, s'étendant depuis la frontière algéro-marocaine jusqu'à la Tunisie. Ce sont des montagnes moyennes, dont la formation remonte à la fin de l'ère tertiaire. L'Atlas tellien est parfois séparé de la mer par des plaines (Mitidja, plaine d'Oran) ou par des massifs anciens (Grande Kabylie). La partie occidentale est relativement aride; l'Est, au contraire, est très arrosé. D'Oran à Bougie, l'Atlas tellien est divisé longitudinalement par un « sillon tellien » (plaines et dépression du Chélif principalement), qui individualise deux chaînes. Celle du Nord est formée d'O. en E. par les montagnes du Sahel d'Oran, le Dahra, l'Atlas mitidjien et les contreforts sud du massif du Djurdjura. La chaîne méridionale comprend le massif des Traras, les monts du Tessala, des Beni Chougran, de l'Ouarsenis, et la chaîne des Bibans. A l'E. de Bougie, le Sillon tellien disparaît, et la chaîne est plus confuse : monts des Babors (2 004 m), monts de Constantine, du Ferdjioua, chaîne Numidique, monts de Guelma, monts de Kroumirie et des Mogods en Tunisie.

atlasique adj. Relatif à l'Atlas. ● *Domaine atlasique,* région géologique de l'Afrique du Nord, qui s'oppose au domaine tellien (littoral) et qui est formée de hautes plaines et de montagnes relativement anciennes (Haut Atlas, Moyen Atlas, Atlas saharien).

atloïdé, atloïdien → ATLAS.

ātman n. m. Dans la métaphysique brahmanique, le souffle vital, l'âme individuelle. (S'oppose au BRAHMAN, qui est l'âme universelle.)

At Meydani (mots turcs signif. *l'Hippodrome*), grande place d'Istanbul (ancien cirque de Septime Sévère), où subsistent plusieurs monuments du début de l'ère chrétienne.

atmidomètre n. m. (gr. *atmis, -idos,* vapeur, et *metron,* mesure). Instrument servant à mesurer la quantité d'un liquide évaporée en un temps donné. (Syn. ATMOMÈTRE.) ◆ **atmidométrie** n. f. Mesure des quantités de vapeur émanant d'un liquide. ◆ **atmismomètre** n. m. Syn. de ÉVAPOROMÈTRE.

atmolyse n. f. (gr. *atmos,* gaz, et *lusis,* décomposition). Séparation des constituants d'un mélange gazeux par diffusion à travers une paroi poreuse.

atmosphère n. f. (gr. *atmos,* vapeur, et *sphaira,* sphère). Couche gazeuse qui enveloppe le globe terrestre : *La pression de l'atmosphère.* (V. *encycl.*) ‖ Couche gazeuse qui enveloppe un astre quelconque : *On doute que la Lune ait une atmosphère.* ‖ Air d'un pays, d'un lieu; air dans lequel on vit habituellement : *Vivre dans une atmosphère surchauffée.* ‖ Milieu dans lequel on vit, considéré par rapport à l'influence qu'il exerce : *Etre entouré d'une atmosphère de sympathie.* ‖ *Céram.* Etat gazeux de l'intérieur d'un four pendant la cuisson. ‖ Unité de pression, d'usage courant dans les applications industrielles, égale à la pression exercée par une colonne de mercure d'une hauteur de 76 cm à 0 °C et sous l'accélération normale de la pesanteur de 980,665 cm/s². (L'atmosphère correspond à 1,013 hectopièze ou à 1,033 kilogramme-poids par centimètre carré.) ● *Atmosphère contrôlée,* atmosphère d'un four de traitement thermique, dans lequel l'air a été chassé et remplacé par un gaz ou un mélange de gaz de composition adaptée aux produits à traiter. ‖ *Atmosphère standard,* définition théorique de l'évolution de la température et de la pression en fonction de l'altitude. (Pour l'établissement des normes de construction aéronautique ou de circulation aérienne, et comme référence, un accord international a défini l'atmosphère standard.) ‖ *Générateur d'atmosphère,* appareil produisant une atmosphère déterminée, soit par réaction exothermique, soit par réaction endothermique, ou par association des deux. ◆ **atmosphérique** adj. Propre à l'atmosphère : *Electricité atmosphérique.* ‖ Se dit de la pression exercée par la couche d'air qui entoure la Terre. (V. ATMOSPHÈRE.) ● *Chemin de fer atmosphérique,* chemin de fer dans lequel la force motrice provient de la combinaison de l'action du vide et de la pression atmosphérique avec celle de l'air comprimé. ‖ *Machine atmo-*

sphérique, machine à vapeur à simple effet, c'est-à-dire dans laquelle le retour du piston s'opère par la pression seule de l'atmosphère, sans le concours de la vapeur. ✦ adj. et n. m. Se dit de signaux parasites dus à des phénomènes électriques naturels, et venant troubler les réceptions radio-électriques. (Ce terme s'emploie surtout au pluriel. On lutte contre les parasites atmosphériques au moyen de dispositifs *antiparasites**.)

— ENCYCL. ***atmosphère.*** La variation verticale de la température permet de distinguer, dans l'atmosphère, les couches suivantes : 1° la *troposphère,* où la température décroît quand on s'élève ; 2° la *stratosphère,* où la température est pratiquement constante ; 3° la *mésosphère,* où la température est croissante, puis décroissante ; 4° la *thermosphère,* où la température croît avec l'altitude. Les limites supérieures des trois premières

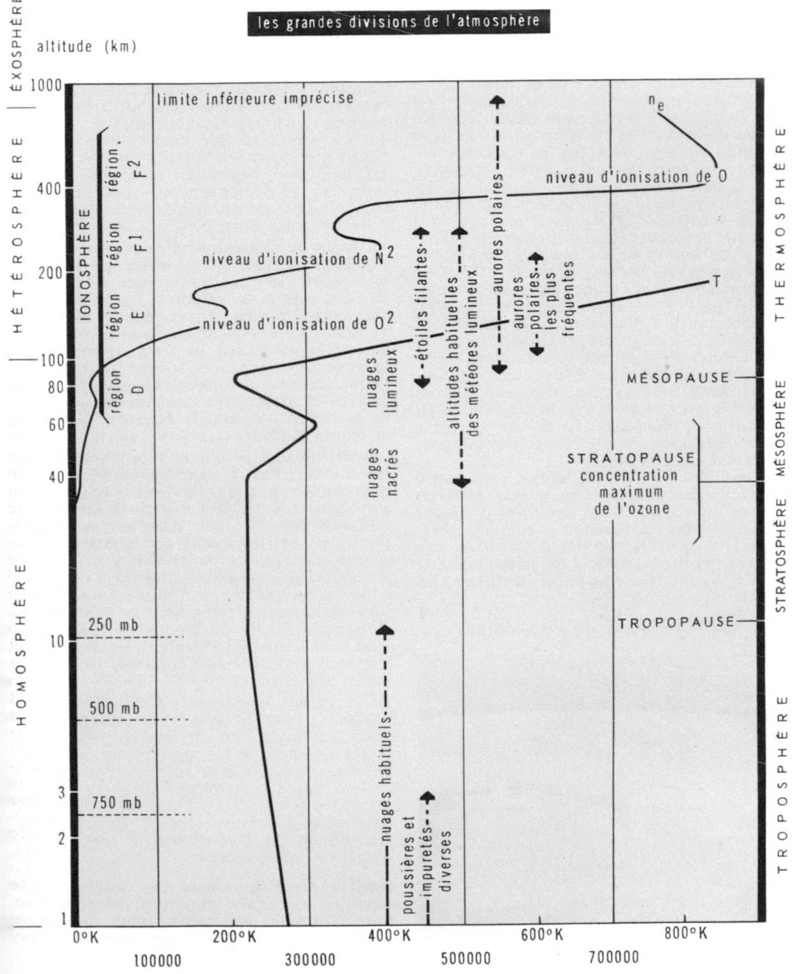

couches sont la tropopause, la stratopause, la mésopause. On appelle *homosphère* la couche située entre 0 et 100 km, où la composition de l'air est constante. Au-dessus, l'*hétérosphère* se caractérise par la prédominance des gaz légers (hélium, azote, hydrogène). A partir de 1 000 km commence l'*exosphère*, où les molécules les plus légères échappent à la pesanteur et s'évadent lentement vers l'espace interplanétaire.

La vapeur d'eau est entièrement comprise dans la troposphère, les trois quarts se trouvant à moins de 4 000 m d'altitude. Cette vapeur d'eau engendre les hydrométéores*, absorbe les radiations à grande longueur d'onde émises par le Soleil et évite ainsi la déperdition de la chaleur dans l'espace.

La circulation générale de l'atmosphère est bien connue pour les couches inférieures. Au niveau de la mer, la pression atmosphérique présente, selon les contrées, de sensibles inégalités ; les deux régions polaires correspondent à des zones de basses pressions ; des aires anticyclonales se localisent à proximité des deux tropiques ; l'équateur correspond à une zone de basse pression. Les anciens schémas d'explication de la circulation atmosphérique étaient relativement simples ; les régions équatoriales, siège d'une ascendance thermique de l'air (« cheminée équatoriale »), provoqueraient l'afflux des alizés des régions subtropicales ; en altitude, l'air serait rabattu par la force de Coriolis vers la zone tropicale (contre-alizés), en donnant naissance aux anticyclones subtropicaux, d'où renaîtraient les alizés, déjà mentionnés, et les vents d'O. des latitudes moyennes. Le moteur de toute cette circulation serait donc l'ascendance thermique équatoriale.

Diverses observations ont infirmé cette façon de voir. L'ascendance équatoriale apparaît aujourd'hui comme étant due principalement à un phénomène dynamique et non plus thermique : la convergence des deux alizés. Les mécanismes fondamentaux qui déterminent la circulation de la troposphère paraissent se localiser non pas vers les basses latitudes, mais entre les tropiques et les pôles. La circulation atmosphérique ne paraît pas être organisée essentiellement selon des cellules à composante méridienne, mais selon un flux général d'ouest, qui existe à toutes les latitudes au-dessus de 4 000 à 5 000 m d'altitude.

atoll, le lagon de l'île Maiao

Atlas-Photo

Les cyclones, qui sont les phénomènes de base de la circulation atmosphérique, se forment à la faveur de contrastes thermiques géographiques, générateurs de fronts*, le long des rives océaniques en particulier. Ces cyclones sillonnent sans cesse et en toutes directions la zone polaire. Ils assurent une sorte de brassage continu de la zone des latitudes moyennes et hautes. Le « front polaire » résulte du contraste thermique existant entre ce mélange et l'air tropical ; il marque le contraste brutal entre la zone des hautes pressions (air chaud) et celle des basses pressions (air mélangé moins chaud). Ce contraste engendre, vers 40° de latitude, un renforcement du flux planétaire d'O. ; un courant très rapide surmonte en altitude le front polaire, c'est le « jet-stream ».

La force de Coriolis détermine un contraste supplémentaire de pression sur les flancs du jet-stream ; sur sa droite, l'air s'accumule, descend vers le sol et forme les hautes pressions subtropicales ; sur sa gauche s'effectue un mouvement de compensation : l'air s'élève et détermine, au sol, les basses pressions de la zone tempérée. Les alizés écoulent vers l'équateur l'air des hautes pressions subtropicales, et ils seraient ainsi les conséquences de la circulation dans la zone des moyennes et hautes latitudes.

Les jet-streams jouent le rôle de véritables systèmes nerveux de l'atmosphère; ils reflètent et contrôlent à la fois la vitesse des cyclones. Les variations de l'intensité de la circulation atmosphérique seraient dues à des fluctuations de l'activité solaire sur la haute atmosphère. Lorsque les jet-streams sont rapides, la force centrifuge les déporte vers l'équateur, et les pressions subtropicales se renforcent. Ces variations déterminent les oscillations climatiques ; cette translation en latitude du jet-stream détermine l'apparition de phases humides sur certaines contrées, de phases sèches sur d'autres.

Le tracé du jet-stream est fonction de sa vitesse ; quand le jet-stream est rapide, le tracé est tendu ; s'il est lent, il présente de larges ondulations. Le passage de ces ondulations, qui font affluer sur une région tantôt de l'air tropical, tantôt de l'air polaire, détermine la succession, à cet endroit, de périodes de beau et de mauvais temps. La trajectoire sinusoïdale du flux d'ouest a une période d'environ une semaine.

atoll n. m. (d'une langue des Maldives). Ilot corallien des mers tropicales, généralement isolé, formant un anneau plus ou moins continu autour d'une lagune appelée *lagon*.

— ENCYCL. La partie émergée de l'atoll est basse ; elle plonge doucement vers le lagon, dont la profondeur atteint tout au plus une centaine de mètres dans les plus grands atolls ; elle s'enfonce au contraire très brusquement vers le large. Les atolls se localisent dans les mers chaudes (entre 25 et 30 °C), dans les eaux peu profondes (bien éclairées), assez salées, sur des supports rocheux. En effet, les organismes constructeurs ne se développent bien que dans ces conditions. Selon la théorie de Darwin, qui, très souvent, rend bien compte des faits, les atolls se développeraient sur des îles volcaniques en voie de submersion. Les coraux formeraient d'abord un récif frangeant, puis un récif-barrière, enfin un atoll lorsque l'île volcanique serait totalement engloutie.
Le cocotier est, avec le palétuvier, l'hibiscus et le pandanus, l'espèce floristique la plus caractéristique des atolls. La faune est représentée par le cénobite* et le birgue*.

atomaria n. m. Minuscule coléoptère des racines, nuisible à la betterave.

atome n. m. (gr. *atomos,* qu'on ne peut couper). Parcelle d'un corps simple considérée comme chimiquement indivisible, et formant la plus petite quantité d'un élément qui puisse entrer en combinaison. (V. *encycl.*) ‖ Toute créature, toute chose petite : *Ne pas avoir un atome de bon sens.* ● *Atomes crochus,* atomes que Démocrite et Epicure supposaient recourbés en croc, pour s'accrocher et composer les corps ; *par allus.,* éléments mystérieux de sympathie. ‖ *Atome social* (Psychol.), individu considéré sous l'angle des relations sociométriques. ◆ **atome-gramme** n. m. Valeur en grammes de la masse atomique* d'un élément. — Pl. *des* ATOMES-GRAMMES. ◆ **atomicité** n. f. Nombre d'atomes constituant la molécule d'un corps simple ou composé. ‖ *Econ. polit.* Existence d'une offre et d'une demande composées d'éléments nombreux et suffisamment petits pour qu'une modification individuelle de l'une ou de l'autre ne puisse déterminer une variation de l'offre ou de la demande globales. (L'atomicité est une condition essentielle à l'existence d'un marché de concurrence parfaite.) ◆ **atomique** adj. Qui appartient, qui a rapport aux atomes. ‖ Qui se rapporte à l'atome-gramme : *Capacité calorique atomique.* ‖ Se dit d'un moyen de transport équipé d'un réacteur nucléaire lui fournissant l'énergie nécessaire à la traction : *Sous-marin atomique.* ● *Bombe atomique,* v. *encycl.* ‖ *Energie atomique* ou *énergie nucléaire,* énergie mise en jeu dans les transmutations d'atomes, qui peut, selon le cas, être dégagée ou absorbée. (V. *encycl.*) ‖ *Masse* ou *poids atomique,* v. *encycl.* ‖ *Notation atomique,* notation chimique fondée sur la considération des masses atomiques. ‖ *Numéro* ou *nombre atomique,* v. *encycl.* ‖ *Philosophie atomique,* mouvement général des idées au début du XIXe s., marqué par un esprit d'analyse. ‖ *Pile atomique,* v. *encycl.* et PILE. ‖ *Théorie atomique,* ensemble des spéculations physiques, chimiques et philosophiques sur les atomes. ◆ **atomiquement** adv. De façon atomique ; au point de vue atomique. ◆ **atomisation** n. f. Action d'atomiser : *L'atomisation de toute une ville.* ◆ **atomiser** v. tr. Réduire un corps en fines particules solides, en partant d'un état liquide ou pâteux : *On peut atomiser un métal ou un alliage avec d'autant plus de facilité que son point de fusion est bas.* ‖ Détruire au moyen de bombes ou d'armes atomiques. ‖ Désagréger un groupe, un élément cohérent. ◆ **atomiseur** n. m. Appareil servant à la pulvérisation des liquides. ◆ **atomisme** n. m. Système qui considère l'univers comme formé par la combinaison fortuite d'atomes : *L'atomisme de Démocrite, d'Epicure et de Lucrèce.* ‖ Hypothèse scientifique qui considère les corps comme formés de particules élémentaires ou *atomes.* ● *Atomisme logique,* théorie de Russell, selon laquelle le monde est un tissu de relations logiques. ◆ **atomiste** adj. et n. *Philos.* Qui professe l'atomisme. ‖ Qui s'occupe de science atomique. ◆ **atomistique** adj. *Philos.* Relatif à l'atomisme : *Philosophie atomistique.* ✦ n. f. Partie de la science qui traite des atomes et de leurs propriétés.

minerai uranifère contenant des cristaux de phosphates et silicates d'uranium
C.E.A.

— ENCYCL. **atome.** La notion d' « atome » n'acquit quelque précision qu'avec Dalton, après la découverte des lois pondérales de la chimie (1803). Ces lois s'interprètent aisément grâce aux hypothèses suivantes.

Chaque élément chimique est constitué par des *atomes*, particules extrêmement petites, identiques entre elles, indestructibles, conservant, au travers de toutes les réactions chimiques, leur masse et leurs propriétés, caractéristiques de l'élément considéré. Les corps composés sont constitués par des *molécules*, résultant de l'association d'un certain nombre d'atomes des éléments constituants, toutes identiques pour un même corps pur ; les corps simples sont eux-mêmes formés de molécules, assemblages d'atomes identiques.

● *Le noyau.* Il est formé de deux sortes de particules : les *protons* et les *neutrons*. Le proton a pour masse $M = 1{,}660 \times 10^{-24}$ gramme et pour charge $+ e$; le neutron est dénué de charge électrique, et sa masse $M' = 1{,}662\,7 \times 10^{-24}$ gramme est légèrement supérieure à M.

Un noyau est donc caractérisé par deux constantes : 1° le nombre Z de ses protons, dit *numéro atomique,* qui varie de 1 (hydrogène) à 92 (uranium) pour les éléments existant dans la nature ; ce nombre indique la charge

General Dynamics

Désintégration d'un atome d'argent dans une plaque photographique exposée aux rayons cosmiques. Les traînées les plus nettes sont celles des protons du noyau d'argent ; celles qui sont discontinues, dirigées vers le bas, sont des traces de mésons, particules instables engendrées par la désintégration

En plus de l'interprétation des lois chimiques, ces hypothèses ont pu servir de base à l'explication d'un grand nombre de phénomènes (théorie cinétique des gaz, par ex.).

Toutefois, les conceptions précédentes se sont montrées insuffisantes pour expliquer divers phénomènes découverts par la suite (périodicité des propriétés chimiques, décharge dans les gaz, radio-activité, etc.). Ces découvertes ont permis de préciser la structure de l'atome. Depuis Rutherford (1911), on a adopté pour l'atome une représentation planétaire ; l'atome est formé d'un *noyau* central (qui porte la presque totalité de sa masse, ainsi qu'une charge électrique positive), entouré d'un nuage d'*électrons* (particules d'électricité négative, ayant au total une charge opposée à celle du noyau). Chaque électron a pour masse $m = 9 \times 10^{-28}$ gramme (au repos) et pour charge $- e = - 1{,}60 \times 10^{-19}$ coulomb.

du noyau et le nombre des électrons planétaires ; 2° le nombre total des particules $A = Z + N$ (N, nombre de neutrons), dit *nombre de masse,* car il fournit sensiblement la masse du noyau. On accompagne le symbole d'un élément des indications précédentes, A étant porté en exposant, et Z en indice. Ainsi, $^{16}_{8}O$ indique un noyau d'oxygène formé de 16 particules, dont 8 protons.

On nomme *isotopes* des atomes ayant même numéro atomique Z, mais différant par le nombre N de neutrons, donc par le nombre de masse A. Ces isotopes ont les mêmes propriétés chimiques et portent le nom du même élément.

Beaucoup d'éléments naturels sont des mélanges d'isotopes, et leur masse atomique est la moyenne des nombres de masse des isotopes constituants. Ces isotopes peuvent être déterminés grâce au spectrographe de masse. On remarque, toutefois, que la masse d'un noyau est légèrement inférieure à celle des particules qui le constituent. Cette *perte de masse* mesure l'énergie libérée par la formation de l'atome, selon la formule relativiste $W = mc^2$, où c est la vitesse de la lumière.

● *Les électrons.* Autour du noyau gravitent des électrons ayant un mouvement comparable à celui des planètes autour du Soleil. Leur nombre Z est le numéro atomique du noyau.

Comme le supposa le Danois Bohr (1913), ces électrons sont disposés en couches, dites K, L, M, N, O, P, Q, définissant des niveaux d'énergie. Chaque électron, dont il est impossible de localiser la position et la vitesse (principe d'incertitude), est défini par quatre nombres quantiques, dont le premier est le numéro d'ordre de la couche.

L'émission ou l'absorption d'énergie par un atome, qui se fait par quanta, correspond à un changement de nombre quantique.

Les *ions* sont des atomes ayant gagné ou perdu des électrons ; ils manifestent alors, selon le cas, une charge totale négative (anions) ou positive (cations).

Les propriétés chimiques des éléments s'interprètent par les caractères des électrons de la couche extérieure, dits « électrons de valence ».

Les diamètres des nuages électroniques vont de 1 à 5 dix-millionièmes de millimètre ; ils sont environ 10 000 fois plus grands que ceux des noyaux.

● *Masse* (ou *poids*) *atomique d'un élément.* Elle est définie comme le rapport de la masse de l'atome de cet élément au seizième de la masse de l'atome d'oxygène ; ainsi la masse atomique de l'oxygène est 16, celle de l'hydrogène 1,008, etc. En chimie, la masse atomique est définie comme la masse moyenne de l'atome d'un élément par comparaison à la masse moyenne de l'atome d'oxygène, ces deux éléments étant pris en l'état du mélange naturel de leurs isotopes. En physique, au contraire, on définit une masse correspondant à chaque isotope, ou *masse isotopique,* en prenant comme atome de référence non l'oxygène naturel, mais l'isotope $^{16}_{8}O$. Il en résulte que ces masses ont une valeur un peu différente des masses atomiques chimiques.

→ **V. tableau page suivante**

● *Conceptions philosophiques.* Dans les philosophies antiques matérialistes, l'atome c'est-à-dire le plus petit élément dont sont faites les choses, désigne ou bien l'élément originel, l'essence de toutes choses (Leucippe, Démocrite), ou bien le germe vital qui contient tout l'univers à venir (Epicure, Lucrèce).

— ***énergie atomique.*** Dans tous les cas, l'énergie atomique W mise en jeu dans une transmutation est équivalente à la variation totale de masse m subie par

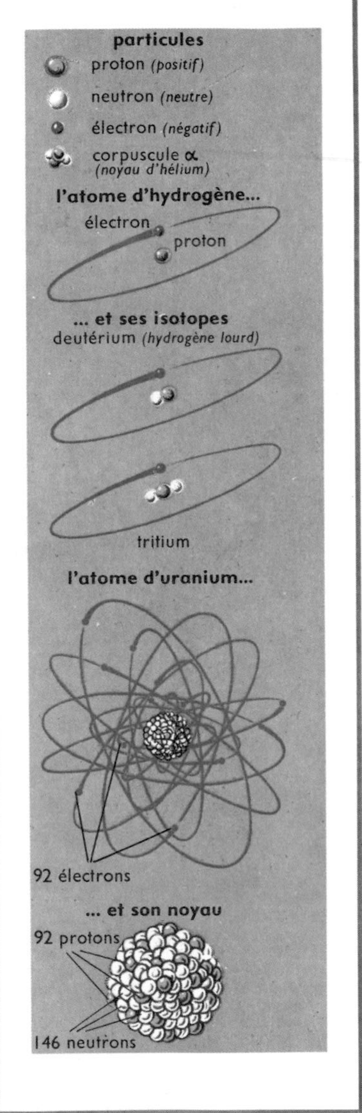

NOM DES ÉLÉMENTS	SYMBOLE	NUMÉRO ATOM.	MASSE ATOM.
Actinium	Ac	89	227
Aluminium	Al	13	26,98
Américium	Am	95	243
Antimoine (stibium)	Sb	51	121,76
Argent	Ag	47	107,88
Argon	A	18	39,94
Arsenic	As	33	74,91
Astate ou astatine	At	85	210
Azote (nitrogène)	N	7	14,01
Baryum	Ba	56	137,36
Berkélium	Bk	97	249
Béryllium	Be	4	9,01
Bismuth	Bi	83	209,00
Bore	B	5	10,82
Brome	Br	35	79,92
Cadmium	Cd	48	112,41
Cæsium	Cs	55	132,91
Calcium	Ca	20	40,08
Californium	Cf	98	249
Carbone	C	6	12,01
Celtium (v. Hafnium).			
Cérium	Ce	58	140,13
Chlore	Cl	17	35,46
Chrome	Cr	24	52,01
Cobalt	Co	27	58,94
Columbium (v. Niobium).			
Cuivre	Cu	29	63,54
Curium	Cm	96	243
Dysprosium	Dy	66	162,46
Einsténium	E	99	253
Erbium	Er	68	167,20
Etain (stannum)	Sn	50	118,70
Europium	Eu	63	152,0
Fer	Fe	26	55,85
Fermium	Fm	100	255
Fluor	F	9	19,00
Francium	Fr	87	221
Gadolinium	Gd	64	156,90
Gallium	Ga	31	69,72
Germanium	Ge	32	72,60
Glucinium (v. Béryllium).			
Hafnium	Hf	72	178,60
Hélium	He	2	4,003
Holmium	Ho	67	164,94
Hydrogène	H	1	1,008
Indium	In	49	114,76
Iode	I	53	126,91
Iridium	Ir	77	193,10
Krypton	Kr	36	83,80
Lanthane	La	57	138,92
Lithium	Li	3	6,94
Lutécium	Lu	71	175,0
Magnésium	Mg	12	24,32
Manganèse	Mn	25	54,93
Mendélévium	Mv	101	256
Mercure (hydrargyre)	Hg	80	200,61
Molybdène	Mo	42	95,95
Néodyme	Nd	60	144,27
Néon	Ne	10	20,18
Neptunium	Np	93	237
Nickel	Ni	28	58,69
Niobium	Nb	41	92,91
Nobélium	No	102	
Or (aurum)	Au	79	197,20
Osmium	Os	76	190,20
Oxygène	O	8	16,000
Palladium	Pd	46	106,70
Phosphore	P	15	30,97
Platine	Pt	78	195,23
Plomb	Pb	82	207,21
Plutonium	Pu	94	242
Polonium	Po	84	210
Potassium (kalium)	K	19	39,10
Praséodyme	Pr	59	140,92
Prométhéum	Pm	61	145
Protactinium	Pa	91	231
Radium	Ra	88	226,05
Radon	Rn	86	222
Rhénium	Re	75	186,31
Rhodium	Rh	45	102,91
Rubidium	Rb	37	85,48
Ruthénium	Ru	44	101,70
Samarium	Sm	62	150,43
Scandium	Sc	21	44,96
Sélénium	Se	34	78,96
Silicium	Si	14	28,09
Sodium (natrium)	Na	11	23,00
Soufre	S	16	32,07
Strontium	Sr	38	87,63
Tantale	Ta	73	180,88
Technétium	Tc	43	98,91
Tellure	Te	52	127,61
Terbium	Tb	65	159,20
Thallium	Tl	81	204,39
Thorium	Th	90	232,12
Thulium	Tm	69	169,40
Titane	Ti	22	47,90
Tungstène (wolfram)	W	74	183,92
Uranium	U	92	238,07
Vanadium	V	23	50,95
Xénon	Xe	54	131,30
Ytterbium	Yb	70	173,04
Yttrium	Y	39	88,92
Zinc	Zn	30	65,38
Zirconium	Zr	40	91,22

le système, selon la formule d'Einstein $W = mc^2$, où c est la vitesse de la lumière dans le vide. Cette énergie est toujours considérable en regard de celles qui se produisent dans les réactions chimiques. D'après ce qui précède, les transmutations capables de libérer de l'énergie utilisable sont celles qui s'accompagnent d'une perte de masse des corps qui se transforment.

L'expérience a montré que la masse d'un noyau d'atome est toujours inférieure à la somme des masses des nucléons qui le constituent. Cette différence représente l'énergie dégagée lors de la formation du noyau à partir de ses éléments constitutifs. On peut alors comparer les valeurs de cette perte de masse pour les différents atomes connus, et remarquer qu'elle est plus grande pour les atomes de masse moyenne que pour les atomes très légers ou très lourds. Les transmutations capables de dégager de l'énergie sont donc celles qui concourent à la formation d'éléments de nombre atomique moyen, à partir des éléments légers ou des éléments lourds.

En outre, pour que l'énergie dégagee puisse être pratiquement utilisée, il faut qu'elle porte sur des masses relativement importantes et non sur un petit nombre d'atomes; aussi sa libération doit-elle, une fois amorcée,

s'entretenir facilement, par exemple par le mécanisme d'une réaction en chaîne.
Ces conditions se trouvent réalisées dans la *fission* de certains éléments lourds, comme l'uranium ou le plutonium, dont les noyaux, irradiés par des neutrons, se coupent en donnant deux atomes moyens, tels le xénon et le strontium, le krypton et le baryum, etc., et en émettant des neutrons secondaires, qui entretiennent la transformation. Chaque noyau, en éclatant, libère environ 200 millions d'électrons-volts, finalement transformés en chaleur. Cette énergie est employée dans la pile à uranium, ou réacteur nucléaire, ainsi que dans la bombe atomique.
Une perte de masse accompagne également la *fusion* de plusieurs atomes légers en un seul noyau plus lourd. C'est ainsi que la transformation de l'hydrogène en hélium explique en général la chaleur rayonnée par le Soleil et les étoiles. Une transmutation de ce type se produit dans la bombe à hydrogène, ou explosif thermonucléaire, où la température très élevée nécessaire à son déclenchement est fournie par l'éclatement d'une bombe atomique classique.
L'application principale de la fission, la production d'énergie, est réalisée dans les piles ou réacteurs atomiques, qui servent en même temps à la production de plutonium. Dès 1951, un réacteur installé à Arco (Etats-Unis) commandait la marche d'un turbo-alternateur de 150 kW. L'U. R. S. S. a construit, en 1954, une centrale atomique de 5 000 kW, puis la Grande-Bretagne, à Calder Hall, en 1956, la première centrale de grande puissance. En 1957, la France a mis en service, à Marcoule, un premier réacteur alimentant un alternateur. De nombreux pays équipent, depuis, des réacteurs spécialement étudiés pour la production d'énergie ; l'Electricité de France, en particulier, a construit une première centrale nucléaire à Avoine. La crise pétrolière déclenchée en 1973 a incité la France à développer un ambitieux programme de construction de centrales : le nucléaire fournit déjà 16 p. 100 des besoins énergétiques du pays. Les variantes principales portent sur le combustible, le modérateur et le mode de refroidissement. Le *combustible* nucléaire peut être l'uranium 235 ou le plutonium 239. Le premier peut être utilisé sous forme d'uranium naturel, où il n'entre que pour 0,7 p. 100, le reste étant de l'uranium 238, non fissile ; cette solution est celle des réacteurs britanniques de Calder Hall et

Musée du nucléaire
dans une tranche désaffectée
de la centrale d'Avoine

Baranger

des premières installations françaises. On peut également enrichir l'uranium naturel avec de l'isotope 235, séparé par diffusion; cette solution, préférée aux Etats-Unis, permet de réduire les dimensions des réacteurs et d'employer des produits moins purs, mais ce combustible est très coûteux.

Le *modérateur* est destiné à ralentir les neutrons rapides produits par la fission, pour éviter leur absorption par l'uranium 238. Ce doit être un élément de faible masse atomique et non absorbant pour les neutrons. On utilise soit le deutérium de l'eau lourde, soit le carbone du graphite. Avec des réacteurs à grand enrichissement, on peut accepter l'hydrogène de l'eau ordinaire.

Dans les réacteurs de puissance, le *refroidissement* doit, pour des raisons de rendement thermodynamique, maintenir une température assez élevée, ce qui crée de grandes difficultés d'ordres mécanique et chimique. Si le modérateur choisi est l'eau lourde, celle-ci peut aussi servir au refroidissement; dans les réacteurs au graphite, le fluide de refroidissement peut être un gaz (gaz carbonique) ou un métal fondu (sodium). Des échangeurs sont nécessaires pour éviter la contamination du circuit d'utilisation, car le fluide de refroidissement peut devenir légèrement radio-actif.

Le *réflecteur* de neutrons est destiné à réduire les pertes de neutrons par la surface, donc les « dimensions critiques » du réacteur; il est en général en graphite. La *protection* contre les rayonnements nocifs est assurée par une carapace en béton, souvent alourdi par des déchets de fer.

Le *breeder* (pile autorégénératrice) est un réacteur où l'on s'efforce de produire autant de plutonium qu'il disparaît d'uranium 235; le premier a été mis en service aux Etats-Unis en 1958.

En dehors des applications des réacteurs à la production d'énergie, les radio-isotopes, qui en sont les sous-produits, ont de nombreux usages dans divers domaines.

Quant à l'énergie produite par fusion thermonucléaire, elle n'a pu jusqu'à présent être domestiquée et donner lieu à des applications industrielles.

● *Les bombes atomiques.* Le 16 juill. 1945 éclatait dans le Nouveau-Mexique la première bombe atomique mise au point par les Etats-Unis après de longues recherches. Les 6 et 9 août suivants, deux bombes de ce type, l'une à l'uranium, l'autre au plutonium, étaient larguées par des superforteresses volantes sur Hiroshima et Nagasaki, ce qui provoqua la capitulation du Japon et la fin de la Seconde Guerre mondiale. Ces deux explosions ouvraient une nouvelle époque dans l'histoire militaire et dans celle des rapports internationaux. Les effets des projectiles atomiques ne sont en rien comparables à ceux des projectiles de type classique. Ils peuvent se classer : 1° en *effets mécaniques,* résultant de la déflagration qui se propage sous la forme d'une puissante onde de choc; 2° en *effets thermiques,* dus à la chaleur irradiée par l'explosion; 3° en *effets de radiation nucléaire,* à base de rayons gamma et de neutrons; 4° en *effets de radio-activité résiduelle* de longue ou très longue durée.

La puissance des charges nucléaires est évaluée conventionnellement en kilotonnes par référence à leurs seuls effets mécaniques; on dit, par exemple, que la bombe d'Hiroshima (de type A) est de 20 kilotonnes parce que son explosion libère une énergie correspondant à celle de 20 000 tonnes de tolite (explosif classique).

Après avoir expérimenté des bombes de ce type dont la puissance atteignait 500 kilotonnes, les Etats-Unis mirent au point en 1950-1952 un nouveau projectile nucléaire

Chronologie. **explosions atomiques**

1re expérimentation américaine de la bombe A.	16 juill. 1945
1er emploi militaire de la bombe A par les Etats-Unis — Hiroshima	6 août 1945
1er emploi militaire de la bombe A par les Etats-Unis — Nagasaki	9 août 1945
1re expérimentation soviétique de la bombe A.	sept. 1949
1re bombe H américaine	nov. 1952
1re bombe A britannique	oct. 1952
1re bombe H soviétique	août 1953
1re bombe H britannique	mai 1957
1re bombe A française	févr. 1960
1re bombe A chinoise	oct. 1964
1re bombe H française	août 1968
1re explosion A indienne	mai 1974

Nombre d'explosions de 1945 à 1976

604 explosions américaines;
329 explosions soviétiques;
63 explosions françaises;
22 explosions britanniques;
17 explosions chinoises;
1 explosion indienne.

mettant en œuvre non plus la fission de noyaux d'atomes lourds, mais la fusion d'atomes légers. Cette nouvelle bombe, appelée « bombe thermonucléaire* », ou « bombe H », produit, par son explosion, des effets mécaniques équivalant à des millions de tonnes d'explosifs classiques. Sa puissance s'exprime en mégatonnes. Le tableau ci-dessus donne une idée des destructions produites respectivement par ces deux types de projectile. En 1960, l'armement nucléaire constitue

ISTANCE DU OINT ZÉRO (en km)	NATURE DES EFFETS
Bombe atomique de 20 kilotonnes.	
,750 . . .	Destruction totale.
,250 . . .	Destruction des bâtiments.
,600 . . .	Dislocation du béton.
,300 . . .	Toitures emportées.
,000 . . .	Limite des dégâts légers.
Bombe thermonucléaire de 20 mégatonnes.	
. . . .	Tout est rasé, sauf le béton armé.
à 16 . .	Immeubles à reconstruire.
à 24 . .	Immeubles devant subir de grosses réparations.
à 32 . .	Fenêtres et toitures arrachées.
à 120. .	Immeubles encore habitables, vitres brisées, toitures endommagées.

un ensemble allant du projectile tactique d'artillerie (canon atomique, roquette, missile) ou d'aviation (bombe) jusqu'au projectile stratégique. Ce dernier peut être largué par avion (bombe) ou envoyé par missile, qui peut lui-même être lancé soit directement du sol (type I. C. B. M. ou I. R. B. M.), soit de sous-marins. (V. MISSILE.)

La possession de l'arme atomique, qui était un monopole américain en 1945, s'étend en 1949 à l'U. R. S. S. puis à d'autres Etats. Mais le danger résultant de la compétition nucléaire entre l'U. R. S. S. et les Etats-Unis conduisit ces deux puissances à conclure à Moscou en 1963 un accord, ratifié ensuite par de nombreux pays (sauf la France et la Chine). Cet accord interdit les expérimentations nucléaires aériennes, mais autorise les explosions souterraines. Il sera suivi d'autres conventions et traités entre les deux superpuissances, notamment en 1968, 1972 et 1974. (V. DÉSARMEMENT.)

● *Action biologique des explosions atomiques.* Les effets biologiques des radiations émises par les explosions atomiques sont immédiats (effets mécaniques et thermiques) ou secondaires, par l'intermédiaire des produits de fission et des radio-isotopes émis au moment de l'explosion. Les lésions sont d'autant plus graves et plus précoces que le sujet est proche de l'hypocentre de l'explosion. Dans un rayon de 1 000 m, les individus présentent des ulcérations muqueuses et des modifications hématologiques qui entraînent la mort dans un bref délai (hémorragies et septicémie). Les sujets situés à une plus grande distance sont atteints de lésions variées, épilation, radiodermite, anémie, avortement, malformation fœtale, stérilité ; ceux qui guérissent restent menacés, dans les années qui suivent, par des lésions oculaires, par les leucémies, par les radiocancers. Les poussières radio-actives produites par l'explosion des bombes H pénètrent dans l'organisme par les voies respiratoires, digestives ou cutanées, et provoquent les mêmes types de lésion. Elles posent le problème du seuil dangereux de la radio-activité. Pour certains, en raison de son degré élevé de radiosensibilité, l'espèce humaine serait une des premières à disparaître si la contamination devenait massive.

Aton, dieu égyptien représentant le disque solaire. L'hérésie d'Aménophis IV Akhenaton le fit figurer comme un globe dont les rayons étaient terminés par des mains. C'est la plus belle manifestation de monothéisme dans la haute Antiquité.

atonal, e, aux adj. Relatif à l'atonalité. ● *Ecart atonal,* pour un auditeur donné et pour un signal de fréquence déterminée, différence entre le seuil d'audition et le seuil de perception tonale. ◆ **atonalité** n. f. Ecriture musicale qui abandonne les fonctions tonales classiques en usage en Occident depuis les précurseurs de Bach jusqu'au début du XXe s., et qui utilise la totalité des ressources de la gamme chromatique. (Schönberg écrivit le premier de la musique atonale, suivi par l'école viennoise contemporaine.)

atone adj. (gr. *atonos,* relâché). Sans expression, en parlant de l'œil, du regard : *Regard atone.* || Qui manque d'activité, d'énergie : *Une vie atone.* || Sans tonicité, en parlant des organes contractiles : *Un estomac atone.* || Se dit d'une syllabe ou d'une voyelle inaccentuée. ● *Pronom personnel atone,* V. PERSONNEL. || — SYN. : *inactif, passif.* ◆ **atonie** n. f. Diminution ou perte de la tonicité normale dans un organe contractile : *Le type de l'atonie musculaire est la paralysie flasque.* || Défaut de vitalité, d'énergie : *Atonie intellectuelle.* ◆ **atonique** adj. Etat d'atonie ; relatif à l'atonie.

atopognosie [gnozi] n. f. (*a* priv., gr. *topos,* lieu, et *gnôsis,* connaissance). Impossibilité de localiser une sensation tactile ou douloureuse pourtant normalement perçue. (On observe ce trouble dans les lésions du lobe pariétal.)

Atossa, nom de plusieurs princesses perses achéménides.

atour n. m. (déverbal de *atourner*). Tout ce qui sert à la parure des femmes (ne s'emploie plus qu'au plur. et le plus souvent avec ironie) : *Etre parée de ses plus beaux atours.* ● *Filles* ou *femmes d'atour,* personnes qui étaient chargées de garder les robes et les parures des princesses.

atout n. m. (de *à* et *tout*). Carte de la couleur déterminée par la retourne ou par toute autre convention, et qui l'emporte sur les autres couleurs : *Roi d'atout. Jouer atout.* || *Fig.* Chance de réussir : *Il lui reste encore de sérieux atouts.* ● *Avoir tous les atouts en main, dans son jeu,* avoir toutes les chances de réussir (dans une entreprise quelconque).

atoxique adj. Dépourvu de toxicité.

atoxyle ou **atoxyl** n. m. Sel de sodium d'un acide provenant de l'action de l'aniline sur l'acide arsénique.

atrabilaire → ATRABILE.

atrabile n. f. (lat. *ater, atra,* noire, et *bilis,* bile). *Méd. anc.* Bile noire qui passait pour être sécrétée par les capsules surrénales. (Depuis Hippocrate et jusqu'à la fin du XVIIe s., on attribuait à l'atrabile [qui, en fait, n'existe pas] les névroses qui portent à la tristesse. De là, le nom de « mélancolie » [en gr. *melaina kholê,* bile noire].) ◆ **atrabilaire** adj. et n. D'un caractère désagréable. (Vieilli.)

atractaspis [pis] n. m. Vipère fouisseuse de l'Afrique noire, très venimeuse.

atractylis [lis] n. m. (gr. *atraktulis,* chardon). Composée épineuse aux fleurs violettes.

atramentaire adj. *Expertise atramentaire,* V. EXPERTISE.

Atrato, fl. de Colombie, né dans les Andes, qui rejoint la mer des Antilles ; 601 km.

âtre adj. (lat. *ater,* noir). *Abeille âtre,* abeille d'un beau noir, au corselet encadré de blanc.

âtre n. m. (lat. pop. *astracus,* pavé ; gr. *ostrakon,* coquillage). Partie de la cheminée où l'on fait le feu. || La cheminée même : *Mettre des bûches dans l'âtre.* || Partie du foyer qui entoure immédiatement le combustible dans divers fours et fourneaux. || Ensemble de morceaux de grès recouvrant la partie inférieure du four.

Atrébates, peuple de la Gaule Belgique, occupant la région correspondant à l'Artois. Capit. *Nemetacum* (auj. *Arras*).

Atrée, en gr. **Atreus.** *Myth. gr.* Fils de Pélops et d'Hippodamie. Roi de Mycènes, il se vengea de son frère Thyeste en tuant trois des fils de celui-ci et en les lui faisant manger dans un banquet. Il fut tué par Egisthe, fils de Thyeste.

Atrek, riv. de l'Asie centrale, née dans le Kopet-Dagh (Iran) ; 500 km. Le cours inférieur sert de frontière avec l'U. R. S. S.

atremata n. m. pl. (gr. *atrema,* immobile). Ordre de brachiopodes inarticulés existant à tous les étages géologiques (par ex., la lingule).

atrésie n. f. (*a* priv., et gr. *trêsis,* action de trouer). Occlusion complète ou incomplète, congénitale ou acquise, d'un orifice ou d'un conduit naturels : *Atrésie de l'œsophage. Atrésie artérielle.* || Insuffisance dans le développement en largeur des maxillaires.

Atri, l'un des sept grands sages de l'Inde ancienne.

atrichie n. f. (*a* priv., et gr. *thrix, trikhos,* poil). Absence de poils.

Atrides, en gr. **Atreidai,** descendants d'Atrée, en particulier Agamemnon et Ménélas. La famille des *Atrides* est célèbre par la malédiction qui la poursuivit et qui multiplia l'assassinat, le parricide, l'adultère et l'inceste.

atriplex n. m. Nom générique de l'*arroche**.

atrium [atrijɔm] n. m. (mot lat.). Dans la maison romaine, portique couvert sur lequel débouchaient toutes les pièces, et au centre duquel se trouvait souvent un bassin central. || Parvis de certains temples romains. (C'était une cour carrée entourée d'un portique. L'atrium des églises primitives donna naissance au cloître.) || Au Moyen Age, local dans lequel les rois donnaient les réceptions solennelles. || *Anat.* Etage inférieur de la caisse du tympan.

atroce adj. (lat. *atrox, -ocis*). Qui dénote une grande cruauté : *Un crime atroce.* || Horrible à voir ou à supporter : *Des souffrances atroces.* || *Par exagér.* et *fam.* Très rude, très mauvais, très laid en son genre : *Avoir un temps atroce pendant les vacances.* || — SYN. : *abominable, affreux, barbare, épouvantable, horrible, monstrueux.* ◆ **atrocement** adv. De façon atroce : *Un corps atrocement mutilé.* || Excessivement : *Un livre atrocement ennuyeux.* ◆ **atrocité** n. f. Caractère de ce qui est atroce : *L'atrocité des tortures.* || Action cruelle, qui fait horreur : *Se rendre coupable d'atrocités.* || Imputation déshonorante, calomnie : *On a répandu des atrocités sur son compte.*

atropa n. f. (de *Atropos* n. pr.). Nom générique de la *belladone**.

Atropatène (du nom du satrape *Atropatès*), nom donné, dans l'Antiquité, à l'actuel **Azerbaïdjan.**

atrophie n. f. (*a* priv., et gr. *trophê,* aliment). Insuffisance ou défaut de nutrition d'un tissu ou d'un organe, entraînant une diminution de son volume et de son pouvoir fonctionnel. || Décroissement des éléments d'un tissu, d'un organe ou d'un être vivant tout entier, par suite d'un trouble de sa nutrition. (V. *encycl.*) || *Fig.* Perte ou affaiblissement de quelque faculté : *Atrophie de l'in-*

telligence. ◆ **atrophié, e** adj. Qui a subi une atrophie, qui est très diminué de volume : *Membre atrophié.* ◆ **atrophier** v. tr. Amaigrir, faire dépérir par atrophie : *L'immobilité atrophie les membres.* || *Fig.* Diminuer, éteindre, affaiblir : *L'habitude atrophie la volonté.* || — ***s'atrophier*** v. pr. Etre en voie d'atrophie, dépérir, perdre de son volume : *Le thymus s'atrophie dès l'enfance.* ◆ **atrophique** adj. Relatif à l'atrophie ; qui s'accompagne d'atrophie. ✦ adj. et n. Atteint d'atrophie.

— ENCYCL. ***atrophie.*** L'atrophie est le phénomène inverse de l'accroissement. Elle peut être un fait physiologique, donc normal (atrophie des arcs aortiques durant la vie intra-utérine). L'atrophie pathologique relève d'états morbides divers. Le défaut d'exercice d'une fonction amène aussi l'atrophie de l'organe.

Les atrophies musculaires progressives, encore appelées *myopathies,* sont des maladies purement musculaires, qui doivent être distinguées des atrophies musculaires consécutives à des lésions nerveuses. Elles entraînent une dégénérescence des muscles striés, qui perdent leur volume et leur force. Il s'agit souvent de maladies familiales.

atrophié, atrophier, atrophique → ATROPHIE.

atropine n. f. (de *atropa*). Composé racémique correspondant à l'*hyoscyamine,* principal alcaloïde de la belladone. (V. *encycl.*) ◆ **atropinisation** n. f. Administration d'atropine à un sujet. ◆ **atropisme** n. m. Ensemble des symptômes provoqués par l'abus de l'atropine ou de la belladone.

— ENCYCL. ***atropine.*** L'atropine cristallise en fines aiguilles incolores, soyeuses, de saveur amère, fondant à 108 °C ; c'est une base, donnant des sels avec les acides. L'atropine est un parasympathicolytique. Elle relâche les muscles bronchiques et la fibre lisse intestinale, tarit les sécrétions, dilate la pupille, accélère le cœur. Ses propriétés antispasmodiques et mydriatiques sont utilisées en thérapeutique. Très toxique, elle est utilisée à des doses de l'ordre du milligramme. A dose élevée, l'atropine produit une excitation dite *délire atropinique.*

atropinisation, atropisme → ATROPINE.

atropo-isomérie n. f. Isomérie optique, due à l'empêchement stérique de libre rotation. (V. ISOMÈRE.)

atropos [pɔs] n. m. Nom générique d'une psoque des maisons. || Nom spécifique du papillon *achérontia.*

Atropos. *Myth. gr.* Une des trois Parques, chargée de couper le fil rattachant l'homme à la vie.

atrypa n. m. (*a* priv., et gr. *trupân,* percer). Brachiopode du silurien et du dévonien.

atta n. m. Fourmi d'Amérique, qui cultive des champignons.

attablé → ATTABLER (S').

attabler (s') v. pr. S'asseoir à une table pour manger, jouer ou travailler : *S'attabler au restaurant.* ◆ **attablé, e** adj. Installé à table : *Convives attablés.*

attachant, attache, attaché → ATTACHER.

attaché-case n. m. (de l'angl.). Porte-documents constitué par une mallette peu profonde et rigide.

attachement → ATTACHER.

attacher v. tr. (de l'anc. franç. *estachier,* ficher ; d'orig. germ.). Fixer à quelque chose par un lien quelconque : *Attacher une chaîne au cou d'un chien.* || *Fig.* Unir, lier à quelqu'un ou à quelque chose par une relation durable : *Attacher son nom à une invention.* || Lier par un sentiment d'amour, de fidélité, de reconnaissance, etc. : *De tendres souvenirs l'attachent à son pays natal.* || Fixer, diriger : *Attacher ses regards sur quelqu'un.* || Donner, attribuer : *Attacher un sens injurieux à des paroles.* ✦ v. intr. *Fam.* Adhérer au fond d'un ustensile de cuisine : *Le riz a attaché dans la casserole.* || — ***s'attacher*** v. pr. Etre fixé, se cramponner, adhérer fortement : *La poix s'attache aux doigts.* || *Fig.* Demeurer sur, dans ; être inséparable de : *Une impression de malaise qui s'attache à certains souvenirs.* || S'appliquer, se consacrer : *S'attacher à faire aboutir un projet.* || Se lier d'amour, d'amitié avec quelqu'un, etc. : *S'attacher à un enfant.* || Prendre un goût très vif pour quelque chose : *S'attacher à son travail.* ◆ **attachant, e** adj. Qui fixe l'attention et l'intérêt ; qui séduit : *Un livre attachant.* || — SYN. : *attrayant, captivant, charmant, enchanteur, intéressant, passionnant, séduisant.* ◆ **attache** n. f. Tout ce qui sert à attacher, à retenir : *Tenir un chien à l'attache.* || *Fig.* Sentiment qui nous unit à quelque chose : *Il a de l'attache pour sa maison natale.* || Liaison, relation qui nous font dépendre d'une personne ou d'un milieu : *Rompre toutes les attaches avec son passé.* || Endroit où vient se fixer un muscle, un ligament. || Manière dont la main se joint au bras et le pied à la jambe : *Des attaches fines.* || Petit cordon cousu au bord d'un vêtement pour le fermer, ou d'une pièce de linge pour la suspendre. || Chacune des lignes pleines ou pointillées qui, dans les plans d'architecte, accompagnent les cotes et indiquent les points extrêmes auxquels elles se réfèrent. || Ligature des aciers de béton armé, pour maintenir en place les armatures pendant le coulage du béton. || Appareil fixant une suspente de pont suspendu. ● *Attache d'un rail,* ensemble des diverses pièces servant à la fixation des rails sur les traverses, et au serrage des éclisses de joint. || *Chien d'attache,* chien de garde qu'on attache le jour et qu'on lâche la nuit. || *Port d'attache d'un navire,* port où il est immatriculé. ◆ **attaché** n. m. Membre du personnel d'une ambassade, d'une légation, du cabinet d'un ministre, chargé de certaines fonctions : *Attaché culturel. Attaché militaire. Attaché de presse.* ● *Attaché d'administration,* fonctionnaire des administrations centrales qui se situe hiérarchiquement entre les administrateurs civils et les secrétaires d'administration. ‖ *Attaché de justice,* fonctionnaire affecté à la Cour de cassation, à une cour d'appel ou à un tribunal de grande instance pour y exercer, sous la direction des chefs de la juridiction, toutes attributions non juridictionnelles, impliquant soit un travail de gestion, soit un travail de rédaction à caractère juridique, ou bien un travail de recherche jurisprudentielle ou doctrinal. ‖ *Attaché au parquet,* futur magistrat qui effectue un stage dans les services intérieurs du parquet* du procureur de la République ou du procureur général. ◆ **attachement** n. m. Sentiment d'affection, de sympathie, de dévouement pour une personne, un animal ou une chose : *Témoigner de l'attachement pour une personne.* ‖ Relevé journalier des travaux et dépenses d'un entrepreneur de travaux. ◆ **attachot** n. m. Bande de tissu ou de peau maintenant le couvercle d'une mallette dans la position ouverte.

attacus [kys] n. m. Beau papillon des régions chaudes, aux ailes falquées, dont la chenille donne une soie utilisable.

attagène n. m. Petit coléoptère dont la larve ronge peaux, lainages et fourrures. (Famille des dermestidés.)

Attaingnant ou **Attaignant** (Pierre), imprimeur parisien († Paris 1551 ou 1552). Ayant obtenu des caractères mobiles de musique, il publia, à partir de 1528, une centaine de recueils.

attalea n. f. Beau palmier du Brésil.

Attalides, dynastie hellénistique des souverains de Pergame, fondée par Philétairos, fils d'Attalos, qui détourna un trésor, confié par Lysimaque, pour créer un Etat autour de Pergame. Ses descendants Attalos Ier, Eumenês II et Attalos II agrandirent le royaume, protégèrent les arts (bibliothèque de Pergame) et exercèrent sur les cités grecques une sorte d'hégémonie morale.

Attalos ou **Attale,** nom de trois rois de Pergame. **Attalos Ier,** roi de 241 à 197 av. J.-C., fut le premier Attalide à prendre le titre de « roi » (v. 230) et lutta avec les Romains contre Philippe V de Macédoine. — **Attalos II** *Philadelphe,* roi de 159 à 138 av. J.-C., lutta contre Prousias II de Bithynie. — **Attalos III** *Philomêtôr,* roi de 138 à 133 av. J.-C., dernier roi de Pergame, qui était sans héritier, légua ses possessions à Rome.

attapulgite n. f. Silicate naturel hydraté de magnésium.

attaquable, attaquant, attaque → ATTAQUER.

attaquer v. tr. (ital. *attaccare,* attacher). Exécuter une action offensive contre quelqu'un ou quelque chose ; commencer la guerre, le combat contre : *Attaquer une armée ;* et, *absol. : Les Français vont attaquer d'un moment à l'autre.* ‖ Contester, en justice, la validité d'un contrat, d'un jugement ou les prétentions de son adversaire. ‖ *Mar.* S'approcher de, se diriger sur : *Attaquer une île, un cap, une côte.* ‖ Aux cartes, jouer le premier. ‖ Se ruer sur un leurre ou sur un vif (en parlant d'un poisson carnassier). ‖ En vénerie, mettre sur pied, à l'aide de chiens, l'animal rembuché. ‖ *Fig.* Accuser, critiquer, incriminer : *Attaquer une personne dans un journal.* ‖ Nuire à, endommager : *La rouille attaque le fer.* ‖ Commencer avec ardeur : *Attaquer un travail.* ‖ *Fam.* Commencer à manger ; entamer : *Attaquer un pâté.* ● *Attaquer un cheval,* le piquer vigoureusement avec l'éperon. ‖ *Attaquer une syllabe, une note,* en commencer l'émission. ‖ — ***s'attaquer*** v. pr. Ne pas craindre d'affronter : *S'attaquer à un personnage éminent.* ‖ S'en prendre à : *S'attaquer aux préjugés.* ◆ **attaquable** adj. Qui peut être attaqué : *Testament attaquable.* ◆ **attaquant, e** adj. et n. Qui attaque, qui exécute une attaque : *L'avantage appartient souvent aux attaquants.* ‖ — ***attaquant*** n. m. Joueur qui fait partie de la ligne d'attaque dans les sports d'équipe. ◆ **attaque** n. f. Phase principale du combat offensif, dont le but est la conquête d'un ou de plusieurs objectifs. ‖ *Par extens.* Action militaire visant la conquête d'un pays ou la destruction des forces adverses : *L'attaque de la Pologne par la Wehrmacht marqua le début de la Seconde Guerre mondiale.* ‖ Accès subit d'une maladie : *Attaque de goutte. Attaque d'aploplexie.* ‖ *Partic.* Congestion cérébrale : *A un certain âge, on peut craindre une attaque.* ‖ Opération chimique consistant à faire agir sur un métal ou sur tout autre corps un réactif approprié. ‖ Début d'émission d'un phonème. ‖ Système (tringle, câble et poulie, moteur) par lequel on transmet le mouvement à un appareil d'aiguillage, de signalisation, etc. ‖ Action offensive d'un joueur, d'une équipe. ‖ Accélération soudaine d'un coureur. ‖ Manière de frapper la balle. ‖ Touche d'un poisson. ‖ Série de coups d'éperon donnés à un cheval. ‖ Au jeu de cartes, action de jeter la première carte. ‖ Action de découpler les chiens courants, afin de les lancer sur la voie de l'animal détourné. ‖ *Fig.* Accusation, critique : *Les attaques de l'opposition.* ● *Angle d'attaque,* v. ANGLE ‖ *Attaque de coulée,* action de commencer la coulée de métal fondu dans un moule ‖ *Attaque de nerfs,* spasme nerveux, souvent accompagné de mouvements convulsifs de larmes et de cris. ‖ *Bord d'attaque,* bord antérieur d'une aile d'avion. ‖ *Cerf d'attaque* (Véner.), celui qu'il faut maintenir jusqu'à la prise. ‖ *Chien d'attaque,* chien destiné à faire lever le gros gibier. ‖ *Etre d'attaque* (Fam.), être vigoureux et dispos.

'Aṭṭār (Farīd al-Dīn), poète mystique de la Perse (Nishāpūr v. 1150 - † v. 1220), auteur du *Langage des oiseaux,* sorte d'épopée qui est une explication poétique de la mystique persane.

attardé → ATTARDER.

attarder v. tr. Mettre en retard : *Etre attardé par un ami.* || — ***s'attarder*** v. pr. Se mettre en retard : *S'attarder en cours de route.* || Rester longuement quelque part : *S'attarder à la campagne.* || Rester longuement à faire quelque chose; prendre son temps : *S'attarder à des vétilles.* ◆ **attardé, e** adj. et n. Arriéré mentalement. || En retard sur son siècle : *Faire figure d'attardé aux yeux des jeunes.*

Attatba, comm. d'Algérie (dép. d'Alger, arr. de Blida); 5 100 h.

atteindre v. tr. (lat. *attingere;* de *tangere,* toucher) [conj. **55**]. Toucher de loin avec quelque chose : *Un coup qui atteint l'adversaire.* || Entrer en rapport avec quelqu'un; rencontrer : *Je n'ai pu l'atteindre chez lui.* || Réussir à toucher ce qui est élevé : *Atteindre le haut d'une armoire.* || Parvenir, arriver à : *Atteindre l'âge de la retraite.* || Réussir à blesser, à léser : *Atteindre quelqu'un par la calomnie.* || Réussir à émouvoir, à troubler : *Etre atteint par l'émotion générale.* ✦ v. tr. ind. [**à**]. Parvenir à un but malgré des difficultés : *Atteindre à la perfection.* ◆ **atteinte** n. f. Action d'atteindre; portée : *Mettre un objet hors d'atteinte;* et, au *fig.* : *Sa réputation est hors d'atteinte.* || Action de causer un dommage matériel ou moral; préjudice : *Résister aux atteintes du froid. Porter atteinte à la réputation de quelqu'un.* || Attaque, manifestation d'une affection morbide : *Ressentir les premières atteintes d'une maladie.* ● *Atteinte au crédit de la nation,* délit consistant soit à répandre des allégations mensongères capables d'ébranler la confiance dans la solidité de la monnaie ou des fonds publics, soit à inciter le public à retirer des fonds des caisses ou établissements publics, à vendre des fonds publics ou à s'abstenir d'en acquérir, enfin à organiser ou tenter d'organiser le refus collectif de l'impôt. || *Atteinte à la défense nationale,* acte susceptible de nuire à la sûreté de l'Etat, sans toutefois constituer un acte de trahison et d'espionnage, et qui est puni soit de la détention criminelle à perpétuité, soit de la détention criminelle à temps.

attelages (ch. de f.)

simple

automatique

attélabe n. m. Nom scientifique du *cigarier,* charançon qui enroule les feuilles de chêne ou de vigne pour y pondre.

attelable, attelage, attelée → ATTELER.

atteler v. tr. (lat. pop. **attelare;* de *protelum,* attelage de bœufs) [conj. **3**]. Harnacher des animaux de trait et les relier à un véhicule ou à un instrument agricole : *Atteler les chevaux. Atteler des bœufs à la charrue;* ellipt. : *Atteler une voiture;* et, absol. : *Attelez, on part!* || *Ch. de f.* Réunir et solidariser deux véhicules. || *Fig.* Appliquer : *Atteler quelqu'un à une tâche.* || — ***s'atteler*** v. pr. S'attacher pour tirer un fardeau; appliquer ses forces à : *S'atteler à une voiture.* || *Fig.* Entreprendre un long travail : *S'atteler à une besogne ingrate.* ◆ **attelable** adj. Qui peut être attelé. ◆ **attelage** n. m. Action ou manière d'atteler un animal ou un groupe d'animaux : *Attelage bien fait.* (V. *encycl.*) || Bêtes attelées : *L'attelage se met en marche.* || *Ch. de f.* Dispositif d'accrochage des véhicules entre eux. || Action d'atteler des véhicules. ◆ **attelée** n. f. Temps pendant lequel les bêtes de trait sont attelées.

— ENCYCL. ***attelage.*** Ce n'est que vers le Xe s. que la technique de l'attelage permit l'utilisation rationnelle de la force des animaux grâce à l'invention du collier d'épaules et de la bricole, qui s'appuient au niveau des

attelage à deux
lavis de Constantin Guys

Giraudon - Musée des Arts décoratifs

Giraudon-Musée du Petit Palais

attelage à quatre
peinture de Toulouse-Lautrec

omoplates du cheval, et à celle du joug, placé sur les cornes ou au garrot des bœufs. De plus, la disposition en file des animaux permit d'additionner leurs efforts. Ces principes n'ont pas varié depuis, et l'attelage du cheval et du bœuf continue à rendre des services dans les exploitations où la motorisation n'est pas rentable. Parmi les attelages classiques, citons les attelages par un (en brancards ou à un palonnier), en paire (deux animaux sur palonnier), en file par un ou à deux, en file par deux ou à quatre, à la d'Aumont, etc.

attelle n. f. (lat. *hasta,* lance). Partie latérale en bois d'un collier d'attelage, qui reçoit les moyens de fermeture et de tirage. || Eclisse, lame de fer, de bois, etc., que l'on applique le long d'un membre fracturé ou luxé pour le maintenir immobile.

attelloire ou **atelloire** n. f. Cheville qui fixe les traits du cheval aux brancards ou au palonnier. || Poignée pour saisir un outil ou un instrument. (Syn. ATTELLE.)

attenance → ATTENANT.

attenant, e adj. Qui tient à, contigu : *Un terrain attenant à un immeuble.* || — SYN. : *adjacent, joignant, prochain, proche, voisin.* ◆ **attenance** n. f. Dépendance : *Vendre une ferme, une maison et ses attenances.*

attendant (en). V. ATTENDRE.

attendre v. tr. et intr. (lat. *attendere,* avoir l'esprit tendu vers). Rester dans un lieu jusqu'à ce qu'arrive une personne ou une chose, ou qu'un fait se réalise : *J'attendrai jusqu'à ce qu'il revienne. Attendre l'autobus. Attendez que je sois de retour.* || Compter sur la venue de quelqu'un ou de quelque chose : *Attendre une rentrée d'argent.* || Compter sur quelqu'un pour vous donner quelque chose : *Attendre de quelqu'un du dévouement.* || Etre le lot de ; être destiné à quelqu'un : *La misère vous attend.* ● *Attendre quelqu'un à* (Fam.), attendre qu'il s'engage dans une difficulté, qu'il arrive à tel moment critique, pour prendre sur lui une revanche, pour obtenir de lui ce qu'on désire (se dit surtout par menace ou par défi) : *Je vous attends au passage. Il veut m'attaquer en justice, c'est là que je l'attends !* || *Faire attendre, se faire attendre,* être en retard à un rendez-vous. || *Femme qui attend un bébé,* femme enceinte. || *Tu ne perds rien pour attendre,* tu n'échapperas pas au châtiment. ✦ v. intr. Différer d'agir jusqu'à l'arrivée de quelqu'un, de quelque chose : *Agissez sans plus attendre.* || Rester intact, rester dans le même état : *Cette viande n'attendra pas jusqu'à demain.* ✦ v. tr. ind. [**après**]. Compter sur quelqu'un ou sur quelque chose avec impatience : *J'attends après son acceptation.* || — REM. *Attendre après* est correct quand il exprime le besoin qu'on a de ce qu'on attend : *Je n'attends pas après cet argent. On n'attend plus qu'après cela* (Acad., 1932). Mais *attendre après l'autobus,* où le sens est « rester dans un lieu jusqu'à l'arrivée de l'autobus », est du langage familier. ● LOC. ADV. *En attendant,* jusqu'au moment où ce qu'on attend se produira : *Il va arriver ; en attendant, asseyez-vous.* || Quoi qu'il en soit, toutefois : *En attendant, il reste avec sa jambe cassée !* ● LOC. PRÉP. *En attendant de,* jusqu'au moment de : *En attendant de partir, il fit un somme.* ● LOC. CONJ. *En attendant que,* jusqu'au moment où : *Commençons toujours en attendant qu'il arrive.* || — **s'attendre** v. pr. [**à**]. Prévoir ; regarder comme probable : *S'attendre à une catastrophe.* ● *S'attendre que* ou *s'attendre à ce que* (avec le subj.), compter que : *S'attendre à ce qu'on vous soutienne.* ◆ **attendu** prép. (part. pass. de *attendre*). Etant donné : *Attendu les événements...* ● LOC. CONJ. *Attendu que* indique la cause ; vu que, puisque : *Il ne viendra pas, attendu qu'il est malade.* ✦ n. m. Chacun des alinéas d'une requête, d'un arrêt, qui commencent par les mots *attendu que* et qui motivent cette requête, cet arrêt. ◆ **attente** n. f. Action de demeurer jusqu'à l'arrivée de quelqu'un ou de quelque chose ; temps passé ainsi : *Vivre dans l'attente de grands événements.* || Action de compter sur quelqu'un ou sur quelque chose ; espérance : *Le suc-*

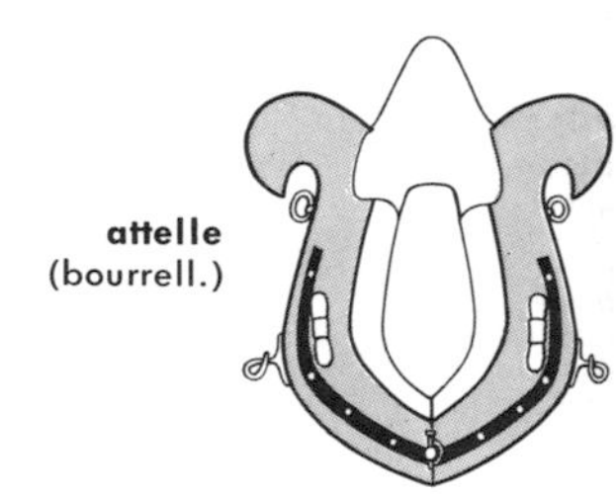

attelle
(bourrell.)

cès répondit à l'attente. Il réussit contre toute attente. ● *Pierres d'attente,* pierres saillantes ménagées d'espace en espace, au bout d'un mur, de manière à pouvoir faire liaison avec un mur que l'on viendrait à construire dans son prolongement. (On les appelle aussi PIERRES D'ARRACHEMENT, HARPES ou AMORCES.) || *Salle d'attente,* salle dans laquelle les voyageurs attendent le train, les malades la consultation, etc. || *Table d'attente,* panneau de menuiserie en saillie au-dessus des guichets des grandes portes. ◆ **attentisme** n. m. Politique d'attente et d'opportunisme. ◆ **attentiste** adj. et n. Qui pratique l'attentisme.

attendrir v. tr. Rendre plus tendre, moins coriace (se dit surtout en parlant des aliments) : *Attendrir une viande.* || *Fig.* Toucher de compassion, émouvoir, exciter la sensibilité : *Le spectacle l'attendrit.* || — ***s'attendrir*** v. pr. Devenir tendre. || *Fig.* Etre ému, touché : *S'attendrir sur le sort des malheureux.* ◆ **attendrissant, e** adj. Qui attendrit : *Des paroles attendrissantes.* ◆ **attendrissement** n. m. Action de rendre plus tendre, moins coriace : *L'attendrissement de la viande.* || *Fig.* Mouvement de tendresse, de compassion : *Se laisser aller à l'attendrissement.* || — SYN. : *apitoiement, commisération, compassion, pitié.* ◆ **attendrisseur** n. m. Machine servant à attendrir la viande.

attendu → ATTENDRE.

attentat, attentatoire → ATTENTER.

attente → ATTENDRE.

attenter v. tr. ind. [**à**] (lat. *attentare,* attaquer). Commettre une tentative criminelle : *Attenter à la vie de quelqu'un.* || Porter une grave atteinte à : *Une loi qui attente à la liberté de la presse.* ◆ **attentat** n. m. Tentative criminelle ou illégale contre les personnes, les droits, les biens et même les sentiments collectifs, lorsque ces derniers sont reconnus et protégés par la loi : *Attentat contre un ministre. Attentat à la grenade, au plastic, à la mitraillette. Attentat contre la propriété. Attentat à la pudeur.* || — SYN. : *agression, attaque, complot, délit, infraction, outrage.* ◆ **attentatoire** adj. Qui porte atteinte, préjudice : *Une mesure attentatoire à la liberté.*

attentif → ATTENTION.

attention n. f. (lat. *attentio ;* de *attendere,* tendre vers). Concentration volontaire de l'esprit sur un objet déterminé : *Ecouter un conférencier avec attention.* (On distingue l'*attention involontaire* [ou *spontanée*], par laquelle le sujet est amené à sélectionner un stimulus parmi les autres dans le champ perceptif, et l'*attention volontaire,* par laquelle les motivations du sujet déterminent la réaction de celui-ci, ainsi que la sélection de ses perceptions.) || Action par laquelle on témoigne à quelqu'un qu'on se soucie de son bonheur, de sa santé, etc. : *Suivre l'état d'un malade avec beaucoup d'attention.* || — SYN. : *application, concentration, méditation, réflexion, tension d'esprit.* ● *Attention!,* prenez garde ! || *A l'attention de...,* formule désignant le destinataire d'une note, d'une lettre, etc. || *Faire attention,* prendre garde, veiller à : *Faites attention au feu! Faire attention à ne pas blesser un ami.* || — ***attentions*** n. f. pl. Témoignages de sollicitude, de prévenance : *Multiplier les attentions à l'égard d'une personne âgée.* (Parfois au sing. : *Avoir une attention délicate à son égard.*) ◆ **attentif, ive** adj. Qui fait attention : *Auditeur attentif.* || Qui s'occupe de quelque chose avec attention : *Un automobiliste attentif à la conduite.* || Qui témoigne du désir de plaire ou d'être utile : *Soins attentifs.* ◆ **attentionné, e** adj. Qui a des prévenances; plein de gentillesse : *Fiancé attentionné.* ◆ **attentivement** adv. Avec attention : *Observer attentivement un insecte.*

attentisme, attentiste → ATTENDRE.

attentivement → ATTENTION.

atténuant, atténuation, atténué → ATTÉNUER.

atténuer v. tr. (lat. *attenuare,* affaiblir ; de *tenuis,* mince). Diminuer, amoindrir, rendre moins grave (au *pr.* et au *fig.*) : *Cachets qui atténuent la douleur. Atténuer une expression.* ◆ **atténuant, e** adj. Qui atténue, rend moins grave. ● *Circonstances atténuantes,* faits particuliers non définis, et dont les juges et les jurés tiennent compte au prévenu et à l'accusé pour une application indulgente de la loi pénale. ◆ **atténuation** n. f. Action d'atténuer ; résultat de cette action (au *pr.* et au *fig.*). ◆ **atténué, e** adj. Affaibli, diminué : *Un écho atténué.*

Atterbom (Per Daniel Amadeus), poète suédois (Åsbo 1790 - Uppsala 1855), l'un des plus purs romantiques de la littérature suédoise. Ses meilleures œuvres sont deux féeries : *l'Oiseau bleu* (1814) et *l'Ile de la Félicité* (1824-1827).

Atterbury (Francis), prélat et pamphlétaire anglais (Milton, Buckinghamshire, 1662 - Paris 1732). Chapelain de la cour, puis évêque de Rochester, il fut un défenseur acharné du torysme et de la haute Eglise.

atterrage n. m. *Mar.* Parages voisins de la terre : *Un atterrage dangereux rend l'atterrissage difficile.*

atterrant, atterrement → ATTERRER.

atterrer v. tr. (de *terre*). Jeter dans la stupéfaction, l'abattement, l'affliction : *Etre atterré par un malheur.* ◆ **atterrant, e** adj. Qui atterre : *Une nouvelle atterrante.* ◆ **atterrement** n. m. Accablement extrême.

atterrir v. intr. Prendre contact avec la terre, en parlant d'un aéronef. || Toucher terre, en parlant d'un navire. || Venir à la côte, en parlant de poissons. || *Fig.* et *fam.* Arriver quelque part inopinément : *Atterrir*

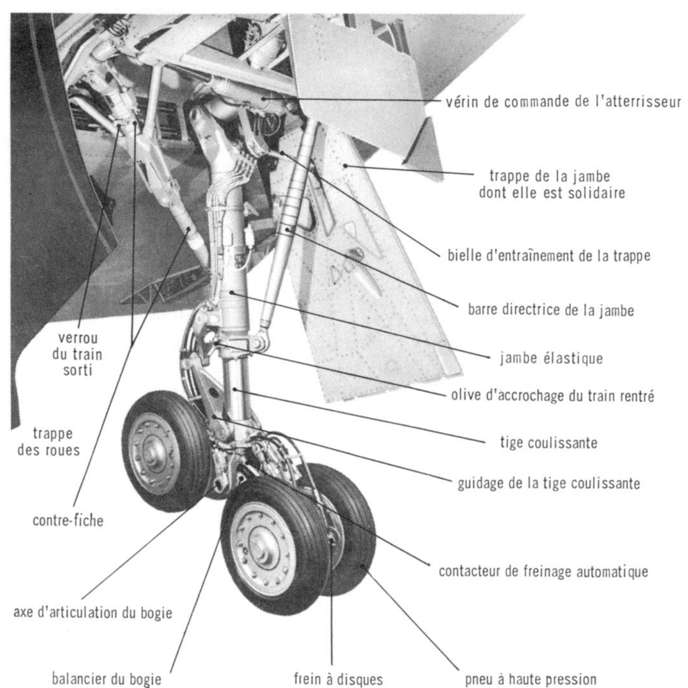

pièces principales du train d'atterrissage du « Mirage IV »

au milieu d'une cérémonie. ◆ **atterrissage** n. m. Action d'atterrir. ‖ Ensemble des manœuvres effectuées pour atterrir. ● *Train d'atterrissage,* dispositif placé sous un avion pour décoller et atterrir.

atterrissement n. m. Formation de terre se produisant en bordure d'un cours d'eau et qui profite aux riverains, ou à l'Etat si le cours d'eau, navigable, forme des îles.

Attersee, lac d'Autriche (Haute-Autriche), à l'E. de Salzbourg ; 46,7 km².

attestation → ATTESTER.

attester v. tr. (lat. *attestari ;* de *testis,* témoin). Etre le témoin, la preuve de quelque chose : *Les ruines attestaient la violence du séisme. Ses regards attestaient la sincérité de ses affirmations.* ‖ Prendre à témoin : *J'en atteste le ciel !* ‖ — SYN. : *affirmer, assurer, avancer, certifier, confirmer, garantir, soutenir, témoigner.* ◆ **attestation** n. f. Affirmation, par écrit, d'un fait, d'une situation, rédigée par une personne qualifiée : *Attestation notariée.*

Attichy, ch.-l. de c. de l'Oise (arr. et à 18 km à l'E. de Compiègne), dans la vallée de l'Aisne ; 1 631 h. (*Attichois*).

atticisme, atticiste → ATTIQUE.

Atticos, patriarche de Constantinople de 406 à 425, successeur de saint Jean Chrysostome.

atticurge n. f. et adj. (gr. *attikos,* attique, et *ergon,* ouvrage). Autref., porte dont le seuil était plus long que le linteau.

Atticus (Titus Pomponius), chevalier romain (Rome 109 - † 32 av. J.-C.). Lettré et fort riche, il est connu par l'amitié qui l'unissait à Cicéron. Les 396 lettres que celui-ci lui adressa de 65 à 44 av. J.-C. constituent l'essentiel de la correspondance du grand orateur.

Atticus (Hérode). V. HÉRODE ATTICUS.

attiédir v. tr. Rendre tiède en refroidissant

ou en chauffant légèrement : *Attiédir un bain trop chaud.* || *Fig.* Diminuer l'ardeur de : *Le temps attiédit l'amitié.* || **— s'attiédir** v. pr. Devenir tiède : *Son ardeur s'est attiédie.* ◆ **attiédissement** n. m. Action d'attiédir ou de s'attiédir ; état de ce qui s'attiédit : *L'attiédissement de la température à la fin de l'hiver.* || *Fig.* Diminution d'ardeur : *L'attiédissement de son zèle.*

Attié(s), peuple de la Côte-d'Ivoire, à l'O. de la Comoé.

attifement → ATTIFER.

attifer v. tr. (de l'anc. franç. *tifer,* parer). *Fam.* Parer avec mauvais goût, agrémenter de détails de costume bizarres : *Etre curieusement attifé.* || **— s'attifer** v. pr. *Fam.* Faire toilette : *Passer des heures à s'attifer.* ◆ **attifement** n. m. Manière d'attifer ou d'être attifé : *Un curieux attifement.* ◆ **attifet** n. m. Petit bonnet s'avançant en pointe sur le front, et qui était porté surtout par les veuves. (Il fut introduit en France par Catherine de Médicis.)

attifet
dessin de
François Clouet
Louvre

attiger v. intr. *Fam.* Exagérer : *Tu attiges !*

attignole n. f. Boulette de charcuterie cuite dans la graisse.

Attigny, ch.-l. de c. des Ardennes (arr. et à 14,5 km au N.-O. de Vouziers), sur l'Aisne ; 1 265 h. Eglise (XIIe-XVIe s., restaurée). Localité fondée en 650 par Clovis II. Louis le Pieux y fit, en 822, une pénitence publique.

Attila († 453), roi des Huns établis dans la plaine hongroise (Pannonie) en 434. Il envahit en 441 le territoire byzantin, se rejeta à l'O., franchit le Rhin en 451, laissa Paris de côté, mais ne put s'emparer d'Orléans et fut battu aux « champs Catalauniques » par Aetius et Théodoric, roi des Wisigoths. En 452, il lança ses hordes sur l'Italie, mais le pape Léon le Grand réussit à le convaincre d'épargner Rome contre le paiement d'un tribut. Il se retira alors en Pennonie et son empire ne survécut pas à sa mort.

Attila, tragédie de Corneille (1667), une des plus originales de la vieillesse du poète.

attillon n. m. Bûche provenant du haut des racines d'un arbre abattu.

attinage n. m. Ensemble des pièces de bois, ou *tins,* sur lesquelles repose un navire en cale de construction ou en cale sèche.

attique adj. (gr. *attikos*). Relatif à l'Attique, à Athènes ou aux Athéniens. ● *Alphabet attique,* alphabet de vingt lettres, en usage chez les Athéniens jusqu'à la fin du Ve s. av. J.-C. || *Orateurs attiques,* Antiphon, Andocide, Lysias, Isocrate, Isée, Eschine, Lycurgue, Démosthène, Hypéride, Dinarque. || *Sel attique,* manière de s'exprimer finement, railleuse, spirituelle et polie, qui était particulière aux Athéniens. ✦ n. m. Dialecte du grec ancien parlé en Attique. || Construction de type athénien, élevée au-dessus de la corniche de l'entablement pour masquer la naissance du toit. || *Par extens.* Petit étage supplémentaire, souvent décoré de pilastres, servant d'amortissement à une façade. || *Anat.* Etage supérieur de la caisse du tympan. ● *Faux attique,* sorte de piédestal qui soutient la partie inférieure d'un entablement. ◆ **atticisme** n. m. Style propre aux écrivains attiques, notamment à ceux du Ve et du IVe s. av. J.-C., d'Eschyle à Démosthène. (Certains auteurs postérieurs, tel Lucien au IIe s. apr. J.-C., tentèrent de ressusciter la pureté de l'atticisme.) || Forme particulière du dialecte attique. ◆ **atticiste** adj. et n. Qui cherche à reproduire le style des écrivains attiques. ◆ **attiquement** adv. Avec une élégance attique.

Attique, en gr. **Attikê** ou **Attiki,** région de la Grèce, comprise entre le mont Parnès, au N., et le cap Sounion, au S. Des massifs cristallins et calcaires séparent des plaines d'effondrement remplies d'alluvions. Primitivement, l'Attique comprenait une douzaine de bourgades indépendantes, dont Athènes, Eleusis, Braurôn. Victorieuse d'Eleusis, Athènes* groupa toute l'Attique sous sa domination (synœcisme).

attirable → ATTIRER.

attirail n. m. (de l'anc. franç. *atirier,* disposer). Ensemble, souvent disparate ou embarrassant, d'objets appropriés à tel ou tel usage : *L'attirail du parfait pêcheur.*

attirance, attirant → ATTIRER.

attirer v. tr. Tirer vers soi : *Il l'attira à lui.* || Faire venir à soi ou vers le lieu dont on parle : *Le sucre attire les mouches.* || *Fig.* Appeler sur soi, exciter, provoquer un effet heureux ou fâcheux : *Un spectacle qui attire la foule.* || Occasionner : *Attirer des ennuis à quelqu'un.* ◆ **attirable** adj. Qui peut être attiré. ◆ **attirance** n. f. Force qui attire par le plaisir, le charme, le vertige, etc. : *La violence exerce une certaine attirance sur la jeunesse.* ◆ **attirant, e** adj. Qui attire, qui séduit : *Une douceur attirante. Un spectacle attirant.* ‖ — ***attirante*** n. f. Nœud de ruban attaché jadis par les dames au-dessus du corps de la jupe.

Attiret (Jean Denis), jésuite et peintre français (Dole 1702 - Pékin 1768). Envoyé en Chine en 1737, il devint le peintre favori de l'empereur K'ien-long, fit de nombreux portraits de la famille impériale et participa à l'élaboration des *16 Batailles de la Chine.*

Attis ou **Atys,** dieu des anciens Phrygiens d'Asie Mineure, jeune berger, aimé de Cybèle, qui, par jalousie, lui égara l'esprit ; il se mutila et fut changé en pin. Son culte fut apporté en Occident avec celui de Cybèle et à Rome dès avant l'Empire.

Roger-Viollet

Clement **Attlee**

attiser v. tr. (lat. pop. **attitiare ;* de *titio,* tison). Ranimer, aviver la flamme de : *Attiser le feu dans l'âtre.* ‖ *Fig.* Exciter une passion, aviver un sentiment : *Attiser la haine.* ◆ **attisoir** ou **attisonnoir** n. m. Ustensile au moyen duquel on attise le feu dans certains métiers. ‖ Crochet dont on se sert pour attirer les scories sortant en fusion du fourneau. (On l'appelle aussi RINGARD ou TISONNIER.)

attitré → ATTITRER.

attitrer v. tr. Charger en titre d'une fonction : *Attitrer un ambassadeur.* ◆ **attitré, e** adj. En titre, titulaire d'un emploi : *Critique attitré d'un grand quotidien.* ● *Marchand attitré,* celui chez lequel on a l'habitude de s'approvisionner.

attitude n. f. (ital. *attitudine ;* du lat. *aptitudo,* aptitude). Manière de tenir son corps, position qu'on lui donne : *Une attitude gauche, naturelle.* ‖ *Chorégr.* Pose verticale dans laquelle une jambe est levée et pliée en arrière, tandis que l'autre est tendue et posée à terre, un bras, parfois les deux, étant levés. (Il existe des attitudes relevées, sautées, en tournant, en avant, effacées, croisées, etc.). ‖ *Spécialem.* Dispositions extérieures, manière d'être à l'égard d'une personne : *Adopter une attitude d'hostilité envers quelqu'un.* ‖ *Péjor.* Affectation dans son maintien : *L'indifférence est chez lui une attitude.* ‖ *Fig.* Disposition intérieure ; manière d'envisager un problème : *Garder une attitude réservée dans une affaire.* ‖ *Philos.* Position qui consiste à juger sa situation au lieu de la subir. ‖ *Psychol. sociale,* v. ÉCHELLE* *d'attitudes.* ‖ *Zootechn.* Aspect d'un animal au repos ou en inaction. (Ce mot s'oppose à *allures.*)
— ENCYCL. *Zootechn.* Chez le cheval, l'attitude debout est *libre* (appui sur trois membres, l'autre étant à demi fléchi) ou *forcée* (appui sur les quatre membres). Le décubitus est l'attitude couchée de repos : décubitus sterno-costal de nombreux animaux (repos sur le sternum et l'un des côtés du corps), décubitus sternal du chameau, décubitus latéral du porc.

Attlee (Clement, 1er comte), homme politique britannique (Londres 1883 - *id.* 1967). Député travailliste (1922), il fit partie du gouvernement de coalition de 1940 à 1945. Chef du parti travailliste en 1945, il devint Premier ministre (1945-1951). Sa politique prudente de réformes sociales et économiques lui valut les critiques de l'aile gauche du « Labour Party », à la direction duquel il renonça en 1955 pour raison de santé.

Atton, évêque, puis archevêque de Vich († 971 ou 972).

attorney [prononc. angl. ətərni] n. m. (mot angl. ; de l'anc. franç. *atorné,* préposé à). Aux Etats-Unis, tout praticien du droit. ● *Attorney général,* en Grande-Bretagne, membre de la Chambre des communes, principal conseiller juridique du gouvernement, qui remplit en partie les fonctions d'un ministre de la Justice. — Aux Etats-Unis, ministre du gouvernement fédéral qui remplit des fonctions semblables à celles d'un ministre de la Justice.

attouchement n. m. Action de toucher, principalement avec la main : *Des attouchements délicats.*

attracteur, attractif, attraction → ATTRAIT.

attrait n. m. (part. pass. de l'anc. verbe *attraire,* attirer). Agrément par lequel une chose ou une personne attire : *L'attrait de l'argent, du plaisir, de la gloire.* ‖ Le fait d'être attiré par quelque chose ou par quelqu'un : *Eprouver de l'attrait pour la solitude.* ‖ — ***attraits*** n. m. pl. Ce par quoi une femme attire l'amour : *Se laisser prendre aux attraits d'une femme.* ‖ — SYN. : *appas, charmes, goût, inclination, penchant, séduction.* ◆ **attracteur, trice** adj. Qui agit par attraction. ◆ **attractif, ive** adj. Qui a la propriété d'exercer une attraction : *L'aimant a une force attractive.* || *Mus.* Se dit d'une note lorsque certains autres degrés de l'échelle semblent avoir une tendance à se porter vers elle. ● *Sphère attractive,* syn. de CENTROSOME. ◆ **attraction** n. f. (bas lat. *attractio ;* de *trahere,* tirer). Force qui attire : *Morceau de fer qui subit l'attraction d'un aimant.* || *Fig.* Attirance, attrait : *Le sport exerce une grande attraction sur la jeunesse.* || Jeu, divertissement mis à la disposition du public : *Les attractions d'un parc, d'une kermesse.* || Numéro qui passe dans un programme de variétés, une revue, ou en intermède dans un programme cinématographique. || Phénomène syntaxique par lequel un mot prend un aspect morphologique semblable à celui d'un autre mot avec lequel il est mis en rapport. ● *Attraction universelle,* phénomène général dont Newton émit l'hypothèse en 1687, tant pour expliquer la pesanteur que les lois de Kepler relatives au mouvement des planètes solaires. (Deux points matériels, de masses m et m', séparés par une distance d, exercent l'un sur l'autre une force attractive dirigée suivant la droite qui les joint, dont l'intensité est $F = k \frac{mm'}{d^2}$, où k désigne une constante universelle.) ◆ **attrayant, e** adj. (anc. part. prés. de *attraire,* attirer). Qui attire par le plaisir offert; qui a de l'attrait : *Une lecture attrayante.*

attrapage, attrape, attrape-mouches, attrape-nigaud → ATTRAPER.

attraper v. tr. (de *trappe*). Prendre à un piège : *Attraper des oiseaux avec de la glu.* || || *Fig.* Tromper, duper par ruse : *Attraper un naïf par des flatteries.* || Faire éprouver une déception, une surprise désagréable : *Il a été bien attrapé en ne me trouvant pas.* || Réussir à saisir, à atteindre dans sa course : *Attraper un papillon, le train, l'autobus.* || *Fig.* Saisir au passage : *Attraper quelques bribes d'un discours.* || *Fam.* Atteindre : *Attraper la cinquantaine.* || *Fam.* Etre atteint de quelque chose de fâcheux : *Attraper un rhume. Attraper six mois de prison.* || *Fam.* Faire des reproches vifs et rapides : *Un enfant qui se fait attraper par ses parents.* ● *Attrape!* (Fam.), se dit à une personne qui vient d'être l'objet d'une malice, ou à quelqu'un que l'on vient de châtier. || *Attraper la manière de quelqu'un,* réussir à imiter son style. || — ***s'attraper*** v. pr. Etre contagieux : *Cette maladie-là s'attrape.* ◆ **attrapage** n. m. *Fam.* Dispute soudaine et bruyante. || Vifs reproches. ◆ **attrape** n. f. *Fam.* Petite tromperie faite par plaisanterie, farce : *Les « poissons d'avril » sont des attrapes traditionnelles.* || Objet destiné à tromper par amusement. || Cordage qui retient, assujettit. || Pince coudée qui sert à retirer du fourneau les creusets lorsqu'ils se cassent. ◆ **attrape-mouches** n. m. invar. Autre nom du GOBE-MOUCHES. || Piège pour mouches. || Nom parfois donné aux plantes insectivores. ◆ **attrape-nigaud** n. m. Ruse grossière, qui ne peut attraper que les nigauds. — Pl. *des* ATTRAPE-NIGAUDS. ◆ **attrapeur, euse** n. Personne qui attrape, qui obtient par ruse ou intrigue.

attrayant → ATTRAIT.

attremper v. tr. *Verr.* Chauffer très progressivement un four, puis élever fortement sa température.

attribuable → ATTRIBUER.

attribuer v. tr. (lat. *attribuere ;* de *tribuere,* accorder en partage). Donner en partage, accorder : *Attribuer une part à un héritier.* || *Fig.* Prêter, accorder un avantage à quelqu'un : *Attribuer toutes les qualités à une personne.* || Rapporter avec probabilité à quelqu'un ou à quelque chose considéré comme étant l'auteur, la cause : *Attribuer à quelqu'un tout le mérite du succès.* || — ***s'attribuer*** v. pr. Revendiquer, s'arroger : *La vanité s'attribue tous les mérites.* || *Fig.* Remporter, s'approprier : *Il s'est attribué tous les prix au classement final.* ◆ **attribuable** adj. Qui peut être attribué. ◆ **attribut** n. m. Ce qui appartient spécialement, ce qui est propre à quelqu'un, à quelque chose : *La parole est un attribut de l'homme.* || Signe symbolique d'une fonction, d'un métier : *Revêtir tous les attributs de sa fonction.* || Fonction grammaticale d'un mot (adjectif, nom, pronom, infinitif, etc.) ou d'une proposition exprimant une manière d'être que l'on affirme être celle du sujet ou de l'objet par le moyen d'un verbe exprimé ou sous-entendu. || Emblème caractérisant la destination d'un édifice. || Accessoire caractérisant une figure mythologique, allégorique ou historique. (Dans l'iconographie chrétienne, Dieu le Père, le Christ, le Saint-Esprit, les Apôtres, les saints ont chacun un ou plusieurs attributs.) || Caractère qualificatif que l'unité statistique peut présenter ou non, la statistique portant sur le nombre ou la fréquence des unités qui le présentent. ● *Attributs divins,* chacune des perfections de Dieu qui appartiennent à son essence même. ◆ **attributaire** n. Personne à qui a été attribué un lot, un héritage, etc. || Personne, physique ou morale, à qui est effectivement versé le montant des prestations familiales (par oppos. à *allocataire*). ◆ **attributif, ive** adj. Qui indique ou énonce un attribut. || *Dr.* Qui donne un droit qu'on n'avait pas antérieurement, qui le fait passer d'une tête sur une autre : *A Rome, le partage était attributif de propriété ; en France, le partage est déclaratif, et non attributif de propriété.* ● *Acte attributif de compétence,* acte qui fixe la juridiction à saisir en cas de contestation sur cet acte. || *Propositions attributives,* propositions relatives se rapportant au sujet ou à l'objet du verbe de la principale, et qui ne sont ni déterminatives ni explicatives : *Je l'ai rencontré qui se promenait.* || *Verbes* *attributifs,* dans l'ancienne terminologie, verbes qui contiennent en eux-mêmes le verbe *être* et le participe attribut : « *Aimer* » *pour* « *être aimant* », « *dormir* » *pour* « *être dormant* » *sont des verbes attributifs.* — Selon d'autres grammairiens, verbes qui introduisent un attribut, comme *paraître, sembler, devenir,* etc. ◆ **attribution** n. f. Action d'attribuer quelque chose à quelqu'un : *L'attribution d'un rôle à un acteur. L'attribution d'une œuvre à un artiste.* || Ce qui est attribué : *Répartir les attributions de produits fabriqués.* || Indication, dans une liquidation, des parts afférentes à chaque partageant et des combinaisons à l'aide desquelles chacun touche ce qui lui revient : *Les notaires procèdent aux attributions et les approuvent ou non.* ● *Complément d'attribution,* nom ou pronom qui indique à qui s'adresse un don, un discours, etc., ou à qui appartient un être ou une chose. (Il est introduit par la préposition *à : Il offre un cadeau à ses amis* [*amis* complément d'attribution de *offre*].) [Il est aussi appelé COMPLÉMENT D'OBJET SECONDAIRE.] || *Jugement d'attribution* (Log.), jugement affirmant ou niant une qualité d'un sujet, par oppos. au *jugement de relation.* || *Lettres d'attribution,* pouvoir que le roi donnait à des commissaires ou à une juridiction subalterne, pour juger une affaire en dernier ressort. || — ***attributions*** n. f. pl. Fonctions assignées à quelqu'un; compétence : *Les attributions d'un ministre.*

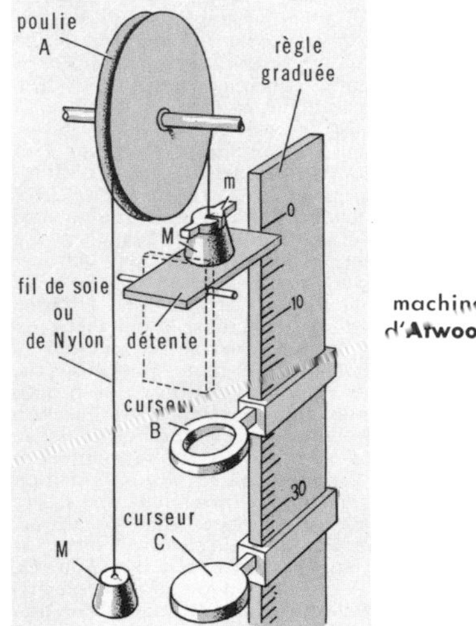

machine d'Atwood

Larousse

attristant → ATTRISTER.

attrister v. tr. Rendre triste ; affecter d'une profonde douleur morale : *Ses malheurs attristent ses amis.* || — ***s'attrister*** v. pr. Devenir triste. ◆ **attristant, e** adj. Qui attriste : *Spectacle attristant.*

attrition n. f. (lat. *attritio ;* de *terere,* broyer). Ecorchure résultant d'un frottement. || Contusion importante par écrasement. || Regret d'avoir offensé Dieu, provoqué plus par la crainte que par l'amour surnaturel de Dieu.

attroupement → ATTROUPER (S').

attrouper (s') v. pr. Se rassembler en troupe, en foule : *Des curieux qui s'attroupent devant un camelot.* ◆ **attroupement** n. m. Rassemblement de personnes dans un lieu public : *Interdire, disperser les attroupements.*

Attuarii ou **Chassuarii.** *Géogr anc.* Peuple de Germanie établi entre Rhin et Meuse.

Atuana ou **Atuona,** ch.-l. des îles Marquises (Polynésie française), dans l'île d'Hiva Oa ; 450 h.

Atwood (George), physicien anglais (Londres 1746 - *id.* 1807). Il imagina, pour étudier les lois de la chute des corps, un appareil qui porte son nom (1784). La *machine d'Atwood* permet la vérification des principes de la dynamique. Elle comporte une poulie A, d'axe horizontal, légère et très mobile, dont la gorge supporte un fil très fin, aux deux extrémités duquel sont fixées deux masses égales M. Le poids du fil étant négligeable, les masses M sont toujours en équilibre. Mais, si l'on dispose sur l'une d'elles une surcharge légère *m,* l'ensemble prend un mouvement uniformément accéléré, dont l'accélération est : $\gamma = \frac{mg}{2\,M + m}$.
Pour vérifier le principe de l'inertie, on utilise une surcharge *m* à ailettes, qu'un curseur annulaire B peut retenir quand la masse surchargée l'atteint ; on observe alors que la vitesse devient constante.
Pour vérifier le principe de proportionnalité des accélérations aux forces motrices, on emploie, par exemple, 5 surcharges *m* identiques, placées d'abord toutes sur la même masse M, et l'on mesure l'accélération. On recommence l'opération après avoir fait passer une, puis deux masses *m* de l'autre côté, ce qui ne change pas la masse $2\,M + 5\,m$ de l'ensemble. On reconnaît que les trois accélérations successives sont proportionnelles aux nombres 5, 3, 1, comme le sont les forces motrices.
Cette machine, peu précise, n'a qu'un intérêt historique.

atype n. m. Araignée mygalomorphe qui tisse un tube de soie dans un terrier.

atypique adj. (*a* priv., et gr. *tupos,* type). *Méd.* Qui n'a pas de type régulier ; qui diffère du type normal : *Maladie atypique. Tumeur atypique.*

Atys. V. ATTIS.

Atzgersdorf, quartier industriel du sud-ouest de Vienne.

au, aux, art. contractés, mis pour *à le, à les.*

Au, symbole chimique de l'*or* (lat. *aurum*).

aubade → AUBE 1.

aubage → AUBE 3.

Aubagne, ch.-l. de c. des Bouches-du-Rhône (arr. et à 17 km à l'E. de Marseille), sur l'Huveaune ; 38 571 h. (*Aubains* ou *Aubaniens*). Poteries et faïences. Eglise du XIVe s. Dépôt commun de la Légion étrangère.

aubain n. m. (lat. pop. *alibanus ;* de *alibi,* ailleurs). Individu fixé dans un pays étranger sans être naturalisé, et qui était soumis au *droit d'aubaine.* ◆ **aubaine** n. f. Profit inattendu, avantage inespéré : *Profiter d'une aubaine.* ● *Droit d'aubaine,* droit en vertu duquel la succession d'un étranger non naturalisé était attribuée soit au seigneur du lieu, soit au roi.

Aubanel (Théodore), poète français de langue provençale (Avignon 1829 - *id.* 1886), auteur de *la Miougrano entreduberto* (*la Grenade entrouverte,* 1860), *li Fiho d'Avignoun* (*les Filles d'Avignon,* 1885), qui contient la belle invocation *A la Vénus d'Arles.*

1. aube n. f. (lat. pop. *alba ;* de *albus,* blanc). Clarté blanchâtre qui précède le jour naissant : *Se lever à l'aube.* ‖ *Fig.* Commencement, début d'une ère : *Voir poindre l'aube d'un monde nouveau.* ◆ **aubade** n. f. Concert donné à l'aube, sous les fenêtres de quelqu'un à qui on veut faire honneur.

2. aube n. f. (du lat. *albus,* blanc). Longue robe liturgique blanche que les officiants portent à la messe et à certaines cérémonies.

aube

Larousse

3. aube n. f. (lat. *alapa,* soufflet). Partie métallique qui canalise un fluide, dans une turbine ou dans une pompe. ‖ Chacune des palettes, généralement en bois, fixées sur une roue mue par la machine d'un bateau et qui, par réaction, exercent sur celui-ci une action propulsive. ◆ **aubage** n. m. Ensemble des planches minces que les charrons emploient pour les panneaux de charrettes. ‖ Surface rigide destinée à guider un fluide en écoulement.

Aube, riv. du Bassin parisien, affl. de la Seine (r. dr.) ; 248 km. Née sur le plateau de Langres, l'Aube a une vallée étroite jusqu'à Bar-sur-Aube, qui s'élargit en Champagne pouilleuse ; la rivière rejoint la Seine à Marcilly.

roue à **aubes** de moulin

X

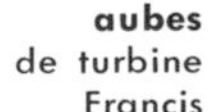

aubes de turbine Francis

Escher - Wyss

Aube (DÉPARTEMENT DE L'), dép. du Bassin parisien, 6004 km²; 289300 h. Ch.-l. *Troyes.* La moitié nord-ouest du département s'étend sur la plaine et les collines de la *Champagne crayeuse.* Cette région, autref. pauvre et dénudée, est aujourd'hui en partie reboisée (pins) et bénéficie de considérables améliorations agricoles (cultures principalement céréalières). Au S.-O., la *forêt d'Othe* est un pays boisé et bocager. L'Est et le Sud-Est appartiennent à la *Champagne humide,* au sous-sol argileux, grande région d'élevage. L'extrémité orientale du département s'étend sur les plateaux calcaires pauvres que limite la *côte des Bars.*
L'agriculture n'emploie que 15 p. 100 de la population active. En revanche, l'industrie est importante ; c'est essentiellement le textile (bonneterie), très concentré à Troyes, mais également réparti dans de petites localités. (Voir, pour les beaux-arts, CHAMPAGNE.)

Aubeaulx (Pierre DES), sculpteur français du XVIe s. Il exécuta, à Rouen, le tombeau du cardinal d'Amboise et 154 statues pour le grand portail de la cathédrale (1508-1512).

Aubenas, ch.-l. de c. de l'Ardèche (arr. de Privas), à 6 km au S. de Vals-les-Bains ; 13134 h. (*Albenassiens*). Anc. place forte des guerres de Religion. Moulinage de la soie ; bonneterie. Spécialité de marrons glacés.

Aubenton, ch.-l. de c. de l'Aisne (arr. de Vervins), à 15 km au S.-E. d'Hirson ; 973 h. Vestiges gallo-romains. Patrie de Mermoz.

aubépine n. f. (lat. *alba,* blanche, et *épine*). Arbrisseau épineux des haies, aux fleurs blanches ou roses. (Famille des rosacées.)

Auber (Esprit), compositeur français (Caen 1782 - Paris 1871). Membre de l'Institut (1829), il fut directeur du Conservatoire (1842) et maître de la Chapelle impériale. Il est le dernier grand représentant, après Boieldieu, de l'opéra-comique (*Fra Diavolo,* 1830 ; *les Diamants de la couronne,* 1841 ; *Manon Lescaut,* 1856 ; surtout *la Muette de Portici,* 1828).

Auberchicourt, comm. du Nord (arr. et à 12 km au S.-E. de Douai) ; 4826 h. Houille.

aubère adj. (anc. esp. *hobero*). Se dit d'un cheval dont la robe est mélangée de poils

département de l'Aube

recensement de 1982

arrondissements (3)	cantons (32)	nombre d'hab. du canton	nombre de comm. (430)
Bar-sur-Aube (33211 h.)	Bar-sur-Aube	14361	23
	Brienne-le-Château	8474	25
	Chavanges	2229	16
	Soulaines-Dhuys	2473	21
	Vendeuvre-sur-Barse	5674	19
Nogent-sur-Seine (49031 h.)	Marcilly-le-Hayer	5743	20
	Méry-sur-Seine	8056	23
	Nogent-sur-Seine	9498	16
	Romilly-sur-Seine (2 cant.)	22763	14
	Villenauxe-la-Grande	2971	7
Troyes (207058 h.)	Aix-en-Othe	4647	10
	Arcis-sur-Aube	9284	22
	Bar-sur-Seine	9758	22
	Bouilly	8423	28
	Chaource	4801	25
	Ervy-le-Châtel	5187	16
	Essoyes	4220	21
	Estissac	4890	10
	Lusigny-sur-Barse	6957	14
	Mussy-sur-Seine	4127	8
	Piney	4102	11
	Ramerupt	3405	24
	Riceys (Les)	2641	7
	Sainte-Savine	16584	6
	Troyes (7 cant.)	146069	29

LES DIX PREMIÈRES COMMUNES

Troyes	64769 h.	*Bar-sur-Aube*	7146 h.
Romilly-sur-Seine	16291 h.	*Pont-Sainte-Marie*	5136 h.
La Chapelle-Saint-Luc	16249 h.	*Saint-Julien-les-Villas*	5820 h.
Saint-André-les-Vergers	10692 h.	*Nogent-sur-Seine*	5103 h.
Sainte-Savine	9694 h.	*Brienne-le-Château*	4112 h.

RÉGION MILITAIRE : *Metz* (VIe). — COUR D'APPEL : *Paris.*
ACADÉMIE : *Reims.* — ARCHEVÊCHÉ : *Sens.*

blancs et de poils alezans. ✦ n. m. Couleur de la robe du cheval aubère : *Aubère clair. Aubère foncé.*

auberge n. f. (provenç. *auberjo,* qui correspond à l'anc. franç. *héberge* [v. HÉBERGER]). Maison, située généralement dans un village ou dans une petite ville, où l'on trouve à boire, à manger et à coucher en payant. ‖ Nom donné aux anciens palais des chevaliers de l'ordre de Malte à Rhodes. ◆ **aubergiste** n. Personne qui tient une auberge.

Auberge des Adrets (L'), mélodrame de B. Antier, Saint-Amand et Paulyanthe (1823). Frédérick Lemaître fit, dans le rôle de Robert Macaire, une célèbre création.

Auberges de la Jeunesse (A. J.), centres d'accueil et de vacances organisés pour les jeunes gens et les jeunes filles. La première auberge s'ouvrit en Allemagne en 1909. Introduites en France en 1929, les Auberges de la Jeunesse se développèrent considérablement à l'époque du Front populaire. Une Fédération internationale a été organisée en 1945.

Aubergenville, ch.-l. de c. des Yvelines (arr. et à 12 km au S.-E. de Mantes-la-Jolie), près de la rive gauche de la Seine ; 10 025 h. Plage et centre de séjour à Elisabethville.

Larousse

aubergines

aubergine n. f. (catalan *albergínia,* emprunté à l'ar.). Fruit comestible, oblong, blanc, jaune ou violet, de la forme du concombre, et produit par une solanacée. (Sa culture demande beaucoup de chaleur ; on sème dès février sur couche [en plein air, en

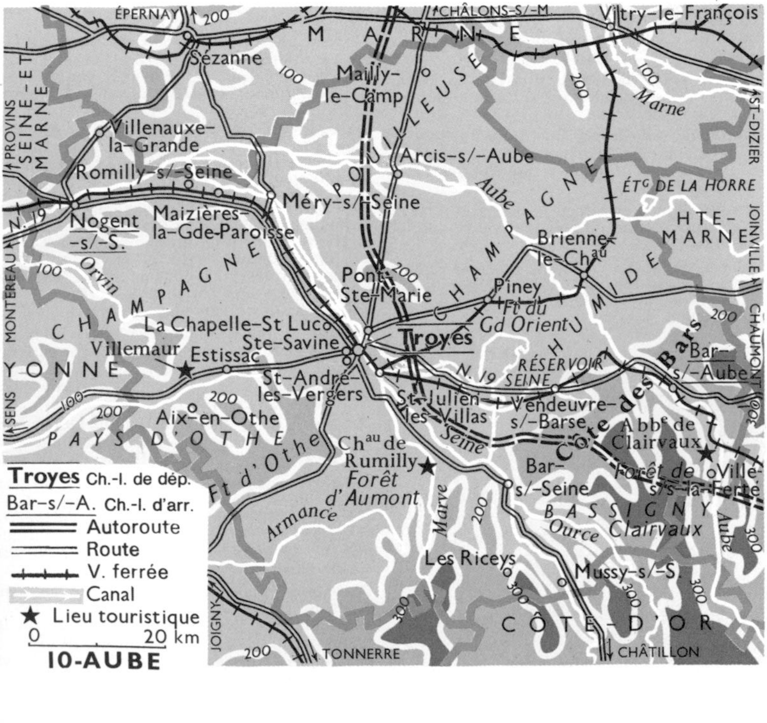

Troyes Ch.-l. de dép.
Bar-s/-A. Ch.-l. d'arr.
Autoroute
Route
V. ferrée
Canal
★ Lieu touristique
0 20 km

10-AUBE

avril, dans le Midi] et on récolte à partir de juillet.) ✦ adj. invar. Qui a la couleur violette de l'aubergine : *Des tentures aubergine.*

aubergiste → AUBERGE.

Auberive, ch.-l. de c. de la Haute-Marne (arr. et à 27 km au S.-O. de Langres), sur l'Aube ; 219 h. Forêt domaniale de 5 400 ha.

Auberjonois (René), peintre suisse (Yverdon 1872 - Lausanne 1957), qui passa d'un art coloré, vif et raffiné, à un style austère. Il exécuta un portrait de C. F. Ramuz (Lausanne).

auberon n. m. (orig. germ.). Cramponnet fixé à une lame de fer attachée au couvercle d'un coffre. || Petit goujon comportant une mortaise dans laquelle s'engage le pêne de la serrure. ◆ **auberonnière** n. f. Plaque de fer que l'on fixe sur le devant d'un coffre, d'une malle, etc., et dans laquelle pénètre l'auberon.

Auberon. V. OBERON.

auberonnière → AUBERON.

Aubert (saint), évêque d'Avranches. Vers 706-709, il éleva une chapelle qui est à l'origine de l'abbaye du Mont-Saint-Michel.

Aubert Ier, duc de Toscane (847 - 890). — Son fils **Aubert II,** duc de Toscane (890-917), combattit contre Gui, duc de Spolète, et Arnoul, roi de Germanie.

Aubert ou **Adalbert,** marquis d'Ivrée († 925). Il disputa le trône d'Italie à Bérenger Ier.

Aubert ou **Adalbert,** roi d'Italie (950-961), associé à son père Bérenger II. Il fut détrôné par l'empereur Otton Ier et mourut vers 968 à Constantinople.

Aubert (Jean), architecte français († 1741). Il construisit les grandes écuries de Chantilly (1719-1740).

Aubert (Jacques), violoniste et compositeur français (Paris 1689 - *id.* 1753). Il publia de 1719 à 1749 plus de trente livres de sonates, trios et concertos.

Giraudon

Agrippa d'**Aubigné**
musée de Bâle

Aubert (Gabriel), imprimeur lithographe français (Lyon 1789 - † 1847). Associé à son beau-frère Charles Philippon, installé à Paris, il imprima les lithographies de grands artistes romantiques et publia des périodiques (*la Caricature, le Charivari,* etc.).

Aubert (Louis), compositeur français (Paramé 1877 - Paris 1968). Il a écrit pour l'orchestre (*Habanera, le Tombeau de Chateaubriand*), le théâtre (*la Belle Hélène, la Forêt bleue,* etc.), la voix, les instruments. (Acad. des bx-arts, 1956.)

Aubert (Marcel), archéologue et historien d'art français (Paris 1884 - *id.* 1962). Il est l'auteur d'ouvrages sur le vitrail, la sculpture et l'architecture du Moyen Age. (Acad. des inscr., 1934.)

Aubert de Gaspé (Philippe). V. GASPÉ (Philippe AUBERT DE).

Aubervilliers, ch.-l. de c. de la Seine-Saint-Denis (arr. de Bobigny), dans la banlieue nord-est de Paris ; 67 775 h. (*Albertivilliariens*). Anc. pèlerinage. Centre industriel (produits chimiques, chaudronnerie).

Aubespine (Claude DE L'), baron **de Châteauneuf-sur-Cher,** diplomate français (v. 1500 - † 1567), secrétaire d'Etat sous François Ier, Henri II, François II et Charles IX, et négociateur du traité de Cateau-Cambrésis. — Son frère SÉBASTIEN, diplomate et évêque (1518 - 1582), fut surintendant des Finances (1567), puis disgracié après 1576.

Aubeterre-sur-Dronne, ch.-l. de c. de la Charente (arr. d'Angoulême), à 16 km au N.-O. de Ribérac ; 404 h. (*Aubeterriens*). Eglises du XIIe s.

aubette n. f. (moyen haut allem. *hube*). En Belgique, en Alsace, kiosque à journaux. || A Nantes, abri d'un arrêt d'autobus. || Dans certaines régions, cabane. || Au XVIIIe s., bureau où les sous-officiers d'une garnison allaient, le matin, prendre les ordres. || *Par extens.* Salle de service.

aubier n. m. (lat. *albus,* blanc). L'un des noms usuels du *saule.* || Bois périphérique, vivant, parcouru par la sève ascendante, mais généralement sans valeur commerciale, contrairement au cœur.

Aubière, ch.-l. de c. du Puy-de-Dôme (arr. de Clermont-Ferrand), dans la banlieue sud-est de Clermont ; 8 772 h. Eglise du XIIe s.

Aubignac (François HÉDELIN, abbé D'), critique dramatique français (Paris 1604 - Nemours 1676). Dans sa *Pratique du théâtre* (1657), il fait reposer le poème dramatique sur la vraisemblance et précise la règle des trois unités.

Aubigné (Théodore *Agrippa* D'), écrivain français (près de Pons, Saintonge, 1552 - Genève 1630). Calviniste ardent, il devint le compagnon dévoué et intransigeant du roi de Navarre, et combattit à ses côtés. Après l'avènement d'Henri IV, il se consacra à son œuvre littéraire, sans toutefois abandonner toute activité politique ; il se trouva compromis dans la conspiration contre de Luynes (1620) et se réfugia à Genève. Ses convictions religieuses animent toute son œuvre : dès 1577, il consacra ses heures de loisir au poème *les Tragiques** (1616), écrivit une *Histoire universelle depuis 1550 jusqu'en 1601* (1616-1620), des pamphlets (*Confession catholique du sieur de Sancy*, 1660 ; *Aventures du baron de Fœneste*, 1617) et une œuvre confidentielle, non publiée, *le Printemps*. — Son fils CONSTANT, gouverneur de Maillezais (v. 1585 - Orange 1647), se livra à des exactions nombreuses, tuant sa première femme ainsi que l'amant de celle-ci. Sa fille devint Mme de Maintenon.

Aubigny (Robert STUART, seigneur D'), maréchal de France, d'origine écossaise (v. 1470- † 1544). Il s'illustra à Marignan et à Pavie, et contribua à la défense de la Provence contre Charles Quint (1526).

Aubigny-en-Artois, ch.-l. de c. du Pas-de-Calais (arr. et à 16 km au N.-O. d'Arras) ; 1 330 h.

Aubigny-sur-Nère, ch.-l. de c. du Cher (arr. de Bourges), à 28 km au S.-O. de Gien, en Sologne ; 5 693 h. (*Albiniens*). Remparts du XIVe s. Château (XVe et XVIe s.).

aubin n. m. (angl. *hobby*, bidet). Allure défectueuse du cheval qui galope de l'avant alors qu'il trotte de l'arrière.

Aubin, ch.-l. de c. de l'Aveyron (arr. de Villefranche-de-Rouergue), à 4 km au S. de Decazeville ; 6 617 h. Houille. Chaudronnerie.

Aubin (saint) [† 550], évêque d'Angers en 529, biographe de Fortunat. — Fête le 1er mars.

Aubin (Tony), compositeur français (Paris 1907 - *id.* 1981). Elève de P. Dukas, premier grand prix de Rome (1930), professeur de composition au Conservatoire (1946), il a composé trois symphonies, *Thème et variations*, une sonate pour piano et orchestre, *la Chasse infernale* (scherzo symphonique), *Suite danoise*, *Cressida*, un opéra en quatre actes (*la Jeunesse de Goya*).

aubinage → AUBINE.

aubine adj. (du nom de l'inventeur). *Ch. de f.* Se dit de l'appareil destiné à mettre automatiquement à l'arrêt un signal par le passage à sa hauteur d'un véhicule ou d'un convoi. ◆ **aubinage** n. m. Action d'aubiner. ◆ **aubiner** v. tr. Mettre automatiquement à l'arrêt un signal placé le long d'une voie ferrée.

Aubisque (COL D'), col des Pyrénées (Pyrénées-Atlantiques), entre Eaux-Bonnes et Argelès-Gazost ; 1 709 m.

Aublet (Christian), botaniste français (Salar 1723 - Paris 1778). Il fut le premier à décrire la flore de la Guyane.

Auboué, comm. de Meurthe-et-Moselle (arr. et à 6 km au S.-E. de Briey) ; 3 694 h. Sidérurgie. Fabrique d'explosifs.

Aubrac (MONTS D'), plateau basaltique du Massif central, entre les vallées du Lot et de la Truyère (1 471 m au *Truc de Mailhebiau*). De grands troupeaux de bovins viennent y estiver.

Aubrac (RACE D'), race de bovins du sud du Massif central, à robe brune, appréciée pour sa viande et pour la production laitière.

Aubrais (LES), écart de la comm. de Fleury-les-Aubrais (Loiret), au N. d'Orléans. Centre ferroviaire.

Aubri de Montdidier, seigneur de la cour de Charles V, assassiné par un nommé Macaire, et qui fut, d'après Gaston Phébus, vengé par son chien. Celui-ci, en s'acharnant à poursuivre le meurtrier, éveilla les soupçons. Un duel judiciaire fut ordonné entre le chien et Macaire, qui, vaincu, expia sur l'échafaud (1371).

Aubriet (Claude), peintre et dessinateur français (Châlons-sur-Marne, v. 1665 - Paris 1742). Il voyagea au Levant avec Tournefort. Peintre du Cabinet et du Jardin du roi (1700), il en reproduisit les plantes sur de célèbres vélins conservés au Muséum.

aubrietia n. m. (de Claude *Aubriet*). Petite crucifère ornementale aux fleurs violettes.

Aubriot (Hugues), prévôt de Paris de 1367 à 1382. Il fit construire la Bastille, le Petit Châtelet et le pont Saint-Michel. Il fut disgracié à la mort de Charles V.

Aubry (François), révolutionnaire français (Paris 1747 - Démérary 1798). Député du Gard à la Convention, il fut emprisonné sous la Terreur pour avoir protesté contre la proscription des Girondins. Après Thermidor, il remplaça Carnot au Comité de salut public (avr.-août 1795). Il fut déporté en Guyane au 18-Fructidor.

Aubry (Charles Antoine), jurisconsulte et magistrat français (Saverne 1803 - Paris 1883). Il a publié, avec Rau, un *Cours de droit civil*, d'après la méthode de Zachariae (1843-1846).

Aubry (Pierre), musicologue français (Paris 1874 - Dieppe 1910), un des promoteurs de la renaissance de la musicologie médiévale (*Cent Motets du XIIIe siècle*).

Aubry (Octave), historien français (Paris 1881 - *id.* 1946), auteur de nombreux ouvrages sur la Révolution et l'Empire. (Acad. fr., 1946.)

Aubry de La Boucharderie (Claude Charles, comte), général d'artillerie (Bourg-en-Bresse 1773 - Leipzig 1813). Il dirigea le transport de l'artillerie à travers le Grand-Saint-Bernard (1800) et fut l'un des constructeurs du pont sur la Berezina.

aubun n. m. Cépage rustique du Sud-Est. (Syn. COUNOISE.)

auburn [obœrn] adj. invar. (mot angl. ; de l'anc. franç. *auborne ;* bas lat. *alburnus*). D'un brun roux : *Chevelure auburn.*

auburnien, enne adj. (de *Auburn,* v. des Etats-Unis). *Système auburnien,* V. PÉNITENTIAIRE (*système*).

Aubusson, ch.-l. d'arr. de la Creuse, sur la Creuse ; 6 153 h. (*Aubussonnois*). Ecole nationale des arts décoratifs. Outre celle de la tapisserie, la ville a de nombreuses industries légères. Ce fut, au XVIe s., un foyer de protestantisme. Musée d'histoire de la tapisserie locale. Patrie de Jules Sandeau.

Aubusson (TAPISSERIES D'). En 1456, le Flamand Jacques Bennyn installa une manufacture dans la région, à Felletin. Henri IV favorisa Aubusson, puis Colbert lui accorda le titre de manufacture royale. Après une éclipse, due à la révocation de l'édit de Nantes, elle se releva au XVIIIe s.

Aubusson (Pierre D'), grand maître des hospitaliers de Saint-Jean-de-Jérusalem (Monteil-au-Vicomte 1423 - Rhodes 1503). Il joua un rôle actif dans les relations entre la chrétienté et l'Empire ottoman dans la seconde moitié du XVe s. Il fut nommé cardinal par Innocent VIII en 1489.

Auby, comm. du Nord (arr. et à 6 km au N. de Douai) ; 8 630 h. Houille.

Auch : les bords du Gers à gauche, la tour d'Armagnac

Aucassin et Nicolette, roman de la première moitié du XIIIe s., appelé une « chantefable* », car il se compose de petites strophes en vers assonancés, destinés au chant, et de morceaux en prose, faits pour être dits à haute voix. C'est l'idylle de deux adolescents :

Aubusson : « Verdure » (XVIIe s.), *musée des Tapisseries, Angers*

Aucassin, fils du comte de Beaucaire, et Nicolette, esclave sarrasine. Après nombre d'épreuves, ils finissent par se retrouver grâce au courage et à l'adresse de Nicolette, et s'épousent.

Auch, ch.-l. du Gers, à 680 km de Paris, sur le Gers ; 25 543 h. (*Auscitains*). Archevêché. Cathédrale de style gothique flamboyant (XVe-XVIe s.). Centre commercial. Chaussures ; cartonnages. L'ancienne *Elimberrum,* capitale de la peuplade ibère des *Ausci,* fut conquise par Crassus, lieutenant de César. Plusieurs fois dévastée par les invasions barbares et sarrasines, elle fut la capitale de l'Armagnac à partir du VIIIe s.

Auchel, comm. du Pas-de-Calais (arr. de Béthune), à 5 km à l'O. de Bruay-en-Artois ; 12 535 h. (*Auchellois*). Anc. mines de houille.

auchénorhynques [oke] n. m. pl. (gr. *aukhên,* cou, et *rhunkos,* bec). Sous-ordre d'insectes homoptères terrestres (cigale, cercope, fulgore, etc.).

Auchinleck (sir Claude John Eyre), maréchal britannique (Aldershot, Hampshire, 1884 - Marrakech 1981). Commandant les forces britanniques en Norvège (1940), aux Indes (1941) et au Moyen-Orient (1941-1942), il fut, de 1943 à 1947, le dernier chef de l'armée britannique des Indes.

Auchy-les-Mines, comm. du Pas-de-Calais (arr. et à 10 km à l'E. de Béthune) ; 3 664 h. Anc. extraction houillère.

Auckland (ÎLES), archipel inhabité du Pacifique, à 350 km au S. de la Nouvelle-Zélande, dont il dépend ; découvert en 1806.

Auckland, v. de la Nouvelle-Zélande ; 649 700 h. Située dans un isthme étroit qui étrangle la *presqu'île d'Auckland,* la ville a deux ports : à l'O., Manukau Harbour, envasé ; à l'E., Waitemata Harbour, qui est le premier port de la Nouvelle-Zélande. Le sabotage du *Rainbow Warrior,* un des navires de la flottille *Greenpeace**, en juillet 1985, dans le port de la ville, déclenche une crise grave avec la France.

Auckland (baron et comte). V. EDEN.

aucoumea n. m. V. OKOUMÉ.

auctoritas [tɑs] n. f. (mot lat. signif. *autorité* et utilisé en hist. rom.). *Auctoritas patrum* (« autorité des pères conscrits »), pouvoir de confirmation des lois par le sénat sous la royauté et la république. ‖ *Auctoritas principis,* autorité conférée à l'empereur romain en raison de son titre de *princeps* (« premier » citoyen de Rome).

aucuba n. m. Arbuste des cours et des jardins, aux belles feuilles ovales luisantes et dures, persistantes. (On le multiplie par marcottes ou boutures, et il peut être planté en ville, à l'ombre ; haut. 2 m.)

aucun, e adj. et pron. ind. (lat. *aliquis unus*). Pas un (avec une négation) : *Aucun d'eux ne sera puni ;* sans *ne,* dans une réponse où

Aubusson : « les Oiseaux de proie », par Gromaire (1943), *musée nat. d'Art moderne*

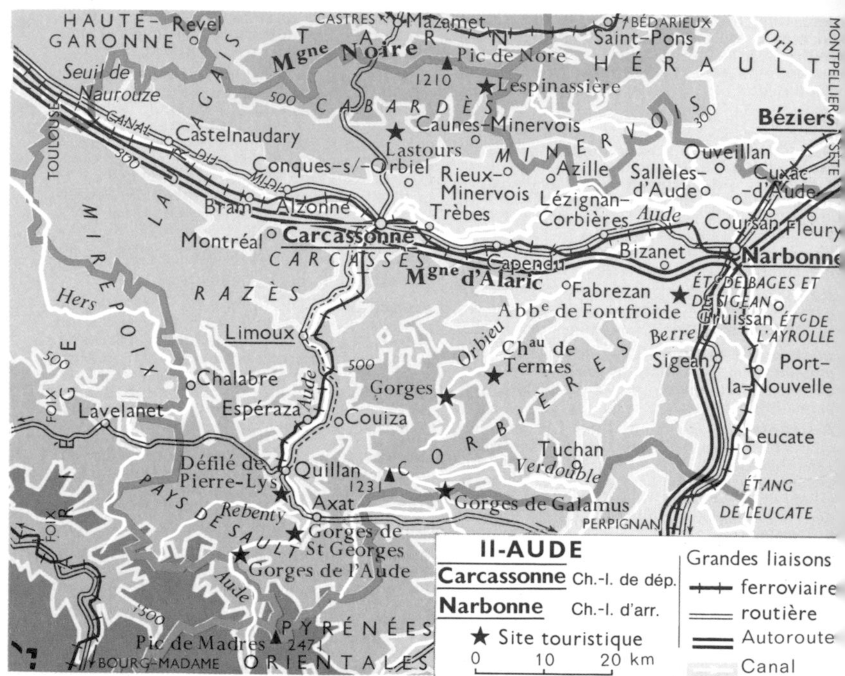

le verbe est sous-entendu : *Lui connaissez-vous des ennemis? — Aucun.* ‖ — REM. *Aucun* a pris un sens négatif par suite de son association avec *ne*. Il conserve encore le sens de « quelqu'un » dans les phrases interrogatives ou dubitatives du style relevé : *Croyez-vous qu'aucun d'eux soit averti? Aucun* ne s'emploie au pluriel qu'avec un mot qui n'a pas de singulier : *On ne lui fit aucunes funérailles.* ● *D'aucuns,* quelques-uns (langue littér.) : *D'aucuns pensent que...* ◆ **aucunement** adv. Nullement, point du tout (avec la particule négative *ne*) : *Il ne parut aucunement gêné par cette question;* sans *ne,* dans une réponse où le verbe est sous-entendu : *Le bon droit triomphe-t-il toujours? — Aucunement.*

Aucun, ch.-l. de c. des Hautes-Pyrénées (arr. et à 9 km au S.-O. d'Argelès-Gazost), dans le *val d'Aucun* (gave d'Argelès) ; 170 h.

aucunement → AUCUN.

Auda (Antoine), musicologue belge (Saint-Julien-en-Jarret 1879 - Woluwe-Saint-Pierre 1964). Maître de chapelle, organiste à Liège et Woluwe-Bruxelles, il a publié des études sur les anciens musiciens liégeois.

audace n. f. (lat. *audacia*). Hardiesse aventureuse, excessive, qui ne reconnaît ni obstacle ni danger : *Affronter les dangers avec audace.* ‖ Hardiesse insolente ou impertinente : *Cet individu ne manque pas d'audace. L'audace de la conduite.* ‖ Hardiesse de style ou de pensée : *Montrer une grande audace dans ses conceptions.* ● *Coup d'audace,* acte, entreprise inspirés par l'audace, ou qui témoignent de l'audace. ‖ *Payer d'audace,* chercher à se tirer d'une situation difficile par quelque coup désespéré ou par une attitude résolue qui prétend ignorer la difficulté. ◆ **audacieusement** adv. Avec audace : *Mentir audacieusement.* ◆ **audacieux, euse** adj. et n. Qui a de l'audace : *La fortune sourit aux audacieux.* ✦ adj. Qui annonce, qui prouve de l'audace, aux différents sens du mot : *Un projet audacieux.*

Aude, fl. des Pyrénées orientales et du Languedoc ; 220 km. Né dans le massif de Carlitte, le fleuve traverse une suite de gorges (défilés de Saint-Georges, de Pierre-de-Lys), séparant des bassins fertiles (Axat, Alet, Quillan). Il atteint la plaine vers Limoux, et la mer près de Narbonne. Le barrage de Puyvalador, dans le cours amont, régularise les eaux, qui sont utilisées par des centrales hydro-électriques; l'Aude a de fortes crues d'hiver.

Aude (DÉPARTEMENT DE L'), dép. du sud de la France; 6 139 km²; 280 686 h. Ch.-l. *Carcassonne.*
Le nord du département s'étend sur la *Montagne Noire,* à l'extrémité méridionale du Massif central; à l'O., le *seuil de Naurouze* s'ouvre vers l'Aquitaine; à l'E. s'étend la plaine viticole du *bas Languedoc.* Le sud du département est montagneux : au S.-E., les montagnes des *Corbières;* au S.-O., les collines du *Razès,* le plateau du *pays de Sault* et le point culminant du département, le *pic de Madrès* (2 471 m). L'industrie (textiles, chaussures) est peu développée : plus du tiers de la population active est employé dans l'agriculture, essentiellement la viticulture. L'Aude a connu un certain dépeuplement puisque la population atteignait 285 000 h. en 1936. (V., pour les beaux-arts, LANGUEDOC.)

Aude (LA BELLE), sœur d'Olivier et fiancée de Roland dans les chansons de geste. Elle meurt en apprenant la mort de Roland.

département de l'Aude
recensement de 1982

arrondissements (3)	cantons (34)	nombre d'hab. du canton	nombre de comm. (437)
Carcassonne (129 821 h.)	Alzonne	6 435	11
	Belpech	1 987	12
	Capendu	11 699	18
	Carcassonne (3 cant.)	46 893	11
	Castelnaudary (2 cant.)	21 434	33
	Conques-sur-Orbiel	7 752	10
	Fanjeaux	5 595	16
	Lagrasse	3 144	18
	Mas-Cabardès	2 381	16
	Montréal	4 849	9
	Mouthoumet	1 213	18
	Peyriac-Minervois	12 289	16
	Saissac	2 441	7
	Salles-sur-l'Hers	1 709	14
Limoux (43 189 h.)	Alaigne	4 442	26
	Axat	2 074	14
	Belcaire	1 799	17
	Chalabre	3 642	15
	Couiza	3 511	22
	Limoux	15 450	23
	Quillan	9 829	18
	Saint-Hilaire	2 442	14
Narbonne (107 676 h.)	Coursan	14 081	7
	Durban-Corbières	3 571	14
	Ginestas	10 638	14
	Lézignan-Corbières	16 002	18
	Narbonne	47 889	12
	Sigean	13 495	11
	Tuchan	2 000	8

LES DIX PREMIÈRES COMMUNES

Narbonne	42 657 h.	*Trèbes*	5 607 h.
Carcassonne	42 450 h.	*Quillan*	4 564 h.
Castelnaudary	11 381 h.	*Port-la-Nouvelle*	4 472 h.
Limoux	10 885 h.	*Coursan*	4 023 h.
Lézignan-Corbières	7 681 h.	*Sigean*	3 140 h.

RÉGION MILITAIRE : *Toulouse* (V^e^). — COUR D'APPEL. : *Montpellier.*
ACADÉMIE : *Montpellier.* — ARCHEVÊCHÉ : *Toulouse.*

au-deçà de loc. prép. De ce côté-ci de, sans aller jusqu'à.

au-dedans adv. Dans la partie intérieure. ‖ Dans l'Etat (par oppos. à *au-dehors, à l'extérieur*) : *Obtenir des succès au-dedans pour compenser des échecs au-dehors.* ‖ *Fig.* Dans l'âme : *Il est courtois, mais on ne sait pas ce qui se passe au-dedans.* ● LOC. PRÉP. *Au-dedans de,* à l'intérieur de.

au-dehors adv. A l'extérieur. ● LOC. PRÉP. *Au-dehors de,* à l'extérieur de.

au-delà adv. Plus loin. ✦ n. m. L'autre monde, la vie future. ● LOC. PRÉP. *Au-delà de,* plus loin que.

Auden (Wystan Hugh), poète et auteur dramatique anglais, naturalisé américain (York 1907-Venise 1973). De 1930 à 1933, il prit la tête d'un groupe d'écrivains protestant contre les iniquités sociales. Il a écrit notamment *la Danse de mort* (1933). En 1939, il s'établit aux Etats-Unis. Ses principaux recueils de poèmes sont *l'Age de l'anxiété* (1948) et le *Bouclier d'Achille* (1955).

Audenarde. V. OUDENAARDE.

Harlingue - Roger-Viollet

Jacques **Audiberti**

Audenge, comm. de la Gironde (arr. de Bordeaux), près du bassin d'Arcachon; 2 675 h. (*Audengeois*). Ostréiculture.

Audéoud (René), général français (Buxières-sous-les-Côtes, Meuse, 1854 - Paris 1909). Il servit en Afrique noire sous Gallieni (1887), participa à la conquête du Dahomey (1892) et dirigea les opérations contre Samory (1896-1898).

Auderghem ou **Oudergem,** comm. de Belgique (prov. de Brabant, arr. de Bruxelles-Capitale) ; 30 800 h.

au-dessous adv. A un point, un endroit inférieur : *La montagne domine le village; la vallée s'élargit au-dessous.* ● LOC. PRÉP. *Au-dessous de,* dans une position inférieure à celle de : *Le thermomètre est descendu au-dessous de zéro* — Plus au sud : *Village au-dessous de Chartres.* — N'atteignant pas jusqu'à : *Les valeurs au-dessous de mille francs. Les enfants au-dessous de sept ans.* — *Fig.* Dans un rang inférieur à : *Etre au-dessous de sa tâche.* ● *Etre au-dessous de tout* (Fam.), être d'une nullité, d'une indignité inconcevables.

au-dessus adv. A un endroit supérieur; en haut : *Une pierre tombale avec une croix au-dessus.* ● LOC. PRÉP. *Au-dessus de,* dans une position supérieure à celle de, plus haut que : *Fixer un store au-dessus de la fenêtre.* — Au-delà de : *Les nombres au-dessus de cent.* — *Fig.* Dans un rang ou un mérite supérieur : *Placer les Modernes au-dessus des Anciens.* — Dans une situation d'indifférence ou de mépris pour : *Il est au-dessus des critiques.*

Audeux, ch.-l. de c. du Doubs (arr. et à 13 km au N.-O. de Besançon); 314 h.

au-devant adv. A la rencontre. ● LOC. PRÉP. *Au-devant de,* à la rencontre de : *Aller au-devant des désirs d'un ami.*

Audiard (Michel), écrivain, journaliste et scénariste-dialoguiste français (Paris 1920-Dourdan 1985). Parmi ses dialogues célèbres, citons : *Un singe en hiver* (1962), *Mélodie en sous-sol* (1963), *Flic et voyou* (1979).

Audibert (Alexandre), général français (près de Bordeaux 1874 - Gorges, Loire-Atlantique, 1955). Résistant en 1940, il mit sur pied l'armée secrète de l'Ouest et fut déporté par les Allemands.

Audiberti (Jacques), écrivain français (Antibes 1899 - Paris 1965). Auteur chez qui le réel va jusqu'au monstrueux et le rêve jusqu'au cauchemar, il a écrit des poèmes, des romans (*le Retour du divin,* 1943) et des pièces de théâtre (*Quoat-Quoat,* 1946; *Le mal court,* 1947; *l'Effet Glapion,* 1959).

audibilité → AUDIBLE.

audible adj. (lat. *audibilis,* qui peut être entendu, écouté; de *audire,* entendre). Se dit des sons que l'oreille peut à la fois percevoir et supporter. (Seuls sont audibles les sons de fréquences comprises entre 16 et 30 000 périodes par seconde, et dont l'intensité se situe entre 0 et 130 phones environ.) ✦ n. m. Ce qui est perceptible à l'oreille humaine. ◆ **audibilité** n. f. Caractère de ce qui est audible. ● *Seuil d'audibilité,* intensité minimale que doit avoir un son pour que sa perception soit possible.

audience n. f. (lat. *audientia;* de *audire,* entendre). Action d'écouter favorablement, assentiment : *Un vœu qui trouve une large audience.* ‖ Attention ou intérêt porté par le public à celui qui s'adresse à lui : *Ecrivain qui rencontre l'audience d'un large public.* ‖ Temps qu'une personne en place consacre à ceux qui ont demandé un entretien : *Le ministre accorde une audience à une déléga-*

tion. || Séance au cours de laquelle les magistrats entendent plaider les causes et rendent les jugements. || Lieu où se tient cette séance. ● *Audience foraine,* audience tenue par le juge d'instance dans une commune autre que celle qui est le siège de son tribunal. || *Audience solennelle,* audience tenue par tous les magistrats du siège dans certaines affaires graves et pour l'installation de nouveaux magistrats. ◆ **audiencier** adj. m. Se dit de l'huissier chargé des actes du Palais. ✦ n. m. *Grand audiencier,* officier de la chancellerie royale de France, chargé d'instruire les demandes de lettres de grâce, de noblesse, etc. || *Petit audiencier,* officier qui présentait les lettres au sceau et y apposait la taxe.

audiencia n. f. (mot esp.). Organisme judiciaire et administratif par lequel s'exerçait le contrôle du roi d'Espagne en Amérique. (La première audiencia fut celle de Saint-Domingue en 1511 : par la suite, douze autres furent créées. D'abord uniquement tribunaux de première instance pour les causes importantes, et d'appel pour les causes mineures, elles devinrent ensuite des organismes de contrôle des fonctionnaires, et leur rôle administratif l'emporta.)

audiencier → AUDIENCE.

Audierne, comm. du Finistère (arr. de Quimper), à 22 km au S.-O. de Douarnenez, près de la *baie d'Audierne;* 3 094 h. (*Audiernais*). Port de pêche. Station balnéaire.

Audiffret (Charles, marquis D'), homme politique français (Paris 1787 - *id.* 1878). Président de chambre à la Cour des comptes, il améliora le système de la comptabilité publique. (Acad. des sc. mor., 1855.)

Audiffret-Pasquier (Edme Armand Gaston, duc D'), homme politique français (Paris 1823 - *id.* 1905). Député orléaniste, il contribua à la chute de Thiers (1873). Il fut président de l'Assemblée nationale (1875), puis du Sénat (1876-1879). [Acad. fr., 1878.]

audi-mutité n. f. Mutité congénitale non accompagnée de surdité.

Audincourt, ch.-l. de c. du Doubs (arr. et à 6 km au S.-E. de Montbéliard), sur le Doubs; 17 580 h. (*Audincourtois*). Eglise moderne (vitraux de Léger, Bazaine et Le Moal). Métallurgie et textiles.

audiodisque n. m. Disque sur lequel sont enregistrés des sons. (Par oppos. à VIDÉODISQUE.)

audiofréquence n. f. Fréquence des courants alternatifs, comprise entre 50 et 10 000 périodes par seconde, et pouvant produire dans le téléphone des sons audibles.

audiogramme n. m. Représentation graphique des variations du seuil d'audibilité en fonction de la fréquence.

audiomètre → AUDIOMÉTRIE.

audiométrie n. f. Ensemble des mesures permettant d'apprécier la valeur de l'appareil auditif. ◆ **audiomètre** n. m. Appareil de mesure servant à pratiquer l'audiométrie.

audionumérique adj. *Disque audionumérique,* audiodisque sur lequel les sons sont enregistrés sous forme de signaux numériques.

audiophone ou **audiphone** n. m. Instrument acoustique servant à renforcer les sons.

audiovisuel, elle adj. et n. m. Se dit des moyens de communication de masse, ou mass media, permettant l'enregistrement et la diffusion des sons et des images (radio, télévision hertzienne, télévision par câble, satellites de télécommunication, vidéogrammes et matériel vidéo).
— ENCYCL. En France, a été créé en 1974 un Institut national de l'audiovisuel (I. N. A.) chargé de la conservation des archives, des recherches de création audiovisuelle et de la formation professionnelle. Au sein des méthodes modernes d'enseignement, les techniques audiovisuelles couvrent, de la projection de simples vues fixes à la télévision en circuit fermé, un large éventail de fonctions pédagogiques. Elles jouent deux rôles principaux : elles créent une *motivation,* éveillant la curiosité des élèves, elles apportent une *illustration* sur des événements ou des objets qu'elles rendent plus sensibles que la seule description verbale. D'autre part, le langage audiovisuel apparaît comme un *mode d'expression* moins contraignant et plus immédiat que l'écriture : l'analyse de l'image, son « décodage », permet une réflexion sur l'expression audiovisuelle et ouvre à une initiation aux arts de l'écran. De plus, les possibilités de conservation et de rediffusion des messages éducatifs par les techniques audiovisuelles permettent une véritable démocratisation pédagogique et un abaissement sensible des coûts de l'enseignement.

auditeur, trice n. (lat. *auditor, -trix;* de *audire,* entendre). Personne qui écoute un discours, une lecture, une émission radiophonique, un cours professoral, etc. : *Le courrier des auditeurs de la radio.* || Premier grade de la hiérarchie de certains corps : *Auditeur au Conseil d'Etat, à la Cour des comptes.* || Nom donné aux titulaires de nombreux offices ecclésiastiques. (Il est synonyme de CONSEILLER, pour les affaires administratives [ex. : *auditeur de nonciature*], et d'INSTRUCTEUR, pour les causes judiciaires [ex. : *auditeur de rote*].) ● *Auditeur de justice,* élève du Centre* national d'études judiciaires. || *Auditeur libre,* celui qui suit les cours des établissements d'enseignement sans avoir passé l'examen d'entrée et sans se destiner aux carrières auxquelles ces cours préparent. ◆ **auditif, ive** adj. Qui appartient à l'ouïe ou à l'oreille, organe de l'ouïe : *Nerf auditif.* ● *Appareil de correction auditive,* appareil permettant de rétablir une audition normale chez les malentendants. (Réglé pour chaque forme de surdité, il se compose d'un microphone, d'un amplificateur, d'un écouteur ou d'un vibrateur pour conduction osseuse ; les transistors y sont utilisés.) ‖ *Conduit auditif externe,* canal qui s'étend du fond de la conque de l'oreille à la caisse du tympan. ‖ *Conduit auditif interne,* canal creusé dans l'épaisseur du rocher et dans lequel se trouve le nerf auditif. ‖ — **auditif** n. Type d'homme plus sensible aux perceptions auditives qu'aux perceptions visuelles : *Les auditifs ont besoin d'entendre prononcer un texte pour le retenir.* ◆ **audition** n. f. Fonction de l'homme et de nombreux animaux, informant le cerveau des vibrations élastiques du milieu (air ou eau), entre certaines fréquences limites. (V. *encycl.*) ‖ Action d'entendre, d'écouter : *Il est difficile de juger d'une pièce de théâtre à la première audition. L'audition des témoins.* ‖ Présentation par un artiste de son numéro, en vue d'obtenir un engagement. ● *Audition active,* celle qui a lieu quand on prête l'oreille. ‖ *Audition colorée,* perception, à l'audition de certains sons, d'une image colorée. ‖ *Audition passive,* action d'entendre sans faire un effort particulier pour écouter. ◆ **auditionner** v. intr. Pour un artiste, présenter son numéro en vue d'un engagement. ✦ v. tr. Entendre un artiste présenter son numéro. ◆ **auditoire** n. m. Ensemble des personnes qui assistent aux débats d'une affaire, à un discours, à une conférence, etc. : *Un auditoire attentif.* ◆ **auditorat** ou **auditoriat** n. m. Grade ou fonction d'auditeur. ◆ **auditorium** [rjɔm] n. m. (mot lat. désignant le lieu de réunion où l'on s'assemblait pour écouter la lecture des œuvres des auteurs). Salle pour l'audition d'une œuvre musicale ou théâtrale, pour les émissions de radio ou de télévision, ou pour les enregistrements sonores.

— ENCYCL. ***audition.*** L'audition résulte de l'excitation, par des ondes sonores, des terminaisons du nerf auditif, excitation qui se transmet au centre auditif cérébral et donne lieu à une sensation. Les vibrations sonores, recueillies par l'oreille externe (qui joue le rôle de cornet acoustique), parviennent au tympan, qui les communique, par la chaîne des osselets et par l'air de la caisse, à l'oreille interne. A travers les liquides de celle-ci, les vibrations sont transmises aux terminaisons du nerf auditif, et la sensation variable qui en résulte permet de connaître les qualités du son* (intensité, hauteur et timbre). C'est l'audition comparée des deux oreilles qui permet la localisation de la source sonore et de ses déplacements éventuels. (V. ACOUSTIQUE, OREILLE.)

auditionner, auditoire, auditorat, auditoriat, auditorium → AUDITEUR.

Audley de Walden (Thomas AUDLEY, baron) [1488 - 1544]. Lord chancelier (1533), il dirigea les procès intentés à Thomas More (1535) et à Anne Boleyn (1536).

audomarois, e adj. et n. Relatif à Saint-Omer ; habitant ou originaire de cette ville.

Audoux (Marguerite), romancière française (Sancoins 1863 - Saint-Raphaël 1937). Pupille de l'Assistance publique, elle travailla comme servante dans une ferme, puis s'établit couturière à Paris. En 1910, une préface d'Octave Mirbeau lança son roman *Marie-Claire,* transposition de la vie de la romancière.

Audovère, première femme du roi de Neustrie Chilpéric Ier, qui la répudia en 567 et la fit exécuter v. 580.

Audran (les), famille d'artistes français. CHARLES (Paris 1594 - *id.* 1674) et son frère CLAUDE Ier (Paris 1597 - Lyon 1677) furent graveurs, ainsi que GERMAIN (Lyon 1631 - *id.* 1710), leur neveu. — CLAUDE II (Lyon 1639 - Paris 1684), peintre, frère de Germain, fit partie de l'équipe de Le Brun et travailla à Versailles, à Saint-Germain et à Sceaux. — GÉRARD II (Lyon 1640 - Paris 1703), frère des deux précédents, fut le graveur attitré de Le Brun, puis de Mignard. Devenu directeur de l'atelier de gravure de la manufacture royale des Meubles de la Couronne, il marqua de sa technique le burin et l'eau-forte du XVIIIe s. — CLAUDE III (Lyon 1657 - Paris 1734), peintre d'arabesques, fils de Germain, eut pour aide Watteau. — GABRIEL (Lyon 1659 - les Gobelins 1740), fils de Germain, fut peintre et sculpteur. — BENOÎT Ier (Lyon 1661 - Louzouer 1721), JEAN (Lyon 1667 - les Gobelins 1750) et LOUIS (Lyon 1670 - Paris 1712), tous trois fils de Germain, furent graveurs. — BENOÎT II (Paris 1698 - *id.* 1772), graveur, fils de Benoît Ier, fut un des meilleurs interprètes de Watteau. — MICHEL (Paris 1701 - les Gobelins 1771), fils de Benoît Ier, fut entrepreneur des tapisseries du roi aux Gobelins. — BENOÎT III (1740 - ?), fils du précédent, fut graveur. — JOSEPH († 1795), fut entrepreneur de tapisseries aux Gobelins, et JEAN, fils de Michel, directeur des Gobelins en 1792.

Audran (Edmond), compositeur français (Lyon 1842 - Tierceville 1901), auteur d'opéras-comiques : *le Grand Mogol* (1877), *la Mascotte* (1880), *Miss Helyett* (1890), etc.

Audruicq, ch.-l. de c. du Pas-de-Calais (arr. de Saint-Omer), à 26 km au S.-E. de Calais ; 4 089 h. (*Audruicquois*). Fonderie.

Audubon (Jean-Jacques), ornithologiste américain (Les Cayes, Haïti, 1785 - New York 1851). Il est l'auteur des *Oiseaux d'Amérique* (cent planches coloriées) [1830].

Audumla, dans la mythologie scandinave, vache qui nourrit le géant Ymer.

Audun-le-Roman, ch.-l. de c. de Meurthe-et-Moselle (arr. et à 17 km au N. de Briey) 2 110 h. (*Audunois*). Métallurgie.

Audun-le-Tiche, comm. de la Moselle (arr.

de Thionville-Ouest), à 18 km au S.-E. de Longwy ; 6 391 h. Mines de fer. Sidérurgie.

Aue, v. d'Allemagne (Allem. or., distr. de Karl-Marx-Stadt) ; 31 100 h. Industries textiles. — Aux environs, mines d'uranium.

Auer (Karl), baron **von Welsbach,** chimiste autrichien (Vienne 1858 - Welsbach, Carinthie, 1929). Ses recherches sur les terres rares l'amenèrent à l'invention du manchon à oxyde de thorium.

augets

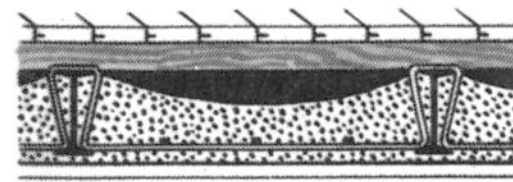

Auerbach, v. d'Allemagne (Allem. or., distr. de Karl-Marx-Stadt) ; 19 300 h. Textiles.

Auerbach (Berthold), écrivain allemand (Nordstetten 1812 - Cannes 1882), auteur de *Récits villageois de la Forêt-Noire* (1843).

Auersperg (Anton Alexander, comte VON). V. GRÜN (Anastasius).

Auerstedt ou **Auerstaedt,** village d'Allemagne (Allem. or., distr. de Halle), au N.-E. de Weimar. Victoire française remportée sur les Prussiens par le maréchal Davout le 14 oct. 1806. (Davout reçut le titre de *duc d'Auerstedt.*)

Auerswald (Rudolf VON), homme politique prussien (Marienwerder 1795 - Berlin 1866). Membre du ministère de la Nouvelle-Ere, il entreprit la réorganisation de l'armée et demeura en fonction jusqu'à l'arrivée de Bismarck (1858-1862).

auge n. f. (lat. *alveus,* bassin). Récipient en pierre, en bois ou en tôle, servant à donner à boire ou à manger aux animaux, et plus spécialement aux porcs. || Rigole qui conduit l'eau à un réservoir, ou qui l'amène à la roue d'un moulin. || Canal de bois mobile et dont on se sert pour l'épuisement des eaux. || Récipient dans lequel les maçons, les cimentiers délaient du plâtre, du mortier, de la terre, du ciment, etc. || Chez les forgerons, les serruriers, les couteliers, baquet plein d'eau servant à animer le feu, ou à rafraîchir les outils. || Espace compris entre les deux branches du maxillaire inférieur du cheval. || Vallée à fond plat et à versants raides, le plus souvent façonnée par les glaciers. ● *Auge à soupape,* caisse employée pour les épuisements et munie, à son fond, d'une soupape que la pression extérieure de l'eau ouvre dans la descente, et que la pression intérieure ferme dans le mouvement opposé. || *Engraissement à l'auge,* dernière étape du circuit de production de la viande (bovine surtout). || *Pile à auges,* pile de Volta. ◆ **augée** n. f. Ce que peut contenir une auge : *Le porc avale son augée avec voracité.* ◆ **auger** v. tr. En maçonnerie, former un auget. ◆ **auget** n. m. Bassin des gouttières de plomb, dans les grands bâtiments. || Scellement des solives, lambourdes et fers en U pour recevoir un parquet. || Rigole en plâtre faite sur le joint de deux pierres et servant à introduire le ciment de scellement. || Partie de la roue d'une turbine* Pelton qui reçoit le jet d'eau sortant du distributeur. || Pièce du mécanisme d'alimentation du fusil Lebel (1886), qui, par un mouvement de haut en bas, recevait les cartouches à leur sortie du magasin situé dans le fût. ● *Roue à augets,* roue hydraulique munie de petites auges à sa périphérie.

Auge (PAYS D'), région de Normandie (Calvados), entre les vallées de la Touques et de la Dives (dite *vallée d'Auge*). [Hab. *Augerons.*] Le paysage caractéristique de la région est celui des prairies complantées de pommiers. Elle produit des fromages célèbres (livarot, pont-l'évêque, camembert).

Augé (Claude), éditeur et lexicographe français (L'Isle-Jourdain 1854 - Fontainebleau 1924). Directeur de la Librairie Larousse (1885), il a écrit de nombreux livres d'enseignement et dirigé la publication du *Nouveau Larousse illustré,* en sept volumes (1897-1904), du *Dictionnaire complet illustré* (1889), devenu en 1906 le *Petit Larousse illustré* et, en 1924, le *Nouveau Petit Larousse illustré,* du *Larousse pour tous* (1907) et du *Larousse universel* (1922). Il fonda en 1907 le *Larousse mensuel illustré.* — Son fils PAUL (L'Isle-Jourdain 1881 - Cabourg 1951) devint en 1920 un des directeurs de la Librairie Larousse. Il dirigea le *Larousse du XXe siècle* (1928-1933), le *Grand Mémento* (1936), le *Nouveau Larousse universel* (1948).

Claude **Augé** par Laubadère en 1909

Larousse

Emile **Augier** par Dubufe
musée de Versailles

Augeard (Jacques Mathieu) [Bordeaux 1731 - Paris 1805], fermier général (1768), secrétaire des commandements de la reine (1777), auteur de *Mémoires secrets,* sévères pour l'administration des finances et le gouvernement de l'Ancien Régime.

augée → AUGE.

augelot n. m. Petite fosse creusée pour recevoir un pied de vigne.

auger → AUGE.

Auger (Pierre), physicien français (Paris 1899). Il a découvert les grandes gerbes du rayonnement cosmique ainsi que l'émission d'un électron par un atome changeant de niveau d'excitation (*effet Auger,* 1925).

Augereau (Antoine), graveur de poinçons et imprimeur français (Paris 1485 - *id.* 1534). Maître de Claude Garamond, il fit adopter, en typographie, les caractères romains et les accents. Il fut exécuté place Maubert comme hérétique.

Augereau (Pierre François Charles), duc **de Castiglione,** maréchal et pair de France (Paris 1757 - La Houssaye 1816). Il s'illustra à Castiglione et à Arcole (1796), participa au coup d'Etat du 18-Fructidor (4 sept. 1797) et prit part à toutes les campagnes de l'Empire (Iéna, Eylau, Espagne, Leipzig). Il se rallia l'un des premiers à Louis XVIII (1814).

augeron, onne adj. et n. Qui appartient au pays d'Auge; habitant ou originaire de cette région. ● *Cheval de trait augeron,* race de chevaux dérivée du percheron, élevée dans le pays d'Auge.

auget → AUGE.

Augias, roi légendaire d'Elide. Héraclès nettoya ses étables en détournant le fleuve Alphée de son cours. Mais le roi ayant refusé la récompense promise, Héraclès le tua.

augibi n. m. Cépage blanc cultivé dans le Gard.

Augier (Emile), auteur dramatique français (Valence, Drôme, 1820 - Paris 1889). Il a écrit des comédies sociales et des drames dont les thèses défendent les principes de la morale bourgeoise : *le Gendre* de Monsieur Poirier* (1854), *les Lionnes pauvres* (1858), *les Effrontés* (1861), *le Fils de Giboyer* (1862). [Acad. fr., 1857.]

augite n. f. Espèce minérale du genre pyroxène, l'un des éléments des basaltes. ◆ **augitique** adj. Qui contient de l'augite.

augment, augmentable, augmentateur, augmentatif, augmentation → AUGMENTER.

augmenter v. tr. (bas lat. *augmentare ;* de *augere,* accroître). Rendre plus grand; accroître : *Augmenter ses revenus;* et, au *fig. : Le temps gris augmentait l'impression de tristesse.* ‖ Accroître le prix de : *Le pain a été augmenté par arrêté préfectoral.* ‖ Faire bénéficier d'un traitement, d'un salaire plus élevé : *Augmenter un employé.* ✦ v. intr. Croître en étendue, en valeur, en durée, en quantité, en qualité, en intensité : *Une population qui augmente rapidement.* ◆ **augment** n. m. Elément adjoint, dans quelques langues de la famille indo-européenne (indo-iranien, arménien, grec), à certaines formes verbales d'indicatif qui avaient valeur de passé, pour préciser cette valeur. ‖ *Dr.* Appoint matériel apporté à un objet, à une masse de biens déjà existants : *Augment de dot.* ◆ **aug-**

maréchal **Augereau,** par Heinsius
musée Carnavalet

mentable adj. Que l'on peut augmenter. ◆ **augmentateur** n. m. *Augmentateur de poussée,* dispositif destiné à accroître la poussée d'un turboréacteur. ◆ **augmentatif, ive** adj. et n. m. Se dit d'un élément, préfixe (comme *archi-*) ou suffixe (comme *-issime*), auquel est liée une idée d'agrandissement, de superlatif (ainsi l'augmentatif *extra* dans *extra-fin*). ◆ **augmentation** n. f. Accroissement de volume, de quantité, de prix, etc. : *Augmentation de poids, augmentation de rendement. La viande a subi une augmentation.* || Accroissement de salaire : *Réclamer une augmentation.* || Opération qui consiste à tricoter deux mailles dans une seule pour augmenter le rang d'une maille, ou bien à ajouter une maille au commencement ou à la fin du rang. || *Mus.* Procédé contrapuntique qui consiste à prolonger la durée des valeurs rythmiques d'un dessin mélodique.

augnathe [ognat] n. et adj. m. (gr. *au,* de nouveau, et *gnathos,* mâchoire). Monstre à deux têtes, dont la seconde est à peu près réduite à une mâchoire inférieure attachée sur la mâchoire normale.

Augouard (Prosper), missionnaire spiritain et prélat français (Poitiers 1852 - Paris 1921). Premier vicaire apostolique de l'Oubangui, il fonda de très nombreux postes de mission au Congo. Il fut archevêque *in partibus* de Cassiopée (1915).

Augsbourg, en allem. **Augsburg,** v. d'Allemagne (Allem. occid.), en Bavière ; 212 000 h. Cathédrale commencée à la fin du Xe s., transformée aux XIVe et XVe s. Fuggerei (cité ouvrière construite par les Fugger). Monuments du XVIIe s., dus à Elias Holl. Constructions mécaniques et aéronautiques ; industries chimiques ; matériel de précision ; textiles. ● *Histoire.* Colonie romaine fondée par Drusus en 15 av. J.-C., pillée par les Huns au Ve s., elle fut le siège d'un évêché dès le VIe s. Décrétée ville libre d'Empire en 1276, elle devint un grand centre bancaire et commercial entre l'Italie et les pays du Nord. Le credo luthérien y fut défini en 1530 (Confession d'Augsbourg). Au cours de la guerre de Trente Ans, la ville fut prise par les Suédois (1632). L'évêché fut sécularisé en 1803, et son territoire, rattaché à la Bavière (1806).

Augsbourg (CONFESSION D'), formulaire contenant la principale profession de foi des luthériens. Il fut rédigé en 1530 par Melanchthon à l'occasion d'une diète impériale réunie par Charles Quint dans l'espoir de mettre fin aux dissensions religieuses soulevées, dans l'Empire, par la Réforme.

Augsbourg (LIGUE D'), nom donné à la coalition des puissances européennes (Empire, États allemands, Angleterre, Hollande et Savoie) contre la France de 1686 à 1697, et qui prit fin avec les traités de Turin (1696) et de Ryswick (1697).

Augsbourg (PAIX D'), texte signé par les luthériens et les catholiques le 3 oct. 1555. Il partageait l'Empire entre les deux confessions et consacrait ainsi l'échec de la politique d'unification de Charles Quint.

Augst, localité de Suisse (cant. de Bâle-Campagne), près du Rhin. Importants vestiges de l'ancienne colonie romaine d'*Augusta Rauracorum.*

augural, augurat → AUGURE.

augure n. m. (lat. *augur*). Devin qui tirait des présages du chant et du vol des oiseaux, de l'appétit des poulets sacrés, et même des éclairs, de la foudre et de l'état du ciel. || Le présage lui-même. || *Fig.* et *par iron.* Personnage important qui se croit en mesure de connaître et de prédire l'avenir, de faire des pronostics : *Etre dupe de l'avis des augures.* || Tout ce qui présage ou semble présager, annoncer quelque chose : *Bon, mauvais augure.* ● *J'en accepte l'augure,* se dit pour faire entendre que l'on espère voir se réaliser un succès prédit. || *Oiseau de mauvais augure,* oiseau dont l'apparition passait pour présager des malheurs ; et, au *fig.* et *fam.*, personne dont l'arrivée et les paroles annoncent toujours quelque chose de fâcheux. ◆ **augural, e, aux** adj. Relatif aux augures : *Science augurale.* ● *Bâton augural,* bâton recourbé (ou *lituus*) dont les augures se servaient pour délimiter la partie du ciel qu'ils devaient observer. ◆ **augurat** n. m. Dignité, fonction d'augure. ◆ **augurer** v. tr. Tirer de quelque chose un pressentiment, une conjecture : *Un premier succès qui laisse bien augurer de l'avenir.*

Goldner

Augsbourg

Augusta. *Géogr. anc.* Nom de nombreuses villes bâties, visitées, prises ou reconstruites par un empereur romain, comme *Augusta Suessionum* (Soissons).

Augusta, v. d'Italie (Sicile, prov. de Syracuse) ; 27 950 h. Le port est bâti sur deux îlots reliés à la terre par deux ponts. Raffinerie de pétrole et pétrochimie. Victoire de Duquesne sur Ruyter (1676).

Augusta, v. des Etats-Unis (Géorgie) ; 70 600 h. Université. Marché cotonnier ; industries textiles et chimiques.

Augusta, v. des Etats-Unis, capit. de l'Etat du Maine ; 21 700 h. Papeteries.

Augusta de Saxe-Gotha, princesse de Grande-Bretagne († 1772), femme du prince de Galles Frédéric et mère du roi George III.

Augusta (Marie-Louise Catherine) [Weimar 1811 - Berlin 1890], reine de Prusse et impératrice d'Allemagne, fille du grand-duc de Saxe-Weimar et épouse de Frédéric-Guillaume (1829), qui devint l'empereur Guillaume Ier.

Larousse

Auguste
statue provenant de Velletri
Ier s. apr. J.-C., *Louvre*

augustal, augustalité → AUGUSTE adj.

auguste adj. (lat. *augustus*). Relatif aux princes ou aux rois : *Le prince salue la foule de son auguste main.* ‖ Qui a quelque chose d'imposant et de solennel : *Le geste auguste du semeur.* ✦ n. m. Titre d'abord réservé aux objets et lieux divins, puis décerné pour la première fois à Octavien par le sénat (27 av. J.-C.), qui en fit un personnage sacré. ‖ Titre porté après lui par tous les empereurs romains. ◆ **augustal, e, aux** n. m. et adj. Prêtre ou officier attaché à la personne humaine ou divinisée de l'empereur romain. (Se disait particulièrement des prêtres chargés du culte des dieux lares des carrefours, auquel s'était joint le culte du génie d'Auguste. Les *sodales Augustales* célébraient à Rome le culte de l'empereur mort et divinisé, et les *seviri Augustales*, le culte de Rome et d'Auguste dans les provinces.) ◆ **augustalité** n. f. Fonction des prêtres augustaux. ◆ **augustement** adv. De façon auguste.

auguste n. m. Type comique du cirque partenaire habituel du clown.

Auguste, en lat. **Caius Julius Caesar Octavianus Augustus,** empereur romain (Rome 63 av. J.-C. - Nola 14 apr. J.-C.). Ayant pri le surnom d'*Octavien,* il avait dix-neuf ans quand mourut César, son grand-oncle et son père adoptif. Modeste et d'apparence chétive mais tenace et volontaire, il ne tarda pas à montrer son ambition politique et forma avec Antoine et Lepidus le deuxième triumvirat (43). Après avoir éliminé leurs ennemis par des proscriptions (Cicéron) et écrasé les républicains à Philippes (42), les triumvirs se partagèrent le monde romain, mais Octavien écarta Lepidus, qui dut se contenter du titre de grand pontife, puis Antoine, qui fut battu à Actium (31). Désormais seul maître, Octavien, tirant leçon de l'échec de César, gouverna en tant que *princeps,* premier citoyen respectueux de la légalité républicaine (principat). En fait, il détenait tous les pouvoir par l'investissement de plusieurs magistratures, et le titre d'*Auguste* (27 av. J.-C.) le rendait sacré. Parallèlement à une œuvr extérieure de pacification (Espagne, Alpes et d'annexions (Galatie, Judée), il jeta le bases du gouvernement impérial en créan des organismes (*Conseil du prince, préfec tures du prétoire, de l'annone, des vigiles*), e réorganisa les finances (création de la caiss impériale), l'administration provinciale (créa tion de la poste impériale) et l'armée. Il tent une restauration des mœurs et de la religio traditionnelle ; aidé par Mécène, il fit entre prendre de grands travaux dans l'empire e encouragea les écrivains (Virgile, Horace Ovide, Tite-Live). Sans héritier, Auguste du adopter Tibère, fils de sa deuxième femm Livie (4 av. J.-C.). A sa mort, le sénat l divinisa, et son culte, associé à celui d Rome, fut rendu dans tout l'empire.

Auguste (HISTOIRE), série de monogra phies des trente-quatre empereurs romain d'Hadrien à Probus. C'est l'œuvre de si auteurs différents, et la date de rédaction es discutée.

Auguste (TESTAMENT POLITIQUE D'), résumé fait par l'empereur lui-même, des actes d son règne. L'original, gravé sur des table d'airain, était fixé sur le mausolée d'August à Rome. La copie la plus ancienne a été retrouvée à Ancyre.

Auguste Ier (Freiberg 1526 - Dresde 1586), Electeur de Saxe (1553-1586). Il fit établir la *formule de concorde* pour réaliser l'unité des luthériens (1580). — **Auguste II** (Dresde 1670 - Varsovie 1733), Electeur de Saxe et roi de Pologne (1697-1733). Il succéda à Jean III Sobieski en Pologne. Il fut détrôné par Charles XII de Suède (1706), puis rétabli en 1710 après la bataille de Poltava (1709). — **Auguste III** (Dresde 1696 - *id.* 1763), Electeur de Saxe et roi de Pologne (1733-1763). Il obtint le trône de Pologne contre Stanislas Leszczyński.

Auguste (Robert Joseph), orfèvre français (Paris 1725 - *id.* 1795). Il travailla pour les cours de Portugal, d'Angleterre, de Suède, de Russie, dans le style classique. — Son fils HENRI (Paris 1759 - † v. 1816) partagea avec Biennais les commandes impériales. Ses ateliers furent florissants.

augustement → AUGUSTE.

Augustenborg (FAMILLE DUCALE D'), branche collatérale de la famille royale danoise d'Oldenburg. Le plus illustre de ses membres est FRÉDÉRIC (1829 - 1880). A la mort de Frédéric VII (1863), il se proclama duc Frédéric VIII de Slesvig et de Holstein. Bismarck l'obligea à renoncer à ce titre. En compensation, sa fille Augusta Victoria épousait le futur empereur Guillaume II.

augustin, e adj. De saint Augustin; conforme aux doctrines de saint Augustin. ✦ n. Religieux, religieuse qui suit la règle dite « de saint Augustin ». (V. *encycl.*) ● *Augustins de l'Assomption,* v. ASSOMPTIONNISTE. ◆ **augustinien, enne** adj. Inspiré de saint Augustin. ‖ Relatif à saint Augustin ou aux religieux augustins. ✦ n. Celui qui adopte la doctrine de saint Augustin sur la grâce. ◆ **augustinisme** n. m. Doctrine conforme à l'esprit de saint Augustin. ‖ Dénomination donnée souvent à la doctrine des jansénistes. ● *Augustinisme politique,* ensemble de doctrines politico-religieuses qui tendent à absorber le droit naturel de l'Etat dans le droit surnaturel de l'Eglise.

— ENCYCL. ***augustin.*** Il n'existe pas à proprement parler de règle religieuse rédigée par saint Augustin. Mais de nombreux instituts religieux anciens et modernes se sont organisés en fonction des directives spirituelles données par saint Augustin. La famille augustinienne comprend actuellement les *Ermites de saint Augustin,* les *Ermites Récollets* et les *Augustins déchaussés.* En outre, de très nombreux ordres, congrégations de chanoines réguliers, ordres militaires, suivent une règle inspirée de la spiritualité augustinienne.

Augustins (MUSÉE DES), musée de Toulouse, dans l'ancien couvent des Augustins (XIVe et XVIIe s.); il contient des collections de sculptures romanes, des peintures, en particulier de l'école toulousaine.

B. N.

saint **Augustin**
« la Cité de Dieu »
manuscrit du XIe s., *Bibliothèque nationale*

Augustins (MUSÉE DES **Petits-**), ancien musée établi dans un couvent fondé en 1608, à Paris, et supprimé en 1790. Alexandre Lenoir en fit le musée des Monuments français pour préserver de la destruction nombre de sculptures entrées depuis au Louvre. Il fait partie, depuis 1820, des bâtiments de l'Ecole nationale supérieure des beaux-arts.

Augustin (saint), en lat. **Aurelius Augustinus,** Père de l'Eglise latine (Tagaste [auj. Souk-Ahras] 354 - Hippone 430), fils de sainte Monique et du païen Patricius. Professeur de rhétorique à Milan à partir de 384, il y fut en contact avec saint Ambroise. Il se convertit et fut baptisé en 387. De retour en Afrique, il reçut le sacerdoce à Hippone en 391 et se fixa dans cette ville, dont il devint évêque en 396. Outre ses *Confessions**, ses principaux ouvrages sont *la Cité de Dieu* (413-426), œuvre apologétique, et des écrits polémiques dans lesquels il défend la foi catholique contre les manichéens, les donatistes, les pélagiens et les ariens. Certaines de ses *Lettres* sont de véritables traités de dogmatique et de morale. Toute la pensée de saint Augustin est centrée sur deux problèmes essentiels : Dieu, et le destin de l'homme, perdu par le péché, sauvé par la grâce. L'influence de saint Augustin a dominé la théologie occidentale jusqu'à saint Thomas d'Aquin. Elle paraît à nouveau, mais transformée, chez Luther et chez les jansénistes. — Fête le 28 août.

Augustin de Canterbury (saint), moine bénédictin († 604 ou 605). En 597, il fut envoyé par le pape Grégoire le Grand pour évangéliser l'Angleterre. Il fut archevêque de Canterbury. — Fête le 28 mai.

augustinien, augustinisme → AUGUSTIN.

Augustinus (l'), ouvrage posthume de Jansénius, paru en 1640. Dans la pensée de l'auteur, il exposait les doctrines de saint Augustin sur la grâce et la prédestination. Rome condamna le livre en 1643, puis cinq propositions qui prétendaient en résumer la pensée, en 1653. (V. JANSÉNISME.)

Augustów, v. de Pologne (voïévodie de Białystok) ; 14 900 h. Victoire des armées allemandes, qui, en février 1915, encerclèrent à Augustów une armée russe, qui dut capituler.

aujourd'hui adv. (de *au, jour, de* et *hui* [du lat. *hodie*]). Dans le jour où nous sommes : *Il y a aujourd'hui huit jours qu'il est venu.* ‖ Au temps où nous vivons ; à présent, maintenant : *Les jeunes gens d'aujourd'hui.* ● *Au jour d'aujourd'hui* (Pop.), au temps où nous vivons. ‖ *D'aujourd'hui* (ou *aujourd'hui*) *en huit, en quinze,* dans une semaine, une quinzaine, jour pour jour.

Aukrust (Olav), poète norvégien (Gudbrandsdal 1883 - Lom 1929), auteur de *Jalon du ciel* (1916).

aula n. f. (mot lat.). Dans certaines universités, salle des actes et des fêtes.

aulacocératidés n. m. pl. Céphalopodes fossiles du permien, du trias et du lias, intermédiaires entre les orthocéras et les bélemnoïdés.

aulacode n. m. (gr. *aulax, aulacos,* sillon). Rongeur de l'Afrique centrale, de la taille d'un chat.

aulacomnion n. m. Assez grande mousse aux tiges ramifiées.

Aulard (Alphonse), historien français (Montbron 1849 - Paris 1928), spécialiste de la Révolution française (*Histoire politique de la Révolution française,* 1901).

aularque n. m. (gr. *aularkhês ;* de *aulê,* cour, et *arkhos,* chef). Prince de la cour, chez les Hébreux. ‖ A Byzance, gouverneur du palais impérial.

joueuse d'**aulos**
détail d'une coupe grecque, *Louvre*

Giraudon

aulastome n. m. (gr. *aulax,* sillon, et *stoma,* bouche). Grosse sangsue des eaux douces, qui attaque vers, mollusques et grenouilles.

Aulerques ou **Aulerces,** en lat. **Aulerci,** peuples de la Gaule celtique, qui occupaient la vallée de la Loire.

Auliček (Dominique), sculpteur tchèque (Polička 1734 - Munich 1803). Il est l'auteur des grandes statues mythologiques du parc de Nymphenburg, à Munich.

Aulide, nom donné par les poètes classiques français au territoire d'Aulis.

aulique adj. (du lat. *aula,* cour). Qui appartient à la cour (d'un souverain). ● *Conseil aulique,* tribunal suprême institué en 1501 par Maximilien Ier.

Aulis. *Géogr. anc.* Port de Béotie, sur l'Euripe. Selon le mythe, les Grecs s'y embarquèrent pour Troie et Iphigénie y fut sacrifiée.

aulnaie → AULNE.

Aulnat, comm. du Puy-de-Dôme (arr. et à 5 km à l'E. de Clermont-Ferrand) ; 4 724 h. Aérodrome de Clermont-Ferrand.

Aulnay, ch.-l. de c. de la Charente-Maritime (arr. et à 17 km au N.-E. de Saint-Jean-d'Angély) ; 1 505 h. Eglise romane.

Aulnay-sous-Bois, ch.-l. de c. de la Seine-Saint-Denis (arr. du Raincy), à 10 km au N.-E. de Paris ; 76 032 h. (*Aulnaisiens*). Eglise des XIIe et XVIIIe s. Industrie automobile.

aulne ou **aune** n. m. (lat. *alnus*). Arbre aux feuilles rondes, des lieux humides, très drageonnant, aux racines fixatrices d'azote, au bois utile en ébénisterie et pour les ouvrages immergés. (Famille des bétulacées.) ◆ **aulnaie** ou **aunaie** n. f. Lieu planté d'aulnes.

Aulne, fl. côtier de Bretagne, qui se jette dans la rade de Brest ; 140 km.

Aulnoy (Marie Catherine LE JUMEL DE BARNEVILLE, comtesse D'), femme de lettres française (Barneville, près d'Honfleur, 1650 ou 1651 - Paris 1705). Elle publia, en 1697-1698 huit tomes de *Contes* de fées.*

Aulnoye-Aymeries, comm. du Nord (arr. et à 12 km au N.-O. d'Avesnes-sur-Helpe), sur la Sambre ; 10 320 h. (*Aulnésiens*). Métallurgie.

aulos [olɔs] n. m. Instrument de musique à vent des anciens Grecs.

Aulo(s), peuple du Ghāna.

Ault, ch.-l. de c. de la Somme (arr. d'Abbeville), à 12 km au N.-E. du Tréport ; 2 058 h. (*Aultois*). Station balnéaire.

Aulu-Gelle, en lat. **Aulus Gellius,** grammairien et critique latin (Rome v. 130 apr. J.-C.), auteur des *Nuits attiques,* ouvrage précieux par les renseignements qu'il a conservés sur les écrivains archaïques qu'il copiait.

Aulularia (*la Marmite*), comédie de Plaute (v. 190 av. J.-C.), qui tire son nom d'une marmite pleine d'or que le vieil Euclion a trouvée en creusant dans sa maison. Des nombreuses imitations de *la Marmite,* la plus célèbre est *l'Avare,* de Molière.

Aulus-les-Bains, comm. de l'Ariège (arr. et à 33 km au S.-E. de Saint-Girons); 208 h. Station thermale.

aulx [o] n. m. pl. Pluriel traditionnel de *ail.*

Aumale, ch.-l. de c. de la Seine-Maritime (arr. de Dieppe), à 45 km au S.-O. d'Amiens, sur la Bresle ; 3 023 h. (*Aumalois*).

Aumale, v. d'Algérie. V. SOUR-EL-GHOZLAN.

Aumale (Charles DE LORRAINE, duc D') [1555 - Bruxelles 1631], un des chefs de la Ligue. Il défendit Paris assiégé par Henri IV et s'allia aux Espagnols.

Aumale (Henri Eugène Philippe D'ORLÉANS, duc D'), quatrième fils de Louis-Philippe et de Marie-Amélie (Paris 1822 - Zucco, Sicile, 1897). Son nom est lié à l'enlèvement de la smala d'Abd el-Kader (mai 1843). Gouverneur des possessions françaises d'Afrique (1847), il se retira en Angleterre après la révolution de 1848. Il a laissé une *Histoire des princes de Condé* et légué à l'Institut son domaine de Chantilly, ainsi que ses collections. (Acad. fr., 1871 ; Acad. des bx-arts, 1880 ; Acad. des sc. mor. et polit., 1889.)

Aumance, riv. des confins méridionaux du Bassin parisien, affl. du Cher (r. dr.) ; 58 km. *Le bassin houiller d'Aumance* n'est plus exploité aujourd'hui.

Aumer (Jean-Pierre), danseur et chorégraphe français (Paris 1774-1776 - *id.* 1833). Élève de Dauberval, il présenta son premier ballet, *Jenny ou le Mariage secret,* en 1806. Il s'inspira du roman *Paul et Virginie* pour composer *les Deux Créoles.*

aumône n. f. (lat. pop. *alemosina ; du gr. *eleêmosunê,* pitié). Don que l'on fait aux pauvres pour les assister : *Faire l'aumône à un mendiant.* ‖ *Fig.* Faveur donnée par charité : *Accorder l'aumône d'un sourire.* ‖ Une des pénitences canoniques, consistant en une somme d'argent à utiliser en « usage pieux ». ◆ **aumônerie** n. f. Charge d'aumônier. ‖ Administration centrale du service des aumôniers. ‖ Logement de l'aumônier. ‖ Service du culte assuré par les soins de l'administration, dans certaines institutions publiques (lycées, hospices, prisons, armée, etc.). ◆ **aumônier** n. m. Auj., prêtre attaché à un corps ou à un établissement pour y assurer le service divin et y donner l'instruction religieuse. (V. *encycl.*) ‖ Autref., ecclésiastique attaché à une personne pour distribuer ses aumônes, assurer le service divin. ● *Grand aumônier de France,* titre que portait le premier aumônier de la cour des rois de France.

◆ **aumônière** n. f. Sac plat que l'on portait attaché à la ceinture et qui servait de bourse. ‖ Plus particulièrement, bourse des grands personnages. ‖ Religieuse chargée de distribuer les aumônes de son couvent.

— ENCYCL. ***aumônier militaire.*** L'aumônerie des armées, réorganisée en 1949 et 1954, comprend, dans les cultes catholique, protestant et israélite, des aumôniers militaires titulaires, des aumôniers territoriaux permanents, desservants ou bénévoles, qui sont attachés aux diverses formations militaires. Leurs insignes sont la croix pectorale (ou les tables de la Loi pour les rabbins), les écussons noirs et, sur les pattes d'épaule, des rameaux d'olivier. Les aumôniers, tous volontaires et liés au service par contrat, relèvent du ministère des Armées. Leur statut militaire et administratif a été précisé en 1964.
Sur le plan ecclésiastique, les aumôniers militaires catholiques titulaires relèvent de l'archevêque de Paris, qui eut le titre de « vicaire aux armées » de 1952 à 1967.

duc d'**Aumale** par Winterhalter *(détail), château de Versailles*

Giraudon

aumônière → AUMÔNE.

Aumont (Jean VI D'), gentilhomme français (1522 - Rennes 1595). Maréchal de France en 1579, il devint gouverneur de Bretagne.

Aumont (**à la d'**) [du nom du duc *d'Aumont* (1762 - 1831)] loc. adv. ou adj. Se dit d'un attelage composé de quatre chevaux conduits par deux postillons.

Aumont-Aubrac, ch.-l. de c. de la Lozère (arr. de Mende), à 11 km au S. de Saint-Chély-d'Apcher ; 1 049 h.

aumusse n. f. (lat. médiév. *almutia,* d'origine incertaine). Cape ou pèlerine de fourrure à capuchon, couvrant les épaules des chanoines et des chantres, qui se préservaient ainsi du froid pendant les offices.

aunage → AUNE n. f.

aunaie → AULNE.

Aunay-sur-Odon, ch.-l. de c. du Calvados (arr. de Vire), à 32 km au S.-O. de Caen; 3039 h. (*Aunais*).

aune n. m. V. AULNE.

aune n. f. (de l'anc. haut allem. *elina*). Ancienne mesure de longueur française, qui valait à Paris 3 pieds, 7 pouces, 10 lignes 5/6, soit 1,188 44 m. ● *Mesurer les autres à son aune* (Péjor.), juger d'autrui d'après soi-même. || *Savoir ce qu'en vaut l'aune,* savoir ce qu'il en est d'une chose, l'apprécier à sa juste valeur. ◆ **aunage** n. m. Mesurage à l'aune. ◆ **aunée** n. f. Quantité de tissu ayant une aune de longueur : *Une aunée de drap.* ◆ **auner** v. tr. Mesurer à l'aide d'une aune. (Vx.) ◆ **auneur, euse** n. Personne qui mesurait à l'aune.

auneau n. m. Sarment de deux ans, arqué en cercle pour favoriser sa fructification.

Auneau, ch.-l. de c. d'Eure-et-Loir (arr. et à 23 km à l'E. de Chartres); 3184 h. Donjon. Victoire d'Henri de Guise sur les protestants (1587).

1. aunée n. f. (lat. *inula*). Grande composée aux capitules jaunes.

2. aunée, auner → AUNE n. f.

Auneuil, ch.-l. de c. de l'Oise (arr. et à 11 km au S.-O. de Beauvais); 2370 h.

auneur → AUNE n. f.

Aunis, anc. prov. de France, entre le Poitou et la Saintonge. La plaine d'Aunis est une plate-forme calcaire qui domine le Marais poitevin au N., le Marais charentais au S., et s'avance vers l'O. pour former le « musoir » de La Pallice, entre le Pertuis breton et le pertuis d'Antioche. L'ensemble de l'Aunis et de la Saintonge correspond approximativement au département de la Charente-Maritime.

Principaux événements historiques.

507. Après la bataille de Vouillé, Clovis intègre l'Aunis dans le royaume franc, avec la Saintonge.

Xe s. Séparé de la Saintonge, l'Aunis est rattaché au Poitou (jusqu'en 1360).

XIIe s. Influence grandissante de la famille des Mauléon, partisans des Plantagenêts; l'Aunis passe sous l'influence anglaise. Henri II Plantagenêt donne une charte de commune à La Rochelle (1174).

Début du XIIIe s. L'Aunis passe progressivement des Anglais à la France.

1242. Le dernier opposant au roi de France, Hugues de Lusignan, doit reconnaître la possession de l'Aunis aux Capétiens.

1271. L'Aunis est réuni au domaine royal.

1360. Le traité de Brétigny donne l'Aunis aux Anglais. Création d'un sénéchal à La Rochelle, qui devient la capitale administrative de l'Aunis.

1371-1373. Du Guesclin, vainqueur des Anglais, entre à La Rochelle, et l'Aunis fait retour au domaine royal. Organisation du gouvernement de La Rochelle, qui forme bientôt la province de l'Aunis.

XVIe s. Progrès de la Réforme en Aunis; La Rochelle devient place forte protestante.

1573. Siège, sans résultat, de La Rochelle par les armées royales; les protestants reçoivent des garanties, confirmées par l'édit de Nantes (1598).

1627-1628. Les protestants rochelais ayant fait cause commune avec les Anglais, La Rochelle est assiégée et prise par Louis XIII.

L'art dans l'Aunis et la Saintonge.

A part l'empreinte romaine très marquée à Saintes, cette région est le domaine privilégié de l'architecture romane. Les églises qu'on y trouve — où intervient parfois la coupole comme mode de voûtement — sont envahies par un décor exubérant, où des arcatures grandes et petites forment comme une toile de fond. L'absence de tympan est compensée par la richesse des voussures. A l'intérêt de ces monuments religieux s'ajoute celui de curieuses fortifications portuaires allant de la période médiévale aux travaux de Vauban.

Art préhistorique.
Camp de Peu-Richard, près de **Thénac**; grotte du Gros-Roc, au **Douhet**; allée couverte de Pierre-Folle, près de **Montguyon.**

Art romain.
Amphithéâtre (fin du Ier s.), arc de triomphe dit *de Germanicus,* nombreuses collections gallo-romaines au musée archéologique, à **Saintes**; aqueduc à **Saint-Vaize**; aqueduc au **Douhet**; arènes près de **Thénac**; pile gallo-romaine à **Ébéon**; moulin du Fa, soubassement d'un temple circulaire, près de **Talmont**; pile de Pire-Longe, près de **Saint-Romain-de-Benet.**

Art roman.
Comme en Angoumois, l'influence de l'école périgourdine est prédominante, notamment à l'église Sainte-Marie-des-Dames de Saintes, à Saint-Romain de Benet et à Sablonceaux. Les façades, à arcatures multiples, sont de type poitevin. La décoration, à sujets fantastiques, est riche et variée.
Eglise d'**Aulnay**; crypte de Saint-Eutrope à **Saintes**; églises de **Rioux,** de **Rétaud,** de **Pont-l'Abbé-d'Arnoult,** d'**Échillais,** de **Pons,** de **Saint-Vivien,** de **Corme-Royal,** de **Marignac,** de **Chadenac,** de **Pérignac,** de **Nuaillé-sur-Boutonne,** de **Talmont,** de **Fenioux** (avec une lanterne des morts), de Saint-Hérie et de

Marétay, près de **Matha,** d'**Échebrune,** de **Biron,** de **Breuillet,** d'**Écoyeux,** de **Fontaine-Chalendray,** de **Jarnac-Champagne,** de **Varaize,** de **Saint-Pierre-d'Oléron** (lanterne des morts), d'**Ars-en-Ré** (portail de Saint-Etienne), de **Surgères.**

Art gothique.

● *Architecture religieuse :* ancienne cathédrale Saint-Pierre et cloître à **Saintes;** églises de **Nieul-lès-Saintes,** d'**Ars-en-Ré,** de **Marans,** de **Marennes,** d'**Angoulins.**

● *Fortifications :* **La Rochelle** (tours de la Chaîne, de la Lanterne, tour Saint-Nicolas, porte de la Grosse-Horloge), **Jonzac, Fouras, Neuvicq-le-Château, Montguyon, Tonnay-Boutonne, Taillebourg;** châteaux de La Roche-Courbon, près de **Saint-Porchaire,** de **Surgères.**

● *Peintures murales :* église de **Landes.**

Art de la Renaissance.

Dans le cimetière de **Moëze,** croix dite « hosannière »; église de **Saint-Just.**

● *Architecture civile :* château (avec façade à galeries superposées) à **Dampierre-sur-Boutonne;** hôtel de ville de **La Rochelle;** hôpital de **Saintes;** fontaine du Pilori à **Saint-Jean-d'Angély;** restes du château (deux pavillons) à **Matha.**

Art classique.

● *Architecture religieuse :* cathédrale Saint-Louis, par J. et J.-A. Gabriel, à **La Rochelle;** collège, ancienne abbaye, église dite « les Tours » à **Saint-Jean-d'Angély.**

● *Architecture civile :* fortifications, palais de justice, ancien palais épiscopal (auj. musée de peinture), hôtel de la Bourse, ensemble de maisons anciennes à porche, à **La Rochelle;** fortifications de **Brouage;** fontaine, bastion dit « lanterne de Vauban » à **Rochefort;** hôtel d'Argenson à **Saintes;** arsenal de **Saint-Martin-de-Ré;** châteaux de **Plassac,** de Buzay à **La Jarne.**

XIX**ᵉ **s.

Maison de l'Empereur et musée napoléonien à l'**île d'Aix.**

tour Saint-Nicolas, à La Rochelle

Aunis

château de La Roche-Courbon

Danèse - Rapho

auparavant adv. (de *au, par* et *avant*). D'abord, avant une autre chose ou une autre époque : *Nous irons vous voir; je vous avertirai longtemps auparavant.*

Auphan (Paul), amiral français (Alès 1894-Versailles 1982). Chef d'état-major de la marine en 1941, ministre de la Marine en 1942, il démissionne de son poste le 18 novembre 1942, après la violation de l'armistice par les Allemands. Condamné par contumace aux travaux forcés en 1946, il se présente en 1955 devant la Haute Cour, qui lui inflige cinq ans de prison avec sursis.

auprès adv. Dans le voisinage : *On aperçoit la place, puis, tout auprès, l'église.* ● Loc. prép. *Auprès de,* immédiatement à côté de : *Il est resté auprès d'elle.* — *Fig.* En s'adressant à : *Faire une démarche auprès d'un haut personnage.* — Dans l'opinion de, aux yeux de : *Ne jouir d'aucun crédit auprès du peuple.* — En comparaison de : *Un incendie qui n'est rien auprès du précédent.*

Aups, ch.-l. de c. du Var (arr. de Brignoles), à 29 km au N.-O. de Draguignan; 1 652 h. (*Aupsois*). Eglise gothique (xvᵉ s.). Miel.

auquel → LEQUEL.

aura n. f. (lat. *aura,* souffle). *Physiq. anc.* Emanation subtile, souffle, air, vapeur. ‖ *Fig.* Atmosphère immatérielle qui enveloppe certains êtres : *Une aura de bonheur.* ‖ Ensemble des signes qui précèdent immédiatement la crise d'épilepsie, et qui permettent parfois de localiser la lésion cérébrale responsable.

Aura, nom donné aux filles de Borée ou d'Eole, qui personnifiaient les vents doux.

auramine n. f. Matière colorante, dérivé aminé du diphénylméthane, qui s'emploie surtout dans l'impression du coton mordancé au tanin.

Aurangābād, v. de l'Inde (Mahārāshtra); 97 700 h. On y trouve neuf grottes, aménagées au VIe s. et décorées dans un style voisin de ceux d'Ajantā et d'Ellorā. Au XVIIIe s., des artistes rājputs y firent de la peinture d'albums, parente de celle de l'école de Delhi.

Aurangzeb (1618 - Aurangābād 1707), empereur moghol de l'Inde, descendant du conquérant Tīmūr. Il porta l'Empire moghol à son apogée grâce à ses conquêtes et à son administration.

aurantia n. f. (lat. *aurantium,* oranger). Matière colorante employée en photographie.

aurantiacées n. f. pl. V. RUTACÉES.

Auray, ch.-l. de c. du Morbihan (arr. de Lorient), sur la *rivière d'Auray* (estuaire du Loch) et à 18 km à l'O. de Vannes; 10 185 h. (*Alréens*). Maisons médiévales. Au N.-O., chartreuse des XVIIe et XVIIIe s. Aux environs eut lieu, le 29 sept. 1364, une grande bataille entre Charles de Blois et Jean IV le Vaillant, comte de Montfort. Charles de Blois y fut tué, et du Guesclin fait prisonnier.

Aure, fl. côtier de Normandie, dans le Bessin; il aboutit à l'estuaire de la Vire.

Aure (VALLÉE D'), région des Pyrénées françaises (Hautes-Pyrénées), ouverte par la *Neste d'Aure* et la Neste de Louron, qui confluent à Arreau.

Aure (Léon, vicomte D'), hippographe français (1798-1863), qui a considérablement influencé les progrès de l'équitation.

Aurec-sur-Loire, ch.-l. de c. de la Haute-Loire (arr. d'Issingeaux), à 20 km au S.-O. de Saint-Etienne; 4 563 h. Château ruiné. Industries diverses.

enceinte d'**Aurélien**

Serraillier - Rapho

Aureilhan, ch.-l. de c. des Hautes-Pyrénées (arr. et à 1 km au N.-E. de Tarbes); 7 818 h. (*Aureilhannais*).

Aurèle (Marc). V. MARC AURÈLE.

Aurelia (GENS), famille plébéienne de Rome, à laquelle appartinrent certains empereurs du nom d'Aurelius Antoninus.

Aurelia (VIA), l'une des principales voies romaines, qui partait de Rome pour aboutir à *Arelate* (Arles) en Gaule.

Aurélia *ou le Rêve et la vie,* œuvre en prose de Gérard de Nerval (1855), transcription de ses délires oniriques, que traversent ses souvenirs d'amour et sa foi aux vies antérieures.

auréliacés n. m. pl. Groupe de méduses à ombrelle frangée de nombreux tentacules. (Genre type : *Aurelia,* des côtes européennes.)

Aurélie (sainte), vierge honorée à Strasbourg dès le Xe s. — Fête le 15 oct.

Aurélien (saint) [† en 551], évêque d'Arles en 546. — Fête le 16 juin.

Aurélien, en lat. **Lucius Domitius Aurelianus** (v. 214 - † 275), empereur romain (270-275). A la suite d'une belle carrière militaire, il fut proclamé empereur par l'armée à la mort de Claude II. Il dégagea l'Italie du Nord de l'invasion des Juthunges (271-272) et rétablit la sécurité sur la frontière du Danube, face aux attaques des Vandales et des Sarmates (272 et 274). En 275, il dut renoncer à occuper la Dacie, trop excentrique. Il détrôna Zénobie et anéantit la puissance de l'Etat de Palmyre, qui cherchait à se dégager de la vassalité romaine (273). En 273, il obtint la soumission de la Gaule, qui, depuis 258, vivait à part avec un empereur de son choix. En politique intérieure, il mit en tutelle le sénat et prit un soin particulier de Rome. Il réforma la préfecture urbaine, étendit l'institution de l'annone et dota la ville d'une nouvelle enceinte fortifiée, commencée en 271. En Italie, l'institution des *correctores* régionaux et permanents consacra l'assimilation de l'Italie aux provinces. Il procéda à une réforme monétaire et assainit la situation financière. Aurélien, fondateur de la religion du Soleil, *Sol invictus*, est le premier empereur qui ait été salué officiellement du nom de *Deus et Dominus* pendant son règne. Son œuvre de restauration fut reprise par Dioclétien.

Aurélien (ENCEINTE D'), mur fortifié, en blo[illegible] cage à revêtements, élevé autour de Rom[illegible] par Aurélien (271-282). Elle était longue d[illegible] 18 357 m, large de 4 m, et sa hauteur attei[illegible]gnait parfois 19 m; elle était percée de dix-huit portes, dont certaines subsistent.

aurélière n. f. L'un des noms usuels de l[illegible] *forficule**.

Aurelius Cotta (Caius), général romai[illegible] consul en 252 et 248 av. J.-C. Il prit part au[illegible] guerres puniques.

Aurelius Cotta (Marcus), général romain, consul en 74 av. J.-C., battu par Mithridate.

Aurelius Cotta (Lucius), orateur romain, frère du précédent. Il fut consul en 65 av. J.-C., censeur en 64, combattit Catilina et prit le parti de César.

Aurelius Victor, historien latin, gouverneur, sous l'empereur Julien, de la Pannonie inférieure, préfet de Rome (392-393). Il écrivit une histoire abrégée des empereurs, d'Auguste à Julien.

Aurell (Tage), écrivain suédois (Oslo 1895-Arvika 1976). Son art, d'un laconisme et d'une précision impitoyables, s'exprime surtout dans la nouvelle (*Marina,* 1937 ; *Images d'Epinal,* 1946).

Aurelle de Paladines (Louis Jean-Baptiste D'), général français (Le Malzieu-Ville 1804 - Versailles 1877). Il prit part à la campagne de Crimée en 1855 et délivra Orléans des Bavarois en 1870 par la victoire de Coulmiers.

auréole n. f. (du lat. *aureola* [*corona*], couronne d'or). Cercle lumineux dont les peintres et les sculpteurs entourent souvent la tête de Dieu, de la Vierge, des saints. (L'auréole est aussi utilisée par les artistes asiatiques et musulmans dans les représentations de personnages divins, sacrés ou vénérables.) ‖ Cercle lumineux ou coloré autour d'un astre ; halo. ‖ Flamme bleuâtre qui prolonge la flamme normale de la lampe de mine lorsque l'atmosphère contient du grisou. ‖ Trace laissée par un détachant sur une étoffe, sur un papier, etc. ‖ *Fig.* Degré de gloire des saints : *L'auréole des martyrs, des vierges.* ‖ Prestige, gloire : *Parer quelqu'un d'une auréole.* ● *Auréole métamorphique* (Géol.), zone où la roche encaissante a été métamorphisée par la roche endogène autour d'un batholite. ◆ **auréolé, e** adj. Ceint d'une auréole : *Auréolé de gloire.* ◆ **auréoler** v. tr. Entourer d'une auréole : *Un visage que le soleil semble auréoler.* ‖ Glorifier, parer : *Auréoler quelqu'un de toutes les vertus.*

auréomycine n. f. Antibiotique extrait des produits du métabolisme de *Streptomyces aureofaciens* et découvert par Duggar en 1948. (Syn. CHLORTÉTRACYCLINE.)

Aurès, massif montagneux du sud-est de l'Algérie, qui trouve là son point culminant (2 328 m au *djebel Chelia*). L'Aurès s'élève au-dessus des chotts constantinois, au N., et de la dépression saharienne des Zibans, au S. Les plis, orientés du S.-O. au N.-E., donnent des sommets aux formes lourdes, et des plateaux qui dominent les vallées de l'oued el-Abdi et de l'oued el-Abiod. Le massif est relativement arrosé ; toutefois, les cultures céréalières, encore possibles sans irrigation sur le versant nord, se concentrent dans les secteurs irrigués, au S., où apparaissent les palmeraies. Les populations, les Chaouïas, des Berbères zénètes, sont relativement denses (160 000 individus environ).

aureux adj. m. (lat. *aurum,* or). Se dit des sels d'or* univalents : *Chlorure aureux AuCl.*

Auric (Georges), compositeur français (Lodève 1899 - Paris 1983). Il a fait partie du groupe des Six. Son œuvre comprend des sonatines, des pastorales, des impromptus et la sonate en *fa* pour piano, des mélodies, des ballets (*les Fâcheux,* 1924 ; *les Matelots,* 1925 ; *Phèdre,* 1950), des musiques de films (*l'Eternel Retour, la Belle et la Bête, Orphée, le Mystère Picasso*). Il fut administrateur de la Réunion des théâtres lyriques nationaux (1962-1968). [Acad. des bx-arts, 1962.]

aurichlorure n. m. Sel complexe de formule générale $MAuCl_4$, où M est le symbole d'un métal univalent.

Auricoste (Emmanuel), sculpteur français (Paris 1908), élève de Bourdelle et de Despiau. Il a participé à la décoration du palais de Chaillot et est représenté au musée national d'Art moderne.

auriculaire adj. (lat *auricularius ;* de *auris,* oreille). Relatif à l'oreille. ‖ Qui a la forme d'une oreille. ‖ Qui appartient aux oreillettes du cœur : *Cloisons auriculaires.* ● *Artères, veines auriculaires,* artères et veines de l'oreille externe. ‖ *Confession auriculaire,* confession qui se fait à voix basse, à l'oreille du prêtre (par oppos. à *confession publique*). ‖ *Doigt auriculaire,* ou, plus souvent, *auriculaire* n. m., petit doigt de la main, parce que sa taille permet d'en introduire l'extrémité dans l'oreille. ‖ *Muscles auriculaires,* muscles moteurs du pavillon de l'oreille. ‖ *Plumes auriculaires,* celles qui couvrent l'oreille des oiseaux. ‖ *Style auriculaire,* en orfèvrerie, style caractérisé par ses contournements qui rappellent les dessins de l'oreille humaine. (Adam Van Vianen [v. 1569 - † 1627] en fut le principal représentant.) ‖ *Témoin auriculaire,* celui qui a entendu de ses propres oreilles.

auricularia n. f. (lat. *auricularius ;* de *auris,* oreille). Forme larvaire des holothuries.

auriculariales n. f. pl. Ordre de champignons basidiomycètes primitifs, à baside cloisonnée.

auricule n. f. (lat. *auricula,* petite oreille). Lobe ou bout de l'oreille. ‖ Pavillon de l'oreille externe tout entier. ‖ Nom donné à deux appendices qui surmontent chacune des oreillettes du cœur. ‖ Variété de primevère cultivée. ‖ Zone d'insertion des muscles rétracteurs des dents, chez les oursins.

auriculé, e adj. Qui possède deux oreillettes à sa base (en parlant d'une feuille, par ex.).

auriculidés n. m. pl. V. ELLOBIIDÉS.

auriculo-ventriculaire adj. Relatif à la fois à l'oreillette et au ventricule du cœur : *Dissociation auriculo-ventriculaire.*

auricyanure n. m. Sel complexe de formule générale $MAu(CN)_4$, où M est le symbole d'un métal univalent.

aurides n. m. pl. Famille de minéraux renfermant l'or et ses combinaisons.

aurifère adj. Qui renferme de l'or : *Terrain aurifère.*

aurification → AURIFIER.

aurifier v. tr. Obturer une dent creuse par aurification. ◆ **aurification** n. f. Obturation d'une dent creuse, obtenue en tassant de petites feuilles d'or à l'aide de fouloirs.

l'**Aurige** de Delphes

Bottin

Auriga, nom lat. de la constellation du Cocher* (au génit. : *Aurigae ;* abrév. : [Aur]).

aurige n. m. (lat. *auriga,* cocher). *Antiq. rom.* Conducteur de char dans les courses du cirque.

Aurige de Delphes (L'), statue grecque en bronze, grandeur nature, du début du Ve s. av. J.-C., qui a été trouvée dans les fouilles du sanctuaire (musée de Delphes).

Aurignac, ch.-l. de c. de la Haute-Garonne (arr. et à 22 km au N.-E. de Saint-Gaudens) ; 1 128 h. (*Aurignaciens*). Grotte à ossements préhistoriques.

aurignacien, enne adj. et n. m. (de *Aurignac*). Se dit de l'industrie préhistorique du début du paléolithique supérieur. (Cet étage se caractérise par la première apparition d'œuvres d'art.)

Aurigny, en angl. **Alderney,** la plus septentrionale des îles Anglo-Normandes, au large du cap de la Hague, dont la sépare le détroit dit « du raz Blanchard » ; 8 km^2 ; 1 700 h. Ch.-l. *Sainte-Anne.* Cultures maraîchères, élevage ; tourisme.

Aurillac, ch.-l. du dép. du Cantal, à 548 km au S. de Paris ; 33 197 h. *(Aurillacois).* La ville a pour origine une abbaye fondée par saint Géraud au IXe s. Elle devint, par la suite, la capitale de la haute Auvergne. Auj., c'est un marché et un centre industriel : fabriques de parapluies, de meubles, de chaussures, etc. Patrie de P. Doumer.

aurine n. f. Colorant jaune du groupe du triphénylméthane, obtenu par action de l'acide oxalique sur le phénol.

auriol n. m. Nom commun à divers animaux et végétaux de couleur dorée, dont le loriot* et un chardon* du Midi (appelé aussi AURIOLE, n. f.).

Auriol (Georges HUYOT, dit **George**), poète, chansonnier, journaliste, peintre et graveur français (Beauvais 1863 - Paris 1938). Il composa la romance *Quand les lilas refleuriront.* On lui doit des types de caractères d'imprimerie.

Auriol (Vincent), homme politique français (Revel, Haute-Garonne, 1884 - Paris 1966). Avocat, député de Muret dès 1914, membre de la S. F. I. O., il fut ministre des Finances dans le cabinet Léon Blum (juin 1936), puis ministre de la Justice (juin 1937 - mars 1938). Il rejoignit le général de Gaulle à Londres en 1943. Ministre d'Etat à la Libération, président des deux Assemblées constituantes puis de l'Assemblée nationale, il devint président de la République et de l'Union française (1947-1954).

1. aurique adj. (lat. *aurum*, or). Se dit des composés de l'or trivalent : *Chlorure aurique* $AuCl_3$. (V. OR.)

2. aurique adj. Se dit d'une voile qui a la forme d'un quadrilatère, et dont un angle est relevé en oreille de lièvre.

auriste n. Médecin spécialisé dans le traitement des maladies des oreilles. (On dit aussi OTOLOGISTE.)

Aurobindo (Çrī), philosophe indien (Calcutta 1872 - Pondichéry 1950). Leader nationaliste (1905-1910), il se consacra au yoga et fonda une école philosophique à Pondichéry. Sa pensée forme un lien entre l'Orient et l'Occident, entre l'action spirituelle et l'action matérielle. Ses principales œuvres sont des commentaires des *Véda*.

aurochs [rɔk] n. m. (allem. *Auerochs,* bœuf de plaine, ou *Urochs,* bœuf primitif). Bœuf sauvage noir d'Europe centrale, disparu depuis le Moyen Age. (On appelle parfois improprem. *aurochs* le bison d'Europe des parcs nationaux polonais.)

Auron, riv. du Berry, affl. de l'Yèvre (r. g.); 84 km. Confluent à Bourges.

Auron, station de sports d'hiver de la comm. de Saint-Etienne-de-Tinée (Alpes-Maritimes); alt. : 1 608 m. Ecole nationale de ski.

Aurora, v. des Etats-Unis (Illinois); 63 700 h. Industries métallurgiques et mécaniques.

Aurora Leigh, roman en vers blancs d'Elisabeth Browning (1856). L'auteur y montre la condition malheureuse des femmes dans le monde moderne et revendique pour elles la liberté.

auroral → AURORE.

1. aurore n. f. (lat. *aurora*). Lueur qui paraît à l'horizon un peu avant le lever du soleil : *L'aurore commence à poindre.* || *Poétiq.* Matin, matinée, et même journée. || *Fig.* Commencement, début : *Etre à l'aurore de la vie.* ● *Aurore polaire,* météore lumineux se produisant surtout dans les régions polaires, et dont la clarté, plus ou moins brillante, a été comparée à celle de l'aurore. (V. *encycl.*) ✦ adj. invar. Qui est d'un jaune doré : *Velours aurore.* ◆ **auroral, e, aux** adj. Qui appartient à l'aurore; qui tient de la couleur ou de l'éclat de l'aurore : *Lumière aurorale;* et, au *fig.* : *Une pureté aurorale.*

Vincent Auriol

— ENCYCL. ***aurore polaire.*** L'illumination que produit une aurore polaire (boréale ou australe) dépasse rarement celle que fournit la Lune à son premier quartier. Quand l'aurore est colorée, le rouge se trouve à sa partie inférieure, et le vert à sa partie supérieure, souvent séparés par une teinte jaune. C'est un phénomène de luminescence, produit dans la haute atmosphère (où la pression est très faible et où les gaz sont ionisés) par l'arrivée de particules électrisées en provenance du Soleil. La trajectoire de ces particules est déviée vers les pôles par le champ magnétique terrestre; en même temps, ce champ magnétique se trouve profondément modifié, ce qui provoque l'affolement des aiguilles aimantées. Ce phénomène est particulièrement fréquent aux périodes de grande activité solaire.

2. aurore n. f. V. ANTHOCHARIS.

Aurore, en lat. **Aurora,** déesse de l'Aurore chez les Romains.

Aurore (L'), journal quotidien, républicain-socialiste, fondé à Paris en 1897 par E. Vaughan, ancien rédacteur et administrateur de *l'Intransigeant;* il eut comme principal rédacteur politique G. Clemenceau. A partir d'août 1944 a paru à Paris, sous le même titre, un quotidien d'informations générales dirigé par R. Lazurick et P. Bastid.

aurore polaire boréale

Lockwood - Rapho

Auros, ch.-l. de c. de la Gironde (arr. et à 11 km au S.-E. de Langon); 645 h.

Auroux (LOIS), lois promulguées en 1982 sous l'impulsion du ministre du Travail J. Auroux relatives aux libertés des travailleurs et aux conditions de travail dans l'entreprise.

Auschwitz, nom allem. d'**Oświęcim*,** localité polonaise située à 30 km au S.-E. de Katowice. Son nom désigna l'ensemble de quatre camps de concentration* ouverts par les nazis dès mai 1940. A Auschwitz même se trouvaient la direction des camps et de leurs trente-cinq kommandos, ainsi que le block des expériences médicales. Birkenau était destiné aux exterminations. Auschwitz III fabriquait pour l'I. G. Farben du caoutchouc synthétique. Des millions de déportés appartenant à une dizaine de nationalités (180 000 Français), mais surtout Juifs et Polonais, passèrent par ces camps, où la plupart périrent. Un musée de la déportation a été créé à Auschwitz.

auscitain, e adj. et n. Relatif à Auch ; habitant ou originaire de cette ville.

Ausculta, fili (« Ecoute, mon fils »), bulle adressée à Philippe le Bel par le pape Boniface VIII, et qui posait le principe de la supériorité du pape sur les rois (1301).

auscultateur → AUSCULTATION.

auscultation n. f. (du lat. *auscultare*, écouter). Méthode d'examen clinique qui consiste à écouter les bruits normaux ou anormaux ayant leur siège dans le poumon et le cœur, et qui permet d'établir un diagnostic. (L'auscultation, dont on doit considérer Laennec comme le véritable inventeur, est d'une application constante en médecine ; elle est indispensable pour établir le diagnostic des maladies des poumons et surtout du cœur ; elle est aussi employée en obstétrique pour contrôler les battements du cœur du fœtus.) ● *Auscultation immédiate*, celle qui se fait par l'application directe de l'oreille. ‖ *Auscultation médiate*, celle qui se fait au moyen d'instruments divers appelés « stéthoscopes ». ◆ **auscultateur** n. m. Appareil à ultra-sons permettant la détection des défauts locaux dans les pièces mécaniques. ◆ **ausculter** v. tr. Ecouter directement ou à l'aide d'un stéthoscope les bruits que produisent le cœur, les poumons : *Ausculter un malade*.

Ausone, en lat. **Decimus Magnus Ausonius,** poète latin (Burdigala [Bordeaux] v. 310 - *id.* v. 395). Il professa la rhétorique pendant trente ans dans sa ville natale ; l'empereur Valentinien en fit le précepteur de son fils Gratien. Après le meurtre de Gratien (383), il revint à Bordeaux. Son chef-d'œuvre est le poème sur *la Moselle*.

Ausones ou **Ausoniens,** en lat. **Ausonii,** peuple guerrier d'Italie, qui était installé autour de Cumes.

auspice n. m. (lat. *auspicium ;* de *avis*, oiseau, et *spicere*, examiner). Terme générique désignant, chez les Romains, les divers présages qui se tiraient du vol, du chant des oiseaux ou de la manière dont ils mangeaient : *Prendre les auspices*. (S'emploie surtout au plur.) ‖ Protection, influence, ou circonstances heureuses ou malheureuses : *Commencer sa carrière sous d'heureux auspices*.

aussi adv. (lat. pop. *aliud sic*). Egalement, de même : *Un enfant intelligent qui est aussi travailleur*. (Ne s'emploie aujourd'hui que dans les phrases positives. Dans les phrases négatives, il est remplacé par *non plus*.) ‖ Introduit une comparaison d'égalité devant un adjectif ou un adverbe : *Une lecture aussi agréable qu'utile ;* sans second terme de comparaison : *Comment un homme aussi intelligent a-t-il pu commettre une sottise aussi grande ?* ✦ conj. de coordination (en tête d'une phrase). En conséquence, c'est pourquoi : *L'égoïste n'aime que lui ; aussi tout le monde l'abandonne*. ‖ *Fam.* Après tout, mais au fait : *J'arrive en retard au rendez-vous. Aussi, pourquoi ne pas m'avoir indiqué une heure exacte ?* ● *Aussi bien*, après tout, d'ailleurs : *Je ne partirai pas ; aussi bien est-il trop tard*. ● LOC. CONJ. *Aussi bien que*, de même que, autant que : *On est menteur en actes aussi bien qu'en paroles*.

aussière ou **haussière** n. f. Cordage qui sert à l'amarrage des navires et aux manœuvres de force. ‖ Ralingue qui passe dans les mailles supérieures d'un filet et porte les lièges destinés à le soutenir. ‖ Filin reliant un casier de pêche à une bouée.

Aussig. V. ÚSTÍ NAD LABEM.

aussitôt adv. Immédiatement ; dans le moment même : *Arriver aussitôt après la cérémonie*. ● *Aussitôt dit, aussitôt fait* (Fam.), l'action a promptement suivi la parole. ✦ prép. Dès, immédiatement après : *J'écrivis aussitôt mon arrivée*. (Cet emploi, admis par Littré, est critiqué par quelques puristes.) ● LOC. CONJ. *Aussitôt que*, au moment même où, dès que : *On est rassuré aussitôt qu'on est arrivé à mi-chemin de l'ascension*.

Austen (Jane), romancière anglaise (Steventon, Hampshire, 1775 - Winchester 1817). Dans ses romans *Raison et sentiments* (publié seulement en 1811) et *Orgueil et préjugé* (publié en 1813), elle a peint les mœurs de la petite bourgeoisie anglaise.

austénite n. f. (de *Austen*, métallurgiste anglais). Constituant micrographique des aciers* : solution solide de fer γ et de carbone. ◆ **austénitique** adj. Qui renferme de l'austénite.

auster [ostɛr] n. m. (mot lat. ; du gr. *auein* dessécher). *Poétiq.* Le vent du midi.

austère adj. (lat. *austerus*, âpre). Grave et sévère dans ses principes, dans son caractère dans son attitude : *Un savant austère*. ‖ Dur d'une sévérité glacée : *Prendre un visage austère*. ‖ Qui exclut les ornements futiles *L'architecture austère d'une école*. ‖ — SYN. : *dur, rebutant, rigide, rigoureux, rude sévère*. ◆ **austèrement** adv. De façon austère : *Vivre austèrement*. ◆ **austérité** n. f. Caractère d'une personne sévère dans se principes et dans ses actes : *Une personne dont l'austérité impose le respect*. ‖ Caractère de ce qui est dur et pénible pour l'esprit ou pour les sens : *L'austérité des mœurs, du cloître*. ‖ Qualité d'un sujet traité avec une sévère simplicité : *L'austérité du style*. ●

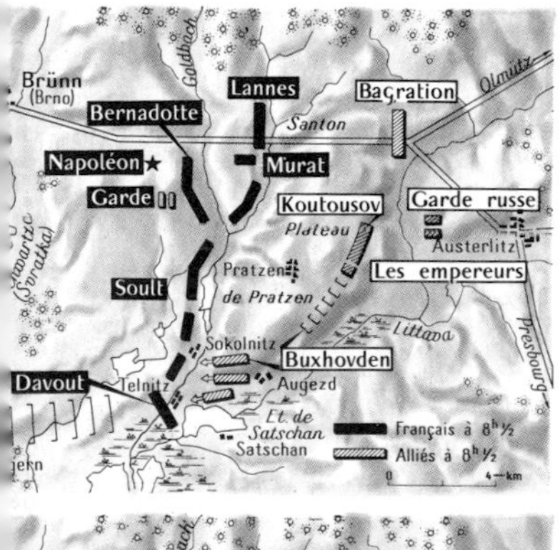

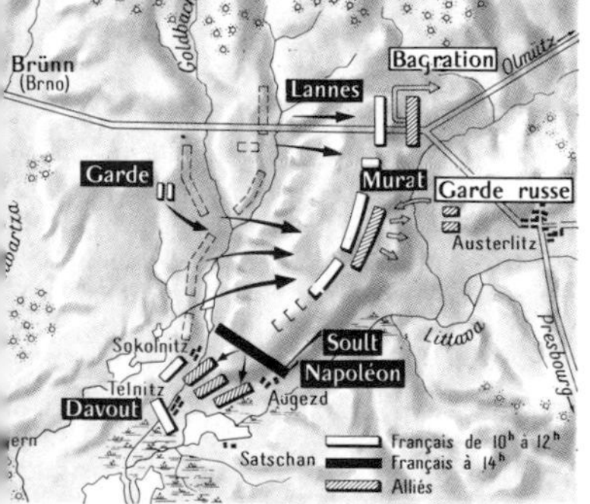

bataille d'Austerlitz, image d'Epinal

bataille d'Austerlitz (2 déc. 1805)
En haut, la position des armées au début de la bataille.
En bas, le déroulement des opérations : Davout, sur l'aile droite, attire Buxhovden en se rapprochant de Telnitz, afin que le centre de l'armée austro-russe se dégarnisse. Le plateau de Pratzen dégagé, Napoléon y envoie Soult à l'attaque, tandis que, sur l'aile gauche, Lannes et Murat empêchent Bagration de s'y porter. L'armée austro-russe est coupée en deux : sa gauche est prise à revers.

Politique d'austérité, politique financière et économique qui vise à limiter la demande de biens de consommation par la réduction de la masse des revenus des particuliers et des entreprises. ‖ — ***austérités*** n. f. pl. Pratiques de mortification : *Les austérités de la vie monastique.*

Austerlitz, en tchèque **Slavkov,** localité de Tchécoslovaquie (région de la Moravie-Méridionale), à l'E. de Brno (Brünn). Napoléon Ier y remporta une victoire sur les Austro-Russes (2 déc. 1805). La « bataille des Trois Empereurs » se déroula sur un terrain reconnu et choisi par Napoléon. Les généraux Davout, Soult, Lannes et Murat participèrent à cette victoire, qui entraîna la dislocation de la troisième coalition.

Austin, v. des Etats-Unis, capit. du Texas, sur la Colorado River; 251 800 h. Université. Evêché. Métallurgie.

Austin (John), juriste anglais (Creeting Mill, Suffolk, 1790 - Weybridge, Surrey, 1859), qui renouvela l'enseignement du droit en Grande-Bretagne et participa à la réforme judiciaire de 1833-1834.

austral, nouvelle unité monétaire de l'Argentine ; elle remplace depuis 1985 le peso.

austral, e, aux ou **als** adj. (lat. *australis ;* de *auster,* vent du midi). Se dit de tout ce qui concerne la direction opposée à celle du nord. (Contr. BORÉAL.) ● *Constellation australe,* constellation située dans l'hémisphère austral. ‖ *Continent austral,* continent hypothétique que l'on situait au S. du Pacifique. ‖ *Hémisphère austral,* celui des deux hémisphères où se trouve le pôle austral. ‖ *Latitude australe,* latitude comptée de l'équateur vers le pôle austral. ‖ *Océan austral,* nom parfois donné à l'océan Antarctique. ‖ *Pôle austral,* celui des deux pôles qui est situé au S. de l'équateur.

Australasie, terme désignant parfois l'ensemble géographique formé par l'Australie, la Nouvelle-Zélande et la Nouvelle-Guinée.

Australes (ÎLES), archipel du Pacifique, le plus méridional de la Polynésie française, de part et d'autre du tropique du Capricorne ; 287 km² ; 4 000 h. Il est formé de quatre îles volcaniques (Rimatara, Rurutu, Tubuaï, Raivavae), de l'île isolée de Rapa et de quelques atolls. Les ressources essentielles sont le cocotier, le taro et la pêche.

Australes et Antarctiques françaises (TERRES), territoire français d'outre-mer, groupant l'archipel des Kerguelen, la terre Adélie, les îles Saint-Paul et Amsterdam, l'archipel Crozet.

Canberra

Pedersen - Ambassade d'Australie

Australie, en angl. **Commonwealth of Australia,** Etat de l'Océanie, membre du Commonwealth, formant lui-même un commonwealth ; 7 700 000 km² ; 15 800 000 h. *(Australiens).* Capit. *Canberra.* V. princ. *Sydney, Melbourne, Brisbane, Adélaïde, Perth.* Langue : *anglais.*

Géographie.

● *Géographie physique.* En dehors de son extrémité orientale, l'Australie est un pays de plaines et de plateaux. La moitié occidentale est un fragment de socle précambrien, granitique et gneissique, tabulaire, accidenté cependant par les vestiges d'une chaîne huronienne (monts Musgrave et Macdonnell), et localement recouvert par une sédimentation marine tertiaire (plaine calcaire de Nullarbor). Entre le golfe de Carpentarie et Adélaïde, la dépression centrale (dont le lac Eyre marque le point le plus bas) est une subsidence du socle, partiellement comblée par des dépôts surtout crétacés. Elle est prolongée par la plaine tertiaire et quaternaire correspondant au bassin du Murray. Enfin, en bordure du Pacifique, de la péninsule d'York à la Tasmanie, s'étire la Cordillère australienne (2 228 m au mont Kosciusko), massif primaire rajeuni, dont le lourd modelé a été ciselé au S. par les glaciers quaternaires.

La majeure partie du pays (traversé presque en son centre par le tropique du Capricorne) reçoit moins de 500 mm de précipitations par an. L'orientation méridienne de la Cordillère australienne, arrêtant la pénétration des vents pluvieux du Pacifique, explique l'aridité du climat. Les précipitations dépassent 1 000 mm sur tout le pourtour oriental (1 020 mm à Brisbane, 1 140 mm à Sydney) ; mais elles s'abaissent rapidement vers l'O. (630 mm à Canberra, 280 mm à Alice Springs) et ne se relèvent que sur le littoral méridional (surtout au S.-O.), où elles sont provoquées par les westerlies (860 mm à Perth, 650 mm à Melbourne). La latitude intervient plus dans la différenciation des températures que dans la détermination du volume (sinon du régime) des pluies.

Au N., tropical, constamment chaud (moyennes du mois le plus chaud et du mois le plus froid à Darwin : 28 °C et 24,8 °C), s'opposent le S.-E. du Queensland, subtropical (Brisbane : 24,9 °C et 14,8 °C), le littoral de la Nouvelle-Galles du Sud, du Victoria et de la région de Perth, tempérés (Sydney 21,5 °C et 12,1 °C ; Melbourne : 19,4 °C et 9,5 °C ; Perth : 23 °C et 12,8 °C).

La faiblesse des précipitations explique la pauvreté de la végétation. La forêt ne couvre que 4 p. 100 du pays. Aux essences tropicales du Nord-Est succède la forêt australe à eucalyptus. Elle cède rapidement la place à

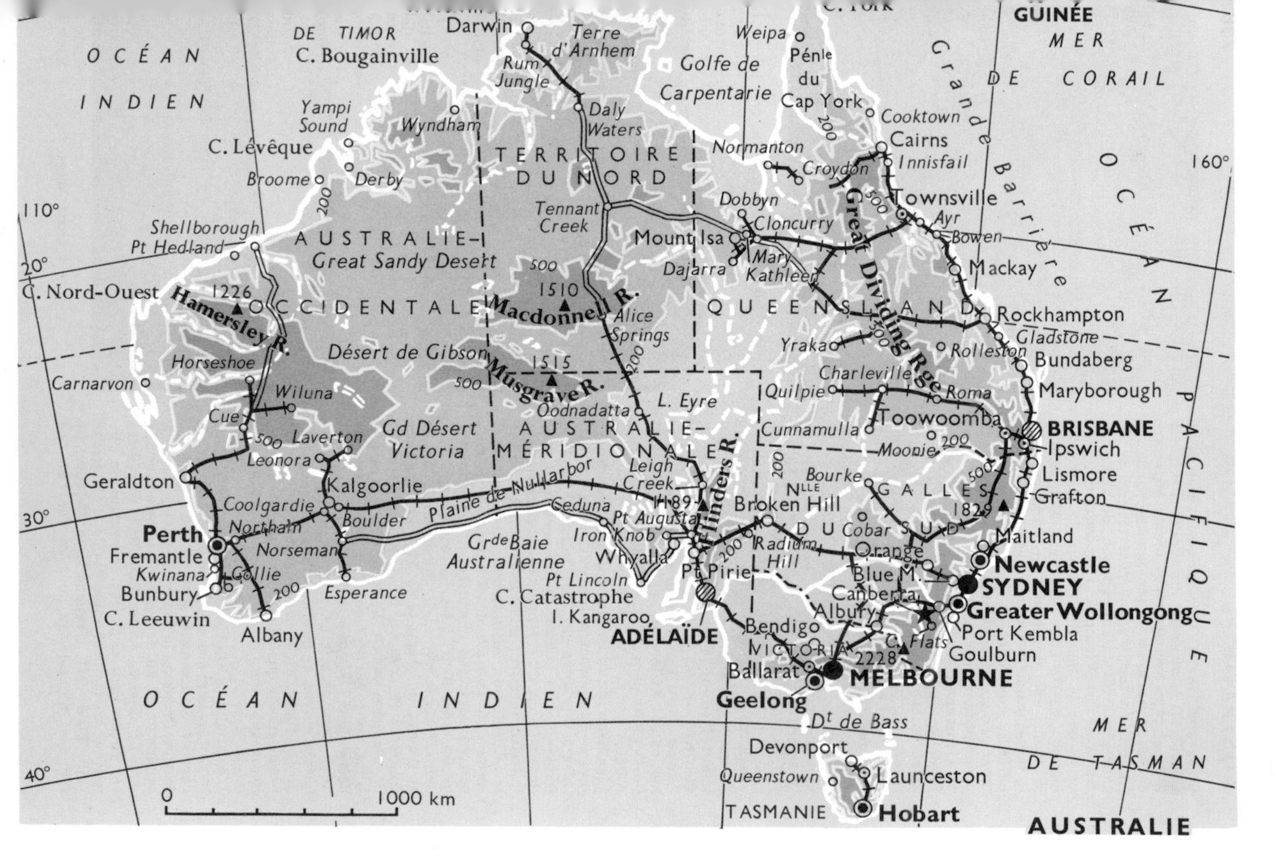

AUSTRALIE
OCÉAN INDIEN
DE TIMOR
GUINÉE
MER DE CORAIL
Grande Barrière
OCÉAN PACIFIQUE
MER DE TASMAN
OCÉAN INDIEN
Darwin
C. Bougainville
Terre d'Arnhem
Rum Jungle
Daly Waters
Weipa
Golfe de Carpentarie
Pénle du Cap York
Cooktown
Cairns
Innisfail
Yampi Sound
Wyndham
C. Lévêque
Broome
Derby
TERRITOIRE DU NORD
Normanton
Croydon
Townsville
Ayr
Bowen
Mackay
Tennant Creek
Dobbyn
Cloncurry
Mount Isa
Mary Kathleen
Dajarra
Great Dividing Rge
110°
160°
20°
30°
40°
Shellborough
Pt Hedland
AUSTRALIE-OCCIDENTALE
Great Sandy Desert
C. Nord-Ouest
1226
Hamersley R.
1510
Macdonnell R.
Alice Springs
QUEENSLAND
Rockhampton
Gladstone
Rolleston
Bundaberg
Yrakao
Désert de Gibson
1515
Musgrave R.
Horseshoe
Carnarvon
Wiluna
Cue
Charleville
Roma
Maryborough
Quilpie
Toowoomba
BRISBANE
Ipswich
L. Eyre
Oodnadatta
AUSTRALIE-MÉRIDIONALE
Laverton
Leonora
Gd Désert Victoria
Cunnamulla
Moonie
Lismore
Grafton
Geraldton
Kalgoorlie
Coolgardie
Boulder
Plaine de Nullarbor
Leigh Creek
1189
Flinders R.
Bourke
Nlle GALLES DU SUD
1829
Broken Hill
Cobar
Maitland
Perth
Northam
Norseman
Fremantle
Kwinana
Collie
Bunbury
C. Leeuwin
Albany
Esperance
Ceduna
Pt Augusta
Iron Knob
Whyalla
Pt Lincoln
Grde Baie Australienne
C. Catastrophe
I. Kangaroo
ADÉLAÏDE
Radium Hill
Pt Pirie
Orange
Newcastle
SYDNEY
Blue M.
Canberra
Greater Wollongong
Albury
Port Kembla
Bendigo
VICTORIA
2228
C. Flats
Goulburn
Ballarat
MELBOURNE
Geelong
Dt de Bass
Devonport
Queenstown
Launceston
TASMANIE
Hobart
0
1000 km
200
500

la savane (sur le versant occidental de la Cordillère) et au *scrub* (brousse d'acacias ou d'eucalyptus rabougris des monts Musgrave et Macdonnell, et d'une grande partie de l'Ouest) en bordure des déserts sableux ou caillouteux (déserts de Gibson, de Simpson; grand désert Victoria). L'exoréisme n'intéresse que le tiers de l'Australie (essentiellement bassin du Murray). L'insularité, ancienne, est responsable de l'originalité de la faune, caractérisée par l'absence de mammifères supérieurs et par la présence de monotrèmes, de marsupiaux (kangourous), de nombreux reptiles.

● *Géographie humaine et économique.* La faiblesse du peuplement (2 h. au kilomètre carré en moyenne) est liée à son caractère récent et, surtout, aux conditions climatiques, qui expliquent aussi la répartition de la population. Celle-ci est presque exclusivement d'origine européenne (les indigènes ne sont pas plus de 200 000). Elle est venue surtout dans la seconde moitié du XIXe s. (passant de 400 000 à 4 millions de 1851 à 1892) et après la Seconde Guerre mondiale (près de 3 millions d'immigrants depuis 1945). 90 p. 100 des habitants sont nés en Australie et en Grande-Bretagne. Cette population s'accroît aussi par un net excédent des naissances. Elle se concentre sur le littoral sud-oriental et principalement dans les villes. Melbourne et Sydney (principal port) regroupent 35 p. 100 de la population totale.

L'ampleur de la production agricole résulte plus de l'importance des superficies utilisées (malgré l'aridité) que de l'intensité de l'exploitation. La culture du blé, couvrant près de 7 millions d'hectares, s'est implantée dans le bassin inférieur du Murray, longeant à l'O. la Cordillère australienne et remontant jusqu'à la latitude de Brisbane. Tributaire surtout des aléas climatiques, la production oscille entre 10 et 22 Mt. La canne à sucre est cultivée sur le littoral du Queensland, de part et d'autre du tropique (3 Mt). Les cultures fruitières (y compris la vigne) sont surtout développées dans le Victoria et la Tasmanie. L'élevage ovin demeure le fondement de l'économie (140 millions de têtes, dont les deux tiers de mérinos); son domaine est le bassin moyen et inférieur du Darling et le S. de la grande dépression centrale. L'élevage bovin, moins important, est répandu dans les immenses « stations » du Nord (30 millions de têtes).

L'Australie produit du pétrole (20 Mt), dans le Queensland (Moonie), plus de 100 Mt de charbon (provenant surtout du bassin de Newcastle, dans la Nouvelle-Galles du Sud) et plus de 30 Mt de lignite (Victoria méridional). Le potentiel hydraulique de la Cordillère est encore peu exploité; cependant, le cinquième de la production totale d'électricité (110 TWh) est d'origine hydraulique. La richesse minérale du sous-sol fut l'un des

Darwin, territoire du Nord

les Flinders Ranges

mont Olga

le scrub, près d'Alice Springs

facteurs du peuplement. Les productions d'or, de plomb (370 000 t, à Mount Isa et Broken Hill), de zinc (450 000 t, Broken Hill), de cuivre (Tasmanie) et d'étain (Tasmanie et Queensland) progressent moins vite que celles de bauxite (plus de 24 Mt, péninsule d'York et terre d'Arnhem) et de fer (46 Mt, péninsule d'Eyre).

A côté des activités industrielles liées à l'agriculture (minoteries) et à l'élevage (conserveries de viande, travail de la laine), plusieurs industries se sont développées : la chimie (notamment près des raffineries de pétrole de Sydney, Melbourne, Adélaïde et Perth) et surtout la métallurgie de transformation (la construction automobile est implantée à Melbourne, Adélaïde, Brisbane). Cette métallurgie est alimentée par la sidérurgie, qui est établie sur le charbon (Newcastle et surtout Port Kembla) et sur le fer (Whyalla) ; elle fournit plus de 5 Mt d'acier. Malgré le spectaculaire développement de l'industrie de transformation, le secteur primaire (agriculture, élevage, minerais) assure environ 90 p. 100 des exportations (dont 30 p. 100 pour la laine, 10 p. 100 pour le blé et autant pour la viande). Les importations comprennent surtout des constructions mécaniques et électriques. La Grande-Bretagne a dû abandonner aux Etats-Unis le rôle de premier fournisseur de l'Australie. Le premier client de l'Australie est aujourd'hui le Japon, importateur de denrées alimentaires et de fer. Le niveau de vie australien est l'un des plus élevés du monde (après l'Amérique du Nord), et le revenu national est assez régulièrement réparti. L'expansion économique passe essentiellement par la poursuite de l'industrialisation, limitée par l'étroitesse du marché intérieur.

ÉTATS	SUPERFICIE EN KM²	NOMBRE D'HAB.	CAPITALE
Australie-Occidentale	2 527 340	1 276 700	*Perth*
Australie-Méridionale	984 267	1 302 500	*Adélaïde*
Nouvelle-Galles du Sud	801 339	5 183 300	*Sydney*
Queensland	1 736 394	2 275 700	*Brisbane*
Tasmanie	67 889	424 600	*Hobart*
Territoire-du-Nord	1 356 019	125 900	*Darwin*
Territoire fédéral de la capitale	2 432	245 500	*Canberra*
Victoria	227 618	3 907 900	*Melbourne*

VILLES PRINCIPALES : *Sydney, Melbourne, Brisbane, Adélaïde, Perth, Newcastle, Greater Wollongong, Hobart.*

élevage de bovins

Histoire.

● *Découverte.* Selon la tradition, des navigateurs français et portugais auraient aperçu les côtes australiennes dès le début du XVIe s. Mais c'est un Hollandais qui, à la fin du siècle, établit l'existence du continent austral. Au début du XVIIe s., l'Espagnol Luis Váez de Torres en démontra l'insularité et découvrit les Nouvelles-Hébrides. En 1642-1643, le Hollandais Abel Tasman aborda au S. de l'Australie, dans l'île à laquelle son nom est resté attaché (Tasmanie), puis en Nouvelle-Zélande et dans les îles Fidji. Le continent reçut alors le nom de *Nouvelle-Hollande*.

● *Exploration et colonisation.* En 1770, Cook prit possession à Botany Bay, au nom du roi d'Angleterre, de la pointe sud-est de l'Australie, puis reconnut la côte orientale. En 1788, l'Angleterre installa en Nouvelle-Galles du Sud une colonie pénitentiaire. Elle occupa la Tasmanie et l'érigea en colonie en 1825. En 1813, la découverte d'un passage dans les montagnes Bleues ouvrit de nouvelles terres à la colonisation. Le centre de l'Australie fut exploré par Eyre (1839-1841), le nord par Leichhardt (1844-1848), l'ouest par Gregory (1846-1856). La traversée sud-nord, tentée par Burke en 1861, fut réalisée en 1862 par Stuart à sa sixième tentative. De nouvelles colonies furent créées à mesure que le peuplement augmentait (Australie-Occidentale [1829], Australie-Méridionale [1834/1836]).

La découverte de mines d'or près de Melbourne, en 1851, attira une abondante immigration, en majorité d'origine britannique (écossaise surtout). Sa population ayant doublé en un an, la colonie de Victoria fut constituée en Etat séparé en 1851. Le dernier Etat créé fut celui de Queensland (1859).

Le succès remporté par l'élevage du mouton, introduit à la fin du XVIIIe s., donna lieu à une longue compétition entre éleveurs et cultivateurs. Dans le même temps, les colons libres s'opposaient à l'installation de nouveaux convicts, si bien que la déportation en Nouvelle-Galles fut arrêtée dès 1840. Pour régulariser ou freiner l'immigration des peuples de couleur, des Chinois en particulier, une législation spéciale fut créée. Ces différents problèmes amenèrent la création, en 1855-1856, à la tête de chaque Etat, de gouvernements responsables et l'établissement de régimes parlementaires réguliers.

● *Le Commonwealth.* Devant la menace croissante de l'intrusion européenne en Australie (allemande surtout), les Etats australiens comprirent la nécessité d'une action commune. L'idée première d'un Conseil fédéral date de 1883. En 1887, l'Australie élabora un plan de défense navale commun. En 1899, la Nouvelle-Galles présenta un projet qui triompha du particularisme des colonies et aboutit à la création, le 1er janv. 1901, du *Commonwealth australien*.

armoiries de l'Australie

Sydney : le port

Robillard

Le nouveau gouvernement fédéral fut dirigé à plusieurs reprises, de 1901 à 1910, par le chef du parti conservateur et protectionniste, Deakin. Sa politique défendit l' « Australie blanche » contre l'immigration jaune et toutes formes d'influences extérieures.

La tradition démocratique de l'Australie, nette dès le milieu du XIXe s., fut accentuée par l'arrivée des travaillistes au pouvoir en 1908. La législation fédérale organisa le vote des femmes, les assurances vieillesse, la création d'un tribunal d'arbitrage pour régler les conflits du travail, etc. Le Parlement fédéral engagea résolument l'Australie dans la Première Guerre mondiale, en envoyant de nombreuses troupes en Europe ou dans le Proche-Orient. Le fait marquant de l'évolution politique intérieure entre les deux guerres est le renforcement du « Commonwealth » aux dépens des Etats. Il fut facilité par la construction du premier transcontinental est-ouest, achevé en 1917.

En politique extérieure, l'Australie se rapprocha des Etats-Unis, tous deux inquiets de l'expansion japonaise. Mais, en même temps, pour soutenir sa politique sociale de hauts salaires et parer à la crise économique mondiale, l'Australie entretint avec le Japon d'étroites relations commerciales, en lui accordant, pour la laine, dont il était le principal acheteur, des tarifs préférentiels.
L'Australie prit une part active à la Seconde Guerre mondiale. Elle déclara la guerre à l'Allemagne en sept. 1939. La menace japonaise parut mettre le continent en danger au début de 1942, mais la victoire navale de la mer de Corail et la résistance des Alliés en Nouvelle-Guinée sauva l'Australie. Les difficultés économiques de l'après-guerre furent énormes. En 1945, le gouvernement travailliste, en place depuis 1941, doit laisser le pouvoir aux libéraux, qui le conservent jusqu'en 1972 et lancent un programme économique très sévère (gouvernements Menzies, Holt, Gorton). A partir de 1966, les lois sur l'émigration sont assouplies, tandis que les aborigènes commencent à revendiquer le droit à conserver leur culture propre et la propriété de certaines terres. A l'extérieur, les libéraux apportent d'abord un soutien inconditionnel à la politique américaine. Mais sous la pression de l'opinion publique, et après un net recul aux élections sénatoriales de 1970, le retrait des troupes australiennes envoyées au Viêt-nam est décidé. Les travaillistes reviennent au pouvoir de 1972 à 1975 et à partir de 1983 avec Robert Hawke. Malgré des difficultés économiques récentes, l'Australie, par son développement, sa maturité politique et sa situation, est devenue l'une des grandes puissances du Pacifique.

Robillard

Melbourne

Australie-Centrale, en angl. **Central Australia,** anc. division territoriale de l'Australie.

Australie-Méridionale, en angl. **South Australia,** Etat du Commonwealth d'Australie ; 984 267 km²; 1 302 500 h. Capit. *Adélaïde*. Le nord de cet Etat est aride et très peu peuplé ; dans le Sud-Est, on cultive le blé, la vigne et on élève des moutons.

Australie-Occidentale, en angl. **Western Australia,** Etat du Commonwealth d'Australie ; 2 527 340 km² (le tiers de l'Australie) ; 1 276 700 h. Capit. *Perth*. La moitié est de l'Etat est désertique et possède les mines d'or de Kalgoorlie et de Wiluna ; le Sud-Ouest et le Nord-Ouest sont seuls mis en valeur.

australien, enne adj. et n. Relatif à l'Australie ; habitant ou originaire de l'Australie. ● *Châssis* ou *fenêtre à l'australienne*, v. FENÊTRE. ◆ **australoïde** adj. Se dit d'une population qui présente des caractères rappelant ceux des indigènes de l'Australie.

Australiens, population indigène d'Australie, appartenant à l'ensemble australo-mélanésoïde, rameau océanien des races noires. Les Australiens sont le groupe humain le plus primitif que l'on connaisse ; leurs arcades sourcilières sont marquées, leur nez est large, leur peau brune, leur crâne dolichocéphale. Ils menaient autrefois une vie de chasse et de cueillette, et ils confectionnaient des outils de pierre ou de bois (lances projetées par des propulseurs, boomerangs). Divisés en petites tribus, ils sont organisés sur la base de la famille ; la filiation est matrilinéaire. Les pratiques religieuses, très élaborées, reposent sur le culte des ancêtres totémiques. L'art décoratif (gravure, peinture) est d'une grande valeur. Les Australiens, longtemps pourchassés par les Blancs, sont aujourd'hui en voie de disparition, confinés sur les régions les plus pauvres.

australoïde → AUSTRALIEN.

australopithèque n. m. (du lat. *australis*, méridional, et du gr. *pithêkos*, singe). Nom de genre donné à plusieurs fossiles d'Afrique du Sud, présentant des caractères simiens et annonçant cependant des aspects humains, notamment par l'usure des dents.

Austrasie ou **royaume de l'Est,** royaume constitué en 511, à la mort de Clovis, et qui comprenait la Champagne, les vallées de la Meuse, de la Moselle et du Rhin, ainsi que les régions soumises à la domination franque à l'E. du Rhin, avec Metz pour capitale. Le reste du *Regnum Francorum* se fragmenta en *Neustrie* (« royaume de l'Ouest »), *Bourgogne* et *Aquitaine*. Après une longue rivalité entre Austrasie et Neustrie, Pépin d'Herstal assura, par la victoire de Tertry (687), l'unité des royaumes francs, la prépondérance de l'Austrasie et l'accession au pouvoir de la dynastie carolingienne, qui en était originaire.

austrasien, enne adj. et n. Relatif à l'Austrasie ; habitant de l'Austrasie.

austrégale n. f. Juridiction germanique d'arbitrage, chargée, à partir du Moyen Age, de régler les différends entre les membres de l'Empire.

Austremoine (saint), premier évêque d'Auvergne, vers 250. — Fête le 1er nov.

austro-bavarois n. m. Un des principaux groupes dialectaux du haut allemand.

austro-hongrois, e adj. Relatif à l'ancien empire d'Autriche-Hongrie.

austro-prussienne (GUERRE) [1866], conflit qui opposa la Prusse, soutenue par l'Italie, à l'Autriche, appuyée par les principaux Etats de la Confédération allemande (Bade, Bavière, Saxe, Hanovre, Hesse, Wurtemberg), et qui se termina par la victoire de la Prusse et de l'Italie, consacrée par la paix de Prague (23 août 1866) et le traité de Vienne (3 oct. 1866). La paix de Prague sanctionnait la réorganisation de l'Allemagne selon les vues prussiennes. Par le traité de Vienne et grâce à l'arbitrage de Napoléon III, l'Italie recevait la Vénétie.
Sur le plan politique, cette guerre, voulue par Bismarck, eut pour unique objet de contraindre l'Autriche à se dessaisir, au profit de la Prusse, de sa position prééminente en Allemagne. L'occasion de la guerre fut une querelle entre Vienne et Berlin sur l'administration commune des duchés danois. (V. DUCHÉS [*guerre des*].)

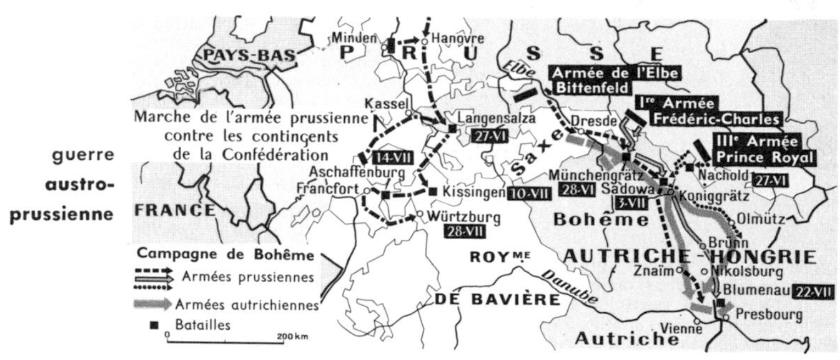

guerre austro-prussienne

Sur le plan militaire, la guerre se déroula principalement en Bohême, où trois armées prussiennes battirent les Autrichiens à Münchengrätz, à Nachold et surtout à Sadowa, victoire décisive (3 juill.) qui porta les Prussiens à 60 km de Vienne. Des opérations opposèrent aussi en Allemagne les Prussiens aux Hanovriens (à Langensalza), aux Bavarois (à Kissingen) et aux Hessois (à Francfort). En Italie, cependant, les Autrichiens avaient battu les Italiens à Custozza (24 juin) et, sur mer, à Lissa (20 juill.).

autan n. m. (provenç. *autan;* du lat. *altanus,* vent de la haute mer). Vent du sud-est, chaud, sec et violent, soufflant sur l'Aquitaine et le Cantal. (Lorsqu'une dépression atmosphérique se trouve sur le golfe de Gascogne, c'est l'*autan noir,* qui annonce la pluie. Lorsqu'une dépression se trouve sur le nord de la France, c'est l'*autan blanc.*)

autant adv. (lat. pop. *aliud tantum*). En quantité ou en intensité égale : *S'il a fait cela, j'en puis faire autant.* ● *Autant* suivi de la conjonction *que* exprime : 1° une relation d'égalité entre deux quantités : *Mériter autant d'estime qu'un autre ;* 2° l'égalité d'intensité de deux actions : *Il travaille autant que vous;* 3° une relation d'égalité entre deux qualités ou deux états, mais seulement quand il est placé auprès de l'adjectif ou quand l'adjectif est représenté par le pronom neutre *le : Intelligent, il l'est autant que vous.* ‖ *Autant* répété insiste sur la relation d'égalité : *Autant la géographie l'intéresse, autant l'histoire l'ennuie.* ‖ *Autant de,* dans une comparaison où il s'agit du même objet examiné à des points de vue différents, exprime que la quantité considérée ne change pas d'un cas à l'autre, ou que le nombre des éléments qui constituent cet objet reste le même : *Les vitraux de cette cathédrale sont autant de merveilles ;* avec ellipse du verbe : *Autant d'hommes, autant d'avis différents.* ‖ *Autant vaut,* c'est comme si la chose était ainsi, peu s'en faut : *C'est un homme mort, ou autant vaut.* ‖ *Autant vaut... que,* il est également avantageux et peut-être plus avantageux ... que : *Autant vaut faire cela que de différer ;* avec ellipse de *valoir,* c'est comme si : *Autant dire qu'il est un sot.* ‖ *C'est autant de* (Fam.), c'est toujours cela de : *C'est autant de fait.* ‖ *Pour autant,* pour cela, cependant : *Il a beaucoup travaillé, il n'a pas réussi pour autant.* ● LOC. CONJ. *D'autant plus que, d'autant moins que, d'autant mieux que* expriment l'idée de cause et relèvent l'importance du motif de penser ou d'agir : *Les enfants méritent d'autant moins notre colère qu'ils agissent sans discernement.* ‖ *D'autant que,* vu que, étant donné que (sert à insister sur la relation causale) : *Fréquentez seulement vos égaux, d'autant que rien ne vous oblige à faire différemment.* ‖ *Autant que, pour autant que* (suivis du subj.), dans la mesure où : *Pour autant que je sache, il est très honnête.*

Autant en emporte le vent, roman de Margaret Mitchell (1936) où l'auteur y dépeint la société sudiste et les tragédies de la guerre de Sécession. Le sujet a été porté à l'écran par V. Fleming (1939).

Autant-Lara (Claude), metteur en scène français (Luzarches 1903). Après avoir réalisé des films d'avant-garde et mis au point le procédé du doublage, il réalisa *Ciboulette* (1933), *Douce* (1943), *le Diable au corps* (1946), *l'Auberge rouge* (1951), *le Blé en herbe* (1953), *le Rouge et le Noir* (1954), *la Traversée de Paris* (1956), *En cas de malheur* (1958), *la Jument verte* (1959), *le Comte de Monte-Cristo* (1961), *Tu ne tueras point* (1962), *le Journal d'une femme en blanc* (1964), *le Franciscain de Bourges* (1967).

autarcie n. f. (gr. *autos,* soi-même, et *arkein,* suffire). Régime d'un pays qui tend volontairement à se suffire à lui-même sur le plan économique. (L'*autarcie nationale* résulte de la volonté d'un Etat soit de modifier la structure sociale et économique à l'abri des influences étrangères, soit d'obtenir, généralement en prévision d'une guerre éventuelle, une indépendance économique aussi complète que possible à l'égard de l'étranger.) ◆ **autarcique** adj. Relatif à l'autarcie.

autel n. m. (lat. ecclés. *altare*). Table où l'on dépose les offrandes à la divinité : *L'autel de Jupiter. Dresser, élever un autel.* ‖ Dans le culte catholique, sorte de table consacrée par l'évêque et dressée au-dessus des reliques d'un martyr, sur laquelle le prêtre célèbre la messe : *Monter à l'autel.* ‖ La religion, l'état ecclésiastique, l'Eglise : *Le Trône et l'Autel.* ● *Autel des holocaustes,* dans la religion juive, celui sur lequel on immolait les victimes offertes à Dieu. ‖ *Autels de la patrie,* autels élevés dès le début de la Révolution, symboles d'un culte nouveau ayant pour dogmes la patrie, la loi et la philosophie. (L'Assemblée législative, par décret du 6 juill. 1792, en prescrivit l'érection dans chaque commune. Ils disparurent sous le Consulat.) ‖ *Conduire une personne à l'autel,* l'épouser. ‖ *S'approcher de l'autel,* aller communier.

autel

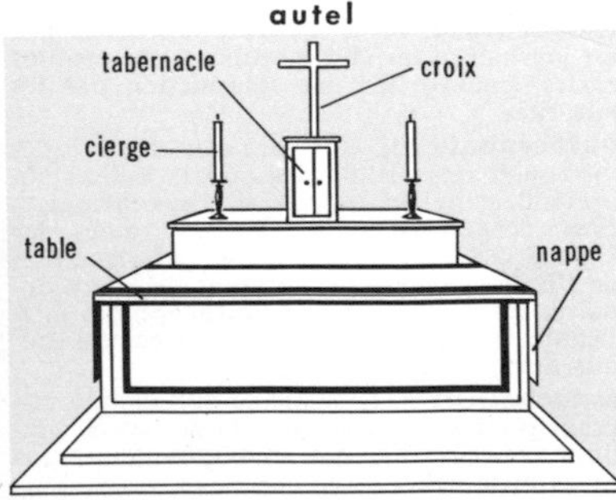

Autel (en lat. *Ara, -ae*), petite constellation* de l'hémisphère austral, située au-dessous de la queue du Scorpion. (V. CIEL.)

Autels (Guillaume DES). V. DES AUTELS.

Auterive, ch.-l. de c. de la Haute-Garonne (arr. de Muret), sur l'Ariège, et à 32 km au S. de Toulouse ; 5 436 h. (*Auterivains*).

Auteroche (CHAPPE D'). V. CHAPPE.

Auteuil, quartier de Paris (XVIe arr.), entre le bois de Boulogne et la Seine. — L'*hippodrome d'Auteuil,* fondé en 1873, se compose de 3 pistes avec 2 transversales, formant un 8; 25 obstacles, dont 12 haies, les coupent.

Auteuil (SOCIÉTÉ D'), cercle d'écrivains et de savants qui se réunissaient chez Mme Helvétius à partir de 1775 (Condillac, Turgot, Chamfort, Cabanis). Après sa mort, la maison de Destutt de Tracy, chef des *idéologues,* devint le centre de cette société.

Auteuil (Louis DE COMBAUD, comte D'), officier français (1714 - Paris 1774). Il se distingua comme lieutenant de Dupleix, aux Indes, en occupant le Carnatic en 1749.

auteur n. m. (lat. *auctor,* celui qui produit ; de *augere,* accroître). Celui qui est la cause de quelque chose : *L'auteur d'une invention. L'auteur d'un crime.* ‖ Celui qui a composé une œuvre littéraire, artistique ou scientifique : *Etre l'auteur de pièces de théâtre.* ‖ *Absol.* Ecrivain, homme de lettres : *Une femme auteur.* ‖ *Dr.* Personne de qui une autre tient un droit ou une obligation. (V. AYANT CAUSE.) ● *Citer ses auteurs,* citer ses sources. ‖ *Droits d'auteur,* V. PROPRIÉTÉ *littéraire et artistique.*

auteurs et compositeurs dramatiques (SOCIÉTÉ DES), association dont l'origine remonte à Beaumarchais, qui, en 1791, obtint une loi défendant de jouer un ouvrage dramatique sans la permission écrite de l'auteur. Longtemps encore après, à Paris, les droits furent librement débattus entre les auteurs et les directeurs. La société fut constituée en 1829 ; elle défend les droits des auteurs et retient une partie des fonds perçus pour l'utiliser au mieux des intérêts des associés.

auteurs, compositeurs et éditeurs de musique (SOCIÉTÉ DES) [**S. A. C. E. M.**], société fondée en 1850, et qui a pour objet principal, dans le cadre de la loi de 1957, la perception des droits d'exécution publique des œuvres musicales et la répartition de ceux-ci entre les ayants droit.

authente adj. (du gr. *authentes,* qui agit de lui-même, absolu). *Mus.* Se dit des « octaves » de *ré, mi, fa, sol* et de leurs dérivés (*plagaux*) débutant une quinte au-dessous.

authenticité, authentification, authentifier → AUTHENTIQUE.

authentique adj. (lat. *authenticus,* emprunté au gr.). Dont la réalité ne peut être contestée : *Cette histoire est authentique.* || Dont l'origine ne peut être contestée : *Documents authentiques.* ● *Acte authentique* (Dr.), v. ACTE 1. ◆ **authenticité** n. f. Caractère de ce qui est authentique : *L'authenticité d'une nouvelle.* || Sincérité, vérité d'un témoignage : *Ce témoin a un accent d'authenticité.* ◆ **authentification** n. f. Action d'authentifier. ◆ **authentifier** ou **authentiquer** v. tr. Certifier, attester l'authenticité de quelque chose : *Authentifier une signature, un testament.* || Légaliser : *Authentiquer un acte.* ◆ **authentiquement** adv. De façon authentique.

Authie, fl. côtier du nord de la France, né dans les collines de l'Artois, et qui se jette dans la Manche par une grande baie ; 100 km.

Authion, riv. d'Anjou, affl. de la Loire (r. dr.) ; elle porte en amont le nom de *Doit ;* 100 km.

Authon-du-Perche, ch.-l. de c. d'Eure-et-Loir (arr. et à 17 km au S.-E. de Nogent-le-Rotrou) ; 1 319 h. (*Authonniers*).

Autichamp (Charles, comte D'), noble français (Angers 1770 - La Rochefaton 1859), l'un des chefs de l'insurrection vendéenne.

autisme n. m. (gr. *autos,* de soi-même). Perturbation affective caractérisée par un repliement du sujet sur lui-même, avec perte plus ou moins importante des contacts avec le monde extérieur. (L'autisme est l'un des symptômes fondamentaux de la constitution schizoïde* et de la schizophrénie*.) || Stade du développement psychologique de l'enfant de 3 à 5 ans, caractérisé par l'absence de communication verbale avec autrui. ◆ **autistique** adj. Relatif à l'autisme.

Autisse ou **Autise,** riv. de Vendée, affl. de la Sèvre Niortaise (r. dr.) ; 60 km.

auto n. f. Abrév. courante d'*automobile.*

Auto (L'), quotidien de sport, fondé à Paris en 1900 par Henri Desgrange. Il cessa de paraître en 1943.

auto-accusateur → AUTO-ACCUSATION.

auto-accusation n. f. Action de s'accuser soi-même. (C'est, en psychiatrie, l'un des symptômes de la mélancolie.) ◆ **auto-accusateur** n. m. Individu qui porte sur lui-même un jugement défavorable, et peut même s'accuser de crimes qu'il n'a pas commis.

auto-alarme n. m. *Mar.* Appareil récepteur de T. S. F. qui enregistre automatiquement le signal de détresse et qui déclenche les sonnettes d'appel installées à bord.

auto-alimentation n. f. *Electr.* Dispositif applicable au contacteur automatique, qui permet de maintenir l'appareil enclenché lorsque cesse l'impulsion initiale qui a provoqué l'enclenchement. (Syn. AUTOCOLLAGE.)

auto-allumage n. m. Inflammation spontanée et accidentelle du mélange carburé.

auto-amorçage n. m. Amorçage spontané d'une machine, d'un appareil, d'une réaction. ◆ **auto-amorceur, euse** adj. Capable de provoquer l'auto-amorçage.

auto-amputation n. f. V. AUTOTOMIE.

auto-analgésie n. f. Méthode de narcose, utilisée surtout en obstétrique, dans laquelle le sujet maintient lui-même un masque inhalateur jusqu'à l'abolition de la douleur.

auto-ancrage n. m. Ancrage de câbles d'un pont suspendu, par fixation, aux extrémités, de poutres de rigidité qui absorbent la compression horizontale.

auto-anticorps n. m. *Sérol.* Anticorps agissant à l'encontre d'un antigène appartenant au propre organisme du sujet qui le possède.

autoberge n. f. Voie routière édifiée sur la berge d'un cours d'eau.

autobiographe → AUTOBIOGRAPHIE.

autobiographie n. f. Vie d'un personnage écrite par lui-même. ◆ **autobiographe** n. Personne qui a écrit sa propre biographie. ◆ **autobiographique** adj. Qui tient de l'autobiographie : *Notes autobiographiques.*

autobus [bys] n. m. (de *auto*[*mobile*] et [*omni*]*bus*). Grand véhicule automobile de transport en commun urbain.

autocanon n. m. Appellation donnée, pendant la Première Guerre mondiale, à un canon antiaérien de 75 mm monté sur un châssis d'automobile.

autocar n. m. (de *auto*[*mobile*] et de l'angl. *car,* voiture). Grand véhicule automobile à carrosserie vitrée et équipé de banquettes pour le transport collectif des voyageurs.

autocarpien, enne adj. Se dit des fruits issus uniquement du développement d'un ovaire, qu'un simple pédoncule réunit aux autres parties.

autocatalyse n. f. Phénomène par lequel une réaction chimique engendre elle-même un corps qui lui sert de catalyseur.

autocensure n. f. Censure effectuée par un journaliste ou un écrivain sur ses propres textes, pour éviter une interdiction par les autorités.

autocéphale adj. et n. m. Se dit des évêques métropolitains orthodoxes ou des Eglises qui prétendent ne dépendre que d'eux-mêmes. || Plus généralement, se dit de toutes les Eglises qui, tout en se référant à la tradition de l'Eglise universelle, refusent de lui reconnaître un chef unique. ◆ **autocéphalie** n. f. Dignité des archevêques orthodoxes non soumis aux patriarches.

autochenille n. f. Véhicule automobile utilisant pour se mouvoir une large bande continue, ou *chenille,* qui s'interpose entre ses roues et le sol.

autochrome adj. et n. m. Procédé de photographie en couleurs, inventé en 1906 par A. et L. Lumière.

autochtone [ktɔn] adj. et n. (gr. *autokhthôn;* du préf. *auto,* et *khthôn,* terre). Qui est originaire du pays qu'il habite; dont les ancêtres ont toujours habité ce pays. ‖ *Géol.* Par oppos. aux éléments d'une nappe de charriage, se dit des terrains qui n'ont pas subi de mouvement de translation. ◆ **autochtonie** n. f. Formation sur place d'une roche. ◆ **autochtonisme** n. m. Qualité des espèces végétales ou des races humaines dont l'habitat n'a pas varié, à notre connaissance, depuis les temps les plus éloignés.

autocinétisme n. m. Ensemble des réflexes acquis d'un individu.

autoclave adj. (gr. *autos,* soi-même, et lat. *clavis,* clef; proprem. « qui se ferme soi-même »). Se dit d'une fermeture pour récipient sous pression, maintenue fermée par la pression même qui règne à l'intérieur. ✦ n. m. Récipient fermé par un couvercle maintenu par la pression intérieure. ‖ *Par extens.* Récipient fermé par un couvercle maintenu par des vis ou des boulons, capable de résister à une pression intérieure. (Les autoclaves chirurgicaux fonctionnent en présence d'eau; tous les objets qui y sont stérilisés doivent pouvoir supporter l'humidité.)

autocoat [kot] n. m. (de *auto*[*mobile*], et de l'angl. *coat,* manteau). Pardessus d'une coupe spécialement conçue pour les conducteurs d'automobile.

autocollage n. m. Syn. de AUTO-ALIMENTATION.

autocollant, e adj. Se dit de surfaces recouvertes d'une gomme qui adhère sans être humectée : *Des enveloppes autocollantes.*

autocollimateur, trice adj. Se dit d'un instrument d'optique muni d'un réticule, que l'on peut, grâce à la réflexion de rayons lumineux sur une surface plane, orienter normalement à cette surface. (La lunette autocollimatrice permet la mesure des angles d'un prisme.)

autoconduction n. f. Production de courants dans un corps placé à l'intérieur d'un solénoïde traversé par des courants de haute fréquence, sans que ce corps soit électriquement relié au circuit.

autoconsistant, e adj. Se dit d'un champ de force équivalant, pour l'un des constituants d'un ensemble d'éléments en interactions mutuelles, à l'action moyenne sur ce constituant des autres éléments de l'ensemble.

autoconsommation n. f. Utilisation, par un groupe d'agriculteurs, des produits de son exploitation pour sa propre consommation.

autocopie n. f. Procédé au moyen duquel on reproduit une écriture ou un dessin à un certain nombre d'exemplaires. ‖ Epreuve obtenue par ce procédé.

autocrate n. et adj. (gr. *autokratês;* de *autos,* soi-même, et *kratos,* puissance). Celui, celle dont la puissance est indépendante et absolue. ‖ A partir de Pierre le Grand, tsar de Russie : *L'autocrate de toutes les Russies.* ◆ **autocratie** n. f. Système politique dans lequel le souverain tire ses pouvoirs de lui-même et ne reconnaît aucune limitation à son autorité. (C'est dans la Russie des XVIIe et XVIIIe s. que ce système trouva son application la plus stricte.) ◆ **autocratique** adj. Relatif à l'autocratie; qui a le caractère de l'autocratie. ◆ **autocratiquement** adv. De façon autocratique.

Doc. Currus

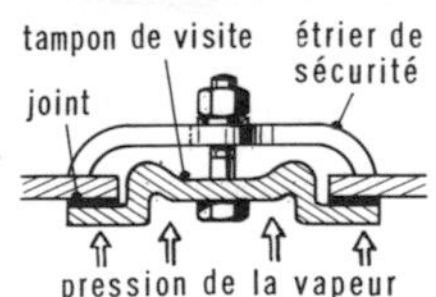

autoclave

autocrator n. m. (gr. *autokratôr,* indépendant). Titre donné, dans la Grèce antique, aux détenteurs d'une autorité absolue. ● *Basileus autocrator,* à Byzance, titre officiel de l'empereur.

autocritique n. f. Jugement que portent un militant, un parti politique sur leur comportement, en référence à l'idéologie dont ils se réclament : *Faire son autocritique.*

autocuiseur n. m. Appareil de cuisine qui est un récipient à parois résistantes, hermétiquement clos, et qui utilise la vapeur sous pression, permettant ainsi d'atteindre des températures de cuisson supérieures à la température normale d'ébullition.

autodafé n. m. (de l'esp. *auto de fé,* arrêt, jugement sur des matières de foi). En Espagne et dans l'Empire espagnol, proclamation solennelle d'un jugement prononcé par l'Inquisition sur un impie, un juif ou un hérétique. || *Par extens.* L'exécution du coupable à la suite de cette sentence. || Destruction par le feu d'un objet que l'on condamne. — ENCYCL. La cérémonie comprenait une procession, à laquelle prenaient part les membres du Saint-Office, les condamnés et les pénitents, une messe solennelle, un serment de fidélité du roi à l'Inquisition et la lecture des sentences de condamnation ou d'acquittement. Les principaux autodafés

Scala

« l'Autodafé »
par Berruguete, *Prado*

furent ceux de Valence en 1360, de Tolède en 1486, de Valladolid en 1559 et de Madrid en 1680.

autodébrayage n. m. Appareil actionnant automatiquement l'embrayage pendant les changements de vitesse et débrayant quand le moteur tombe au régime de ralenti. (V. EMBRAYAGE *automatique.*)

autodéfense n. f. Tout système de défense d'un groupe humain assuré par ses seuls moyens. ● *Groupe d'autodéfense,* unité d'une milice destinée à assurer la protection d'une population, d'un établissement, etc.

autodestruction n. f. Destruction de soi-même.

autodétermination n. f. Action de se décider par soi-même. || Action d'un peuple qui décide de son propre destin. (Dans son discours de sept. 1959, le général de Gaulle préconisa le recours à l'autodétermination pour résoudre la question algérienne.)

autodidacte adj. et n. (gr. *autos,* soi-même, et *didaskein,* enseigner). Se dit d'une personne qui s'est instruite elle-même : *Avoir une formation d'autodidacte.*

autodigestion n. f. Digestion des parois de l'estomac ou du duodénum par le suc gastrique. (Elle résulte souvent de l'absence de sécrétion muqueuse protectrice et détermine l'*ulcère.*)

autodiscipline n. f. Méthode de gestion des établissements scolaires consistant à laisser sous la responsabilité des élèves une large partie des tâches disciplinaires.

autodrome n. m. (de *auto*[*mobile*], et gr. *dromos,* course). Piste spéciale destinée à l'étude, au réglage et à l'épreuve à outrance des voitures automobiles.

autodyne n. m. Appareil produisant des oscillations électriques locales de très faible puissance, permettant de recevoir des ondes entretenues, par la méthode des battements.

auto-école n. f. Ecole où l'on apprend à conduire une automobile. — Pl. *des* AUTO-ÉCOLES.

auto-épuration n. f. Elimination des bactéries pathogènes d'une eau par action de la lumière ou d'autres bactéries.

auto-excitateur → AUTO-EXCITATION.

auto-excitation n. f. *Electr.* Propriété des machines ou systèmes auto-excitateurs. || Action correspondante. ◆ **auto-excitateur, trice** adj. et n. f. Se dit des machines dynamo-électriques où le courant continu est fourni par l'induit même de la machine.

auto-explosif, ive adj. Se dit d'un gaz qui sans addition de comburant, est explosif.

autofécondation n. f. Fécondation réalisée entre les gamètes mâle et femelle du même individu. (Inconnu dans le règne animal, ce phénomène s'observe souvent chez les végétaux, d'une fleur à l'autre du même pied presque jamais au sein d'une même fleur hermaphrodite.)

autofertile adj. Se dit des espèces végétales chez lesquelles l'autofécondation donne des graines aptes à germer.

autofinancement n. m. Financement des investissements d'une entreprise au moyen d'un prélèvement sur les bénéfices réalisés.

autofondant, e adj. Se dit d'un minerai dont la gangue a une composition permettant sa facile fusion dans le four de traitement sans addition aucune.

autofrettage n. m. *Mécan.* Procédé permettant de réaliser, à froid et sous pression intérieure, le frettage d'un tube. ◆ **autofretté, e** adj. Se dit d'un tube métallique fretté à froid par une pression intérieure

autogamie n. f. Autofécondation de certains protozoaires.

autogène adj. *Soudure autogène,* soudure de deux pièces d'un même métal par fusion, avec ou sans apport d'un métal ayant la même composition que celui des pièces à souder.

autogéré → AUTOGESTION.

autogestion [otoʒɛstjɔ̃] n. f. Dans certains pays de type socialiste, gestion d'une entreprise par un comité élu de travailleurs. ◆ **autogéré, e** adj. Se dit d'une industrie, d'un secteur de production soumis à l'autogestion.

autogire n. m. (esp. *autogiro*). Aéronef dont la sustentation est due au mouvement circulaire d'un rotor tournant librement sous l'action du vent relatif créé par le déplacement horizontal de l'appareil.

autogouverner (s') v. pr. *Cybern.* En parlant d'un système, se gouverner de lui-même en fonction d'un programme.

autograisseur, euse adj. Syn. de AUTOLUBRIFIANT.

autogramme n. m. Télégramme envoyé à des automobilistes en déplacement et affiché sur des tableaux, près de certains postes d'essence.

autographe adj. Ecrit de la main même de l'auteur : *Au musée Carnavalet, on peut voir les lettres autographes de Mme de Sévigné.* ◆ n. m. Ecrit émanant d'un personnage célèbre à un titre quelconque et recueilli par les collections publiques ou par les amateurs : *Posséder un autographe de Voltaire, de Napoléon.*

autographie n. f. Procédé permettant le transport, sur une pierre lithographique, des traits tracés au préalable sur un papier dit « à report », à l'aide d'une encre grasse. ‖ Reproduction ainsi obtenue. ◆ **autographique** adj. Relatif à l'autographie : *Encre autographique.*

autogreffe n. f. *Chirurg.* Greffe dans laquelle le greffon appliqué au malade a été emprunté au malade lui-même.

autoguidage n. m. Procédé permettant à un mobile de diriger lui-même son mouvement, sans intervention d'un opérateur, en fonction de la mission qui lui a été assignée. ‖ *Partic.* Méthode de navigation autonome tout spécialement utilisée pour les fusées. (V. *encycl.*) ◆ **autoguidé, e** adj. Se dit d'un mobile, et en particulier d'une fusée, capable de diriger lui-même son mouvement sans intervention d'un opérateur, en fonction de la mission qui lui a été assignée.

— ENCYCL. ***autoguidage.*** La première application de l'autoguidage fut, en 1947, la traversée de l'Atlantique Nord par un avion dont le pilote n'eut pas à intervenir. Il existe de nombreuses méthodes d'autoguidage des engins à grande distance, dont les deux plus importantes sont l'autoguidage astronomique et l'autoguidage par inertie. L'autoguidage est devenu d'un emploi courant sur le plan militaire depuis la généralisation des missiles*. Il est *indirect* lorsque l'objectif ne commande pas lui-même les réactions de l'engin autoguidé : c'est le cas du pilote automatique obéissant aux données qui lui sont fournies par un élément distinct de l'engin. Il est *direct* lorsqu'il s'applique à de véritables robots dotés d'une tête chercheuse électronique, actionnée par les ondes émises par l'objectif.

autoguidé → AUTOGUIDAGE.

autohémothérapie n. f. Mode de traitement, encore utilisé dans certaines maladies (allergiques en particulier), qui consiste à injecter dans les muscles le propre sang du malade.

auto-imposition n. f. Procédé fiscal consistant à soumettre à l'impôt les établissements publics.

auto-induction n. f. Induction produite dans un circuit électrique par les variations du courant qui le parcourt. (On dit aussi SELF-INDUCTION ou INDUCTION PROPRE.)

— ENCYCL. Si un circuit est parcouru par un courant d'intensité variable *i,* le flux qu'il embrasse dans son propre champ magnétique est lui-même variable. D'après les lois de l'induction* électromagnétique, ce circuit devient le siège d'un courant induit, qui se superpose au premier pour en retarder les variations. On peut dire aussi qu'il apparaît une force électromotrice induite, qu'on écrit

$$E = -L \frac{di}{dt},$$

où L est le *coefficient d'auto-induction,* ou *inductance propre,* qui s'exprime en henrys, quand les autres unités sont respectivement le volt, l'ampère, la seconde.
Ce phénomène est à l'origine de l'extra-courant de rupture, qui se manifeste par une étincelle. En courant alternatif, l'auto-induction provoque un retard de l'intensité sur la tension, ainsi qu'une diminution de l'intensité efficace ; celle-ci se calcule en remplaçant la résistance R par l'impédance

$$Z = \sqrt{R^2 + 4\pi^2 f^2 L^2},$$

dans laquelle f désigne la fréquence.

auto-infection n. f. Infection due à des microbes qui existent normalement dans l'organisme sans provoquer de troubles, et qui survient sous l'influence d'une cause occasionnelle (diminution de résistance du sujet par exemple).

auto-intoxication n. f. Ensemble des troubles déterminés dans l'organisme par des substances toxiques (normales ou anormales) qu'il produit lui-même, et dont il ne peut assurer l'élimination.

autoïque adj. Se dit d'un parasite qui accomplit tout son cycle reproductif sur le même hôte. (Syn. MONOXÈNE.)

auto-isothérapie n. f. En médecine homéopathique, traitement d'un malade par des médicaments préparés à partir de ses propres humeurs.

autolubrifiant, e adj. Qui assure sa propre lubrification, sans intervention de lubrifiant externe. (Syn. AUTOGRAISSEUR.) ◆ **autolubrification** n. f. Action de lubrifier sans apport de lubrifiant extérieur.

autolysat → AUTOLYSE.

autolyse n. f. Autodigestion des cadavres, sans l'intervention d'aucun microbe, par les enzymes cellulaires. ◆ **autolysat** n. m. Produit, souvent comestible, de l'autolyse. ◆ **autolytique** adj. Relatif à l'autolyse.

autolytus [tys] n. m. Annélide polychète errante, remarquable par sa reproduction intermédiaire entre les modes sexué et asexué. (Famille des syllidés.)

automate n. m. (gr. *automatos,* qui se meut de soi-même). Machine qui, par le moyen de dispositifs mécaniques, pneumatiques, hydrauliques ou électriques, est capable d'actes imitant ceux des corps animés. (V. *encycl.*) ‖ Dispositif assurant un enchaînement automatique et continu d'opérations arithmétiques et logiques. ‖ *Fig.* Personne qui se comporte comme un automate : *Avoir des gestes d'automate.* ‖ Personne qui ne sait ni penser ni agir par elle-même : *Appliquer des instructions comme de véritables automates.* ◆ **automaticité** n. f. Qualité d'un mécanisme qui fonctionne automatiquement. ◆ **automation** n. f. Création d'automates. ‖ Technique utilisant les moyens nouveaux qui permettent à des groupes de production, voire à des usines entières, de fonctionner sans le recours à une main-d'œuvre. ‖ Fonctionnement d'une machine ou d'un groupe de machines qui, sous le contrôle d'un programme unique, permettent d'effectuer sans intervention humaine intermédiaire une suite complète d'opérations industrielles, comptables ou statistiques. (V. *encycl.*) ◆ **automatique** adj. Qui est mû, qui s'opère par des moyens purement mécaniques : *Fermeture automatique.* ‖ Se dit aussi des mouvements du corps humain qui s'accomplissent sans l'intervention de la volonté. ‖ Se dit d'un appareil qui s'autogouverne et ne nécessite pas l'action d'opérateurs. (Un appareil automatique exécute une action ou un programme d'actions sur simple excitation d'un signal extérieur, qui joue un rôle de déclencheur, comme la rame du métropolitain dont l'arrivée provoque la fermeture des portillons d'accès au quai.) ‖ Se dit d'un moulinet d'une canne à pêche dont la rotation des tambours est assurée par un ressort puissant. ● *Arme automatique,* arme dans laquelle la force produite par les gaz résultant de la combustion de la poudre effectue, à la place du tireur, la plupart des opérations nécessaires à son fonctionnement : *La première arme automatique réalisée au XIX*e *siècle est la mitrailleuse.* (V. *encycl.*) ‖ *Arme semi-automatique,* arme dans laquelle l'action du tireur se limite à provoquer le départ du coup. (Certaines armes, comme les fusils mitrailleurs, peuvent être semi-automatiques quand elles tirent coup par coup, et automatiques quand elles tirent par rafales. C'est le cas de l'arme automatique transformable française mod. 1952.

‖ *Frein automatique,* système de freinage dont le fonctionnement est provoqué automatiquement par une rupture d'attelage : *Le frein Westinghouse est automatique.* ‖ *Signal automatique,* signal actionné par le passage des véhicules en des points et dans des conditions déterminés. ‖ *Téléphone* automatique,* ou *automatique* n. m., système de téléphonie fonctionnant sans le concours d'aucun intermédiaire humain, les signaux émis par le demandeur, au moyen du cadran d'appel provoquant les manœuvres destinées à relier sa ligne à celle de l'abonné demandé. ◆ **automatiquement** adv. De façon automatique. ◆ **automatisation** n. f. Substitution d'une machine à un homme pour effectuer un travail déterminé. (V. *encycl.*) ◆ **automatiser** v. tr. Rendre automatique ; rendre semblable à un automate : *Gestes automatisés par l'habitude.* ‖ Réaliser une automatisation dans le dessein soit de simplifier le travail soit d'assurer une exécution meilleure, plus rapide ou plus sûre de celui-ci. ◆ **automatisme** n. m. Caractère de ce qui est automatique : *L'automatisme créé par l'habitude professionnelle.* ‖ Propriété de certains organes de fonctionner même lorsque plusieurs de leurs connexions avec le reste du corps sont supprimées. (L'automatisme le plus complet est celui du cœur, qui porte en lui-même les éléments de son irrigation et de son innervation.) ‖ Activité spontanée produite indépendamment de la volonté, et parfois même à l'insu de la conscience. (L'*automatisme psychologique* est la doctrine qui réduit la vie de la pensée des associations* d'idées. L'expression *automatisme biologique* désigne le mécanisme biologique de Descartes, opposé au vitalisme et à l'animisme ; elle désigne parfois plus spécialement la théorie cartésienne de l'automatisme des bêtes ou des animaux-machines. ‖ Dispositif grâce auquel un appareil acquiert un caractère automatique. (V. *encycl.*) ●

Automatisme épileptique, activité motrice survenant au cours d'une crise d'épilepsie. (Cette activité s'accompagne toujours de troubles plus ou moins marqués de la conscience, et le malade n'en garde pas le souvenir. Il peut s'agir d'actes simples [déplacer un meuble] ou complexes [acheter un billet et prendre le train].) ◆ **automatiste** n. m. Technicien spécialisé dans les problèmes d'automatisation.

— Encycl. ***automate***. Dans les automates de l'Antiquité, la tête, les bras et les jambes sont animés par l'action de la pesanteur. Au XIIIe s., le Jacquemart qui sonne l'heure est un automate à ressort-moteur. Salomon de Caus construit des orgues hydrauliques (1615), mues par le déroulement d'un cylindre à clous et à taquets : la « roue musicale » programmée. Jacques de Vaucanson crée des androïdes, comme le *Joueur de flûte traversière* (1737), et des « anatomies mouvantes », tel le *Canard digérateur* (1738). En 1796, la boîte à musique du Genevois Antoine Favre (1734-1820) a une mémoire composée d'un peigne d'acier à lames vibrantes. En 1770, Abram Louis Perrelet (1729-1826) et, en 1780, Abraham Louis Breguet imaginent la montre à secousses, dite « perpétuelle », dont la masse oscillante assure le remontage automatique. L'automate moderne contrôle et corrige lui-même son mouvement : il est asservi. En 1948-1952, l'Anglais William Ross Ashby réalise l'*Homeostat,* projet pour un cerveau artificiel. Ce n'est plus un jouet, mais une « machine autoréglée » dont le comportement est semblable à celui d'un être vivant.

— *Inform.* Un automate est un être mathématique qui formalise la façon dont un système ou une machine peut évoluer d'un état premier à un état final, en suivant les règles d'un mécanisme abstrait rigoureux pour passer d'un état à un autre. Mathématiquement, l'automate est entièrement défini par l'ensemble des états qu'il peut prendre : un état initial, un ensemble de symboles appelé *vocabulaire,* et un ensemble de règles de fonctionnement qui décrivent comment l'application d'un symbole du vocabulaire à un état fait passer l'automate à un nouvel état. Si l'automate traite toute une chaîne de symboles, il passe d'état en état pour arriver à un état final. Souvent, il génère en même temps une nouvelle chaîne de symboles. Un automate peut constituer un outil d'analyse de chaînes de symboles et, plus généralement, de phrases d'un langage. Cette analyse lui permet de produire une traduction, une nouvelle expression ou une émanation quelconque de la chaîne d'entrée. Les automates et les grammaires formelles qui leur sont très liées ont fait progresser la science des langages théoriques et les techniques de compilation. Ils sont une des disciplines théoriques de base de l'informatique.

— ***automation.*** L'arsenal de l'automation consiste dans un appel à la recherche opérationnelle*, dans une analyse logique des systèmes et des effets, dans l'adoption de nouveaux matériaux en vue souvent de transformer totalement les chaînes de montage de manière à obtenir à la sortie le même effet avec un schéma fonctionnel de production très différent. Alors que l'automatisation se borne à l'installation de machines reproduisant les gestes humains, l'automation permet aujourd'hui de fabriquer de nombreux objets en une seule opération.

— ***automatique.*** *Mil.* Le fonctionnement des armes automatiques est résolu par deux types de procédé : le premier utilise directement le recul de l'arme au départ du coup (cas du pistolet automatique) ; le second capte, en un point fixe du canon, la pression des gaz et la dirige sur un piston solidaire de la culasse et mobile à l'intérieur d'un cylindre (cas du fusil mitrailleur). Dans les deux procédés, c'est un ressort récupérateur qui, comprimé dans le mouvement arrière de la culasse, renvoie ensuite celle-ci en avant pour provoquer le départ du coup suivant. Enfin, on notera que les deux procédés (recul et emprunt des gaz) sont parfois combinés (mitrailleuse d'avion).

— ***automatisation.*** L'automatisation désigne le fait de chercher à remplacer l'homme, à l'usine comme au bureau, par des machines automatiques, ou automates, chaque fois que la substitution est possible, c'est-à-dire, en pratique, partout où l'homme se borne à appliquer des directives déterminées, en exécution de consignes données. Ces machines automatiques possèdent des « organes des sens », qui sont en fait des *capteurs**, percevant les informations utiles pour un travail déterminé. Les capteurs sont reliés alors à des comparateurs qui, en fonction des informations transmises, commandent judicieusement les moteurs des machines. Dans des cas très simples, ces comparateurs se réduisent à de simples postes de commutation ; mais, dans d'autres cas, ce sont de véritables calculatrices électroniques. Une formule évoluée de l'automatisation consiste à associer à la machine-outil une calculatrice électronique qui compare le travail effectué à celui qui est indiqué sur carte perforée ou sur ruban magnétique et qui détermine les mouvements à exécuter pour minimiser l'écart.
La conception de l'usine totalement automatique implique la création d'un cerveau centralisateur qui, tenu au courant de la marche des différents appareils, modifie éventuellement leur régime, en vue de respecter un programme général. L'automatisation est très avancée dans les industries où l'on peut travailler en continu sur un fluide (industrie du pétrole et industries chimiques). Très largement développée dans l'automobile pour l'usinage des blocs-moteurs, elle reste difficile pour d'autres opérations, notamment pour l'assemblage général. Dans l'industrie textile, en particulier, l'automatisation est délicate en raison des nombreux facteurs d'imprévu.

— ***automatisme.*** Les automatismes se classent en fonction de la nature de l'agent auquel on a recours, et qui peut, par ex[illegible] être mécanique ou électrique. Ils se cl[illegible] selon le niveau de l'action qu'ils exécu[illegible] cette action consistant en un *tout ou* [illegible] dans le cas d'un simple déclenchement, d[illegible] l'établissement d'une correspondance quelconque entre information et action, ou, enfin, dans un véritable calcul, impliquant la prise également en considération d'informations actuelles, et d'informations enregistrées dans des mémoires.

automaticité, automation, automatique, automatiquement, automatisation, automatiser, automatisme, automatiste → AUTOMATE.

automédication n. f. Choix et prise de médicaments sans avis médical.

Automédon. *Myth. gr.* Conducteur du char d'Achille et son compagnon de combat.

automédon n. m. *Fig.* et *par plaisant.* Cocher, conducteur, écuyer habile (vieilli).

automitrailleuse n. f. Engin blindé à roues, armé d'un canon ou de mitrailleuses, et employé à des missions de reconnaissance, de surveillance ou de combat. (Mises au point avant la Première Guerre mondiale, elles furent bientôt armées d'un canon de 25, 37 ou 47 mm. En 1940, on distinguait, suivant leur emploi, les *automitrailleuses de découverte, de reconnaissance* et *de combat,* ces dernières étant semblables à de véritables chars légers. Le modèle français utilisé sous le nom d'*engin blindé de reconnaissance* (E. B. R. M[le] 1951, canon de 75, vitesse 80 km/h) est muni de quatre roues à pneu et de quatre roues métalliques pour terrain varié. Les Français emploient aussi une *automitrailleuse légère* (A. M. L.) de 5 t, armée de mitrailleuses, d'un mortier de 60 mm ou d'un canon antichar de 90 mm.

automnal → AUTOMNE.

automne [otɔn] n. m. (lat. *autumnus*). Saison de l'année qui succède à l'été et précède l'hiver. (L'automne est le temps qui s'écoule entre l'équinoxe d'automne et le solstice d'hiver. Sa durée, qui n'est pas absolument constante par suite des inégalités du mouvement de la Terre, est *actuellement* de 89 j. 19 h. [V. SAISON.] Le début se situe le 23 septembre, et la fin vers le 22 décembre.) ‖ *Fig.* L'approche de la vieillesse : *L'automne de la vie.* ◆ **automnal, e, aux** adj. Qui appartient à l'automne : *Les rayons d'un soleil automnal.* ● *Point automnal,* ou *point équinoxial d'automne,* l'un des deux points d'intersection du plan de l'écliptique et du plan de l'équateur, correspondant au passage du Soleil de l'hémisphère boréal dans l'hémisphère austral. (Le point opposé est dit *point vernal**, ou *point équinoxial* de printemps.*)

automobile adj. (gr. *autos,* soi-même, et lat. *mobilis,* mobile). Se dit d'un véhicule qui possède en lui-même son moteur de propulsion. ‖ Qui concerne l'automobile : *Accessoires automobiles.* ✦ n. f. Véhicule mû par un moteur à explosion, à combustion interne, par un moteur électrique ou par turbine à gaz. (V. tableau et *encycl.*) ◆ **automobilisme** n. m. Utilisation, construction des automobiles. ‖ Sport pratiqué en automobile. ◆ **automobiliste** n. Personne qui possède ou conduit une automobile.

— ENCYCL. ***automobile.*** ● *Description.* Une voiture automobile de tourisme est composée des parties suivantes : un *moteur,* qui fournit l'énergie nécessaire à la propulsion du véhicule ; des organes mécaniques assurant la *transmission* de cette énergie aux roues motrices ; une *suspension,* qui absorbe les chocs de la route ; un système de *freinage ;* une *direction ;* une *carrosserie ;* le tout reposant sur un *châssis,* qui prend lui-même appui sur les roues.

Le *châssis* est généralement constitué par un cadre, formé par deux longerons et des entretoises en tôle d'acier épaisse, réunis par soudure autogène. La coque de la voiture est en tôle d'acier et, parfois, en matière plastique renforcée. La disposition des organes

Larousse

Citroën
prototype (1936) modèle 1964

moteurs et de la transmission relève de trois dispositions : *a*) le moteur à l'avant et la transmission aux roues arrière, solution la plus communément adoptée, mais qui présente le désavantage d'exiger un arbre de transmission traversant la carrosserie, ce qui conduit à y établir un tunnel nuisible au confort des passagers de l'arrière, ou à des formes de carrosserie très hautes, ce qui ne permet pas une bonne stabilité ; *b*) rassemblement des organes à l'avant, dont les roues correspondantes deviennent tractrices et directrices, ce qui entraîne l'utilisation de joints homocinétiques, sans lesquels aucun virage ne serait possible ; *c*) disposition inverse de la précédente, où tous ces organes sont reportés à l'arrière.

La *suspension* sert à préserver la carcasse du véhicule des chocs dus aux inégalités de la route. Elle est assurée par des ressorts à lames ou par des ressorts en hélice. La stabilité de la voiture est assurée par des *amortisseurs,* généralement du type télescopique ou hydropneumatique.

La *direction* est assurée par l'emploi d'une

Citroën « BX 19 GT »

Doc. Citroën

Peugeot « 205 GTI »

Doc. Peugeot

Renault « R 25 »

Doc. Renault

Renault « Espace »

1. Clignotant avant; 2. Projecteur; 3. Réservoir de liquide H.-P. (pour suspension); 4. Alternateur; 5. Carburateur; 6. Filtre à air; 7. Moteur transversal; 8. Prise de diagnostic pour réglages et contrôles électroniques; 9. Essuie-glace et lave-glace incorporé; 10. Bobine d'allumage; 11. Pare-brise feuilleté; 12. Rétroviseur intérieur; 13. Réservoir du lave-glace; 14. Ceinture de sécurité; 15. Pavillon; 16. Lunette arrière chauffante; 17. Essuie-glace arrière; 18. Stores à enrouleur; 19. Glace de custode; 20. Bloc des feux arrière (feux de position), stop, de recul, de brouillard et clignotant); 21. Becquet; 22. Frein à disque; 23. Cylindre de suspension arrière; 24. Bras de suspension arrière; 25. Rétroviseur extérieur; 26. Bloc de commande; 27. Colonne de direction; 28. Barre de direction à crémaillère; 29. Batterie d'accumulateurs; 30. Carter de la boîte de vitesses; 31. Radiateur; 32. Accumulateur principal de liquide H.-P. (pour suspension); 33. Ventilateur électrique; 34. Spoiler; 35. Pare-chocs en polypropylène.

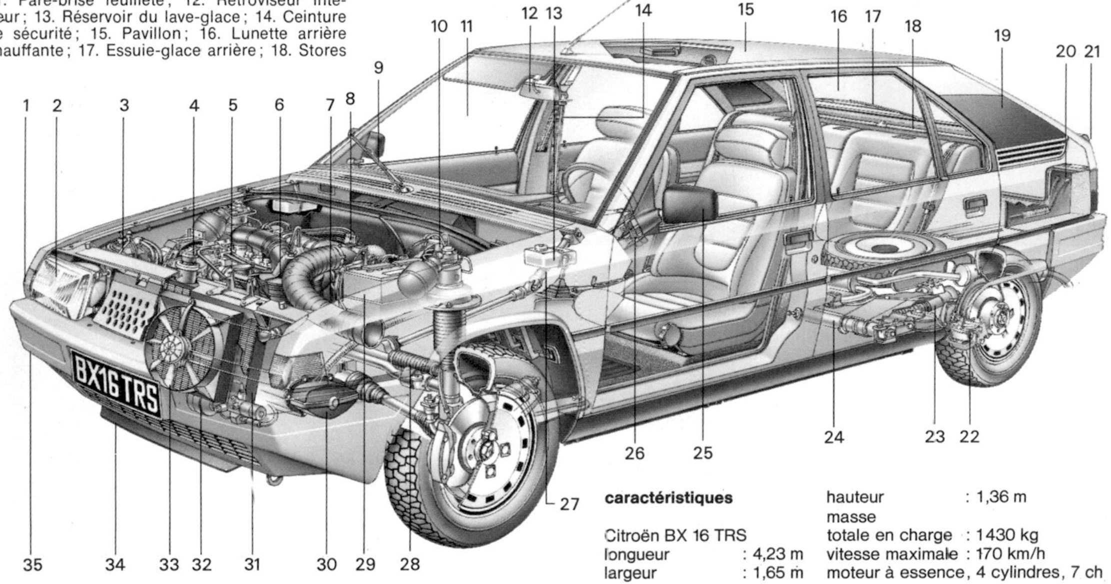

caractéristiques

Citroën BX 16 TRS
longueur : 4,23 m
largeur : 1,65 m
hauteur : 1,36 m
masse
totale en charge : 1430 kg
vitesse maximale : 170 km/h
moteur à essence, 4 cylindres, 7 ch

vis sans fin que commande le volant, et dans laquelle s'engage l'extrémité d'un levier solidaire des roues. La démultiplication qui en résulte diminue l'effort à exercer sur le volant pour faire tourner les roues, et, de plus, cette direction est irréversible.

Le *freinage* est assuré soit par des segments qui viennent frotter à l'intérieur d'un tambour solidaire de la roue, soit par un disque solidaire de la roue correspondante, serré entre les branches d'un étrier.

Le *moteur,* monté élastiquement sur le châssis, est un transformateur qui utilise l'énergie fournie par la combustion d'un mélange carburé pour faire tourner les roues du véhicule. Par son déplacement dans un *cylindre,* un *piston* aspire le mélange dosé dans un *carburateur,* le comprime et, après sa combustion, grâce à l'étincelle qui provient de l'*appareillage électrique,* l'expulse dans l'air pour recommencer le *cycle* des opérations.

La *boîte de vitesses* comprend une combinaison d'engrenages qui permet l'utilisation du moteur dans la zone de régime la plus favorable. Un organe spécial, appelé *embrayage,* permet de désolidariser le moteur du reste de la transmission. Actuellement, dans plusieurs types de véhicule, embrayage et boîte de vitesses sont à fonctionnement semi-automatique ou automatique. Un *différentiel* permet aux roues motrices, dans les virages, d'être animées de vitesses différentes.

● *Automobile électrique.* Cette voiture emprunte pour sa traction l'énergie fournie par des accumulateurs de grande capacité. Son emploi est toutefois limité par le faible rayon d'action qu'autorise l'accumulateur en raison de sa décharge rapide. Pour les transports en commun, cette solution est intéressante si on utilise des *trolleybus,* qui empruntent le courant nécessaire à leur fonctionnement à des lignes aériennes.

● *Automobile à turbine.* Dans ce véhicule, le moteur à explosion ou à combustion est remplacé par une turbine à gaz. Mais les difficultés d'ordre industriel imposent de telles contraintes que seuls des progrès sidérurgiques importants peuvent y apporter une solution. (V. TURBINE.)

● *Réglementation.* V. CIRCULATION.

● *Immatriculation.* V. IMMATRICULATION.

● *Sport automobile.* Le sport automobile juxtapose deux grands types d'épreuves : les courses disputées sur un circuit de quelques kilomètres de développement et dont la durée est généralement comprise entre une et deux heures ; les courses disputées sur un territoire beaucoup plus vaste et se déroulant sur plusieurs jours (les rallyes).

Les courses sur circuit opposent souvent des voitures prototypes monoplaces, notamment dans les Grands Prix disputés chaque année dans différents pays du monde (Afrique du Sud, Espagne, Monaco, Belgique, Pays-Bas, France, Grande-Bretagne, Allemagne fédérale, Autriche, Italie, Canada, Etats-Unis, Mexique, Brésil) dans le cadre dit « de la formule 1 » (c'est-à-dire réunissant les voitures les plus puissantes et les pilotes les plus expérimentés). Les premiers de chaque épreuve marquent des points et le pilote obtenant le meilleur total est couronné champion du monde des conducteurs à la fin de l'année. Les circuits sont aussi le support de courses plus longues, disputées généra-

McLaren
Grand Prix de France 1985

Larousse

Clément-Panhard (1898)

Larousse

Ford type « T » (1905)

Rolls-Royce (191

Larousse

Renault (1923)

Larousse

Hispano-Suiza (1936)

Mercedes (1965)

les grandes dates de l'histoire de l'automobile

1771 - « Fardier » de Cugnot à trois roues, mû par la vapeur.
1821 - Diligence à vapeur de Julius Griffith (Grande-Bretagne).
1860 - Brevet d'E. Lenoir pour un moteur fonctionnant soit au gaz d'écl rage, soit par combustion d'hydrocarbures.
1862 - Cycle à quatre temps de Beau de Rochas.
1876 - Premier moteur à essence à soupapes latérales, fonctionnant selon cycle de Beau de Rochas et dû à l'Autrichien N. Otto.
1878 - La « Mancelle » à vapeur d'Amédée Bollée.
1880 - Invention du pneumatique par Dunlop.
1883 - Voiture de Delamare-Deboutteville, qui, actionnée par un mot à explosion, alimenté d'abord au gaz d'éclairage, puis (1884) l'essence, fut la première automobile à circuler en vitesse sur rou
1887 - Tricycle à vapeur de Serpollet, avec chaudière à petits tubes e vaporisation instantanée. — G. Daimler fait breveter en France moteur au gaz de pétrole. — Premier moteur à deux cylindres en
1888 - Dunlop dépose un brevet de pneumatique.
1890 - Construction par Peugeot d'une des premières voitures à esse ayant circulé.
1891 - Panhard et Levassor adaptent un moteur à explosion de Daim sur un châssis automobile.
1892 - Premier brevet de R. Diesel, utilisant l'élévation de la températ provoquée par la compression de l'air du cylindre pour enflamr le combustible.
1899 - Brevet de Louis Renault pour la prise directe dans le changem de vitesse, et introduction du cardan dans la transmission. — P mière carrosserie profilée sur la *Jamais-Contente* de Jenatzy, a laquelle il dépasse la vitesse de 105 km/h.
1903 - Carrosserie avec entrées sur les côtés.
1906 - Boîte à quatre vitesses, avec la quatrième surmultipliée (Rolls-Roy
1907 - Suspension à roues avant indépendantes (Sizaire et Naudin).
1908 - Carrosserie « torpédo ».
1910 - Pare-brise. — Voiture à freins avant (Argyll). — Brevet d'He Perrot pour le freinage sur les quatre roues.
1912 - Premières voitures de série sortant de l'usine d'Henry Ford en rement carrossées et équipées.
1913 - Démarreur électrique.
1919 - Apparition du servofrein.

lement une fois chaque année, comme les Vingt-Quatre Heures du Mans, les Douze Heures de Sebring (Floride) et les Cinq Cents Miles d'Indianapolis, aux Etats-Unis; les Mille Kilomètres de Monza comptant, pour la plupart, pour un championnat du monde des constructeurs.
A ces épreuves de vitesse et, plus rarement, d'endurance, s'oppose la longue épreuve routière qu'est le rallye, qui juxtapose le plus souvent un parcours de liaison devant être effectué à une moyenne minimale et des parcours de vitesse se déroulant sur des routes gardées. Les pénalisations éventuelles pour retard encourues sur les parcours de liaison et les temps effectués dans les épreuves de vitesse permettent d'établir un classement. Le Rallye de Monte-Carlo et le Paris-Alger-Dakar, disputés sur le territoire de plusieurs pays, demeurent les épreuves les plus célèbres du genre. Dangereux, souvent décrié, le sport automobile reste un indispensable banc d'essai pour l'industrie automobile au sens le plus large (mécanique, carburants et lubrifiants, pneumatiques, etc.).

Automobile-Club de France (A. C. F.), société fondée à Paris en 1895, pour le développement de l'industrie automobile.

automobilisme, automobiliste → AUTOMOBILE.

automorphe adj. Se dit des minéraux des roches limités par les formes cristallines propres à leur espèce. (Contr. XÉNOMORPHE.)

automorphisme n. m. Tendance à juger les autres d'après soi-même. || *Math.* Isomorphisme appliqué à deux ensembles identiques.

automoteur, trice adj. Se dit d'un véhicule, d'un engin ou d'un appareil capable de se déplacer par ses propres moyens. || — ***automoteur*** n. m. et adj. Péniche de transport fluvial, propulsée par une hélice qu'actionne le plus souvent un moteur Diesel. || Pièce d'artillerie montée sur affût chenillé, blindé ou non, produisant son propre mouvement. (Les premiers affûts automoteurs chenillés datent, en France, de 1925. Mais c'est au cours de la Seconde Guerre mondiale que l'emploi de l'automoteur, exigé par la

1920 - Carrosserie Weyman à charpente déformable en bois, dite « indépendante du châssis ». — Moteur sans soupapes, à fourreaux, brevet « Knight », adopté par Voisin, puis par Panhard. Introduction par Citroën, en Europe, de la fabrication en série, avec une 10 CV, qui sera suivie, en 1922, de la 5 CV, point de départ de la voiture de faible cylindrée, économique et confortable.
1921 - Commande hydraulique des freins.
1922 - Première voiture à structure autoportante et à roues indépendantes (Lancia). — Première application industrielle de la commande hydraulique du freinage (Lockheed). — Voiture de course à moteur arrière (Benz).
1923 - Pneu à basse pression.
1924 - Généralisation du freinage sur les quatre roues.
1925 - Filtration de l'admission d'air (Packard).
1926 - « Tracta » à traction avant, utilisant des joints homocinétiques pour la transmission (Grégoire et Fenaille).
1927 - Première voiture carénée sans angles saillants (Voisin). — Berline à profilage en goutte d'eau (Emile Claveau).
1928 - Torpédo profilée en aile d'avion (Chenard et Walcker). — Boîte de vitesses munie d'un dispositif de synchronisation.
1929 - Boîte de vitesses à pignons silencieux à taille hélicoïdale.
1930 - Accouplement hydraulique de Daimler. — « Voiturelle » D. K. W. à suspension munie de quatre roues indépendantes.
1932 - Première voiture à carrosserie autoportante, à éléments emboutis et soudés (Lancia).
1933 - Suspension à barres de torsion (Porsche).
1934 - Voiture à carrosserie autoportante et à roues avant motrices (Citroën).
1936 - Moteur à culasse hémisphérique en série (Talbot).
1953 - Apparition du frein à disque (lancé en série sur la DS 19 Citroën en 1955).
1955 - Suspension hydropneumatique (Citroën).
1956 - Commande hydraulique de la boîte de vitesses (Hydramatic). — Transmission automatique par convertisseur de couple (Turboglide).
1962 - Transmission automatique électromagnétique et mécanique (R 8 Renault).
1965 - Moteur à pistons rotatifs (N. S. U.).
1970 - Direction assistée à rappel asservi (Citroën).

guerre de mouvement, se généralisa en plaçant des canons sur des châssis de chars, tels le 105 HM7 américain, le Sturmgeschutz allemand de 88 mm sur char Panther et de 128 mm sur char Tigre, le S. U. soviétique de 152 mm sur char T34. En France furent mis au point, depuis 1945, des automoteurs de 105 et de 155.) ‖ — **automotrice** n. f. Véhicule se déplaçant sur rails par ses propres moyens. (Le terme d'*automotrice* est réservé plus spécialement aux véhicules à propulsion électrique, celui d'*autorail* aux véhicules à moteur thermique. Les *automotrices* sont employées par les compagnies de chemins de fer et de tramways, les métropolitains. Elles permettent des déplacements fréquents et rapides. Les *éléments automoteurs* de banlieue sont de petites rames indéformables, constituées par une automotrice et une ou deux remorques.)

automutilation n. f. Mutilation effectuée sur lui-même par un malade mental.

autonome adj. (gr. *autos,* soi-même, et *nomos,* loi). Qui jouit de l'autonomie : *Territoire autonome.* ‖ *Fig.* Qui se détermine librement : *Une volonté autonome.* ● *Gestion autonome,* système d'organisation interne des entreprises, dans lequel chaque atelier est considéré comme autonome. ‖ *Syndicat autonome,* syndicat qui n'est pas affilié à une grande centrale syndicale. ✦ adj. et n. Se dit de certains contestataires d'extrême gauche en marge de toute organisation politique. ◆ **autonomie** n. f. Droit de s'administrer librement dans le cadre d'une organisation plus vaste que régit un pouvoir central : *L'autonomie des communes est limitée par la tutelle administrative.* ‖ Droit pour un individu de se déterminer librement. ‖ Situation juridique d'une collectivité susceptible de déterminer elle-même tout ou partie des règles de droit qui la régissent : *Le développement du droit international tend à limiter l'autonomie des Etats souverains.* ‖ Pour un engin de combat (char, avion, navire), distance franchissable correspondant à la consommation totale du combustible embarqué, à une vitesse régulière choisie *a priori.* ‖ Durée maximale pendant laquelle un aéronef peut tenir l'air sans reprendre de carburant. ● *Autonomie financière,* situation d'un service public qui a la possibilité d'administrer directement ses dépenses et qui dispose d'une trésorerie propre. || *Autonomie de la volonté,* selon Kant, propriété qu'a la volonté de trouver en elle-même la loi de ses déterminations. (Kant en fait l'unique principe de la morale.) ◆ **autonomiste** n. et adj. Partisan de l'autonomie soit communale, soit provinciale.

autophagie n. f. Entretien de la vie sans alimentation extérieure, aux dépens des réserves, comme dans le jeûne et l'hibernation.

autoplastie n. f. *Chirurg.* Restauration d'une partie détruite, par la greffe d'une autre partie empruntée au même sujet. ◆ **autoplastique** adj. Relatif à l'autoplastie.

autopode n. m. Axe végétatif à croissance indéfinie par le bourgeon terminal. (Contr. SYMPODE.)

autopolaire adj. Se dit d'un triangle dont chaque côté est la polaire du côté opposé par rapport à une conique. || Se dit aussi d'un tétraèdre dont chaque face est le plan polaire du sommet opposé par rapport à une quadrique.

autopolyploïde n. m. Variété, généralement d'une plante cultivée, qui a doublé le nombre de ses chromosomes sans avoir été hybridée. ◆ **autopolyploïdie** n. f. Etat de ces variétés.

autopompe n. f. Châssis automobile utilisé par les sapeurs-pompiers, et portant une pompe à incendie et une carrosserie abritant le personnel et le matériel nécessaires à son utilisation. (Parmi les autopompes, on distingue : le *premier secours,* à action immédiate ; le *fourgon-pompe,* armé de deux lances ; et le *fourgon-tonne.*)

autoportant, e adj. *Archit.* Se dit de voûtes dont la stabilité est assurée par la seule rigidité de leur forme.

autoportrait n. m. Portrait d'un artiste par lui-même.

autoprojecteur n. m. Projecteur monté sur une voiture automobile de défense aérienne, utilisé pendant la Première Guerre mondiale.

autopropulsé, autopropulseur → AUTOPROPULSION.

autopropulsion n. f. Propulsion de certains engins par un dispositif fonctionnant de façon automatique, sans requérir la présence d'un pilote à bord. ◆ **autopropulsé, e** adj. Se dit d'un mobile évoluant dans l'atmosphère ou dans l'espace grâce à un système de propulsion autonome. ● *Projectiles autopropulsés,* projectiles comprenant une partie propulsive et une partie fumigène ou incendiaire. (La partie propulsive comporte : des réservoirs contenant soit de la poudre, soit un mélange carburant-comburant, ou le carburant ; une chambre de combustion ; une tuyère pour l'éjection des gaz fournissant la poussée. Ces projectiles apparaissent, pendant la Seconde Guerre mondiale, d'abord comme projectiles d'artillerie [orgues de Staline, ou canons multitubes], puis comme obus antichars [lance-roquettes ou bazooka], enfin comme projectiles légers d'aviation ou comme bombes volantes de type V1 ou V2. Doués d'une grande puissance de feu, lancés par des armes rudimentaires, ces projectiles donnèrent naissance, en combinant l'autopropulsion avec le télé- ou l'autoguidage, aux missiles modernes.) ◆ **autopropulseur** adj. Se dit d'un dispositif d'autopropulsion.

autopsie n. f. (gr. *autopsia,* action de voir de ses propres yeux). Ouverture et examen d'un cadavre pour se rendre compte de l'état des organes et des causes de la mort. (V. *encycl.*) || Dans le langage mystique, état contemplatif précédant la vision en Dieu. ◆ **autopsier** v. tr. Faire l'autopsie.

— ENCYCL. ***autopsie.*** L'autopsie se justifie par le fait qu'elle permet le plus souvent d'affirmer ou de confirmer la cause du décès. Elle rend possible l'étude anatomopathologique, dont les résultats, comparés aux données recueillies par l'examen clinique, ont permis de réaliser de grands progrès dans la connaissance de nombreuses maladies. En médecine légale, l'examen du corps et des viscères, éventuellement complété par un examen toxicologique, apporte des arguments importants pour ou contre l'hypothèse d'un crime ou d'un suicide. L'autopsie ne peut être pratiquée qu'après vérification de la mort, après que l'officier de police a été prévenu et en dehors de l'opposition de la famille. Cependant, en cas de suspicion de crime, la loi peut ordonner l'autopsie. Celle-ci doit alors être pratiquée par un médecin légiste. L'autopsie habituelle comporte l'ouverture du thorax, de l'abdomen et du crâne, et l'examen minutieux des organes qui s'y trouvent.

autopsier → AUTOPSIE.

autoptique adj. *Philos.* Qui s'aperçoit à la simple inspection. ● *Sens autoptique,* nom parfois donné à l'INTROSPECTION.

autopunition n. f. Tendance morbide à se punir soi-même, pour se délivrer d'un complexe de culpabilité.

autor (d') loc. adv. (abrév. de *d'autorité*) *Arg.* De son propre chef, avec assurance (vieilli) : *Cette affaire, je m'en occupe d'autor.*

autoradio n. m. Appareil récepteur de radiodiffusion prévu pour être installé dans une automobile.

autoradiographie n. f. Empreinte laissée sur une couche photographique par un objet contenant un produit radio-actif.

autorail [raj] n. m. Voiture automotrice sur rails pour le transport des voyageurs, et dont la propulsion est assurée par un moteur thermique.

— ENCYCL. Les autorails ont été surtou

créés pour remplacer les trains omnibus; ils s'intercalent entre les trains ordinaires et amènent aux principaux centres les voyageurs qui doivent emprunter les rapides et les trains de grand parcours. Ils peuvent aussi assurer des relations rapides à grande distance. Ils sont équipés de moteurs à combustion interne, presque uniquement Diesel sur les engins modernes.

autoréducteur → AUTORÉDUCTION.

autoréduction n. f. Mesure directe de la distance horizontale de deux points. ◆ **autoréducteur, trice** adj. et n. m. Se dit d'un appareil avec lequel on mesure sur le terrain la distance d'un point M (prise horizontalement) par la différence de pente des rayons visuels aboutissant en deux points d'une mire placée en M.

autorégénérateur, trice adj. *Pile autorégénératrice,* V. ATOMIQUE (*énergie*).

autoréglage n. m. *Cybern.* Propriété inhérente à une installation, d'après laquelle, en l'absence de toute régulation extérieure, un régime établi est atteint à nouveau après une perturbation.

autorégression n. f. *Statist.* Propriété de certaines séries chronologiques dont chaque terme dépend, sensiblement de façon linéaire, d'un ou de plusieurs termes qui le précèdent.

autorégulateur → AUTORÉGULATION.

autorégulation n. f. Régulation d'une machine par elle-même, à l'aide d'un organe spécial appelé *régulateur**. || Rétablissement spontané des constantes organiques habituelles. (C'est par autorégulation que la pression artérielle, un instant déréglée, retrouve sa valeur, ou qu'un individu anormal haploïde retrouve le nombre normal diploïde de chromosomes. L'autorégulation n'est pas toute la *régulation,* car celle-ci comporte, en outre, certaines adaptations aux changements survenus dans le milieu.) ◆ **autorégulateur, trice** adj. Se dit d'un servomécanisme, d'une transmission, d'un montage, dont le fonctionnement est tel qu'il s'adapte de lui-même aux changements de charge ou de régime.

autorisable, autorisation, autorisé → AUTORISER.

autoriser v. tr. (lat. médiév. *auctorizare; de auctor,* auteur). Donner la permission, le droit de : *Autoriser une réunion. Autoriser un employé à s'absenter.* || *Fig.* Rendre possible, permettre : *Cela autorisera toujours certains doutes. L'impunité autorise le crime.* || — SYN. : *accepter, admettre, consentir, permettre, tolérer.* || — **s'autoriser** v. pr. S'appuyer sur un droit, un précédent, un prétexte, etc., pour faire quelque chose : *S'autoriser de l'amitié de quelqu'un pour lui demander un service.* ◆ **autorisable** adj. Que l'on peut autoriser. ◆ **autorisation** n. f. Action par laquelle on accorde la faculté de faire quelque chose : *L'autorisation de cette réunion a été accordée.* || Ecrit constatant

la Vie du Rail

autorail à turbine

une permission donnée : *Nul ne peut construire sans une autorisation officielle.* ● *Autorisation administrative,* autorisation émanant soit du chef de l'Etat, soit des ministres, ou des agents de l'Administration, tels que préfets, sous-préfets, maires, etc. || *Autorisation du budget,* autorisation donnée par le Parlement au gouvernement, détenteur du pouvoir exécutif, de dépenser et de percevoir. (Cette autorisation constitue l'essence même du consentement de la nation à l'impôt par l'intermédiaire de ses représentants.) || *Autorisation du tuteur,* assistance du tuteur à certains actes que la personne sous tutelle ne pouvait légalement faire seule. ◆ **autorisé, e** adj. Qui fait autorité, en parlant des personnes et des choses : *Recueillir des avis autorisés.* || Se dit d'un étalon reconnu par l'administration des haras comme propre à conserver la pureté de la race.

autoritaire, autoritairement, autoritarisme → AUTORITÉ.

autorité n. f. (lat. *auctoritas*). Droit ou pouvoir de commander, de se faire obéir : *Exercer son autorité avec rigueur.* || Pouvoir politique ou administratif : *Mettre en cause l'autorité.* || *Fig.* Prestige, influence qui s'impose aux autres en vertu du mérite, de la situation sociale, etc. : *L'autorité de l'âge, du génie.* || Personne, ouvrage dont la doctrine, les jugements sont généralement admis comme vrais par les connaisseurs : *Consultons nos autorités.* || *Log.* Toute méthode de démonstration fondée sur le témoignage d'autrui. || *Philos.* Toute démonstration qui se fonde sur la tradition. (La méthode d'autorité a été critiquée par Descartes au XVIIe s.) ● *Autorité de la chose jugée,* V. CHOSE *jugée.* || *Autorité parentale,* autorité exercée sur les enfants, pendant le mariage, par les père et mère (elle remplace la puissance paternelle). || *Faire autorité,* s'imposer par sa valeur. || *Par autorité de justice,* ainsi qu'en a décidé un jugement ou une sentence exécutoires. || *Ton d'autorité,* ton absolu que l'on prend pour commander ou pour affirmer une chose. ● Loc. adv. *D'autorité, de pleine autorité,* de façon impérative, sans consulter personne ou en usant de toute son influence morale. || *De sa propre autorité,* sans autorisation de personne, sans en avoir le droit. || — **autorités** n. f. pl. Représentants de la puissance publique, hauts fonctionnaires : *Les autorités d'une ville.* ◆ **autoritaire** adj. et n. Qui use avec rigueur de toute son autorité : *Un directeur autoritaire.* || Qui ne souffre pas la contradiction : *Un caractère autoritaire.* ✦ adj. *Régime autoritaire,* régime où l'autorité s'exerce sans tolérer d'opposition. ◆ **autoritairement** adv. De façon autoritaire. ◆ **autoritarisme** n. m. Système politique totalitaire. || Caractère autoritaire : *Faire preuve d'autoritarisme dans ses rapports avec ses subordonnés.*

autorotation n. f. Mouvement d'un rotor d'hélicoptère dont, volontairement ou par suite d'une panne, la liaison mécanique avec le moteur a été supprimée.

autoroute n. f. Route à deux chaussées séparées, dont les accès sont spécialement aménagés, et qui, uniquement conçue pour la circulation à grande vitesse des automobiles, ne croise à niveau aucune autre voie. ◆ **autoroutier, ère** adj. Relatif aux autoroutes : *Des travaux autoroutiers.*

— Encycl. ● *Historique.* C'est au lendemain de la Première Guerre mondiale que l'usage de l'automobile commence à se répandre successivement dans certains pays, comme les Etats-Unis, où l'on compte 10 millions de véhicules en 1920, la Grande-Bretagne et la France, où le million est atteint en 1926 et 1928. Déjà, dans ces trois pays, les problèmes de circulation deviennent difficiles à résoudre sur quelques tronçons routiers et dans les grandes villes. Mais c'est pourtant à un autre pays, beaucoup moins avancé sur le plan de l'utilisation de l'automobile, que reviendra l'honneur de créer les premières routes exclusivement réservées à cette dernière : l'Italie, qui ne compte que 75 000 voitures en 1923. Pourtant, c'est cette année-là que commence, à l'initiative de l'ingénieur P. Puricelli, la construction d'un petit réseau d'« autostrade » touristiques entre Milan et les lacs lombards. Deux motifs essentiels à cette initiative hardie : l'état déplorable de la voirie italienne à l'époque et le désir du jeune régime fasciste d'être l'auteur de réalisations retentissantes, dans la tradition des constructeurs romains. D'autres travaux permettent ensuite l'ouverture, en 1932 et 1933, d'une grande voie desservant une partie de la plaine du Nord, de Turin à Brescia via Milan, tandis que divers autres tronçons seront entrepris, en particulier de Rome à Ostie et de Florence à la mer. Dès lors, un autre régime totalitaire va prendre la relève dans le domaine des nouvelles réalisations routières, mais avec une efficacité décuplée : en Allemagne, cinq mois après l'arrivée au pouvoir de Hitler, une loi confie à une filiale de la Reichsbahn la construction d'un vaste réseau d'autoroutes, long de 5 000 km ; avec leurs deux chaussées séparées, elles sont très proches, techniquement, de celles qui sont actuellement édifiées. Construites en partie pour lutter contre un chômage dramatique, elles bénéficient aussi de l'appui de l'état-major, pour lequel elles présentent de grands avantages : en cas de conflit, l'éventuelle utilisation de l'armée sur deux fronts exige des liaisons rapides et à grand débit. Les travaux sont menés à un rythme très rapide, puisque plus de 3 000 km seront ouverts à la circulation en 1939, en particulier entre Berlin et Munich et de Berlin au Rhin.

Avant la Seconde Guerre mondiale, on ne peut encore citer comme réalisateurs d'autoroutes que les Pays-Bas (110 km) et les Etats-Unis, qui ont créé très tôt des voies réservées aux automobiles, mais seulement dans les villes : en 1940, seul un tronçon de liaison régionale est achevé sur 257 km entre Pittsburgh et Carlisle, en direction de Philadelphie.

● *Les autoroutes d'aujourd'hui.* Malgré leur retard relatif, les Etats-Unis vont être en mesure de développer, grâce à leurs immenses possibilités, un programme massif de construction d'autoroutes : en 1956 commencent les réalisations du National System of Interstate Highways, projet le plus ambitieux du monde, puisqu'il aboutit à la construction de 64 000 km de voies doubles reliant entre elles 90 p. 100 des villes de plus de 50 000 habitants.

Deuxième réseau du monde, celui de l'Allemagne occidentale, où les travaux reprirent en 1955, portant la longueur des « Autobahnen » de cette partie du pays de 2 109 km à 3 497 km. Il dépasse aujourd'hui 6 000 km, ce qui assure une liaison autoroutière entre toutes les grandes villes.

En Italie aussi, toutes les régions sont en voie d'être desservies avec l'édification de l'Autostrada del Sol (Milan-Rome), de ses prolongements vers la Calabre et les Pouilles et des autoroutes longeant l'Adriatique et le golfe de Gênes. Plus de 7 000 km sont aujourd'hui ouverts à la circulation. Parmi les autres pays ayant réalisé de grands itinéraires autoroutiers, il faut encore citer la Grande-Bretagne (1 700 km), les Pays-Bas, qui, avec plus de 1 200 km, ont la plus forte densité d'autoroutes du monde, la Belgique (1 000 km), l'Autriche et la Suisse (plus de 600 km).

● *La France.* Alimentant une abondante polémique, la politique routière de la France a été caractérisée par le retard de se

réalisations dans le domaine des autoroutes, bien que des projets élaborés aient vu le jour dès 1927 (Pigelet et L. Lainé). Les premières réalisations ne concerneront que les sorties de Paris : les travaux de l'autoroute de l'Ouest commenceront en 1936 et permettront l'utilisation d'un premier tronçon pendant la guerre, en 1941. Ouverte avec son tunnel en 1950, cette autoroute de « dégagement » précédera une autre voie de même nature, celle du nord de Marseille (1951-1953). La création du Fonds spécial d'investissement routier (1951) débloque des crédits ; mais plus de la moitié seront reversés au budget général et, pendant près de dix ans, les réalisations resteront très secondaires (sortie sud de Lille, premiers travaux sur l'autoroute sud de Paris). Pourtant, en 1960, un plan d'équipement routier prévoit la construction de 3 500 km d'autoroutes.
Enfin, en 1961, les premiers crédits notables (124 millions de francs) seront attribués aux autoroutes ; et ils seront régulièrement augmentés, atteignant 900 millions en 1966. Dès lors, les Ponts et Chaussées vont connaître une mutation dans ce nouveau domaine d'activité et utiliser des techniques d'avant-garde (tracés par calculatrices électroniques des voies et des ouvrages d'art). Les premières grandes liaisons, à péage, seront ouvertes en 1967 avec Paris-Lille (214 km) et Paris-Avallon (208 km), tandis que divers tronçons de dégagement seront en service dans plusieurs régions, en particulier dans l'Est. En 1970, l'itinéraire de Lille à Marseille, via Paris, est achevé. Le réseau atteint alors 1 500 km et commence à jouer un rôle économique majeur. Il atteint aujourd'hui plus de 5 000 km grâce à la « privatisation » de la construction des autoroutes, inaugurée en 1970, et permet notamment, de gagner, depuis Paris, la Belgique, l'Allemagne, l'Espagne et Nice.

• *Caractéristiques techniques.* Dès le début, « autostrade » et « Autobahnen » ont eu pour caractéristique technique essentielle d'être des voies réservées aux automobiles effectuant des parcours rapides, ce qui avait pour première conséquence l'aménagement à deux niveaux de tous les croisements. Dans le cas où le trafic de l'autoroute entre en contact avec celui des routes ordinaires, des aménagements complexes sont nécessaires pour éviter tout « cisaillement » dangereux de la circulation. On a été amené à créer des « échangeurs », aux tracés très divers, pour pouvoir répondre à toutes les combinaisons de trafic : en losange, en « trompette », « giratoire » ou encore, le plus encombrant, en « trèfle ».
La nécessité de construire deux voies séparées n'est pas apparue tout de suite, puisque les premières autoroutes italiennes ne comportaient qu'une seule chaussée. A part quelques pays comme la Hongrie et la Yougoslavie, où le trafic est encore faible, les autoroutes actuellement en construction comportent toujours deux voies séparées par des terre-pleins dont la largeur varie de 3 m en Italie à 5,50 m en Allemagne. En France, il atteint souvent 12 m, mais il est alors réservé pour édifier éventuellement une troisième piste. Ces terre-pleins sont utilisés autant que

Pana - Rapho

autoroute à Tōkyō

possible par des plantations, qui évitent, la nuit, les éblouissements dus aux phares des véhicules venant en sens inverse. Les chaussées bétonnées comportant deux voies sont larges de 3,50 m en France : elles sont ainsi plus étroites que dans les pays anglo-saxons (3,60 m), en Allemagne et en Italie, tout au moins pour les réalisations récentes de ces deux pays (3,75 m). En ce qui concerne les pentes, on a admis exceptionnellement jusqu'à 7 p. 100 dans les secteurs les plus accidentés des premières autoroutes allemandes. En France, les pentes ne doivent pas dépasser 4 p. 100 depuis une réglementation de 1962 ; mais certains secteurs construits antérieurement (autoroute sud de Paris) ont des rampes qui atteignent 5 p. 100 ; de plus, lorsque les voies descendantes sont complètement séparées des voies montantes, la pente peut atteindre 6 p. 100 pour les premières.
Les tout premiers réalisateurs d'autoroutes cherchaient à tracer des itinéraires totalement rectilignes. Il est vite apparu que la grande monotonie de conduite qui en résultait était dangereuse en multipliant les risques d'assoupissement des conducteurs fatigués. On s'efforce donc aujourd'hui de dessiner des tracés comportant de longues courbes qui s'intègrent harmonieusement aux paysages. Ces rayons et ces courbes ne descendent qu'exceptionnellement au-dessous de 650 m ; ils sont de 1 200 m au minimum sur les autoroutes françaises courantes.
La fabrication proprement dite des autoroutes ne fait pas l'objet de techniques différentes de celles qui sont utilisées pour les routes. Toutefois, les énormes terrassements nécessaires et les consommations massives de béton exigent une organisation rigoureuse des chantiers et de la succession de leurs diverses phases. De plus, des matériels imposants sont désormais utilisés pour la mise en place du béton, en particulier les grandes machines américaines à coffrages glissants, qui améliorent considérablement la qualité des chaussées et qui permettent la mise en place de plus de 1 000 m de chaussée par jour.

auto sacramental n. m. (mots esp. signif. *acte* ou *drame du saint sacrement*). Représentation dramatique qui avait lieu autref. en Espagne, le jour de la Fête-Dieu après les cérémonies religieuses, sur des théâtres dressés dans les rues. (L'âge d'or se situe aux XVIe et XVIIe s. Sur des sujets religieux, Juan del Encina, Lope de Vega et Calderón ont réussi à faire des chefs-d'œuvre.)

autosatisfaction n. f. Contentement de soi-même ; témoignage de bonne conduite que l'on se donne à soi-même.

autoscooter [skutər] n. m. Voiturette automobile pour les livraisons légères et peu encombrantes.

autoscopie n. f. Perception hallucinatoire où le malade voit sa propre image, comme dans un miroir. ◆ **autoscopique** adj. Qui concerne l'autoscopie.

autositaire → AUTOSITE.

autosite n. m. (gr. *autositos,* qui se nourrit lui-même). Monstre capable de vivre d'une vie indépendante, dans la classification de Geoffroy Saint-Hilaire, par oppos. à *parasite.* ◆ **autositaire** adj. Se dit d'un monstre double, dont les deux constituants sont sensiblement égaux et capables de vivre d'une vie indépendante.

autosome n. m. Chromosome commun aux deux sexes.

autostabilité n. f. Qualité de ce qui est autostable : *L'autostabilité d'un avion réduit sa maniabilité, mais accroît les facilités de pilotage.* ◆ **autostable** adj. Se dit d'un avion tendant à revenir à sa position d'équilibre quand il en est écarté par une turbulence. ● *Profil autostable,* profil d'aile, généralement à double courbure, conférant à l'aile une bonne stabilité en tangage, et qui permet de réaliser des ailes volantes et des avions sans queue.

autostérile adj. Se dit des plantes chez qui l'autofécondation reste stérile.

auto-stop ou **autostop** n. m. Procédé consistant, pour un piéton, à arrêter un automobiliste sur la route et à lui demander de le transporter à titre gracieux. ◆ **auto-stoppeur, euse** adj. et n. Qui pratique l'auto-stop.

autostrade n. f. (ital. *autostrada*). Syn. de AUTOROUTE.

autosuggestion n f. Influence d'une idée persistante sur notre conduite : *La haine peut mener au crime par autosuggestion.*

autotélie n. f. *Philos.* Qualité de l'être qui peut déterminer lui-même la fin de ses actions. ◆ **autotélique** adj. Qui trouve en soi-même sa fin.

autotest n. m. Test que le sujet peut faire seul, en mesurant lui-même les résultats.

autotomie n. f. Amputation spontanée ou réflexe, accomplie par un animal sur lui-même. (Les ophiures détachent ainsi leurs bras ; les annélides polychètes, l'arrière de leur corps ; les arthropodes, leurs pattes ; le lézard, sa queue ; etc. La plaie ne saigne pas car la cicatrisation est comme préparée à l'avance. L'organe détaché peut même repousser. L'autotomie permet à l'animal d'éviter la capture et assure parfois la multiplication asexuée.)

autotransformateur n. m. Transformateur électrique dans lequel les enroulements primaire et secondaire ont des parties communes.

autotrempant adj. m. Se dit d'un alliage

dont la trempe se produit par un refroidissement normal à l'air libre.

autotrophe → AUTOTROPHIE.

autotrophie n. f. Mode de vie des êtres autotrophes. ◆ **autotrophe** adj. et n. m. Se dit d'un être vivant qui peut subsister dans un milieu entièrement minéral, sans rien prendre aux autres êtres. (C'est le cas des végétaux verts exposés à la lumière et de quelques bactéries.) [V. ASSIMILATION.]

Auto-Union, société allemande de construction automobile, fondée en 1932.

autour adv., **autour de** loc. prép.

sens	locution prépositive	adverbe
dans l'espace environnant	*La Terre tourne autour du Soleil.*	*De la viande avec des légumes autour.*
dans le voisinage	*Les gens qui vivent autour de nous.*	*Faites attention à ceux qui rôdent autour.*
environ, à peu près (emploi fam.)	*Posséder autour d'un million. Autour des années 20.*	

● loc. adv. ***tout autour,*** de tous côtés.

autour n. m. (lat. *accipiter,* épervier). Grand rapace diurne très voisin de l'épervier et très apprécié en fauconnerie. ◆ **autourserie** n. f. Art d'élever et de dresser les autours pour la chasse. ◆ **autoursier** n. m. Eleveur, dresseur d'autours et d'autres oiseaux de proie.

autovaccin n. m. Vaccin obtenu par la culture du microbe même qui a déterminé l'infection en évolution. ◆ **autovaccination** n. f. Vaccination par un autovaccin. || Vaccination spontanée sans intervention extérieure.

autovireur adj. Se dit des papiers photographiques à noircissement direct, dont la couche sensible contient également les sels nécessaires au virage. (Les papiers autovireurs se traitent généralement par simple passage dans un bain d'hyposulfite de sodium [fixage].)

Autrans, comm. de l'Isère (arr. de Grenoble), à 16 km au N. de Villard-de-Lans; 595 h. Centre touristique (station d'été et centre de sports d'hiver).

autre adj. indéf. (lat. *alter*). Distinct, différent : *On se voit d'un autre œil qu'on ne voit son prochain.* || Indique parfois qu'il y a non seulement différence, mais supériorité : *Richelieu était un bien autre homme que Mazarin.* || — REM. Lorsque le mot *autre* (ou *autrement*) amène après lui la conjonction *que* suivie d'un verbe, ce verbe doit être précédé de *ne* si la proposition principale à laquelle appartient *autre* (ou *autrement*) est affirmative : *Je l'ai trouvé tout autre qu'il n'était autrefois. Ne* n'apparaît pas si cette proposition est négative : *Il n'est pas autre qu'il paraît.* ● *Autre part,* dans un autre endroit, ailleurs. || *D'autre part,* d'un autre côté, d'un autre point de vue. || *L'autre jour,* un de ces jours derniers. || *L'autre vie,* vie de l'âme après sa séparation d'avec le corps. || *Nous autres, vous autres,* emploi familier par lequel on oppose, expressément ou de façon tacite, un groupe de personnes à un autre : *Nous autres, nous ne sommes pas de cet avis. Arrivez donc, vous autres!* || *Un autre jour, une autre fois,* plus tard. ✦ pron. indéf. (précédé en général de l'article ou d'un déterminatif). S'emploie avec ellipse du nom déjà exprimé dans le premier membre de la phrase : *Voilà mes arguments. J'en ai un autre que je tiens en réserve.* || S'emploie fréquemment par oppos. avec *l'un, l'une, les uns, les unes,* et quelquefois avec un substantif qui en tient la place : *Ce qui plaît à l'un ne plaît pas à l'autre.* ● *C'est l'un ou l'autre,* il faut prendre tel parti ou tel autre. || *C'est tout l'un ou tout l'autre,* il n'y a pas de milieu, c'est un extrême. || *Les autres,* autrui, le prochain. || *L'un l'autre, les uns les autres,* réciproquement : *Les victoires et les défaites s'effacent les unes les autres.* || *L'un dans l'autre,* en compensant l'un avec l'autre. || *Prendre l'un pour l'autre,* se méprendre sur les personnes ou les choses. || *Comme dit l'autre, comme dit cet autre* (Fam.), pour désigner l'auteur supposé à qui nous devons les proverbes et les dictons populaires : *Il faut, comme dit l'autre, souffrir ce qu'on ne peut éviter.* || *De part et d'autre,* des deux côtés, chez l'un comme chez l'autre. || *De temps à autre,* parfois, par intervalles. || *Il en sait bien d'autres,* des tours plus étonnants encore. || *Il n'en fait pas* (ou *jamais*) *d'autres,* se dit d'un homme qui vient de faire quelque sottise ou de commettre quelque étourderie, pour laisser entendre qu'il lui arrive souvent d'en faire de pareilles. || *L'un vaut l'autre,* il n'y a pas à choisir. (Se prend le plus souvent en mauvaise part.) || *Nous en verrons bien d'autres,* des choses plus extraordinaires ou plus pénibles. ||

Prendre quelqu'un pour un autre, se méprendre sur son caractère ou sur ses sentiments. ‖ *Un jour ou l'autre,* à une époque indéterminée, tout à fait incertaine. ✦ interj. *A d'autres!* (Fam.), allez raconter cela à d'autres, je n'y crois pas. ✦ n. m. *Philos.* Chez Platon, ce qui s'oppose à l'être, c'est-à-dire le non-être. ‖ Dans la philosophie existentialiste, l'ensemble des êtres qui ne sont pas le sujet et qui s'opposent à lui, créant divers états d'angoisse et de malaise qui détruisent sa liberté. ◆ **autrefois** adv. Au temps passé : *Il a eu autrefois une attitude à ton égard qu'il n'a pas conservée.* ◆ **autrement** adv. D'une autre façon : *Il agit autrement qu'il ne parle.* ‖ *Fam.* A un plus haut degré (indiquant un comparatif de supériorité) : *Son frère est autrement intelligent.* ‖ Dans le cas contraire, sinon, sans quoi : *Tenez vos engagements, autrement vous vous discréditerez.* ● *Autrement plus,* beaucoup plus (renforcement d'un comparatif) : *C'est autrement plus beau que ce que nous avons pu voir jusqu'ici.* ‖ *Pas autrement* (Fam.), guère : *Ça ne m'étonne pas autrement.* ◆ **autrui** pron. indéf. Les autres personnes humaines, en tant que nous les considérons comme personnes morales, dignes de notre respect et de notre dévouement : *Convoiter le bien d'autrui.* (Ne peut être que complément et ne s'emploie guère que dans les phrases sentencieuses.)

Autrey-lès-Gray, ch.-l. de c. de la Haute-Saône (arr. de Vesoul), à 8 km au N.-O. de Gray ; 482 h.

Autriche, en allem. **Osterreich,** république de l'Europe centrale ; 83 850 km² ; 7 530 000 h. (*Autrichiens*). Capit. *Vienne*. Langue : *allemand*. Religion : 89 p. 100 de *catholiques,* 6,2 p. 100 de *protestants*.

Géographie.

Près des trois quarts de l'Autriche s'étendent sur les Alpes, composées de plusieurs unités physiques orientées de l'E. à l'O. Le nord de la région montagneuse est formé par les chaînes des Préalpes, le plus souvent calcaires. A l'extrémité occidentale, le *Vorarlberg,* tourné vers la Suisse et l'Allemagne, est drainé par des affluents du Rhin ; il est relié au reste de l'Autriche par le col de l'Arlberg. Plus à l'E., les *Préalpes* dites *de Bavière,* dont l'Autriche possède la partie sud, s'étendent jusqu'à la percée de l'Inn ; le principal sommet est la Zugspitze (2 963 m). Les cols sont aisément praticables (Fernpass, 1 210 m ; Seefeldpass, 1 185 m ; Achenpass, 941 m). Vers l'E., entre l'Inn et l'Enns, se trouvent les sauvages montagnes calcaires des *Préalpes de Salzbourg* (Dachstein, 2 996 m). A l'E. de la vallée de l'Enns, les *Préalpes d'Autriche* s'abaissent lentement vers l'E. et s'achèvent au-dessus de Vienne par le *Wienerwald.*

Les chaînes préalpines sont limitées, au S., par les vallées longitudinales de grande ampleur ; la plus marquée est l'*Inntal* (vallée de l'Inn), qui forme une vaste plaine alluviale.

Ces vallées sont dominées par les chaînes centrales cristallines, qui portent de grands glaciers ; à l'O., l'Autriche possède le versant nord du Tyrol (Wildspitze, 3 774 m) ; vers l'E., les *Hautes Tauern* (*Hohe Tauern*) portent les sommets principaux de l'Autriche (Grossglockner, 3 796 m ; Alpes du Zillertal, ou Zillertaler Alpen, 3 510 m) ; plus à l'E. se trouvent les *Basses Tauern* (*Niedere Tauern*) [2 863 m au Hochgolling].

Au S. de ces massifs centraux se trouve la vallée de la Drave, qui s'élargit en une vaste

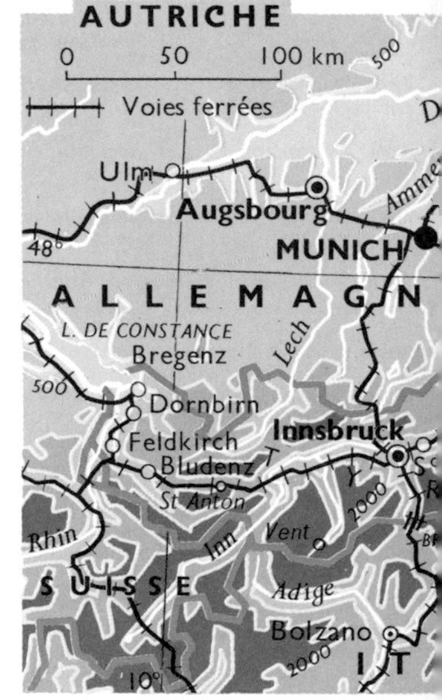

plaine intérieure, le *bassin de Klagenfurt.* Les *Préalpes du Sud* sont formées par les *Alpes du Gailtal* (2 371 m) [*Gailtaler Alpen*], les *Alpes Carniques* (2 199 m) et le *massif de Karawanken* (2 559 m), caractérisé par des reliefs de failles et des reliefs dus à des phénomènes volcaniques.

L'Autriche danubienne, au N. des Alpes, est formée par une série de plaines ; larges vers l'O., elles sont rétrécies vers l'E. par la retombée méridionale du massif de Bohême et s'élargissent à nouveau dans la région de Vienne. Avec la plaine du Burgenland, en partie occupée par le lac de Neusiedl, l'Autriche possède une petite partie de la grande plaine hongroise.

● *Le climat.* L'Autriche est soumise au

climat continental. Les Préalpes sont fort pluvieuses, froides. En revanche, les grandes vallées, bien abritées, ont des étés chauds et des printemps précoces. Toutefois, dans les bassins, l'inversion de température peut déterminer des périodes très froides pendant l'hiver. Les bordures de la plaine hongroise sont particulièrement sèches, mais les hivers y sont assez doux.

● *L'économie.* Les régions montagneuses sont les moins fortement peuplées, encore qu'une vie industrielle et minière assez active soit à l'origine de centres de fort peuplement en Styrie et dans le Vorarlberg. L'économie de l'Autriche avait été gravement perturbée par l'effondrement de l'Empire austro-hongrois en 1918 et par les conséquences de la Seconde Guerre mondiale. Depuis la fin du conflit, elle connaît un développement notable.

L'agriculture occupe moins de 10 p. 100 de la population active et couvre 70 p. 100 des besoins du pays. La polyculture traditionnelle reste prédominante ; le troupeau bovin compte 2,5 millions de têtes.

L'industrie occupe 40 p. 100 de la population active ; l'industrie lourde est relativement importante (5 millions de tonnes d'acier). L'Autriche possède des ressources énergétiques et minérales variées, mais généralement

PROVINCES	SUPERFICIE EN KM²	NOMBRE D'HAB.	CAPITALE
Autriche (Basse-)	19 170	1 439 600	*Vienne*
Autriche (Haute-)	11 978	1 274 300	*Linz*
Burgenland	3 965	272 600	*Eisenstadt*
Carinthie	9 534	537 200	*Klagenfurt*
Salzbourg	7 155	442 500	*Salzbourg*
Styrie	16 384	1 184 200	*Graz*
Tyrol	12 647	586 300	*Innsbruck*
Vorarlberg	2 602	306 600	*Bregenz*
Vienne	414	1 517 600	

VILLES PRINCIPALES : *Vienne, Graz, Linz, Salzbourg, Innsbruck, Klagenfurt, Wels.*

peu abondantes : houille et lignite (région de Vienne), cuivre, plomb, zinc, bauxite, sel et surtout fer (Eisenerz, près de Leoben), gisement de pétrole (1,3 million de tonnes). Les principaux centres sidérurgiques se trouvent autour de Donawitz et de Linz. Les constructions mécaniques se concentrent dans la région de Vienne et de Graz. Parmi les textiles, l'industrie cotonnière du Vorarlberg et l'industrie lainière du Tyrol sont particulièrement actives.
L'équipement hôtelier, en plein essor, a permis de développer le tourisme.
L'essentiel de l'activité économique se concentre dans le nord et dans l'est du pays. L'Autriche exporte des minerais et du bois.

Serraillier - Rapho

le Grossglockner

Histoire.

● *Des origines au XIVᵉ s.* Très anciennement peuplés, les territoires qui ont constitué l'Autriche ont été occupés par Rome avant l'ère chrétienne (provinces de Rhétie, Norique et Pannonie) ; les camps des légions romaines furent à l'origine des villes principales du pays, Vindobona (Vienne), Colonia Hadriana (Salzbourg), Lentia (Linz). Ces territoires furent ravagés par les Barbares, notamment par les Avars, dont l'empire (VIIᵉ-VIIIᵉ s.) fut brisé par Charlemagne (791-805). Ce dernier, en 803, forma la marche de l'Est (Ostmark), chargée de protéger l'Empire carolingien. Ce ne fut pourtant qu'en 996 qu'apparut l'expression « Ostarrichi » (Österreich = Autriche). Un moment submergée par les Hongrois (Xᵉ s.), la marche fut attribuée en 976 à la maison de Babenberg, qui la conserva à titre héréditaire pendant trois siècles.
Les Babenberg étendirent l'Autriche jusqu'à la Leitha et prirent Vienne comme capitale ; en 1156, la marche devint duché héréditaire. Tout en s'enrichissant par le commerce avec l'Italie et l'Orient, les Babenberg étendirent leur domination sur la Styrie et sur une partie de la Carniole. Le duc Frédéric le Belliqueux, qui s'était révolté contre l'empereur Frédéric II, fut mis au ban de l'Empire en 1236 ; Vienne fut déclarée ville impériale. Mais Frédéric reconquit sa capitale, aux portes de laquelle s'arrêtèrent les Mongols (1241). Peu après la mort de Frédéric (1246), tué au cours d'une guerre contre les Hongrois, l'Autriche passa sous l'autorité d'Otakar II, roi de Bohême, qui fut vaincu en 1278 au Marchfeld par Rodolphe de Habsbourg, empereur depuis 1273. Désormais, le sort de l'Autriche sera confondu avec celui des Habsbourg qui, par d'habiles combinaisons, et servis par les circonstances, développeront considérablement leurs territoires et leur influence.
● *L'Autriche des Habsbourg et l'Empire.* Au XIVᵉ s., la Carinthie et le Tyrol devinrent définitivement autrichiens. Un moment menacé par le partage de leur famille en deux branches (léopoldine, albertine), l'héritage des Habsbourg fut reconstitué par Frédéric III de Styrie en 1440. Le fils de ce dernier, Maximilien Iᵉʳ (1493-1519), hérita à la fois de tous ces territoires et de la couronne impériale, restée dans la famille depuis l'élection d'Albert en 1438. Maximilien Iᵉʳ fonda la puissance de la maison d'Autriche en exploitant les ressources minières des Etats héréditaires et en dotant ceux-ci d'institutions solides, dont les trois principaux éléments furent : le *Hofrat,* ou Conseil aulique, la *Hofkammer,* ou Chambre aulique (Finances), la *Hofkanzlei,* ou chancellerie. Par ailleurs, par son mariage, en 1477, avec Marie de Bourgogne, fille de Charles le Téméraire, Maximilien avait hérité de la Franche-Comté et des Pays-Bas ; par l'union de son fils unique, Philippe le Beau, avec Jeanne la Folle, héritière d'Espagne, il jeta les bases du futur empire de Charles Quint ; enfin, par le double mariage (1515) de ses petits-enfants Ferdinand et Marie avec les enfants du roi de Hongrie et de Bohême, Ladislas VII Jagellon III, il prépara l'héritage de ces deux royaumes : en effet, Louis II ayant été tué à Mohács (1526), les couronnes de Hongrie et de Bohême passèrent à titre personnel à Ferdinand, frère cadet de Charles Quint : celui-ci lui avait déjà abandonné (1522) les domaines autrichiens. Rempart de la chrétienté en face de l'islām turc, la maison d'Autriche tira un prestige nouveau de cette situation. En 1529, les Turcs échouèrent devant Vienne ; en 1664, l'offensive turque à Saint-Gotthard fut brisée par Léopold Iᵉʳ ; en 1683, Jean Sobieski arrêta les Turcs aux portes de Vienne, au Kahlenberg ; en 1697, la victoire du Prince Eugène au pont de Zenta obligea le Sultan à céder successivement à l'Autriche presque toute la Hongrie et la Transylvanie (traité de Karlowitz, 1699) ; en 1718, la paix de Passarowitz reconnut à

'ier-Rapho

le Wolfgangsee

Serraillier-Rapho

massif du Hochgolling

l'Autriche une partie de la Valachie et de la Serbie.

Parallèlement, la maison d'Autriche lutta contre la Réforme. Les infiltrations luthériennes dans les Etats héréditaires furent colmatées grâce surtout à l'installation des jésuites (1551). L'Empereur Ferdinand II (1619-1637) se fit le champion de la Contre-Réforme : il écrasa les Tchèques à la Montagne Blanche (1620), mais la guerre de Trente Ans se solda, en fait, par un échec très net des Habsbourg en Allemagne. Ferdinand III (1637-1657) dut renoncer, à la suite des traités de Westphalie (1648), à restaurer, avec l'unité religieuse, la toute-puissance de l'Empereur. Cependant, la lutte contre les protestants fortifia le sentiment national des Autrichiens.

La maison d'Autriche participa contre la France aux guerres de Hollande (1672-1679), de la ligue d'Augsbourg (1686-1697) et de la Succession d'Espagne (1701-1714). C'est Charles VI (1711-1740) qui en tira le meilleur bénéfice, en acquérant (traité de Rastatt, 1714) les Pays-Bas, le Milanais, Naples et la Sardaigne.

Le XVIIIe s. vit l'apogée de la maison d'Autriche. L'exploitation économique des territoires autrichiens fut poussée : construction de routes, mise en valeur des terres incultes restituées par les Ottomans, création de compagnies de commerce. L'indivisibilité des Etats autrichiens fut affirmée par la *Pragmatique Sanction* (1713), mais l'insuffisance des garanties entraîna la guerre de la Succession d'Autriche (1740), qui se termina par le traité d'Aix-la-Chapelle ; Marie-Thérèse (1740-1780) sauva l'essentiel de l'héritage des Habsbourg. Cette souveraine travailla aussi à la réorganisation de l'armée, mais elle se heurta aux ambitions de la Prusse, qui, après la guerre de Sept Ans, conserva la Silésie ; par contre, le premier partage de la Pologne lui valut l'acquisition de la Galicie (1772) ; le traité de Kutchuk-Kaïnardji (1774) lui donna la Bucovine. A l'intérieur des territoires héréditaires, Marie-Thérèse poursuivit une politique de centralisation et de germanisation ; la bureaucratie autrichienne sera durant deux siècles l'un des piliers du régime.

Le fils et successeur de Marie-Thérèse, Joseph II (1780-1790) — corégent dès 1765 — fut un « despote éclairé ». Il abolit le servage et favorisa l'expansion industrielle et commerciale. D'autre part, il uniformisa les divisions administratives, centralisa l'administration et germanisa la culture ; s'il se montra tolérant à l'égard des non-catholiques, il prétendit organiser strictement l'Eglise catholique autrichienne (*joséphisme*) dans un sens bureaucratique et janséniste. Cette politique mécontenta gravement les Hongrois et surtout les Belges (révolte des Pays-Bas en 1789). De 1791 (déclaration de

Hallstatt

Everts-Rapho

Serraillier - Rapho

Salzbourg

Pillnitz) au congrès de Vienne (1814-1815), toute l'activité de l'Autriche fut dirigée vers la lutte contre la France révolutionnaire et impériale (règnes de Léopold II [1790-1792] et de François II [1792-1835]). L'Autriche participa à toutes les coalitions (sauf à la quatrième [1806-1807]). Vaincue presque constamment, elle dut signer les traités de Campoformio (1797), Lunéville (1801), Presbourg (1805), Vienne (1809) ; chaque fois son territoire fut diminué. En 1806, François II dut renoncer à la couronne du Saint Empire (celui-ci étant supprimé par Napoléon) et se contenter du titre de François Ier d'Autriche. Le mariage de Marie-Louise, fille de François Ier, avec l'empereur des Français (1810) ne fut qu'une combinaison politique du chancelier d'Autriche Metternich. En 1813, ce dernier reconstitua une coalition antifrançaise, qui aboutit à l'invasion de la France et à la chute de Napoléon (1814). Au congrès de Vienne (1814-1815), l'Autriche recouvra la plupart de ses anciens territoires et obtint une situation prépondérante en Italie.

De 1815 à 1848, l'Autriche de François Ier († 1835) et de Ferdinand Ier (1835-1848) — en fait, l'Autriche de Metternich — fut l'arbitre de l'Europe et la gardienne de la réaction antilibérale. La Sainte-Alliance et surtout la Quadruple-Alliance (1815) permirent aux congrès réunis sur l'initiative autrichienne d'écraser tous les mouvements libéraux (Italie, Allemagne, Espagne). A l'intérieur de l'Empire, les mouvements nationalistes (Lombardie, Bohême, Hongrie, Pologne) furent brisés par la violence ; par ailleurs, aucune réforme ne vint satisfaire la bourgeoisie montante.

Cette politique réactionnaire provoqua la révolution de 1848 : Ferdinand Ier abdiqua en faveur de son neveu François-Joseph ; Metternich, en fuite, fut remplacé par Schwarzenberg. A Vienne, la révolution libérale obtint des concessions (constitution libérale), qui furent presque tout de suite rapportées. A Prague, à Vienne, dans le royaume lombard-vénitien, la révolution fut écrasée assez facilement. En Hongrie, où l'indépendance avait été proclamée par Kossuth, il fallut faire appel aux Russes, qui battirent les Hongrois à Világos (1849).

François-Joseph Ier (1848-1916), s'appuyant sur Schwarzenberg († 1852), puis sur Bach (1852-1859), pratiqua d'abord une politique réactionnaire. Le centralisme administratif, l'action de la police, l'appui du clergé furent constamment favorisés. Cependant, après les défaites autrichiennes devant les Français et les Sardes en Italie (1859), l'empereur proclama le *Diplôme d'octobre* (1860), qui instituait un début de fédéralisme et un régime libéral. Devant l'opposition des Hongrois, la patente du 26 février 1861 rétablit une Constitution avec un *Reichsrat ;* mais les députés des diverses nationalités s'en exclurent rapidement et la Constitution fut déclarée « suspendue » (1865).

armoiries de l'**Autriche**

Engagé dans la guerre des Duchés (1864) par la Prusse, qui désirait exclure l'Autriche de la Confédération germanique, François-Joseph dut bientôt se battre contre les Prussiens, qui furent victorieux à Sadowa (1866) ; la paix de Vienne, qui s'ensuivit, amena l'effacement définitif des Habsbourg en Allemagne et donna la Vénétie à l'Italie. Cette humiliation, en renforçant l'opposition hongroise, amena François-Joseph à transformer le système unitaire en un *compromis* austro-hongrois (1867).

● *La monarchie austro-hongroise (1867-1918).* L'Autriche-Hongrie fut désormais une double monarchie avec un souverain unique (François-Joseph) ; les deux Etats, Autriche

Vienne
le Parlement

Cladel

et Hongrie, furent égaux et possédèrent leur système politique propre, avec quelques ministères communs (Affaires étrangères, Guerre, Finances) et deux délégations siégeant alternativement à Vienne et à Buda. La Constitution autrichienne accordée en décembre 1867 était assez libérale. Mais, très vite, les minorités autres que la hongroise (Tchèques, Slovaques, Serbes, Croates, Roumains, Italiens) manifestèrent leurs revendications autonomistes. En face des problèmes posés par la diversité des populations, le gouvernement autrichien évolua entre la tendance centraliste d'Auersperg (1868-1878) et la politique fédéraliste de Taaffe (1879-1893), faite d'ailleurs d'expédients. A partir de 1893, on assiste à la croissance de partis nés du développement économique : aux *chrétiens-sociaux* s'opposent les *nationalistes* allemands, anticléricaux et antisémites, tandis que progresse le *parti social-démocrate,* qui appuie les revendications des nationalités. A l'extérieur, François-Joseph est de plus en plus « le brillant second » de l'empereur d'Allemagne ; l'alliance austro-allemande (*Duplice*) est le noyau d'une alliance plus vaste (avec l'Italie : *Triplice,* 1882), dirigée d'abord contre la France. Cependant, parallèlement au rapprochement franco-russe, se dessine un antagonisme austro-russe, qui s'alimente dans les Balkans. La crise internationale, aggravée par l'antagonisme franco-allemand, se développe à partir de 1905 ; L'annexion par l'Autriche de la Bosnie-Herzégovine (1908) entraîne les protestations de la Russie et de la Serbie. L'assassinat de l'archiduc héritier François-Ferdinand à Sarajevo, le 28 juin 1914, donne le signal d'une guerre mondiale qui, à l'origine, est austro-serbe. Après quatre ans de lutte contre les Russes et contre les Italiens surtout, l'empire d'Autriche-Hongrie, vaincu, s'effondre et se disloque (v. GUERRE MONDIALE [*Première*]). Charles Ier, successeur de son grand-oncle François-Joseph († 1916), a beau transformer l'Autriche en un Etat fédéral (1918), les traités de Saint-Germain (1919) et de Trianon (1920) sanctionnent la disparition de l'Empire des Habsbourg et reconnaissent l'existence des Etats nationaux qui en sont issus.

● *La république d'Autriche (1918-1938).* Le 12 novembre 1918, la République autrichienne est proclamée ; les biens des Habsbourg sont nationalisés. La Constitution du 1er octobre 1920 crée un Etat fédéral formé de neuf *Länder,* autonomes sur le plan administratif ; deux assemblées (Conseil national, élu au suffrage universel, et Conseil fédéral) se partagent le pouvoir législatif. De 1920 à 1938, les chrétiens-sociaux sont au pouvoir ; sauf Schober (1921-1922 et 1929-1930), tous les chanceliers (Seipel, 1922-1924 et 1926-1929 ; Dollfuss, 1932-1934 ; Schuschnigg, 1934-1938) appartiendront à ce parti. Economiquement, l'Autriche, très réduite territorialement, lutte vainement contre l'inflation : les socialistes organisent des émeutes populaires qui sont durement réprimées (1934), et les nazis, partisans de l'*Anschluss,* rendent le gouvernement du pays de plus en plus difficile.

● *L'Anschluss.* Après l'assassinat de Dollfuss par les nazis (1934), le chancelier Schuschnigg est incapable de s'opposer à l'ultimatum de Hitler (12 févr. 1938) exigeant l'entrée des nazis au gouvernement, puis à l'occupation par eux de l'Autriche ; le 15 mars 1938, l'*Anschluss* est accompli : l'Autriche n'est plus qu'une province du IIIe Reich, l'Ostmark, ou marche de l'Est. L'Ostmark est administrée par un gouverneur (Statthalter) qui dépend directement de Berlin. Un plébiscite « organisé » par les nazis ratifie l'Anschluss par plus de 99 % des voix. Certes, les opposants avaient été arrêtés massivement, mais, même si les résultats ont été scandaleusement truqués, l'Allemagne a profité en 1938 du soutien de la hiérarchie de l'Église et d'une certaine sympathie d'une partie de la population. L'amalgame austro-allemand est pratiqué dans l'Administration et dans l'armée, le plus souvent au profit des Allemands. L'économie connaît un certain essor.

● *La république d'Autriche depuis 1945.* En 1945, l'Autriche est envahie et occupée par les Russes et leurs alliés occidentaux. Le gouvernement Renner négocie avec les Alliés, et le 15 mai 1955 est signé un traité d'Etat par lequel les puissances occupantes s'engagent à évacuer le territoire autrichien et à en respecter l'intégrité et la neutralité. Jusqu'en 1966, la vie politique autrichienne a eu comme fondement la coalition des deux grands partis (*parti populiste,* catholique, et *parti socialiste*) au sein du gouvernement. Selon une tradition établie, la présidence de la République a été assumée par un socialiste (Renner, Körner, Schärf, Jonas et, depuis 1974, Kirschläger), tandis que la chancellerie était un fief populiste (Figl, Raab, Gorbach, Klaus). Les gouvernements successifs se sont efforcés, vainement jusqu'ici, d'intégrer leur pays dans la Communauté européenne, arguant du caractère purement militaire du statut de neutralité de l'Autriche. Par ailleurs, à partir surtout de 1959, l'agitation régnant parmi les éléments germaniques du Tyrol autrichien — agitation orchestrée en Autriche même — a aggravé la tension austro-italienne. Le bipartisme n'a pas résisté à ces épreuves, et le cabinet Klaus a été, en 1966, formé uniquement de ministres populistes. En 1970, le socialiste Bruno Kreisky devient chancelier. Il donne une image nouvelle de son pays et sera quatre fois prébiscité par le suffrage universel. Mais, au lendemain des élections législatives (24 avril 1983), le parti socialiste ayant perdu la majorité absolue, Kreisky abandonne le pouvoir. Il est remplacé par Fred Sinowatz.

Littérature.

Jusque vers la fin du XVIIIe s., la littérature autrichienne ne se distingue pas de la littérature allemande. Le développement du style baroque, favorisé par la Contre-Réforme, aboutit à créer une littérature spécifiquement autrichienne, dont les représentants tiennent une place importante dans l'évolution de la littérature de langue allemande. Le théâtre de Fr. Grillparzer (1791-1872), la poésie de N. Lenau (1802-1850) révèlent un romantisme plus proche de l'école française que du mouvement romantique allemand. Au contraire, A. Stifter (1805-1868), né dans la partie sudète de l'Autriche, est considéré comme un des principaux romanciers de langue allemande, surtout avec son *Eté de la Saint-Martin* (1857). A la fin du XIXe s., A. Schnitzler (1862-1931), impressionniste et décadent, prépare de nouvelles voies à la littérature autrichienne. Ce renouvellement est accompli dans la poésie par R. M. Rilke (1875-1926), et par H. von Hofmannsthal (1874-1929), grand poète et grand prosateur.

Le XXe siècle voit s'épanouir une littérature qui, tout en prenant appui sur une peinture réaliste de la société austro-hongroise, s'interroge sur la nature de la création esthétique et ses rapports avec la connaissance objective : K. Kraus (1874-1936), R. von Musil (1880-1942), H. Broch (1886-1951), Heimito von Doderer (1896-1966), F. Kafka (1883-1924). Cette tradition romanesque se poursuit à travers Stefan Zweig (1881-1942) et G. Saiko (1892-1962) jusqu'à F. Habeck (né en 1916), H. Zand (né en 1923), Ilse Aichinger (née en 1921), tandis que A. Okopenko (né en 1930) et Th. Bernhard (né en 1931) font de la dislocation de la réalité et de la syntaxe quotidiennes un somptueux exercice de style.

La poésie passe de l'angoisse expressionniste et visionnaire héritée de G. Trakl (1887-1914) au surréalisme (P. Celan, 1920-1970) et à la « poésie concrète ». L'influence de Wittgenstein et du « cercle de Vienne » se fait sentir sur les poètes du « Wiener Gruppe » comme H. C. Artmann (né en 1921), G. Rühm (né en 1930), K. K. Bayer (1932-1964), et sur les membres du « Forum Stadtpark » réunis autour d'A. Kolleritsch (né en 1931).

Le théâtre, longtemps dominé par les personnalités de F. T. Csokor (1885-1969) et Fr. Werfel (1890-1945), a retrouvé avec Fr. Hochwälder (né en 1911) et Peter Handke (né en 1942) une vigueur toute particulière.

Beaux-Arts.

V. ALLEMAGNE (*Beaux-Arts*).

Autriche (GUERRE DE SUCCESSION D'). V. SUCCESSION D'AUTRICHE (*guerre de*).

Autriche-Hongrie, Austro-Hongrie ou **Empire austro-hongrois,** ancien Etat de l'Europe centrale, issu du « compromis » austro-hongrois de 1867. Il se disloqua en 1919. (V. AUTRICHE.)

autrichien, enne adj. et n. Relatif à l'Autriche ; habitant ou originaire de ce pays. ● *Ecole autrichienne,* V. MARGINALISME. ‖ *Méthode autrichienne,* V. TUNNEL.

autruche n. f. (lat. pop. *avis struthio ;* du gr. *strouthos*). Très grand oiseau coureur de l'Afrique chaude, au plumage recherché (haut. 2,60 m; poids 100 kg; longévité 50 ans). [V. *encycl.*] ● *Autruche d'Amérique,* nom que l'on donne quelquefois au *nandou.* ‖ *Avoir un estomac d'autruche* (Fam.), se dit

Dragesco - Atlas-Photo

autruche

d'un grand mangeur, parce que l'autruche ingère les objets les plus divers. || *Pratiquer la politique de l'autruche* (Fam.), s'imaginer qu'un danger est supprimé quand on ne l'affronte pas, à la manière de l'autruche qui, selon la légende, croit supprimer le danger en enfouissant sa tête dans le sable. ◆ **autrucherie** n. f. Ferme d'élevage des autruches. ◆ **autruchon** n. m. Petit de l'autruche.
— ENCYCL. ***autruche***. L'autruche doit sa course rapide (40 km à l'heure) à ses pattes au métatarse très allongé, terminées par deux doigts seulement, munis de sortes de sabots. Les ailes, au contraire, sont réduites et impropres au vol. La tête, portée par un long cou, est petite et aplatie. Le plumage, volumineux et léger, était très recherché pour la mode jusqu'en 1914. L'autruche vit dans des steppes arides et s'y nourrit de tout ce qu'elle y trouve. Elle pond ses œufs dans le sable, et le mâle seul assure une incubation sommaire. L'œuf pèse 1 500 g environ.

autrucherie, autruchon → AUTRUCHE.

autrui → AUTRE.

Autun, ch.-l. d'arr. de Saône-et-Loire, sur l'Arroux, à 28 km au N.-O. du Creusot; 22 156 h. (*Autunois*). Evêché. École militaire préparatoire. Centre industriel important : fabriques de machines-outils, de chaussures; industries textiles; bonneterie. Patrie de saint Germain, évêque de Paris, Louis III l'Aveugle, Pierre Jeannin, Changarnier.

● *Histoire*. Capitale des Eduens, Autun devint, après la conquête romaine, la résidence du préfet des Gaules. Elle fut une des premières communautés chrétiennes en Gaule. Le sac de la ville par Tetricus en 269 lui fit perdre son rayonnement intellectuel et économique. Détruite par les invasions barbares, la ville fut restaurée à la fin du IXe s. et au début du Xe s. Pendant la guerre de Cent Ans, en 1379, elle fut incendiée par les Anglais.

● *Beaux-arts*. Autun est riche en vestiges gallo-romains (enceinte, théâtre, amphithéâtre, aqueduc et, hors de la ville, le monument dit « temple de Janus »); le musée Rolin conserve la *Nativité* du Maître de Moulins et des objets provenant des fouilles du mont Beuvray (Bibracte). L'art roman est

Autun : *à gauche,* temple de Janus
à droite, la cathédrale

Lapic - Photothèque française

représenté par la cathédrale Saint-Lazare (1120-1132 ; portail du *Jugement dernier,* chapiteaux) ; le XVe s., par l'hôtel du chancelier Rolin ; le XVIIIe s., par le palais épiscopal.

autunien, enne adj. et n. m. Se dit de l'étage inférieur du permien, entre le saxonien et le stéphanien.

autunite n. f. Phosphate naturel d'uranium et de calcium, en cristaux quadratiques jaunes, dont il existe un gisement près d'Autun. (Syn. URANITE.)

Autunois, région du Massif central (Saône-et-Loire), entre le Morvan et les monts du Charolais, au N.-O. de la dépression du Creusot. Pays d'élevage. Petit bassin houiller à Epinac-les-Mines.

Auvelais, anc. comm. de Belgique (prov. de

Fé[illegible]er

Clermont-Ferrand au fond le puy de Dôme

Danèse - Rapho

château de Cordès

Namur, arr. et à 22 km à l'O. de Namur), auj. réunie à Basse-Sambre.

auvent n. m. (orig. celt.). Petit toit en saillie, servant à garantir de la pluie une porte, une fenêtre, un pare-brise, etc. || Abri placé en haut d'un mur d'espalier pour le protéger du vent. || Avancée de toile destinée à protéger l'entrée d'une tente.

auvergnat, e adj. et n. Relatif à l'Auvergne ; habitant ou originaire de cette région. || — ***auvergnat*** n. m. Dialecte de langue d'oc, parlé en Auvergne. ◆ **auverpin** n. m. *Arg.* Auvergnat. || Charbonnier, commissionnaire, parce que les Auvergnats exercent souvent ces professions à Paris.

église d'Orcival
Féher

Auvergne, région historique du Massif central français, s'étendant sur les départements du Cantal, du Puy-de-Dôme et sur une partie de la Haute-Loire et de la Creuse.

Géographie.

L'Auvergne comprend, d'O. en E., quatre régions naturelles : 1° Formant transition avec le Limousin, des plateaux cristallins, entaillés par les gorges de la Sioule et de ses affluents. C'est une région où les cultures de céréales ont été améliorées grâce au chaulage des terres, mais où prédomine encore l'élevage ; 2° De grands massifs volcaniques qui s'alignent le long de fractures orientées N.-S. (chaîne des Puys [puy de Dôme, 1 465 m], monts Dore [puy de Sancy, point culminant du Massif central, 1 886 m]), et, au S., le grand massif du Cantal (1 858 m), séparé des monts Dore par les plateaux du Cézallier. La région, au climat rude, est auj. essentiellement orientée vers l'élevage (bovins transhumants) et vers le thermalisme ; 3° La Limagne, fossé d'effondrement qui se prolonge vers le S. par des bassins plus petits, reliés les uns aux autres par l'Allier. C'est un riche pays agricole (blé, betterave, vigne, élevage bovin) qui rassemble l'essentiel du peuplement auvergnat et les principales industries (Clermont-Ferrand) ; 4° A l'E., et du N. vers le S., les monts du Livradois (1 210 m) et du Forez (1 640 m à Pierre-sur-Haute).

Principaux événements historiques.

● ***Antiquité.***

52 av. J.-C. Vercingétorix, roi des Arvernes, est vaincu à Alésia. L'Auvergne est rattachée à la province romaine d'Aquitaine.

début du VIe s. Après la bataille de Vouillé, élimination des Wisigoths et invasion des Francs, qui pillent l'Auvergne.

● ***Epoques mérovingienne et carolingienne.***

761. Pépin le Bref reconquiert l'Auvergne.

778. L'Auvergne est rattachée au royaume d'Aquitaine, dont elle forme un comté.

seconde moitié du IXe s.-918. Série de luttes pour la possession de l'Auvergne entre Pépin II, soutenu par les grands d'Aquitaine, et Charles le Chauve. Guillaume le Pieux, comte d'Auvergne (885-918), meurt sans héritier : début des partages de l'Auvergne.

Xe s. - XIe s. L'Auvergne passe en 934 à Guillaume Tête d'Etoupe, comte de Poitiers, puis à Raymond Pons de Toulouse (936), puis de nouveau à Guillaume Tête d'Etoupe. Ses successeurs délèguent leur autorité à des vicomtes. L'un de ceux-ci, Gui, vicomte de Clermont, prend le titre comtal (980) et inaugure une nouvelle dynastie. Le morcellement territorial s'accentue.

v. 1155. Mort du comte Robert III. Querelle d'héritage entre Guillaume VIII, frère de Robert III, et Guillaume VII le Jeune, fils de Robert III. Elle aboutit à la division du comté et à la création du *Dauphiné d'Auvergne* (du nom de Dauphin, fils de Guillaume VII).

• *Le morcellement féodal et ses conséquences.*

1212/1213. Intervention de Philippe Auguste en Auvergne.

XIIIe s. L'Auvergne est divisée en quatre domaines :

1° La TERRE D'AUVERGNE, puis DUCHÉ D'AUVERGNE.

1226. Le testament de Louis VIII l'attribue à son quatrième fils, Alphonse de Poitiers, qui la reçoit en apanage de son frère Saint Louis en 1241 et qui la conserve jusqu'à sa mort; elle revient alors à la Couronne (1271).

1360. Jean le Bon en fait un duché pour son troisième fils, Jean de France, duc de Berry.

1416. A la mort de Jean, duc de Berry, le duché passe à sa fille Marie, femme du duc Jean de Bourbon, et devient ainsi possession de la maison de Bourbon.

1505. Suzanne de Bourbon, qui possède le duché, épouse le connétable Charles de Bourbon, lui-même possesseur du Dauphiné d'Auvergne et du comté de Montpensier.

1527. Le duché est uni au domaine royal.

2° Le COMTÉ D'AUVERGNE.

1212/1213. Philippe Auguste unit la plus grande partie du comté au domaine royal. Il en confie la garde au sire de Bourbon, Gui de Dampierre.

1524. Après la mort du dernier comte, Jean III (1501), il revient à la petite-fille de celui-ci, Catherine de Médicis.

1606. Le comté échoit, par arrêt du parlement, à Marguerite de France, qui en fait don au futur roi Louis XIII.

1651. A la suite d'un échange imposé par Louis XIV, le comté revient à la famille de La Tour d'Auvergne, qui le garde jusqu'en 1789.

3° Le COMTÉ ÉPISCOPAL DE CLERMONT.

1254. Une sentence royale établit le domaine qui dépend de l'évêché de Clermont.

1551-1557. Catherine de Médicis obtient qu'il soit joint au comté d'Auvergne, dont il suit désormais le sort.

4° Le DAUPHINÉ D'AUVERGNE.

1452. Louis Ier de Bourbon, comte de Montpensier, qui a épousé Jeanne, dauphine d'Auvergne († 1436), reçoit le dauphiné d'Auvergne.

1527. Le dauphiné et le comté de Montpensier sont confisqués au profit de Louise de Savoie, mère de François Ier, à la suite de la « trahison » du connétable Charles III de Bourbon.

1538. Louise de Bourbon, sœur du connétable, reçoit le dauphiné, ainsi que le comté de Montpensier, qui devient duché l'année suivante.

1693. La duchesse de Montpensier, « la Grande Mademoiselle », le lègue à la Couronne.

• *La Renaissance et les Temps modernes.*

XVIe s. Introduction de la Réforme. Issoire, devenu centre protestant, reçoit la liberté de culte (1562). Enjeu des guerres de Religion, la ville est finalement reprise par les catholiques (1577).

1629. Richelieu fait raser les forteresses de l'Auvergne.

1665/1666. Contre la reprise des pillages par les féodaux, hostiles à Louis XIV, institution de tribunaux exceptionnels, *les Grands Jours d'Auvergne*. L'Auvergne est alors définitivement rattachée au royaume.

L'art en Auvergne.

Art préhistorique.

PUY-DE-DÔME : dolmens et menhirs à **Saint-Nectaire;** menhir à **Davayat.**

Art gallo-romain.

PUY-DE-DÔME : temple de Mercure au sommet du **puy de Dôme;** thermes à **Royat;** collections du musée Bargoin à **Clermont-Ferrand.**

Art préroman.

PUY-DE-DÔME : narthex de l'église Notre-Dame à **Chamalières.**

Art roman.

A l'époque romane, on assiste à une véritable floraison de très belles églises, dont les caractéristiques sont généralement les suivantes : la nef, souvent précédée d'un narthex, est voûtée d'un berceau en plein cintre sans doubleaux, et démunie de fenêtres; les bas-côtés sont parfois surmontés de tribunes; un chœur droit précède l'abside, qui est entourée d'un étroit déambulatoire et de chapelles rayonnantes. Il faut, enfin, signaler les chapiteaux historiés, les linteaux en bâtière et les décors extérieurs de mosaïques.

PUY-DE-DÔME : églises Notre-Dame-du-Port à **Clermont-Ferrand,** d'**Orcival,** Saint-Paul (chapiteaux) à **Issoire,** Saint-André (nef et chapiteaux) à **Besse-en-Chandesse,** de

Saint-Nectaire (chapiteaux, reliquaire de Saint-Baudime), de **Royat,** de **Mozac,** de **Saint-Saturnin,** d'**Ennezat,** de **Chauriat,** Saint-Amable à **Riom,** Saint-Genès à **Thiers,** de **Courpière,** de **Menat.**

CANTAL : églises Notre-Dame-des-Miracles à **Mauriac,** de Bredons (près de **Murat**), de **Saint-Urcize,** de **Saignes,** de **Saint-Cernin,** d'**Ydes.**

HAUTE-LOIRE : église Saint-Julien à **Brioude.**

CREUSE : église de **Chambon-sur-Voueize.**

Art gothique.

• *Architecture religieuse.*

PUY-DE-DÔME : cathédrale Notre-Dame à **Clermont-Ferrand ;** Notre-Dame-du-Marthuret, avec la célèbre « Vierge à l'oiseau », à **Riom ;** Notre-Dame à **Montferrand ;** Sainte-Martine à **Pont-du-Château ;** sainte-chapelle et église Notre-Dame à **Aigueperse ;** églises de **Vic-le-Comte** et d'**Ambert.**

CANTAL : cathédrale de **Saint-Flour,** église du Saint-Sépulcre à **Salers.**

HAUTE-LOIRE : église Saint-Robert, ancienne abbatiale (XIVe s.), à **La Chaise-Dieu.**

• *Architecture féodale.*

Les châteaux féodaux sont, pour la plupart aujourd'hui, d'imposantes ruines.

PUY-DE-DÔME : châteaux de **Murol,** de Cordès, près d'**Orcival,** de **Nonette.**

CANTAL : châteaux d'**Apchon,** d'Anjony (près de **Saint-Cernin**), d'**Alleuze ;** restes de l'enceinte de **Salers.**

• *Peinture.*

PUY-DE-DÔME : fresques de la cathédrale de **Clermont-Ferrand ;** peinture murale dans l'église d'**Ennezat.**

HAUTE-LOIRE : fresque de la *Danse macabre* à **La Chaise-Dieu.**

Art de la Renaissance.

PUY-DE-DÔME : fontaine d'Amboise, maison des Architectes, hôtel Savaron, à **Clermont-Ferrand ;** hôtel Guimoneau, hôtel Arnoux de Maison-Rouge, maison des Consuls, à **Riom ;** fontaine à **Saint-Saturnin ;** maisons anciennes à **Ambert, Montferrand.**

CANTAL : hôtel des Consuls à **Saint-Flour ;** maisons anciennes à **Salers, Murat.**

Art classique.

PUY-DE-DÔME : église Saint-Pierre-les-Minimes, hôtel-Dieu, à **Clermont-Ferrand ;** château d'**Effiat.**

CANTAL : hôtel de ville de **Saint-Flour.**

Auvergne, Région administrative, formée des dép. de l'Allier, du Cantal, de la Haute-Loire et du Puy-de-Dôme ; 26 013 km^2 ; 1 322 678 h. Ch.-l. *Clermont-Ferrand.*

Auvergne (DENTELLE D'), dite aussi *dentelle de Craponne, du Puy* ou *de Cluny,* dentelle en fil de lin, aux fuseaux.

Auvergne (Antoine D'), compositeur et violoniste français (Moulins 1713 - Lyon 1797). Il écrivit le premier opéra-comique français, *les Troqueurs* (1753). Il laissa six *Sonates en trio,* des *Sonates pour violon et b. c.,* quatre *Concerts de symphonie à 4 parties* (1751).

auvernat n. m. Variété de vigne d'origine auvergnate, cultivée dans le Loiret. || Vin rouge qu'elle produit.

auverpin → AUVERGNAT.

Auvers-sur-Oise, ch.-l. de c. du Val-d'Oise (arr. et à 6,5 km au N.-E. de Pontoise), sur la rive droite de l'Oise ; 5 722 h. (*Auversois*).

Auvers-sur-Oise
« Rue à Auvers »
par Van Gogh
Atheneum, Helsinki

Spirale

Auxerre : l'Yonne et la cathédrale Saint-Etienne. Fresque de la crypte de la cathédrale

Eglise des XIIe et XIIIe s. A partir de 1860, des peintres y séjournèrent : Daubigny, Harpignies, Jules Dupré, Corot, Daumier, Berthe Morisot, puis Pissarro, Guillaumin, Cézanne (1872) et surtout Van Gogh (1890), qui y mourut et y est inhumé avec son frère Théo.

Auvert (Louis), ingénieur français (Moulins-Engilbert 1857 - Paris 1930), inventeur de plusieurs systèmes de traction électrique.

Auvézère, riv. du Limousin et du Périgord, affl. de l'Isle (r. g.); 103 km. Elle conflue en amont de Périgueux.

Auvillar, ch.-l. de c. de Tarn-et-Garonne (arr. et à 20 km à l'O. de Castelsarrasin), sur la Garonne (r. g.); 863 h. (*Auvillarais*).

Auvours (CAMP D'), camp militaire situé sur la commune de Champagné (Sarthe), à 10 km du Mans. Siège de l'Ecole d'application d'infanterie de 1946 à 1951.

Auwers (Arthur), astronome allemand (Göttingen 1838 - Berlin 1915), auteur d'un catalogue d'étoiles fondamentales.

auxanomètre n. m. (gr. *auxanein,* augmenter, et *metron,* mesure). Appareil de mesure de la croissance en hauteur des plantes.

Auxcousteaux (Artus), compositeur français, Amiénois d'origine (v. 1590 - Paris 1656). Formé à l'école polyphonique du XVIe s., il fut maître de chapelle à la Sainte-Chapelle. Il composa des psaumes dédiés à Louis XIII (*Psaumes de David,* publiés en 1656), des *Magnificat,* des messes, des noëls et des cantiques.

Auxence, hérétique, né en Cappadoce au début du IVe s. De 355 à 374, il fut le prédécesseur arien de saint Ambroise sur le siège de Milan.

Auxerre [osɛr], ch.-l. du dép. de l'Yonne, à 170 km au S.-E. de Paris, sur l'Yonne; 41 164 h. (*Auxerrois*). Cathédrale Saint-Etienne (chœur du XIIIe s.; crypte du XIe s., avec fresques des XIIe et XIIIe s.; trésor). Ancienne abbaye bénédictine de Saint-Germain-d'Auxerre (auj. hôpital), dominée par un clocher roman bourguignon; dans les cryptes de l'ancienne église abbatiale, peintures de l'époque carolingienne. Auxerre est un centre commercial et industriel : machines à bois, matériel agricole, meubles et jouets; biscuiterie, etc. Patrie de saint Germain, évêque d'Auxerre, du baron Fourier et de P. Bert.

● *Histoire.* Fondée par les Romains, Auxerre devint une cité au IIIe s. Elle fut aussitôt érigée en évêché, dont le siège fut occupé, au Ve s., par saint Germain. Elle fut envahie par les Huns, puis par les Francs. Un concile s'y réunit à la fin du VIe s. Le comté d'Auxerre appartint à la maison de Nevers, puis à la maison capétienne de Bourgogne. L'évêché fut supprimé en 1790.

Auxerrois, région de plateaux calcaires située au S. de la Champagne (200 à 250 m d'alt.), traversée par les profondes vallées de l'Yonne et du Serein.

auxi n. m. Laine très fine et très belle, filée aux environs d'Abbeville.

auxide n. f. Poisson osseux très voisin du thon, mais aux dorsales plus espacées. (Famille des scombridés.)

Auxi-le-Château, ch.-l. de c. du Pas-de-Calais (arr. d'Arras), sur l'Authie et à 26 km au N.-E. d'Abbeville; 3 195 h. Eglise du XVIe s. Ruines d'un château du XIIe s. Emaillerie; tôlerie.

auxiliaire adj. et n. (lat. *auxiliaris;* de *auxilium,* secours). Qui aide, qui prête ou fournit son concours : *Se faire l'auxiliaire* *de la justice.* || Se dit d'un enseignant, d'un employé, d'un ouvrier, etc., dont les services sont utilisés temporairement. || Se dit d'une personne ou d'un établissement qui joue un rôle d'appoint dans certaines branches d'activité : *Les auxiliaires des professions bancaires et boursières.* || Se dit des verbes (*avoir, être*) qui, perdant leur signification particulière, servent à former les temps composés des autres verbes, ou de verbes (*aller, devoir, pouvoir, laisser, faire*) servant à exprimer diverses nuances de la pensée.

● *Evêque auxiliaire,* évêque nommé par le Saint-Siège pour seconder un évêque diocésain. (Ses pouvoirs sont les mêmes que ceux de l'évêque titulaire. Quand il lui succède de plein droit, il porte le nom de *coadjuteur.*) ✦ adj. Se dit des organes du frein à air comprimé qui, montés sur chaque véhicule ferroviaire, ne participent qu'au freinage de ce véhicule. || Se dit d'une quantité intermédiaire utilisée au cours d'un calcul : *Angle auxiliaire* (en trigonométrie). *Fonction auxiliaire* (pour l'expression des fonctions elliptiques). *Inconnue auxiliaire* (pour la résolution des équations). ● *Croiseur, dragueur auxiliaire,* navire de la flotte auxiliaire. || *Flotte auxiliaire,* ensemble des navires de commerce réquisitionnés et armés par l'Etat pour assurer un service de guerre. || *Livre auxiliaire,* chacun des livres comptables supplémentaires sur lesquels on consigne des détails explicatifs qui ne pourraient trouver place dans les livres exigés par la loi. || *Moteur auxiliaire,* moteur de propulsion d'un yacht à voile, de certaines bicyclettes, etc. || *Officier auxiliaire,* officier de la marine marchande mobilisé sur un navire de guerre. || *Pôles auxiliaires,* pôles destinés à produire, dans une machine électrique, un flux local facilitant la commutation. || *Service auxiliaire,* catégorie dans laquelle la loi de recrutement de 1928 classait, au point de vue des aptitudes physiques, les jeunes gens qui étaient atteints d'une infirmité relative, sans être faibles de constitution. (Les recrues classées « service auxiliaire » étaient affectées à des emplois en rapport avec leurs aptitudes physiques. Cette catégorie a été supprimée par l'ordonnance du 7 janv. 1959.) ✦ n. *Auxiliaire de la justice,* homme de loi (non fonctionnaire) dont le ministère a pour but de permettre au pouvoir judiciaire de remplir sa mission. (Les avocats, les officiers ministériels, les avoués, les huissiers de justice, les greffiers agréés, les experts, les arbitres rapporteurs sont des auxiliaires de la justice.) || *Auxiliaire médical,* toute personne qui, sans être docteur en médecine, concourt au traitement des malades (infirmier, masseur, etc.). || — **auxiliaires** n. m. pl. A bord d'un navire, appareils nécessaires au fonctionnement des machines propulsives, à la sécurité et à la vie du bord. || Troupes étrangères dans l'armée romaine. (Sous le règne d'Auguste, ils devinrent une institution régulière et désignèrent toutes les troupes autres que les légions en garnison dans les provinces.) ◆ **auxiliairement** adv. De façon auxiliaire. ◆ **auxiliariat** n. m. Dans l'enseignement, fonction des maîtres auxiliaires. ◆ **auxiliateur, trice** adj. Qui donne du secours.

auxine n. f. Hormone végétale sécrétée notamment par le méristème du sommet de l'axe végétatif, et qui agit sur les jeunes cellules en provoquant leur croissance en longueur. (La destruction de l'auxine par la lumière explique le phototropisme*. L'unité de dose de l'auxine est l'unité-avoine [U. A.], qui, diffusant dans un seul côté d'une plantule d'avoine, y induit une courbure de 10°.)

auxochrome [kro] adj. Se dit d'un radical qui, introduit dans un corps coloré appelé *chromogène,* le transforme en matière colorante. (Les groupements auxochromes sont des radicaux acides [OH, CO_2H, SO_3H] ou basiques [NH_2, NHR, NR_2].)

auxocyte n. m. Spermatocyte* de premier ordre.

auxois, e adj. Relatif à l'Auxois. ● *Race auxoise,* race de chevaux de trait, grands et énergiques.

Auxois [oswa], pays de France, en basse Bourgogne (Côte-d'Or) ; ch.-l. *Semur-en-Auxois.* L'Auxois borde le Morvan au N.-E. C'est une plaine argileuse, accidentée de buttes témoins (mont Auxois). Elevage.

Auxois (MONT), butte située en bordure du plateau de Langres (Côte-d'Or), dominant le village d'Alise-Sainte-Reine. Site de la ville gauloise d'Alésia. Statue de Vercingétorix.

Auxonne [osɔn], ch.-l. de c. de la Côte-d'Or (arr. de Dijon), sur la rive gauche de la Saône et à 16 km au N.-O. de Dole ; 7 868 h. (*Auxonnois*). Eglise Notre-Dame, de style gothique bourguignon (XIVe s.), avec portail Renaissance. Château des XVe et XVIe s. Musée. Centre industriel actif : fonderie, décolletage. Cultures maraîchères. Cette ancienne place forte résista victorieusement à Charles Quint en 1526 et se rendit pendant la Ligue au duc de Guise.

auxospore n. f. (gr. *auxê,* croissance, et *sporos,* semence). Forme sans carapace et capable de grandir, prise par les diatomées* lorsqu'une suite de multiplications asexuées a trop diminué leur taille.

Auzances, ch.-l. de c. de la Creuse (arr. d'Aubusson), à 17 km au S. d'Evaux ; 1 777 h. (*Auzançais*). Laiterie. Salaisons.

Auzat, comm. de l'Ariège, sur le Vicdessos (arr. de Foix), à 2 km à l'O. de Vicdessos ; 851 h. Métallurgie (usine d'aluminium). Centrale hydro-électrique.

Auzon, ch.-l. de c. de la Haute-Loire (arr. et à 12 km au N. de Brioude) ; 1 047 h. (*Auzonnais*). Produits arsenicaux.

Auzout (Adrien), astronome français (Rouen

1622 - Rome 1691), inventeur du micromètre à fils mobiles pour mesurer le diamètre apparent des corps célestes. (Acad. des sc., 1666.)

ava n. m. Poivrier américain (*Piper methysticum*).

Ava, v. de Birmanie, sur l'Irrawaddy. Elle fut, à plusieurs reprises, le siège de la royauté birmane.

avachir v. tr. (peut-être francique **waikjan,* rendre mou, avec attraction de *vache*). Rendre flasque, mou ; déformer : *Avachir un costume à force de le porter.* || *Fig.* Faire perdre son énergie : *L'inaction l'avait avachi.* || — ***s'avachir*** v. pr. Perdre sa forme, sa consistance : *Des souliers qui s'avachissent.* || S'affaisser, s'affaler : *S'avachir dans un fauteuil.* ◆ **avachissement** n. m. Etat de ce qui est avachi (au *pr.* et au *fig.*) : *Sombrer dans l'avachissement intellectuel.*

Avadh. V. AOUDH.

Availles-Limouzine, ch.-l. de c. de la Vienne (arr. de Montmorillon), dans le Confolentais, sur la rive gauche de la Vienne et à 13 km au N. de Confolens ; 1 441 h. (*Availlais* ou *Availlaux*).

1. aval n. m. (de *à* et *val*). Par rapport à un point considéré, partie d'un cours d'eau comprise entre ce point et l'embouchure ou le confluent. ● LOC. PRÉP. A *l'aval de,* se dit de la partie de la production considérée comme fournissant des éléments élaborés, par rapport aux premiers stades de la mise en valeur des matières premières : *La fabrication de nombreux jouets est à l'aval de l'industrie des matières plastiques.* || *En aval de,* plus près de l'embouchure ou du confluent, par rapport à un point considéré : *Nantes est en aval de Tours sur la Loire.* ◆ **avalage** n. m. Descente d'un bateau sur une rivière. || Droit de mettre des nasses pour prendre le poisson qui descend. (On dit aussi AVALAISON.) ◆ **avalaison** n. f. *Anguilles d'avalaison,* anguilles qui descendent la rivière.

couloir d'avalanche

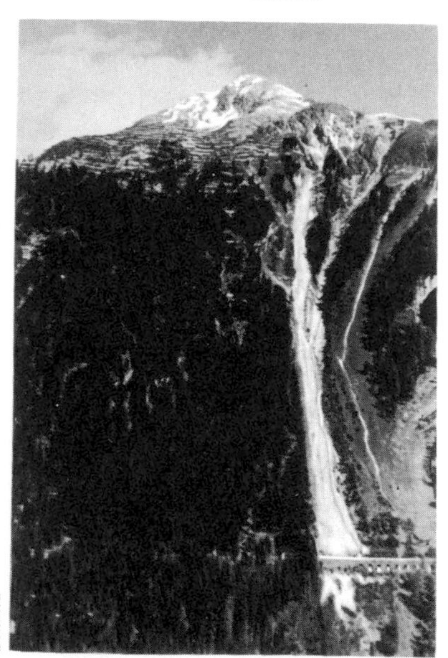

Schmid

2. aval n. m. (ital. *avallo,* emprunté à l'ar. *al-walā,* mandat). Garantie donnée au porteur d'une lettre de change ou d'un billet à ordre par un tiers qui s'oblige à en payer le montant s'il n'est pas acquitté par les autres signataires : *Un aval. Des avals.* ◆ **avaliser** v. tr. Revêtir d'un aval : *Avaliser un effet.* || Cautionner ; appuyer en donnant sa garantie : *Avaliser une politique.* ◆ **avaliste** n. et adj. Personne qui donne son aval.

avalage, avalaison → AVAL 1.

avalanche n. f. (mot de la Suisse romande, *avalantse,* altéré par *avaler,* descendre). Masse de neige qui se détache et dévale sur un versant. || Grande masse d'objets qui roulent ensemble d'un lieu élevé : *Avalanche de pierres.* || *Fig.* Multitude de choses qui vous accablent : *Une avalanche d'injures.* ◆ **avalancheux, euse** adj. Qui peut être affecté par des avalanches : *Des pentes avalancheuses.* — ENCYCL. Une neige mouillée très dense, la superposition d'une couche récente et d'une surface gelée favorisent la formation des avalanches. Celles-ci peuvent être presque permanentes dans certains couloirs de haute montagne. Certaines conditions météorologiques (réchauffement) provoquent des avalanches. Le barrage des pentes par des obstacles de diverse nature et le reboisement permettent de les réduire. Leur action géomorphologique est faible ; elles déterminent parfois la formation d'amas de neige, des névés d'avalanches. Les *avalanches poudreuses,* fort dangereuses, sont formées de neige gelée. Les *avalanches de fond* sont dues à de la neige lourde, très humide, qui dégage entièrement la surface du sol.

avale n. f. Face postérieure des incisives des ruminants, dont l'aspect varie avec l'âge.

avalé, e adj. *Equit.* Se dit de la croupe d'un cheval lorsqu'elle forme un plan incliné d'avant en arrière. ● *Ventre avalé,* ventre de cheval volumineux et tendant à s'abaisser.

avalée n. f. Partie d'étoffe en cours de tissage. (Syn. LEVÉE.)

avalement → AVALER.

avalent, e adj. Dont la valence chimique est nulle.

avaler v. tr. (de *aval ;* de *à* et *val*). Faire

descendre dans le gosier; déglutir : *Avaler les aliments sans les mâcher.* ‖ Absorber, manger : *Je n'ai rien avalé depuis deux jours.* ‖ *Fig.* Ne pas prononcer clairement : *Avaler la moitié des mots.* ‖ Lire avec avidité, faire entrer dans son esprit sans assimiler : *Avaler un roman en quelques heures.* ‖ *Fam.* Accepter, croire : *Une histoire difficile à avaler.* ● *Avaler son acte de naissance* (Pop.), mourir. ‖ *Avaler des couleuvres* (Fam.), subir des vexations, des injures, sans manifester ses sentiments; être crédule. ‖ *Avaler sa langue* (Fam.), se taire; mourir. ‖ *Avaler la pilule, le morceau* (Fam.), se soumettre à une chose pour laquelle on a beaucoup de répugnance. ‖ *J'ai cru qu'il allait m'avaler* (Fam.), il me regardait d'un air furieux. ‖ *Vouloir tout avaler* (Fam.), être plein de fougue, croire qu'aucun obstacle ne vous résistera. ◆ **avalement** n. m. Action d'avaler. ◆ **avale-tout** n. m. invar. *Pop.* Gros mangeur. ◆ **avale-tout-cru** n. m. invar. *Fam.* Celui qui fait le fanfaron. ◆ **avaleur, euse** n. *Fam.* Glouton, gros mangeur : *Un chien qui n'est qu'un avaleur de soupe.* ● *Avaleur de sabre,* forain qui fait pénétrer un sabre par le gosier jusque dans son estomac. ◆ **avaloire** n. f. *Pop.* Bouche, gosier. (On dit aussi AVALOIR n. m.)

avalies n. f. pl. Laines qui proviennent des peaux de moutons égorgés à l'abattoir.

avaliser, avaliste → AVAL 2.

Avallon, ch.-l. d'arr. de l'Yonne, à 38 km à l'E. de Clamecy, sur un éperon qui domine le Cousin; 9 186 h. (*Avallonnais*). Eglise Saint-Lazare, de style roman bourguignon. Vestiges de fortifications. Hôtel de ville du XVIIIe s. Musée. Petit centre industriel (roulements à billes, pneumatiques, biscuiterie, bonneterie), Avallon est aussi un centre touristique et un relais sur la route de Lyon.

Avallonnais ou **Avallonais,** pays de France, en basse Bourgogne (Yonne), dont *Avallon* est le centre.

avaloir n. m. Vide de construction reliant le foyer d'une cheminée au conduit de fumée, ou une chaussée à une bouche d'égout. ‖ Sorte de nasse.

à-valoir n. m. invar. Paiement, en espèces ou en marchandises, fourni en déduction d'une plus forte somme qui est due : *Ce chèque constitue un à-valoir de deux mille francs sur le compte dont nous vous sommes débiteurs.*

1. avaloire → AVALER.

2. avaloire n. f. Partie du harnachement qui enveloppe la croupe du cheval. ‖ Ensemble de deux disques entre lesquels on broie les minerais.

Avaloirs (MONT OU SIGNAL DES), sommet du bas Maine; 417 m. C'est, avec le signal d'Ecouves, le point culminant du Massif armoricain.

Avalokiteçvara, le plus populaire et l'un des principaux bodhisattvas du bouddhisme du Mahāyāna. Seigneur doué de l'illumination intégrale, il est au premier chef le Miséricordieux. Ses formes iconographiques sont nombreuses, allant de deux à seize bras et jusqu'à onze têtes.

Avalon, péninsule située au S.-E. de Terre-Neuve et rattachée au reste de l'île par l'*isthme d'Avalon.* Sur l'une des quatre presqu'îles qui la composent se trouve le port de Saint John's, capitale de l'île.

Avalon (PRESQU'ÎLE D'), région de Grande-Bretagne (Somerset), souvent mentionnée dans les romans de chevalerie du Moyen Age.

Avalon (Arthur). V. WOODROFFE (sir John).

Avalos (Ferdinando Francesco D'), marquis **de Pescara,** général espagnol (dans le royaume de Naples 1490 - Milan 1525). Il prit part, contre Louis XII, à la guerre du Milanais.

Avalos (Alfonso D'), marquis **del Vasto** (Ischia 1502 - Milan 1546), capitaine au service de Charles Quint. Il fut vaincu par les Français à Cérisoles en 1544.

avalure n. f. Accroissement de la corne de la paroi (ou muraille) du sabot du cheval. (Elle se fait de haut en bas et est ordinairement compensée par l'usure ou la ferrure.)

avance, avancé, avancée, avancement → AVANCER.

avancer v. tr. (lat. pop. *abantiare;* de *abante,* avant) [conj. **1**]. Porter en avant : *Avancer une chaise à quelqu'un pour qu'il s'asseye.* ‖ Faire venir en avant : *Avancer une voiture devant le perron.* ‖ Rapprocher d'un but; faire progresser : *Avancer son travail.* ‖ Procurer un avantage : *Ses conseils ne m'avancent pas beaucoup.* ‖ Faire avant le moment fixé ou prévu : *Avancer son départ.* ‖ Mener prématurément à son terme : *Un soleil trop ardent avance la moisson.* ‖ Payer avant l'époque fixée : *Avancer de l'argent à des employés.* ‖ Fournir de l'argent pour une entreprise, ou payer pour le compte de quelqu'un : *Le Crédit foncier peut avancer de l'argent à* (ou *pour*) *des propriétaires.* ‖ *Fig.* Mettre en avant, donner pour vrai : *Avancer une proposition avec prudence.* ● *Avancer une horloge, une pendule, une montre,* pousser les aiguilles sur une heure plus avancée, et, aussi, pousser l'appareil régulateur vers l'avance, pour accélérer la marche. ‖ *Etre bien avancé* (Fam. et ironiq.), s'être donné beaucoup de mal pour rien, avoir agi imprudemment : *Et maintenant que ta voiture est endommagée, tu es bien avancé!* ✦ v. intr. Sortir de l'alignement, faire saillie. ‖ Indiquer une heure ou une époque trop avancée ou plus avancée qu'une autre : *Les montres avancent ou retardent.* ‖ Progresser, en parlant d'une division du temps : *L'heure avance et les invités n'arrivent pas.* ‖ Aller en avant : *Le convoi n'avance pas.* || *Fig.* Faire des progrès : *Un travail qui avance rapidement.* || Monter en grade : *Avancer grâce à des protections.* || En peinture, avoir du relief sur le fond. || — **s'avancer** v. pr. Se porter en avant : *Le cortège s'avance lentement.* || Faire saillie : *Un roc s'avançait au-dessus de l'abîme.* || S'approcher : *L'hiver s'avance.* || Approcher de son terme : *Le jour s'avance* [la nuit vient]. || Prendre de l'avance : *Profiter d'une journée de congé pour s'avancer dans son travail.* || *Fig.* Sortir d'une juste réserve : *Attention! Ne vous avancez pas trop.* ◆ **avance** n. f. Action d'avancer, de progresser : *Troupe qui arrête l'avance de l'ennemi.* || Distance ou espace de temps dont on dépasse quelqu'un ou quelque chose qui suit la même direction : *Prendre de l'avance. Avoir une heure d'avance sur son rendez-vous.* || Paiement anticipé, à déduire de ceux qu'on devra faire plus tard. || Prêt remboursable dans un délai fixé. || *Horlog.* Côté vers lequel on pousse une aiguille indicatrice de réglage du spiral d'échappement. || Différence, par excès, de l'heure d'un lieu sur l'heure de Paris. || Déplacement de l'outil dans le sens de l'épaisseur des copeaux, durant l'usinage. (On dit aussi MOUVEMENT D'AVANCE.) ● *Avance à l'allumage,* V. ALLUMAGE. || *Avance d'une grandeur sinusoïdale sur une autre de même fréquence,* déphasage d'une grandeur sinusoïdale avec une grandeur sinusoïdale qui la suit. || *Avance pour le donneur,* somme que le tireur reçoit en moins. || *Avance pour le tireur,* somme que le tireur d'une lettre négociée reçoit au-delà du pair. || *Avance du tiroir,* disposition du tiroir d'une machine à vapeur par laquelle le mouvement de cet organe précède celui du piston. || *La belle avance!* (Ironiq.), le grand avantage!, à quoi cela sert-il? ● LOC. ADV. *A l'avance, d'avance, par avance,* par anticipation, avant l'événement, avant le temps fixé ou prévu : *Prévenir une heure à l'avance. S'avouer vaincu d'avance. Reconnaître par avance tous ses torts.* || *En avance,* dans l'état d'une personne ou d'une chose qui devance l'heure ou le moment fixé ou prévu : *Etre en avance sur l'heure du rendez-vous. Idées qui sont en avance sur leur temps.* || — **avances** n. f. pl. Tentatives, premières démarches en vue de nouer ou de renouer des relations : *Etre sensible aux avances d'un adversaire.* || Débours que nécessite d'entrée de jeu une entreprise quelconque. ◆ **avancé, e** adj. Qui est déjà loin de son début : *Un travail bien avancé.* || Dont la plus grande partie s'est écoulée : *Journée, nuit, année avancée.* || Se dit des idées qui ne sont partagées que par une minorité à une époque donnée, et qui s'opposent aux idées communément reçues à cette époque : *Opinions, idées avancées.* || Se dit de ceux qui professent de telles opinions : *Esprits avancés.* || Se dit des denrées, des fruits, des légumes, etc., qui commencent à se gâter : *Poisson avancé. Viande avancée.* || Qui a fait de bonne heure de grands progrès : *Enfant très avancé pour son âge.* || Qui a été plus avant que d'autres dans la voie du progrès : *Civilisation avancée.* || Qui est en avant des lignes les plus proches de l'ennemi : *Sentinelle, poste avancés.* ● *D'un âge avancé,* vieux. || *Heure avancée,* heure tardive. || *Ouvrage avancé,* ouvrage fortifié situé en avant d'une place pour la couvrir. || *Poste avancé,* poste ou signal placé avant un signal d'arrêt ou un point important d'une ligne de chemin de fer. || — **avancée** n. f. Partie qui avance, qui fait saillie : *Une avancée du roc dominant la mer.* || Partie terminale d'une ligne de pêche, depuis la plombée incluse jusqu'à l'hameçon. ◆ **avancement** n. m. Etat de ce qui est en saillie : *Les retraits et les avancements d'une muraille, d'une jetée.* || Action de porter en avant : *L'avancement d'un pied devant l'autre.* || Etat d'une chose qui approche de son terme : *L'avancement d'un édifice en construction, des travaux agricoles.* || Action de monter en grade, d'avancer dans une carrière : *Il doit son avancement à son seul mérite.* || Amélioration, progrès : *Découverte qui contribue à l'avancement des sciences.* ● *Avancement d'hoirie,* V. HOIRIE. || *Tableau d'avancement,* liste, établie annuellement par le ministre des Armées, des officiers et sous-officiers qui vont être promus au grade supérieur : *Les nominations ont obligatoirement lieu dans l'ordre fixé par le tableau d'avancement.* (Les conditions d'avancement, différentes en temps de paix et en temps de guerre, sont fixées par des textes législatifs ou réglementaires. Elles tiennent compte de l'ancienneté de service, mais aussi du choix de l'autorité supérieure.) || *Travail d'avancement,* établissement, par les différents échelons de la hiérarchie, des propositions pour le tableau d'avancement. ◆ **avanceur** n. m. Dispositif servant à produire une avance, en mécanique, en électricité. ◆ **avançon** n. m. Morceau de planche placé aux ailes d'un touret, pour retenir le fil de caret. || Partie la plus ténue d'une ligne de pêche, et qui porte le ou les hameçons.

avanie n. f. (ital. *avania,* venu de l'ar.). Affront public qui déconsidère ; insulte humiliante : *Infliger une avanie à quelqu'un.*

avant prép. et adv. (lat. *ab* et *ante*). Indique une antériorité dans le temps, l'espace ou une priorité de situation. (V. tableau ci-contre.) ✦ n. m. Partie antérieure : *L'avant d'une voiture.* || Partie antérieure d'un navire, autref. appelée PROUE. || En temps de guerre, région des combats. || Chacun des joueurs d'une ligne d'attaque, dans certains sports d'équipe. ● *Aller de l'avant,* agir hardiment, sans se préoccuper des obstacles. || *Avant partout!,* commandement donné aux hommes d'une embarcation de nager tous ensemble. || *Marcher de l'avant,* faire du chemin en avançant. ✦ adj. invar. Qui est à l'avant : *Réparer la roue avant.*

āvanta n. f. Prākrit duquel sont dérivées la rājasthānī et la pahārī.

avantage n. m. (de *avant*). Ce qui donne une supériorité : *Garder l'avantage sur ses rivaux.* ‖ Ce qui apporte un profit, un agrément : *Cette solution présente de grands avantages.* ‖ Talent, qualité : *Faire valoir ses avantages.* ‖ Dans quelques formules de politesse un peu désuètes, satisfaction, plaisir mêlé d'un certain honneur : *Avoir l'avantage de faire la connaissance de quelqu'un.* ‖ Gain résultant d'un acte juridique ou d'une disposition légale : *Avantages entre époux.* ‖ En sports, bénéfice d'une faute commise par l'adversaire. ‖ A la paume, au tennis, point marqué après une égalité (à 45 pour la paume, à 40 pour le tennis). ‖ — SYN. : *bénéfice, bien, bienfait, intérêt, profit, qualité.* ● *Avantages en nature,* éléments de la rémunération qui ne sont pas versés en argent : logement, nourriture, chauffage, utilisation d'une voiture automobile, etc. ‖ *Les avantages d'une femme* (Fam.), ses appas. ‖ *Avoir l'avantage,* dans une régate, tenir la corde ou être de l'avant. ‖ *Avoir l'avantage du vent,* en parlant d'un navire à voiles, être plus élevé au vent qu'un autre navire. ‖ *Prendre l'avantage contre son adversaire,* obtenir contre lui un jugement par défaut. ‖ *Se montrer à son avantage,* de façon à se faire valoir. ◆ **avantager** v. tr. (conj. **1**). Accorder un avantage à ; favoriser : *Un père ne peut avantager un de ses enfants que d'une partie de ses biens.* ‖ Faire ressortir les qualités physiques d'une personne : *Ce vêtement l'avantage beaucoup.* ◆ **avantageusement** adv. De façon avantageuse : *Répartir les bénéfices avantageusement pour ses amis.* ‖ De façon honorable, favorable : *Etre avantageusement connu dans le quartier.* ◆ **avantageux, euse** adj. Qui offre ou procure un gain, un profit : *Réaliser une opération avantageuse.* ‖ D'un prix peu élevé en regard du profit procuré : *Article avantageux.* ‖ Qui fait honneur, qui met en valeur : *Présenter quelque chose sous un jour avantageux. Parler de quelqu'un en termes avantageux.* ‖ Présomptueux ; qui tire vanité de certains avantages, réels ou non : *Jeune homme qui prend un air avantageux ;* et, substantiv. : *Il fait l'avantageux.* ● *Prix avantageux,* prix peu élevé.

avant-bassin n. m. Partie d'un port située en avant d'un bassin. — Pl. *des* AVANT-BASSINS.

avant-bec n. m. Eperon de maçonnerie ou de charpente établi en amont d'une pile de pont. ‖ Poutre prolongeant un portique, pour faciliter le chargement ou le déchargement d'un navire à quai. — Pl. *des* AVANT-BECS.

avant-bras n. m. invar. Partie du membre supérieur comprise entre le coude et le poignet. (Le squelette de l'avant-bras est composé du radius [du côté du pouce] et du cubitus

avant prép. et adv.

emplois	préposition	adverbe
antériorité dans le temps	*Il est arrivé avant toi. Avant cet accident, il ne doutait pas de lui.*	*Partez avant, je vous rejoindrai.*
antériorité dans l'espace	*Notre maison est juste avant les premières maisons du village.*	*Je n'ai pas été jusqu'au sommet de la colline ; j'étais trop fatigué et je me suis arrêté avant.*
priorité de rang	*Il a été élu bien avant tous les autres.*	*Il est bien meilleur que ses concurrents ; le met-on avant ?*
	en avant de (loc. prép.)	**en avant** (loc. adv.)
vers un lieu situé avant	*Marcher en avant du cortège.*	*Regardez en avant. Faire un bond en avant. En avant ! marche.*
	avant de (loc. prép.) suivi de l'infinitif	**avant que** (loc. conj.) suivi du subjonctif
antériorité dans le temps	*Réfléchissez avant d'agir.*	*Pressons-nous de rentrer avant que l'orage n'éclate* (avec ou sans la négation *ne*).

● loc. div. *Mettre, jeter quelqu'un en avant,* le citer comme une autorité, comme garant. ‖ *Mettre une chose en avant,* l'alléguer, la produire. ‖ *Se mettre en avant,* se présenter quand il s'agit de faire quelque chose ; parler avantageusement de soi (souvent péjor.).

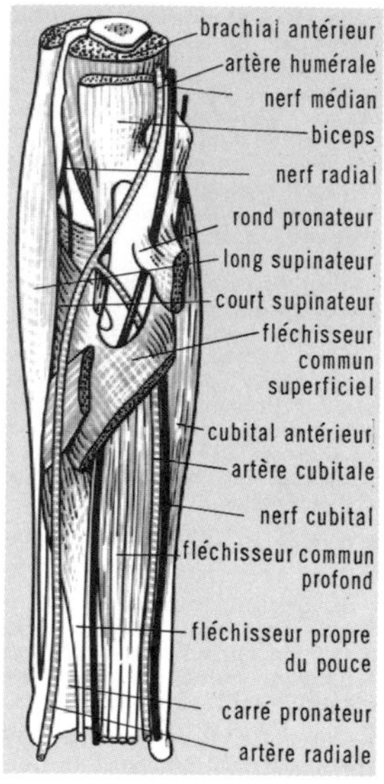

avant-bras

[du côté de l'auriculaire]. Les muscles de cette région sont les fléchisseurs et les extenseurs de la main et des doigts, et les muscles de la pronation et de la supination.) || Région de la jambe de devant du cheval comprise entre le coude et le canon.

avant-cale n. f. Prolongement d'une cale de construction en dessous du niveau de la mer. — Pl. *des* AVANT-CALES.

avant centre n. m. En football, joueur placé au centre de la ligne d'attaque. — Pl. *des* AVANTS CENTRE.

avant-chambre n. f. Local placé au départ d'une conduite d'adduction d'eau. — Pl. *des* AVANT-CHAMBRES.

avant-chœur n. m. Portion intérieure d'une église, située entre la grille du chœur et le maître-autel. — Pl. *des* AVANT-CHŒURS.

avant-clou n. m. Vrille à l'aide de laquelle on perce des trous pour y enfoncer des clous assez forts sans s'exposer à faire éclater le bois. — Pl. *des* AVANT-CLOUS.

avant-cœur n. m. Maniement* des bovins proche de la pointe de l'épaule. — Pl. *des* AVANT-CŒURS.

avant-contrat n. m. Convention conclue provisoirement en vue de la réalisation d'une convention future. — Pl. *des* AVANT-CONTRATS.

avant-corps n. m. invar. Partie d'un bâtiment en saillie sur la façade. || Toute pièce qui dépasse la surface de la pièce principale.

avant-cour n. f. Cour d'une grande demeure précédant la cour d'honneur. — Pl. *des* AVANT-COURS.

avant-coureur adj. m. et n. m. Qui précède et annonce un événement prochain : *Les signes avant-coureurs de la tempête.*

avant-courrier, ère n. Dans un spectacle itinérant, directeur du service qui prépare sur place les tournées. — Pl. *des* AVANT-COURRIERS, *des* AVANT-COURRIÈRES.

avant-creuset n. m. Cuve placée à côté du creuset des fours à cuve et des cubilots, et communiquant avec lui par sa partie inférieure. — Pl. *des* AVANT-CREUSETS.

avant-dernier, ère adj. et n. Qui est immédiatement avant le dernier : *L'avant-dernière syllabe d'un mot.* — Pl. *des* AVANT-DERNIERS, *des* AVANT-DERNIÈRES.

avant dire droit ou **avant faire droit** n. m. V. JUGEMENT.

avant-fossé n. m. Dans la fortification bastionnée, second fossé doublant, vers l'extérieur, celui qui entourait une place forte. — Pl. *des* AVANT-FOSSÉS.

avant-garde n. f. Elément de sûreté rapproché qu'une troupe en marche détache en avant d'elle pour la renseigner et la protéger. || Dans une flotte en formation de combat, escadre ou division qui précède le gros. ● *D'avant-garde,* en avance sur son temps : *Idées, littérature d'avant-garde.* | *Etre à l'avant-garde,* précéder ; être le précurseur, l'initiateur : *Il est à l'avant-garde du progrès.* ◆ **avant-gardiste** adj. et n. Se dit d'un écrivain, d'un artiste, d'une œuvre d'avant-garde. — Pl. *des* AVANT-GARDISTES.

avant-goût n. m. Sensation, analogue au goût, que l'on a par avance à l'idée de quelque chose que l'on doit absorber (rare). || *Fig.* Première impression, aperçu : *Ce résumé donne un avant-goût de ce que sera le travail définitif.* — Pl. *des* AVANT-GOÛTS.

avant-guerre n. m. ou f. Temps, régime qui a précédé une guerre. — Pl. *des* AVANT-GUERRES.

avant-hier adv. Le jour qui a précédé la veille du jour où l'on est.

Avanti !, journal socialiste italien, fondé en 1896. Mussolini le dirigea de 1912 à 1914. Supprimé par le fascisme en 1926, il reparut (1944) comme organe du parti socialiste internationaliste de P. Nenni.

avant-logis n. m. invar. Dans les anciens édifices, corps de bâtiment précédant la construction principale.

avant-main n. m. Partie antérieure d'un animal, surtout du cheval, comprenant la tête, le cou, la poitrine, les membres antérieurs. — Pl. *des* AVANT-MAINS.

avant-marche n. f. Marche sans nez, placée quelquefois, au bas d'une volée, dans un escalier. — Pl. *des* AVANT-MARCHES.

avant-métré n. m. Ensemble des différentes mesures, et devis estimatif d'un ouvrage à construire. — Pl. *des* AVANT-MÉTRÉS.

avant-mont n. m. Relief situé en bordure d'une chaîne de montagnes. — Pl. *des* AVANT-MONTS.

avant-mur n. m. Mur adossé à un autre mur. (On dit aussi REMPART.) — Pl. *des* AVANT-MURS.

avant-nef n. f. Partie des anciennes églises grecques située à l'entrée, avant la nef. (On dit aussi PRONAOS ou PREMIER PORTIQUE.) — Pl. *des* AVANT-NEFS.

avant-pied n. m. Partie avant cambrée et galbée de la tige d'une botte ou d'un jodhpurs, correspondant à l'empeigne ou à la claque dans une chaussure. || Nom usuel du *métatarse**. — Pl. *des* AVANT-PIEDS.

avant-plan n. m. *Ciném.* Syn. de PREMIER PLAN*. — Pl. *des* AVANT-PLANS.

avant-port n. m. Rade qui précède l'entrée de certains ports. — Pl. *des* AVANT-PORTS.

avant-portail n. m. Portail qui, dans certaines églises gothiques, précède le portail proprement dit. — Pl. *des* AVANT-PORTAILS.

avant-porte n. f. Porte que l'on installe en avant ou en arrière de celle qui existe. — Pl. *des* AVANT-PORTES.

avant-poste n. m. Détachement de sûreté qu'une troupe en station dispose en avant d'elle pour se prémunir contre toute surprise. — Pl. *des* AVANT-POSTES.

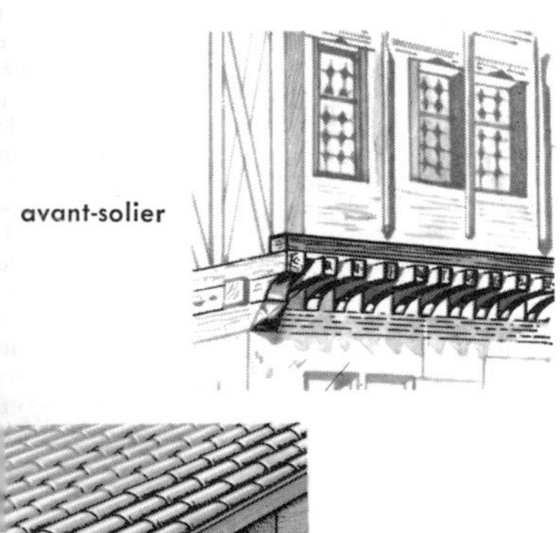
avant-solier

avant-toit

avant-première n. f. Réunion de critiques et d'amateurs, qui a lieu avant la première représentation d'une pièce, avant l'exposition d'une œuvre d'art. || Chronique, interview, etc., relative à une pièce de théâtre, et qui paraît avant la première représentation. — Pl. *des* AVANT-PREMIÈRES.

avant-projet n. m. Etude préparatoire, graphique, technique, juridique et économique d'un projet. — Pl. *des* AVANT-PROJETS.

avant-propos n. m. invar. Préface d'un livre, dans laquelle l'auteur exprime ou développe brièvement quelque idée préliminaire.

avant-puits n. m. invar. Partie initiale d'un puits de pétrole. || Commencement d'un puits de mine.

avant-quart n. m. Coup que certaines horloges sonnent un peu avant l'heure, la demie ou le quart. — Pl. *des* AVANT-QUARTS.

avant-radier n. m. Ouvrage destiné à prévenir les affouillements et placé en amont aux abords d'une construction hydraulique. — Pl. *des* AVANT-RADIERS.

avant-scène n. f. Partie du plateau de la scène qui déborde devant le rideau. (On dit aussi PROSCENIUM.) ● *Loges d'avant-scène,* ou simpl. *avant-scènes,* dans l'architecture théâtrale traditionnelle, dite « à l'italienne », loges établies ordinairement sur les étages du balcon et des galeries de chaque côté de l'avant-scène : *Louer une avant-scène.* — Pl. *des* AVANT-SCÈNES.

avant-solier n. m. Dans certaines maisons, partie qui supporte les étages en faisant saillie sur la rue. — Pl. *des* AVANT-SOLIERS.

Avants-Sonloup (LES), station d'été et de sports d'hiver de Suisse (cant. de Vaud), au-dessus de Montreux ; alt. 1 000 m.

avant-terre adj. invar. *Arche avant-terre,* chacune des deux arches d'un pont qui tiennent aux culées.

avant-toit n. m. Partie d'un toit qui fait saillie. — Pl. *des* AVANT-TOITS. (Syn. BATTELLEMENT.)

avant-train n. m. Partie avant d'une voiture, qui comprend la suspension, le mécanisme de direction et, parfois, les organes moteurs et tracteurs. || Véhicule hippomobile à deux roues, qui servait à la traction des canons et des caissons d'artillerie. || Partie d'une charrue, constituée de deux roues indépendantes de l'age. — Pl. *des* AVANT-TRAINS.

avant-trou n. m. Commencement d'un trou de mine ou d'un sondage. — Pl. *des* AVANT-TROUS.

avant-veille n. f. Jour qui précède immédiatement la veille. || Dans les temps qui précèdent de loin : *On était à l'avant-veille d'une révolution.* — Pl. *des* AVANT-VEILLES.

Avaray, comm. de Loir-et-Cher (arr. et à

24 km au N.-E. de Blois), sur la Loire; 481 h. Château de style Louis XIII, avec des jardins de Le Nôtre.

avare adj. et n. (lat. *avarus*). Qui aime passionnément l'argent et se plaît à l'accumuler sans en faire usage : *L'avare se prive même du nécessaire.* || Qui ne prodigue point une chose, qui la distribue avec parcimonie; chiche : *Il était avare de paroles. Se montrer avare de compliments.* ◆ **avarement** adv. De façon avare. ◆ **avarice** n. f. (lat. *avaritia*, avidité). Désir immodéré d'accumuler, de conserver l'argent : *Vivre misérablement par avarice.* ◆ **avaricieux, euse** adj. et n. Qui montre de l'avarice dans les petites choses.

Avare (L'), comédie de Molière, en 5 actes et en prose (9 sept. 1668). S'inspirant dans quelques scènes de l'*Aulularia** de Plaute, Molière y ridiculise l'avarice du vieil Harpagon, chez qui la passion de thésauriser a anéanti tout bon sens et tout sentiment paternel; il tyrannise sa famille et ses domestiques, et prétend épouser la jeune Mariane, dont son fils Cléante est amoureux. Mais il se trouve finalement dupé.

avarement → AVARE.

Avares. V. AVARS.

avariable → AVARIE.

avarice, avaricieux → AVARE.

Avaricum, nom de **Bourges** à l'époque gallo-romaine.

avarie n. f. (ital. *avaria*, empr. à l'ar.). Dommage éprouvé par un navire, par un véhicule ou par son chargement : *Réparer ses avaries.* || Détérioration, dégât. ◆ **avariable** adj. Qui peut être endommagé par les avaries. ◆ **avarié, e** adj. Endommagé par suite d'une avarie; gâté : *Marchandises avariées.* ◆ **avarier** v. tr. Endommager, gâter : *La chaleur avarie la viande.* || — **s'avarier** v. pr. Se gâter, se détériorer.

Jacques **Aved**
portrait de Rameau
musée de Dijon

Giraudon

Avaris. *Géogr. anc.* V. d'Egypte. Centre du culte de Seth.

Avars ou **Avares,** peuple ancien, originaire de l'Asie centrale. Les Avars fondèrent un royaume dans les steppes de haute Asie, de 407 à 553. Ils pénétrèrent en Europe au milieu du VIe s. Sous la direction de leur chef, le *kaghān*, ils vivaient dans le « ring », leur capitale ambulante et fortifiée. Ils menacèrent Constantinople au début du VIIe s. pénétrèrent en Pannonie (début du VIIIe s.) et atteignirent l'Italie, puis la Bavière. Charlemagne les arrêta en 796, les convertit et les fixa dans l'Empire.

Avar(s), peuple montagnard du Caucase. Islamisés, les Avars ont constitué un puissant khānat, supprimé par les Russes en 1864. Ils font partie auj. de la république autonome du Daghestan.

avatar n. m. (sanskrit *avatāra*). Descente sur la terre d'un être divin. || Nom générique des incarnations divines, s'appliquant surtout dans l'hindouisme, à celles de Vishnu. Transformation, métamorphose de quelqu'un ou de quelque chose : *Ce projet est passé par de nombreux avatars.* || *Fam.* Malheur accident fâcheux : *Subir bien des avatars au cours de son existence.*

Avaux (Claude DE MESMES, baron, puis comte D'), diplomate français (1595 - Paris 1650), un des négociateurs des traités de Westphalie (1648).

Ave n. m. invar. (lat. *Ave* [*Maria*], salut [Marie]). Premier mot de la salutation angélique ou prière à la Vierge; et, *par extens.* cette prière même.

Ave Maria, prière catholique à la Vierge commençant par ces mots.

Ave maris stella (*Salut, étoile de la mer*) hymne des vêpres de l'office de la Sainte Vierge, qui remonte au moins au IXe s. Auteur inconnu.

Avebury ou **Abury,** village de Grande-Bretagne (Wiltshire). Grand cercle de pierres de 360 m de diamètre, à l'emplacement d'un site remontant à la fin du néolithique. L'érection des pierres remonte au début de l'âge du bronze.

avec prép. (lat. pop. **ab hoc*, de là; de *apud* et *hoc*). V. tableau ci-contre.

avecque, avecques, graphies anciennes de *avec*. (Souvent pour des raisons prosodiques.

Aved (Jacques André Joseph), peintre français (Douai? 1702 - Paris 1766). Elève et ami de Chardin, il travailla à Anvers, Amsterdam et Paris. Auteur de turqueries, il es

avec prép.

sens	introduit un complément du verbe	introduit un complément du nom ou de l'adjectif
accompagnement, accord, réunion	*Il est sorti avec un ami. Il s'est entendu avec eux. Agir conjointement avec quelqu'un.*	*Une promenade avec ses enfants. Etre docile avec ses parents. Ses fiançailles avec elle. Son amabilité avec tout le monde.*
manière	*Il avance avec prudence.*	*Une chambre avec vue sur le jardin.*
moyen, instrument	*Il a ouvert la boîte avec un couteau.*	*Le lustrage avec un chiffon de laine.*
simultanéité	*Il se lève avec le jour.*	*Le lever avec le jour lui est pénible.*
opposition, contraste	*Rivaliser avec quelqu'un. Avec tant de qualités, il a cependant échoué.*	*Un combat avec un ennemi supérieur en nombre.*

● adv. *fam.* En outre, en plus (indique l'accompagnement) : *Il a pris sa canne et s'en est allé avec.*
● loc. div. *Avec cela* (ou *ça*) *que,* ajoutez que ; interj. pop. exprimant ironiquement une négation : *Avec ça que je me gênerai !* || *Et avec ça ?,* interrogation fam. d'un vendeur, d'un garçon de café, etc., demandant au client la suite de sa commande. || *Avec le temps,* le temps aidant. || *Etre avec quelqu'un,* en sa compagnie ; de son parti.
● loc. prép. **d'avec,** indique un rapport de différence, de séparation : *Distinguer l'ami d'avec le flatteur. Divorcer d'avec sa femme.*

apprécié surtout comme portraitiste (*le Marquis de Mirabeau,* Louvre).

Avedon (Richard), photographe américain (New York 1923). Après avoir subi l'influence d'Alexeï Brodovitch, il acquiert rapidement une écriture très personnelle, où alternent l'extrême sophistication (photographie de modes) et la vision brutale de la réalité (série des portraits de son père âgé et malade).

aveinière → AVOINE.

Aveiro, v. du Portugal, sur une lagune littorale, entre Porto et Coimbra ; 19 900 h. Evêché. Port de pêche. Salines.

Avelgem, comm. de Belgique (Flandre-Occidentale, arr. et à 15 km au S.-E. de Courtrai) ; 8 500 h. Industries textiles.

aveline n. f. (lat. *abellana nux,* noix d'Abella). Grosse noisette produite par l'*avelinier,* arbuste du genre *corylus* (noisetier).

Aveline, famille de dessinateurs, graveurs et éditeurs d'estampes français des XVIIe et XVIIIe s. Les plus connus furent : ANTOINE (1691-1743) et surtout PIERRE ALEXANDRE (v. 1702 - † 1760), qui grava des planches d'après Watteau.

Aveline (Albert), danseur, chorégraphe, maître de ballet français (Paris 1883 - Asnières 1968). Premier danseur, maître de ballet, puis directeur de l'école de danse à l'Opéra, il a composé de nombreux ballets.

avelinier n. m. V. AVELINE.

Avellaneda, agglomération industrielle de la banlieue sud-est de Buenos Aires ; 337 500 h.

Avellaneda (Gertrudis GÓMEZ DE). V. GÓMEZ DE AVELLANEDA.

Avellaneda (Nicolás), homme politique argentin (Tucumán 1836 - † 1885). Président de la République (1874-1880), il réprima l'insurrection de Mitre (1875) et fit accepter Buenos Aires comme capitale fédérale.

avellinia n. f. Petite plante gazonnante, à feuilles très fines. (Famille des graminacées.)

Avellino, v. d'Italie (Campanie), ch.-l. de prov., au pied de l'abbaye du Monte Vergine ; 54 000 h.

Avempace. V. IBN BĀDJDJA.

aven [avɛn] n. m. (orig. celt.). Puits naturel formé, en région calcaire, par dissolution ou par effondrement de la voûte de cavités.

avenant, e adj. (de l'anc. franç. *avenir,* arriver). Qui plaît par sa bonne grâce : *Prendre un air avenant.* ● LOC. ADV. *A l'avenant,* qui est d'accord ou en harmonie avec ce qui précède : *Le bureau est en désordre ; et tout chez lui est à l'avenant.* ● LOC. PRÉP. *A l'avenant de,* en harmonie, en accord avec :

Le mobilier est à l'avenant du style de la demeure.

avenant n. m. Acte par lequel on modifie les termes d'un contrat en vigueur.

Avenarius (Richard), philosophe allemand (Paris 1843 - Zurich 1896), créateur de l'*empiriocriticisme,* doctrine idéaliste et empiriste apparentée à celle de Hume. Auteur de : *Critique de l'expérience pure* (1888-1890), *Conception humaine du monde* (1891).

Avenches, v. de Suisse (cant. de Vaud), au S. du lac de Morat; 1 800 h. Capit. des Helvètes à l'époque gallo-romaine, dont il subsiste d'importantes ruines. Nœud routier sur la route du col du Grand-Saint-Bernard au Rhin, la ville fut détruite par les Alamans au IVe s. et par les Huns au Ve s.

Avène, comm. de l'Hérault (arr. de Lodève), sur l'Orb, à 24 km au N. de Bédarieux; 259 h. Barrage formant une réserve utilisée pour l'irrigation du bas Languedoc.

Avenel (vicomte Georges D'), économiste et historien français (Neuilly-sur-Seine 1855 - Paris 1939), auteur d'une *Histoire économique de la propriété et des salaires, des denrées et de tous les prix en général depuis l'an 1200 jusqu'en 1800* (1895).

avènement n. m. (de l'anc. franç. *avenir,* arriver). Action d'arriver au pouvoir suprême : *A l'avènement de Louis XIV.* || *Dr.* Arrivée de l'événement problématique dont dépendait le fonctionnement d'un contrat. (V. CONDITION.) || *Fig.* Venue, arrivée d'un état meilleur : *L'avènement d'un monde nouveau.* ● *Don de joyeux avènement,* cadeau, libéralité quelconque que fait une personne en arrivant au pouvoir. || *L'avènement du Messie,* le temps où il s'est manifesté sur la Terre. || *Le second avènement du Messie,* le jour du Jugement dernier.

avenette n. f. (de *avena,* avoine). Autre nom du PETIT FROMENTAL OU AVOINE JAUNÂTRE.

avenière → AVOINE.

Avenières (LES), comm. de l'Isère (arr. et à 17 km au N.-E. de La Tour-du-Pin); 3 495 h. Tissage de la soie; chaussures.

avenir ou **à venir** n. m. Acte de palais, sommant la partie adverse de comparaître à l'audience du jour fixé par l'acte lui-même.

avenir n. m. (ellipse de la loc. *temps à venir*). Le temps futur : *Rejeter la réalisation d'un projet dans un avenir indéterminé.* || Situation future, destinée ultérieure : *Se préparer un avenir difficile. Assurer son avenir.* || *Particul.* Succès futurs; brillante destinée : *Un auteur qui a un bel avenir. Une carrière d'avenir. C'est une idée d'avenir.* ● LOC. ADV. *A l'avenir,* à partir de ce jour, désormais : *A l'avenir, je refuserai de le recevoir.*

Avenir (L'), journal publié à Paris du 16 oct. 1830 au 15 nov. 1831, sous la direction de La Mennais. Rédigé par des catholiques libéraux, dont Lacordaire, Montalembert, il fut condamné par le pape Grégoire XVI en 1832. Les rédacteurs se soumirent, sauf La Mennais.

Avenir de la science (L'), livre de Renan écrit dès 1848-1849 et publié en 1890. Réunies en un tout, la science, la poésie et la morale forment, selon l'auteur, la vraie et complète religion naturelle, qui sera la religion de l'avenir.

avent n. m. (lat. *adventus,* arrivée). Temps fixé par l'Eglise catholique pour se préparer à la fête de Noël, et qui comprend les quatre dimanches qui précèdent celle-ci. || Ensemble des sermons prêchés durant cette période.

Aventin (MONT), en lat. **Aventinus,** une des sept collines de Rome, située à l'extrémité sud-ouest de la ville, sur la rive gauche du Tibre. Elle ne fut comprise dans le *pomerium* (enceinte religieuse de la cité) qu'à partir de l'empereur Claude. Pendant sa révolte contre le patriciat (494 av. J.-C.), une partie de la plèbe s'était réfugiée sur l'Aventin.

aventure [vɑ̃] n. f. (lat. pop. **adventura* choses qui doivent arriver). Ce qui arrive à quelqu'un par hasard : *S'exposer à des aventures diverses.* || Entreprise hasardeuse qui attire ceux qui ont le goût du risque : *Faire un film est une véritable aventure.* || Recherche du nouveau, de l'extraordinaire : *Avoir l'esprit d'aventure. Tenter l'aventure.* || Liaison passagère où l'on ne recherche que le plaisir amoureux : *Avoir une aventure sentimentale* ● *Chercher aventure,* chercher quelque bonne aubaine. || *Dire la bonne aventure,* annoncer à quelqu'un, en abusant de sa crédulité, ce qui doit lui arriver. || *Diseur, diseuse de bonne aventure,* celui, celle qui fait profession de dire ce qui doit arriver. || *Film roman d'aventures,* dont l'action est faite d'entreprises risquées, et dont l'intrigue est mouvementée. || *La bonne aventure, ô gué!* refrain d'une chanson qu'on a adapté à différents couplets. || *Pierre d'aventure,* ancien nom de l'AVENTURINE. || *Prêt à la grosse aventure,* V. PRÊT. || *Tenter l'aventure,* faire un essai, une épreuve, entreprendre une chose très incertaine. ● LOC. ADV. *A l'aventure* au hasard, sans but, sans dessein arrêté *Marcher à l'aventure.* || *D'aventure, par aventure,* par hasard. ◆ **aventuré, e** adj. Risqué, téméraire : *Entreprise aventurée.* ◆ **aventurer** v. tr. Exposer à des risques *Aventurer son argent dans une entreprise hasardeuse.* || — SYN. : *compromettre, exposer, jouer, risquer.* || — **s'aventurer** v. pr Courir un risque : *S'aventurer à écrire un livre.* || S'engager, pénétrer en courant des risques : *S'aventurer sur un pont branlant* ◆ **aventureusement** adv. De façon aventureuse. ◆ **aventureux, euse** adj. Qui se fie au hasard; qui se jette dans les aventures *Un esprit aventureux.* || *Fig.* Audacieux, peu sûr : *Projet aventureux.* || Abandonné au hasard : *Existence aventureuse.* ◆ **aventurier, ère** n. Personne qui vit d'intrigues et n'est pas très scrupuleuse sur les moyens de se procurer de l'argent, le pouvoir, etc. : *Etre la victime d'un aventurier.* ◆ **aventurisme** n. m. Tendance à décider des mesures irréfléchies.

aventurine n. f. Variété de quartz rougeâtre, contenant des particules de mica miroitant sous la lumière. ● *Aventurine artificielle,* verre tenant en suspension des paillettes de cuivre. ◆ **aventuriné, e** adj. Qui ressemble à l'aventurine.

aventurisme → AVENTURE.

avenu, e adj. (part. pass. de l'anc. verbe *avenir*). Usité seulement dans la locution *nul et non avenu,* comme si cela n'avait jamais existé, considéré comme n'ayant jamais existé.

avenue n. f. (part. pass. fém. de l'anc. verbe *avenir*). Allée plantée d'arbres qui conduit à une habitation : *Une avenue de platanes conduit au château.* || Large voie urbaine plantée d'arbres : *L'avenue des Champs-Elysées part de la place de la Concorde.* || *Fig.* Ce qui conduit à : *Les avenues du pouvoir.*

Avenzoar (Abū Marwān IBN ZUHR, connu sous le nom d'), médecin arabe (Peñaflor, Andalousie, 1073 - Séville 1162). Il vécut à Séville. Averroès fut son élève et son ami.

Avercamp (Hendrik), peintre hollandais (Amsterdam 1585 - Kampen 1634). Il est l'auteur de paysages d'hiver animés de petites figures (Rijksmuseum, Amsterdam). — Son neveu et élève, BARENT (Kampen 1612 - *id.* 1679), peignit dans le même style (Louvre).

averdepois n. m. *Métrol.* V. AVOIRDUPOIS.

avéré → AVÉRER (S').

avérer (s') v. pr. (de *à,* et de l'anc. franç. *voir,* vrai ; du lat. *verus*). Se montrer, se manifester, apparaître : *Un raisonnement qui s'avère juste.* ◆ **avéré, e** adj. Etabli comme vrai : *C'est un fait avéré.*

Averescu (Alexandru), maréchal et homme politique roumain (Ismaïl 1859 - Bucarest 1938). Chef d'état-major pendant les guerres balkaniques de 1912-1913, il présida, en mars 1918, le gouvernement qui négocia avec les puissances centrales. Il fut à nouveau chef du gouvernement en 1920-1921 et en 1926.

Averne (LAC). *Géogr. anc.* Lac de Campanie d'où s'échappent des émanations sulfureuses ; regardé dans l'Antiquité comme l'entrée des Enfers. Non loin de ses bords se trouvait l'antre de la Sibylle de Cumes.

averrhoa n. m. Arbre indien dont les fruits sont acidulés et rafraîchissants. (Famille des oxalidacées.)

Averroès (Abū al-Walīd Muḥammad ibn Aḥmad ibn Muḥammad IBN RUCHD, connu sous le nom d'), philosophe arabe (Cordoue 1126 - Marrakech 1198). Son père, cadi de Cordoue, lui enseigna la jurisprudence et la théologie ; à sa mort, il lui succéda. Il étudia presque toutes les sciences et la philosophie. Ses principes philosophiques étant condamnés par les religions musulmane et chrétienne, il termina ses jours comme magistrat à Marrakech. Sa philosophie consiste en des *Commentaires* (v. ARISTOTE [*Commentaires sur*]), auxquels il dut sa célébrité dans les écoles du Moyen Age. Son originalité est d'unir en un conceptualisme une physique *matérialiste* et un *rationalisme* fondé sur l'« esprit de l'humanité », présent en tout esprit individuel et le transcendant. Il est aussi l'auteur d'un traité de médecine, traduit en latin sous le titre de *Colliget.*

averroïsme n. m. Doctrine philosophique d'Averroès, répandue au Moyen Age et à la Renaissance. ◆ **averroïste** n. et adj. Partisan de la philosophie d'Averroès.

avers [avɛr] n. m. (du lat. *adversus,* tourné vers le devant). Dans une monnaie, côté qui contient l'effigie. || Dans une médaille ou une plaquette, côté qui contient l'élément principal. (On dit aussi DROIT ou FACE. L'autre côté est appelé REVERS.)

averse n. f. (de *à verse*). Pluie subite, abondante et généralement de peu de durée. || *Fig.* Grande quantité : *Une averse d'injures.*

aversion n. f. (lat. *aversio ;* de *avertere,* détourner). Répulsion violente pour quelque chose : *Avoir de l'aversion pour le travail.* || Dégoût mêlé de haine que nous inspire quelqu'un : *Une personne qui inspire l'aversion par sa bassesse.* || Comportement déclenché chez le sujet par une pulsion déterminée et tendant à le détourner d'un objet donné. (Contr. APPÉTENCE.) || — SYN. : *antipathie, dégoût, haine, horreur, répugnance, répulsion.*

averti → AVERTIR.

avertir v. tr. (lat. *advertere,* remarquer). Attirer l'attention d'une personne sur quelque chose : *Avertir quelqu'un d'un danger.* || Faire savoir, pour inviter à accomplir une action déterminée (suivi de la prép. *de* et de l'infin.) : *Avertir quelqu'un d'avoir à se tenir prêt à une heure fixée d'avance.* ● *Se tenir pour averti,* être sur ses gardes. ◆ **averti, e** adj. Au courant des choses, expérimenté, avisé : *Un critique très averti des idées modernes.* ◆ **avertissement** n. m. Action d'avertir, de faire savoir : *Se présenter chez quelqu'un sans avertissement.* || Appel à l'attention de quelqu'un pour le détourner d'une action, le garder d'un danger, etc. : *Considérer un malaise comme un avertissement.* || Rappel à l'ordre, blâme avec menace de sanction : *Elève qui reçoit un avertissement.* || Première invitation adressée au contribuable

avertisseurs

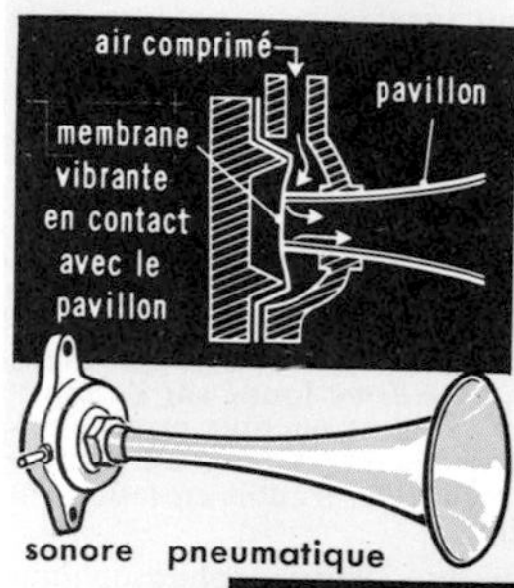

sonore pneumatique

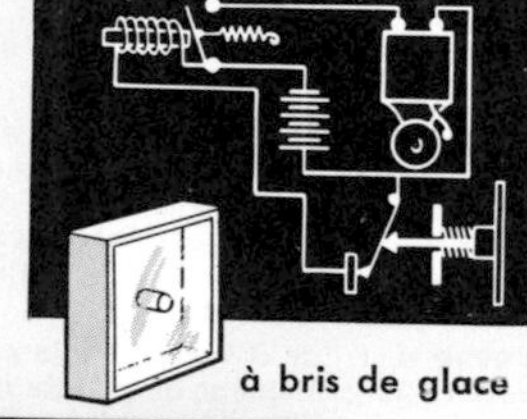
à bris de glace

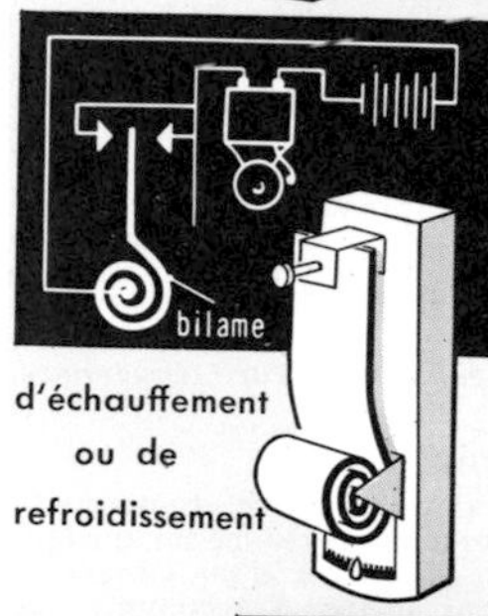

d'échauffement ou de refroidissement

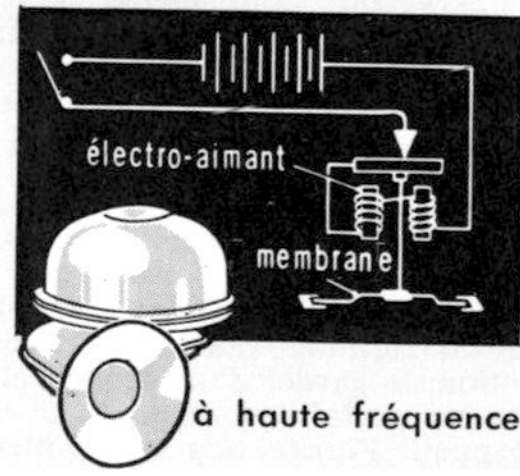

à haute fréquence

d'avoir à s'acquitter des contributions mises en recouvrement. ‖ Petite introduction ou courte préface qu'on place en tête d'un livre. ◆ **avertisseur** n. m. Personne ou chose qui donne un avertissement : *Se comporter en perpétuel avertisseur.* ‖ Tout dispositif employé pour transmettre, en certains points, des avis ou des signaux conventionnels.

Avery (Tex), dessinateur et réalisateur de dessins animés américain (Dallas 1918-Burbank, Californie, 1980), créateur du chien *Droopy* et du lapin *Bugs Bunny.*

Avesnelles [vɛnɛl], comm. du Nord (arr. et à 1 km à l'E. d'Avesnes-sur-Helpe); 3 034 h.

Avesnes-le-Comte, ch.-l. de c. du Pas-de-Calais (arr. et à 21 km à l'O. d'Arras); 1 839 h. Eglise de style gothique flamboyant.

Avesnes-lès-Aubert, comm. du Nord (arr. et à 11 km à l'E. de Cambrai); 4031 h. (*Avesnois*). Tissages de batiste, linon et coton.

Avesnes-sur-Helpe, ch.-l. d'arr. du Nord, à 18 km au S. de Maubeuge; 6 502 h. (*Avesnois*). Eglise Saint-Nicolas, incendiée en 1944. Filature de la laine; meubles. Possession des comtes de Flandre, la ville reçut une charte de commune au XIIe s. Elle fut conquise par l'Espagne en 1556 et devint française au traité des Pyrénées (1659).

Avesta, nom sous lequel on désigne l'ensemble des textes mazdéens, ou livres sacrés des anciens Perses, attribués à Zarathoustra.

Avesta, v. de Suède (Kopparberg); 11 000 h. Mines de fer, métallurgie (acier inoxydable).

avestique n. m. Langue de l'*Avesta.*

aveu → AVOUER.

aveuglant → AVEUGLE.

aveugle adj. et n. (lat. *ab oculis,* privé d'yeux). Privé de la vue : *La canne blanche des aveugles.* (V. *encycl.*) ‖ *Fig.* Qui se refuse à voir la réalité : *Demeurer aveugle devant les faits.* ✦ adj. Qui ne veut pas connaître de limite, de réserve : *Un courage aveugle.* ‖ Qui ne connaît pas de frein ni de limites : *La puissance aveugle des eaux déchaînées.* ‖ Se dit d'une nef sans fenêtres, éclairée seulement par les bas-côtés. ‖ Se dit d'une arcade ou d'une fenêtre dont la surface inscrite est un mur plein. ● *Point aveugle,* région de la rétine où convergent les fibres qui forment le nerf optique. (Cette zone est dénuée de cellules sensorielles et est insensible à la lumière.) ‖ *Vallée aveugle,* forme de relief karstique, constituée par une vallée qui se termine brusquement contre un versant. ● LOC. ADV. *En aveugle,* imprudemment, sans réflexion : *Juger, parler en aveugle.* ◆ **aveuglant, e** adj. Qui empêche de voir, au moins momentanément, qui éblouit : *La lumière aveuglante du projecteur.* ‖ Qu'il est impossible de ne pas voir, de ne pas remarquer; clair : *C'est d'une évidence aveuglante!* ◆ **aveuglement** n. m. Trouble, obscurcissement de l'esprit, de la raison; obstination stupide : *Persévérer dans une erreur avec aveuglement.* ◆ **aveuglément** adv. Sans examen, sans réflexion : *Frapper aveuglément son adversaire.* ◆ **aveugle-né, e** n. et adj. Celui, celle qui est aveugle de naissance. — Pl. *des* AVEUGLES-NÉS, *des* AVEUGLES-NÉES. ◆ **aveugler** v. tr. Rendre aveugle; priver de la vue : *L'éclat de la neige peut aveugler à la longue.* ‖ Empêcher momentanément de voir clair; éblouir : *Etre aveuglé par des phares d'auto.* ‖ Boucher provisoirement une ouverture accidentelle : *Aveugler une voie d'eau.* ‖ *Fig.* Faire perdre le discernement, la raison : *La haine l'aveuglait.* ‖ — **s'aveugler** v. pr. [**sur**]. Manquer de jugement; se tromper : *Ne vous aveuglez pas sur vos possibilités.* ◆ **aveuglette (à l')** loc. adv. A tâtons, sans y voir : *Se diriger à l'aveuglette dans l'obscurité.* — *Fig.* Au hasard : *Mener des recherches à l'aveuglette.*

— ENCYCL. **aveugle.** Vers 1950, le nombre total des aveugles a été évalué à 6 576 000, dont 70 p. 100 sont des Asiatiques. Dans la majorité des pays, les causes de la cécité se sont modifiées; les malformations oculaires congénitales, les blessures, les traumatismes du crâne l'emportent sur les causes infectieuses (trachome, filariose, ophtalmie purulente, hérédosyphilis). Un aveugle peut avoir une vie active. Par le développement poussé du tact, de l'ouïe, de l'odorat et du goût, la vie personnelle des aveugles est bien différente de celle qu'imaginent encore tant de gens. La généralisation de l'instruction donnée aux aveugles date du XVIIIe s. En 1784, Valentin Haüy fonda à Paris la première école spéciale, qui est devenue l'Institut des jeunes aveugles. Un aveugle de génie, Louis Braille, imagina un alphabet conventionnel en points saillants, système d'une merveilleuse simplicité, qui s'applique aussi aux chiffres, à la musique et même à la sténographie. Depuis 1852, il est utilisé dans le monde entier comme base d'instruction des aveugles. Actuellement, l'emploi des aveugles est un fait acquis. Le plus grand obstacle à l'utilisation des aveugles réside en fait dans la défiance du public. C'est le principal but de l'Association Valentin-Haüy que de lutter contre cette défiance.

Les services d'aide sociale ont la charge de la réadaptation fonctionnelle et de la rééducation professionnelle des aveugles dont les ressources sont insuffisantes, et lorsque réadaptation et rééducation ne peuvent être prises en charge par un organisme de sécurité sociale.

aveugle (ALPHABET) → BRAILLE.

aveugles (LETTRE SUR LES), œuvre de Diderot. V. LETTRE SUR LES AVEUGLES.

aveugles (ÉCOLES DES JEUNES), à Paris (institution nationale) et à Saint-Mandé (école Braille [établissement départemental]). Les jeunes aveugles y reçoivent, avec une instruction générale, une éducation artistique et professionnelle. — L'école Braille est à la fois une école et une sorte de colonie d'aveugles; les élèves peuvent y rester après leur majorité et y exercer leur métier.

aveuglement, aveuglément, aveugle-né, aveugler, aveuglette (à l') → AVEUGLE.

aveulir v. tr. Rendre veule, faible, sans volonté; donner une expression veule à : *Une vie trop facile aveulit.* ‖ — **s'aveulir** v. pr. Devenir veule : *S'aveulir dans l'oisiveté.* ◆ **aveulissement** n. m. Action d'aveulir. ‖ Etat de celui qui est sans énergie, sans volonté.

Aveyron, riv. du Massif central et du bassin d'Aquitaine, affl. du Tarn (r. dr.); 250 km. Né dans le causse de Sauveterre, qu'il traverse en gorges profondes, l'Aveyron passe à Rodez, Villefranche-de-Rouergue et conflue en aval de Montauban.

Aveyron (DÉPARTEMENT DE L'), dép. de la partie méridionale du Massif central; 8 735 km^2; 278 654 h. Ch.-l. *Rodez.*
La partie nord du département appartient aux contreforts du *Cantal* et au plateau volcanique de l'*Aubrac;* le plateau cristallin de la *Viadène* est entaillé par les gorges du Lot et de la Truyère. Le centre du département est occupé par le *causse Comtal* et par le *causse de Séverac.* Au S. de l'Aveyron, le plateau du *Ségala* est formé de terrains cristallins, où autrefois le seigle était la culture principale; l'élevage en est la ressource essentielle aujourd'hui; ces plateaux culminent au *Lévezou.* Le sud-ouest déborde sur les étendues calcaires du bassin d'Aquitaine, et le sud-est est formé par une partie des *Grands Causses* (*causse Noir* et *causse de Larzac*). L'industrie est représentée par les exploitations houillères de Decazeville, par le travail du cuir (Millau) et par les installations hydroélectriques de la Truyère. Ces activités n'emploient qu'une main-d'œuvre réduite et l'émigration, vers le bassin d'Aquitaine surtout, reste forte. (V., pour les beaux-arts, GUYENNE et GASCOGNE.)
→ V. carte et tableau page suivante.

aviaire adj. Relatif aux oiseaux : *La peste aviaire.*

Avial n. m. (mot déposé). Alliage léger à base d'aluminium, du type Duralumin.

aviateur → AVIATION.

aviation n. f. (lat. *avis,* oiseau). Mode de locomotion utilisant les aérodynes. ‖ Technique dont l'objet est l'étude et la construction des aérodynes. ‖ Tout ce qui est relatif à la navigation aérienne. ● *Aviation commerciale,* ensemble des avions, des installations et du personnel employés au transport des voyageurs et des marchandises. ‖ *Aviation légère et sportive,* sports aériens. ‖ *Avia-*

recensement de 1982

LES DIX PREMIÈRES COMMUNES

Rodez	26 346 h.	*Saint-Affrique*	9 188 h.
Millau	22 256 h.	*Aubin*	6 017 h.
Villefranche-de-Rouergue	13 869 h.	*Capdenac-Gare*	5 496 h.
Onet-le-Château	9 785 h.	*Espalion*	4 883 h.
Decazeville	9 204 h.	*Réquista*	2 690 h.

recensement de 1982

arrondissements (3)	cantons (46)	nombre d'hab. du canton	nombre de comm. (304)
Millau (71 622 h.)	Belmont-sur-Rance	2 517	6
	Camarès	2 902	10
	Campagnac	1 872	5
	Cornus	1 726	9
	Millau (2 cant.)	25 375	8
	Nant	3 269	6
	Peyreleau	1 648	7
	Saint-Affrique	12 833	11
	Saint-Beauzély	2 046	5
	Saint-Rome-de-Tarn	3 546	8
	Saint-Sernin-sur-Rance	4 321	14
	Salles-Curan	3 263	4
	Séverac-le-Château	4 292	5
	Vézins-de-Lévézou	2 012	4
Rodez (135 051 h.)	Baraqueville-Sauveterre	8 186	10
	Bozouls	5 130	5
	Cassagnes-Bégonhès	5 453	7
	Conques	3 209	6
	Entraygues-sur-Truyère	3 186	5
	Espalion	7 388	6
	Estaing	3 271	6
	Laguiole	2 536	5
	Laissac	4 056	8
	Marcillac-Vallon	7 580	10
	Mur-de-Barrez	4 150	6
	Naucelle	5 502	8
	Pont-de-Salars	5 672	8
	Réquista	6 085	7
	Rignac	4 977	8
	Rodez (3 cant.)	46 191	10
	Saint-Amans-des-Cots	2 858	6
	Saint-Chély-d'Aubrac	892	2
	Sainte-Geneviève-sur-Argence	2 603	7
	Saint-Geniez-d'Olt	3 609	6
	Salvetat-Payralès (La)	2 497	5
Villefranche-de-Rouergue (71 981 h.)	Aubin	13 121	4
	Capdenac-Gare	9 051	10
	Decazeville	13 434	7
	Montbazens	6 894	13
	Najac	4 233	7
	Rieupeyroux	5 379	6
	Villefranche-de-Rouergue	15 953	7
	Villeneuve	3 916	10

RÉGION MILITAIRE : *Bordeaux* (IVe). — COUR D'APPEL : *Montpellier.* — ACADÉMIE : *Toulouse.* — ARCHEVÊCHÉ : *Albi.*

tion militaire, aviation utilisée à des fins militaires. ‖ *Aviation sanitaire,* aviation utilisée pour l'évacuation des blessés. ◆ **aviateur, trice** n. Personne qui pilote un avion. ● *Mal des aviateurs*, ensemble de symptômes anormaux dont peuvent souffrir les aviateurs du fait de la répétition de vols trop fréquents ou trop prolongés, exécutés dans des conditions difficiles (fatigue, nervosisme, manifestations psychosomatiques diverses, et, dans les formes graves, véritables troubles psychiques).

— ENCYCL. **aviation.** Depuis les temps les plus reculés, le rêve de l'homme a été de se déplacer librement dans les airs. Après l'ère du ballon, les frères Wright donnaient, le 17 décembre 1903, l'impulsion initiale à un mode de locomotion qui allait révolutionner le XXe s., l'aviation. Les progrès furent extrêmement rapides, puisque des vitesses doubles de celle du son sont désormais atteintes, même par des avions de transport. Les applications de l'aviation peuvent se répartir dans trois domaines : l'aviation commerciale, l'aviation générale et l'aviation militaire (v. *infra*).

● L'*aviation commerciale,* pratiquement inexistante vers 1920, a connu un développement extrêmement rapide, tant sur le plan du trafic que sur celui des performances. Depuis 1950, un certain nombre de progrès décisifs ont été enregistrés : introduction de la propulsion par réaction, mise au point des techniques de guidage et d'atterrissage par mauvaise visibilité — qui ont considérablement amélioré la régularité et la sécurité des vols —, mise en service, depuis 1970, d'avions gros porteurs offrant de 200 à 400 places ; en 1976 est venue s'ajouter la mise en service de l'avion de transport supersonique « Concorde ».

● L'*aviation générale* englobe l'aviation de tourisme et l'aviation d'affaires. L'*aviation de tourisme,* en pleine expansion, a bénéficié des perfectionnements apportés aux appareils, notamment sur le plan des aides au pilotage. L'*aviation d'affaires* utilise de petits avions commerciaux de 6 à 10 places, généralement propulsés par turboréacteurs.

Les grandes étapes de l'aviation.

1890 Premier soulèvement (9 oct.) d'un aéroplane équipé d'un moteur à vapeur, l'*Eole* de Clément Ader, à Armainvilliers, sur 50 m à 0,20 m du sol.

1903 Premier vol (17 déc.) d'un avion à moteur piloté par Wilbur et Orville Wright, à Kitty Hawk (Caroline du Nord), sur 284 m.

1906 Premier soulèvement (13 sept.) d'un aéroplane en Europe par Alberto Santos-Dumont à Bagatelle. — Premier vol prolongé d'un avion en Europe (23 oct.) par Santos-Dumont, qui, à Bagatelle, couvre 220 m. — Premier record de vitesse homologué (12 nov.), réalisé par Santos-Dumont avec 41,29 km/h.

1907 Premier vol (13 nov.) d'un hélicoptère, qui, piloté par le Français Paul Cornu à Lisieux, se soulève de 1,5 m.

1908 Premier vol officiel (13 janv.) sur 1 km en circuit fermé par Henri Farman à Issy-les-Moulineaux.

1909 Première traversée de la Manche (25 juill.), de Calais à Douvres (durée de vol, 37 mn), par Louis Blériot.

1910 Premier vol à plus de 1 000 m d'altitude (7 janv.) par Hubert Latham. — Premier vol d'un hydravion (28 mars) sur l'étang de Berre par Henri Fabre. — Premier vol à plus de 100 km/h (9 sept.) par Léon Morane à Reims. — Première traversée des Alpes (23 sept.) par Géo Chavez, qui s'écrase à l'atterrissage.

1911 Premier voyage Londres-Paris sans escale (12 avr.) par le Français Pierre Prier.

1913 Traversée de la Méditerranée (23-24 sept.), de Saint-Raphaël à Bizerte, par Roland Garros.

1916 Première installation de la radio à bord des avions.

1919 Première traversée de l'Atlantique Nord en hydravion (16-17 mai), de Terre-Neuve à Horta (Açores) et Lisbonne, par le lieutenant-commander américain Albert Cushing Read. — Première traversée de l'Atlantique Nord en avion (14-15 juin), entre Saint-John's (Terre-Neuve) et Clifden (Irlande), par les Anglais sir John William Alcock et sir Whitten Brown.

1922 Première traversée de l'Atlantique Sud en hydravion (30 mars-5 juin), entre Lisbonne et Rio de Janeiro, par les Portugais Sacadura Cabral et Gago Coutinho. — Premier vol de plus de 1 heure en planeur (18 août) par l'Allemand Martens.

1923 Premier ravitaillement en vol d'un avion (26 juin) par les Américains Lowell Smith et J. P. Richter Richter à San Diego.

1924 Premier vol d'une durée supérieure à 10 minutes en hélicoptère (29 janv.) par Raoul Pateras Pescara à Issy-les-Moulineaux.

1926 Réalisation du pilote automatique et des instruments de pilotage sans visibilité.

1927 Première traversée de l'Atlantique Nord sans escale (20-21 mai), de New York à Paris, par Charles Lindbergh sur l'avion *Spirit of St Louis.*

1929 Record de la distance en ligne droite (27-29 sept.) porté à 7 905 km par Dieudonné Costes et Maurice Bellonte,

Breguet XIX *Point-d'interrogation* ▷

l'« Avion » de Clément Ader

« Aéroplane XI » de Louis Blériot

le Spad de Guynemer

I. P. A. 251 « Antilope », grand tourisme ▷

Morane - Saulnier « Rallye »
avion de tourisme

Scintex - Aviation, CP. 1310/1315
« Super - Emeraude », biplace

Photos Larousse et U. S. I. A. S.

Tupolev « TU-104 » △

U.S.I.A.S.

Caravelle « S.E.210 » ▽

U.S.I.A.S

Guy Marineau - Top

Concorde

Demeulle

Airbus ▷

Boeing
747 »

Demeulle

de Paris à Tsitsihar (Chine du Nord-Est). — Premier vol, sur 3 km, d'un avion propulsé par un moteur-fusée (30 sept.) par l'Allemand Fritz von Opel (né en 1889).

1930 Première liaison Paris-New York sans escale (1er-2 sept.) par Dieudonné Costes et Maurice Bellonte sur le Breguet *Point-d'Interrogation.*

1934 Premier vol à plus de 700 km/h (24 oct.) par l'Italien Francesco Agello sur hydravion Macchi.

1940 Premier vol d'un avion propulsé par un turboréacteur (30 avr.), le Caproni-Campini « CC-I ».

1944 (nov.) Premier engagement au combat du biréacteur allemand Messerschmitt « Me-262 ». — Signature, à Chicago, de la Convention relative à l'aviation civile internationale (7 déc.).

1947 Premier vol (14 oct.) du Bell « X-1 », propulsé par un moteur-fusée, piloté par l'Américain Charles Yeager, le premier à dépasser la vitesse du son en vol horizontal.

1949 Premier vol (27 juill.) du De Havilland 106 « Comet », premier avion de transport propulsé par turboréacteur.

1953 Premier vol (15 déc.) du « Djinn », premier hélicoptère propulsé par réaction, par éjection d'air comprimé en bout de pales.

1954 Désintégration en vol (10 janv. et 8 avr.) de deux « Comet » par fatigue des structures.

1955 Premier vol (27 mai) de la « Caravelle », qui introduit la formule des réacteurs à l'arrière du fuselage.

1958 Premier vol d'un hélicoptère (13 juin) au-dessus de 10 000 m par l'« Alouette III », qui atteint 10 984 m.

1962 Record de distance en ligne droite (10-11 janv.) porté à 20 169 km, de Okinawa à Madrid, par un Boeing « B-52 ». — Record d'altitude (17 juill.) porté à 95 936 m par le North American « X-15 », à moteur-fusée, lancé d'un avion porteur.

1965 Records d'altitude (24 462 m) et de vitesse (3 331,5 km/h) en vol horizontal (1er mars) battus par le Lockheed « YF-12 A ».

1968 Premier vol (31 déc.) du premier avion de transport supersonique, le Tupolev « TU-144 ».

1969 Premier vol (9 févr.) de l'avion de transport Boeing « 747 ». — Premier vol (2 mars) de l'avion de transport franco-britannique « Concorde ».

1970 Première liaison transatlantique (22 janv.) du Boeing « 747 » entre New York et Londres.

1976 Premiers vols commerciaux réguliers (21 janv.) du « Concorde ».

• *L'aviation militaire.* Si son origine lointaine remonte à l'emploi du ballon par les aérostiers à la bataille de Fleurus (1794), l'aviation militaire n'apparaît qu'au début du XXe s. C'est en France qu'elle connaît le plus grand essor ; dès 1910, l'armée française possède une trentaine d'aéroplanes, et la première escadrille est créée en 1912, date à laquelle des pilotes français font leurs premières expériences de combat dans les Balkans et où l'Angleterre crée la Royal Flying Corps, ancêtre de la Royal Air Force.

La Première Guerre mondiale donne droit de cité, parmi les armes, à l'aviation, où se distinguent peu à peu les trois branches de l'*observation* (des troupes et des tirs avec emploi de la photographie aérienne), de la *chasse* (pour interdire ces missions à l'adversaire) et du *bombardement.* Partie en 1914 avec 216 appareils, la France, devenue en 1918 la première puissance aérienne, en compte alors 3 600 (288 escadrilles en ligne). Illustrées par les exploits de leurs as (Fonck, Guynemer en France, Manfreid et Lothar von Richthofen, Ernst Udet, Max Immelmann en Allemagne), les forces aériennes jouent un rôle important dans les opérations terrestres. En moins de dix ans, les avions sont passés du stade sportif à la production industrielle de série, mais, s'ils ont accru leurs performances, ils demeurent fragiles.

Après 1919, de nombreux appareils militaires sont reconvertis dans le secteur commercial, et d'anciens pilotes de guerre apportent leur expérience à l'expansion de l'aviation de ligne. Au contraire, les armées de l'air connaissent une période de stagnation, sauf en Allemagne, où la Luftwaffe, créée en 1935, dispose d'emblée d'un matériel et d'un personnel de haute qualité, dont Hitler fait de 1939 à 1941 un élément décisif de la guerre éclair. Mais l'offensive aérienne allemande de 1940 sur l'Angleterre échoue, et les Alliés acquièrent peu à peu une supériorité aérienne qui leur donnera en 1944-1945 une maîtrise de l'air quasi totale. Au cours de ce second conflit, les aviations militaires connaissent une nouvelle évolution technique (radar, engagement en 1944 du « Me-262 » allemand, premier avion à réaction), tandis que s'accroît, suivant la capacité des industries de guerre, le nombre des avions. Cela explique notamment la supériorité écrasante de l'US Air Force (296 000 avions américains construits de 1940 à 1945). De nouvelles distinctions apparaissent entre les aviations *tactiques* (chasse, assaut, bombardiers légers), l'aviation *stratégique* (bombardiers lourds avec leur accompagnement de chasseurs et d'avions de reconnaissance) et l'aviation de *transport,* employée notamment dans les opérations aéroportées.

Depuis 1945, outre la généralisation du moteur à réaction et la multiplication des équipements électroniques, deux facteurs

Hawker Siddeley

Hawker-Siddeley « Harrier »

B.A.C.

Jaguar

Dassault

Demeulle

Mirage « F-1 »

Grumman « F-14 Tomcat »

ıouveaux, l'arme nucléaire et le missile, vont ɔouleverser la physionomie des aviations nilitaires. C'est d'abord l'époque du Strategic Air Command américain, dont les bombardiers (« B-29 », « B-36 », « B-47 »), porteurs de ombes nucléaires, ne connaîtront d'adversaires à leur mesure qu'au moment où, vers 955, l'U. R. S. S., disposant aussi de l'arme ucléaire, choisit le missile pour son vecteur. Alors s'ouvre une compétition entre le nissile et l'avion, lequel, au cours des nnées 1960-1970, perd, au profit du missile t du sous-marin, son monopole de vecteur e l'arme nucléaire stratégique. Ce rôle ontinue, toutefois, à être tenu par le bombardier, qui garde en outre toute sa valeur omme porteur de bombes lourdes non nucléaires (emploi des « B-52 » dans la guerre du Viêt-nam, 1965-1973). D'autre part, la mission stratégique de l'aviation de transport (pont aérien de Berlin, Proche-Orient...) s'accroît avec les performances des nouveaux appareils (« C-5 A » américain de 1970).

Sur le plan tactique, la puissance de l'*avion d'appui* ou de l'*avion de combat,* déjà renforcée en 1945 par l'emploi des roquettes, est encore accrue par leur armement en projectiles (missiles air-sol ou bombes) nucléaires. En 1975, ces avions sont des appareils tout temps naviguant au radar à Mach 2 et dont les équipements sont si évolués que leur prix en limite impérativement le nombre. Cela explique que les constructeurs cherchent à abaisser ces prix de revient unitaires en accroissant par des ventes à l'étranger le volume des séries. On notera, enfin, que, dans les conflits limités de la période 1945-1975, les belligérants ont continué à employer les avions de combat équipés d'armes classiques et désormais renforcés par des hélicoptères. Ainsi, en dehors des domaines où, comme le transport, l'avion reste irremplaçable, on estime que missiles et avions pilotés demeurent complémentaires. Ces derniers trouvent surtout leur place dans le domaine tactique, qui requiert une intelligence et une rapidité d'adaptation à l'événement qui resteront encore longtemps le privilège de l'équipage humain.

aviation civile (ECOLE NATIONALE DE L') [**E. N. A. C.**], établissement national d'enseignement technique, fondé en 1948, assurant le recrutement et la formation des futurs fonctionnaires d'Etat chargés de l'organisation du transport et du travail aériens.

aviation civile internationale (ORGANISATION DE L') [**O. A. C. I.**]. V. ORGANISATION.

Avicébron (Salomon IBN GABIROL, connu sous le nom d'), philosophe juif espagnol (Málaga v. 1020 - Valence v. 1058), panthéiste, commentateur d'Aristote, auteur de *Source de vie* (*Fons vitae*).

Avicenne (Abū 'Alī al-Ḥusayn IBN SĪNĀ, connu sous le nom d'), philosophe et médecin iranien (Afshana, près de Boukhara, 980 - Hamadhān 1037). La médecine occupe, dans l'œuvre d'Avicenne, la place la plus importante. Son ouvrage *le Canon de la médecine* devint populaire en Europe et fut enseigné dans les facultés jusqu'au milieu du XVIIe s. Le *Poème de la médecine* est un abrégé en vers du canon. Il a décrit avec précision la méningite aiguë, les fièvres éruptives, la pleurésie, l'apoplexie. Sa philosophie est un mélange de péripatétisme et de théories orientales.

avicole → AVICULTURE.

aviculaire adj. Qui se nourrit d'oiseaux : *La mygale aviculaire.*

aviculaire n. m. Organe en forme de bec d'oiseau, propre aux bryozoaires, et servant surtout à la capture des proies.

avicule n. f. Mollusque bivalve marin existant depuis le silurien et vivant par bancs immenses, que remontent parfois les chaluts.

aviculteur → AVICULTURE.

Avignon, le pont Saint-Bénezet et le palais des Papes

aviculture n. f. Art d'élever les oiseaux ; élevage des volailles. (On distingue l'*aviculture sportive*, pour les oiseaux de volière appréciés pour leur aspect extérieur ou leur chant, et l'*aviculture utilitaire*, pour les volailles domestiques, dont les différentes opérations [sélection, multiplication, accouvage] peuvent être aujourd'hui assurées par des établissements spécialisés. L'aviculture est classée au troisième rang dans les sources du revenu national agricole [après la viande de boucherie et le lait, avant le blé, le vin]. ◆ **avicole** adj. Qui vit sur les oiseaux : *Parasites avicoles.* ‖ Qui pratique l'aviculture : *Etablissement avicole.* ‖ Qui se rapporte aux oiseaux : *Exposition avicole.* ◆ **aviculteur** n. m. Eleveur d'oiseaux, de volailles.

avide adj. (lat. *avidus*). Qui désire immodérément quelque chose : *Avide de gloire.* ‖ Qui est désireux, empressé de : *Avide de savoir.* ‖ Passionnément attentif : *Un public avide et tendu.* ‖ Qui témoigne d'un grand empressement, d'un grand désir : *Des yeux avides.* ◆ **avidement** adv. Avec avidité

Manger avidement. ‖ *Fig.* Avec empressement, avec ardeur : *Désirer avidement.* ◆ **avidité** n. f. Etat d'un être avide : *L'avidité du gain, des honneurs. Ecouter avec avidité un orateur.*

aviette n. f. Syn. de AVIONNETTE.

avifaune n. f. Partie de la faune d'un lieu constituée par les oiseaux.

Avignon, ch.-l. du dép. de Vaucluse, sur le Rhône, à 697 km de Paris ; 91 474 h. (*Avignonnais*). Archevêché. Centre universitaire depuis 1973. Célèbre par son festival annuel de théâtre, créé en 1947. Important centre commercial. Métallurgie, industries textiles et alimentaires.

● *Histoire.* Une des villes principales des antiques *Cavares,* Avignon fut, aux XIe et XIIe s., la capitale du marquisat de Provence et s'érigea en république à la fin du XIIe s. pour se soustraire à l'autorité des comtes de Toulouse. Ayant pris parti pour les albigeois, elle fut conquise en 1226 par Louis VIII, qui la fit démanteler et la donna aux comtes de Provence. De 1309 à 1378, sept papes résidèrent à Avignon. La ville avait été vendue au pape Clément VI, par Jeanne de Naples, comtesse de Provence, en 1348. Elle resta possession de la papauté et gouvernée par des légats jusqu'à son annexion par l'Assemblée législative en 1791. L'évêché, d'origine très ancienne, fut érigé en archevêché en 1475 et le resta, sauf de 1802 à 1821.

● *Beaux-arts.* Avignon a conservé l'essentiel de ses remparts du XIIe et du XIVe s. Le palais des Papes se compose du Palais-Vieux (1334-1342), par Pierre Poisson, et du Palais-Nouveau (1342-1352), orné de fresques. La cathédrale Notre-Dame-des-Doms est un beau spécimen tardif de l'école romane de Provence. La ville possède de nombreuses églises des XIVe, XVe et XVIe s. Les XVIIe et XVIIIe s. virent un important renouveau d'architecture (églises et hôtels). Il reste trois arches du célèbre pont d'Avignon (pont Saint-Bénezet, XIIe s.), qui conduisait à Villeneuve. Le *musée d'Avignon,* ou musée Calvet, installé en 1833 dans l'hôtel Villeneuve-Martignan (XVIIIe s.), contient des sculptures antiques et médiévales.

Avignon (COMTAT D'). V. COMTAT.

Ávila, v. d'Espagne (Vieille-Castille), ch.-l. de prov. ; 31 000 h. Evêché. Située sur une colline, la ville est riche en monuments d'architecture (cathédrale [XIIe-XVIIe s.], églises romanes ; couvent dominicain Santo Tomás, couvent de sainte Thérèse, monastères, palais). Usine d'automobiles.

Ávila Camacho (Manuel), général mexicain (Teziutlán 1897 - Mexico 1950), président de la République (1940-1946).

Aviler (Augustin Charles D'). V. DAVILER.

Avilés, port d'Espagne (Asturies, prov. d'Oviedo) ; 48 500 h. Métallurgie lourde (aciérie et laminoirs) ; cokerie ; engrais chimiques.

avilir v. tr. (de *vil*). Faire perdre sa valeur à une chose ; déprécier : *Avilir une marchandise ;* et, au *fig.* : *Avilir les valeurs morales.* ‖ Abaisser jusqu'à rendre méprisable ; dégrader : *La bassesse devant un supérieur avilit un homme.* ‖ — SYN. : *abaisser, humilier, rabaisser, rabattre.* ‖ — **s'avilir** v. pr. Devenir vil (au *pr.* et au *fig.*) : *S'avilir dans une vie de débauche.* ‖ ◆ **avilissant, e** adj. Qui avilit : *Etre soumis à des besognes avilissantes.* ◆ **avilissement** n. m. Dépréciation : *L'avilissement du change.* ‖ Action de dégrader moralement : *La torture est une forme d'avilissement pour celui qui l'inflige.* ‖ Etat de ce qui est dégradé, avili : *Supporter l'avilissement de la servitude.*

avillon [jɔ̃] n. m. Ongle ou serre du doigt postérieur d'un oiseau de proie.

avinage, aviné → AVINER.

aviner v. tr. Imbiber de vin un récipient de bois neuf : *Aviner un tonneau.* ◆ **avinage** n. m. Action d'aviner. ◆ **aviné, e** adj. Qui a trop bu : *Un enfant exposé aux coups d'une brute avinée.*

avion n. m. (lat. *avis,* oiseau). Aérodyne à moteur dont la sustentation est assurée par des ailes fixes. ● *Avion d'assaut, d'observation, de transport,* V. ASSAUT, OBSERVATION, TRANSPORT. ‖ *Avion de bombardement, de chasse, d'interception,* V. BOMBARDIER, CHASSEUR, INTERCEPTEUR. ‖ *Avion remorqueur,* avion qui assure le remorquage d'un planeur au moyen d'un câble. ‖ *Avion sanitaire,* aéronef aménagé pour le transport des blessés ou des malades. ◆ **avion-auto** n. m. Avion qui, par repliage des ailes notamment, peut évoluer sur route comme une simple automobile. — Pl. *des* AVIONS-AUTOS. ◆ **avion-but** n. m. Avion servant de cible au cours d'un

Ávila : les remparts

Bottin

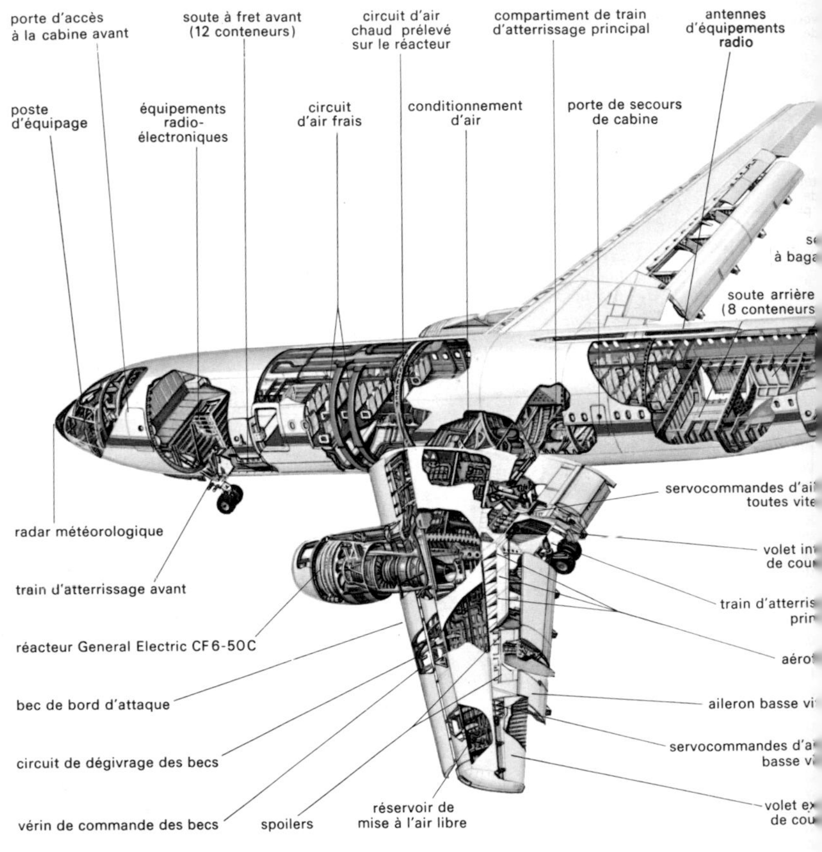

exercice de tir photographique ou de tir réel. — Pl. *des* AVIONS-BUTS. ◆ **avion-canard** n. m. Avion dont les empennages sont situés à l'avant du fuselage, l'aile étant à l'arrière, c'est-à-dire à l'inverse des positions classiques. — Pl. *des* AVIONS-CANARDS. ◆ **avion-cargo** n. m. Avion de gros tonnage, destiné uniquement au transport de fret lourd et encombrant. — Pl. *des* AVIONS-CARGOS. ◆ **avion-cible** n. m. Avion servant de cible au cours d'exercices de tir aérien. — Pl. *des* AVIONS-CIBLES. ◆ **avion-citerne** n. m. Avion utilisé comme transporteur de carburant et destiné à ravitailler d'autres appareils en plein vol. (On dit aussi AVION RAVITAILLEUR.) — Pl. *des* AVIONS-CITERNES. ◆ **avion-école** n. m. Avion destiné à la formation des pilotes. — Pl. *des* AVIONS-ÉCOLES. ◆ **avio-nique** n. f. Application des techniques de l'électronique au domaine de l'aviation. (On dit aussi AÉRO-ÉLECTRONIQUE.) ◆ **avionnett** n. f. Petit avion mu par un moteur de faibl puissance. (On dit aussi AVIETTE.) ◆ **avion-neur** n. m. Constructeur de cellules d'avion ◆ **avion-robot** n. m. Nom générique donn à tous les avions sans pilote. — Pl. *de*

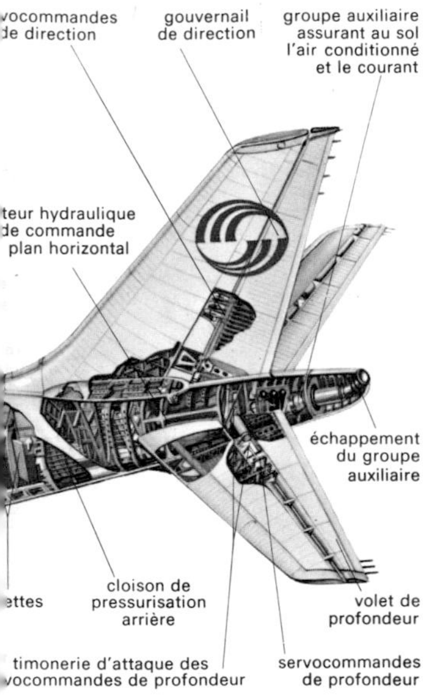

AIRBUS INDUSTRIE "A-300B-2"

CARACTÉRISTIQUES	
Envergure	44,84 m
Longueur du fuselage	52,03 m
Hauteur	16,53 m
Surface de la voilure	260 m²
Masse à vide	86,918 t
Charge marchande	35,052 t
Carburant maximal	46,500 t
Vitesse de croisière	937 km/h
Rayon d'action avec 281 passagers et bagages	3 900 km

AVIONS-ROBOTS. ◆ **avion-suicide** n. m. V. KAMIKAZE. — Pl. *des* AVIONS-SUICIDES. ◆ **aviophone** n. m. Tube acoustique permettant au pilote d'avion et au passager de converser malgré les bruits du moteur.

— ENCYCL. ***avion.*** Un avion est un appareil plus lourd que l'air, capable de voler par ses propres moyens. Il comporte essentiellement une aile, un fuselage, des empennages et des gouvernes, un train d'atterrissage et des groupes propulseurs. L'*aile* a pour rôle principal d'assurer la sustentation de l'avion, et sa forme dépend de la vitesse d'utilisation ; elle diffère pour les avions subsoniques et les avions supersoniques. Le *fuselage* contient la charge utile : passagers pour un avion de transport, charges militaires pour les avions d'armes ; il reçoit également le poste de pilotage. Sa forme est généralement cylindrique, le diamètre pouvant atteindre 6 m sur les plus gros avions. Les *empennages* assurent la stabilité de l'avion en tangage, en roulis et en lacet. On distingue l'empennage horizontal et l'empennage vertical. Chacun d'eux porte des *gouvernes :* gouvernes de profondeur pour l'empennage horizontal, qui commandent les mouvements de l'avion en tangage, et gouvernes de direction pour l'empennage vertical, qui commandent les mouvements en lacet. Les autres gouvernes sont portées par l'aile ; il s'agit des ailerons, qui, montés en bout d'aile au bord de fuite, commandent les mouvements de roulis. Le *train d'atterrissage* comporte deux éléments : un train principal, situé à hauteur de l'aile et qui s'escamote généralement dans cette dernière, et un train avant, situé sous le nez du fuselage, dans lequel il se rétracte ; sur les avions géants, l'ensemble du train peut compter jusqu'à vingt roues. Les groupes propulseurs sont soit accrochés à la voilure (cas de la majorité des avions de transport), soit contenus dans le fuselage (cas des avions d'armes monomoteurs) ; on observe également sur certains avions de transport les réacteurs accolés à l'arrière du fuselage, avec quelquefois un réacteur supplémentaire intégré dans la base de l'empennage vertical. Les avions de transport, qui volent à des altitudes comprises entre 6 000 et 10 000 m (de 15 000 à 18 000 m pour les avions de transport supersoniques), sont pressurisés à une pression correspondant à une altitude fictive de 2 500 m. En outre, un système de conditionnement d'air maintient une température et une humidité convenables, quelles que soient les conditions ambiantes. Sur les avions de combat, qui peuvent atteindre des altitudes très élevées, la pressurisation doit être limitée en fonction de la résistance de la verrière, et le pilote doit porter une combinaison pressurisée. Les avions de combat doivent également permettre l'évacuation de l'équipage en cas de destruction de l'avion en vol. Ils sont alors équipés de sièges éjectables ; sur certains avions les plus récents (bombardier américain « B-1 »), on prévoit même l'éjection de l'ensemble de la cabine, qui est ramenée au sol à l'aide de parachutes. Enfin, pour accroître leurs possibilités de rayon d'action, certains avions d'armes disposent de systèmes de ravitaillement en vol à partir d'avions-citernes ; cette technique est notamment utilisée lors de missions de bombardement à longue distance. Qu'ils soient civils ou militaires, mais surtout pour ces derniers, les avions modernes à hautes performances comportent un équipement électronique très complexe, dont le coût intervient pour une part importante dans le prix total de l'avion : centrale de navigation, pilote automatique, systèmes de conduite de tir pour les avions d'armes, etc.

Avion, ch.-l. de c. du Pas-de-Calais (arr. d'Arras), à 2 km au S. de Lens ; 21 032 h. Houille.

avion-auto, avion-but, avion-canard, avion-cargo, avion-cible, avion-citerne, avion-école, avionique, avionnette, avionneur, avion-robot, avion-suicide, aviophone → AVION.

Avioth, comm. de la Meuse (arr. de Verdun), à 8 km au N.-E. de Montmédy ; 103 h. Belle église gothique (XIIIe-XIVe s.).

avir v. tr. Rabattre les bords de deux pièces de tôle ou de fer-blanc, pour les assembler.

aviron n. m. (de l'anc. franç. *viron,* tour ; de *virer*). Rame, élargie à un bout en forme de pelle, servant à manœuvrer une embarcation. ‖ Pratique du canotage à l'aviron. ◆ **avironnier** n. m. Fabricant ou marchand d'avirons.

— ENCYCL. ***aviron.*** Pour le sport de l'aviron on n'utilise guère que les yoles et les outriggers ; les premières sont plus robustes, et elles se distinguent des outriggers par le dispositif qui supporte l'aviron. Les embarcations sont armées *en pointe* lorsque le rameur tire l'aviron des deux mains, *en couple* lorsqu'il y a deux avirons par rameur.
Le canotage à l'aviron remonte à la plus haute Antiquité, mais, sous sa forme moderne, c'est en Grande-Bretagne que l'on trouve les premières traces des compétitions (XVIIIe s.). La rivalité entre Oxford et Cambridge remonte à 1829. C'est au cours du XIXe s. que l'aviron (le *rowing* en Angleterre) s'organise en France comme un sport de compétition ; la première société nautique fut la Société des régates havraises, fondée en 1838. En 1853 naquit la Société des régates parisiennes, qui devint le *Rowing Club de Paris.*

avironnier → AVIRON.

Gamet - Rapho

aviron huit avec barreur

avis n. m. (ellipse de la loc. *ce m'est à vis,* calque du lat. vulgaire *mihi est visum,* il me semble). Opinion, manière de voir : *Se conformer à l'avis général.* ‖ Conseil que l'on donne à quelqu'un : *Donner un avis mûrement réfléchi.* ‖ Renseignement, information, notification : *Je ne bouge pas d'ici jusqu'à nouvel avis. Recevoir l'avis d'un changement de résidence. Avis de réception.* ‖ *Dr.* Opinion exprimée en réponse à une question posée : *Avis des experts.* ● *De l'avis de,* selon l'opinion de. ‖ *Etre d'avis de* (suivi d'un infin.) ou *que* (suivi d'un subjonctif), penser qu'il est nécessaire ou opportun de ou que : *Je suis d'avis de rester. Etes-vous d'avis qu'il vienne.* ‖ *Il m'est avis que,* et *m'est avis que,* il me semble que. ◆ **avisé, e** adj. Qui agit après avoir bien réfléchi ; circonspect, prudent : *Un esprit avisé. J'ai été bien avisé de prendre cette décision.* ◆ **aviser** v. tr. Apercevoir quelqu'un ou quelque chose qu'on n'avait pas remarqué d'abord : *Aviser un ami dans la foule.* ‖ Informer quelqu'un d'un fait précis : *Aviser quelqu'un d'un décès.* ✦ v. tr. ind. [**à**]. Réfléchir à ; pourvoir à ; faire un plan pour atteindre un but : *Il faut aviser à sortir d'ici ;* et, absol. : *Il va falloir aviser.* ‖ — ***s'aviser*** v. pr. [**de, que**]. S'apercevoir (de quelque chose), se rendre compte que : *S'aviser de la disparition d'une personne. Il s'est soudain avisé qu'il avait mieux à faire.* ‖ Se mettre en tête l'idée singulière de ; oser témérairement : *S'il s'avise de me tromper, il s'en repentira.*

aviso n. m. (esp. *barca de aviso,* barque chargée de porter les avis). Autref., navire de faible tonnage chargé de porter le courrier. ‖ Au XXe s., petit bâtiment léger, de vitesse moyenne, chargé surtout des escortes de convois.

Avisseau (Charles Jean), potier français (Tours 1796 - *id.* 1861). En 1843, il retrouva le secret de la fusion des émaux colorés à haute température, perdu depuis Bernard Palissy.

avisure ou **avissure** n. f. (de *avir*). Mode d'assemblage de deux pièces de tôle ou de fer-blanc par rabattement du rebord de l'une sur le rebord de l'autre.

Avit (saint). V. AVITUS.

avitaillement → AVITAILLER.

avitailler v. tr. Fournir à un navire tout ce qui constitue son approvisionnement. ◆ **avitaillement** n. m. Action d'avitailler un navire. (V. SOUTE.) ◆ **avitailleur** n. m. Navire pétrolier spécialisé dans le transport et la fourniture des soutes. (Syn. MAZOUTEUR.)

avitaminose n. f. Ensemble des phénomènes dus à une insuffisance d'apport ou d'utilisation des vitamines.

— ENCYCL. Les principales avitaminoses sont : l'*avitaminose A,* responsable de troubles de la vision (héméralopie, xérophtalmie) et de lésions cutanées ; l'*avitami-*

nose B (béribéri) ; l'*avitaminose C* (scorbut) ; l'*avitaminose PP* (pellagre) ; l'*avitaminose K*, observée au cours d'ictères et de troubles intestinaux, qui entraîne des hémorragies par défaut de synthèse de la prothrombine ; l'*avitaminose E* (troubles de la reproduction). Chez l'homme, les avitaminoses sont souvent associées dans les cas de dénutrition. Dans certains cas, la carence n'est décelée que par des examens de laboratoire.

Avitus, noble arverne, couronné empereur romain d'Occident par les Wisigoths (455-456).

Avitus (Sextus Alcimus Ecdicius) [*saint Avit*] (Vienne, Dauphiné, 450 - *id.* v. 518), évêque de Vienne (v. 490-518), auteur de poèmes d'inspiration religieuse.

avivage, avivé, avivement → AVIVER.

aviver v. tr. (de *vif*). Donner de la vivacité, de l'éclat à : *Aviver les flammes d'un incendie. Le froid avive les joues.* ‖ *Fig.* Rendre plus vif : *Aviver la douleur de quelqu'un, une querelle.* ● *Aviver les bords d'une plaie, d'une cicatrice,* etc., en mettre à nu les portions saines, en faisant disparaître les parties morbides, afin de favoriser la cicatrisation. ◆ **avivage** n. m. Action d'aviver : *L'avivage des couleurs.* ‖ Opération de polissage d'un métal. ◆ **avivé** n. m. Bois ne présentant que des arêtes vives. (Sous ce terme générique, il convient de ranger, à l'exception des plots*, tous les débits obtenus en scierie : poutres, madriers, bastings, planches, chevrons, feuillets, frises, voliges, lambourdes, etc.) [Syn. BOIS ALIGNÉ PARALLÈLE, BOIS DÉLIGNÉ.] ◆ **avivement** n. m. Action d'aviver les bords d'une plaie.

avives n. m. pl. Syn. de PAROTIDITE (chez les animaux).

Aviz ou **Avís,** v. du Portugal (Alentejo, distr. de Portalegre) ; 2 200 h. Jadis siège d'un ordre de chevalerie fondé en 1147 pour combattre les Maures et sécularisé en 1789 ; il comporte trois classes (ruban vert). Transporté au Brésil, il y est également devenu un ordre national (ruban vert à liséré rouge).

Avize, ch.-l. de c. de la Marne (arr. et à 10 km au S.-E. d'Epernay) ; 2 020 h. (*Avizois*). Vins de Champagne.

avocaillon, avocasserie, avocassier → AVOCAT.

avocat, e n. (lat. *advocatus ;* de *advocare,* appeler auprès de). Auxiliaire de la justice, dont la mission est de renseigner et de conseiller son client, en l'assistant en justice et en le représentant : *Prendre un avocat pour sa défense.* (Sauf devant les cours d'appel, les avocats assument aujourd'hui les fonctions des anciens avoués.) ‖ *Fig.* Celui qui intercède pour un autre ou lui fournit un moyen de défense : *Se faire l'avocat d'une mauvaise cause.* ● *Avocat du diable,* à Rome, docteur qui, dans un procès de canonisation, plaide contre celle-ci. — Celui qui défend, non sans paradoxe, une cause jugée mauvaise. ‖ *Avocat général,* membre du ministère public près la Cour de cassation, la Cour des comptes et les cours d'appel, et qui a pour fonction de suppléer le procureur général en cas d'empêchement. ‖ *Avocat d'office,* avocat qui est désigné pour assister une partie admise à l'aide judiciaire. ‖ *Ordre des avocats,* ensemble des avocats inscrits au tableau près d'une cour, d'un tribunal, et représenté par un bâtonnier. (Le *conseil de l'ordre,* chargé de la vérification des conditions d'admission, possède également un pouvoir réglementaire, qui lui permet de codifier les usages de son barreau dans les limites des prescriptions légales, et un pouvoir disciplinaire, qui lui permet d'exercer la surveillance que l'honneur et l'intérêt de l'ordre rendent nécessaires.) ◆ **avocaillon** n. m. *Fam.* Petit avocat sans notoriété. ◆ **avocasserie** n. f. Mauvaise chicane d'avocat (rare). ◆ **avocassier, ère** adj. Qui appartient aux mauvais avocats; procédurier (rare). ◆ **avocat-conseil** n. m. V. CONSEIL.

avocat → AVOCATIER.

avocatier n. m. (d'un mot caraïbe). Arbre originaire de l'Amérique tropicale, au gros fruit pulpeux, comestible (avocat), dont l'huile

Larousse

est utilisée en cosmétique. (Famille des lauracées.) ◆ **avocat** n. m. Fruit de l'avocatier.

avocette n. f. Oiseau migrateur du bord des eaux, au long bec recourbé vers le haut, au plumage noir et blanc (haut. 45 cm). [Famille des charadriidés.]

avodiré n. m. Bois d'ébénisterie fourni par une méliacée (*Turraeanthus africana*) de la Côte-d'Ivoire, du Cameroun et du Congo.

Avogadro (Amedeo DI QUAREGNA E CERETTO, comte), chimiste italien (Turin 1776 - *id.* 1856). Il interpréta les lois des combinaisons gazeuses par la théorie moléculaire et émit, en 1811, la célèbre hypothèse selon laquelle il y a le même nombre de molécules dans des volumes égaux de gaz différents. La *loi d'Avogadro* $M = 29\,d$ établit une relation entre la masse moléculaire M d'un corps gazeux et sa densité *d* par rapport à l'air. On appelle *nombre d'Avogadro* le nombre $N = 6{,}023 . 10^{23}$ de molécules contenues dans une molécule-gramme.

avoi n. m. En brasserie, action de faire couler le moût d'une cuve dans une autre.

avoine n. f. (lat. *avena*). Plante herbacée que l'on cultive pour son grain, utilisé dans l'alimentation animale (cheval) et dans l'alimentation humaine : *L'avoine est considérée, en France, comme céréale secondaire.* (Famille des graminacées.) ‖ Grain de cette plante : *Cribler de l'avoine.* ● *Avoine élevée,* fromental (*Avena elatior*). ‖ *Avoine jaunâtre,* avénette (*A. flavescens*). ‖ *Balle d'avoine,* enveloppe florale entourant les grains d'avoine et servant à la nourriture des bestiaux ainsi qu'à la confection d'oreillers et de paillasses. ‖ *Flocons d'avoine,* v. FLOCON. ‖ *Folle avoine,* espèce non comestible et envahissante (*A. fatua*). ◆ **aveinière** ou **avénière** n. f. Terrain semé d'avoine.

— ENCYCL. **avoine.** L'avoine est souvent cultivée après le blé et peut recevoir une fumure organique (fumier de ferme) et une fumure minérale équilibrée (à l'hectare : 30 à 50 kg d'azote, 50 à 75 kg d'acide phosphorique, 45 à 75 kg de potasse). Les semis précoces sont les meilleurs : début octobre pour les variétés d'hiver, dès fin février, si les gelées ne sont plus à craindre, pour les variétés de printemps. On utilise en moyenne 100 kg de semence à l'hectare, et les rendements peuvent atteindre 50 q à l'hectare. Les principaux producteurs d'avoine sont l'U. R. S. S. (18 millions de tonnes), les Etats-Unis (13 millions de tonnes), le Canada, la France, la production mondiale dépassant 50 millions de tonnes.

Avoine, comm. d'Indre-et-Loire (arr. et à 8 km au N.-O. de Chinon); 1 800 h. Sur la Loire, centrale nucléaire, dite aussi « de Chinon », destinée à une production industrielle d'énergie électrique.

avoiner v. tr. *Pop. Avoiner quelqu'un,* le rouer de coups.

avoir v. tr. (lat. *habere*) [v. tableau des conj.]. **1.** Il exprime en premier lieu la possession matérielle, les relations du possesseur avec une personne ou un objet : *Avoir du bien. Il a les cheveux blancs. Cet appartement a trois pièces. Avoir quelqu'un à déjeuner. Avoir quelqu'un pour ami.* ‖ Disposer de : *Vous avez trois jours pour vous décider.* ● *Il a cela de bon,* il a cette qualité. ‖ **2.** Il exprime aussi l'entrée en possession : *J'ai eu cela pour rien. Il a eu son train.* ● *Avoir une femme* (Fam.), obtenir ses faveurs. ‖ *Avoir quelqu'un* (Fam.), le duper. — Venir à bout de ; triompher de : *On les aura.* (Dans ce sens, on trouve parfois *avoir* au passif ; et *fam. : Il a été bien eu !,* il a été bien attrapé.) ‖ **3.** Il marque le fait que le sujet est l'unique ou le principal intéressé dans la chose ou l'affaire en question. Il indique alors : *a*) un état du corps ou de la personne physique : *Avoir froid. Avoir faim. Avoir mal à la tête ;* et, *par extens. : La tour Eiffel a 300 mètres de haut ; b*) un état d'esprit, une attitude intellectuelle ou morale : *Avoir raison. Avoir de l'esprit. Avoir peur. Avoir en horreur ; c*) une situation par rapport à d'autres personnes : *Avoir une discussion.* ● *En avoir assez,* se dit de chagrins, de désagréments ou de toute autre chose qu'on ne peut plus supporter. ‖ *En avoir à, contre, après quelqu'un,* lui en vouloir, être irrité contre lui. (Le verbe *avoir* suivi d'un nom complément forme beaucoup de locutions verbales que l'on trouvera à l'ordre de chaque nom complément. [V. AIR, RAISON, etc.]) ‖ **4.** *Avoir à,* suivi d'un infinitif, indique le futur avec une nuance d'obligation : *J'ai à faire une visite cet après-midi.* ‖ *Il n'a qu'à, il n'y a qu'à* (suivi d'un infinitif), il suffit de, il ne reste plus qu'à : *Il n'y a qu'à parler pour être obéi.* ‖ Le même tour peut exprimer ironiquement la menace ou la crainte : *Tu n'as qu'à recommencer. Il n'a plus qu'à tout casser.* ‖ **5.** La locution impersonnelle *il y a* (*il y avait, il y aura,* etc.) a le sens du verbe *être : Il y a un jardin devant la villa.* ‖ *Il y a* est souvent accompagné du pronom *en,* servant à rappeler un nom précédemment exprimé : *Des ouvrages sur cette question, il y en a autant que tu en veux.* ‖ *Ellipt. Il y en a,* il y a des gens : *Il y en a qui disent que les étoiles sont habitées.* ● *Il n'y a qu'à parler,* il suffit de parler : *Commandez, il n'y a qu'à parler.* ‖ *Quand il n'y en a plus, il y en a encore* (Fam.), se dit pour faire entendre qu'une chose est inépuisable. ‖ — REM. Employé seul comme auxiliaire avec le participe d'un autre verbe, *avoir* forme les temps composés, comme : *J'ai aimé. J'avais reçu,* etc. Il forme également un temps surcomposé lorsqu'il est joint à son propre participe et au participe d'un autre verbe : *Je serais allé vous voir si j'avais eu fini plus tôt.* ◆ **avoir** n. m. Ce qu'on possède de bien ; propriété : *Doubler son avoir en peu de temps.* ‖ Partie d'un compte où l'on porte les sommes dues à quelqu'un. (Syn. CRÉDIT.) ● *Doit et avoir,* le passif et l'actif : *Etablir un compte pour doit et avoir.*

avoirdupois ou **averdepois** n. m. Système de poids, appliqué en Grande-Bretagne et aux Etats-Unis, dans lequel la pound vaut 16 ounces (453,592 g) : *Pound avoirdupois.* (V. TROY.)

avoisinant → AVOISINER.

avoisiner v. tr. Etre voisin de : *Les régions qui avoisinent la mer.* ‖ *Fig.* Etre proche de ; ressembler à : *Son opinion avoisine la mienne.* ◆ **avoisinant, e** adj. Situé dans le voisinage : *Il y a de nombreuses boutiques d'alimentation dans les rues avoisinantes.*

Avon, fl. de Grande-Bretagne, tributaire de

la Manche, né sur le revers de la côte des Marlborough Hills. — Affl. de la Severn (r. g.), coulant au pied des Cotswold Hills, et qui arrose Stratford, patrie de Shakespeare.

Avon, comm. de Seine-et-Marne (arr. de Melun), à 3 km à l'E. de Fontainebleau ; 15 267 h. (*Avonnais*). Centre de séjour.

Avord, comm. du Cher (arr. et à 21 km au S.-E. de Bourges); 3 211 h. Camp militaire.

Avoriaz, station de sports d'hiver de Haute-Savoie (comm. de Morzine).

avorté, avortement → AVORTER.

avorter v. intr. (lat. *abortare ;* de *ab* priv., et de *ortus,* né). Expulser un œuf ou un fœtus non viable. || *Fig.* Ne pas réussir, rester sans effet : *La conspiration a avorté.* ● *Faire avorter,* arrêter dans son développement : *Faire avorter un projet.* ◆ **avorté, e** adj. Qui n'a pas produit de résultat, qui a échoué : *Entreprise avortée.* ◆ **avortement** n. m. Interruption de la grossesse avant le sixième mois : *L'avortement peut être spontané* ou *provoqué.* (Syn. FAUSSE-COUCHE.) [V. *encycl.*] || Dépérissement d'un organe survenant avant son entier développement : *Avortement d'une fleur, d'une graine.* || *Fig.* Développement incomplet : *L'avortement d'un grand talent.* || Insuccès : *Après l'avortement de ses projets, il était très abattu.* ◆ **avorteur, euse** n. Celui, celle qui provoque un avortement. ◆ **avorton** n. m. Enfant ou homme chétif, mal fait. || Végétal qui n'est pas arrivé à son complet développement.

— ENCYCL. **avortement.** L'avortement se distingue de l'accouchement prématuré, qui survient à partir du septième mois, lorsque le fœtus est supposé viable.

L'*avortement spontané* relève de causes nombreuses. Il peut s'agir de maladies maternelles générales telles que le diabète, les néphrites, les intoxications, les infections. Les anomalies de l'utérus (rétroversion, fibrome, endométrite) font également partie des causes maternelles. Des troubles hormonaux sont souvent retrouvés, mais les déséquilibres observés sont plutôt une conséquence qu'une cause de la souffrance de l'embryon ou du fœtus. Les causes chromosomiques consistent en anomalies du caryotype et sont attachées à l'embryon lui-même ; elles représentent 70 p. 100 des causes d'avortement spontané des premières semaines. Enfin, une intolérance immunologique de la mère à l'égard du fœtus est invoquée dans quelques cas.

L'*avortement volontaire* était autrefois un délit prévu et réprimé en France par le Code pénal. La loi du 31 décembre 1979, reprenant et complétant les dispositions de la loi de 1975, légalise définitivement, dans certaines limites, l'avortement. L'interruption volontaire de grossesse (I. V. G.) est autorisée dans deux cas : lorsqu'elle est pratiquée avant la fin de la 10ᵉ semaine (sur une femme enceinte que son état place dans une *situation de « détresse »*) ou pour un *motif thérapeutique.*

L'I. V. G pratiquée avant la fin de la 10ᵉ semaine doit l'être par un médecin, dans un établissement d'hospitalisation public ou privé.

L'interruption volontaire de grossesse pour motif thérapeutique peut être pratiquée à tout moment, si deux médecins attestent que la santé de la femme ou de l'enfant est en péril.

Toute interruption pratiquée hors des conditions légales est un avortement délictueux.

Dans les toutes premières semaines, l'interruption de grossesse peut être pratiquée par la méthode d'aspiration dite « de Karman » ; celle-ci ne nécessite pas, en principe, d'hospitalisation. Après la quatrième semaine, il faut dilater le col de l'utérus et évacuer son contenu par curetage, sous anesthésie générale. Même exécuté dans les meilleures conditions, l'avortement provoqué n'est pas totalement exempt de risques.

avorteur, avorton → AVORTER.

avouable, avoué → AVOUER.

avouer v. tr. (lat. *advocare,* recourir à). Reconnaître qu'on a fait, pensé, quelque chose de mal, de fâcheux, de regrettable : *Avouer un crime.* || Reconnaître comme vrai, comme valable : *Avouez qu'il a raison.* || Reconnaître comme sien : *Avouer un ouvrage.* ● *Je l'avoue, il faut avouer,* je vous le concède avec un peu de confusion ou d'étonnement. ◆ **aveu** n. m. Fait de reconnaître qu'on est l'auteur d'une action plutôt blâmable, ou pénible à révéler : *Faire l'aveu d'une faute.* || Action de faire connaître certains sentiments avec hésitation ou timidité : *Faire l'aveu de son amour.* || *Dr.* Fait, pour une partie, de reconnaître elle-même comme exacte l'allégation dirigée contre elle par son adversaire, et qui n'a pleine force probante qu'autant qu'il a lieu devant le juge. || *Hist.* Acte par lequel un seigneur reconnaissait quelqu'un pour vassal, ou un vassal, quelqu'un pour seigneur. (L'aveu était accompagné, à partir du XIᵉ s., du dénombrement, ou acte décrivant le contenu du fief.) ● *Homme sans aveu,* homme qui n'offre aucune garantie de domicile, de moralité. ◆ **avouable** adj. Qui peut être avoué sans honte : *Motif avouable.* ◆ **avoué, e** adj. Déclaré : *Ne pas avoir d'ennemis avoués.* || — **avoué** n. m. Auxiliaire de la justice. (Les fonctions d'avoué sont aujourd'hui assumées par les avocats* sauf devant les cours d'appel.) || *Dr. féod.* Nom donné jadis aux gardiens protecteurs des abbayes, monastères et communautés. (La monarchie carolingienne imposa auprès de chaque église immuniste la présence d'un *avoué ecclésiastique,* pour la protéger, la décharger de ses obligations profanes et la contrôler. Gardien du temporel des églises, il représentait l'évêque ou l'abbé devant les tribunaux. Il fut chargé de recruter et de commander des hommes d'armes à fournir au suzerain. Son pouvoir devint vite redoutable. Les Capétiens s'efforcèrent d'en restreindre les attributions.) ● *Avoué agrégé*, avoué chargé de toutes les instances, procédures et poursuites concernant le Trésor public. (Dans certains cas, les percepteurs peuvent être chargés de poursuivre par délégation de l'agent judiciaire du Trésor.) ◆ **avouerie** n. f. *Dr. féod.* Charge d'avoué.

avoyer v. tr. (conj. **2**). Donner de la voie à une scie pour que le trait de scie soit plus large que le corps de la lame, afin d'éviter le frottement ou le coincement de celle-ci.

Avranches, ch.-l. d'arr. de la Manche, à 26 km au S.-E. de Granville, au-dessus de l'estuaire de la Sée; 10419 h. (*Avranchins*). Riche bibliothèque (manuscrits de l'abbaye du Mont-Saint-Michel). Galvanoplastie. — La *trouée d'Avranches* désigne la percée opérée le 31 juillet 1944 par la Ire armée américaine dans le front allemand, et par laquelle allait se lancer Patton (IIIe armée), chargé d'exploiter ce succès en direction de la Bretagne et du Bassin parisien.

Avranchin, pays de la basse Normandie (dép. de la Manche).

Avre, riv. de Picardie, affl. de la Somme (r. g.); 59 km.

Avre, riv. de Normandie, affl. de l'Eure (r. g.); 72 km. Une partie de ses eaux sont amenées à Paris par un aqueduc de 134 km.

Avrieux, comm. de Savoie (arr. de Saint-Jean-de-Maurienne), dans la vallée de l'Arc (Maurienne) et à 10 km à l'E. de Modane; 285 h. Centrale hydro-électrique et souffleries alimentées par la chute d'Aussois.

avril n. m. (lat. *aprilis*). Quatrième mois du calendrier grégorien, deuxième du printemps. ● *Poisson d'avril*, nom donné à des mystifications joyeuses qui sont en usage le premier jour d'avril.

Avron (PLATEAU D'), butte de la banlieue est de Paris, sur la rive droite de la Marne; 114 m. Combats en 1870.

avulsion n. f. (lat. *avulsio ;* de *avulsus*, arraché). Arrachement, extraction : *Pratiquer une avulsion dentaire.* ● *Accession par avulsion*, accroissement de la surface d'un immeuble par une portion reconnaissable de terrain provenant d'un champ inférieur ou de la rive opposée et arrachée par une force subite, le propriétaire de la partie enlevée pouvant réclamer sa propriété dans l'année.

avunculaire adj. (du lat. *avunculus*, oncle maternel). Relatif à l'oncle, à la tante.

Avvakoum, archiprêtre et écrivain russe (Grigorovo v. 1620 - Poustozersk 1682). Opposé aux réformes du patriarche Nikon, il fut à l'origine du *raskol'* (schisme). Excommunié (1666), il fut condamné au bûcher. Il a écrit le récit de sa *Vie* (1672-1675), l'une des meilleures créations littéraires antérieures à Pierre le Grand.

Awaji, île du Japon, la plus importante de la mer Intérieure; 190 400 h.

Awêl-Mardouk, dans la Bible **Evilmérodach,** roi de Babylone, fils et successeur (VIe s. av. J.-C.) de Nabuchodonosor II.

awning deck [onɛ̃ɲ] adj. et n. m. (angl. *awning*, tente, et *deck*, pont). Se dit d'un navire dont le pont principal est surmonté d'un pont plus léger.

Axat, ch.-l. de c. de l'Aude (arr. de Limoux), sur l'Aude et à 11 km au S.-E. de Quillan; 1 025 h. Exploitations forestières.

Axayacatl, souverain aztèque. Il régna de 1469 à 1481.

axe n. m. (lat. *axis*, essieu). Principal diamètre d'un corps : *Axe du corps humain.* ‖ Ligne droite sur laquelle a été choisi un sens particulier. ‖ Ligne qui passe par le centre d'un objectif : *L'axe d'une rue.* ‖ Pièce servant à articuler une ou plusieurs autres pièces qui décrivent autour d'elle un mouvement circulaire : *Axe de roue.* ‖ *Fig.* Direction générale sur laquelle on se guide : *Etre dans l'axe d'une politique.* ‖ *Bot.* Ensemble formé par la racine principale et la tige d'une plante. (On appelle *axes secondaires* les rameaux et radicelles, organes à symétrie propre axiale, mais situés latéralement par rapport à l'axe principal. L'axe est dit *indéfini* quand il se termine par un bourgeon à feuilles, *défini* quand il se termine par un pédoncule floral qui met fin à sa croissance.) ● *Axe d'un cercle*, droite perpendiculaire au plan du cercle, menée par son centre. ‖ *Axe cérébro-spinal*, ensemble des centres nerveux appartenant à l'encéphale et à la moelle. ‖ *Axes de coordonnées*, v. COORDONNÉE. ‖ *Axe d'une lentille*, ligne droite joignant les centres de courbure de ses deux faces. ‖ *Axe magnétique d'un aimant*, ligne droite joignant ses pôles magnétiques. ‖ *Axe de marche*, direction suivie par une unité pour arriver sur son objectif. ‖ *Axe du monde*, diamètre joignant les pôles de la sphère céleste et perpendiculaire au plan de l'équateur céleste. ‖ *Axe optique*, ligne passant par le centre de la cornée et le centre optique de l'œil. ‖ *Axe optique d'un cristal*, direction de propagation d'une onde lumineuse dépourvue de biréfringence. ‖ *Axe d'oscillation d'un pendule*, ligne droite contenue dans le plan passant par l'axe de suspension et par le centre de gravité du pendule, et menée parallèlement à cet axe de suspension et à une distance égale à la longueur du pendule simple synchrone. ‖ *Axes principaux d'inertie d'un corps en un de ses points*, droites passant par ce point et par rapport auxquelles les moments d'inertie du corps sont *maximaux* ou *minimaux.* ‖ *Axe de répétition* ou *de symétrie d'ordre* n *d'une figure*, droite telle que la figure coïncide avec sa position primitive après rotation de $\frac{1}{n}$ tour autour de cette droite. || *Axe de révolution,* droite par rotation autour de laquelle une figure de révolution se superpose à elle-même. || *Axe Rome-Berlin,* nom donné à l'alliance conclue entre l'Allemagne hitlérienne et l'Italie fasciste (1er nov. 1936). || *Axe de rotation,* droite autour de laquelle peut tourner une figure. || *Axe de symétrie,* v. SYMÉTRIE. || *Axe visuel,* ligne allant de l'objet fixé à la région la plus sensible de la rétine, en passant par le centre optique de l'œil. (V. ŒIL, VISION.) || *Puissances de l'Axe,* groupement constitué, pendant la Seconde Guerre mondiale, par l'Allemagne, l'Italie et leurs alliés (Japon, Hongrie, Bulgarie, Roumanie). ◆ **axer** v. tr. Organiser autour d'un thème principal, d'une idée essentielle ; diriger, orienter : *Axer un exposé autour d'une idée centrale.* ◆ **axial, e, aux** adj. Relatif à l'axe ; qui tient de l'axe : *Ligne axiale.* ◆ **axile** adj. Qui forme un axe ; relatif à un axe : *Filament axile.* ● *Placentation axile,* dans un fruit, insertion des graines sur l'axe de l'ovaire. ◆ **axiomètre** n. m. Petit indicateur servant à faire connaître à distance la position du gouvernail.

Axel Heiberg, principale île de l'archipel Sverdrup (archipel arctique canadien). Station météorologique automatique.

axer → AXE.

axérophtol n. m. Syn. de VITAMINE A.

axial → AXE.

axie n. f. Crustacé macroure voisin du homard.

axile → AXE.

axillaire adj. (lat. *axilla,* aisselle). Qui appartient à l'aisselle ou qui est en rapport avec l'aisselle : *Les ganglions axillaires drainent la lymphe du membre supérieur et du sein.* ● *Bourgeon axillaire,* bourgeon né à l'aisselle d'une feuille, c'est-à-dire dans l'angle aigu entre celle-ci et l'axe qui la porte. ✦ n. f. Petite pièce à la base de l'aile des insectes.

axille n. f. (lat. *axilla,* aisselle). Partie basale et ventrale de l'aile des oiseaux.

axinella n. f. Eponge fibreuse, aux spicules groupés en un faisceau axial. (Type de la famille des *axinellides.*)

axinien, enne adj. (gr. *axinê,* hache). Se dit du jade qu'employaient les peuplades d'Océanie et d'Amérique du Sud pour faire des haches ou des casse-tête. (On dit aussi JADE ASCIEN [du lat. *ascia,* hachette].)

axinite n. f. (gr. *axinê,* hache). Borosilicate d'aluminium, de fer, de manganèse, de calcium, en cristaux à arêtes vives, tricliniques.

axinomancie n. f. (du gr. *axinê,* hache, et *manteia,* divination). Divination gréco-romaine au moyen des vibrations d'une hache plantée dans un poteau.

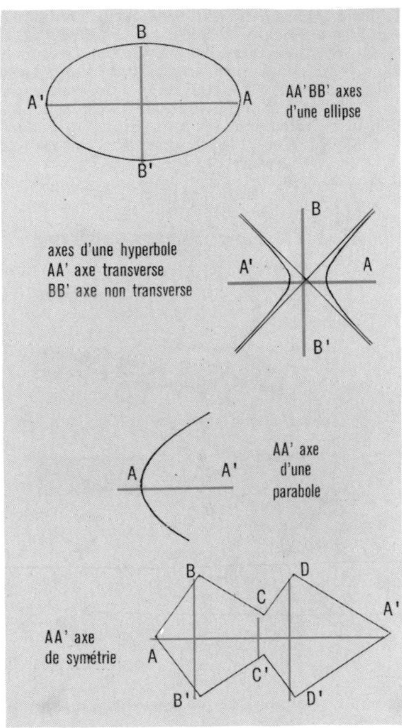

axes (math.)

axiologie n. f. (gr. *axios,* digne, valable, et *logos,* science). Théorie des valeurs. ◆ **axiologique** adj. Qui concerne l'axiologie. ● *Ecole axiologique,* v. BADE (*école de*).

axiomatique, axiomatisation, axiomatiser → AXIOME.

axiome n. m. (gr. *axiôma*). Proposition évidente (*la partie est plus petite que le tout*) résultant des principes d'identité et de non-contradiction. || Proposition admise sans démonstration, intervenant dans l'axiomatisation d'une science. ◆ **axiomatique** adj. Relatif à un axiome. ✦ n. f. Ensemble de notions premières (axiomes) admises sans démonstration et constituant la base d'une branche des mathématiques, le contenu de cette branche se déduisant de l'ensemble par le raisonnement. ◆ **axiomatisation** n. f. Elaboration d'un système d'axiomes. ◆ **axiomatiser** v. tr. Mettre sous forme d'axiomes.

axiomètre → AXE.

1. axis [aksis] n. m. (lat. *axis*, axe). Deuxième vertèbre cervicale. (L'axis, situé entre l'atlas et la troisième vertèbre cervicale, présente, au niveau de sa face supérieure, l'apophyse odontoïde, qui s'articule avec l'arc antérieur de l'atlas. C'est au niveau de cette articulation que s'effectuent les mouvements de rotation de la tête, l'atlas pivotant autour de

axis (anat.)

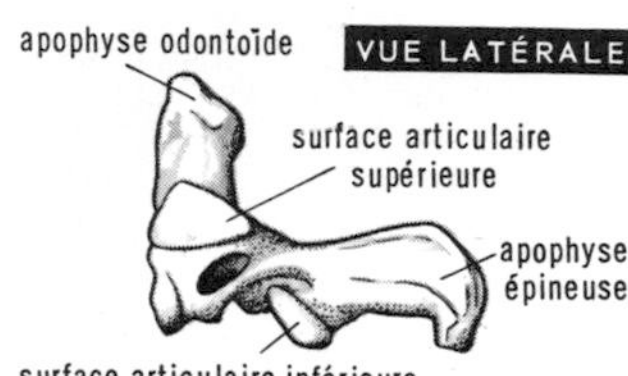

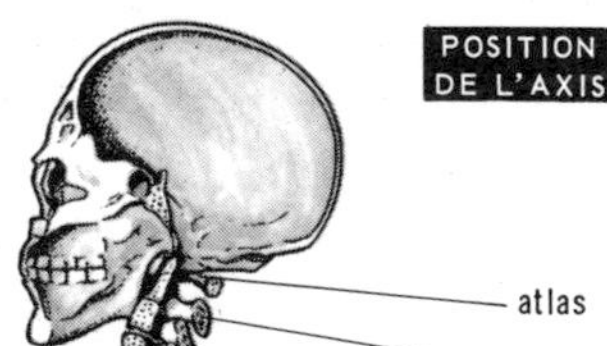

l'apophyse odontoïde.) ◆ **axoïdien, enne** adj. Relatif à l'axis.

2. axis [aksis] n. m. Nom spécifique du cerf tacheté de l'Inde.

Ax-les-Thermes, ch.-l. de c. de l'Ariège (arr. et à 42 km au S.-E. de Foix), sur l'Ariège ; 1 510 h. (*Axéens*). Station thermale dont les eaux sont utilisées surtout contre les affections rhumatismales.

axobranches n. m. pl. V. PTÉROBRANCHES.

axoïdien → AXIS 1.

axolotl (mot d'une langue indigène du Mexique). Larve néoténique de l'amblystome, amphibien urodèle des lacs mexicains. (Malgré ses branchies externes persistantes, son absence de pigment, son aspect larvaire, l'*axolotl* peut se reproduire ; il meurt ordinairement sans s'être métamorphosé en amblystome.)

axone n. m. (de *axe*). Prolongement de la cellule nerveuse, ou neurone*, qui naît de l'extrémité du corps cellulaire généralement opposé à celui d'où partent les dendrites. (Il est unique pour chaque cellule, et c'est toujours par lui que se transmet l'influx nerveux.)

axonge n. f. (lat. *axungia*). Partie blanche de la graisse de porc, ou *saindoux*. ● *Axonge de verre,* espèce d'écume qui se forme sur le verre en fusion.

axonométrie n. f. Mode de représentation utilisé en dessin d'architecture et en dessin industriel, dans lequel les arêtes du trièdre de référence sont projetées suivant des droites faisant entre elles des angles de 120°. ◆ **axonométrique** adj. Relatif à l'axonométrie.

axopode n. m. Axe rigide de certains protozoaires.

Axoum. V. AKSOUM.

Axular (Pierre D'), prêtre et écrivain basque (Urdax 1566 ou 1572 - Sare 1644), auteur de *Plus tard* (1643).

ay n. m. Vin mousseux de la région d'Ay.

Ay ou **Aÿ** [ai], ch.-l. de c. de la Marne (arr. de Reims), à 3 km au N.-E. d'Epernay, au pied de la Montagne de Reims ; 4 773 h. Vins de Champagne.

Ay, dernier roi égyptien de la période amarnienne. Il succéda à Tout Ankh Amon, dont il épousa la veuve.

Ayachi (DJEBEL), un des sommets du Haut Atlas oriental marocain ; 3 750 m.

Ayacucho, v. du Pérou, ch.-l. de dép., sur le versant est de la Cordillère occidentale ; 26 700 h. Industries textiles. Mines d'argent et de plomb dans les environs. C'est à proximité d'Ayacucho que Sucre remporta en 1824 la victoire qui consacra l'indépendance sud-américaine.

Ayala y Herrera (Adelardo LÓPEZ DE). V. LÓPEZ DE AYALA Y HERRERA.

Ayamé, village de la Côte-d'Ivoire, sur la Bia. Grand barrage hydro-électrique.

ayant cause n. m. *Dr.* Celui qui tient son droit d'une personne qui le lui transmet (auteur*). — Pl. *des* AYANTS CAUSE.

ayant droit n. m. Possesseur d'un droit (par ex., les ayants droit de l'assuré social). — Pl. *des* AYANTS DROIT. ‖ Syn. de AYANT CAUSE dans le langage courant.

ayard n. m. V. ÉRABLE.

Aydat, comm. du Puy-de-Dôme (arr. et à 22 km au S.-O. de Clermont-Ferrand), sur le *lac d'Aydat ;* 1 107 h. Centre touristique.

Aydie (Blaise Marie D'). V. AÏSSÉ (Mlle).

Aydın, v. de Turquie, au S.-E. d'Izmir ; 50 600 h. C'est l'anc. *Tralles.*

aye-aye n. m. Lémurien nocturne, aux grands yeux, des forêts malgaches, mangeur de larves d'insectes. — Pl. *des* AYES-AYES.

Ayen, ch.-l. de c. de la Corrèze (arr. et à 23 km au N.-O. de Brive) ; 704 h. Marché. Le *comté d'Ayen* fut érigé en duché en faveur de Louis de Noailles, en 1737.

Ayeul (saint). V. AGILE (saint).

Ayglier (Bernard), moine et cardinal français (Lyon 1216 - Mont-Cassin 1282). Abbé du Mont-Cassin en 1263, il y restaura l'ordre et la discipline monastiques.

Áyion Óros ou **Aghionoros,** péninsule de Grèce, en Chalcidique, qui se termine par le mont Athos.

Aylesbury, v. de Grande-Bretagne (Buckinghamshire) ; 27 900 h. Elle donne son nom à une race de canards au plumage blanc, élevée dans la région.

Aylmer, lac du Canada (Territoires du Nord-Ouest, Mackenzie), dont les eaux se déversent vers le Grand Lac de l'Esclave. — Lac du Canada (Québec), traversé par le Saint-François.

aymara adj. Relatif aux Aymaras. ✦ n. m. Une des familles de langues de l'Amérique du Sud.

Aymara(s), en esp. **Aymaraes,** Indiens de Bolivie et du Pérou, de la région du lac Titicaca. Leur extension fut jadis plus grande, et leur civilisation eut son apogée à l'époque de Tiahuanaco (1000-1300 apr. J.-C.). Ils furent soumis par les Incas, puis par les Espagnols.

Aymé (Marcel), écrivain français (Joigny 1902 - Paris 1967). Auteur de romans et de récits (*la Table-aux-Crevés,* 1929 ; *la Jument verte,* 1933 ; *le Passe-Muraille,* 1942 ; *En arrière,* 1950), il mêle avec habileté le réel et le fantastique, s'attendrit, ironise. Dans *Travelingue* (1941), *le Confort intellectuel* (1949), il a fait une satire de la société contemporaine. Son anticonformisme s'est également exprimé au théâtre : *Lucienne et le Boucher* (1948), *Clérambard* (1950), *la Tête des autres* (1952), *les Oiseaux de lune* (1956), *les Maxibules* (1961), *le Minotaure* (1963). Ses *Contes du chat perché* (1934) s'adaptent au goût des jeunes lecteurs.

Aymeri de Narbonne, chanson épique composée entre 1210 et 1220 par Bertrand de Bar-sur-Aube. D'une transcription en prose de Jubinal, parue en 1846, V. Hugo a tiré *Aymerillot,* poème de *la Légende des siècles.*

Aymerich (Joseph), général français (Estagel 1858 - Toulon 1937). En 1916, il commanda les troupes françaises qui participèrent à la conquête du Cameroun.

Aymon (LES QUATRE FILS). V. QUATRE FILS AYMON (*les*).

Ayntab. V. GAZIANTEP.

Ayolas (Juan DE), capitaine espagnol (Briviesca 1510 - dans le Chaco 1538). Il participa à la conquête du Paraguay.

Ayr, port de Grande-Bretagne, sur la côte ouest de l'Ecosse ; 45 300 h. Ce fut le ch.-l. d'un comté. Constructions navales.

Ayrault (Pierre), jurisconsulte français (Angers 1536 - † 1601). Dans son livre *De la puissance paternelle* (1589), il protesta « contre ceux qui, sous prétexte de religion, volent les enfants à leurs père et mère », alimentant ainsi la polémique dirigée contre les Jésuites, chez lesquels son fils René était entré à l'âge de seize ans (1586).

Ayré (PIC), sommet des Pyrénées (Hautes-Pyrénées) ; 2 418 m. Funiculaire jusqu'à 2 005 m.

Ayrshire (RACE D'), race de bovins réputée pour sa production laitière. Elle doit son nom à un ancien comté d'Ecosse.

Keystone

Marcel Aymé

Aytré, ch.-l. de c. de la Charente-Maritime (arr. et à 4 km au S.-E. de La Rochelle) ; 7 381 h.

Ayudhyā, capit. de l'anc. royaume de Koçala (Inde). Résidence de Rāma, elle est une des places saintes de l'hindouisme. Elle fut aussi l'objet de la ferveur bouddhique, car le bouddha Çākyamuni y aurait prêché.

ayuntamiento [ajuntamjɛntɔ] n. m. (mot esp. signif. *réunion*). Nom donné, en Espagne et en Amérique espagnole, aux municipalités des villes.

Ayuthia, capit. du Siam (Thaïlande) de 1350 à 1767. Elle fut détruite par les Birmans. Ruines du palais, des temples et des pagodes.

Ayyūb (Abū), compagnon et porte-étendard de Mahomet. Il mourut sous les murs de Constantinople (672 ?). Une mosquée fut élevée sur le lieu présumé de son tombeau.

Ayyūb khān, prince afghan (1851 - 1914). Il s'opposa, en vain, à la conquête anglaise.

Ayyūb khān (Muḥammad), homme d'Etat pakistanais (Abottābad 1907-Islāmābād 1974). Ministre de la Défense en 1954-1955, il reçut d'Iskander Mīrzā les pleins pouvoirs et le commandement suprême des forces pakistanaises. En 1958, il devient président de la

République pakistanaise, et, de nouveau ministre de la Défense, il doit abandonner le pouvoir en 1969.

Ayyūbides, dynastie musulmane, fondée par Ṣalāḥ al-Dīn (Saladin). Elle forma quatre branches, dont la principale, celle d'*Egypte,* succéda en 1171 à la dynastie des Fāṭimides et fut remplacée en 1250 par les Mamelouks baḥrites. Les autres sont celles du *Yémen* (1173-1229), de *Damas* (1186-1260), d'*Alep* (1183-1260).

Az, ancien symbole chimique de l'*azote.*

Azaïs (Pierre Hyacinthe), philosophe français (Sorèze 1766 - Paris 1845), auteur de la théorie des *compensations.*

azalaï n. m. Caravane saharienne.

azalée n. f. (gr. *azaleos,* sec). Arbuste à fleurs très élégantes, que l'on cultive dans les jardins et les appartements. (Famille des éricacées.)

Larousse

Azan (Paul), général français (Besançon 1874 - Lons-le-Saunier 1951). Après une longue carrière en Afrique et en Orient, il devint chef du Service historique de l'armée (1928-1933). Il est l'auteur d'ouvrages d'histoire militaire.

Azaña y Díaz (Manuel), homme politique et écrivain espagnol (Alcalá de Henares 1880-Montauban 1940). Président du Conseil, puis président de la République espagnole à la suite de la victoire électorale du Front populaire (1936), il démissionna en 1939, après la victoire de Franco, et se réfugia en France.

Azanza (Miguel José DE), ministre espagnol (Aviz 1746 - Bordeaux 1826). Vice-roi de la Nouvelle-Espagne de 1798 à 1800, il fut ministre des Affaires étrangères. Il reçut le titre de *duc de Santa Fe.*

Azaouad, région du Mali, au N. de Tombouctou.

azara n. m. Arbre ou arbrisseau ornemental d'origine américaine. (Famille des bixacées.)

Azarias ou **Ozias,** 10e roi de Juda (781 - 740 av. J.-C.).

Azay-le-Rideau

Azay-le-Rideau, ch.-l. de c. d'Indre-et-Loire (arr. et à 21 km au N.-E. de Chinon), sur l'Indre ; 2 915 h. Beau château caractéristique de la première Renaissance. Eglise (XIIe et XVe s. ; façade carolingienne).

Azazga, v. d'Algérie, dans l'E. de la Grande Kabylie ; 9 500 h.

azedarach n. m. Arbre de l'Inde, aux noyaux utilisés naguère pour faire des chapelets. (Famille des méliacées.)

Azeglio (Massimo TAPARELLI, marquis D'), homme politique et écrivain italien (Turin 1798 - *id.* 1866), gendre de Manzoni. Dès 1821, il participa au Risorgimento. En 1846, il publia *les Derniers Evénements de Romagne,* livre dans lequel il demandait à ses compatriotes de faire confiance au roi Charles-Albert et préconisait la création d'une confédération italienne. Il prit une part active au mouvement de 1848. Chef d'état-major du général Durando, qui commandait les troupes pontificales, il fut grièvement blessé dans la campagne contre les Autrichiens. En 1849, Victor-Emmanuel II lui confia la présidence du ministère. En désaccord avec Cavour, il lui céda la place en 1852. Il est l'auteur de romans historiques et de mémoires.

Azemmour, port du Maroc (prov. de Casablanca), à l'embouchure de l'Oum er-Rebia ; 12 400 h. Anc. *Azama.*

azéotrope ou **azéotropique** adj. et n. m. (*a* priv., gr. *zêin,* bouillir, et *tropos,* action de tourner). Se dit d'un mélange liquide qui bout à température fixe en gardant une composition constante. ◆ **azéotropisme** n. m. ou **azéotropie** n. f. Phénomène présenté par les mélanges azéotropes.
— ENCYCL. ***azéotropisme.*** Quand on distille un mélange de deux liquides, la température d'ébullition n'est pas toujours comprise entre celles des deux constituants ; elle peut présenter un maximum (*azéotropisme négatif*) ou un minimum (*azéotropisme positif*). Dans

l'un et l'autre cas, la distillation fractionnée ne permet pas de séparer les deux liquides, mais seulement l'un d'entre eux et le mélange azéotrope correspondant au point d'ébullition maximal ou minimal (alcool à 96° par exemple).

Azerbaïdjan, région historique divisée auj. entre l'U. R. S. S. et l'Iran. L'Azerbaïdjan fut intégré à la province médique de l'Empire achéménide, puis érigé en satrapie et occupé par les Arabes au VIIIe s. La région, après une longue rivalité entre les Perses et les Turcs, échut à la Perse au XVIIIe s. Le traité d'Andrinople (1829) en céda à la Russie la partie nord. Celle-ci se proclama république indépendante en 1918. Rattachée à l'Union soviétique en 1920, elle devint république fédérale en 1936. L'Azerbaïdjan méridional forme deux provinces iraniennes.

Azerbaïdjan (RÉPUBLIQUE SOCIALISTE FÉDÉRATIVE SOVIÉTIQUE DE L'), république fédérée de l'U. R. S. S., dans l'est de la Transcaucasie ; 86 600 km^2 ; 6 400 000 h. Capit. *Bakou.* Limitée, au N., par le Caucase et, au S., par les monts d'Arménie, l'Azerbaïdjan est une plaine assez aride, traversée par la Koura, qui se jette dans la mer Caspienne par un delta confondu avec celui de l'Araxe. Les régions de piémont possèdent de nombreuses oasis, produisant des céréales, des vins, des fruits. Autrefois, la plaine, trop sèche ou marécageuse, servait de pâturage d'hiver aux troupeaux estivant dans la montagne. L'économie moderne repose sur la culture irriguée du coton (200 000 ha), sur des prairies d'élevage irriguées, sur des rizières près de la côte. Le gisement pétrolifère de Bakou est la grande ressource du sous-sol; les couches supérieures en sont épuisées, mais les réserves profondes sont importantes, et les forages sont poursuivis en mer.

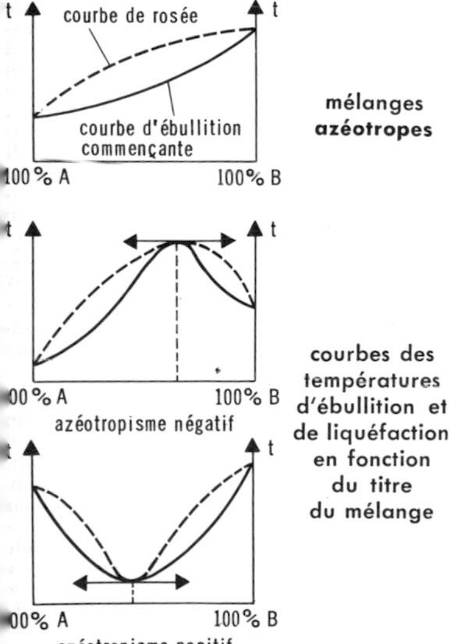

mélanges azéotropes

courbes des températures d'ébullition et de liquéfaction en fonction du titre du mélange

Azerbaïdjan, en persan **Ādharbaydjān,** région d'Iran, aux frontières de la Turquie, de l'Iraq et de l'U. R. S. S. C'est un haut plateau accidenté de crêtes élevées (plus de 4 000 m) et de volcans. Le climat est rude. Au centre de cette région, un bassin tectonique est occupé par le lac d'Ourmia (1 200 m d'alt.).

azerbaïdjanais adj. et n. Relatif à l'Azerbaïdjan ; habitant ou originaire de cette région. (V. AZÉRI.)

Azergues, riv. du couloir rhodanien, affl. de la Saône (r. dr.) en amont de Trévoux ; 64 km.

azéri ou **azerbaïdjanli** ou **azerbaïdjanais** n. m. et adj. Langue turque très voisine de l'osmanli, et, comme lui, de souche oghouz, parlée au Caucase, dans l'Azerbaïdjan soviétique, par environ deux millions et demi de personnes, et dans l'Azerbaïdjan iranien, par environ deux millions de personnes.

azérolier n. m. Rosacée arbustive voisine de l'aubépine, cultivée en Provence pour son fruit comestible, ou *azerole.*

Azevedo (Luís DE), missionnaire portugais (Carrazzedo Montenegro ou Chaves 1573 - Dambea 1634), traducteur du Nouveau Testament en éthiopien.

Azevedo (Aluizio DE), romancier brésilien (São Luís de Maranhão 1857 - Buenos Aires 1913), représentant du naturalisme brésilien.

Azgdour, v. du Maroc (prov. de Marrakech) ; 7 200 h. Mine de molybdène.

Azhar (AL-) ou **Al-Djāmi' al-Azhar** (« [la Mosquée] splendide »), université musulmane du Caire, fondée par les Fāṭimides en 973, rebâtie au XIVe s.

azi ou **azy** n. m. Syn. de AISY.

azide n. m. Nom générique des composés dérivant de l'acide azothydrique HN_3 par substitution d'un radical à l'hydrogène.

azilien, enne adj. et n. m. (du *Mas-d'Azil* dans l'Ariège). Se dit de l'industrie préhistorique du mésolithique (v. 8000 av. J.-C.), caractérisée par des outils de silex très petits, de forme régulière, et des galets recouverts de taches d'ocre rouge.

azimide n. m. Composé obtenu par action de l'acide nitreux sur une orthodiamine.

azimut [myt] n. m. (de l'ar. *al-samt*, le droit chemin). Angle du vertical d'un astre avec le vertical du sud. (Il se mesure de 0 à 360° sur le cercle de l'horizon à partir du sud dans

azimut (astron.)

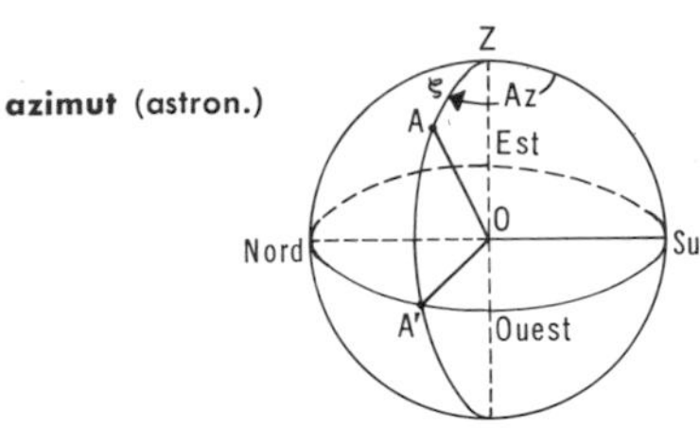

le sens direct.) || *Radiotechn.* Angle formé par le méridien passant par le poste où s'effectue la mesure, et par la direction du poste entendu, direction obtenue à l'aide des appareils radiogoniométriques. ● *Défense tous azimuts,* théorie militaire visant à assurer la défense du pays contre tout ennemi éventuel, quelle que soit sa localisation géographique. || *Dans tous les azimuts* (Fam.), dans toutes les directions. ◆ **azimutal, e, aux** adj. Qui correspond à la définition ou à la mesure des azimuts. ● *Cadran azimutal,* cadran solaire à style vertical. || *Cercle azimutal,* instrument de géodésie servant à mesurer les azimuts. || *Compas azimutal,* grande boussole servant à observer les variations de l'aiguille aimantée.

Azincourt, comm. du Pas-de-Calais (arr. d'Arras), à 14 km au N. d'Hesdin; 228 h. Le 25 oct. 1415, l'armée française y fut vaincue par les Anglais sous les ordres de Henri V. Cette défaite ouvrit largement la France à la conquête anglaise.

bataille d'**Azincourt**
miniature du XVe s.
Victoria and Albert Museum, Londres

Fleming

azine n. f. Composé obtenu par action d'un aldéhyde ou d'une cétone sur l'hydrazine.

azobé n. m. Bois d'Afrique tropicale, très dur, résistant à l'immersion, utilisé notamment pour les bandes de roulement du métro à pneumatiques.

azobenzène [bɛ̃] n. m. Composé de formule $C_6H_5N = NC_6H_5$, prototype des dérivés azoïques*. (Préparé par réduction du nitrobenzène, l'azobenzène est un solide rouge, fondant à 68 °C ; c'est un chromogène.)

1. azoïque adj. (*a* priv., et gr. *zôon,* animal). Se dit d'un milieu privé de vie animale, d'un terrain fossile. (En géologie, le terme a été pris autref. comme synonyme d'*archéen ;* en fait, on connaît des fossiles, rarissimes il est vrai, dans l'archéen.)

2. azoïque adj. Se dit des composés contenant le groupe d'atomes — N = N —.
— ENCYCL. Le prototype des *composés azoïques* est l'azobenzène*. Les *colorants azoïques* dérivent de ce corps, ou de ses homologues, par substitution d'un ou de plusieurs groupements auxochromes aux atomes d'hydrogène des noyaux. Ils sont préparés par condensation des composés diazoïques* avec des phénols ou des amines aromatiques ; cette condensation est nommée « copulation ». Ces colorants sont très nombreux et il en existe de toutes teintes.

azole n. m. Nom générique de composés hétérocycliques dérivant du furanne, du thiofène ou du pyrrole par substitution, dans la chaîne, d'atomes d'azote aux atomes de carbone.

azolla n. f. Plante des marais, voisine des fougères. (Famille des salviniacées.)

azonal, e, aux adj. Qui peut se produire à toutes les latitudes : *Un facteur d'érosion azonal.*

azoospermie n. f. (*a* priv., gr. *zôon,* animal et *sperma,* semence). Absence de spermatozoïdes dans le sperme. (L'azoospermie relève de diverses causes. Elle est définitive lors qu'elle est due à la castration, à une ectopie testiculaire bilatérale avec atrophie de la glande. En revanche, elle est souvent curable si elle est en rapport avec un obstacle de la voie excrétrice [cicatrice d'épididymite infectieuse en particulier].)

azophénol n. m. Composé $C_6H_5N_2C_6H_4OH$ dérivant de l'azobenzène par substitution d'un hydroxyle à un hydrogène. (Ce corps est le plus simple des *hydroxyazoïques,* qu'on obtient par action des phénols sur les composés diazoïques.)

Azorín (José MARTÍNEZ RUIZ, dit), écrivain espagnol (Monóvar 1873 - Madrid 1967). Ses ouvrages *Sur la route de Don Quichotte*

Castille (1912), *Don Juan* (1924) tentent de faire voir l'âme réelle de l'Espagne, en la dépouillant de l'illusion romantique. Ses essais critiques (*Lectures espagnoles,* 1912 ; *le Licencié en verre,* 1913 ; *Racine et Molière,* 1925) révèlent un goût fin et ingénieux. Dans une dernière manière, il analyse la vie intérieure (*Félix Vargas, Blanc sur bleu, Surréalisme*).

azotate, azotation → AZOTE.

azote n. m. (*a* priv., et gr. *zôê,* vie). Corps simple gazeux, qui constitue environ les quatre cinquièmes de l'air. ● *Cycle de l'azote,* série de transformations grâce auxquelles l'azote circule entre les règnes minéral, végétal et animal. (V. *encycl.*) ◆ **azotate** n. m. Sel ou éther de l'acide azotique. (V. aussi NITRATE.) ◆ **azotation** n. f. Fixation d'azote libre par les êtres vivants qui n'assimilent pas d'aliments azotés. ◆ **azoté, e** adj. Qui contient de l'azote : *Aliment azoté.* ◆ **azotémie** n. f. Présence de l'azote non protéique dans le sang. || Son taux. ◆ **azotémique** adj. Qui concerne l'azotémie : *Coma azotémique.* ● *Syndrome azotémique,* syndrome produit par un excès de l'azotémie. (Ce syndrome est constitué essentiellement de signes gastro-intestinaux et cérébraux. Il s'observe au stade terminal des néphrites ainsi que dans les obstructions des voies urinaires.) ◆ **azoteux, euse** adj. Qui contient de l'azote. || Se dit de l'anhydride N_2O_3 et de l'acide correspondant HNO_2. (On dit aussi NITREUX.) ● *Oxyde azoteux,* v. *encycl.* ◆ **azothydrique** adj. Se dit d'un hydracide de formule HN_3. (C'est un liquide volatil, incolore, toxique ; parmi ses sels, les *azotures* de plomb et d'argent sont explosifs.) ◆ **azotimètre** n. m. Appareil servant à doser l'azote. ◆ **azotique** adj. Se dit de l'oxyde NO, de l'anhydride N_2O_5 et de l'acide HNO_3. (Syn. NITRIQUE.) [V. *encycl.*] ● *Coton azotique,* dénomination en usage dans l'Administration pour les nitrocelluloses à emplois industriels. ◆ **azotite** n. m. Sel ou éther de l'acide azoteux. (Syn. NITRITE.) ◆ **azotobacter** [tɛr] n. m. Bactérie vivant dans les racines des légumineuses et pouvant fixer l'azote de l'air. ◆ **azotorrhée** n. f. Augmentation de la quantité d'azote contenue dans les selles, par rapport à l'azote absorbé dans les aliments. ◆ **azoture** n. m. Sel de l'acide azothydrique*. (Ne pas confondre avec NITRURE, dérivé de substitution de l'ammoniac.) ◆ **azoturie** n. f. Élimination exagérée d'azote par les urines, surtout sous forme d'urée. (C'est un signe de destruction tissulaire.) ◆ **azotyle** n. m. Nom du radical univalent NO_2.

— ENCYCL. **azote.** L'azote est l'élément chimique n° 7, de masse atomique N = 14,01 (nitrogène). Il a été découvert en 1772 par D. Rutherford, identifié par Priestley et étudié par Lavoisier.

C'est un gaz incolore et inodore, de densité 0,97 par rapport à l'air ; son point d'ébullition sous la pression atmosphérique est — 195 °C, et sa solubilité très faible.

A basse température, il est sans activité chimique, ce qui explique son nom ; il en est autrement à chaud, sans doute parce que l'azote devient alors monoatomique. Certaines de ses réactions sont d'une extrême importance, à cause du rôle que jouent les composés de l'azote dans la nature et dans l'industrie.

Il s'unit à l'hydrogène à chaud, pour donner réversiblement de l'ammoniac NH_3. Cette réaction est effectuée dans l'industrie à 550 °C, sous une pression de plusieurs centaines d'atmosphères, au contact d'un catalyseur. A la température de l'arc électrique, il donne, avec l'oxygène, de petites quantités d'oxyde azotique NO ; cette réaction a servi à la synthèse industrielle de l'acide nitrique. Il s'unit à divers métaux pour donner des nitrures, comme Mg_2N_3, AlN. Il peut enfin réagir sur le carbone, au contact d'un alcali ou d'un carbonate, pour fournir un cyanure. Avec le carbure de calcium, on obtient de la cyanamide calcique CN_2Ca.

L'azote existe à l'état libre dans l'air, dont il constitue 78 p. 100 en volume. On le trouve combiné dans les nitrates et les sels ammoniacaux ; il entre enfin dans la constitution des protéines, qu'on rencontre dans tous les tissus vivants.

On le prépare industriellement par distillation de l'air liquide. On peut encore enlever l'oxygène de l'air, par exemple en y brûlant du charbon ; l'azote contient alors les gaz rares de l'air, qui sont habituellement sans inconvénient.

Au laboratoire, on absorbe l'oxygène de l'air par le phosphore ou par le cuivre au rouge ; pour avoir de l'azote pur, on peut oxyder l'ammoniac par l'oxyde de cuivre au rouge.

L'azote est surtout employé à la synthèse de ses composés (ammoniac, acide nitrique, etc.), de grande importance dans l'industrie des engrais, des explosifs, des colorants.

● *Oxydes de l'azote.* Il en existe un grand nombre, notamment l'oxyde azoteux N_2O, l'oxyde azotique NO, l'anhydride azoteux N_2O_3, le peroxyde d'azote NO_2, l'anhydride azotique N_2O_5. Endothermiques à partir de leurs éléments, ils sont tous peu stables et peuvent jouer le rôle d'oxydants.

1° *Oxyde azoteux* ou *nitreux,* ou *protoxyde d'azote* N_2O. C'est un gaz incolore et inodore, assez facile à liquéfier. Son action physiologique (gaz hilarant) le fait employer comme anesthésique. Il se décompose au contact d'un corps incandescent et peut, de ce fait, entretenir les combustions vives. On le prépare par décomposition du nitrate d'ammonium.

2° *Oxyde azotique* ou *nitrique, bioxyde d'azote,* ou *nitrosyle NO.* C'est un gaz incolore, difficile à liquéfier. Il est décomposé au rouge vif et présente alors des propriétés comburantes. Au contact de l'oxygène, il s'oxyde spontanément en donnant de l'anhydride azoteux et du peroxyde d'azote. C'est pourquoi il peut réduire divers oxydants, comme le permanganate ou l'acide nitrique. Il est absorbé par le sulfate ferreux, qu'il colore en brun, ce qui permet de le reconnaître. Il est obtenu, industriellement, par synthèse dans l'arc électrique ou par oxydation catalytique de l'ammoniac, mais il est aussitôt transformé en acide nitrique ou nitreux. Au laboratoire, on le prépare par action de l'acide nitrique sur le cuivre ou le sulfate ferreux.

3° *Anhydride azoteux* ou ***nitreux***, v. AZOTEUX.

4° *Peroxyde d'azote* ou *azotyle* NO_2. C'est un liquide jaune pâle, qui bout à 21 °C en donnant des vapeurs rouges, dont la teinte devient plus foncée quand la température s'élève. Ce fait est dû à ce que ses molécules N_2O_4, stables à froid et incolores, se dissocient, par chauffage, en molécules NO_2 colorées. Vers 200 °C, ces molécules se dissocient à leur tour en NO et en oxygène. Il en résulte encore des propriétés comburantes, utilisées dans les panclastites, mélanges explosifs de peroxyde d'azote et d'un liquide combustible (essence, sulfure de carbone). Au contact de l'eau ou d'une base, le peroxyde d'azote se comporte comme un anhydride mixte nitreux-nitrique. On le prépare au laboratoire en décomposant le nitrate de plomb par chauffage.

5° *Anhydride azotique* ou ***nitrique***, v. AZOTIQUE.

● *L'azote dans les liquides organiques.* L'azote existe dans les milieux organiques sous différentes formes. Dans le sang, à côté de l'azote rattaché aux protéines, qui ne passe pas dans les urines, l'azote non protéique comprend celui de l'urée et l'azote dit « résiduel » (azote de l'ammoniaque, de l'acide urique, de la créatinine, etc.). Dans l'urine, l'azote est surtout éliminé sous forme d'urée.

● *Cycle de l'azote.* L'azote minéral du sol est absorbé par les plantes; dans les feuilles, l'énergie solaire, captée par la chlorophylle, combine l'azote avec d'autres éléments nutritifs pour former des protides végétaux : l'azote se trouve alors sous sa forme organique. Absorbés par les animaux, les protides végétaux sont transformés en protides animaux (viande, lait, par ex.). Les litières végétales et les déjections animales, les cadavres des animaux et des végétaux restituent au sol l'azote organique; sous l'action des micro-organismes du sol, l'azote organique se transforme en azote ammoniacal, puis en azote nitreux, enfin en azote nitrique. Cette minéralisation de l'azote ferme le cycle.

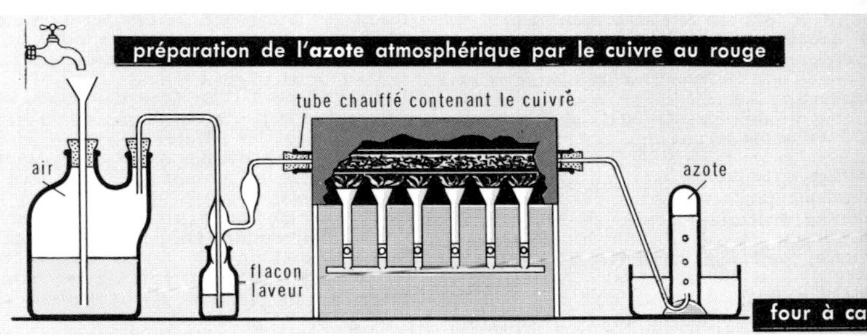

— azoteux. L'*anhydride azoteux* ou ***nitreux*** N_2O_3 est obtenu en refroidissant un mélange d'oxyde azotique et de peroxyde d'azote. C'est un liquide bleu, qui bout à 3 °C en se dissociant. L'*acide azoteux* ou ***nitreux*** HNO_2 n'est connu qu'en solution, car il est instable. En revanche, ses sels (*azotites* ou ***nitrites***) sont des solides cristallisés, qui peuvent être oxydants ou réducteurs. Ils réagissent sur l'aniline pour donner des diazoïques*.

— azotique ● *Anhydride azotique* ou ***nitrique*** N_2O_5. C'est un solide blanc fondant à 30 °C, qui se décompose dès cette température et qui est un oxydant énergique.

● *Acide azotique* ou ***nitrique*** HNO_3. Liquide incolore, fumant à l'air. Il bout à 86 °C, en se décomposant partiellement. La température d'ébullition monte progressivement jusqu'à 123 °C, et il distille un mélange azéotrope à 69 p. 100, qui constitue l'acide commercial, et qui titre 40 °B.

L'acide azotique est un oxydant; à température plus ou moins élevée, il oxyde l'hydrogène, le soufre, le carbone, etc., avec production de vapeurs nitreuses, ainsi qu'un grand nombre de corps organiques, ce qui explique son caractère corrosif.

C'est un monoacide fort, qui donne, avec les bases, des sels, les nitrates. Il attaque presque tous les métaux, mais cette action ne donne jamais d'hydrogène, en raison de son caractère oxydant. L'action sur le cuivre est uti lisée dans la gravure ; l'acide porte le nom d'*eau-forte*. Il réagit aussi sur les alcools, notamment sur la glycérine, pour donner la nitroglycérine, utilisée dans la dynamite, et sur la cellulose, qu'il transforme en nitrocellulose (poudres sans fumée, Celluloïd, collodion).

Il agit enfin sur les composés benzéniques pour donner des dérivés nitrés, par exemple le nitrobenzène $C_6H_5NO_2$, qui sert à préparer l'aniline. Beaucoup de ces nitrations conduisent à des explosifs (trinitrotoluène, trinitrophénol).

La terre arable contient des nitrates de sodium, de potassium et de calcium, dont la présence est due surtout à la transformation de matières organiques azotées. (V. AZOTE [*cycle de l'*], NITRIFICATION.) Pour la même raison, il se forme aussi des efflorescences

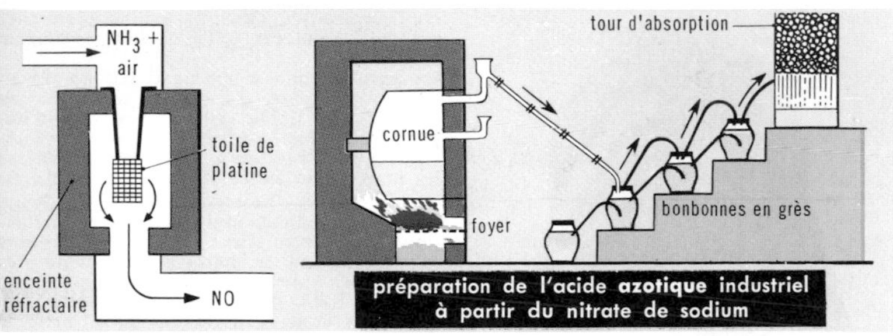

préparation de l'acide azotique industriel à partir du nitrate de sodium

de salpêtre sur les murs humides des caves ou des écuries. C'est surtout au Chili qu'on trouve de grands amas de nitrate de sodium naturel. Ces ressources sont toutefois insuffisantes, et c'est habituellement par synthèse qu'on fabrique l'acide azotique.

L'ancienne préparation consiste à traiter les nitrates naturels à chaud par l'acide sulfurique, et à condenser les vapeurs dégagées. On a ensuite réalisé la synthèse directe de l'oxyde azotique NO en envoyant de l'air dans l'arc électrique et en refroidissant les gaz rapidement.

Ce dernier procédé ayant un rendement très faible, c'est maintenant par synthèse indirecte que l'on opère. Un mélange d'ammoniac et d'air est envoyé à 700 °C sur une toile fine de platine, qui sert de catalyseur ; il se forme de l'oxyde azotique NO qui, par refroidissement au contact de l'air, se transforme en peroxyde NO_2. Celui-ci, envoyé dans des tours d'absorption où ruisselle de l'eau, fournit de l'acide azotique dilué, que l'on pourra concentrer; on peut aussi le mettre en contact avec une lessive alcaline ; il fournit alors un mélange de nitrate et de nitrite.

L'acide azotique sert surtout à la préparation de nitrates, employés comme engrais, d'éthers nitriques et de dérivés nitrés, utilisés comme explosifs ou pour la préparation de colorants.

azote (OFFICE NATIONAL INDUSTRIEL DE L') [**O. N. I. A.**], établissement public de l'Etat, institué en 1924 pour produire de l'ammoniaque, de l'acide nitrique et des engrais azotés, et installé à Toulouse.

azoté, azotémie, azotémique, azoteux, azothydrique, azotimètre, azotique, azotite, azotobacter, azotorrhée, azoture, azoturie, azotyle → AZOTE.

Azov, v. de l'U. R. S. S. (R. S. F. S. de Russie), au débouché du Don, sur la *mer d'Azov*. Pêcheries ; constructions navales.

● *Histoire*. Fondée par les Grecs vers le Ve s. av. J.-C., et alors appelée *Tanaïs*, elle fut, pendant toute l'époque grecque, une importante place commerciale. A partir du XIIIe s., sous le nom de *Tana*, la ville devint le principal centre du commerce génois en mer Noire. Conquise par les Turcs en 1471, elle devint définitivement russe en 1739. L'ensablement de son port et la concurrence de Rostov-sur-le-Don l'ont frustrée de son rôle économique.

Azov (MER D'), mer bordière de la mer Noire, enclavée dans le territoire de l'U. R. S. S., au N.-E. de la Crimée. Cette mer, peu profonde (moins de 200 m), communique avec la mer Noire par le détroit de Kertch'. Pêcheries actives. Le port principal est Rostov-sur-le-Don.

azoxybenzène → AZOXYQUE.

azoxyque adj. et n. m. Se dit d'un produit de réduction des carbures benzéniques nitrés, de la forme Ar—N(O) = N—Ar (Ar étant un radical aryle). ◆ **azoxybenzène** n. m. Composé azoxyque correspondant au benzène.

Azraël ou **'Azra'īl.** V. 'IZRĀ'ĪL.

Azraqī (Al-), poète persan († v. 1070). Ses vers célèbrent deux princes seldjoukides.

Azrou, v. du Maroc (prov. de Meknès), près du Moyen Atlas ; 14 100 h. Station de sports d'hiver.

aztèque adj. Relatif aux Aztèques. ✦ n. m. Dialecte *nahuatl,* maintenant éteint, qui était parlé par les Aztèques, notamment à Mexico au moment de la conquête espagnole. ‖ Ensemble des parlers *nahua**, dont font partie les dialectes *nahuatl**.

Aztèques, en esp. **Aztecas,** peuple de l'ancien Mexique, venu du N. après de longues migrations.

● *Histoire.* Après le déclin et le morcellement de l'Empire toltèque, et à la faveur d'une période d'anarchie, la tribu des *Mexicas,* venue d'Aztlán (région nord-occidentale du Mexique), s'installa au XIVe s. dans les îles du lac de Texcoco. Vers 1325, elle établit la ville de Tenochtitlán, l'actuelle Mexico. Elle domina une fédération créée avec deux groupes voisins, les Texcoco et les Tlacopan. Au cours du XVe s., les Aztèques cherchèrent de nouvelles ressources dans le commerce et dans les guerres de conquêtes (Moctezuma Ier, 1440-1469). Ahuitzotl alla guerroyer jusqu'au Guatemala. L'Empire aztèque s'étendait alors à tout le centre et à tout le sud du Mexique. Seules échappaient à sa domination quelques enclaves, comme l'Etat de Tlaxcala et les Tarasques du Michoacán. Moctezuma II (1502-1520) eut à faire face à l'invasion espagnole. Conduits par Cortés, les Espagnols s'emparèrent de Tenochtitlán (1520).

Centeociuatl, déesse **aztèque** du Maïs et de l'Agriculture. Basalte rose
Musée national, Mexico

Freund

● *Institutions.* La cellule de la société était le clan de gens d'un même lignage gouverné par un ancien. Il avait ses divinités particulières, sa formation militaire, ses terres, dont les individus n'avaient que l'usufruit. L'autorité militaire, politique et religieuse était centralisée dans les mains d'un chef suprême, toujours choisi dans le même lignage.

La centralisation se marquait par un réseau routier développé. La société se divisait en classes : les nobles viagers, exempts d'impôts ; le peuple (cultivateurs et artisans), divisé en corporations réparties par quartiers ; les marchands, les serviteurs et les esclaves.

● *Economie.* Les Aztèques, agriculteurs habiles, connaissaient la jachère et l'irrigation ; ils construisaient des jardins flottants et pratiquaient le partage périodique des terres. Leurs principales cultures étaient le maïs, les haricots, les melons, la vanille, etc. L'élevage était restreint (dindon), mais le commerce florissant, ainsi que la métallurgie de l'or, de l'argent, du cuivre et de l'étain.

● *Religion.* La religion aztèque était tyrannique. Caractérisée par le dualisme, elle opposait les dieux les uns aux autres. Les dieux avaient été créés par Ometecutli et Omecihuatl ; les hommes, par Tezcatlipoca et Quetzalcóatl. Les divinités, innombrables, personnifiaient les différentes forces de la nature. Une place particulière revenait à Huitzilopochtli, le dieu tribal des Tenochcas, dieu de la Guerre et manifestation du Soleil, maître du monde.

Toutes les cérémonies étaient réglées par un calendrier liturgique appelé « Tonalpohualli ». Chaque mois avait sa divinité et ses fêtes. L'organisation politique était une théocratie militaire. Une tyrannie sanguinaire permit aux Aztèques de s'imposer à un grand nombre de tribus. L'un de leurs mythes causa leur perte : Quetzalcóatl, le dieu blanc civilisateur portant la barbe, avait disparu à l'O., mais était revenu par l'E. Cortés apparut ainsi comme Quetzalcóatl revenant régner sur ses sujets, et c'est ainsi que quelques centaines d'Espagnols vinrent à bout du peuple le plus belliqueux de l'Amérique.

● *Art.* L'art aztèque fut l'un des plus imposants d'Amérique : statuaire religieuse de caractère symbolique (monolithe de Coatlicue, musée de Mexico ; statue de Quetzalcóatl, musée de l'Homme) ; statuaire profane de caractère réaliste (masques funéraires). La céramique, moins originale, est d'une technique parfaite, de même que l'orfèvrerie, la taille des pierres dures, l'enluminure.

● *Littérature.* Les documents aztèques, transcrits en caractères latins peu après la conquête, sont surtout des rituels, des livres astronomiques et divinatoires, des chroniques historiques (l'*Histoire chichimèque,* due à don Fernando de Alva Ixtlilxochitl, seigneur indien hispanisé). Les œuvres littéraires proprement dites, rédigées en nahuatl, ne manquent point. En effet, les missionnaires se constituèrent les gardiens des œuvres anciennes, et, dès 1553, l'archevêque Zumarraga créait à Mexico une chaire de nahua. L'*Histoire des choses de la Nouvelle-Espagne,* du franciscain Sahagun, nous a conservé, en espagnol et en nahuatl, les hymnes et les discours que les Mexicains prononçaient dans les diverses circonstances de la vie. D'un autre côté, un prince du XVe s., Nezahualcoyotl, a trouvé, pour célébrer en vers lyriques l'unité de Dieu et le néant des grandeurs humaines, des accents pénétrants. Après la fondation de l'Empire espagnol, quelques indigènes lettrés continuèrent à cultiver la littérature nationale, entre autres Hernando-Alvarado Tezozomoc et Domingo Chimalpahin.

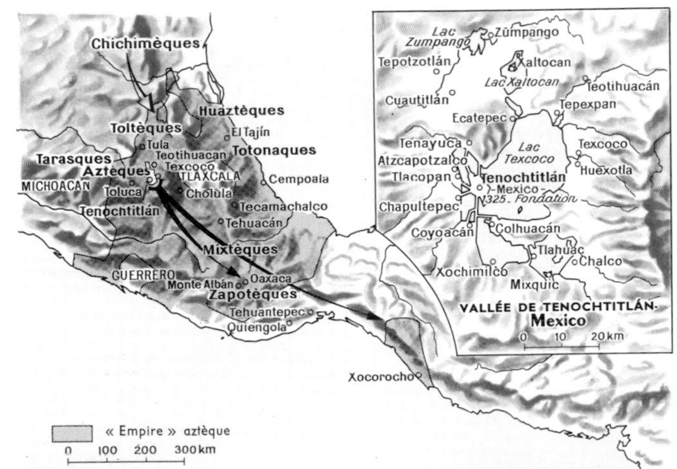

le dieu Quetzalcóatl
British Museum

AZTÈQUES

la déesse Coatlicue

Giraudon

Azuay, massif volcanique des Andes, dans l'Equateur.

Azuela (Mariano), écrivain mexicain (Lagos de Moreno 1873 - Mexico 1952). Son chef-d'œuvre, *Ceux d'en bas* (1916), donne une peinture dramatique de la révolution mexicaine, à laquelle il prit part.

azulejo n. m. (mot esp. dérivé de l'adj. *azul,* bleu). Carreau de revêtement en faïence émaillée, originellement de fabrication arabe et de couleur bleue (Espagne et Portugal).

azulène n. m. Hydrocarbure $C_{10}H_8$, isomère du naphtalène, solide bleu, fondant à 99 °C, préparé par synthèse.

Azun (GAVE D'), affl. du gave de Pau (r. g.), formé par les gaves d'Arrens et de Labat.

azur n. m. (ar. *lâzaward,* emprunté au persan *lâdjourd,* lapis-lazuli). Verre coloré en bleu par l'oxyde de cobalt. || Couleur de la nuance de l'azur, ou de toute autre nuance d'un beau bleu : *L'azur du ciel.* || Le ciel bleu : *L'avion aux reflets brillants se distingue à peine dans l'azur.* ● *Pierre d'azur,* nom usuel du *lapis-lazuli.* ◆ **azurage** n. m. Opération effectuée au cours du rinçage du linge pour en aviver l'éclat, et pour laquelle on utilise des colorants bleus, dits *fugaces,* ou des produits en poudre appelés *blancs optiques.* ◆ **azuré, e** adj. Bleu ciel : *Une teinte azurée.* ● *La plaine azurée* (Poétiq.), ou *les plaines azurées,* la mer, la surface des mers. || *La voûte azurée,* le ciel. ◆ **azurer** v. tr. Teindre en couleur d'azur. ◆ **azurite** n. f. Carbonate basique naturel de cuivre, de couleur bleue. (Syn. CHESSYLITE.)

Azur (CÔTE D'). V. CÔTE D'AZUR.

azurage, azuré, azurer, azurite → AZUR.

azygos [azigɔs] adj. et n. f. (*a* priv., et gr. *zugos,* paire). Se dit de trois veines appartenant au système cave, la *grande veine azygos,* la *petite veine azygos inférieure* et la *petite veine azygos supérieure.* (La grande veine azygos reçoit toutes les veines intercostales droites. Elle se jette dans la veine cave supérieure après avoir décrit au-dessus du pédicule pulmonaire droit la *crosse de l'azygos.* Les petites veines azygos drainent les veines intercostales gauches ; elles se jettent toutes deux dans la grande veine azygos après un trajet transversal en arrière de l'aorte.)

azygospore n. f. Spore de certains champignons de l'ordre des mucorales, semblable à une zygospore, mais formée par parthénogenèse.

azyme adj. et n. m. (*a* priv., et gr. ecclés. *azumos ;* de *zumê,* levain). Se dit d'un pain sans levain que les juifs mangent à leur pâque, en souvenir de la sortie d'Egypte. || Se dit d'un pain mince, non levé, qu'on emploie pour enrober certains médicaments et masquer leur saveur désagréable. ● *Fête des azymes,* fête que les Hébreux célébraient tous les ans en mémoire de leur sortie d'Egypte. ◆ **azymique** adj. Impropre à la fermentation. ◆ **azymites** n. m. pl. Nom que les orthodoxes donnaient aux catholiques, qui font usage de pain azyme à la messe. (Dans l'Eglise catholique, les hosties destinées à la communion doivent être faites avec du *pain azyme,* tandis que l'Eglise byzantine s'est servie de bonne heure de pain fermenté.)

Azzaba, anc. **Jemmapes,** comm. d'Algérie, située au nord-est de Constantine.

Azzaiolo (Filippo), compositeur italien du XVIe s., né à Bologne. Il est l'auteur de chansons polyphoniques, de caractère populaire.

S. Lido

b

ballet d'A. Ailey par le Harkness Ballet

b n. m. Deuxième lettre de l'alphabet français. ‖ Consonne occlusive bilabiale sonore. (La sourde correspondante est *p*.) ‖ **B** est le symbole chimique du *bore* et l'abréviation de *Baumé : Acide à 66 °B*. ‖ En musique, dans la notation grégorienne et, de nos jours, chez les Anglais, **B** désigne le *si;* chez les Allemands, il désigne le *si* bémol, le *si* naturel étant représenté par H. ‖ En religion, **B** remplace *bienheureux, bienheureuse*. ● *Poudre B* (de l'initiale du général Boulanger, ministre de la Guerre, qui la fit adopter en 1886), poudre propulsive française sans fumée, inventée par Vieille et d'abord appelée « poudre V ».

Ba, symbole chimique du *baryum*.

B. A. n. f. Bonne action dans le langage du scoutisme et des patronages.

Ba, nom donné à l'âme dans l'ancienne Egypte. Représenté par la grande cigogne « jabiru ».

Baade (Walter), astronome américain, d'origine allemande (Schröttinghausen, Westphalie, 1893 - Göttingen 1960). Il a pu résoudre en étoiles de nombreuses galaxies, notamment le noyau de la nébuleuse d'Andromède, et a démontré l'existence de deux types de populations stellaires.

Baader (Franz Xaver VON), philosophe et théologien allemand (Munich 1765 - *id.* 1841). Il professait l'accord de la foi et de la raison. Sa doctrine accorde une large part au mysticisme.

Baal ou **Ba'al,** chez les Sémites occidentaux, nom donné à Hadad, dieu de l'Atmosphère, qui amène la pluie fertilisante et la foudre destructrice. C'est la figure centrale du panthéon cananéen. Dans la Bible, Baal désigne tous les faux dieux. Il était assimilé par les Grecs à un Apollon solaire, et par les Romains à Saturne.

Baalbek ou **Balbek,** en ar. **Ba'albak,** v. du Liban, au pied du versant occidental de l'Anti-Liban ; 18 000 h. Importante cité phénicienne, centre du culte du dieu Baal, elle devint l'*Heliopolis* des Grecs, puis colonie romaine sous Auguste. Elle fut très prospère à l'époque des Antonins. Elle possède d'importants vestiges de son passé (colonnes du temple de Jupiter Héliopolitain, temples de Bacchus et de Vénus).

→ V. illustration page suivante.

Baal Hammon, grand dieu de Carthage, assimilé parfois à Apollon par les Grecs. Il fut adoré à Dougga, à Constantine et à Carthage sous le nom de *Saturne*.

baalite n. et adj. Adorateur de Baal.

Baal-Péor. V. BELPHÉGOR.

Baal Zebul, divinité cananéenne. Dans l'Evangile, il est considéré comme le prince des démons (*Belzébuth*).

Baar, région d'Allemagne occidentale, drainée par le haut Danube.

Baar, v. de Suisse (cant. de Zoug) ; 9 100 h. Textiles.

Goldner

Baalbek
terrasse entre le temple de Jupiter et le temple de Bacchus

Baarn, v. des Pays-Bas (Utrecht) ; 22 400 h. Villégiature.

Baasa. V. BAISHA.

Baasrode, en franç. **Baesrode,** anc. comm. de Belgique (Flandre-Orientale), aujourd'hui réunie à Termonde.

Baath, parti socialiste arabe, fondé en 1952, qui vise à regrouper en une seule nation tous les Etats du Proche-Orient.

Bāb (Mīrzā 'Alī Muḥammad, dit **le**), chef religieux persan (Chīrāz 1819 ou 1820 - Tabrīz 1850), promoteur, en Perse, d'un mouvement réformateur. Après avoir reçu l'enseignement des chaykhīs, secte chī'ite dissidente, il se proclama le « Bāb » en 1844, c'est-à-dire le « portail » (conduisant à la connaissance de la Vérité divine). Sa renommée s'étendit dans toute la Perse. Le mouvement devint politique. Après plusieurs soulèvements (Zendjān et Nayrīz, 1849-1850), le chāh fit mettre à mort le Bāb (1850) et persécuta la secte dans tout l'Empire. (V. BABISME.)

baba n. m. (mot polonais). Gâteau fait avec une pâte levée, mélangée de raisins secs et imbibée, après cuisson, d'un sirop au rhum ou au kirsch.

baba adj. (onomatop.). *Fam.* Stupéfait : *Ma réponse l'a laissé baba.*

Baba (CAP), cap de Turquie, s'avançant dans la mer Egée, au N. de Mytilène.

baba cool ou **baba** n. (de l'hindī *baba,* papa, et de l'angl. *cool,* calme). Nom donné à ceux qui, dans les années 1970, ont perpétué la mode hippie.

Babaïevski (Semion Petrovitch), écrivain soviétique (dans le Kouban' 1909). Il a écrit *la Lumière au-dessus de la terre* (1949-1950), qui raconte la reconstruction d'un village après la Seconde Guerre mondiale.

Bāb al-Mandab ou **Bab el-Mandeb** (la « porte des Pleurs »), détroit qui fait communiquer la mer Rouge et l'océan Indien. Il a 25 km de large entre l'Arabie et l'Afrique.

Babbage (Charles), mathématicien anglais (Teignmouth 1792 - Londres 1871). Il chercha à réaliser deux machines à calculer*, l'une différentielle, l'autre analytique.

Babbar, le dieu Soleil, chez les Sumériens.

Babel, nom hébreu de **Babylone.**

Babel (TOUR DE), tour que les descendants de Noé, selon la Genèse, tentèrent d'élever pour atteindre le ciel. Les chrétiens y virent le symbole de la richesse et de la puissance idolâtres en opposition avec la Jérusalem céleste. Hérodote, Strabon et Diodone en parlent. Elle passait pour enfermer le tombeau de Bélus (le dieu Bêl-Mardouk). Elle correspond à la *ziggourat* babylonienne.

Babel (Issaak Emmanouilovitch), écrivain soviétique (Odessa 1894-1941), auteur de nouvelles (*Cavalerie rouge,* 1926 ; *Contes d'Odessa,* 1931) et de drames (*le Couchant,* 1928 ; *Maria,* 1935) qui peignent, à travers des figures réalistes et truculentes, les épisodes de la guerre civile et la nouvelle société née de la révolution.

construction de la tour de **Babel**
Heures du duc de Bedford, XVe s.
British Museum

babélique adj. Gigantesque ; très élevé. ◆ **babélisme** n. m. Confusion où l'on ne s'entend plus.

Babelon (Ernest), archéologue et numismate français (Sarrey, Haute-Marne, 1854 - Paris 1924), conservateur du cabinet des Médailles, auteur de nombreux ouvrages sur la numismatique. (Acad. des inscr., 1897.)

Babenberg (FAMILLE DE), famille originaire de Franconie. Son influence se développa lorsque le comte Léopold Ier fut investi de la marche orientale par l'empereur Otton II. Les membres importants furent : LÉOPOLD Ier *l'Illustre* († 994) ; — LÉOPOLD II *le Beau* († 1095) ; — LÉOPOLD III *le Pieux*, margrave de 1096 à 1136, canonisé au XVe s. ; — LÉOPOLD IV (1136-1141), qui reçut la Bavière, après la dépossession de Henri le Superbe (1138) ; — HENRI II *Jasomirgott* (1141-1177), premier duc héréditaire d'Autriche ; — LÉOPOLD V (1157-1194), qui acquit la Styrie et fit prisonnier Richard Cœur de Lion ; — LÉOPOLD VI *le Glorieux* (1198-1230). Vicaire d'Empire, il prit part à plusieurs croisades ; — FRÉDÉRIC II *le Batailleur* († 1246). Mis au ban de l'Empire, il perdit Vienne et fut chassé de ses États (1237) ; il les recouvra en 1246. Avec lui s'éteignit la famille de Babenberg.

Bāber ou **Bābur** (Ẓāhir al-Dīn Muḥammad) [1483 ? - Āgra 1530], descendant de Tīmūr et fondateur de l'empire des Grands Moghols de l'Inde. Il fut aussi écrivain et poète.

Babérides, descendants de Bāber, et souverains de l'Inde.

Babeş (Victor), médecin et bactériologiste roumain (Vienne 1854 - Bucarest 1936). Fondateur de l'Institut de pathologie et de bactériologie de Bucarest, il a étudié en particulier le bacille de la morve, la bactérie charbonneuse, le bacille de la lèpre.

babésioïdés n. m. pl. Agents pathogènes des babésioses des mammifères domestiques. ◆ **babésiose** ou **babésiellose** n. f. Maladie des ruminants domestiques, due à un parasite des globules rouges et transmise par une tique.

Babeuf (François Noël, dit **Gracchus**), théoricien et révolutionnaire français (Saint-Quentin 1760 - Vendôme 1797). Dans son journal, *le Tribun du peuple*, il développa des théories communistes. (V. BABOUVISME.) Au début de 1796, il créa une organisation secrète en vue de renverser le Directoire (« conspiration des Égaux »). Dénoncé à Carnot, en mai 1796, il fut arrêté, condamné à mort et exécuté.

babeurre n. m. (de *battre* et *beurre*). Résidu liquide de la fabrication du beurre. ‖ Fromage obtenu par chauffage de ce résidu.

babi ou **bābī** → BABISME.

Bab-I Ali (la « Sublime Porte »), nom d'une porte du palais du Sultan, à Istanbul, et étendu au gouvernement de l'Empire ottoman.

babil → BABILLER.

babilan ou **babillan** n. m. (ital. *babilano*). Homme impuissant.

Babilée (Jean GUTMANN, dit **Jean**), danseur, chorégraphe et comédien français (Paris 1923). Il s'impose par sa technique et ses dons exceptionnels. Transfuge de l'Opéra, il est le créateur de *Jeu de cartes* (1945) de J. Charrat et du *Jeune Homme et la Mort* (1946) de R. Petit. Interprète de ses propres œuvres (*Balance à trois*, *Sable*), il s'est aussi produit au théâtre (*le Balcon* de J. Genet).

babillage, babillard → BABILLER.

babiller v. intr. (onomatop.). Parler sans ordre et sans suite, parfois avec charme, pour dire des choses futiles : *Des enfants qui babillent.* ‖ Pousser leur cri, en parlant d'oiseaux tels que le merle, la grive. ‖ — SYN. : *bavarder, caqueter, jaboter, jacasser, jaser.* ◆ **babil** [bil] n. m. Bavardage continuel, enfantin ou futile, mais parfois aussi charmant. ‖ *Par anal.* Chant de l'hirondelle, du merle, de la grive et parfois du corbeau. (Syn. BABILLAGE.) ◆ **babillage** n. m. Action de babiller ; propos puérils : *Un babillage étourdissant. Le babillage des oiseaux.* ◆ **babillard, e** adj. et n. Qui parle beaucoup et sans réflexion. ‖ — ***babillard*** n. m. Chien courant qui crie sans être sur la voie.

babines n. f. pl. (de *babiller*). Lèvres proéminentes de certains mammifères : chameau, divers singes (dont le *babouin*). ‖ *Fam.* Lèvres d'une personne, surtout celles d'un gourmand : *S'essuyer les babines. S'en lécher les babines.*

Babinet (Jacques), physicien français (Lusignan 1794 - Paris 1872), à qui l'on doit un hygromètre, un polariscope et le goniomètre à collimateur pour la mesure des indices de réfraction. (Acad. des sc., 1840).

Babington (Anthony), conspirateur anglais (Dethick, Derbyshire, 1561 - Londres 1586). Il monta une conspiration pour assassiner la reine Élisabeth et couronner Marie Stuart. Découvert, il fut exécuté.

Babinski (Joseph), médecin français d'origine polonaise (Paris 1857 - *id.* 1932). Chef de clinique de Charcot à la Salpêtrière, médecin des hôpitaux de Paris (1890), il est connu par ses travaux sur les maladies du système nerveux. On lui doit la découverte de plusieurs signes donnant les moyens de distinguer les affections organiques de la moelle et du cerveau d'avec les névroses. Il a transformé les conceptions sur l'hystérie, qu'il a limitée aux phénomènes pouvant être provoqués ou supprimés par suggestion (pithiatisme).

Babinski (SIGNE DE) ou **signe des orteils**, extension lente du gros orteil et, accessoirement, écartement des quatre autres sous l'influence de l'excitation du bord externe de la plante du pied, qui, normalement, provoque leur flexion. Ce signe est en rapport avec une lésion du faisceau pyramidal.

babiole n. f. (ital. *babbola*). Objet de peu de valeur : *Acheter quelques babioles dans un bazar.* ‖ Chose sans importance : *Raconter des babioles.*

babiroussa n. m. Porcin sauvage de l'île de

Célèbes, aux canines supérieures énormes et retroussées.

babisme ou **bābisme** n. m. Doctrine professée par le Bāb* et ses successeurs. (Tentative de réforme de l'islamisme à l'encontre du fanatisme et de la tyrannie des interprètes du Coran, elle tient dans deux livres : le *Bayān* [« Exposition »] et le *Kitāb-i Aqdas* [le « Livre très saint »].) ◆ **babi** ou **bābī** n. m. Partisan du babisme. (Les babis se divisent en deux sectes : les *Azalīs*, du nom de Ṣubḥ-i Azal, et les *Bahā'īs*, de Bahā' Allāh, successeurs du Bāb.) ◆ **babiste** adj. Relatif au babisme.

Babits (Mihály), écrivain hongrois (Szekszárd 1883 - Budapest 1941). Directeur de la revue *Occident* et traducteur de grands écrivains étrangers, il a publié des recueils de vers (*Feuille de la couronne d'Iris*, 1909) et des romans (*le Fils de Virgil Timar*, 1922).

bablah ou **bablad** n. m. Fruit de divers acacias de l'Inde, aux propriétés tannantes et tinctoriales.

Babo (Lamprecht, baron VON), agronome allemand (Mannheim 1790 - Weinheim 1862). Il a laissé des ouvrages sur la vigne et sa culture. — Son fils AUGUST WILHELM (Weinheim 1827 - Weidling 1894) a également travaillé sur ce sujet.

bâbord n. m. Côté gauche d'un navire, dans le sens de marche en avant : *Laisser une île à bâbord. Aborder par bâbord.* ◆ **bâbordais** n. m. et adj. Homme d'équipage, qui fait partie de la deuxième bordée de veille.

Babors (CHAÎNE OU KABYLIE DES), massif d'Algérie, partie de l'Atlas tellien, au S. du golfe de Bougie ; 2 004 m au *Grand Babor*.

babotte n. f. Nom languedocien de la *pyrale de la vigne* et du *négril de la luzerne* (colaspidème*).

Babou de La Bourdaisière (Jean), baron **de Sagonne,** capitaine et diplomate français (1511 - 1569), ambassadeur extraordinaire à Rome (1559), gouverneur de la maison du duc d'Alençon, grand maître de l'artillerie (1567), puis conseiller d'Etat (1569). — Son frère PHILIBERT, prélat et diplomate (château de la Bourdaisière v. 1513 - Rome 1570), fut créé cardinal en 1561.

Baboua, localité de la République centrafricaine, au S. du massif de Yadé. Mines d'or.

babouche n. f. (ar. *bābūch*, emprunté au persan). Chaussure sans contrefort, portée dans les pays arabes, et dont on a copié le modèle comme chaussure d'appartement.

Babouchkine (Ivan Vassilievitch), révolutionnaire russe (1873-1906), élève de Lénine. Il fut fusillé pour sa participation à la révolution de 1905.

baboué n. f. Cloporte des rivages méditerranéens, utilisé comme appât.

Broihanne

babouin

babouin n. m. Singe cynocéphale (genre *papio*) d'Afrique centrale. ‖ *Fig.* et *fam.* Enfant turbulent, mal élevé et rusé.

babouvisme n. m. Doctrine de Babeuf et de ses disciples, résumée dans le *Manifeste des Egaux,* rédigé par le poète Sylvain Maréchal. (Elle demandait la mise en commun des biens et l'obligation du travail pour tous. Selon elle, l'égalité civile et politique, préconisée par Rousseau, Mably et Morelly, resterait formelle si elle n'était complétée par une égalité sociale rigoureuse. Une économie dirigée par l'Etat assurerait à chacun la même part. Le babouvisme n'aboutissait pas à un communisme de la production mais de la répartition. Il fut la première doctrine socialiste qui ait manifesté ses tendances par un programme réel de réformes.)

Babrias ou **Babrios** (souvent latinisé en *Babrius*), fabuliste grec du IIIe s. Il mit en vers les fables d'Esope.

Bābul, v. de l'Iran, dans le Māzandārān; 39 100 h. Centre commercial.

baby [babi] n. m. (mot angl.). Bébé (langage affecté). — Pl. *des* BABYS (ou BABIES, emprunté à l'anglais). ✦ adj. Destiné aux jeunes enfants : *Modèle baby.*

Babylas (saint), patriarche d'Antioche, martyrisé sous Dèce v. 251. — Fête le 24 janv.

Babylone. *Géogr. anc.* V. de Mésopotamie, située sur l'Euphrate.

● *Histoire.* La fondation de Babylone doit être attribuée aux Akkadiens (2350 - 2150 av. J.-C.). La Ire dynastie amorrhéenne s'y établit (v. 1830-1530 av. J.-C.). Hammourabi, 6e roi de cette dynastie, en fait sa capitale; il unifie et agrandit le royaume par les armes. Incursions des Kassites, soulèvements des Sumériens et de l'Assyrie affaiblissent ses successeurs. L'invasion hittite met fin à la Ire dynastie. La ville est rasée. Jusqu'en 1160 av. J.-C., les Kassites gouvernent le pays, qui passe ensuite sous la domination assyrienne (VIIIe-VIIe s. av. J.-C.). La révolte des Babyloniens, aidés des Mèdes, libère le pays (prise de Ninive, 612 av. J.-C.). Nabuchodonosor II instaure le nouveau royaume de Babylone et redonne à la ville toute sa splendeur. Après deux campagnes en Palestine, il prend Jérusalem en 587 av. J.-C. et déporte les Hébreux (*captivité de Babylone*). Il arbitre un différend entre les Mèdes et les Lydiens, et organise une expédition en Egypte. Après une période de troubles, le Perse Cyrus II entre en 539 av. J.-C. à Babylone, où il est accueilli en libérateur. La Babylonie devient une province de l'Empire perse. La tolérance des premiers rois perses amène le retour en Palestine d'une partie des Juifs déportés par les Chaldéens; mais une importante colonie juive continuera à vivre en Babylonie; c'est là que se situera plus tard le centre culturel du judaïsme.
Darios (521 - 486 av. J.-C.) assiège Babylone révoltée, où Nabuchodonosor III a pris le pouvoir. Son fils Xerxès Ier (486 - 465 av. J.-C.) rompt avec la politique de tolérance de son père. La ville est pillée, et sa population déportée. Les révolutions de palais se succèdent. En 330 av. J.-C., Alexandre le Grand entre à Babylone; il y meurt au retour des Indes, en 323 av. J.-C. Ses successeurs, les Séleucides, gouvernent mal, depuis Antioche, la partie de l'Empire qui leur est échue. La Babylonie entre dans l'ère de la décadence. Les mages babyloniens émigrent; seuls quelques Juifs établis en Babylonie s'occupent encore de problèmes religieux et y rédigent, aux premiers siècles de notre ère, le *Talmud babylonien.*

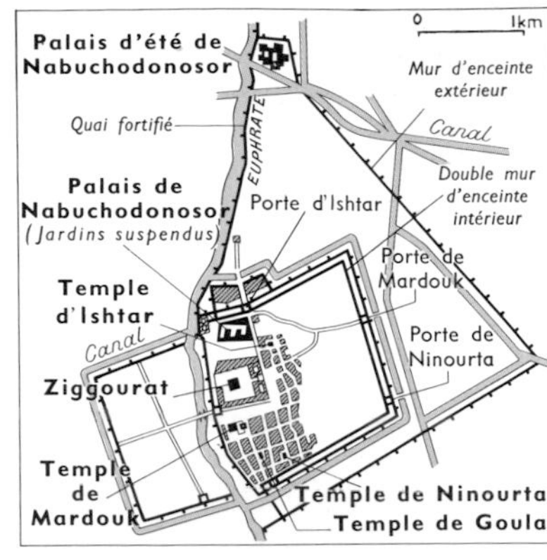

plan de **Babylone**

● *Archéologie.* La ville était de plan rectangulaire, entourée de fortifications infranchissables. La porte d'Ishtar donnait accès au quartier des bâtiments officiels. Les temples (d'Ashtart ou Ishtar, de Mardouk, de Ninourta, de Goula), la tour à étages (ziggourat) avaient des dimensions rigoureusement établies selon les règles des nombres sacrés. Les jardins suspendus du palais de Nabuchodonosor étaient célèbres; l'eau était amenée par des canaux. Les ruines, reconnues en 1852-1855, furent fouillées de 1899 à 1917.

Babylone. *Géogr. anc.* V. d'Egypte, d'origine grecque, siège d'un évêché au début de l'ère chrétienne.

babylonia n. f. Buccin des côtes asiatiques chaudes, blanc à taches rouges. (Syn. DIPSACCUS, EBURNA.)

Babylonie. *Géogr. anc.* Contrée de l'Asie antérieure, arrosée par le Tigre et l'Euphrate. Capit. *Babylone*.*

babylonien, enne adj. et n. Relatif à Babylone ou à la Babylonie; habitant de cette ville ou de cette région. (S'emploie aussi comme syn. de CHALDÉEN, ENNE.) ● *Heures babyloniennes* ou *babyloniques,* heures égales à la vingt-quatrième partie du jour, selon l'usage babylonien qui s'est transmis jusqu'à nous. ‖ — ***babylonien*** n. m. Dialecte akkadien* parlé en Mésopotamie.

baby-sitter [bɛbisitər] n. m. (mots angl.; de *baby* et *to sit,* s'asseoir). Personne payée pour veiller sur un enfant en l'absence des parents. — Pl. *des* BABY-SITTERS.

1. bac n. m. *Fam.* Abrév. de BACCALAURÉAT.

2. bac n. m. (holl. *bak,* auge). Grand bateau plat qui sert à passer des voyageurs, des marchandises, des animaux, des voitures,

d'un bord à l'autre d'un cours d'eau. ● *Passer le bac,* passer la rivière dans un bac. || *Servitude de bac,* droit de passage qui peut grever un cours d'eau ou un lac.
— ENCYCL. Le bac est rectangulaire ; ses deux extrémités les plus étroites se terminent par des panneaux pouvant se lever ou s'abaisser et destinés à reposer sur le sol, afin de faciliter l'entrée ou la sortie des voyageurs, des voitures, etc. Les principaux bacs porte-trains atteignent 3 000 à 5 000 t de déplacement, avec des puissances de 3 000 à 6 000 ch ; certains possèdent quatre voies, allant jusqu'à 330 m de longueur totale.

3. bac n. m. (même étym. qu'au mot précédent). Cuve, baquet, auge, en usage dans diverses professions. || Tout récipient de grande dimension utilisé dans l'industrie : *Bac de stockage.* (V. RÉSERVOIR.) || Cuve de grès, de métal ou de matière plastique, de forme généralement rectangulaire, servant à divers usages domestiques : *Bac à douche. Evier* à double bac.* || Récipient qui renferme les électrodes et l'électrolyte d'une pile ou d'un accumulateur : *L'ensemble de plusieurs bacs constitue une batterie.* || Emplacement dans lequel le sauteur à la perche plante sa perche. || Meuble contenant des cartes perforées, des fiches ou des dossiers classés verticalement. ● *Bac à glace,* dans un réfrigérateur, récipient de métal ou de matière plastique cloisonné en compartiments, qui, remplis d'eau, servent à former de petits cubes de glace. || *Bac à piston,* appareil servant à laver le charbon ou le minerai. || *Bac sous pression,* appareil cylindrique destiné à emmagasiner les produits volatils sous pression. ◆ **bachotte** n. f. Tonneau pour transporter les poissons vivants. ◆ **baquet** n. m. Petit cuvier de bois : *Remplir, vider un baquet.* ◆ **baqueter** v. tr. (conj. **4**). Puiser dans un baquet au moyen d'une écope : *Baqueter de l'eau.* ◆ **baquetures** n. f. pl. Vin qui tombe d'un tonneau en perce dans le baquet placé sous le robinet.

cristaux de **Baccarat**

Larousse

Bac (Ferdinand BACH, dit **Ferdinand**), dessinateur et écrivain français (Stuttgart 1859 - Compiègne 1952). Il a publié dix albums et cinq volumes de dessins sur *l'Amour contemporain* (1894-1903), des impressions de voyages, des souvenirs.

bacante n. f. *Pop.* V. BACCHANTE.

Bacău, v. de Roumanie, en Moldavie, ch.-l. de région ; 65 800 h. Industrie du bois.

baccalauréat n. m. (bas lat. *baccalaureatus,* mot créé arbitrairement au XVIe s. ; d'après *bacca,* baie, et *lauri,* de laurier). Premier des grades délivrés par certaines facultés d'une université, et qui donne le titre de « bachelier ». (L'examen du baccalauréat a longtemps comporté deux parties. En 1963, a été créé un « examen probatoire » qui était subi à la fin de la classe de première classique, moderne ou technique. Les élèves qui avaient satisfait à cet examen étaient admis en classe de philosophie, ou de sciences expérimentales, ou de mathématiques élémentaires, ou de mathématiques techniques, ou de sciences économiques. Ils se présentaient à la fin de l'année scolaire au « baccalauréat ». En 1964, l'examen probatoire a été supprimé.) ● *Baccalauréat en droit,* grade universitaire conféré autref. après le deuxième examen annuel de la licence en droit, qui en comporte quatre. (Il est actuellement dénommé diplôme d'études juridiques ou économiques générales.)

baccara n. m. (orig. inconnue). Jeu de cartes originaire du sud de la France ou importé d'Italie sous Charles VIII. (Il se joue entre un banquier et des joueurs, ou pontes, formant un ou deux tableaux ; il consiste à s'approcher aussi près que possible, avec 2 ou 3 cartes, du nombre 9, les figures comptant pour 0.)

baccarat n. m. Cristal de la manufacture de Baccarat.

Baccarat, ch.-l. de c. de Meurthe-et-Moselle (arr. et à 25 km au S.-E. de Lunéville), sur la Meurthe ; 5 437 h. (*Bachânois*). Vers 1764, une verrerie fut fondée à Sainte-Anne, près de Baccarat. En 1816, la ville de Vonèche, en Belgique, fut exclue du territoire français, et la manufacture de cristal qui s'y trouvait, la plus importante d'Europe, vint s'installer à Sainte-Anne ; elle y acquit d'emblée une très haute réputation.

baccaurea n. m. (lat. *bacca aurea,* fruit doré). Euphorbiacée arbustive des régions tropicales, aux fruits pulpeux comestibles.

Baccelli (Guido), médecin italien (Rome 1832 - *id.* 1916). Professeur de médecine légale et de pathologie, il fonda la polyclinique de

Rome. L'un des chefs de la gauche dynastique, il fut plusieurs fois ministre.

bacchanal, bacchanale → BACCHANALES.

bacchanales n. f. pl. (lat. *bacchanalia;* du gr. *Bakkhos,* Bacchus). Fêtes religieuses en l'honneur de Bacchus et, spécialement, mystères dionysiaques célébrés à Rome. ◆ **bacchanal** n. m. *Fam.* Tapage de gens qui s'amusent. ◆ **bacchanale** n. f. *Fam.* Débauche bruyante; orgie. ◆ **bacchante** n. f. Prêtresse de Dionysos. (Le nom s'appliqua d'abord à ses nymphes nourrices, puis à toutes les femmes de son cortège [ménades, thyiades, éviades, etc.].) ‖ Femme à qui l'ivresse ou la lubricité font perdre toute réserve. ‖ — ***bacchantes*** n. f. pl. *Pop.* Moustache. (On écrit aussi BACANTES.)

Bacchantes (LES), tragédie d'Euripide (405 av. J.-C.), dont le sujet s'inspire de la mort de Penthée, roi de Thèbes, mis en pièces par les bacchantes pour s'être opposé à l'introduction du culte de Dionysos. Les chœurs comptent parmi les plus beaux morceaux lyriques de la tragédie grecque.

baccharis [karis] n. m. Séneçon arborescent des jardins. (Famille des composées.)

Bacchiades, en gr. **Bakkhiadai,** famille aristocratique de Corinthe, qui, de 747 à 657 av. J.-C., dirigea les destinées de la cité.

Bacchiglione (le), riv. de l'Italie, en Vénétie, qui rejoint la Brenta (r. dr.); 130 km.

Bacchus, nom donné à Dionysos* par les Romains. C'était essentiellement le dieu du vin et du Délire mystique; son culte était surtout privé. Dans la religion publique, la personnalité de Bacchus se confond avec le vieux dieu italique *Liber Pater.*

Bacchus et Ariane, ballet en 2 actes d'Abel Hermant, musique d'Albert Roussel, chorégraphie de Serge Lifar, décors et costumes de Giorgio De Chirico. Première mondiale : Opéra de Paris, 22 mai 1931. Roussel en a tiré deux suites d'orchestre.

Bacchylide, en gr. **Bakkhulidês,** poète lyrique grec (Céos v. 500 av. J.-C.). Son œuvre, plus brillante mais moins forte que celle de son rival Pindare, comprend des odes triomphales, des péans et des dithyrambes.

baccifère adj. Se dit des plantes dont le fruit est une baie.

bacciforme adj. (lat. *bacca,* baie, et de *forme*). *Bot.* Qui a la forme et la consistance d'une baie.

Baccio d'Agnolo (Bartolomeo D'AGNOLO BAGLIONI, dit), architecte et sculpteur florentin (Florence 1462 - *id.* 1543). Il éleva, dans Florence, les palais Taddi et Bartolini-Salimbeni, et fut maître d'œuvre de la cathédrale. On lui doit les sculptures du chœur et du buffet d'orgue de Santa Maria Novella.

Baccio da Montelupo (Bartolomeo SINIBALDI, dit), sculpteur et architecte florentin (Montelupo v. 1469 - Lucques 1535). Il travailla à Florence, surtout comme sculpteur (*Saint Jean l'Evangéliste,* église de San Michele), puis à Lucques, où il donna les dessins de plusieurs édifices.

Baccio della Porta. V. BARTOLOMEO (Fra).

baccivore adj. (lat. *bacca,* baie, et *vorare,* manger). Mangeur de baies. (Se dit surtout des oiseaux.)

Bach, dynastie de musiciens originaires de Thuringe. Une cinquantaine d'entre eux tiennent une place honorable dans la musique des XVIIe et XVIIIe s. L'ancêtre, VEIT († Wechmar 1619), était meunier et jouait de la cithare. — Son dernier fils JOHANNES, musicien et boulanger († Wechmar 1626), est l'arrière-grand-père de Jean-Sébastien. — JOHANN AMBROSIUS (Erfurt 1645 - Eisenach 1695), violoniste et altiste, père de Jean-Sébastien, épousa Elisabeth Lämmerhirt.

Held

Bacchus
mosaïque provenant de Pompéi
musée de Naples

Bach (Jean-Sébastien), compositeur allemand (Eisenach 1685 - Leipzig 1750). A la mort de ses parents (1694-1695), il rejoint son frère Johann Christoph, organiste à Ohrdruf, puis entre, à Lüneburg, au gymnasium Saint-Michel. Quelque temps violoniste à la cour de Weimar, il est ensuite nommé organiste à Arnstadt. Brillant organiste, Jean-Sébastien Bach gagne Lübeck (1705), pour voir Buxtehude, sans l'autorisation de ses supérieurs, ce qui lui fait perdre sa place. Il devient alors organiste à Mühlhausen et épouse sa cousine Maria Barbara (1707). Il est nommé violoniste et organiste du duc de Saxe-Weimar. A Köthen (1717), il dirige l'orchestre du prince Léopold d'Anhalt et fait de nombreuses expertises d'orgues. Après la mort de sa femme, il épouse Anna Magdalena Wülcken, une chanteuse (1721). A la mort de Kuhnau, cantor de Leipzig, Bach pose sa candidature à la Thomasschule, où il est agréé après l'audition de la *Passion selon saint Jean* (1723). Il dirige le *Collegium musicum* (1729-1740), fondé par Telemann. Il sollicite le titre de « compositeur de la cour

de Biasi

Jean-Sébastien **Bach**
par Elias G. Hausmann, *coll. part.*

de Saxe » par l'envoi au prince électeur d'une partie de la *Messe en « si »* (1733-1736). Il rend visite à Frédéric II à Potsdam en 1747, puis lui envoie l'*Offrande musicale*. Aveugle en 1749, il meurt l'année suivante, laissant dix enfants, sur les dix-neuf qu'il avait eus.
L'œuvre de Bach est l'aboutissement de trois siècles de polyphonie ; le contrepoint rigoureux l'emporte toujours dans un style qui sait rendre sensible l'idée. Sa forme préférée, la fugue, le conduit à dépouiller sa pensée. Toute son œuvre porte la marque du croyant qu'il était.

● ŒUVRES VOCALES : cantates religieuses (*Actus Tragicus,* 1711 ; *Ich hatte viel Bekümmernis,* 1714 ; *Ein feste Burg,* 1730 ; *Ich habe genug,* 1731 ; *Wachet auf,* 1731 ; *Aus tiefer Not,* 1735-1744) ; cantates profanes (*du café,* 1732) ; motets ; oratorios (de Noël, 1734 ; de Pâques, 1736) ; *Passions* (selon saint Jean, 1723 ; selon saint Matthieu, 1729) ; *Magnificat* (1723); *Messe en « si » mineur* (1733-1738).
● ŒUVRES INSTRUMENTALES. A. *Orgue : Orgelbüchlein* (1708-1717), préludes et fugues, etc. — B. *Clavecin :* suites françaises, anglaises, *partitas, inventions, Clavecin bien tempéré* (1722-1744), *Variations Goldberg* (1742), concertos, etc. — C. *Concertos :* pour orchestre et un ou plusieurs solistes (clavecin, violon). — D. *Instruments solistes :* œuvres pour luth, violon, violoncelle, flûte, etc. — E. *Orchestre : Concerts* brandebourgeois* (1721), *Suites* (1721-1736).
● ŒUVRES THÉORIQUES : *Offrande* musicale* (1747), *Art* de la fugue* (1748-1750).

Bach (Wilhelm Friedemann), compositeur allemand (Weimar 1710 - Berlin 1784), fils aîné de J.-S. Bach et de Maria Barbara. Virtuose du clavier, organiste à Dresde, puis cantor à Halle, il s'installe enfin à Berlin. Il a écrit des œuvres vocales (messe, motet), orchestrales (*sinfonie*), de la musique de chambre, des pièces pour orgue, pour piano, des concertos. Sa musique fait preuve d'un certain romantisme. Il a contribué à la mise au point de la forme sonate.

Bach (Carl Philipp Emanuel), compositeur allemand (Weimar 1714 - Hambourg 1788), cinquième enfant de J.-S. Bach et de Maria Barbara. Il fit des études de droit, se signala comme professeur, instrumentiste, compositeur, évoluant vers un style homophone. D'abord au service de Frédéric II à Potsdam, il devint directeur de la musique à Hambourg, à la mort de Telemann, son parrain. Il a écrit des oratorios, des mélodies, 6 *sinfonie* pour orchestre, révélant des tendances préromantiques, de la musique de chambre annonçant le classicisme, ainsi que de très nombreuses pièces pour clavier.

Bach (Johann Christoph Friedrich), compositeur allemand (Leipzig 1732 - Bückeburg 1795), neuvième enfant de J.-S. Bach et d'Anna Magdalena. Il fit toute sa carrière chez le comte von Schaumburg-Lippe à Bückeburg. Il a composé des oratorios, des cantates, des symphonies, de la musique de chambre, des concertos.

Bach (Johann Christian), compositeur allemand (Leipzig 1735 - Londres 1782). Dernier fils de J.-S. Bach et d'Anna Magdalena. Il travaille à Bologne avec le P. Martini, puis se fixe à Londres, où il crée les « Bach-Abel Concerts », concerts par abonnement. Sa musique, qui annonce Mozart et sacrifie au style galant, comprend beaucoup d'opéras, de la musique d'église, des symphonies, des concertos et sonates pour clavier.

Bach (Alexander, baron VON), homme d'Etat autrichien (Loosdorf 1813 - Schönberg 1893). Ministre de la Justice dans le cabinet Wessenberg (juill. 1848), puis ministre de l'Intérieur (mai 1849), d'abord libéral, puis absolutiste sévère, il fut renvoyé par François-Joseph en août 1859. Sa politique, ou « système de Bach », est un néo-absolutisme caractérisé par le triomphe des méthodes d'exception et par la germanisation des minorités nationales.

bâchage → BÂCHE.

Bachaumont (Louis PETIT DE), écrivain français (Paris 1690 - *id.* 1771). Il a attaché son nom aux *Mémoires secrets pour servir à l'histoire de la république des lettres,* connus souvent sous le nom de *Mémoires de Bachaumont,* description très mordante de la vie parisienne.

Bachchār ibn Burd, poète satirique d'or

gine persane (Baṣrah 714 - † 884 ?). Il est le chantre des dynasties omeyyade et 'abbāsside.

bâche n. f. (lat. *bascauda,* d'orig. celtique). Tissu de lin, de chanvre ou de coton, épais et imperméabilisé, servant à recouvrir les marchandises exposées aux intempéries. || Abri formé d'un coffre bas recouvert d'un châssis vitré, pour la culture de plantes délicates et de primeurs. || Petit réservoir où règne généralement la pression atmosphérique, et dans lequel aspire ou refoule une pompe. || Réservoir contenant l'eau d'alimentation d'une chaudière. || Dans un pont-canal, partie de l'ouvrage qui retient l'eau. || Carter d'une turbine hydraulique. || Espèce de chalut que l'on traîne sur les fonds de sable. ◆ **bâchage** n. m. Action de recouvrir d'une bâche. ◆ **bâcher** v. tr. Couvrir avec une bâche.

bachelage → BACHELIER.

Bachelard (Gaston), philosophe français (Bar-sur-Aube 1884 - Paris 1962). Son œuvre se répartit entre une épistémologie de la science moderne et une psychanalyse générale. On lui doit notamment : *le Nouvel Esprit scientifique* (1934), *la Psychanalyse du feu* (1937), *l'Eau et les rêves* (1940), *le Rationalisme appliqué* (1949), *le Matérialisme rationnel* (1953), *la Poétique de l'espace* (1958), *la Poétique de la rêverie* (1960), *la Flamme d'une chandelle* (1961). [Acad. des sc. mor. et polit., 1955.]

bachèlerie → BACHELIER.

Bachelet (Alfred), compositeur français (Paris 1864 - Nancy 1944). Prix de Rome en 1890, directeur du conservatoire de Nancy (1918), il a composé une œuvre importante : des pièces instrumentales et vocales ; *Scemo* (1914) et *Un jardin sur l'Oronte* (1932), drames lyriques ; *Quand la cloche sonnera* (1921), opéra-comique ; *Fantaisie nocturne,* ballet. (Acad. des bx-arts, 1929.)

bachelier n. m. (anc. franç. *bacheler ;* lat. médiév. *baccalarius,* d'orig. inconnue). Jeune gentilhomme qui aspirait à devenir chevalier. || Celui qui avait pris tous ses degrés en théologie. ● *Bachelier d'armes,* celui qui s'exerçait aux armes ou qui avait été vainqueur à son premier combat dans un tournoi. || — ***bachelier, ère*** n. Celui, celle qui a obtenu le baccalauréat de l'enseignement secondaire. ● *Bachelier en droit,* autref., titulaire du baccalauréat* en droit. ◆ **bachelage** n. m. École de chevalerie où l'on apprenait le métier des armes. ◆ **bachèlerie** ou **bachellerie** n. f. *Dr. féod.* État de bachelier. || Terre noble d'une classe inférieure à celle du chevalier.

Bachelier (LE), roman autobiographique de Jules Vallès (1881), suite de *l'Enfant.* L'auteur a dédié ce livre « à ceux qui, nourris de grec et de latin, sont morts de faim ».

Bachelier (Nicolas), sculpteur et architecte français (Toulouse v. 1487 - † 1556 ou 1557). Il éleva des hôtels à Toulouse et dans sa région, participa notamment à la décoration sculptée de l'Hôtel d'Assézat, puis fut appelé en Espagne par Philippe II. On lui attribue la première idée du canal du Midi.

Bachelin. V. BASSELIN.

bâcher → BÂCHE.

bachi-bouzouk n. m. (d'un mot turc signif. *mauvaise tête*). Soldat irrégulier de l'ancienne armée ottomane. (Les bachi-bouzouks formaient une cavalerie mercenaire, levée par les sultans pour une campagne. Tristement célèbres pendant la guerre de Crimée, ils furent licenciés par Ömer pacha en 1855, mais reparurent lors des guerres balkaniques de 1876-1878.)

bachique [ʃik] adj. Qui a rapport à Bacchus ou à son culte : *Fête bachique. Fureur bachique.* || Relatif au vin, à l'ivresse : *Poème bachique.* ● *Scène bachique,* œuvre d'art représentant un groupe de buveurs.

Bachīr Chihāb (1767 - Constantinople 1851), émir du Liban de 1784 à 1840.

Bachkine (Matveï Semionovitch), libre penseur russe du milieu du XVIe s. Il s'éleva contre le servage, puis fut condamné comme hérétique et exilé au couvent de Volokolamsk par le concile de 1553.

Bachkirie (RÉPUBLIQUE AUTONOME DE), en russe **Bachkirskaïa A. S. S. R.,** république de l'U. R. S. S., dont le territoire est inclus dans celui de la R. S. F. S. de Russie ; 143 600 km² ; 3 818 000 h. Capit. *Oufa.* La République, située dans le sud de l'Oural, possède des mines de fer, de manganèse, de cuivre et des gisements pétrolifères.

Bachkir(s), peuple de l'U. R. S. S., habitant principalement la république de Bachkirie. C'est une population d'origine mongolique. D'abord incorporée dans la Horde d'Or, elle paya ensuite tribut au khān d'Astrakhan' et se convertit à l'islām. La colonisation russe (fin du XVIe s.) fut suivie par l'échec d'une tentative d'émancipation au XVIIIe s. La république autonome de Bachkirie a été proclamée en 1922.

Bachmann (Ingeborg), femme de lettres autrichienne (Klagenfurt 1926 - Rome 1973). Son œuvre lyrique (*Die gestundete Zeit,* 1953), romanesque (*la Trentième Année,* 1961 ; *Malina,* 1971) et dramatique (*Die Zikaden,* 1955) est marquée par l'influence de Heidegger et son expérience de la Seconde Guerre mondiale.

bacholle n. f. Grand seau en bois utilisé, dans le centre de la France, pour le transport de la vendange.

bachon n. m. Rondin de sapin dont on garnit des chemins forestiers. ◆ **bachonnage** n. m. Garnissage de la plate-forme de chemins sablonneux, en montagne, avec des rondins de sapin.

1. bachot n. m. (de *bac*). Petit bateau. ◆ **bachoteur** n. m. Batelier qui conduit un bachot.

2. bachot n. m. *Fam.* Baccalauréat. ◆ **bachotage** n. m. *Fam.* Action de bachoter. ◆ **bachoter** v. intr. *Fam.* Préparer le baccalauréat, ou tout autre examen ou concours, avec une intensité hâtive et en ne faisant appel qu'à la mémoire. ◆ **bachoteur, euse** n. *Fam.* Etudiant, étudiante qui bachote.

bachotte → BAC 3.

bachotteur n. m. Au jeu, compère d'un tricheur.

bachou n. m. Petit bassin où les suintements d'eau d'une mine s'accumulent.

Baciccia ou **Baciccio** (Giovanni Battista GAULLI, dit **il**), peintre italien (Gênes 1639 - Rome 1709). Elève de Borzone et du Bernin, il décora à Rome de nombreuses églises et notamment celle du Gesù (*la Gloire du nom de Jésus*), dans un style théâtral.

bacillaire, bacillales → BACILLE.

bacille [sil] n. m. (lat. *bacillus,* petit bâton). Nom donné à toutes les bactéries* qui ont la forme d'un bâtonnet. ‖ *Entom.* Insecte phasmidé européen, allongé, sans ailes, semblable à une brindille. ◆ **bacillaire** adj. Se dit des maladies produites par un bacille, et en particulier par le bacille de Koch. ‖ Se dit d'un cristal ayant la forme d'un prisme allongé et strié. ✦ n. Malade atteint d'une maladie bacillaire, et spécialement de tuberculose. ◆ **bacillales** n. f. pl. Ordre de bactéries sporulées comprenant les formes cylindriques. ◆ **bacillémie** n. f. Présence, surtout passagère, de bacilles dans le sang. (V. BACTÉRIÉMIE.) ◆ **bacilliforme** adj. Qui a la forme d'un bacille. ◆ **bacillisation** n. f. Envahissement d'une partie de l'organisme ou de l'organisme entier par un bacille, spécialement par le bacille de la tuberculose. ◆ **bacilloscopie** n. f. Recherche du bacille tuberculeux dans les crachats, les urines, etc., d'un malade. ◆ **bacillose** n. f. Toute maladie due à un bacille. ‖ *Partic.* Tuberculose pulmonaire. ◆ **bacillurie** n. f. Présence de bacilles, et en particulier de bacilles de Koch, dans les urines.

Bacilly (Bénigne DE), maître de chant et compositeur français (en basse Normandie v. 1625 - † 1690). Il a laissé plusieurs recueils d'airs. Son principal ouvrage, *Remarques curieuses sur l'art de bien chanter,* indique l'interprétation des agréments et des vocalises.

Baciocchi (Félix Pascal), officier corse (Ajaccio 1762 - Bologne 1841). Il épousa Elisa, sœur de Bonaparte (1797). Il reçut, avec elle, la principauté de Piombino et de Lucques (1805).

bacitracine n. f. Antibiotique produit par une souche de *Bacillus subtilis.*

Back (RIVIÈRE DE) ou **Back River,** fl. du Canada, issu du lac Aylmer, tributaire de l'océan Arctique (baie Chantrey) ; 960 km.

Back (sir George), amiral anglais (Stockport 1796 - Londres 1878). Parti à la recherche de John Ross en 1833, il explora le Nord-Ouest canadien.

Bačka, région de Yougoslavie (Vojvodine).

backcross n. m. Croisement d'un hybride avec l'un de ses parents.

backgammon n. m. (mot angl.). Jeu analogue au trictrac.

Backhuysen (Ludolf), peintre et graveur hollandais (Emden 1631 - Amsterdam 1708). On lui doit de nombreuses marines (Louvre).

backing [bakiɲ] n. m. (mot angl.). Matériau que l'on met au fond de la gorge du moulinet de pêche pour en diminuer la contenance. ‖ Fil que l'on peut avoir en réserve au fond du moulinet.

Backlund (Oskar), astronome suédois (Karlstad 1846 - observatoire de Poulkovo 1916). Il étudia la mécanique céleste.

bâclage → BÂCLER.

baclan ou **béclan** n. m. Raisin noir du Jura.

bâcle n. f. (lat. *baculus,* bâton). Pièce de bois ou de métal que l'on assujettit en travers, derrière une porte, une fenêtre, pour la fermer.

bâcler v. tr. (du provenç. *baclar ;* peut-être du lat. *baculus,* bâton). *Fam.* S'acquitter d'un travail en toute hâte et sans soin. ◆ **bâclage** n. m. *Fam.* Action de bâcler, de faire vite et mal : *Le bâclage d'une affaire.* ◆ **bâcleur, euse** n. *Fam.* Celui, celle qui bâcle.

Bacler d'Albe (Louis Albert Ghislain, baron), général français (Saint-Pol 1761 - Sèvres 1824), chef du bureau topographique de Bonaparte en 1796, directeur du Dépôt de la guerre en 1813.

bâcleur → BÂCLER.

Bac Lieu, v. du sud du Viêt-nam, dans la péninsule de Ca Mau ; 24 500 h.

Bac Ninh, v. du nord du Viêt-nam, au N.-E. d'Hanoi ; 10 000 h. Textiles.

Bacó (Jacomart ou Jaume), peintre espagnol (Valence 1410 - *id.* 1461). Il fut peintre particulier d'Alphonse V d'Aragon ; son style allie des influences italiennes et flamandes (triptyques de la cathédrale de Játiva).

Bacolod, v. des Philippines, dans l'île de Negros ; 187 300 h.

bacon [prononc. angl. beikən] n. m. (anc. allem. *bakko,* jambon). Morceau de lard maigre, utilisé surtout en Angleterre pour accompagner les œufs sur le plat.

Bacon (Roger), philosophe et savant anglais (Ilchester, Somerset, ou Bisley, Gloucester, v. 1220 - Oxford 1294), surnommé **le Docteur admirable.** Il étudia à Oxford, puis séjourna à Paris de 1236 à 1251. Entré dans l'ordre des Franciscains, il commenta l'œuvre d'Aristote, puis s'orienta vers les études scientifiques. Il retourna à Oxford, mais son ense gnement ayant été interdit en 1257, il revint à Paris. Son protecteur, devenu pape en 1265, sous le nom de Clément IV, lui demanda une copie de son œuvre : il composa alors l'*Opus majus.* Ses thèses ayant été condamnées, il fut emprisonné de 1277 à 1292. Il fut l'un des plus grands représentants de la science expérimentale du Moyen Age. Le premier, il s'aperçut que le calendrier julien était erroné. En optique, il fit d'intéressantes découvertes. Il décrivit plusieurs inventions mécaniques : bateaux, voitures et machines volantes. On lui attribue l'invention de la poudre ; la formule chimique s'en trouve dans ses écrits, mais il l'avait probablement empruntée aux Arabes. L'un des premiers, il s'affranchit de la scolastique et préconisa la science expérimentale.

Bacon (Francis), baron **Verulam,** chancelier d'Angleterre et philosophe (Londres 1561 - *id.* 1626). Il gagna la faveur de Jacques Ier et devint grand chancelier en 1618. Le Parlement de 1621 l'ayant accusé de vénalité, Bacon perdit sa charge. Il fut l'un des créateurs de la méthode expérimentale et inductive, dont il formula les lois, et acheva de ruiner la méthode déductive et aprioriste de la scolastique en écrivant *De dignitate et augmentis scientiarum* (1605) et le *Novum* Organum* (1620), dont l'ensemble devait former l'*Instauratio magna.* L'instrument nouveau (novum organum) qui permet d'instaurer les sciences, c'est la méthode d'expérimentation ; la découverte des lois des phénomènes s'effectue au moyen de *tables de présence, d'absence* et *de degrés.* De l'expérimentation, conduite avec précision, la loi générale sera tirée par une induction amplifiante qui dépasse l'acquis pour entrevoir l'avenir. — Son demi-frère, sir NATHANIEL (1585 - Culford 1627), fut peintre de portraits et de paysages.

Bacon (John), dit **le Vieux,** sculpteur anglais (Londres 1740 - *id.* 1799). Il travailla aux tombeaux de Westminster. — Son fils JOHN, dit *le Jeune* (Londres 1777 - † 1859), continua son œuvre.

Bacon (Francis), peintre britannique (Dublin 1910). Exprimant, depuis 1944, l'inadaptation et le malaise des êtres par de violentes déformations, des stridences de couleurs, des « tremblés » de l'image, il a eu de nombreux disciples dans la « nouvelle figuration* » internationale.

baconer ou **baconner** v. tr. Conserver du poisson dans un baquet d'eau très salée.

Bacongo, faubourg de Brazzaville ; 26 800 h. — Le *pays des Bacongos,* autour de Brazzaville, compte 80 000 h.

baconien, enne adj. Relatif à Francis Bacon ou au baconisme. ● *Induction baconienne* ou *induction amplifiante,* induction qui, partant d'un certain nombre de faits connus par expérience, en tire une loi générale et spécifique. ◆ **baconisme** n. m. Système du philosophe anglais Francis Bacon*. ◆ **baconiste** n. et adj. Disciple de Francis Bacon.

baconner. V. BACONER.

bacove n. f. Autre nom de la *figue-banane* de Guyane, produite par le *bacovier,* sorte de bananier.

Larousse

Roger **Bacon**
cabinet des Estampes

Giraudon

Francis **Bacon**
baron Verulam

Bacovia (George VASILIU, dit), poète roumain (Bacău 1881 - Bucarest 1957). Il est l'auteur de poèmes en prose (*Morceaux de nuit,* 1926) et de *Poésies* (1934), inspirées d'Edgar Poe et de Baudelaire.

bac-parc n. m. Filet fixe, disposé dans les lagunes pour pêcher à la marée descendante. — Pl. *des* BACS-PARCS.

Bacqueville-en-Caux, ch.-l. de c. de la Seine-Maritime (arr. et à 19 km au S.-S.-O. de Dieppe) ; 1 733 h.

bacteria n. f. (gr. *baktêria,* bâton). Nom d'un insecte phasmidé des pays chauds.

bactériacées n. f. pl. Nom sous lequel on

groupe parfois toutes les bactéries : bacilles, vibrions, spirilles. (V. BACTÉRIE.)

bactériales n. f. pl. Ordre de bactéries asporulées comprenant les formes cylindriques.

bactéricide adj. et n. m. Se dit de tout agent chimique ou physique capable de tuer les bactéries *in vitro* ou *in vivo*. (Un antibiotique est dit « bactéricide » quand, dans un milieu additionné de cet antibiotique en proportion convenable, le nombre de germes est, à un temps donné, inférieur au nombre de germes ensemencés. La pénicilline, la streptomycine sont bactéricides. Certains antibiotiques sont seulement bactériostatiques*.)

bactéridie n. f. Bacille immobile, comme celui du charbon.

bactérie n. f. (gr. *baktêria*, bâton). Nom donné à un groupe d'êtres unicellulaires, de structure très simple, à noyau diffus, et se reproduisant par scissiparité. (V. *encycl.*) ◆ **bactérien, enne** adj. Relatif aux bactéries.

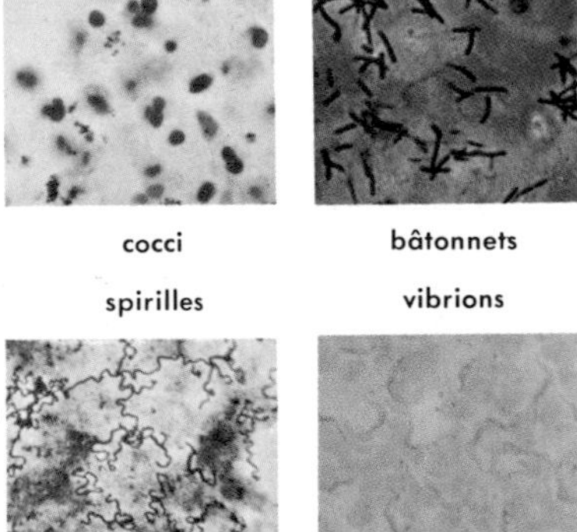

cocci — bâtonnets — spirilles — vibrions

Corson - Fotogram

— ENCYCL. ***bactérie.*** Les bactéries jouent, dans la nature, un rôle capital, à la fois par la variété de leurs espèces, par leur reproduction rapide et par la diversité des phénomènes où elles interviennent.

● *Morphologie et structure.* La plus grande dimension des bactéries est comprise entre 1 et 6 microns. Elles sont sphériques (cocci), cylindriques (bacilles), incurvées (vibrions) ou spiralées (spirilles) ; les cocci peuvent être isolés (microcoque) ou groupés par deux (diplocoque), par quatre (tétrade), en cube (sarcine), en chaîne (streptocoque), en grappe (staphylocoque).

Une bactérie est constituée par un cytoplasme à noyau diffus et limité par une membrane dont la couche externe contient un mucilage ou de la cire. Des cils rendent certaines formes mobiles.

Plusieurs méthodes de coloration (v. GRAM, ACIDO-RÉSISTANCE, ZIEHL) permettent de différencier divers groupes de bactéries.

Cultivées sur des milieux appropriés, les bactéries donnent des colonies à aspect particulier, mais peuvent varier de forme suivant le milieu où elles vivent.

● *Biologie.* Certaines bactéries exigent de l'oxygène (aérobies), d'autres ne supportent pas l'oxygène libre (anaérobies), mais beaucoup peuvent s'adapter à la présence ou à l'absence de ce gaz (anaérobies mixtes ou facultatives). Si certaines bactéries sont autotrophes, la plupart sont parasites ou saprophytes. Leur richesse enzymatique leur confère une intense activité biochimique : dégradation de substances organiques, production de gaz, de pigments, de toxines (exotoxines et endotoxines), de dépôts de fer ou de soufre. Leur prolifération n'est possible que dans certaines limites de température ; les bactéries du sol se développent à la température ordinaire, les bactéries pathogènes, entre 37 et 40 °C. Beaucoup possèdent des formes de résistance, ou spores, leur permettant de survivre à la dessiccation ou à des températures assez élevées.

● *Rôle dans la nature.* Les bactéries sont les agents des fermentations et des putréfactions, et transforment les substances organiques du sol en matières minérales et en gaz; elles fixent des gaz de l'air et enrichissent le sol en azote, fournissant ainsi aux végétaux une partie de leurs aliments inorganiques. Elles interviennent dans la digestion intestinale de beaucoup d'animaux supérieurs. Un certain nombre sont pathogènes pour l'homme et les animaux, et agissent à la fois par leurs toxines et par le prélèvement de nourriture qu'elles effectuent.

Reconnues à l'état fossile dans les terrains primaires, les bactéries ont contribué à la formation des roches combustibles (charbon, pétrole).

bactériémie n. f. *Méd.* Présence de microbes dans le sang. (On entend surtout par « bactériémie » le passage éphémère de microbes dans le sang, les germes échappés d'un foyer d'infection locale étant rapidement détruits dans la circulation. La septicémie véritable est la présence constante de germes dans le sang. C'est, en quelque sorte, une bactériémie entretenue par des décharges répétées de germes à partir d'un foyer infectieux.)

bactérien → BACTÉRIE.

bactériologie n. f. Partie de la microbiologie qui s'occupe des bactéries. (La bactériologie date des travaux de Davaine et de Royer [1850], et surtout de ceux de Pasteur.) ◆ **bactériologique** adj. Relatif à la bactériologie. ◆ **bactériologiste** n. Personne qui étudie ou qui pratique la bactériologie.

bactériolyse n. f. Dissolution des microbes par modification physico-chimique de leur cytoplasme, sous l'influence d'agents chimiques ou de substances contenues dans les sérums.

bactériolysine n. f. Anticorps ou sensibilisatrice capable de provoquer, en présence de complément*, la lyse d'une bactérie.

bactériophage n. m. Micro-organisme qui se comporte comme parasite d'une bactérie donnée, et qui provoque sa destruction par lyse. (Observés au microscope électronique, les bactériophages apparaissent comme des corpuscules sphériques munis d'une ou de plusieurs « queues », et qui se fixent sur les bactéries. Ils sont constitués par des protides de poids moléculaire élevé, et leurs propriétés les apparentent aux virus. Les bactériophages sont utilisés en thérapeutique, le plus souvent associés aux vaccins et aux antibiotiques.)

bactériose n. f. Maladie bactérienne d'une plante. (Les diverses bactérioses se traduisent par des tumeurs, des pourritures humides, des nécroses sèches ou des flétrissements.)

bactériostase n. f. Inhibition de la multiplication d'un germe dans un milieu, déterminée par un bactériostatique. ◆ **bactériostatique** adj. et n. m. Se dit d'un antibiotique qui empêche la multiplication des germes. (Un antibiotique est dit « bactériostatique » quand, dans un milieu additionné de cet antibiotique en proportion convenable, le nombre des germes à un temps donné demeure égal au chiffre initial. Il n'y a donc pas destruction du germe, mais seulement inhibition de sa multiplication.) [V. BACTÉRICIDE.]

bactériothérapie n. f. Méthode qui consiste à employer, pour le traitement des infections, des cultures de bactéries vivantes ou mortes. (En pénétrant dans le milieu intérieur de l'organisme, ces microbes, préalablement atténués [vaccination antirabique] ou tués [vaccination antityphoïdique], provoquent la formation d'anticorps spécifiques contre eux. Ils créent ainsi une immunité active, plus ou moins durable, contre la maladie qu'ils causent. La bactériothérapie a donc surtout une action préventive.)

bactériotoxémie n. f. Intoxication générale due à la diffusion, dans le sang et dans les organes, de toxines sécrétées par certaines bactéries qui restent localisées en un point de l'organisme (choléra, diphtérie, tétanos).

bactériurie n. f. Présence de microbes dans l'urine.

Bactres, en gr. **Baktra,** v. antique (auj. *Balkh*), capit. de la Bactriane.

Bactriane, en gr. **Baktrianê.** *Géogr. anc.* Contrée de l'Asie centrale, au N. de l'Afghānistān actuel. Satrapie de l'Empire perse (VIe-IVe s. av. J.-C.), elle fut conquise par Alexandre (329-327). A sa mort, elle échut aux Séleucides. L'indépendance lui fut acquise v. 245 lorsque le satrape Diodote fonda le royaume de Bactriane, largement influencé par la Grèce. Mithridate Ier, roi des Parthes (milieu du IIe s. av. J.-C.), en conquit une grande partie; il fut bientôt suivi par les Scythes. L'Empire indo-scythe des Kuchāns (Ier s. av. J.-C. - IIIe s. apr. J.-C.) semble avoir pris Bactres pour capitale. La ville fut ravagée par les Huns au Ve s., puis conquise par les Turcs au VIe s.

bactridés n. m. pl. (gr. *baktron,* bâton). Céphalopodes de l'ère primaire, droits mais à siphon marginal.

bactrien, enne adj. et n. Relatif à Bactres ou à la Bactriane; habitant de cette ville ou de cette région. || — ***bactrien*** n. m. Langue des Bactriens, dialecte du zend.

bactrioles n. f. (altér. de *bractéole*). Débris, rognures d'or provenant du battage.

bactris [tris] n. m. (gr. *baktron,* bâton). Palmier américain dont la tige, très grêle, peut servir de canne.

bacul [ky] n. m. (de *battre* et *cul*). Pièce de harnachement des bêtes de halage.

bacula n. m. (du lat. *baculus,* petit bâton). Plafond léger, formé de lattes et de plâtre.

Baculard d'Arnaud (François DE), écrivain français (Paris 1718 - *id.* 1805), l'un des créateurs du mélodrame (*le Comte de Comminges,* 1790).

baculite n. f. (lat. *baculus,* petit bâton). Ammonite déroulée, du crétacé supérieur.

Bada (José DE), architecte espagnol (Lucena, Cordoue, 1691 - Grenade 1755). Il a construit la façade de la cathédrale de Málaga et, à Grenade, la sacristie de la Chartreuse, œuvre caractéristique du baroque espagnol.

Badacsony, bourg de Hongrie, sur le Balaton. Vins réputés.

Badajoz, v. d'Espagne (Estrémadure), ch.-l. de prov., sur le Guadiana, près de la frontière portugaise; 102 900 h. Restes de fortifications musulmanes; cathédrale gothique. Capitale d'un royaume musulman fondé au XIe s., la ville devint une place stratégique après la Reconquête. Elle fut prise par Soult en 1811, et par les Anglais en 1812.

Badakhchan ou **Badakhchān,** montagnes de l'U. R. S. S. (Tadjikistan) et de l'Afghānistān, au N. de l'Hindu Kūch.

Badalona, v. d'Espagne (banlieue nord-est de Barcelone); 163 400 h. Industries textiles.

badamier n. m. (du persan *bādām,* amande). Arbre du genre *terminalia,* dont le fruit (*myrobalan*) fournit la laque de Chine et un benjoin. (Famille des combrétacées.)

badarien, enne adj. et n. Se dit d'une civilisation considérée comme la plus ancienne des civilisations énéolithiques d'Egypte et dont le centre fut la ville de Badari. (Ses vestiges sont des poteries faites à la main, des essais de ronde-bosse et des objets de cuivre.)

badasse n. m. V. DORYCNIUM.

badaud, e n. (provenç. *badau;* de *badar,* regarder bouche bée). Personne naïvement curieuse, étonnée des moindres choses nouvelles qui se présentent à ses regards : *Camelot qui attire les badauds.* ✦ adj. D'une curiosité un peu niaise : *Un regard badaud.* ◆ **badauder** v. intr. Se plaire à flâner par les rues, en quête de ce qui pourrait satisfaire une curiosité peu difficile. ◆ **badauderie** n. f. Caractère du badaud ; puérilité, niaiserie : *Un attroupement dû à la badauderie des passants.* ‖ Action, propos de badaud : *Perdre son temps en badauderies.*

Bad Cannstatt ou **Cannstatt,** quartier de Stuttgart (Allemagne). Station thermale. On y avait découvert en 1700 un crâne considéré comme appartenant à une race fossile ; mais son authenticité est très douteuse.

baddeleyite n. f. Oxyde naturel de zirconium ZrO_2.

Bad Doberan, v. d'Allemagne (Allem. or., distr. de Rostock) ; 12 800 h. Bains ferrugineux très fréquentés.

Bade, en allem. **Baden,** anc. Etat de l'Allemagne rhénane.

● *Géographie.* Le pays de Bade s'allonge le long du Rhin, depuis le lac de Constance jusqu'au confluent du Neckar. C'est une région agricole (céréales, élevage, vignobles, vergers). Il englobe aussi le versant ouest de la Forêt-Noire et déborde un peu sur le bassin de Souabe et de Franconie. Les villes principales sont Mannheim, Karlsruhe, Heidelberg et Fribourg-en-Brisgau.

● *Histoire.* Le pays fut détaché, au Xe s., du duché de Souabe, et érigé en margraviat par Hermann de Zähringen en 1112. Les partages familiaux aboutirent, au XIIe s., à la formation de trois maisons : Baden-Baden, Baden-Hochberg et Baden-Sausenberg. En 1503, la totalité du margraviat revint à Christophe Ier de Baden-Baden. A sa mort, en 1527, deux nouvelles branches apparurent : Baden-Baden, catholique, et Baden-Durlach, luthérienne. Elles se combattirent, notamment durant la guerre de Trente Ans.
En 1771, le pays fut unifié par Charles-Frédéric de Baden-Durlach. Le grand-duché de Bade, créé en 1806, fut étroitement lié à l'Empire napoléonien. En 1815, il entra dans la Confédération germanique. Il devint un Etat constitutionnel en 1819. Un soulèvement populaire força le grand-duc à s'enfuir en 1848, mais il fut rétabli par les troupes prussiennes. En 1871, le Bade devint un des Etats de l'Empire. La Constitution de 1919 en fit une république. De 1940 à 1945, l'Alsace lui fut pratiquement rattachée. Depuis 1949, Bade et Wurtemberg sont réunis en seul Etat. (V. BADE-WURTEMBERG.)

Bade (ÉCOLE DE), ou **école axiologique,** cercle philosophique créé par Wilhelm Windelband (1848-1915), puis dirigé par Heinrich Rickert (1863-1936) et illustré par Ernst Troeltsch (1865-1923), Bruno Bauch (1877-1942) et Münsterberg. Cette école représente un aspect du *néo-kantisme* allemand, un essai de synthèse des philosophies théorique et pratique de Kant dans une philosophie transcendantale des *valeurs.*

Bade (Josse). V. BADIUS.

Bade (Maximilien DE). V. MAXIMILIEN DE BADE.

badelaire ou **bazelaire** n. m. Epée à lame courbe, employée jusqu'au XIVe s.

Bad Ems, v. d'Allemagne (Allem. occid., Rhénanie-Palatinat) ; 10 000 h. Station thermale.

Baden, v. de Suisse (cant. d'Argovie) ; 13 950 h. Eaux thermales.

Baden-Baden ou **Baden,** v. d'Allemagne (Allem. occid., Bade-Wurtemberg), au pied nord-ouest de la Forêt-Noire ; 40 000 h. Ville d'eaux réputée. Depuis 1945, quartier général des forces françaises en Allemagne.

Baden-Baden

Boutin - Atlas-Photo

Badeni (Kazimierz), homme politique polonais (Surochów 1846 - Busko 1909). Gouverneur de Galicie, il devint président du Conseil et ministre de l'Intérieur en 1895 ; il s'efforça de résoudre le problème national en Bohême, mais, devant l'opposition, dut démissionner.

Baden-Powell (Robert, 1er baron), général anglais (Londres 1857 - Nyeri, Kenya, 1941). En 1908, il fonda l'organisation, bientôt internationale, des *boy-scouts,* puis, en 1910, avec l'aide de sa sœur AGNES, celle des *girl-guides.* (V. SCOUTISME.)

baderne n. f. (mot d'un parler méridional signif. *vieux câble*). *Péjor. Vieille baderne,* officier hors d'état de servir par suite de son âge. || Individu attaché à des idées ou à des habitudes d'un autre âge.

Bade-Wurtemberg, en allem. **Baden-Württemberg,** Etat de la République fédérale allemande ; 35 750 km²; 9 154 000 h. Capit. *Stuttgart.* Formé en 1952, il s'étend sur l'ancien pays de Bade* et sur le Wurtemberg*.

Badgastein, v. d'Autriche (prov. de Salzbourg) ; 5 600 h. Station thermale et touristique (sports d'hiver).

badge [badʒ] n. m. (mot angl.). Insigne porté sur l'uniforme dans les armées anglo-saxonnes. || Insigne cousu sur un vêtement civil. || Insigne que portent les scouts.

Bad Godesberg, v. d'Allemagne (Allem. occid., Rhénanie-du-Nord-Westphalie), dépendance de Bonn depuis 1969. Centre résidentiel. Importante station thermale.

badi n. m. V. BILINGA.

Badī' al-Zamān, titre honorifique arabe (« la Merveille du temps »), porté notamment par **Badī' al-Zamān al-Hamadhānī,** poète, épistolier et littérateur arabe (Hamadhān 968 - Harāt 1008), qui vécut à la cour des souverains Buwayhides, à Nishāpūr, et créa le genre littéraire de la *maqāma* (« séance », ou récit en prose rimée).

badiane n. f., ou **badianier** n. m. Magnoliacée arbustive de Chine et de l'Asie du Sud-Est (*Illicium verum*), dont le fruit est l'*anis étoilé* des pharmaciens et des liquoristes.

Badier (Florimond), relieur parisien du XVIIe s. Il usa de fers pointillés pour de riches décors dorés.

badigeon n. m. Composition à base de chaux éteinte, utilisée pour le revêtement des murs. || Enduit destiné à masquer des défauts. ◆ **badigeonnage** n. m. Action de badigeonner. || Ouvrage de celui qui badigeonne. || Action d'enduire d'une préparation pharmaceutique. (Les badigeonnages sont employés pour leurs effets révulsifs [teinture d'iode], analgésiques [cocaïne] ou bactéricides [novarsénobenzol dans les angines].) ◆ **badigeonner** v. tr. Revêtir d'une couche de badigeon : *Badigeonner une façade.* || Enduire d'une préparation pharmaceutique : *Badigeonner la gorge de bleu de méthylène.* ◆ **badigeonneur** n. m. Ouvrier peintre chargé de badigeonner. || *Péjor.* Mauvais peintre.

Badile (Giovanni Antonio), peintre italien (Vicence v. 1518 - *id.* 1560). Son style s'apparente à celui de Titien (*Présentation de la Vierge au Temple,* musée de Turin).

badin, e adj. et n. (provenç. *badin,* sot; de *badar,* regarder bouche bée). Qui aime la plaisanterie légère : *Un esprit badin.* || Qui tient de ce genre de plaisanterie : *Ton, air badin. Propos badins.* ◆ **badinage** n. m. Action de badiner : *Fuir le badinage d'une société frivole.* || Propos où la plaisanterie se mêle d'enjouement. || Chasse au canard à l'aide d'un petit chien (roux de préférence) qui attire le gibier. ◆ **badiner** v. intr. Plaisanter avec enjouement : *Il y a un art de badiner.* || Ne pas prendre les choses sérieusement : *On ne badine pas avec ce genre de maladie.* ● *Ne pas badiner sur,* être strict sur : *Officier qui ne badine pas sur le chapitre de l'obéissance.* ◆ **badinerie** n. f. Action ou parole badine : *S'occuper de badineries.*

badin n. m. (du nom de l'inventeur). Appareil utilisé pour mesurer la vitesse d'un avion par rapport à l'air ambiant.

badinage → BADIN adj.

badine n. f. (orig. inconnue). Baguette mince et flexible. || Canne flexible et légère. || — **badines** n. f. pl. Pincettes pour le feu.

badiner, badinerie → BADIN adj.

Badinguet, surnom donné à Napoléon III.

Badinter (Robert), avocat français (Paris 1928). Ministre de la Justice (1981-1986), il a fait voter l'abolition de la peine de mort (9 oct. 1981). Il est nommé président du Conseil constitutionnel (1986).

Badische Anilin und Soda-Fabrik, société allemande de produits chimiques, fondée en 1865 à Ludwigshafen. En 1925, elle absorba la majeure partie de tout un groupe de sociétés, et forma l'I. G. Farben Aktiengesellschaft. La société actuelle a été fondée en 1952 après l'« éclatement » de l'I. G. Farben.

badiane

Bad Ischl, v. d'Autriche (Haute-Autriche),

dans le Salzkammergut ; 13 400 h. Mines de sel.

badister [tɛr] n. m. Carabe roux, jaune et noir.

Badius (Josse BADE, dit **Jodocus**), surnommé **Ascensius,** imprimeur et humaniste (Asch, près de Bruxelles, 1462 - Paris 1537). Il imprima près de quatre cents volumes (Erasme, Budé, Politien) et des classiques grecs et latins, annotés par lui.

Bad Kreuznach, v. d'Allemagne (Allem. occid., Rhénanie-Palatinat), sur la Nahe ; 36 100 h. Station hydrominérale.

bad-lands n. m. pl. (angl. *bad,* mauvais, et *land,* terre). Topographie fortement ravinée, résultant de l'érosion de roches tendres et imperméables sous des climats semi-arides. (La destruction de la végétation favorise la formation de bad-lands.)

badminton [badmintən] n. m. (mot angl.). Jeu de volant, pratiqué sur un court, avec des raquettes. (Ancien jeu de volant français, il fut remis à l'honneur et modernisé en 1873 par des officiers anglais.)

Bad Nauheim ou **Nauheim,** v. d'Allemagne (Allem. occid., Hesse), dans le Taunus ; 14 400 h. Station thermale.

Badoglio (Pietro), maréchal et homme politique italien (Grazzano Monferrato 1871 - *id.* 1956). Gouverneur de Libye de 1928 à 1933, il devint vice-roi d'Ethiopie (1936) après sa victoire d'Addis-Abeba (1936). Commandant en chef en 1940, il négocia l'armistice avec la France. Chef du gouvernement après l'arrestation de Mussolini (1943), il traita avec les Alliés, déclara la guerre à l'Allemagne, puis quitta le pouvoir avec le roi (1944).

maréchal Badoglio

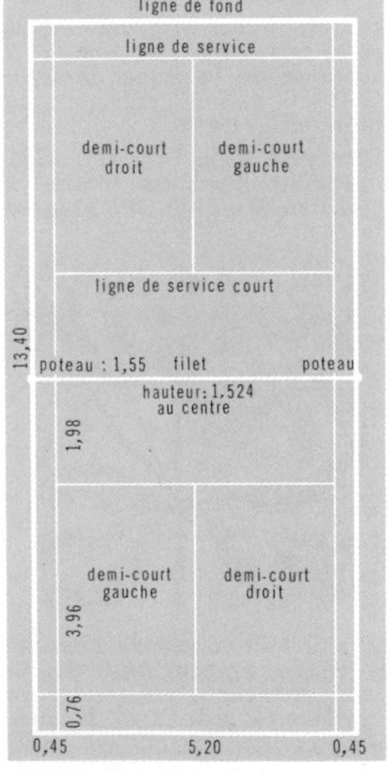

plan du terrain de badminton

badois, e adj. et n. Relatif au pays de Bade ; habitant ou originaire de cette région.

Badonviller, ch.-l. de c. de Meurthe-et-Moselle (arr. et à 32 km à l'E.-S.-E. de Lunéville) ; 1 812 h. (*Badonvillais*). Faïencerie.

badours n. m. pl. Tenailles de taille moyenne, pour la forge.

Badr (BATAILLE DE), victoire remportée par Mahomet sur les Quraychites en 623.

Bad Ragaz, en franç. **Ragaz-les-Bains,** comm. de Suisse (cant. de Saint-Gall) ; 2 700 h. Station thermale.

Badrīnāth, localité de l'Inde (Uttar Pradesh). Pèlerinage aux sources du Gange.

Baebia (GENS), famille consulaire romaine. Principaux représentants : **Quintus Baebius,** tribun du peuple (200 av. J.-C.) ; — **Marcus Baebius Pamphilus,** consul en 181 av. J.-C. ; — **Caius Baebius,** tribun du peuple en 111 av. J.-C.

Baebiani. *Géogr. anc.* Peuple ligure établi dans le Samnium après 181 av. J.-C.

bæckée n. f. Myrtacée à port de bruyère, du Sud-Est asiatique et d'Océanie. (Elle est diurétique et abortive.)

Baedeker (Karl), libraire et écrivain allemand (Essen 1801 - Coblence 1859), éditeur d'une collection de guides de voyage.

Baekeland (Leo Hendrik), chimiste belge, puis américain (Gand 1863 - Beacon 1944), inventeur d'un papier photographique et, en 1909, de la *bakélite,* première résine synthétique.

Baer (Karl Ernst VON), naturaliste russe (Gut-Piep, Estonie, 1792 - Dorpat 1876), créateur de l'embryologie moderne (découverte de l'œuf des mammifères, de la corde dorsale, des feuillets germinatifs, des « états correspondants », etc.).

Bærenkopf (« tête de l'Ours »), sommet des Vosges méridionales ; 1 077 m.

Baerze (Jacques DE), sculpteur flamand (Termonde XIVe s.). Ses retables, destinés à la chartreuse de Champmol et conservés au musée de Dijon, sont considérés comme des chefs-d'œuvre de la sculpture sur bois.

Baeschlin (Charles Frédéric), géodésien et topographe suisse (Glaris 1881).

baëtis n. f. Ephémère à une seule paire d'ailes, et qui pond sous l'eau.

Baeyer (Johann Jakob VON), géodésien allemand (Müggelsheim, près de Köpenick, 1794 - Berlin 1885). Sur son initiative fut créée la première association scientifique internationale, ancêtre de l'Association internationale de géodésie. — Son fils ADOLF (Berlin 1835 - Starnberg, Bavière, 1917) est l'auteur de la première synthèse de l'indigo (1880). [Prix Nobel de chimie, 1905.]

Baeza, v. d'Espagne (Andalousie, prov. de Jaén) ; 15 500 h.

Bafang, localité du Cameroun, en pays bamiléké ; 23 000 h.

baffe n. f. *Pop.* Coup à la figure, gifle.

Baffin (William), pilote anglais (Londres 1584 - Ormuz 1622). Il franchit le détroit de Davis et découvrit la terre et la mer qui, depuis, portent son nom. Il fut le premier à observer la plus grande déclinaison de l'aiguille aimantée.

Baffin (MER DE), mer comprise entre le Groenland, la terre d'Ellesmere, l'île Devon et la terre de Baffin ; 2 136 m de profondeur.

Baffin (TERRE DE), île du Canada (Territoires du Nord-Ouest), la plus importante de l'archipel arctique, séparée du Groenland par la mer de Baffin. En partie couverte de glaces, elle atteint 1 500 m d'altitude. On y compte 2 000 Esquimaux environ.

baffle [bafl] n. m. (mot angl. signif. *écran*). Dispositif de couplage d'un haut-parleur à l'air ambiant, assurant la séparation entre les rayonnements acoustiques des deux faces du diaphragme vibrant.

baffre n. f. V. BAFFE.

Bafing (le), riv. de Guinée et du Mali, née dans le Fouta-Djalon ; 450 km. C'est une des branches mères du Sénégal.

bafouage → BAFOUER.

bafouer v. tr. (d'une onomatop. *baf,* avec une terminaison obscure). Traiter avec une moquerie outrageante ; ridiculiser : *Bafouer l'autorité du gouvernement, la justice.* ‖ — SYN. : *se gausser, se moquer, mystifier, railler, ridiculiser, vilipender.* ◆ **bafouage** n. m. Action de bafouer.

bafouillage ou **bafouillement, bafouille** → BAFOUILLER.

bafouiller v. intr. et tr. (de l'onomatop. *baf*). *Fam.* Parler d'une façon embarrassée, par émotion ou par ignorance : *Conférencier troublé qui bafouille. Bafouiller des excuses.* ◆ **bafouillage** ou **bafouillement** n. m. *Fam.* Elocution embrouillée, confuse. ◆ **bafouille** n. f. *Pop.* Lettre, missive. ◆ **bafouilleur, euse** n. *Fam.* Celui, celle qui bafouille.

Bafoulabé, v. du Mali, au confluent du Bafing et du Bakhoy, qui y forment le Sénégal ; 2 800 h.

Bafoussam, v. du Cameroun, en pays Bamiléké ; 8 000 h.

bâfre ou **bâfrée** → BÂFRER.

bâfrer v. tr. et intr. (anc. *baufrer*). *Pop.* Manger goulûment, avec excès. ◆ **bâfre** ou **bâfrée** n. f. *Pop.* Grand repas où l'on mange beaucoup ; ripaille. ◆ **bâfreur, euse** n. *Pop.* Personne qui aime excessivement à manger ; glouton.

bagad [bagad] n. m. (mot breton). Formation musicale à base de binious et de bombardes, instruments traditionnels de la Bretagne, accompagnés d'une batterie.

bagadais n. m. Race de pigeons de volière, de grande taille, aux yeux entourés d'un ruban charnu, et portant des morilles sur le bec.

bagage n. m. (de l'anc. franç. *bagues,* paquets, d'orig. inconnue). Objets que l'on emporte avec soi en voyage, en expédition (en ce sens, le plus souvent au plur.) : *Faire descendre les bagages.* ‖ Ensemble du matériel d'équipement d'une armée en campagne : *Sortir d'une place avec armes et bagages.* ‖ *Fig.* Ensemble des connaissances que l'on a acquises : *Candidat dont le bagage est très léger.* ● *Bagages enregistrés,* bagages que le voyageur confie au transporteur, et qui voyagent généralement en même temps que lui. ‖ *Bagage à main,* bagage que le voyageur conserve avec lui. ‖ *Plier bagage(s),* partir, s'enfuir. ◆ **bagagiste** adj. Qui fait le trafic de la messagerie sur les chemins de fer. ✦ n. Employé chargé de la manutention des bagages dans un hôtel, une gare, un aéroport.

Baganda(s), population bantoue de l'Ouganda, au N. du lac Victoria ; 650 000 indiv.

bagarre n. f. (provenç. *bagarro,* rixe ; du basque *batzarre*). Rixe provoquant une mêlée et un tumulte : *Chercher, déclencher la bagarre.* ‖ *Pop.* Match ardent, en cyclisme, en football, etc. ◆ **bagarrer** v. intr. *Fam.* Combattre, lutter : *Il aime bagarrer pour ses opinions.* ‖ **— se bagarrer** v. pr. Se battre, se quereller : *Deux ivrognes qui se bagarrent.* ◆ **bagarreur, euse** adj. et n. *Fam.* Qui aime la lutte, la dispute ; toujours prêt à se battre.

Baga(s), peuple noir islamisé de la côte guinéenne. Il façonne des masques célèbres.

bagasse n. m. Arbre américain dont le bois sert à faire des chars et des pirogues. (Famille des moracées.)

1. bagasse n. f. (provenç. *bagassa*, prostituée). Femme de mauvaise vie. ✦ interj. Juron provençal.

2. bagasse n. f. (esp. *bagazo*). Résidu de presse de la canne à sucre ou, *par extens.*, de l'indigotier, du raisin ou de l'olive.

bagatelle n. f. (ital. *bagatella ;* du lat. *bacca*, baie). Objet de peu d'utilité ou de peu d'importance : *Dépenser son argent en bagatelles.* || *Fig.* Affaire négligeable, chose sans importance : *Il reste à régler quelques bagatelles.* || Somme insignifiante (souvent par ironie) : *Cela a coûté la bagatelle de quelques millions.* || Passe-temps qui manque de sérieux : *S'amuser à des bagatelles.* || Morceau de musique de caractère léger et de courte durée, sans forme précise : *Beethoven a composé trois cahiers de bagatelles.* || *Fam.* Amour (avec une nuance de trivialité) : *Aimer la bagatelle.* || — Syn. : *amusette, broutille, futilité, misère, rien, vétille.*

Bagatelle, petit château situé près de la Seine, en lisière du bois de Boulogne. Il fut

Larousse

Bagatelle

bâti en soixante-quatre jours (1777), par l'architecte Bélanger, pour le comte d'Artois. Il appartient depuis 1905 à la Ville de Paris.

bagaudes n. m. pl. (lat. *bacaudae, bagaudae*). Groupes de paysans gaulois qui, entre le IIIe et le Ve s., se soulevèrent contre le gouvernement romain, et auxquels s'agrégèrent souvent des déserteurs et des Barbares.

Bagdad, en ar. **Barhdād** ou **Baghdād,** capit. de l'Iraq, ch.-l. de prov., sur le Tigre ; 3 205 000 h. Ancien carrefour de voies de communication, sur le chemin de fer de

Goldner

mosquée d'Al-Kāẓimain près de **Bagdad**

Bagdad, reliant la Turquie à Bassora. Grand aéroport international. Industries textiles.

● *Histoire.* Le site fut aménagé dès Nabuchodonosor II. La cité ne prit un réel essor que lorsqu'elle devint, en 762, la résidence du deuxième calife 'abbāsside, al-Manṣūr. Célèbre comme capitale religieuse du califat 'abbāsside et comme centre du commerce

Bagdad, une mosquée

Michaud-Rapho

caravanier, elle atteignit son apogée sous Hārūn al-Rachīd. Elle fut conquise par l'armée turco-mongole de Hūlāgū en 1258. Tīmūr ravagea la ville en 1401. Elle ne fut, dès lors, qu'un chef-lieu de province turque. Elle devint capitale de l'Iraq en 1921.

● *Beaux-arts.* Il ne reste rien de la première Bagdad qu'éleva le calife al-Manṣūr sur la rive gauche du Tigre ; en 768, ce calife commençait une seconde ville sur la rive droite. Les palais 'abbāssides (VIIIe-IXe s.) ont à peu près disparu. Il reste des bâtiments des XIIe, XIIIe et XIVe s. : porte du Talisman, madrasa Mustanṣiriyya et madrasa Mirdjāniyya, khān (caravansérail) Orthma (XIIe s.).

Bagdad (CHEMIN DE FER DE), chemin de fer reliant Istanbul à Bagdad (1903-1940).

Bagdad (PACTE DE), traité d'amitié et de coopération signé à Bagdad, le 24 févr. 1955, par la Turquie et l'Iraq, et auquel adhérèrent la Grande-Bretagne, le Pākistān et l'Iran. Il est destiné à défendre le Proche-Orient contre la pénétration soviétique. En 1959 l'Iraq a quitté le pacte de Bagdad, dont les institutions poursuivent leur mission, avec l'appui des Etats-Unis, sous le nom de *Cento* (*Central Treaty Organization*). En 1979, l'Iran, le Pākistān et la Turquie se retirent à leur tour du *Cento*.

Bagehot (Walter), économiste britannique (Langport, Somerset, 1826 - *id.* 1877), directeur de l'*Economist*.

Bâgé-le-Châtel, ch.-l. de c. de l'Ain (arr. de Bourg-en-Bresse), à 9 km à l'E. de Mâcon ; 717 h. Enceinte en brique. Château.

baggala ou **baghla** n. m. (mot ar.). Le plus grand des navires arabes.

Baggara(s) ou **Baqqāra(s),** Bédouins pasteurs du Soudan.

Baggesen (Jens), écrivain danois (Korsør 1764 - Hambourg 1826). Il représente, dans la littérature danoise, l'époque où classicisme et romantisme se confrontent et s'opposent. Il a écrit notamment un récit de voyage, *le Labyrinthe* (1792-1793), et des poésies, *Epîtres poétiques* (1814).

Bāgh, site archéologique de l'Inde, dans le district d'Ajmer, comportant neuf grottes décorées dans le style d'Ajantā (VIe s.). Trois d'entre elles présentent de belles peintures murales bouddhiques (Mahāyāna).

baghelī ou **baghelkhandī** n. f. Langue indo-aryenne parlée par environ 11 millions de personnes, au N.-E. de l'Etat de Madhya Pradesh (Inde). [Elle s'écrit en caractères devanāgarī. On dit aussi RĪWĀĪ.]

bagnard → BAGNE.

bagne n. m. (ital. *bagno,* bain [parce qu'à Livourne les prisonniers étaient détenus dans des caves situées au-dessous du niveau de la mer]). Lieu où l'on gardait les forçats, dans les ports de guerre, après la disparition des galères. || Lieu où s'exécutaient les travaux forcés. || *Fig.* Condition astreignante et asservissante. ◆ **bagnard** n. m. Forçat.

— ENCYCL. **bagne.** Au Moyen Age, les bagnards étaient au service des arsenaux. Ils furent ensuite employés comme rameurs dans les galères de l'Etat. A partir de 1748, la rame ayant cédé la place à la voile, ils furent internés dans des ports de guerre. Les travaux forcés remplacèrent ensuite cette peine (Code pénal de 1810). La loi du 30 mai 1854 ordonna le transfert des condamnés à Saint-Laurent-du-Maroni, en Guyane. Les bagnes coloniaux furent supprimés en 1938 pour les travaux forcés et en 1942 pour la relégation. Ils ont été remplacés par les maisons centrales métropolitaines.

Bagnères-de-Bigorre, ch.-l. d'arr. des Hautes-Pyrénées, sur l'Adour, à 21 km au S. de Tarbes ; 9 850 h. (*Bagnérais*). Importante station thermale (affections rénales, douleurs rhumatismales). Textiles.

Bagnères-de-Luchon ou **Luchon,** ch.-l. de c. de la Haute-Garonne (arr. et à 44 km au S. de Saint-Gaudens), dans la *vallée de Luchon ;* 3 602 h. (*Luchonnais*). Eaux sulfureuses (voies respiratoires et rhumatismes). Sports d'hiver à *Superbagnères.*

Bagnes (VALLÉE DE), vallée de Suisse (Valais), drainée par la *Drance de Bagnes.*

Bagneux, ch.-l. de c. des Hauts-de-Seine (arr. d'Antony), à 6 km au S. de Paris ; 40 390 h. Cimetière parisien. Combats pendant le siège de Paris (oct. 1870). Machines-outils.

Bagni di Lucca, comm. d'Italie (Toscane, prov. de Lucques) ; 9 400 h. Eaux thermales.

Bagno di Romagna, v. d'Italie (Emilie, prov. de Forli) ; 8 700 h. Eaux thermales.

bagnole n. f. *Pop.* Mauvaise voiture. || Automobile quelconque.

Bagnoles-de-l'Orne, comm. de l'Orne (arr. d'Alençon), à 39 km au S.-O. d'Argentan ; 783 h. (*Bagnolais*). Station thermale (traitement des maladies des vaisseaux).

Bagnolet, ch.-l. de c. de la Seine-Saint-Denis (arr. de Bobigny), dans la banlieue est de Paris ; 32 557 h. D'importants travaux d'urbanisme y ont été effectués à l'occasion de la construction d'une autoroute.

Bagnoli Irpino, v. d'Italie, en Campanie ; 4 400 h. Sidérurgie.

Bagnols-les-Bains, comm. de la Lozère (arr. et à 20 km à l'E. de Mende), sur le Lot ; 240 h. (*Bagnolais*). Station thermale.

Bagnols-sur-Cèze, ch.-l. de c. du Gard (arr. de Nîmes), à 11 km au S. de Pont-Saint-Esprit ; 17 777 h. (*Bagnolais*). A l'hôtel de ville, collection d'art moderne. Patrie de Rivarol.

Bagophanès, général perse, gouverneur de Babylone, qui passa au service d'Alexandre.

Bagot (Jean), jésuite français (Rennes 1591 - Paris 1664). Recteur de la maison professe de Paris, un des promoteurs du mouvement missionnaire français du milieu du XVIIe s.

bagou ou **bagout** n. m. *Fam.* Grande facilité de parole, qui se traduit par un bavardage abondant et banal, souvent prétentieux.

Bagramian (Ivan Khristoforovitch), maréchal soviétique (en Arménie 1897 - Moscou 1982). Chef d'état-major de Timochenko (1942), il commanda le front balte (1944) et devint suppléant du ministre de la Défense (1958-1968).

Bagratides ou **Pagratides,** nom de la 3e dynastie de Grande Arménie (855-1080).

Bagration (Piotr Ivanovitch, prince), général russe (Kisljar, Caucase, 1765 - Sima, gouvernorat de Vladimir, 1812), descendant des Bagratides. Il prit part à la campagne contre la France en 1799 et s'illustra à Austerlitz, à Eylau et à Friedland. Il fut mortellement blessé à la bataille de la Moskova.

Bagrationovsk, nom actuel de la ville d'**Eylau.**

Bagratouni ou **Pakradouni** (Arsen), mékhitariste arménien de Venise (Constantinople v. 1786 - Venise 1866). Il restaura l'arménien classique en dotant son peuple d'une épopée nationale, *Haïk* (*le Héros*).

bagre n. m. Poisson siluridé des fleuves chauds, dont la dorsale porte un piquant osseux. || Autre nom du *pagre.*

Bagrjana (Elisaveta BELCEVA, dite **Elisaveta**), poétesse bulgare (Sofia 1893). Elle est l'auteur de recueils de vers (*l'Eternelle et la sainte,* 1927 ; *Cinq Etoiles,* 1953) qui se classent parmi les chefs-d'œuvre de la littérature bulgare.

baguage → BAGUE.

bague n. f. (moyen néerl. *bagge*). Anneau que l'on porte au doigt. || Bracelet plat, porteur d'inscriptions, dont on entoure la patte des oiseaux. (V. BAGUAGE.) || Anneau de papier décoré, dont on entoure la plupart des cigares. || Anneau de métal destiné à être ajusté autour d'une dent. || Pièce métallique cylindrique servant d'embase, d'entretoise ou de frette. || Moulure en forme d'anneau, divisant horizontalement le fût d'une colonne. || *Mus.* Partie de la hausse de l'archet, à la limite des crins, servant à élargir la mèche pour former un ruban plat et d'épaisseur régulière. || *Mar.* Nom donné à des cercles de bois, de fer ou de filin, servant à divers usages. || Instrument de haute précision, en forme d'anneau, pour contrôler la dimension du diamètre extérieur d'une pièce cylindrique. ● *Bague d'amortissement,* ou *spire de Frager,* bague en court-circuit, embrassant la moitié ou les deux tiers de la surface polaire, dans les contacteurs à courant alternatif. || *Bague collectrice,* anneau conducteur monté sur un arbre, et destiné à assurer, par l'intermédiaire des balais, la communication électrique entre un conducteur tournant et un conducteur fixe. || *Bague de collier,* ouvrage estampé, soudé autour d'un tuyau d'évacuation. || *Jeu de bagues,* jeu d'adresse consistant à enlever, au galop d'un cheval, avec une lance, des anneaux suspendus à un poteau. (Ce jeu existe encore dans des manèges de chevaux de bois.) ◆ **baguage** n. m. Pose d'une *bague,* où sont gravées des références, sur la patte d'un oiseau, en vue de l'étude des migrations ou de l'identification des couvées. || Interposition d'une bague d'usure. || *Arbor.* Syn. de INCISION ANNULAIRE. ◆ **baguer** v. tr. Garnir d'une bague, d'un anneau : *Il fumait un cigare bagué d'or.* || Maintenir par une ou plusieurs bagues métalliques. || Arrêter à grands points de bâti, sur l'envers du tissu, les plis d'une jupe pour les empêcher de s'ouvrir. ◆ **baguier** n. m. Petit meuble, coffre, où l'on dépose bagues et autres bijoux. || Calibre pour prendre sur le doigt la dimension d'une bague.

baguenaudage → BAGUENAUDER.

baguenauder v. intr. S'occuper à des niaiseries ; flâner : *On n'a pas le temps de baguenauder.* || **— se baguenauder** v. pr. *Pop.* Se promener ; muser. ◆ **baguenaudage** n. m., ou **baguenauderie** n. f. Action de baguenauder, de s'amuser à des frivolités : *Passer son temps en baguenaudage.* || Niaiseries, paroles sottes. ◆ **baguenaudier** adj. et n. Qui s'amuse à des frivolités.

baguenaudier n. m. (orig. obscure). Petit arbuste (1 m de haut), aux fleurs rouges ou

baguenaudier ▷

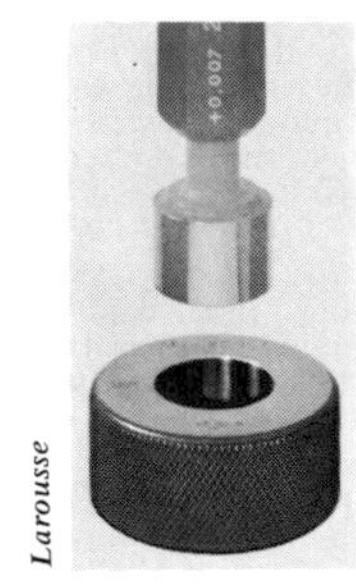
Larousse

◁ **bague de calibre**

jaunes, aux gousses rouges (*baguenaudes* gonflées d'air. (Famille des papilionacées.)

baguer → BAGUE.

baguette n. f. (ital. *bacchetta ;* du lat. *baculum,* bâton). Petit bâton mince, flexible ou non : *Baguette de coudrier. Baguettes de tam-*

bour. ‖ Verge que portent ou que portaient certaines personnes dans l'exercice de fonctions qui ont un caractère officiel : *La baguette d'un huissier, d'un bedeau.* ‖ Bâton du chef d'orchestre. ‖ Bâton terminé par un renflement, qui sert pour frapper le tambour ou la cymbale. ‖ Partie principale de l'archet, en bois dur et élastique. ‖ Moulure cylindrique. ‖ Moulure destinée à confectionner des encadrements de tableaux. ‖ Petite moulure arrondie, unie ou décorée (de perles, de rubans), qui souligne un élément de structure ou de décoration. ‖ Pièce en métal blanc ou cuivré, en noyer ou en rotin, pour cacher les clouages. ‖ Rebord pratiqué sur les feuilles de plomb. ‖ Diamant rectangulaire, taillé à vingt-cinq facettes. ‖ Lingot d'or ou d'argent réduit à la tréfilière. (V. TIRAGE.) ‖ Chez les tailleurs, couture cousue et couchée sur l'endroit, pour obtenir un effet de relief. ‖ Maille fantaisie qui orne un bas ou une chaussette le long du mollet. ‖ Pain de 300 g, long de 80 cm. ● *Baguette d'accumulateur,* baguette isolante assurant l'écartement des plaques. ‖ *Baguette divinatoire,* baguette flexible dont se servent les sourciers. ‖ *Baguette de fusil,* tige de métal, de bois, etc., servant autref. à charger un fusil, auj. à le nettoyer. ‖ *Baguette sidérale,* longue et étroite tablette couverte de caractères cabalistiques indiquant le décours des astres, et dont se servaient jadis les astrologues. ‖ *Coup de baguette,* moyen caché expéditif et qu'on croirait surnaturel : *Tout transformer d'un coup de baguette.* ‖ *Mener quelqu'un à la baguette,* le mener rudement. ‖ *Peine des baguettes,* châtiment militaire sous l'Ancien Régime. ◆ **baguettisant** n. m. Syn. de SOURCIER.

baguier → BAGUE.

Baguirmi, anc. sultanat musulman du Soudan central, à l'E. du lac Tchad. Les *Baguirmis* sont environ 40 000. Fondé au XVIe s., puissant surtout au XVIIIe s., le Baguirmi fut écrasé par le Bornou en 1824 et demanda la protection de la France en 1897.

bah! interj. Exprime l'étonnement mêlé de doute, la négation, l'indifférence, l'insouciance : *Bah ! Ce n'est pas la peine.*

Bahā' Allāh (« Splendeur de Dieu »), surnom de **Mīrzā Ḥusayn** (Téhéran 1817 - Saint-Jean-d'Acre 1892), reconnu successeur du Bāb* par la plus grande partie des Babis. (V. BÉHAÏSME.)

Bahādūr (« le Courageux »), nom de plusieurs monarques musulmans des Indes : **Bahādūr chāh Ier** (Burhānpūr 1643 - Lahore 1712) ; — **Bahādūr chāh II** (1775 - Rangoon 1862).

baha'isme n. m. V. BABISME et BÉHAÏSME.

Bahamas, Etat membre du Commonwealth, formé par un archipel de l'Atlantique situé au S.-E. de la côte de la Floride ; 11 405 km^2 ; 250 000 h. Capit. *Nassau,* dans l'île de New Providence qui rassemble plus de la moitié de la population de l'archipel sur seulement 55 km^2. Etirées sur 1 000 km de part et d'autre du tropique du Cancer, les Bahamas ont un climat chaud, sans être torride (la température moyenne est de 23 °C, avec de faibles variations saisonnières), et ensoleillé qui explique, avec la proximité des Etats-Unis, le développement spectaculaire du tourisme, devenu la principale ressource de l'archipel.
Les Bahamas furent découvertes par Christophe Colomb en 1492, lors de son premier voyage. Occupées par les Anglais au début du XVIIe s., elles sont indépendantes depuis 1973.

Bahamas (CANAL DES), bras de mer entre Cuba et l'archipel des Bahamas.

Bahāwalpur, v. du Pākistān, ch.-l. de prov., sur la Sutlej ; 134 000 h.

Bahia ou **Baía** (ETAT DE), Etat de l'est du Brésil ; 561 026 km^2 ; 9 474 000 h. Capit. *Salvador* (ou *Baía*). Sur la côte, humide, on pratique des cultures de canne à sucre, de tabac et de cacao ; l'intérieur, semi-aride, domaine de l'élevage extensif, est peu peuplé.

Bahía Blanca, v. d'Argentine (prov. de Buenos Aires), près de la *baie de Bahía Blanca ;* 182 000 h. Entrepôts frigorifiques. Exportation de blé.

Bahira, plaine du Maroc occidental, entre les Djebilet et les plateaux de Gantour.

Bähr (Georg), architecte saxon (Fürstenwalde 1666 - Dresde 1738). Il joua un rôle capital dans l'histoire de l'architecture religieuse protestante. Il avait construit la Frauenkirche de Dresde, anéantie par les bombardements.

monnaie à l'effigie de Bahrâm V

Bahrâm ou **Vahrâm,** nom de plusieurs rois sassanides : **Bahrâm Ier**, roi de Perse (273-276) ; — son fils **Bahrâm II,** roi de 276 à 293, qui céda à Dioclétien une partie de la Mésopotamie ; — **Bahrâm IV,** roi de 388 à 399, qui régla avec Théodose Ier la question d'Arménie ; — **Bahrâm V,** roi de 421 à 438, qui dut lutter contre les Huns Hephtalites. Des persécutions contre les chrétiens entraînèrent une intervention militaire victorieuse de l'empereur romain d'Orient (421); — **Bahrâm VI,** roi de Perse (590-591), qui usurpa le trône.

Bahrein ou **Bahrain** (ÎLES), Etat insulaire du golfe Persique; 662 km²; 400 000 h. Capit. *Manāma.* Formé d'une vingtaine d'îles (dont la plus grande, *Bahrein,* couvre 543 km²), l'archipel a un climat désertique. Autrefois réputé pour la pêche des huîtres perlières, le pays vit aujourd'hui de l'extraction du pétrole, et surtout du rôle de place financière (ayant profité du déclin de Beyrouth).
● *Histoire.* Connues dès l'époque assyrienne sous le nom de Dilmoun, les îles de Bahreïn ont joué de tout temps un rôle de centre de pêche perlière, de relais commercial et de point stratégique dans le golfe Persique. Occupées par les Portugais au XVIe s., elles sont gouvernées par les Persans de 1602 à 1783, date à laquelle la dynastie régnante des Al Khalīfa, originaire du Nadjd, s'empare de l'archipel à partir du Qaṭar. En 1820 est conclu avec le gouvernement britannique le premier d'une série de traités qui aboutissent au protectorat de 1914. Le pays, indépendant depuis 1971, adopte une constitution de type parlementaire en 1973.

Giraudon

bahut en chêne, XIIIe s.
musée des Arts décoratifs

Bahr el-Abiad ou **Nil Blanc,** en ar. **al-Baḥr al-Abyaḍ,** nom donné au Nil entre le lac Nô et son confluent avec le Nil Bleu à Khartoum.

Bahr el-Arab, en ar. **al-Baḥr al-'Arab** (« le fleuve des Arabes »), riv. du sud-ouest du Soudan, qui forme le Bahr el-Ghazal, affl. du Nil; 800 km.

Bahr el-Azrak ou **Nil Bleu,** en ar. **al-Baḥr al-Azraq,** riv. issue du lac Tana, en Ethiopie, qui rejoint le Nil proprement dit après le confluent, à Khartoum, avec le Bahr el-Abiad; 1 600 km.

Bahr el-Gebel, nom donné au Nil entre le lac Albert et le Bahr el-Ghazal.

Bahr el-Ghazal, en ar. **al-Baḥr al-Rhazāl** (« le fleuve des Gazelles »), exutoire d'une grande cuvette marécageuse du Soudan, formée par le Bahr el-Arab et le Djour; 240 km. Il rejoint le Bahr el-Gebel au lac Nô et forme le Bahr el-Abiad. Soumise par les successeurs de Méhémet Ali (1881), la région du Bahr el-Ghazal fut disputée entre la France et l'Angleterre de 1894 à 1899, et rattachée au Soudan anglo-égyptien après l'échec de l'expédition Marchand.

Baḥrites, nom donné aux mamelouks turcs casernés dans l'île de Rawḍa (Rōdah), qui ont fourni les sultans de la Ire dynastie de Mamelouks (1254-1382).

Baḥriyya, groupe d'oasis du désert libyque égyptien, dans une dépression profonde.

Bahr Youssef, en ar. **Baḥr Yūsuf,** canal principal d'irrigation en moyenne Egypte, qui s'alimente au Nil et rejoint la dépression du Fayoum.

baht ou **bat** [bat] n. m. Unité monétaire principale de la Thaïlande, divisée en 100 satangs.

bahut n. m. Coffre de bois à couvercle bombé, souvent revêtu de cuir, et qui servait, au Moyen Age, à serrer les vêtements. ‖ Huche à pain. ‖ Meuble ancien en forme d'armoire. ‖ Buffet ancien ou moderne de style rustique. ‖ Assise supérieure d'un mur de quai ou d'un parapet de pont. ‖ Mur bas portant l'arcature à jour d'un cloître, d'une grille, etc. ‖ *Arg.* Taxi, automobile. ‖ *Arg. scol.* Lycée. ◆ **bahutage** n. m. *Arg. scol.* Tapage. ‖ Brimade. ◆ **bahuter** v. intr. *Arg. scol.* Faire du tapage. ✦ v. tr. Exercer une brimade sur : *Les anciens bahutent les nouveaux.* ◆ **bahuteur** n. m. *Arg. scol.* Tapageur.

bai, baie adj. et n. (lat. *badius,* brun). Se dit d'un cheval à robe alezane, généralement foncée, avec l'extrémité des membres et les crins noirs. ‖ — ***bai*** n. m. Couleur baie.

Baía ou **Bahia,** nom donné parfois à la ville brésilienne de Salvador.

Baia Mare, en hongr. **Nagybánya,** v. du nord-ouest de la Roumanie; 83 700 h. Centre métallurgique.

baïanisme n. m. Ensemble des doctrines théologiques de Baïus. (S'autorisant d'un augustinisme rigide, elles annoncent le jansénisme. Elles furent condamnées plusieurs fois par Rome.)

Baiardi (Ottavio Antonio), archéologue italien (Parme 1694 - † 1764). Il étudia surtout Herculanum et les monuments de Portici.

baïcalia n. f. Mollusque gastropode prosobranche du lac Baïkal.

baïdar n. m. Bateau du Kamtchatka, en peau de phoque.

1. baie n. f. (lat. *bacca*). Fruit charnu, indéhiscent, à pépins (ex. : groseille, raisin).

2. baie n. f. (déverbal de l'anc. franç. *bayer*, être ouvert). Ouverture pratiquée dans un mur pour servir de porte ou de fenêtre. || Ouverture dans la caisse d'une voiture, qui constitue la porte ou les fenêtres. || Dans une chaussée, espace dont le pavage n'est pas encore achevé. ● *Montage en baie*, mode de construction des meubles radio-électriques dans lequel les organes constitutifs de l'appareil électronique sont solidaires de tiroirs coulissant sur des rails à l'intérieur d'un caisson métallique.

3. baie n. f. (esp. *bahía;* du bas lat. *baia*). Echancrure d'une côte s'enfonçant dans les terres : *La baie de Douarnenez.*

Baie (ÎLES DE LA), en esp. **Islas de la Bahía,** archipel de la mer des Antilles, dépendance du Honduras ; 10 400 h.

Baie-Comeau, v. du Canada (Québec), sur la côte nord du Saint-Laurent ; 8 000 h. Aluminium.

Baie-Mahault, comm. de la Guadeloupe, arr. de Basse-Terre ; 10 727 h.

Baïes, en lat. **Baiae.** *Géogr. anc.* V. d'Italie, en Campanie, près de Naples. Lieu de plaisance.

Baïf (Lazare DE), diplomate et humaniste français (Les Pins, près de La Flèche, 1496 - Paris 1547). Ambassadeur à Venise en 1529, il fut ensuite chargé d'une mission en Allemagne. En relation avec les plus grands savants de l'époque, il s'occupa d'archéologie classique et publia *De re vestiaria* (1526), *De re navali* (1536).

Baïf (Jean Antoine DE), poète français (Venise 1532 - Paris 1589), fils naturel du précédent. Il reçut les leçons de Dorat, au collège de Coqueret, et fit partie de la Pléiade. Il fonda en 1570, avec le musicien Thibault de Courville, une académie de poésie et de musique. Son œuvre est le témoignage d'un érudit plutôt que d'un poète. Son essai de vers « mesurés », dans les *Etrennes de la poésie française* (1574), n'eut pas plus de succès que sa tentative de réformer phonétiquement l'orthographe.

baïfin n. m. (du nom de *Baïf*). Espèce de vers que Baïf essaya de mettre à la mode, et qui était cadencé et mesuré à l'antique.

baignade, baignant → BAIGNER.

baigner v. tr. (lat. pop. **baneare;* du bas lat. *balneare*). Tremper complètement dans un liquide, et *partic.* dans l'eau : *Baigner ses pieds dans un ruisseau. Baigner un enfant.* || Humecter, mouiller : *Des yeux que baignent les larmes.* || Envelopper de ses flots, arroser : *La Seine baigne Paris.* || *Fig.* et *poét.* Envelopper, remplir : *Le soleil baigne la campagne.* ✦ v. intr. Rester plongé dans : *Viande qui baigne dans son jus.* || *Poét.* Etre enveloppé : *Une intrigue qui baigne dans le mystère.* ● *Baigner dans son sang*, être tout trempé de son propre sang. || **— se baigner** v. pr. Prendre un bain dans la mer, dans un lac, dans une rivière. || Etre plongé en partie : *Une tour qui se baigne dans l'eau.* ● *Se baigner dans le sang*, se livrer au carnage. ◆ **baignade** n. f. Action de se baigner. || Endroit d'une rivière où l'on peut se baigner. ◆ **baignant, e** adj. Se dit de cultures souvent submergées (riz aquatique) et des prairies irriguées de Normandie. ◆ **baigneur, euse** n. Celui, celle qui se baigne : *Les derniers baigneurs sont sortis de l'eau.* || Toute personne en villégiature dans une station balnéaire : *Une maison louée à des baigneurs.* || Garçon ou fille de service dans un établissement de bains. || Petite poupée nue, en porcelaine ou en matière plastique. || **— baigneuse** n. f. Au début du XIXe s., chaise longue à extrémités arrondies. ◆ **baignoire** n. f. Appareil sanitaire de fonte, de grès ou de céramique, alimenté en eau chaude et froide, dans lequel on prend des bains. || Partie supérieure du kiosque d'un sous-marin, servant de passerelle pendant la marche en surface. || *Théâtr.* Loge de rez-de-chaussée, un peu au-dessus du niveau du parterre. (Les baignoires convenaient à des spectateurs qui voulaient se dissimuler. Généralement d'une visibilité défectueuse, elles ont disparu des salles nouvelles.) ◆ **bain** n. m. Immersion du corps ou d'une partie du corps dans un liquide, un gaz, etc. : *Bain de mer. Bain de boue. Bain de vapeur.* || Liquide dans lequel se plonge le baigneur : *Un bain sulfureux.* || Récipient où l'on se baigne. || Liquide, gaz ou solide pulvérulent dans lequel on plonge un récipient pour le chauffer sans le mettre à feu nu : *Bain d'huile, de sable*, etc. (V. BAIN-MARIE.) || *Photogr.* Liquide nécessaire à une opération pour le traitement des surfaces sensibles. || Dissolution de matières colorantes. || Potée de verre en pleine fusion. ● *Bain de bouche*, solution aqueuse antiseptique et calmante, prescrite après des soins bucco-dentaires. || *Bain de boue*, immersion

Jean Antoine de **Baïf,** par A. Féart d'après Primavera, *cabinet des Médailles*

B. N.

maison de **bains** au XVe s.
Bibliothèque nationale

Giraudon

« le Repos de Diane sortant du **bain** »
par Boucher, *Louvre*

du corps dans des boues radio-actives. || *Bain électrostatique,* utilisation de l'électricité statique à des fins thérapeutiques (effet sédatif sur le système nerveux, activation de la circulation). || *Bain de foule,* contact qu'une personnalité prend de façon directe avec la population. || *Bain galvanique,* électrolyte placé dans un récipient pour y subir l'action du courant. || *Bain de mortier,* mortier préparé pour la pose, en plein lit, d'une pierre de taille, de moellons ou de pavés. || *Bain de mousse,* bain préparé avec divers produits moussants, et qui permet d'obtenir une sudation ou une action directe sur la peau. || *Bain de nitration,* mélange sulfonitrique servant à nitrer la cellulose. || *Bain de sels,* mélange de sels généralement alcalins, parfois alcalino-terreux, maintenus à l'état fondu. (Les bains de sels sont utilisés en métallurgie soit pour porter une pièce à une température donnée sans réaction chimique entre le bain et la pièce, soit pour effectuer un traitement thermochimique.) || *Bain de siège,* immersion de la partie inférieure du tronc. || *Bain de soleil,* exposition du corps à l'action du rayonnement solaire. || *Bain de trempe,* liquide dans lequel on effectue le traitement de trempe. || *Envoyer quelqu'un au bain* (Fam.), lui faire comprendre qu'il vous importune. || *Etre dans le bain,* être engagé dans une entreprise ; être compromis dans une affaire. || *Grand bain,* la partie la plus profonde d'une piscine. || *Petit bain,* la partie la moins profonde d'une piscine. || — **bains** n. m. pl. Etablissement dans lequel on prend des bains : *Les bains municipaux.* || Eaux thermales ou minérales dans lesquelles on se baigne. ◆ **bain-de-mer** n. m. Sandale légère, à lanières, employée sur les plages. — Pl. *des* BAINS-DE-MER. ◆ **bain-de-pieds** n. m. Bac, le plus souvent en matière plastique, dans lequel on prend des bains de pieds. — Pl. *des* BAINS-DE-PIEDS. ◆ **bain-de-Vénus** n. m. V. CARDÈRE. ◆ **bain-marie** n. m. (terme d'alchimie, *bain de Marie,* sœur de Moïse, à qui on attribuait des œuvres d'alchimie). Manière de chauffer ou de faire cuire doucement un aliment ou un corps, et qui consiste à placer le récipient où il est contenu dans de l'eau que l'on chauffe directement. || Ustensile composé d'un double récipient, dont le premier contient l'eau et le second la substance à chauffer. || Réservoir à eau chaude d'un fourneau de cuisine. — Pl. *des* BAINS-MARIE.

Baignes-Sainte-Radegonde, ch.-l. de c. de la Charente (arr. de Cognac), à 13 km au S.-O. de Barbezieux ; 1 427 h. Ruines d'une abbaye et d'un château du XVe s.

Baigneux-les-Juifs, ch.-l. de c. de la Côte-d'Or (arr. et à 27 km à l'E. de Montbard) ; 273 h. Des franchises y furent accordées aux juifs, au Moyen Age.

baignoire → BAIGNER.

Baïgorry, pays des Pyrénées françaises (Pyrénées-Atlantiques), dans le Pays basque. Ch.-l. *Saint-Etienne-de-Baïgorry.*

Baïkal (LAC), lac de l'U. R. S. S., en Sibérie centrale ; 31 500 km^2. Long de 640 km, large de 60 à 85 km, il occupe un fossé d'effondrement ; sa profondeur atteint 1 620 m. L'Angara est son émissaire. Pêcheries importantes.

Baïkonour, v. de l'U. R. S. S. (Kazakhstan). Base soviétique de lancement de missiles et d'engins spatiaux.

bail [baj] n. m. (de *bailler ;* du lat. *bajulare,*

porter). Convention par laquelle une personne, le *bailleur,* possesseur légal d'un bien meuble ou immeuble, en cède l'usage ou la jouissance, pour un temps déterminé et sous certaines conditions, à une autre personne, le *preneur.* || Contrat qui constate le bail : *Passer un bail.* — Pl. *des* BAUX. ● *Bail à cheptel,* V. CHEPTEL. || *Bail à colonage partiaire,* V. COLONAGE. || *Bail commercial,* V. COMMERCE. || *Bail à complant,* V. COMPLANT. || *Bail emphytéotique,* V. EMPHYTÉOTIQUE. || *Bail à ferme,* V. FERME. || *Cession à bail d'un territoire,* cession temporaire d'un territoire, consentie par une puissance à une autre, avec réserve de la souveraineté nominale. || *Faire un bail avec quelqu'un,* être lié avec lui. || *Il y a un bail* (Fam.), il y a longtemps. ◆ **bailler** [baje] v. tr. Donner, fournir, procurer (vx et dialect.) : *Bailler de l'argent.* ● *La bailler bonne, la bailler belle,* dire une chose extraordinaire et incroyable. ◆ **bailleur, euse** n. *Dr.* Personne qui consent à une autre la location d'un meuble ou d'un immeuble. (En ce sens seulement le fém. est usité.) [Contr. : PRENEUR.] ● *Bailleur de fonds,* personne qui fournit des fonds à un particulier ou à une société.

baile [bajl] n. m. (lat. *bajulus,* messager). Titre porté par les gouverneurs des colonies vénitiennes en Méditerranée orientale.

baïle ou **bayle** [bajl] n. m. En Provence, berger de troupeaux transhumants.

Baile Átha Cliath, nom gaélique de **Dublin.**

Bailén, v. d'Espagne (Andalousie, prov. de Jaén), au S. de la sierra Morena ; 11 250 h. Le général Dupont, chargé de soumettre l'Andalousie, dut y capituler en juillet 1808 ; la junte de Séville refusa de reconnaître l'accord et fit interner les troupes françaises à Cabrera. Ce premier échec militaire de Napoléon eut en Europe un grand retentissement.

Bailey (Nathan ou Nathaniel), lexicographe anglais († Stepney, près de Londres, 1742), auteur de l'*Universal Etymological Dictionary* (1721).

Bailey (PONT). V. PONT.

Baillairgé ou **Baillargé,** famille d'architectes et de sculpteurs canadiens dont l'activité s'exerça principalement à Québec. JEAN (Villaret, Poitou, 1726 - Québec 1805) arriva en 1741 à Québec, où il donna les plans de reconstruction de la cathédrale. — Son fils FRANÇOIS (Québec 1759 - *id.* 1830), architecte, travailla avec son frère PIERRE FLORENT (Québec 1761 - *id.* 1812) et introduisit au Canada le style Louis XVI (palais de justice de Québec). — THOMAS (Québec 1791 - *id.* 1859), fils de François, eut, comme sculpteur, une influence considérable, et construisit le palais épiscopal de Québec. — CHARLES (Québec 1826 - *id.* 1906), cousin du précédent, adopta le style gothique anglais.

baillard n. m., ou **baillorge** n. f. Nom donné à des variétés d'orge très productives.

Baillarger (Jules Gabriel François), médecin aliéniste français (Montbazon 1806 - Paris 1891). Il est l'un des créateurs des *Annales médico-psychologiques.*

Baillaud, famille d'astronomes français. BENJAMIN (Chalon-sur-Saône 1848 - Toulouse 1934), directeur de l'Observatoire de Paris (1908-1925), participa à l'établissement de la carte du ciel, à la création du Bureau international de l'heure et aux premières déterminations de longitudes par radio. (Acad. des sc., 1908.) — Son fils aîné JULES (Paris 1876 - *id.* 1960) dirigea de 1937 à 1947 l'observatoire du pic du Midi. (Acad. des sc., 1952.) — RENÉ (Paris 1885 - Besançon 1977), frère du précédent, se spécialisa dans la chronométrie.

baille n. f. (de l'ital. *baglia,* baquet). *Mar.* Sorte de récipient. || *Arg. mar.* L'eau. || Surnom traditionnel donné à l'Ecole navale depuis sa fondation en 1830.

bâille-bec n. m. V. BÂILLEMENT.

bâillement → BÂILLER.

bailler → BAIL.

bâiller [bɑje] v. intr. (lat. pop. *bataculare,* ouvrir la bouche). Ouvrir largement la bouche et aspirer puis expirer l'air, avec une contraction des muscles de la face, par sommeil, ennui ou fatigue : *Une conférence où le public bâille discrètement.* || Etre mal fermé, mal ajusté : *Chemise qui bâille.* ◆ **bâillement** n. m. Action de bâiller : *Un bâillement sonore. Etouffer un bâillement.* || Maladie des gallinacés, due à la présence, dans leur gorge, d'un ver nématode (*syngame trachéal* ou *bâille-bec*). ◆ **bâilleur, euse** n. Personne qui bâille ou qui est sujette à bâiller. ◆ **bâillon** [bɑjɔ̃] n. m. Bandeau ou tampon que l'on met sur ou dans la bouche d'une personne pour l'empêcher de parler, de crier. || Morceau de bois, de liège ou d'étoffe qu'on place entre les molaires d'un animal pour lui maintenir la bouche ouverte pendant une opération. || Instrument destiné à ouvrir la bouche des poissons pour en extraire l'hameçon. ● *Mettre un bâillon à quelqu'un,* l'empêcher de s'exprimer librement. ◆ **bâillonnement** n. m. Action de bâillonner ; état d'une personne qui est bâillonnée ; et, au *fig.* : *Le bâillonnement de la presse par les pouvoirs publics.* ◆ **bâillonner** v. tr. Mettre un bâillon à. || *Fig.* Réduire au silence ; mettre dans l'impossibilité de s'exprimer : *Bâillonner l'opposition.*

Bailleul, ch.-l. de c. du Nord (arr. de Dunkerque), à 12 km au N.-O. d'Armentières ; 13 412 h. (*Bailleulois*). Industries textiles (lin).

Bailleul. V. BALIOL.

bailleur → BAIL.

bâilleur → BÂILLER.

bailli [baji] n. m. (de l'anc. franç. *baillir,* gouverner, administrer ; anc. forme BAILLIF). Agent du roi ou d'un seigneur, chargé, à partir de la fin du XIIe s., de fonctions judiciaires. (V. *encycl.*) ‖ En Italie, en Suisse et dans quelques parties de l'Allemagne, titre donné à certains magistrats civils. ‖ Dans l'ordre de Malte, chevalier d'un grade supérieur à celui de commandeur, et qui avait le privilège de porter la grand-croix. ● *Bailli de l'Empire,* titre donné parfois au prince qui avait à remplir les fonctions de régent dans l'ancien Empire germanique. ‖ *Bailli du palais,* officier de la classe des baillis, qui rendait la justice dans l'enceinte du palais. ◆ **bailliage** [bajaʒ] n. m. Territoire soumis à la juridiction d'un bailli. ‖ *Par extens.* Tribunal présidé par le bailli. ‖ Lieu où le bailli rendait la justice. ‖ Demeure du bailli. ◆ **baillie** ou **baillive** n. f. Femme d'un bailli.
— ENCYCL. **bailli.** Institués, à la fin du XIIe s. (ordonnance de Philippe Auguste), pour surveiller les prévôts, les baillis jouèrent, dans le Nord et dans l'Est, le même rôle que les sénéchaux dans l'Ouest et le Midi. A l'origine, membres de la cour royale (*curia regis*) envoyés en missions temporaires, ils se fixèrent dans des circonscriptions délimitées, ou *bailliages.* Leurs pouvoirs, très larges, comprenaient, outre le contrôle des officiers locaux, la convocation du ban, la centralisation des recettes et la réunion d'assises judiciaires quatre fois par an. La vénalité des charges altéra l'institution dès le XVe s. L'établissement des *présidiaux* et l'institution des *gouverneurs* limitèrent beaucoup leurs attributions, et ils furent réduits à un rôle surtout honorifique.

bailliage, baillie → BAILLI.

Baillie (Joanna), poétesse écossaise et auteur dramatique (Bothwell, comté de Lanark, 1762 - Hampstead, près de Londres, 1851). Ses meilleures pièces sont *Simon de Montfort* (1798) et *le Comte Basile* (1798).

Baillif, comm. de la Guadeloupe (arr. de Basse-Terre) ; 5 612 h.

Giraudon

Jean Sylvain **Bailly** *musée Carnavalet*

baillistre n. m. *Dr. féod.* Personnage se substituant à l'héritier mineur d'un fief pour accomplir ses devoirs de vassal.

baillive → BAILLI.

bâillon → BÂILLER.

Baillon (Emmanuel), ornithologiste français (Montreuil-sur-Mer 1744 - Abbeville 1801), spécialiste des oiseaux de la côte picarde.

Baillon (Henri), botaniste français (Calais 1827 - Paris 1895), auteur d'un *Dictionnaire de botanique* (1876-1885).

Baillon (André), écrivain belge, d'origine française (Anvers 1875 - Saint-Germain-en-Laye 1932). Il est l'auteur de plusieurs romans : *Moi quelque part* (1919), *Un homme si simple* (1925), *La vie est quotidienne* (1929).

baillonnella n. m. Arbre africain au bois dur et lourd (pour traverses de chemin de fer). [Famille des sapotacées.] (Syn. MIMUSOPS.)

bâillonnement, bâillonner → BÂILLER.

baillorge n. f. *Agric.* Syn. de BAILLARD.

Baillot (Pierre), violoniste français (Passy 1771 - Paris 1842). Professeur de violon au Conservatoire, violoniste virtuose, il publia une méthode, *l'Art du violon* (1834). Il laisse de nombreuses œuvres pour violon, des trios et des quatuors, une *Symphonie concertante* pour 2 violons et orchestre (1816).

Bailloud (Maurice), général français (Tours 1847 - Paris 1921). Il accomplit des missions en Asie centrale (1888), participa aux expéditions de Madagascar (1895) et de Chine (1900), commanda une division aux Dardanelles, puis à Salonique et en Serbie (1915-1918).

Bailly, famille d'architectes et de sculpteurs français, établie à Troyes au XVIe s. JEAN Ier (1480-1530), son frère HUGUES et son fils JEAN II († Troyes 1559) travaillèrent à la cathédrale et à diverses églises.

Bailly (Jacques Ier), peintre, miniaturiste et graveur français (Graçay 1629 - Paris 1679). Il a gravé notamment un recueil de *Diverses Fleurs.* — Son fils NICOLAS, peintre et graveur (Paris 1659 - *id.* 1736), rédigea le premier catalogue méthodique de la collection de la couronne (1709-1710). — JACQUES II (Paris 1700 - *id.* 1768), fils du précédent, fit l'inventaire des tableaux du Luxembourg (1777). Il fut le père de JEAN SYLVAIN. (V. art. suiv.)

Bailly (Jean Sylvain), astronome et homme politique français (Paris 1736 - *id.* 1793). Elu président de l'Assemblée nationale le 17 juin 1789, il prêta, le premier, le serment du Jeu de paume et devint maire de Paris le 15 juill. Le 17 juill. 1791, au Champ-de-Mars, il fit tirer sur les manifestants. Condamné à mort le 11 nov. 1793, il fut exécuté au Champ-de-Mars. (Acad. des sc., 1763 ; Acad. fr., 1783.)

Bailly (Vincent de Paul), religieux et journaliste français (Berteaucourt-lès-Thennes, Somme, 1832 - Paris 1912). Assomptionniste depuis 1860, il fonda *le Pèlerin* en 1873 et *la Croix* en 1880, revue mensuelle qu'il transforma, en 1883, en quotidien.

Bailly (Anatole), helléniste français (Orléans 1833 - *id.* 1911), auteur d'un *Dictionnaire grec-français* (1894).

Baily (Francis), astronome et mathématicien anglais (Newbury 1774 - Londres 1844).

Baily (Edward Hodges), sculpteur anglais (Bristol 1788 - Londres 1867), auteur, entre autres, des sculptures de la salle du trône à Buckingham Palace et du *Nelson* de Trafalgar Square.

bain → BAIGNER.

Bain (TRÈS HONORABLE ORDRE DU), ordre de chevalerie anglais, créé par George Ier en 1725.

Bain turc (LE), tableau d'Ingres, exécuté de 1859 à 1863, caractéristique de son art, où l'arabesque tient la première place (diamètre, 1,08 m; Louvre).

Bain (Alexander), philosophe écossais (Aberdeen 1818 - *id.* 1903), de l'école expérimentale. Sa psychologie tente de renouveler l'associationnisme. Fondateur de la revue *Mind,* il est l'auteur d'un traité sur *les Emotions et la Volonté* (1859), d'une *Logique* (1870), de *la Science de l'éducation* (1879).

Bain-de-Bretagne, ch.-l. de c. d'Ille-et-Vilaine (arr. de Redon), à 23 km au S. de Rennes; 5 316 h. (*Bainais*).

bain-de-mer, bain-de-pieds, bain-de-Vénus → BAIGNER.

bainite n. f. Constituant micrographique des aciers, composé d'un agrégat de cristaux de ferrite et de cristaux de carbure de fer.

bain-marie → BAIGNER.

Baïnouk(s), peuple d'Afrique occidentale, sur la côte de la Casamance.

Bains (RACE NOIRE DE), race de moutons très rustique du Velay, à corps noir, sauf le dessus de la tête et le bout de la queue, qui sont blancs.

Bains-les-Bains, ch.-l. de c. des Vosges (arr. et à 27 km au S.-S.-O. d'Epinal); 1 792 h. (*Balnéens*). Eaux thermales (affections artérielles).

Bainville (Jacques), historien français (Vincennes 1879 - Paris 1936). Royaliste et membre de l'Action française, il écrivit *Histoire de deux peuples* (1916-1933), *les Dictateurs* (1935), *Histoire de France, Napoléon* (1931), *la Troisième République, 1870-1935* (1935). [Acad. fr., 1935.]

Baïocasses, plus rar. **Bajocasses, Bodiocasses,** peuple gaulois qui occupait le nord-ouest du Calvados. Ch.-l. *Augustodurum* (auj. *Bayeux*).

baïonnette n. f. (de *Bayonne* [où cette arme fut mise au point au XVIIe s.]). Sorte de petite épée qui s'adapte au fusil. ‖ *Par extens.* Se disait, autref., du fantassin armé : *Un bataillon à 1 000 baïonnettes.* (La pratique de l'*escrime à la baïonnette* permettait de s'exercer au maniement de cette arme du corps à corps, dont l'importance a diminué avec l'apparition des grenades et des pistolets mitrailleurs.) ● *Douille à baïonnette,* dispositif de fixation qui rappelle celui d'une baïonnette.

baïoque n. f. (ital. *baiocco*). Anc. monnaie des Etats pontificaux, équivalant à la centième partie de l'écu. ◆ **baïoquelle** n. f. Petite monnaie de cuivre autref. en cours à Bologne et dans quelques Etats italiens.

Baïram. V. BAYRĀM.

Baird (sir David), général britannique (Newbyth, East Lothian, 1757 - Crieff 1829). Il conquit Le Cap en 1805.

« le Bain turc »
par Ingres, Louvre

Giraudon

Baird (John Logie), ingénieur et physicien écossais (Helensburgh 1888 - Bexhill 1946), pionnier de la télévision en Angleterre.

Baire (René), mathématicien français (Paris 1874 - Chambéry 1932). Considéré, aux mêmes titres que Borel et Lebesgue, comme l'un des chefs de file de l'école mathématique française au début du XXe s., il a étudié les fonctions de la variable réelle.

Bais, ch.-l. de c. de la Mayenne (arr. et à 20 km à l'E.-S.-E. de Mayenne); 1 457 h.

Baïse, riv. gasconne, née sur le plateau de Lannemezan, affl. de la Garonne (r. g.); 190 km.

baisemain, baisement → BAISER.

baiser v. tr. (lat. *basiare*). Poser ses lèvres sur : *Baiser un enfant au front. Baiser des reliques.* || *Pop.* Prendre en faute. ● *Baiser la terre,* se prosterner sur le sol et y appliquer les lèvres en signe d'humilité. || *Baiser la trace des pas de quelqu'un, baiser les pieds de quelqu'un,* lui donner d'humbles marques de respect et de soumission. ◆ **baiser** n. m. Action de celui qui pose sa bouche sur le visage, etc., d'une personne, ou sur un objet quelconque : *Donner un baiser à ses parents.* ● *Baiser de Judas,* baiser de traître (allusion au baiser que Judas donna à Jésus pour le désigner à ses ennemis). || *Baiser de paix,* baiser donné en signe de réconciliation. (Il est toujours pratiqué dans certaines cérémonies liturgiques.) ◆ **baisemain** n. m. Action de baiser la main d'une personne : *Le baisemain était fort à la mode sous Louis XIII.* || Hommage féodal consistant, pour le vassal, en particulier lors de l'hommage, à chaque mouvance de fief et au renouvellement du bail à rente, à baiser la main du seigneur. (Le présent qui l'accompagnait subsista seul et conserva le nom de *baisemain.*) ◆ **baisement** n. m. Action de baiser : *Le baisement de la mule* [pantoufle] *du pape.* ◆ **baiser-de-paix** n. m. Plaquette en ivoire ou en métal, décorée souvent avec art (surtout au XVIe s.), que le prêtre présente à baiser aux fidèles avant la communion et qui remplace l'embrassement des fidèles. ◆ **baisoter** v. tr. *Fam.* Donner de petits baisers répétés.

Held

« le **Baiser** de Judas »
détail d'une fresque de Giotto
chapelle des Scrovegni, Padoue

Baisha ou **Baasa,** roi d'Israël (909-886 av. J.-C.). Il fit périr la famille de Nadab pour monter sur le trône, et tuer le prophète Jéhu. Il fut vaincu par Asa.

baisoter → BAISER.

baisse, baisser, baisseur, baissier, baissière, baissoir → BAS adj.

Baïus (Michel DE BAY, connu sous le nom de), théologien (Melin, près d'Ath, Hainaut, 1513 - Louvain 1589), chancelier de l'université de Louvain. Il soutint des doctrines nouvelles sur la grâce. (V. BAÏANISME.)

Baja, v. de Hongrie, sur le petit bras du Danube ; 36 800 h.

Bajazet, forme française de **Bāyazīd***.

Bajazet, tragédie de Racine, représentée sur le théâtre de l'Hôtel de Bourgogne en 1672. Le sujet, tiré d'un épisode de l'histoire ottomane, est un drame de sérail dont est responsable la fureur jalouse de la sultane Roxane.

Bajcsy-Zsilinsky (Endre), homme politique hongrois (1886-1944), l'un des chefs de l'opposition anti-allemande. Arrêté sous le gouvernement Szálasi, il fut pendu.

Bajenov (Vassili Ivanovitch), architecte russe (Dolskoïe, gouvern. de Kalouga, ou Moscou 1737 ou 1738 - Saint-Pétersbourg 1799). Il éleva à Moscou la maison Pachkov, devenue la bibliothèque Lénine.

Bajer (Frederik), homme politique danois (près de Nästved 1837 - Copenhague 1922), fondateur du Bureau international de la paix (Berne 1891). [Prix Nobel de la paix, 1908.]

Bajocasses. V. BAÏOCASSES.

bajocien adj. et n. m. (de *Bajocasses*). Se dit de l'étage inférieur du jurassique moyen.

bajoue n. f. (de *balèvre* et de *joue*). Partie de la tête d'un animal qui s'étend depuis l'œil jusqu'à la mâchoire. || Feuille de tôle qui réunit les ailes d'une voiture au châssis. || *Péjor.* Joue humaine pendante et fortement prononcée.

bajoyer n. m. (de *bajoue*). Chacun des massifs en maçonnerie qui forme la partie latérale d'une chambre d'écluse. || Chacun des murs en aile des culées d'un pont.

Bakamba(s), peuple du Congo (région de Loudima).

bakchich n. m. (mot persan signif. *don*). *Pop.* Pourboire (souvent péjor.).

Bakel, comm. du Sénégal, sur la rive gauche du Sénégal ; 2 400 h.

Bakélé(s) ou **Bakalai(s),** une des populations les plus importantes du Gabon, sur les rives de l'Ogooué.

bakéliser → BAKÉLITE.

Bakélite n. f. (nom déposé ; de *Baekeland,* nom de l'inventeur). Première résine synthétique, obtenue par condensation d'un phénol avec l'aldéhyde formique. ◆ **bakéliser** v. tr. Enduire de Bakélite.

Baker (sir Samuel White), voyageur anglais

(Londres 1821 - Sandford Orleigh, comté de Devon, 1893). En 1864, il découvrit le lac Albert, et combattit la traite des Noirs dans le Soudan égyptien.

Baker (sir Benjamin), ingénieur anglais (Keyford, comté de Somerset, 1840 - Pangbourne, Berkshire, 1907). Il construisit le pont du Forth et le barrage d'Assouan.

Baker (Joséphine), artiste de music-hall, Noire américaine (Saint Louis 1906 - Paris 1975). Elle débuta à Paris en 1925 et fut la vedette des Folies-Bergère et du Casino de Paris.

Bakewell (Robert), agronome anglais (Dishley, Leicestershire, 1725 - † 1795), qui s'occupa de sélection animale.

Bakh (Alexei Nikolaïevitch), biochimiste soviétique (Zolotonoche, région de Poltava, 1857 - Moscou 1946), qui étudia les processus d'oxydation chez les êtres vivants.

Bakhadda (BARRAGE DE), barrage d'Algérie (dép. de Tiaret), sur l'oued Mina.

Bakhoy ou **Bakoy** (« fleuve Blanc »), une des branches mères du Sénégal, confluant avec le Bafing à Bafoulabé ; 400 km.

Bakhrouchine (Sergheï Vladimirovitch), historien soviétique (1882 - 1950), auteur d'une *Histoire de la diplomatie*.

Bākhtarān → KERMĀNCHĀH.

Baki (Mahmut Abdül), poète turc (Istanbul 1526 - *id.* 1600). Il est l'auteur d'adaptations d'œuvres arabes et d'un *Divan,* classique de la littérature turque, où se trouve l'*Ode funèbre de Soliman le Magnifique*.

Bakócz (Thomas ou Tamás), comte **d'Erdőd** (Erdőd 1442 - Esztergom 1521), cardinal-archevêque d'Esztergom, primat de Hongrie.

Bakoko(s), peuple bantou du Cameroun.

Bakongo(s) ou **Kongo(s),** ensemble de peuples noirs vivant de part et d'autre du Congo, dans la région de Brazzaville.

Bakony (MONTS), petit massif de Hongrie occidentale, au-dessus du lac Balaton ; 704 m. Sources thermales. Mines de lignite (Ajka), de manganèse et de bauxite.

Bakota(s), peuple noir vivant de part et d'autre de la frontière du Congo et du Gabon.

Bakou, v. de l'U. R. S. S., capit. de la république d'Azerbaïdjan, au pied de l'extrémité est du Caucase ; 1 435 000 h. L'ancienne forteresse turque et persane domine la ville moderne, devenue un grand centre de l'industrie du pétrole : raffineries, pétrochimie utilisant les productions de très importants gisements qui se prolongent sous la Caspienne ; industrie métallurgique. Bakou est aussi un centre intellectuel (université).

Bakou (**Second-**), nom donné à une région pétrolifère de l'U. R. S. S., exploitée depuis 1935, à l'O. de l'Oural, s'étendant jusqu'à la vallée de la Kama et de la Volga ; grands gisements de gaz naturel.

Bakouba(s) ou **Bakuba(s),** peuple noir du Zaïre entre le Sankuru et le Kasaï. L'art des Bakoubas se caractérise par un exact réalisme et des motifs géométriques raffinés (statues, masques, étoffes).

Bakounine (Mikhail Alexandrovitch), anarchiste russe (dans le gouvern. de Tver' 1814 - Berne 1876). Officier d'artillerie d'origine noble, il fut contraint à l'exil à cause de ses idées révolutionnaires. A Paris (1842-1847), il rencontra Herzen, Marx, Proudhon. Il fut emprisonné (1849), puis exilé en Sibérie (1857). Evadé, il se rallia à la Ire Internationale (1867) et fonda à Naples la première section italienne. Il créa en 1868 l' « Alliance de la démocratie sociale ». Hostile à l'étatisme de Marx, il rompit définitivement avec lui au congrès de La Haye (1872). Ses idées trouvent leur expression dans *l'Etat et l'anarchie* (1873), où il préconise la disparition de l'Etat au profit d'assemblées du peuple.

Nadar

Bakounine

Bakr (Aḥmad Ḥasan **al-**), général et homme politique irakien (Tikrit 1914 - Bagdad 1982). Président de la République, président du Conseil et commandant en chef de l'armée depuis le renversement d'Abdul Raḥmān Aref en 1968, il rétablit la prépondérance du Baath dans la vie politique de son pays, qu'il infléchit dans un sens autoritaire. En 1979, il cède la place à Ṣaddām Ḥusayn.

Bakrī (Abū 'Ubayd Abd Allāh **al-**), géographe arabe (Cordoue 1040 - *id.* 1094), auteur d'une *Description géographique du monde connu* et d'un *Dictionnaire géographique*. Ses connaissances portent surtout sur le nord de l'Afrique et de l'Arabie.

Bakst (Lev Samoïlevitch ROSENBERG, dit **Léon**), peintre et décorateur russe (Saint-Pétersbourg 1866 - Paris 1924). Venu à Paris en 1893, il renouvela la décoration théâtrale en rompant avec le réalisme. Son nom reste

Léon Bakst
maquette pour « la Péri »
bibliothèque de l'Arsenal

attaché aux *Ballets russes* de Diaghilev, dont il fut le collaborateur de 1909 à 1921.

Bakuba(s). V. BAKOUBA(S).

bal n. m. (déverbal de *baller*). Réunion où l'on danse en musique; local où a lieu cette réunion : *Salle de bal. Bal champêtre.* — Pl. *des* BALS. (Aux XIIe-XIIIe s., ce mot s'appliquait à une forme lyrique provençale de danse avec instruments. Au XIVe s., le bal comprend des couplets dont on écrit d'abord la musique instrumentale. A la fin du XIVe s., ce mot désigne des scènes dansées par des personnages, puis les assemblées dansantes, puis le lieu où l'on dansait.) ● *Bal blanc,* bal de jeunes filles. ‖ *Bal masqué, costumé, travesti,* celui où les invités sont déguisés ou masqués. ‖ *Bal de têtes,* bal où les invités se présentent avec des têtes à la ressemblance de personnages connus. ‖ *Ouvrir le bal,* être le premier à danser. ‖ *Reine du bal,* celle pour qui l'on donne le bal, ou qui en fait les honneurs, ou qui y a le plus brillé.

B. A. L., sigle de BRITISH ANTI LEWISITE. (Syn. DIMERCAPROL*.)

Balaam, prophète mésopotamien envoyé par le roi de Moab pour maudire les Hébreux.

Balachov, v. de l'U. R. S. S. (R. S. F. S. de Russie), près de Saratov; 56 000 h.

balade n. f. (mot d'arg. signif. anc. *recherche*). *Fam.* Promenade : *Aller en balade. Faire une balade.* ◆ **balader** v. tr. *Très fam.* Promener : *Balader ses enfants.* ◆ **baladeur, euse** n. et adj. *Très fam.* Personne qui aime à se balader. ● *Train baladeur* ensemble des baladeurs utilisés dans les changements de vitesse. ‖ — ***baladeur*** n. m. Pièce qui coulisse le long d'un arbre porteur. ‖ Roue montée sur un support pouvant tourner autour d'un axe et prendre deux positions. ● *Arbre à baladeurs,* arbre sur lequel coulissent les baladeurs. ‖ — ***baladeuse*** n. f. Voiture de marchand ambulant. ‖ Lampe électrique portative protégée par un grillage.

Balādhurī (Al-), historien arabe (Bagdad déb. IXe s. - † 892 ?), auteur d'une *Histoire des conquêtes musulmanes.*

baladin, e n. (mot provenç.). Bouffon de comédie; danseur d'intermède. ‖ Farceur de place publique. ‖ Mauvais comédien ou mauvais plaisant.

balæniceps n. m. Très grande cigogne des marécages du Nil Blanc.

balafon n. m. Instrument de musique à percussion de l'Afrique noire.

balafre n. f. (altér. de l'anc. franç. *leffre,* croisé avec *balèvre,* grosse lèvre). Grande entaille faite par une arme ou un instrument tranchant, spécialement au visage; cicatrice qui résulte de cette blessure. ◆ **balafré, e** n. Personne marquée d'une balafre : *Henri de Guise fut surnommé « le Balafré ».* ◆ **balafrer** v. tr. Blesser en faisant une balafre.

Bālāghāt, v. de l'Inde (Madhya Pradesh); 11 500 h. Grands gisements de manganèse.

Balagne, région du nord-ouest de la Corse, autref. une des plus riches parties de l'île.

Balaguer (Víctor), homme politique et écrivain catalan (Barcelone 1824 - Madrid 1901), promoteur de la renaissance de la littérature catalane en France.

Balaguer (Joaquín), homme d'Etat dominicain (Santiago de los Caballeros 1906). Président de la république Dominicaine de 1960 à 1962 et de 1966 à 1978.

balai n. m. (du gaulois **banatlo,* genêt). Brosse munie d'un long manche, utilisée pour l'entretien des sols, des murs, des plafonds, et fabriquée en différentes matières (crin animal, soies de porc ou de sanglier, fibres végétales ou fibres synthétiques). ‖ Pièce conductrice destinée à assurer par contact glissant la liaison électrique d'un organe mobile avec un organe fixe. ‖ Tige de métal terminée par une série de fils métalliques minces. (Les balais sont utilisés dans les machines à cartes perforées.) ‖ Milieu de l'abaque, dans l'ordre corinthien ou dans le composite. ‖ Dernier véhicule de la journée sur une ligne de transport en commun. ‖ Queue des oiseaux de proie. ● *Balai laveur* balai en chiendent, ou muni d'une éponge que l'on peut essorer grâce à un dispositif spécial évitant de plonger les mains dans l'eau. || *Balai mécanique,* balai constitué de brosses cylindriques rotatives. || *Balai de sorcière,* tumeur des branches d'arbres, formée de nombreux rameaux courts et serrés, et due à l'action stimulante de divers champignons ou bactéries. || *Coup de balai,* enlèvement rapide, avec le balai, de la poussière et des ordures ; et, *au fig.,* renvoi du personnel indésirable pour remettre de l'ordre dans les affaires. || *Genêt à balais,* nom usuel de *Sarothamnus scoparius,* papilionacée dont les tiges rigides donnent des crins de balai. || *Manche à balai,* bâton au bout duquel est emmanché le balai ; levier actionné par le pilote d'un avion. || *Voiture-balai,* voiture qui, dans une course cycliste, recueille les coureurs qui abandonnent. ◆ **balai-brosse** n. m. Balai employé pour cirer les parquets. — Pl. *des* BALAIS-BROSSES. ◆ **balayage** ou, plus rarement, **balayement** n. m. Action de balayer les sols et les plafonds à l'aide de balais divers ou d'aspirateurs : *Etre chargé du balayage de la cour.* || Exploration des éléments d'une image qui sont successivement transmis à l'aide de signaux électriques exprimant leurs luminosités relatives. || Dans un moteur à combustion interne, phase du cycle de combustion pendant laquelle les gaz de la combustion sont chassés totalement et remplacés par de l'air frais. ◆ **balayer** v. tr. (conj. **2**). Enlever, pousser avec le balai : *Balayer des ordures.* || Nettoyer avec le balai en enlevant la poussière ou les ordures : *Balayer une chambre.* || Chasser, disperser : *Le vent balaye les feuilles.* || Parcourir avec un faisceau électronique la surface de l'écran luminescent d'un tube cathodique. || *Fig.*

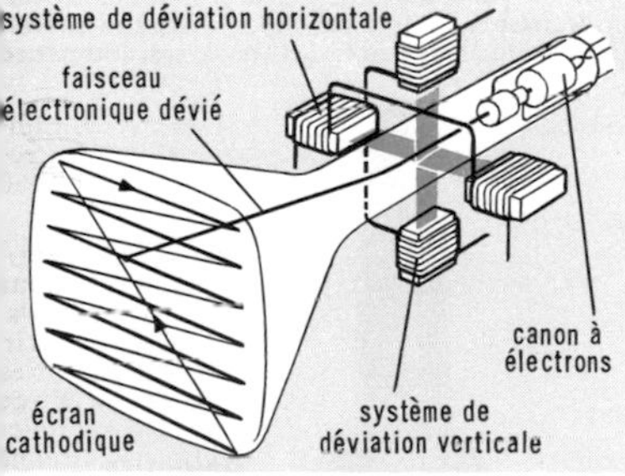

balayage (télév.)

A l'émission, la caméra décompose l'image en lignes horizontales ; cette image est restituée sur l'écran par le faisceau électronique, qui balaie d'abord les lignes impaires en 1/50 de seconde, puis les lignes paires, recréant l'image complète en 1/25 de seconde.

Faire disparaître, supprimer : *Balayer les soucis. Balayer les objections.* || *Fam.* Renvoyer, congédier : *Balayer le personnel d'une administration.* ● *Balayer les planches,* jouer un bout de rôle dans un lever de rideau ; passer en premier dans un spectacle de variétés. ◆ **balayette** n. f. Petit balai à manche court. || Ganse destinée à garantir le bas d'une robe longue. ◆ **balayeur, euse** adj. et n. Qui balaye. || — ***balayeur*** n. m. Personne qui balaye les voies publiques. || — ***balayeuse*** n. f. Machine pour le balayage des chaussées. ◆ **balayures** n. f. pl. Ordures amassées et rejetées avec le balai.

balais adj. m. (lat. médiév. *balascus ;* altér. de l'ar. *balakhtch,* du nom d'une région d'Asie centrale). *Rubis balais,* rubis de couleur rouge violacé ou rose.

Balaïtous, sommet granitique des Hautes-Pyrénées ; 3 146 m.

Balakirev (Mili Alexeïevitch), compositeur russe (Nijni-Novgorod 1837 - Saint-Pétersbourg 1910). Il fonda le groupe des « Cinq » et introduisit dans la musique le culte des chants populaires. Ses œuvres sont : *Islamey* (1868), *Ouverture espagnole, Ouverture tchèque,* deux poèmes symphoniques (*Russie* et *Thamar*), deux symphonies.

Balaklava, v. de l'U. R. S. S. (Ukraine), en Crimée, au S.-E. de Sébastopol' ; 10 000 h. Combat de la guerre de Crimée (1854), célèbre par les charges de la brigade de cavalerie légère de lord Cardigan et des chasseurs d'Afrique du général d'Allonville.

balalaïka n. f. Sorte de luth de forme triangulaire, à trois cordes, employé en Russie pour exécuter la musique populaire.

balance n. f. (lat. *bis,* deux fois, et *lanx, lancis,* plateau). Appareil qui sert à comparer des grandeurs, particulièrement des masses : *Balance sensible. Balance romaine. Balance de Roberval.* (V. *encycl.*) || Attribut de la Justice. || Dans les houillères du Pas-de-Calais, installation, dans un bure* ou à la recette* d'un puits, utilisant la prépondérance de poids des berlines pleines qui descendent pour faire monter le même nombre de berlines vides. || Dispositif de commande d'une soupape. || Petit filet pour la pêche des crustacés. (Syn. BALANCINE, BALANCETTE.) || *Fig.* Equilibre déterminé par des compensations : *La balance des forces au pouvoir.* || Montant représentant la différence entre la somme du débit et la somme du crédit, et que l'on ajoute à la plus faible des deux pour égaliser les totaux. || Compte résumé fait par un commerçant à des époques déterminées, et présentant l'état et le résultat général de son affaire. ● *Balance aérodynamique,* dispositif mécanique utilisé dans les souffleries. || *Balance automatique,* appareil de comparaison des masses à un seul plateau dont le fléau commande une aiguille qui indique sur un cadran le poids et souvent le prix des marchandises pesées. || *Balance des comptes,*

Doumic - Atlas-Photo

embarcation à **balancier**

syn. de BILAN. ‖ *Balance électrodynamique,* électrodynamomètre dans lequel les actions électrodynamiques sont équilibrées par des poids. ‖ *Balance générale,* balance des comptes principaux ouverts au grand livre. ‖ *Balance gravimétrique,* instrument permettant une mesure précise de l'intensité de la pesanteur. ‖ *Balance d'inventaire,* balance des comptes principaux après passation des écritures de régularisation de fin d'exercice. ‖ *Balance des paiements,* relevé des transactions intervenues, au cours d'une période donnée, entre les personnes résidant dans le pays et les personnes résidant à l'étranger. ‖ *Entrer en balance,* être mis en comparaison, en ligne de compte. ‖ *Faire la balance,* calculer, faire le compte de ; rechercher la place optimale des divers instruments et des chanteurs par rapport aux micros. ‖ *Faire pencher, incliner la balance,* faire qu'une personne, une chose, l'emporte sur une autre ; décider en sa faveur. ‖ *Jeter quelque chose dans la balance,* faire ou dire quelque chose qui provoque ou qui tende à provoquer un résultat décisif. ‖ *Maintenir, tenir la balance égale,* garder l'équilibre, la neutralité entre deux personnes ou deux partis ; être impartial. ‖ *Mettre en balance,* comparer : *Mettre en balance les avantages et les inconvénients.* ◆ **balancé** n. m. Action d'un danseur qui exécute plusieurs pas, en se balançant d'un pied sur l'autre, sans changer de place. ◆ **balancelle** n. f. Grosse embarcation de mer des côtes d'Italie et d'Espagne (pêche ou cabotage). ‖ Plateau muni d'un crochet. ◆ **balancement** n. m. Mouvement alternatif d'un corps en sens opposé, autour de son centre d'équilibre : *Le balancement du train.* ‖ *Fig.* Equilibre : *Un balancement d'avantages et d'inconvénients.* ‖ Correction du dessin des marches d'un escalier tournant. ● *Balancement organique,* principe formulé par Geoffroy Saint-Hilaire, et selon lequel l'hypertrophie d'un organe entraîne l'atrophie des organes voisins. ‖ *Coup à balancement,* dans les mines, coup de poussière qui se propage avec des périodes d'accalmie. ‖ *Zone de balancement des marées,* portion de terrain comprise entre les plus basses et les plus hautes mers. ◆ **balancer** v. tr. (conj. **1**). Faire osciller un corps de manière qu'il se porte ou penche alternativement de chaque côté d'un point fixe : *Balancer un seau à bout de bras. Le vent balance les peupliers.* ‖ *Très fam.* Jeter, lancer brutalement : *Balancer une chaise à la tête de quelqu'un.* ‖ *Fam.* Se débarrasser de quelqu'un ou de quelque chose ; congédier, renvoyer : *Balancer un employé. Avoir envie de tout balancer.* ‖ *Fig.* Imprimer une cadence, un rythme : *Balancer ses phrases.* ● *Bien balancé* (Fam.), bien bâti. ✦ v. intr. Osciller pendant un certain temps : *Lustre qui balance.* ‖ *Fig.* Etre indécis, hésiter : *Balancer entre deux décisions.* ‖ — **se balancer** v. pr. Osciller en se portant ou en penchant alternativement de chaque côté d'un point fixe : *Lampe qui se balance au plafond. Se balancer sur ses pieds.* ‖ Se livrer au jeu d'une balançoire : *Eprouver le vertige en se balançant.* ‖ *Pop. S'en balancer,* s'en moquer. ◆ **balancier** n. m. Pièce en bois ou en métal, animée d'un mouvement oscillatoire, et destinée, le plus souvent, à transformer ou à régulariser un mouvement. ‖ Pièce d'horlogerie animée d'un mouvement régulier d'oscillation, et en liaison avec l'échappement. ‖ Longue perche dont se servent les funambules pour maintenir leur équilibre. ‖ Pièce oscillante, dans un appareil de sondage par battage. ‖ Bras horizontal d'une installation de pompage sur un puits de pétrole. ‖ Pièce paire remplaçant l'aile postérieure, chez les insectes diptères, et indispensable au vol par les réflexes équilibrateurs dont elle est le point de départ. ‖ Organe qui, dans une machine à vapeur, permet de transmettre le mouvement du piston de la machine à un arbre moteur à l'aide d'une bielle ou d'une manivelle. ‖ Ensemble de pièces de bois que l'on fixe en dehors de certaines embarcations pour assurer leur stabilité. ‖ Organe métallique de la suspension des chars, qui comprend

Delius

balancier d'horloge pendule de Graham ***Conservatoire des arts et métiers***

un point fixe et un ou deux points mobiles, et qui rattache de façon souple un ou plusieurs galets à la caisse. || Dispositif qui, dans certaines presses à imprimer, prend la feuille arrêtée sur la table de marge et la transmet aux pinces du cylindre en rotation. || Presse à dorer utilisée dans les ateliers de reliure industrielle. ● *Balancier monétaire,* machine utilisée pour la frappe des médailles. ◆ **balancine** n. f. Chacun des cordages qui soutiennent les vergues d'un bateau. || Chacune des roulettes placées au bout des ailes d'un avion. ◆ **balançoire** n. f. Longue pièce de bois maintenue en son milieu par un point d'appui, et sur les extrémités de laquelle se placent deux personnes qui lui impriment alternativement des mouvements d'ascension et de descente. || Planchette suspendue à deux cordes, sur laquelle on se balance. (Syn. ESCARPOLETTE.) || *Fig.* et *fam.* Baliverne, propos en l'air. ● *Envoyer à la balançoire,* planter là.

— ENCYCL. ***balance.*** La balance ordinaire se compose essentiellement d'une barre métallique rigide, appelée *fléau,* traversée perpendiculairement à sa longueur par trois prismes d'acier, les *couteaux.* L'arête du couteau C situé au milieu du fléau (v. *figure*) repose sur un plan d'agate ou d'acier, disposé à la partie supérieure d'une colonne verticale munie de pieds à vis calantes. Les deux autres couteaux C_1 et C_2 sont placés aux extrémités du fléau ; sur leurs arêtes sont accrochés deux plateaux, dans lesquels on place les corps à peser ou les masses marquées. Par construction, les arêtes des trois couteaux sont parallèles, et les longueurs des bras du fléau $l_1 = CC_1$ et $l_2 = CC_2$, aussi égales que possible. Grâce aux vis calantes, on règle la balance de façon que les arêtes des couteaux soient horizontales. Au fléau est fixée une aiguille indicatrice, dont la pointe peut se déplacer devant un cadran gradué. Supposons que la balance soit réglée pour que le fléau soit horizontal, et l'aiguille au zéro de la graduation. Si l'on place dans les plateaux deux corps de poids p_1 et p_2 tels que l'aiguille revienne au zéro, la condition d'équilibre s'écrit $p_1 l_1 = p_2 l_2$; ou, en fonction des masses, $m_1 l_1 = m_2 l_2$.

● QUALITÉ DE LA BALANCE. *Justesse.* On dit qu'une balance est juste quand, sous l'action de masses égales placées dans les plateaux, elle reprend sa position d'équilibre à vide. La relation précédente montre qu'on doit avoir $l_1 = l_2$. Cette condition d'égalité absolue des deux bras du fléau est irréalisable pour une balance de précision, mais on procède alors par double pesée, en mettant successivement dans un même plateau le corps à peser et des masses marquées équilibrant une même tare.
Fidélité. Une balance est fidèle lorsque son équilibre est indépendant de la position des corps dans les plateaux. Cette condition essentielle nécessite un fléau rigide, des arêtes de couteaux fines et parallèles.
Sensibilité. Une balance est sensible lorsque

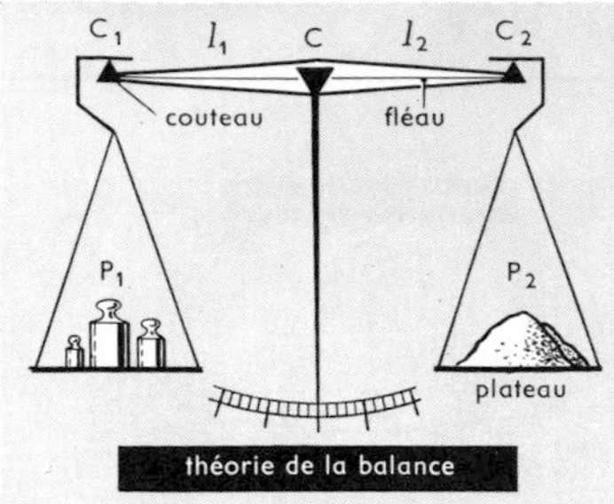

théorie de la balance

trébuchet de précision

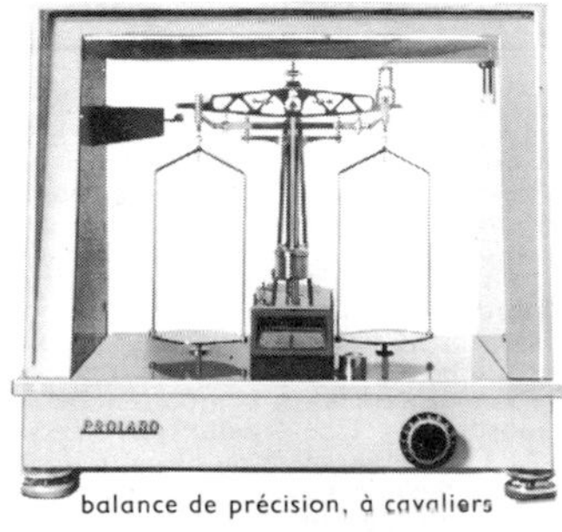

balance de précision, à cavaliers

balance de précision, à lecture directe

Larousse

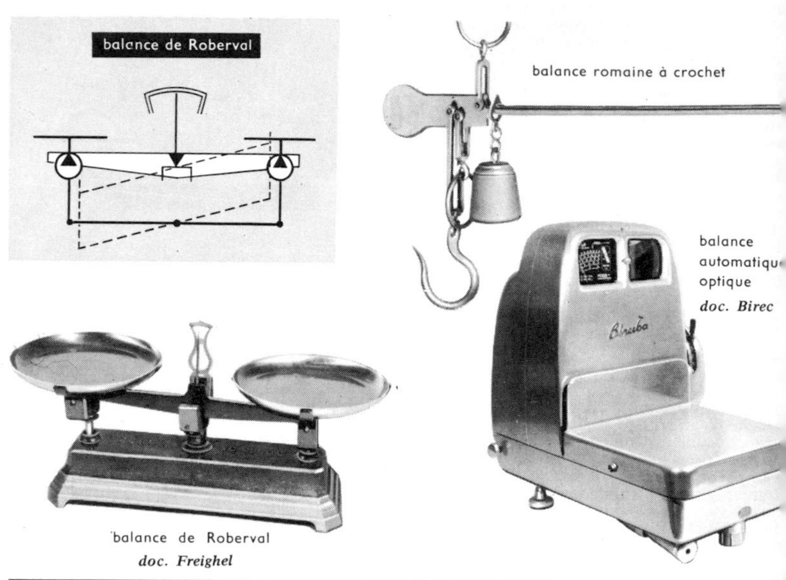

balance de Roberval
doc. Freighel

l'équilibre est troublé par l'addition d'un poids aussi petit que possible. Cette condition impose un fléau léger, court, dont le centre de gravité est près de l'arête du couteau central, tout en restant au-dessous pour que l'équilibre soit stable.

Les balances de précision sont placées à l'intérieur d'une cage de verre, dans une atmosphère desséchée : elles comportent souvent des amortisseurs. Une échelle micrométrique est fixée à l'aiguille, que l'on observe dans un viseur. Le fléau comporte une division sur laquelle, pour parfaire l'équilibre, on peut disposer des cavaliers, petits fils métalliques en forme de V renversé. On peut ainsi parvenir à mesurer une masse de 100 g, par exemple, à 0,1 mg près.

● AUTRES BALANCES. De la balance précédente dérivent de nombreux autres types. La *balance de Roberval* est un appareil commercial à plusieurs fléaux, dont les plateaux, découverts, sont maintenus de manière à rester horizontaux.

La *balance romaine* se compose d'un fléau dissymétrique reposant sur un couteau soutenu par un anneau que l'on tient à la main. Le corps à peser est suspendu au plus court bras de levier, et l'autre bras, gradué, porte un curseur pesant que l'on déplace pour obtenir l'équilibre. Les *balances automatiques* exécutent l'opération de pesée sans intervention humaine. Les premières construites avaient simplement pour but d'indiquer le poids de l'objet déposé sur leur plateau, au moyen d'une aiguille se déplaçant devant un cadran divisé et qui s'arrête, lorsque le fléau est en équilibre, sur un trait de la graduation correspondant au poids mesuré. Puis elles ont été perfectionnées de façon à enregistrer le poids mesuré et à en imprimer la valeur sur un ticket. Elles sont généralement du type *peson;* la charge, d'abord réduite dans un rapport déterminé, cent fois par exemple, est équilibrée par un poids constant et c'est le bras de levier, soit de la charge soit du poids, qui varie. Dans la *balance semi-automatique* commerciale, une balance de Roberval est associée à un peson, et le déplacement de l'aiguille indicatrice est proportionnel à la charge, ce qui permet d'avoir une graduation régulière.

● BALANCES DIVERSES. On a donné, par analogie, le nom de « balances » à des appareils destinés à mesurer des forces différentes de la pesanteur. La *balance de torsion* comporte

balance automatique cubique *doc. Testut*

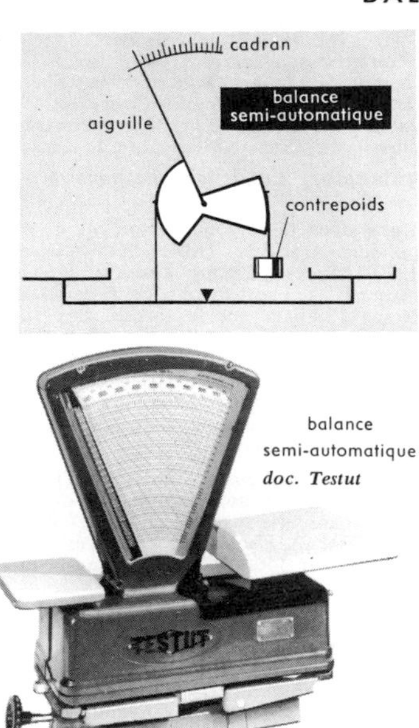

balance semi-automatique *doc. Testut*

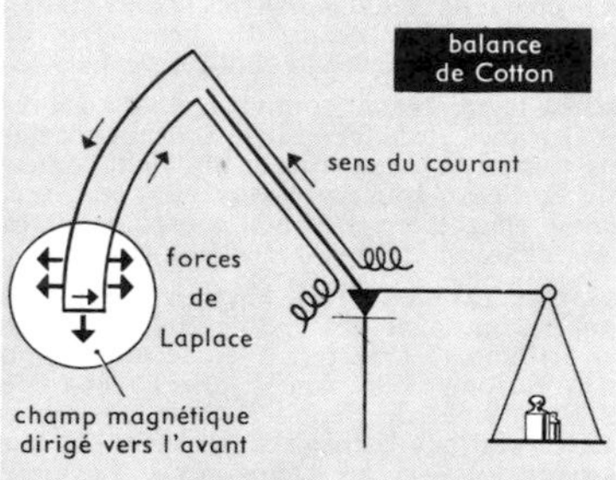

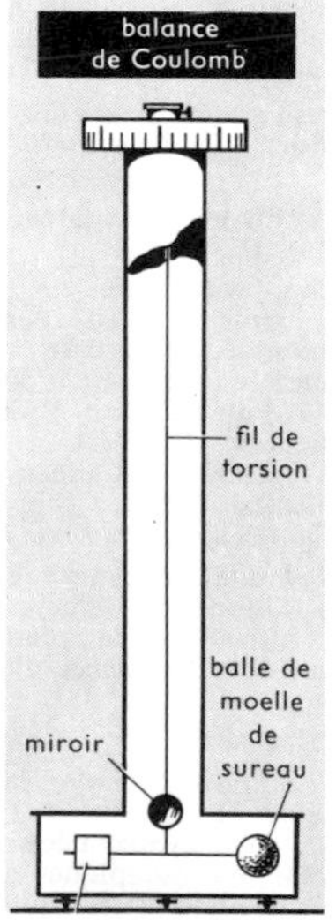

une tige horizontale suspendue à un fil fin vertical. Si l'on exerce un couple sur la tige, celle-ci se déplace, entraînant une torsion du fil, et le moment du couple est proportionnel à l'angle de torsion. La *balance électromagnétique* équilibre par un poids la force de Laplace appliquée à une portion de circuit placée dans un champ magnétique ; elle permet de mesurer soit l'intensité *i* du courant, soit l'induction B du champ. L'électrodynamomètre* en est un exemple.

Balance (en lat. *Libra, ae*), constellation* zodiacale de l'hémisphère austral. (V. CIEL.) || Septième signe du Zodiaque.

balancé, balancelle, balancement, balancer → BALANCE.

Balanchine (Georgh Melitonovitch BALANCHIVADZE, dit **George**), danseur et chorégraphe d'origine russe, naturalisé américain (Saint-Pétersbourg 1904 - New York 1983). Engagé aux Ballets russes de Serge de Diaghilev (1924-1929) comme maître de ballet et chorégraphe (*la Chatte, le Fils prodigue*), il est invité par Lincoln Kirsten à fonder une académie de ballet à New York. Il est, depuis 1948, à la tête du New York City Ballet. Maître du ballet abstrait (*Concerto Barocco,*

1941; *The Four Temperaments,* 1946; *Symphonie concertante,* 1947; *Agon,* 1957; *Brahms-Schönberg Quartet,* 1966; *The Jewels* [*les Bijoux*], 1967; *Violin Concerto,* 1972), il est aussi l'auteur de grandes reconstitutions classiques (*Casse-Noisette, le Lac des cygnes*).

balancier, balancine, balançoire → BALANCE.

Balandier (Georges), sociologue et anthropologue français (Aillevillers-et-Lyaumont 1920). Après *Afrique ambiguë* (1957), qui ressortit à l'anthropologie, Balandier s'efforce d'utiliser sur le terrain des sociétés modernes et industrielles les méthodes expérimentées pour l'étude de sociétés sinon plus simples, du moins peu engagées encore dans la voie du développement industriel (*Sens et puissance, les dynamiques sociales,* 1971; *Anthropologiques,* 1974).

balane n. f. Crustacé cirripède (1 cm) fixé aux rochers et aux coquillages du littoral. (Il vit dans une sorte de coquille.) ◆ **balanidés** n. m. pl. Famille de crustacés cirripèdes comprenant notamment la balane et la coronule.

balanique → BALANITE.

balanite n. f. Inflammation de la muqueuse du gland. (Elle est due aux microbes habituels de l'infection [staphylocoque, streptocoque, etc.]. Le manque d'hygiène, l'existence d'un phimosis favorisent son apparition. Parmi les animaux, la balanite atteint surtout le chien.) ◆ **balanique** adj. Relatif au gland. ◆ **balano-posthite** n. f. Infection simultanée du gland et du prépuce.

balanites [tɛs] n. m. Simarubacée arbustive d'Egypte, au fruit comestible, fournissant une huile et une boisson.

balanoglosse n. m. Animal stomocordé des plages sableuses, vermiforme, très original, pour lequel a été créée la classe des entéropneustes ou hémicordés.

balanophore n. f. Plante charnue fongiforme, parasite de divers arbres d'Océanie.

balanophyllia n. m. Polypier simple des côtes de France.

balano-posthite → BALANITE.

Balante(s), peuple de Casamance et de Guinée portugaise.

balantidium [djɔm] n. m. Protozoaire cilié spirotriche, agent d'une dysenterie assez grave chez l'homme.

balaou n. f. Goélette employée autref. à la pêche en Islande, sur les côtes d'Amérique du Sud et aux Antilles.

balaou n. m. Nom usuel du scombrésoce*.

Bala-Rāma ou **Baladeva,** l'une des incarnations de Vishnu dans la mythologie indienne.

Balard (Antoine Jérôme), chimiste et pharmacien français (Montpellier 1802 - Paris 1876). Il réussit à extraire le sulfate de sodium de l'eau de mer et découvrit le brome (1826). [Acad. des sc., 1844.]

Balaruc-les-Bains, comm. de l'Hérault (arr. de Montpellier), sur l'étang de Thau, à 5 km au N. de Sète; 4 369 h. Eaux thermales. Raffinerie de pétrole et industries chimiques.

Balas (Alexandre). V. ALEXANDRE BALAS.

Balasore, v. de l'Inde (Orissa); 33 900 h. Ville importante au XVIIe s.

Balassa (Bálint) ou **Balassi** (baron DE), poète et capitaine hongrois (Zólyom 1554 - Esztergom 1594). Ses poésies font de lui le premier grand lyrique de son pays.

Balat (Alphonse), architecte belge (Gochenée, prov. de Namur, 1818 - Ixelles 1895). Il a construit le Palais des beaux-arts de Bruxelles et a restauré le château de Laeken.

balata n. m. Nom commun à divers arbres des Guyanes et du Venezuela fournissant des bois commerciaux et surtout un latex, comestible à l'état frais, précieux, à l'état sec, comme élastomère (isolants, courroies, tissus imperméables). [Famille des sapotacées.]

Balaton (LAC), en allem. **Platten See,** lac de Hongrie, au pied des monts Bakony. Très peu profond (3 à 12 m), il est le plus grand lac d'Europe (596 km²), après ceux de l'U. R. S. S. et de Fenno-Scandie. De nombreuses stations balnéaires sont situées sur ses rives. En 1945, les Allemands, qui avaient établi, au N. et au S.-O. du lac, de solides lignes de défense pour barrer la route de Vienne, résistèrent longtemps sur cette position aux assauts soviétiques.

Balatonfüred, station balnéaire et thermale de Hongrie (dép. de Veszprém), sur le lac Balaton.

balayage, balayer, balayette, balayeur, balayures → BALAI.

Balázs (Béla), théoricien du cinéma et scénariste hongrois (Szeged 1884 - Budapest 1949). Dramaturge, librettiste (pour Béla Bartók), scénariste (notamment pour certains films de G. W. Pabst et Leni Riefenstahl), il est surtout l'auteur de livres fondamentaux sur la force créatrice du cinéma, l'art du montage et l'esthétique des films (*l'Homme invisible,* 1924; *l'Esprit du film,* 1930).

Balbastre (Claude), organiste et compositeur français (Dijon 1727 - Paris 1799). Il a contribué à introduire le piano-forte en France. On lui doit des pièces d'orgue et de clavecin.

Balbek. V. BAALBEK.

Balbiani (Edouard), zoologiste français (Saint-Domingue 1822 ou 1825 - Meudon 1899), auteur de travaux décisifs sur des organes souvent microscopiques : infusoires, ovaires d'insectes, etc.

balbianie n. f. Algue rouge parasite de l'œsophage des moutons. (Ordre des némalionales.)

Balbin, en lat. **Decimus Caelius Calvinus Balbinus** (178 - 238), patricien romain, élevé par le sénat à l'Empire, avec Pupien. Il fut assassiné par les prétoriens.

Balbine (sainte), vierge et martyre du IIe s., ensevelie sur la via Appia au lieu dit « cimetière de Sainte-Balbine ». — Fête le 31 mars.

Balbo (Cesare), comte **de Vinadio,** écrivain et homme politique italien (Turin 1789 - *id.* 1853). Il fut l'un des promoteurs du Risorgimento et se voua à l'expression littéraire du sentiment patriotique (*Speranze d'Italia,* 1844).

Balbo (Italo), maréchal de l'air italien (Ferrare 1896 - Tobrouk 1940). Artisan de la marche sur Rome avec Mussolini (1922), ministre de l'Air (1926-1935) et grand animateur de l'aviation italienne, il participa à la célèbre croisière Rome-New York (1935). Gouverneur de la Libye en 1939, il fut abattu à Tobrouk à la suite d'une méprise de la D.C.A. italienne.

balboa n. m. Unité monétaire de la république de Panamá, divisée en 100 centesimos.

Balboa, port de l'extrémité sud-est de la zone du canal de Panamá; 4 200 h. Base navale des Etats-Unis.

Balboa (Vasco Núñez DE), conquistador espagnol (Jerez, Estrémadure, 1475 - Acla, Panamá, 1517). En 1513, il découvrit l'océan Pacifique. Il fut remplacé par Pedro Arias Dávila, qui le fit décapiter.

Balbus (Cornelius). V. CORNELIUS BALBUS.

balbutiement → BALBUTIER.

balbutier [sje] v. intr. (lat. *balbutire;* de *balbus,* bègue). Articuler imparfaitement, avec hésitation et difficulté : *L'émotion, la timidité font balbutier.* ‖ *Fig.* N'en être qu'à ses débuts : *Science qui balbutie.* ✦ v. tr. Prononcer en balbutiant : *Balbutier des excuses.* ‖ — SYN. : *ânonner, bafouiller, bredouiller.* ◆ **balbutiement** [simɑ̃] n. m. Manière de parler d'une personne qui balbutie; parole hésitante : *Un balbutiement de bébé.* ‖ Mots prononcés en balbutiant : *Tendres balbutiements.* ‖ *Fig.* Tâtonnements du début : *Les balbutiements du cinéma en 1900.*

balbuzard n. m. Rapace diurne brun et blanc, qui se nourrit de poissons, d'où son nom usuel d'*aigle pêcheur.*

Bălcescu (Nicolaie), historien et homme politique roumain (Bucarest 1819 - Palerme 1852), auteur de l'*Histoire des Roumains sous Michel le Brave* (1878), dont le but était d'éveiller le sens de la tradition nationale.

Balch (Emily Greene), propagandiste américaine (Jamaica Plain, Massachusetts, 1867 - Cambridge, Etats-Unis, 1961), prix Nobel de la paix (1946).

balcon n. m. (ital. *balcone,* empr. au germ.). Plate-forme en saillie sur une façade, entourée d'une balustrade et communiquant avec l'intérieur. ‖ Ouvrage de serrurerie ou de menuiserie servant d'appui à une fenêtre ou à un balcon. ‖ Dans les salles de spectacle, première galerie au-dessus de l'orchestre. ‖ Galerie couverte ou découverte, établie à l'arrière des navires. ‖ Rambarde tubulaire située à l'extrême avant ou à l'extrême arrière des yachts de croisière.

Balcon (LE), tableau d'Ed. Manet (1868) [1,69 × 1,23 m, Louvre].

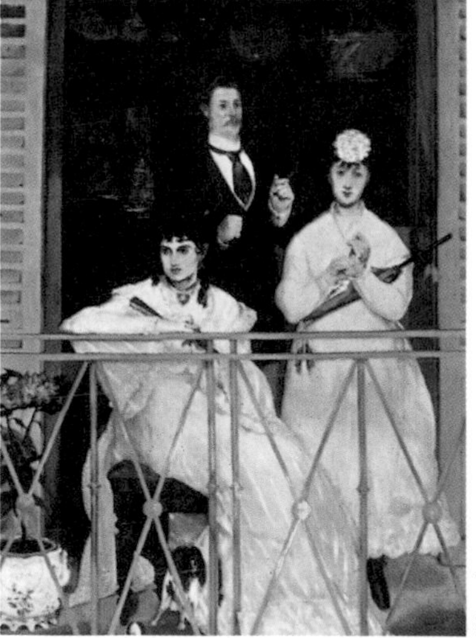
Giraudon

« le Balcon »
par Manet, Louvre

Balconnet n. m. (nom déposé par Carven-M. R. Lebigot). Soutien-gorge du soir, à armature, sans épaulette.

baldaquin n. m. (ital. *baldacchino,* soie de Bagdad). Etoffe de soie précieuse, employée, aux XIVe et XVe s., pour le vêtement et surtout pour l'ameublement. ‖ Tenture dressée au-dessus d'un trône, d'un lit, d'un catafalque. ‖ Armature supportant cette tenture. ‖ Ouvrage d'architecture couronnant un autel : *Le baldaquin de Saint-Pierre de Rome. Le baldaquin du Val-de-Grâce à Paris.*
→ V. illustration page suivante.

baldaquin de Saint-Pierre de Rome par le Bernin

Balder ou **Baldr.** *Myth. scand.* Le plus beau et le plus sage des Ases.

Baldi (Bernardino), écrivain italien (Urbino 1553 - *id.* 1617). Prosateur et poète, il est surtout soucieux de la pureté de la langue et de l'élégance du style (*Cent Apologues,* 1583).

baldingera n. f. V. PHALARIS.

Baldisserra (Antonio), général italien (Padoue 1838 - Florence 1917), gouverneur de l'Erythrée (1888) et négociateur de la paix avec Ménélik après le désastre d'Adoua (1896).

Baldovinetti (Alessio), peintre et mosaïste florentin (Florence 1425 - † 1499). Il exécuta les fresques de la chapelle du cardinal de Portugal, dans l'église San Miniato. Il est représenté au Louvre (*Madone*).

Balduccio (Giovanni DI). V. GIOVANNI DI BALDUCCIO.

Baldung (Hans), surnommé **Grien** ou **Grün,** peintre, dessinateur et graveur (Gmünd 1484 ou 1485 - Strasbourg 1545). Il subit l'influence de Schongauer, puis travailla dans l'atelier de Dürer. Son chef-d'œuvre est le retable à volets de la cathédrale de Fribourg-en-Brisgau (*Couronnement de la Vierge*). Il a souvent traité des sujets macabres.

Baldwin (Matthias William), ingénieur et industriel américain (Elizabethtown 1795 - Philadelphie 1866). Son usine de construction de locomotives, fondée en 1838 à Philadelphie, prit une extension considérable avec le développement des voies ferrées aux Etats-Unis.

Baldwin (Robert), homme politique canadien (Toronto 1804 - *id.* 1858). Premier ministre de 1842 à 1843 et de 1848 à 1851, il contribua, avec le Canadien français Lafontaine, à l'établissement d'un gouvernement responsable.

Baldwin (Frank Stephen), ingénieur américain (New Hartford, Connecticut, 1838 - Denville, New Jersey, 1925). Il inventa la première calculatrice à engrenages réversibles, permettant d'effectuer indifféremment additions ou soustractions, multiplications ou divisions.

Baldwin (James Mark), psychologue et sociologue américain (Columbia, Caroline du Sud, 1861 - Paris 1934). Fondateur de l'American Psychological Association, il est connu par ses travaux sur l'évolution mentale et sociale, et par un grand *Dictionnaire de philosophie et de psychologie* (1901-1905).

Baldwin (Stanley, 1er comte), homme politique britannique (Bewdley, Worcestershire, 1867 - Stourport, Worcestershire, 1947). Député conservateur (1908), chancelier de l'Echiquier dans le gouvernement Bonar Law, il succéda à celui-ci comme Premier ministre en 1923, puis de 1924 à 1929. En 1931, il participa au gouvernement d'union nationale de MacDonald. A nouveau Premier ministre en 1935, il dut résoudre la crise qui accompagna l'abdication d'Edouard VIII, et démissionna en mai 1937.

Baldwin (James), écrivain américain (New York 1924). Fils d'un pasteur de race noire, il veut démontrer par son œuvre romanesque et dramatique que la solution des conflits raciaux se trouve non dans les lois, mais dans le cœur des hommes (*les Elus du Seigneur,* 1953 ; *Un autre pays,* 1962 ; *Chassés de la lumière,* 1972).

Bâle, en allem. **Basel,** v. de Suisse, ch.-l. d'un demi-canton correspondant à la ville même et à un petit territoire sur la rive droite du Rhin, à la frontière de la France et de

Bâle : l'hôtel de ville

l'Allemagne ; 212 900 h. Evêché catholique. Université. Etape de la circulation transalpine au Moyen Age, la ville s'est développée très rapidement au XIXe s. et devint un centre de voies ferrées internationales. Son port, terminus de la navigation rhénane, reçoit du charbon, des hydrocarbures, des bois, des céréales, etc. L'industrie, d'abord textile, a été complétée par des constructions mécaniques et des usines de produits chimiques, de colorants, etc. La partie ancienne de Bâle garde une cathédrale gothique (XIVe s.) et un hôtel de ville du XVIe s. Le musée des Beaux-Arts, dans la ville moderne, est l'un des plus riches de Suisse.

● *Histoire.* Ville gauloise, puis cité romaine (*Basilia*), Bâle devint le siège d'un évêché (VIIe s.) et fut un centre commercial important au Moyen Age. Une université y fut fondée en 1460. Bâle adhéra à la Confédération en 1501, adopta la Réforme en 1529 et fut un actif foyer d'humanisme au XVIe s. Une sanglante guerre civile (1831) aboutit, en 1833, à la division du canton de Bâle en deux Etats distincts (*Bâle-Ville* et *Bâle-Campagne*).

Bâle (CONCILE DE), concile réuni à Bâle (1431-1449) pour poursuivre l'œuvre du concile de Constance (lutte contre l'hérésie et réforme de l'Eglise) et pour consacrer la supériorité du concile sur la papauté. Ce dernier point entraîna la rupture avec Rome (1437-1438) et l'élection de l'antipape Félix V. Le concile vota les décrets consacrant les privilèges de l'Eglise de France, ratifiés par Charles VII dans la *Pragmatique Sanction de Bourges* (1438).

Bâle (TRAITÉS DE). ● Le *premier traité de Bâle* fut conclu le 5 avr. 1795 entre la France et la Prusse. La Prusse reconnaissait la République française et lui abandonnait la rive gauche du Rhin. La France promettait son appui dans la réorganisation de l'Allemagne du Nord, sous la direction de la Prusse.

● Le *second traité de Bâle* fut signé le 22 juill. 1795 entre la France et l'Espagne. La France restituait les territoires conquis au-delà des Pyrénées, en échange de la partie espagnole de Saint-Domingue.

balea n. f. (mot lat. signif. *barque*). Sorte d'escargot forestier qui vit dans les lieux obscurs.

Baléares (ÎLES), archipel espagnol de la Méditerranée occidentale ; 5 014 km^2 ; 656 000 h. Capit. *Palma*, dans l'île de Majorque.

Baléares, Majorque

J. Hureau - Atlas - Photo

J. Hureau - Atlas - Photo

Baléares, Majorque

Majorque, Minorque, Ibiza et Formentera sont les îles principales ; leur relief est accidenté et leurs côtes sont découpées ; seule Majorque possède une assez vaste plaine centrale. On pratique, dans l'archipel, des cultures variées : céréales, vignes, oliviers, arbres fruitiers. Mais le tourisme international est la ressource essentielle.

● *Histoire.* Les Grecs, les Carthaginois, les Romains y fondèrent des colonies. Les Baléares, dont les habitants étaient des frondeurs réputés dans l'Antiquité, furent conquises par Jacques Ier, roi d'Aragon. Constituées en royaume de Majorque (1276), elles furent réunies à la couronne d'Aragon (1344).

Baléares (CANAL DES), bras de la Méditerranée, entre l'Espagne et les Baléares.

baléarique n. f. Autre nom de la grue couronnée.

Bâle-Campagne (CANTON DE), demi-canton de Suisse, au sud-est de *Bâle ;* 428 km^2; 219 400 h. Cap. *Liestal.*

baleinage → BALEINE.

baleine n. f. (lat. *balaena*). Mammifère cétacé marin, l'animal le plus lourd qui ait jamais existé (jusqu'à 150 tonnes). [V. *encycl.*] ‖ Lame souple et flexible de métal ou de matière plastique, qu'on utilise pour renforcer certaines pièces du vêtement. ● *Baleine de parapluie,* syn. de BRANCHE. ‖ *Baleine végétale,* fibre textile du palmier arenga*. ‖ *Blanc de baleine,* syn. de SPERMACETI. ‖ *Rire comme une baleine* (Pop.), rire en ouvrant une large bouche. ◆ **baleinage** n. m. Opération qui consiste à garnir de baleines un corset, un combiné, etc. ◆ **baleiné, e** adj. Garni de baleines : *Ceinture baleinée.* ◆ **baleineau** n. m. Jeune baleine (longueur, 6 m à la naissance ; gain de poids, 100 kg par jour pendant sept mois). ◆ **baleinier, ère** adj. Relatif à la pêche à la baleine : *Industrie baleinière. Navire baleinier.* ‖ — **baleinier** n. m. Navire équipé pour chasser, capturer, remorquer, tenir ferme ou repérer des baleines. ‖ Marin qui pêche la baleine. ‖ — **baleinière** n. f. Embarcation légère, pointue aux deux extrémités, employée autref. pour approcher la baleine et la harponner. ‖ Canot léger et étroit. ◆ **baleinoptère** ou **balénoptère** n. m. Autre nom du RORQUAL*. ◆ **balénidés** n. m. pl. Famille de cétacés comprenant les baleines* proprement dites.

— ENCYCL. ***baleine.*** La baleine franche, longue de 15 à 20 m, a la forme générale d'un poisson, avec des membres antérieurs transformés en nageoires, pas de membres postérieurs, mais une nageoire caudale *horizontale* bilobée, une énorme bouche sans dents (dont la mâchoire supérieure porte 600 fanons cornés, formant ensemble une grille filtrante), des narines (évents) situées au sommet de la tête, de petits yeux aux commissures des lèvres. Le jeune pèse 6 tonnes ; sa mère l'allaite sous l'eau en quelques secondes. L'adulte ne se nourrit que de minuscules crustacés (euphausiacés). La respiration est pulmonaire et aérienne, mais l'animal peut rester 20 minutes en plongée, alors qu'il meurt en s'échouant, écrasé sous son propre poids.
Au sens large, le mot « baleine » s'applique à tous les cétacés mysticètes : baleine franche, mégaptère, balénoptère ou rorqual.
La pêche de la baleine est réglementée par une convention internationale signée à Washington le 2 déc. 1946 (complétée par le décret du 15 sept. 1958) par les représentants de dix-neuf nations, dont la France, convention qui fixe les mers où la pêche peut être pratiquée, et qui protège les jeunes et les mères.

Baleine (en lat. *Cetus, -i*), grande constellation* équatoriale qui s'étend au S. des constellations zodiacales du Bélier* et des Poissons*. (V. CIEL.)

baleiné, baleineau, baleinier, baleinoptère → BALEINE.

Balen, comm. de Belgique (prov. d'Anvers arr. de Turnhout), à 4 km à l'E.-S.-E. de Mol ; 14 400 h. Métallurgie.

balène n. f. *Métall.* Syn. de BALÈTRE.

balénidés, balénoptère → BALEINE.

baleston n. f. Perche, dite aussi *livarde,* qui sert à tendre la voile d'une embarcation appelée autref. « foule ».

balestron n. m. Espar amarré sur les deux bossoirs d'une baleinière.

balètre n. f. Bavure de métal à l'endroit des

joints du moule. (On dit aussi BALÈNE, BALÈVRE.)

balèvre n. f. *Péjor.* Grosses lèvres saillantes. || Saillie d'une pierre sur une autre, dans un parement de mur. || Eclat d'une pierre près d'un joint. || *Métall.* Syn. de BALÈTRE.

balèze adj. et n. *Arg.* Grand et fort. (On trouve aussi BALÈS.)

Balfour (Arthur James, 1er comte), homme politique britannique (Whittingehame, East Lothian, 1848 - Fishers Hall, Surrey, 1930). Député en 1874, secrétaire pour l'Irlande de 1887 à 1891, il y ramena le calme. « Leader » des conservateurs aux Communes, il fut Premier ministre de 1902 à 1906. En 1911, il renonça à la direction du parti conservateur. En mai 1915, il entra, en qualité de premier lord de l'Amirauté, dans le gouvernement de coalition d'Asquith. Ministre des Affaires étrangères (1916-1919), il fit la célèbre *déclaration* promettant d'établir en Palestine un foyer national juif*. Il participa aux négociations de paix de 1919 et à la conférence de Washington (1921-1922). — Son frère FRANCIS, embryologiste (Edimbourg 1851 - mont Blanc 1882), est l'auteur d'une œuvre considérable. Il mourut lors d'une ascension à l'aiguille Blanche.

Balfourier (Maurice), général français (Paris 1852 - *id.* 1933). Successeur de Foch à la tête du 20e corps jusqu'en 1916, il se distingua au Grand-Couronné, en Artois, en Champagne, à Verdun, et enfin dans la Somme.

balfourodendron n. m. (arbre dédié à *Balfour*). V. ASPIDOSPERMA.

Balgach, comm. de Suisse (Saint-Gall) ; 3 200 h. Optique et mécanique de précision.

Bali, île de l'Indonésie, entre Java et Lombok ; 5 600 km^2 ; 2 120 000 h. (*Balinais*). V. princ. *Singaradja.* C'est la plus occidentale des petites îles de la Sonde. Le relief, accidenté, compte de nombreux volcans ; l'*Agoung* (3 142 m) est le point culminant. La population a conservé les traditions hindouistes, mêlées d'animisme. Elle pratique la culture, en terrasses irriguées, du riz, et la culture sèche du maïs, du café, de divers tubercules ; plantations de cocotiers.

● *Histoire.* L'île montre des traces d'indianisation dès le VIIIe s. Les premiers documents historiques remontent au Xe s. Soumise à Java au XIIIe s., Bali devint, au XVIe s., le refuge de la culture indo-javanaise, qui y est encore vivante. A la fin du XVIIe s., elle fut divisée en neuf principautés séparées. Les Hollandais en prirent possession entre 1845 et 1849. Occupée par les Japonais en févr. 1942, elle leur servit de base d'invasion contre Java.

→ V. illustration page suivante.

Bali (DÉTROIT DE), détroit d'Indonésie, entre Java et Bali.

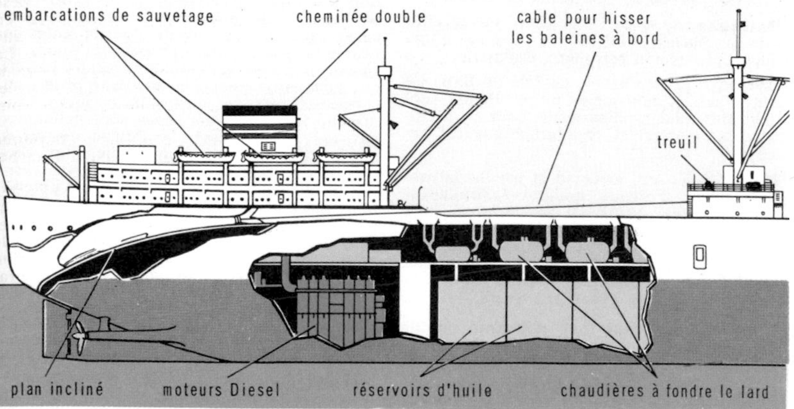

coupe de l'arrière d'un navire baleinier

baleine

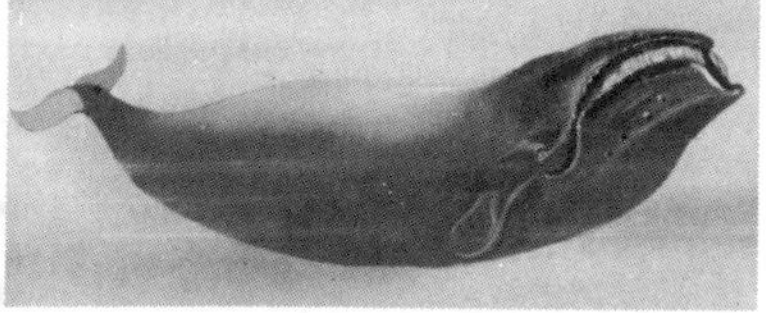

Andia - Atlas - Photo

Bali

lion ailé du temple de Garuda

le temple de Bengli, dans le centre de l'île

Balian Ier. V. IBELIN (*maison d'*).

Balıkesir, v. de Turquie, au S.-O. de Brousse ; 85 000 h. Gisements de lignite.

Balikpapan, v. de l'Indonésie, sur la côte est de Bornéo ; 137 300 h. Centre d'une importante région pétrolière. Raffinerie.

Balinais, peuple malais de l'île de Bali. Ce sont d'habiles cultivateurs de riz. Ils ont subi une forte influence hindouiste. Leur art architectural, musical et chorégraphique est célèbre.

Balint (Michael), médecin et psychanalyste britannique d'origine hongroise (Budapest 1896 - Londres 1970). Il a proposé une méthode pour sensibiliser les médecins à l'abord psychologique de leurs patients. On lui doit : *le Médecin, le malade et la maladie* (1957) et *les Techniques thérapeutiques en médecine* (en coll. avec Enid Balint, 1961).

Baliol ou **Bailleul** (DE), puissante famille des marches d'Ecosse, d'origine normande. Elle joua un rôle important dans les relations anglo-écossaises aux XIIIe et XIVe s. Ses principaux représentants sont : GUI, le fondateur ; — Son fils BERNARD, constructeur d'une des principales forteresses des marches (Barnard's Castle) ; — l'arrière-petit-fils de ce dernier, JEAN († 1269), régent d'Ecosse lors de la minorité d'Alexandre III ; — JEAN (v. 1249 - Château-Gaillard 1315), fils du précédent, et qui fut choisi comme roi d'Ecosse en 1292. S'étant allié à la France, il fut déposé en 1296. — EDOUARD († Wheatlen, près de Doncaster, 1367), fils du précédent, et qui devint roi d'Ecosse en 1332, avec l'appui de l'Angleterre. Une révolte le chassa en 1341.

balisage → BALISE 2.

1. balise → BALISIER.

2. balise n. f. Dispositif mécanique, optique, sonore ou radio-électrique, destiné à signaler un danger ou à délimiter une voie de circulation maritime ou aérienne. (Dans la marine, les balises sont en bois, en fer ou en maçonnerie, avec ou sans *voyant*. Pour le temps de brume ou pour la nuit, on peut les munir de signaux sonores. En aéronautique, les balises qui signalent l'emplacement d'une piste sont constituées par des dispositifs optiques, tandis que les routes aériennes sont délimitées par des *radiobalises**.) ‖ Poteau destiné à matérialiser le tracé d'une route, d'un chemin de fer, d'un canal. ● *Balise répondeuse,* dispositif électronique permettant d'obtenir la distance d'un point déterminé. ◆ **balisage** n. m. Action de disposer des balises ; résultat de cette action. ‖ Ensemble de balises. ‖ Ensemble des travaux préliminaires qui permettent de repérer sur le terrain quelques points ou lignes de base pour le tracé d'une voie ferrée, d'un canal, d'une route. ● *Balisage de l'avion,* dispositif de signalisation de l'avion en vol de nuit. ‖ *Balisage radio-électrique,* ensemble des systèmes de guidage qui jalonnent les routes aériennes. ◆ **baliser** v. tr. Munir de balises : *Baliser un fleuve, un port.* ‖ Planter des balises dans l'axe d'un tracé. ◆ **baliseur** n. m. Personne chargée de la surveillance et de l'entretien des balises et des bouées, ainsi que du ravitaillement des phares. ‖ Bateau spécial utilisé pour ces travaux.

balisier n. m. Plante monocotylédone ornementale cultivée pour son rhizome féculent nutritif. (Nom sc. : *canna*. Famille des cannacées.) ◆ **balise** n. f. Fruit du balisier.

baliste n. m. (lat. *balista*). Poisson osseux ainsi appelé parce qu'il a, devant la nageoire dorsale, un aiguillon pouvant se redresser comme l'antenne d'une baliste.

baliste n. f. (lat. *balista ;* du gr. *ballein,* lancer). Machine de guerre romaine servant à lancer des projectiles.

balistique n. f. (de *baliste*). Science qui étudie les mouvements des corps dans l'espace, et plus spécialement ceux des projectiles de guerre. ✦ adj. Relatif à l'art de lancer les projectiles : *Théorie balistique.* ● *Densité balistique,* V. DENSITÉ. || *Engin balistique,* mobile dont le mouvement s'accomplit sous la seule action des forces de gravitation, à l'exclusion des forces de propulsion et de la portance de l'air. (Si l'engin utilise sur tout ou partie de sa trajectoire la force portante de l'air, il est dit *non balistique* ou *semi-balistique*. [V. MISSILE.]) || *Galvanomètre balistique,* galvanomètre servant à la mesure des quantités d'électricité qui le traversent, en un temps très court, par l'observation de l'amplitude des oscillations. || *Onde balistique,* V. ONDE. || *Pendule balistique,* appareil servant à mesurer la vitesse des projectiles. || *Vent balistique,* vent fictif qui intervient dans les éléments initiaux du tir.

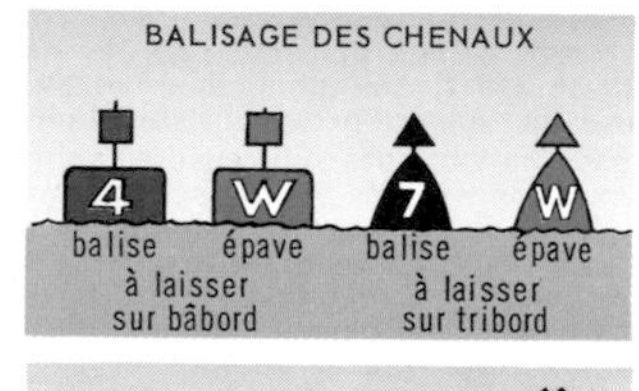

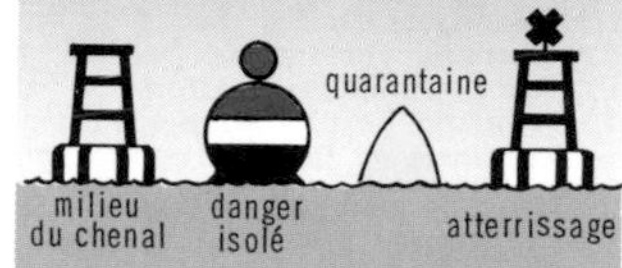

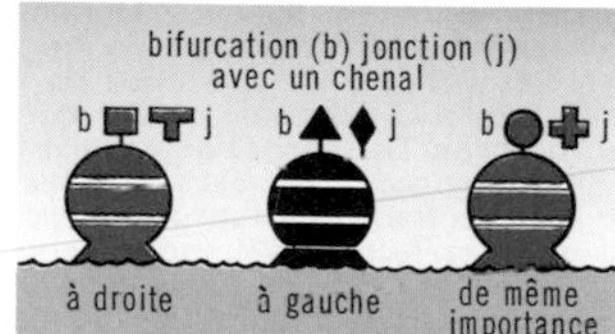

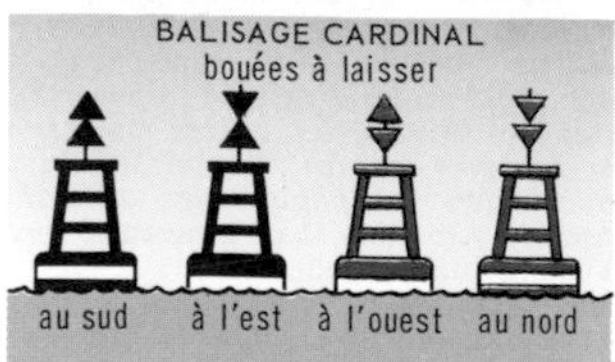

— ENCYCL. La *balistique extérieure* traite des mouvements à l'extérieur d'une bouche à feu. Elle tient compte de la pesanteur, de la résistance de l'air, de la vitesse initiale, d'un *coefficient* dit *balistique* (calibre, forme, poids), du projectile, ainsi que de la rotation imprimée à celui-ci sur sa trajectoire (dérivation). Elle étudie aussi le comportement du projectile à travers les matériaux. La photographie, l'électricité, le cinéma, etc., facilitent les vérifications expérimentales avant l'établissement des *tables de tir* de l'arme. La *balistique intérieure* traite des mouvements du projectile à l'intérieur du canon. Elle est fondée sur l'étude des pressions et permet de calculer la *vitesse de recul.* Des projectiles enregistreurs, des vélocimètres, etc., servent aux expérimentations.

balistite n. f. Poudre sans fumée, formée d'un mélange de nitroglycérine et de nitrocellulose, et brûlant avec une flamme vive, chaude et brillante. (Les balistites sont utilisées dans les mortiers.)

balistocardiographe n. m. (gr. *ballein,* lancer, *kardia,* cœur, et *graphein,* inscrire). Appareil destiné à enregistrer l'impulsion communiquée au corps par la contraction cardiaque. ◆ **balistocardiographie** n. f. Etude des mouvements vibratoires cardiaques fondée sur la mesure des déplacements du corps provoqués par les contractions du cœur.

balivage, baliveau → BALIVER.

baliver v. tr. Choisir des réserves et les marquer, dans une coupe de bois. ◆ **balivage** n. m. Choix des réserves dans une coupe, permettant la conservation des essences de valeur et des sujets les mieux conformés. (Le balivage consiste à marquer au marteau la base des arbres à maintenir sur pied. Les arbres âgés d'une révolution sont appelés « baliveaux » ; ceux de deux révolutions sont les modernes ; les anciens ont trois ou quatre révolutions, les vieilles écorces, cinq révolutions ou plus.) ◆ **baliveau** n. m. Arbre réservé, âgé d'une révolution. || Perche entrant dans la constitution d'un échafaudage. ◆ **baliveur** n. m. Celui qui exécute un balivage.

baliverne n. f. Propos qui manque de sérieux : *On voudrait nous faire croire ces balivernes !* || Occupation futile : *Perdre son temps à des balivernes.*

baliveur → BALIVER.

Balkan (MONT), massif montagneux de Bulgarie, qui a donné son nom à la *péninsule des Balkans,* bien qu'il ne soit, en fait, que la limite nord-est de cette région. Le Balkan, dont les altitudes dépassent 2 000 m, s'étend des Portes de Fer, sur le Danube, à la mer Noire ; c'est une masse de terrains anciens qui forme la zone axiale du plissement, sur le Danube ; elle est flanquée, au N., d'une zone sédimentaire. Le pic Botev (2 376 m), point culminant, se trouve dans la zone axiale (chaîne de la Stara Planina). Le Balkan est franchissable par des cols assez bas (col de Šipka, 1 333 m). Il a joué le rôle de refuge lors des périodes d'insécurité, d'autant plus que ses bassins intérieurs rendent possible un important peuplement.

balkanique adj. Qui appartient aux Balkans. ◆ **balkanisation** n. f. Processus de fragmentation nationaliste aboutissant à la formation de nouveaux Etats aux dépens d'un ensemble territorial présentant une certaine unité géographique et ayant vécu antérieurement dans un même cadre administratif, sinon politique.

Balkans (PÉNINSULE DES) ou **péninsule balkanique,** la plus orientale des trois péninsules méditerranéennes, formée par la

Viollon - Rapho

Tirnovo, en Bulgarie

majeure partie de la Yougoslavie, par l'Albanie, la Bulgarie, la Grèce et par une petite portion de la Turquie.

● *Géographie.* La péninsule est essentiellement montagneuse; les plaines n'y forment que des dépressions intérieures. Les hauts reliefs sont des montagnes jeunes, relevant de l'ensemble alpin, ou des massifs anciens qui ont été faillés et soulevés à l'ère tertiaire. Les plis alpins se prolongent dans la péninsule balkanique par les chaînes dinariques, qui forment barrière entre la mer Adriatique et le bassin Pannonien. En bordure de l'Adriatique s'allongent les plateaux calcaires du Karst, marqués par une topographie particulière, fruit de la perméabilité et de la solubilité des roches. Vers le S.-E. de la Yougoslavie, les chaînes calcaires font place à des massifs anciens interrompus par de nombreux bassins d'effondrement et traversés par les vallées de la Morava et du Vardar. A l'E. de cette dépression, le Balkan proprement dit prolonge, au-delà des Portes de Fer, l'arc carpatique. Vers le S., le dernier élément de cet ensemble est formé par le massif du Pinde, en Grèce. Les montagnes qui entourent la partie septentrionale de la mer Egée sont également des massifs anciens : Rila (2 925 m), dans le Rhodope, en Bulgarie, Olympe en Grèce, Šar Dagh (2 760 m) aux frontières de l'Albanie et de la Yougoslavie. Le climat de la péninsule balkanique n'est de type méditerranéen que près des côtes occidentales et méridionales (côtes yougoslaves et albanaises, et majeure partie de la Grèce). Les plaines de la Macédoine, de la Thrace et les côtes bulgares sont déjà soumises à un climat de type continental, qui l'emporte aussi dans l'intérieur.

Le peuplement de la péninsule résulte de mouvements très complexes; des populations de très vieilles souches se sont conservées dans certains bassins intérieurs. Les montagnes ont servi de refuge lors des guerres, et particulièrement pendant l'occupation turque. Elles ont été des foyers de formation pour les nationalités grecques et slaves. Aux mouvements de population entre plaine et montagne, que déterminaient les guerres, se superposaient les migrations pastorales. Malgré un mouvement de descente vers les plaines depuis le XXe s., les montagnes balkaniques apparaissent encore nettement surpeuplées.

Les pays balkaniques sont encore, pour l'essentiel, des pays sous-développés; l'économie agricole traditionnelle des montagnes et de leur avant-pays se caractérise par la polyculture (blé, orge, maïs, tabac, fruits [vignes, oliviers]) et par l'élevage des moutons, des chèvres et des porcs. Malgré la présence de ressources minérales les plus variées (lignite, bauxite, chrome, fer, cuivre, étain, plomb, etc.), l'industrialisation est encore faible. De même, l'exploitation des ressources hydro-électriques ne fait que commencer.

● *Histoire.* La péninsule balkanique fut, au cours de l'histoire, un creuset où se mêlèrent les peuples venus du N. et de l'E. : les Illyriens et les Thraces, aux temps préhistoriques; les Achéens, puis les Doriens, au IIe millénaire; les Celtes, au IVe s. av. J.-C. L'intervention romaine, au milieu du IIe s. av. J.-C., unifia la péninsule et la pacifia peu à peu, jusqu'au Danube. D'abord divisés en plusieurs provinces, les pays conquis par Rome dans les Balkans furent ensuite regroupés dans la préfecture d'Illyricum, qui, lors de la scission de l'Empire, passa dans la partie orientale. Les Germains, les Lombards, les Avars s'installèrent successivement dans ces régions. A partir du VIe s., ils furent remplacés par des peuples nouveaux, venus d'Asie : les uns d'origine slave (Serbes, Croates, au N.-O.), les autres slavisés (Bulgares d'origine tatare). Ils refoulèrent dans les montagnes les populations autochtones, comme les Albanais. Les nouveaux envahisseurs constituèrent des Etats : les deux empires bulgares (X^e et XIIe s.), le royaume de Serbie (XIIe-XIVe s.). Mais les antagonismes nationaux, les oppositions religieuses, les traditions culturelles différentes multiplièrent les conflits et empêchèrent toute stabilité. Ainsi affaiblie, la péninsule ne put résister à la pénétration des Turcs Ottomans. Les victoires de Kosovo (1389) et de Nikopol (1397) placèrent la plus grande partie des Balkans sous le contrôle turc pour près d'un demi-millénaire, en apportant, avec l'unification territoriale, l'unification administrative et même religieuse (islām). Ce n'est qu'à partir du XVIIe s. que l'Europe chrétienne amorça la reconquête. Le traité de Karlowitz (1699) en marqua la première étape. Elle fut essentiellement l'œuvre de la maison d'Autriche et de la Russie. Mais les divergences d'intérêts de ces deux puissances entraînèrent une série de conflits qui mirent aux prises les grandes puissances et qui se prolongèrent dans les deux guerres mondiales. Profitant de ces rivalités et de l'effondrement ottoman, les peuples des Balkans recouvrèrent leur indépendance : Grèce et Serbie en 1830, principautés roumaines de Moldavie et de Valachie en 1856, Bulgarie en 1878. Ils se partagèrent ensuite les dernières dépouilles ottomanes en Europe. (V. BALKANS [*campagnes des*].) Ces conflits contribuèrent à déclencher la Première Guerre mondiale, au cours de laquelle la péninsule, à l'exception de la Grèce, fut occupée par les puissances centrales. Les traités de 1919 et 1920, conçus selon le principe des nationalités, créèrent la Yougoslavie par la réunion des pays serbes. La politique de la Petite Entente, préconisée par la France pour amener la stabilité politique, échoua. A l'issue de la Seconde Guerre mondiale, qui réveilla les vieilles hostilités, la Grèce et la Turquie se rapprochèrent des puissances occidentales. Un régime de démocratie populaire s'installa en 1945 en Yougoslavie, en Albanie et en Bulgarie.

Balkans (CAMPAGNES DES). ● *Guerre serbo-turque* (1876). Révoltés par les atrocités des bachi-bouzouks, la Serbie et le Monténégro déclarèrent la guerre à la Turquie. Battus, notamment à Novi-Bazar, ils ne furent sauvés que par l'intervention du tsar et par l'armistice qui en résulta.

● *Guerre russo-turque* (1877-1878). Les Turcs, ayant rompu cet armistice, furent vaincus, malgré une longue résistance à Plevna, par les Russes alliés aux Roumains, aux Serbes et aux Monténégrins. La création d'un grand Etat bulgare fut consacrée par le traité de San Stefano du 3 mars 1878, puis par le congrès de Berlin.

● *Guerre serbo-bulgare* (1885). Les Serbes, estimant l'équilibre des Balkans rompu par l'union de la Roumélie et de la Bulgarie, engagèrent les hostilités. Mais cette union fut confirmée par le traité de Bucarest du 3 mars 1886, car les Bulgares résistèrent victorieusement aux Serbes.

● *Guerre gréco-turque* (1897). Répondant à l'appel des Crétois, soulevés contre le Sultan, la Grèce ouvrit les hostilités contre la Turquie. L'intervention des grandes puissances limita la défaite des Grecs, qui perdirent une partie de la Thessalie (traité de Constantinople du 9 nov. 1897).

● *Première guerre balkanique* (1912-1913). Profitant de la guerre italo-turque* et soucieux de résister à la politique xénophobe des jeunes-turcs, la Bulgarie, la Grèce, le Monténégro et la Serbie déclarèrent la guerre à la Turquie. Le traité de Londres du 30 mai 1913 mit fin à cette guerre et consacra l'échec de la Turquie, qui cédait aux puissances balkaniques la Crète et la majorité de ses territoires européens.

● *Deuxième guerre balkanique* (1913). La répartition, entre les vainqueurs, des territoires conquis sur les Turcs, l'impuissance de

Atlas-Photo

Mostar, en Yougoslavie

l'arbitrage de Nicolas II, les intrigues de l'Autriche, poussant la Bulgarie contre les Serbes, amenèrent les Bulgares à reprendre les hostilités contre leurs anciens alliés. Mais, vaincus, ils durent céder à ceux-ci la majorité des territoires qu'ils venaient de conquérir (traité de Bucarest du 10 août 1913).

● *Première Guerre mondiale*. V. MACÉDOINE, DARDANELLES et SERBIE.

● *Guerre gréco-turque* (1921-1922). L'armistice de Moudros (1918) ayant permis à la Grèce d'occuper Smyrne, Constantin Ier fit franchir à ses troupes les limites du territoire concédé. Les Turcs, sous la conduite de Mustafa Kemal, repoussèrent victorieusement les Grecs. Une révolution à Athènes contraignit le roi Constantin Ier à abdiquer en faveur de son fils Georges, et le traité de Lausanne du 24 juill. 1923 mit fin aux revendications grecques sur Constantinople et l'Asie Mineure.

● *Seconde Guerre mondiale*. V. GUERRE MONDIALE (*Seconde*).

→ V. cartes pages suivantes.

1878
Guerre russo-turque (1877-1878)
Avance des armées russes
Siège de Plevna (1877)
Traité de San Stefano (3 mars 1878)
Grande-Bulgarie vassale de l'Empire ottoman
États reconnus indépendants
Roumanie :
Zone perdue au profit de la Russie
Zone gagnée aux dépens de l'Empire ottoman
Acquisitions du Monténégro
RUSSIE
BESSARABIE
MOLDAVIE
Iaşi
AUTRICHE-HONGRIE
ROUMANIE
VALACHIE
Bucarest
Danube
DOBROUDJA
Belgrade
BOSNIE-HERZÉGOVINE
Sarajevo
DALMATIE
SERBIE
Niš
Novi Pazar
Plevna
BULGARIE
Varna
MONTÉNÉGRO
Morava
P. de Šipka
ROUMÉLIE ORALE
Marica
Andrinople
Bosphore
Const.
Antivari
Dulcigno rétrocédé à la Turquie (juill. 1878)
ALBANIE
Monastir
MACÉDOINE
Dedeagatch
San Stefano 1878
Salonique
Dardanelles
CORFOU
EMPIRE OTTOMAN
THESSALIE 1881
ILES IONIENNES
ROY. DE GRÈCE
Smyrne
Athènes
CYCLADES
RHODES
CRÈTE
Congrès de Berlin (13 juin-13 juillet 1878)
Empire ottoman
Province ottomane
Principauté vassale de l'Empire ottoman
Régions administrées par l'Autriche-Hongrie
Sandjak de Novi Pazar
Accroissements de la Serbie
CHYPRE 1878 br.
0 250 km

1912 - 1913
1912
Victoires balkaniques
Empire ottoman
Grèce
Serbie
Monténégro
Bulgarie
Roumanie
Acquisitions
de l'Italie
RUSSIE
Dniestr
BESSARABIE
AUTRICHE-
HONGRIE
Iași
ROY. DE
ROUMANIE
Bucarest
Danube
DOBROUDJA
Silistria
Belgrade
BOSNIE-
HERZÉGOVINE
1908 Autr.-Hongrie
Sarajevo
ROY. DE
SERBIE
Morava
Niš
ROY. DE
BULGARIE
Varna
ROY. DU
MONTÉNÉGRO
Novi Pazar
Sofia
Scutari
Kirk-Kilissa
Antivari
Dulcigno
Kumanovo
Midia
Vardar
Bosphore
Andrinople
ALBANIE
1913
indépendance
Monastir
Sérrai
Cavalla
Dedeagatch
Lüleburgaz
Enos
Const.
MACÉDOINE
Salonique
EMPIRE
CORFOU
Ioannina
Larissa
Dardanelles
THESSALIE
1881
ROY. DE
GRÈCE
Athènes
Smyrne
OTTOMAN
Rhodes
DODÉCANÈSE
CRÈTE
1913
Empire ottoman :
traité de Londres (30 mai)
traité de Bucarest (10 août)
Acquisitions :
de la Bulgarie
de la Roumanie
de la Grèce
de la Serbie
du Monténégro
Lignes de Čataldža
0
250 km

Balkar(s) ou **Malkar(s),** population turque du Caucase septentrional (U. R. S. S.).

Balkh, v. d'Afghānistān, dans le Turkestan ; 10 000 h. C'est l'antique *Bactres**.

Balkhach (LAC), lac de l'U. R. S. S., au pied des T'ien-Chan ; 17 300 km². Il est très peu profond et dépourvu d'émissaire. — La ville de *Balkhach* est sur sa rive nord ; 53 000 h. Fonderies de cuivre.

Balkis, nom que les auteurs arabes donnent à la reine de Saba*.

Ball (Benjamin), médecin français (Naples 1833 - Paris 1893), auteur d'ouvrages sur les maladies mentales.

Balla (Giacomo), peintre italien (Turin 1871 - Rome 1958). Illustrateur et peintre divisionniste, il est signataire, en 1910, des manifestes du futurisme, dont il devient bientôt l'un des animateurs par ses études de décomposition de la lumière et du mouvement. Après la guerre, il s'intéresse aux arts appliqués, tandis que sa peinture tend à une abstraction puriste et décorative. Vers 1930, il cède à l'académisme figuratif du temps.

ballade n. f. (anc. provenç. *balada,* danse). Au Moyen Age, poème lyrique d'origine chorégraphique, d'abord chanté, puis destiné seulement à la récitation. ‖ A partir de la fin du XVIIIe s., petit poème narratif en strophes, qui met généralement en œuvre une légende populaire ou une tradition historique : *Les ballades écossaises. Les ballades de Bürger, de Uhland.*

— ENCYCL. Ce mot désignait, vers 1250, des chansons de danse de structure variable. Au XIVe s., la ballade se constitue avec Guillaume de Machaut : trois couplets suivis chacun d'un refrain, avec accompagnement d'un instrument. Après Machaut, la ballade n'est ni chantée ni dansée. Destinée à être dite, elle prend les caractéristiques suivantes : les strophes sont au nombre de trois, suivies d'un envoi d'une demi-strophe ; les mêmes rimes sont reprises dans toutes les strophes et dans le même ordre ; le dernier vers de la première strophe reparaît comme dernier vers de chaque strophe (et de l'envoi) et forme refrain. Telles sont les ballades que Villon insère dans son *Grand Testament* (*Ballade des dames du temps jadis, Ballade pour prier Notre-Dame*).

La ballade, négligée sous l'influence de la Pléiade, reparut sous Louis XIV avec la vogue du style marotique. Plus tard, sous la forme de trois huitains octosyllabiques suivis d'un envoi de quatre vers, elle connut un regain de faveur au temps de l'école parnassienne (*Trente-Six Ballades joyeuses,* de Th. de Banville). E. Rostand a introduit une ballade pleine de verve dans *Cyrano de Bergerac.*

On appelle aussi « ballades » des poèmes simplement partagés en stances égales et racontant, ordinairement sur le mode fantastique, une histoire d'autrefois ou une légende. Il en existe chez nous de très anciennes, se rattachant sans doute aux origines de notre poésie, comme c'est le cas en Espagne pour les *romanceros**. En ce sens, c'est en Angleterre que la ballade s'est constituée de bonne heure en genre littéraire. Citons les *Ballades lyriques* de Wordsworth et Coleridge (1798), qui marquent le début du romantisme anglais, et le chef-d'œuvre d'Oscar Wilde, *Ballade de la geôle de Reading* (1898).

En Allemagne, la ballade apparaît dans la seconde moitié du XVIIIe s. Les ballades de Bürger, publiées à partir de 1773, constituent un des aspects caractéristiques de la littérature du *Sturm und Drang ;* les plus célèbres sont *Lénore* et *le Chasseur sauvage.* Mais c'est Schiller et Goethe qui ont porté le genre à sa perfection. *Le Roi de Thulé* (1774), *le Roi des aulnes* (1778), *l'Apprenti sorcier* (1797) sont les plus connues des ballades de Goethe.

En France, les romantiques, et Victor Hugo en particulier (*Odes* et Ballades,* 1826), cherchèrent à rivaliser avec leurs modèles allemands. De nos jours, alors que Paul Fort, dans ses *Ballades françaises,* publiées à partir de 1897, transformait complètement dans sa structure et dans son contenu la ballade traditionnelle, on peut dire que les poètes comme J. Laforgue, dans ses *Complaintes* (1885), Apollinaire, dans la *Chanson du mal-aimé* (1910), et L. Aragon donnaient les modèles d'une véritable ballade moderne, plus lyrique que narrative.

Ballanche (Pierre Simon), écrivain français (Lyon 1776 - Paris 1847). Imprimeur et éditeur, il publia, en 1801, *Du sentiment considéré dans son rapport avec la littérature,* petit livre fortement empreint de sentiments religieux, et qui fait de lui un précurseur du romantisme. Lié avec Mme Récamier, il fut un des plus fidèles habitués de l'Abbaye-au-Bois. Ses autres ouvrages sont teintés d'ésotérisme. (Acad. fr., 1842.)

Ballancourt-sur-Essonne, comm. de l'Essonne (arr. d'Evry), à 13,5 km au S.-O. de Corbeil-Essonnes ; 5 549 h. Centre de villégiature. Papeterie.

ballant → BALLER.

Ballarat, v. d'Australie (Victoria) ; 58 400 h. Centre d'un district aurifère, le premier exploité en Australie. Métallurgie ; brasseries.

Ballard, famille d'imprimeurs de musique parisiens, qui eut le monopole de l'imprimerie musicale pendant plus de deux siècles. Le fondateur de la maison, ROBERT (Montreuil-sur-Mer - † Paris 1588), s'associa avec A. Le Roy et obtint un privilège de Henri II (1551). Les Ballard se succédèrent ensuite de père en fils jusqu'au début du XIXe s., où la maison disparut. Les compositeurs les plus célèbres des XVIe, XVIIe et XVIIIe s. ont été publiés par les Ballard.

ballast n. m. (mot angl.). Roche dure, généralement concassée, utilisée dans l'infrastructure des voies de chemin de fer pour soutenir les traverses et les immobiliser, afin d'assurer une tenue correcte de la voie. (Syn. AGRÉGAT.) || Réservoir dont le remplissage permet à un sous-marin de plonger. (On dit aussi WATER-BALLAST.) || Compartiment d'un navire destiné au transport de l'eau douce, ou d'eau de mer pour servir de lest et équilibrer le bâtiment. ● *Effet de coup de ballast*, v. EFFET. || *Résistance ballast*, résistance prévue pour maintenir constant le courant dans un circuit. ◆ **ballastage** n. m. Action de ballaster. ◆ **ballaster** v. tr. Répartir du ballast sur une voie de chemin de fer. || Remplir ou vider les ballasts d'un navire. ◆ **ballastière** n. f. Carrière de sable.

1. balle n. f. (ital. *palla*). Pelote sphérique pouvant rebondir, utilisée dans de nombreux

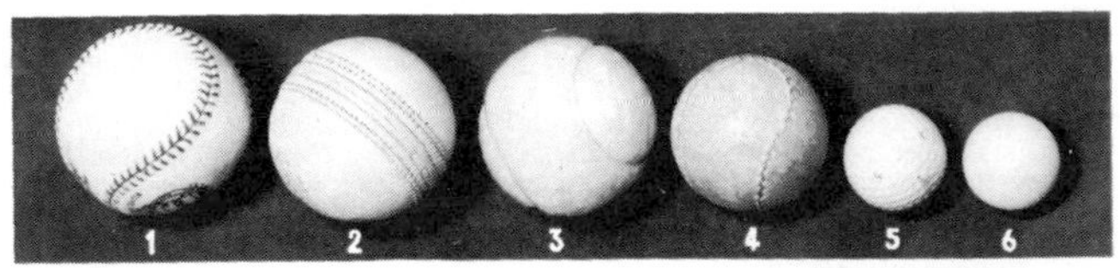

balles 1. Base-ball : 20 à 30 cm de circonférence, 120 à 148 g ; 2. Hockey : 22,4 à 23,5 cm de circonférence, 156 à 163 g ; 3. Tennis : 6,35 à 6,67 cm de diamètre, 56,70 à 58,47 g ; 4. Pelote basque : environ 6 cm de diamètre, poids très variable ; 5. Golf : au moins 41 mm de diamètre, moins de 46 g ; 6. Ping-Pong : 11,43 à 12,05 cm de circonférence, 3,63 à 3,83 cm de diamètre, 2,397 à 2,535 g.

ballons 1. Football : 68 à 71 cm de circonférence, poids 396 à 453 g ; 2. Rugby : long. grand axe 27,45 à 28,50 cm, grand périmètre 76 à 79 cm, petit périmètre 60 à 65 cm, poids 375 à 425 g ; 3. Basket-ball : 75 à 85 cm de circonférence, poids 600 à 650 g ; 4. Water-polo : 68 à 71 cm de circonférence, poids 400 à 450 g ; 5. Hand-ball : 55 à 58 cm de circonférence, poids 400 à 500 g ; 6. Volley-ball : 65 cm de circonférence, poids 250 g.

sports (tennis, Ping-Pong, golf, etc.), et dont les dimensions, le poids, la nature et la qualité du rebond sont en général fixés par les règlements des sports où elle est utilisée. (Se dit fréquemment pour BALLON.) || Jeu dans lequel on lance une balle : *Jouer à la balle.* || Corps élastique qui rebondit comme une balle : *Des balles de sureau.* || Masse métallique fixée à l'étui de la cartouche et constituant le projectile de certaines armes à feu : *Etre blessé par balle.* || *Céram.* Masse de pâte homogène provenant de la fragmentation des ballons. || Outil sphérique convexe en laiton, servant à tailler les surfaces de verre concaves. || *Pop.* Tête, figure : *Un type qui a une bonne balle.* || Franc : *Trois cents balles.* ● *Balle à empennage,* balle munie d'un guide destiné à stabiliser sa trajectoire. || *Balle à expansion,* balle dont le forcement dans le canon rayé de l'arme est dû aux gaz. (Depuis le XIXe s., la plupart des balles sont de ce type.) || *Balle explosive,* balle dont l'enveloppe contient une matière explosive. || *Balle incendiaire,* balle dont le noyau contient une matière incendiaire. || *Balle perdue,* balle ayant manqué l'objectif, mais toujours dangereuse. || *Balle perforante,* projectile de métal particulièrement dur, destiné à percer les blindages. || *Balle traçante,* balle munie d'une composition lumineuse qui la rend visible sur une partie de sa trajectoire. || *Enfant de la balle,* personne élevée dans la profession de son père. (S'emploie surtout en parlant des comédiens.) || *Obus à balles,* obus* rempli de balles sphériques en métal. || *Prendre, saisir la balle au bond,* la relancer avant qu'elle ait touché terre ; et, au *fig.*, profiter sur-le-champ de l'occasion favorable. || *Se renvoyer la balle,* se donner la réplique ; se rejeter mutuellement une responsabilité. ◆ **ballon** n. m. Grosse balle à jouer formée d'une vessie gonflée d'air, recouverte d'une peau cousue, et utilisée dans les sports d'équipe, comme le football, le rugby, le basket-ball, le handball, etc. || Petite sphère en caoutchouc mince ou en baudruche, gonflée d'air ou de gaz léger, et que l'on donne comme jouet aux enfants. || Aéronef soit captif, soit libre, utilisant un gaz plus léger que l'air comme moyen de sustentation dans l'atmosphère et n'ayant aucun moyen de propulsion : *Monter en ballon.* (Un ballon comprend : le ballon proprement dit, ou *enveloppe,* et la *nacelle,* panier d'osier suspendu par des cordes à un filet qui entoure complètement la partie supérieure du ballon.) || Dans les Vosges, sommet : *Le ballon d'Alsace.* || Vase de verre sphérique, muni d'un col, utilisé dans les laboratoires. || Objet de forme ronde qui sert à faire des signaux à bord d'un navire et dans les ports. || *Céram.* Masse de pâte cylindrique ou parallélépipédique, que l'on malaxe, que l'on bat et que l'on fragmente en plusieurs balles. || Cercle de papier que crève l'écuyère en sautant au travers. || Récipient servant à emmagasiner sous pression. || Qualité physique du danseur qui lui permet de s'élever, puis de rebondir plus haut dans une série de sauts. ● *Ballon captif,* ballon relié au sol ou à un navire par un ou plusieurs câbles. (Il fut utilisé pour la première fois comme observatoire à Fleurus en 1794. Appelé *saucisse* pendant la Première Guerre mondiale, le ballon captif, parfois muni d'un moteur [*motoballon*], fut abandonné pour cet usage en 1940 en raison de sa vulnérabilité. Il fut employé ensuite comme *ballon de protection ;* ses câbles de retenue servaient de moyens de défense contre les attaques aériennes à basse altitude.) || *Ballon de défense,* sac rond, rempli de sciure de bois, que l'on dispose le long du bord d'une embarcation qui doit en accoster une autre. || *Ballon dirigeable,* V. DIRIGEABLE. || *Ballon d'essai,* petit ballon employé avant une ascension pour connaître la direction du vent ; et, au *fig.*, nouvelle lancée pour sonder l'opinion ; expérience pour mesurer les chances d'une affaire. || *Ballon libre,* ballon de forme sphérique n'ayant aucun moyen de propulsion. (L'ascension et la descente du ballon sont réglées par les aéronautes, qui se trouvent dans la nacelle, et qui utilisent le *lest* et la *soupape* d'échappement des gaz de l'enveloppe.) || *Ballon perdu,* ballon lancé sans passager. || *Ballon pilote,* petit ballon utilisé en météorologie, et dont l'observation au théodolite permet de déterminer la vitesse et la direction du vent. || *Ballon réchauffeur,* appareil de production d'eau chaude, constitué par un réservoir et par un réchauffeur. || *Faire ballon* (Pop.), être contraint de se passer de quelque chose. ✦ adj. et n. m. Se dit d'un verre à boire en forme de ballon. ◆ **ballonné, e** adj. Distendu, gonflé : *Ventre ballonné.* || — **ballonné** adj. et n. m. *Chorégr.* Saut léger effectué sur une seule jambe, tandis que l'autre, restée levée, se plie et se tend en un court battement. (Les ballonnés sont dits petits ou grands, devant ou derrière, à plat ou sur la pointe.) ◆ **ballonnement** n. m. Gonflement et tension de l'abdomen, résultant de l'accumulation de gaz dans l'intestin. (V. MÉTÉORISME.) ◆ **ballonner** v. tr. Enfler, distendre par l'accumulation de gaz : *Ballonner l'abdomen.* ✦ v. intr. et ***se ballonner*** v. pr. S'arrondir. ◆ **ballonnet** n. m. Petit ballon. || Petit ballon rempli d'air, destiné à équilibrer la tension de l'enveloppe des ballons libres ou des dirigeables souples. (Dans les dirigeables rigides, le gaz qui sert à la sustentation est réparti dans des ballonnets.) ◆ **ballon-sonde** n. m. Ballon muni d'appareils enregistreurs destinés à l'exploration météorologique de la haute atmosphère. — Pl. *des* BALLONS-SONDES.

2. balle n. f. (francique **balla*). Gros paquet de marchandises : *Une balle de café.* || Réunion de dix rames de papier emballées. ◆ **ballot** n. m. Paquet de marchandises ou de vêtements : *Ballot de livres, de vêtements.* || *Pop.* Lourdaud, imbécile. ◆ **ballottine** n. f. Sorte de galantine préparée avec une pièce de volaille, de gibier ou de poisson, désossée, farcie et roulée, qui peut se servir chaude ou froide. ◆ **balluchon** ou **baluchon** n. m. *Fam.* Petit ballot. ‖ Paquet de vêtements.

3. balle n. f. (de l'anc. fr. *baller,* vanner). Enveloppe du grain dans l'épi. (Séparées par le vannage, les balles de blé et d'avoine servent à l'alimentation du bétail. Elles sont constituées par les glumes et les glumelles.) [On a écrit BALE.]

Balleny (ÎLES), îles subantarctiques, dépendant de la Nouvelle-Zélande, au N. de la terre Victoria.

baller v. intr. (lat. pop. *ballare;* du gr. *ballein,* lancer). Osciller : *Somnoler en laissant baller sa tête.* ◆ **ballant, e** adj. Qui se balance : *Se promener les bras ballants.* ‖ Se dit d'une articulation devenue mobile dans tous les sens. ‖ — ***ballant*** n. m. Mouvement d'oscillation nécessaire à un acrobate pour exécuter un saut ou un équilibre. ◆ **balle-queue** n. m. Nom usuel de la *bergeronnette.* — Pl. *des* BALLE-QUEUES.

ballerine n. f. (ital. *ballerina*). Danseuse classique et plus partic. soliste de classe internationale. ‖ Chaussure légère et plate comme en portent les danseuses.

Balleroy, ch.-l. de c. du Calvados (arr. et à 16 km au S.-O. de Bayeux); 780 h. Château de style Louis XIII, construit par Mansart de 1626 à 1636.

ballet n. m. (ital. *balletto,* petit bal). Composition chorégraphique destinée à être représentée sur scène, avec ou sans accompagnement musical, interprétée par un ou plusieurs danseurs. (V. *encycl.*) ● *Ballet abstrait,* ballet sans argument. ‖ *Ballet académique,* ballet composé de pas appartenant à l'école académique. ‖ *Ballet blanc,* ballet d'inspiration romantique, dansé en tutu blanc. ‖ *Ballet d'action,* ballet qui repose sur un argument dont le développement est mimé. (Syn. BALLET-PANTOMIME.) ‖ *Ballet de chevaux,* ballet exécuté par des chevaux montés (XVIe-XVIIe s.). ‖ *Ballet de cour,* ballet dansé par le roi et par les courtisans, à partir de la fin du XVIe s. ‖ *Compagnie de ballet,* troupe de danseurs itinérants, réunie sous une même direction. ‖ *Corps de ballet,* ensemble des danseurs d'un théâtre, à l'exception des solistes et des étoiles. — A l'Opéra de Paris, ensemble de tous les danseurs. ‖ *Maître de ballet,* celui qui dirige les danseurs et fait répéter les ballets. ‖ *Opéra-ballet, comédie-ballet,* opéra ou comédie où s'insèrent des scènes dansées. ◆ **balletomane** adj. et n. Amateur passionné de ballet. ◆ **balletomanie** n. f. Passion du balletomane.

— ENCYCL. ***ballet.*** Les Italiens apportèrent le ballet en France sous Catherine de Médicis. Le premier est le *Ballet comique de la reine,* réglé par Beaujoyeux et donné aux noces du duc de Joyeuse (1581). Le ballet de cour s'épanouit sous Henri IV et Louis XIII.

Feher

château de Balleroy

Sous Louis XIV, Lully pour la musique, Benserade pour la poésie et Beauchamps pour la chorégraphie collaborent aux ballets de cour. L'Académie royale de danse est fondée (1661), ainsi que l'Ecole de danse de l'Opéra (1713). La danse française fait école en Europe. Sous Louis XVI débutent les premiers ballets d'action dont Noverre est le promoteur. 1830 voit l'essor du ballet romantique avec Maria Taglioni (*la Sylphide*) et Carlotta Grisi (*Giselle*). Après les ballets de Delibes (*Coppelia, Sylvia*), la technique pure l'emporte. La Russie fera exception grâce au chorégraphe français Marius Petipa (*le Lac des cygnes, la Belle au bois dormant, Casse-Noisette*). Serge de Diaghilev (Paris 1909) ouvre l'ère du ballet moderne, qui devient un spectacle d'art complet. Des poètes, des peintres et des musiciens de valeur collaborent avec lui aux Ballets russes : Cocteau, Picasso, Matisse, Braque, Derain, Bakst, Ravel, Stravinski, Poulenc, Auric, Milhaud. Il révèle de grands chorégraphes (Massine, Balanchine, Lifar) et de grands artistes de la danse (Karsavina, Nijinski, Pavlova, Fokine).
Les ballets d'Ida Rubinstein, fondés après la Première Guerre mondiale, font appel à Ravel, Stravinski, Ibert, Honegger, Valéry, Gide, Claudel. Serge Lifar insuffle à l'Opéra, où il entre en 1929 comme premier danseur et comme chorégraphe, un esprit nouveau. De grandes étoiles se révèlent : Suzanne Lorcia, Solange Schwarz, Lycette Darsonval, Yvette Chauviré. Des écoles de ballet académique se fondent partout; le ballet est créé en Angleterre par Ninette De Valois (*Sadler's Wells Ballet*). A la mort de Diaghilev (1929), la Compagnie des ballets de Monte-Carlo (René Blum) et celle du colonel W. de Basil se partagent son héritage artistique. Aux

Aubin

« le Lac des cygnes »
théâtre national
de l'Opéra

Horace

« Messe pour le temps présent », chorégraphie de M. Béjart (Laura Proence et Jorge Donn)

Kipa-Masson

« Cendrillon »
chorégraphie de
Maguy Marin
Ballet de
l'Opéra de Lyon

Kipa-Masson

« les Aventures
d'Yvan Vaffan »
Jean-Claude Gallotta
et le groupe E. Bubo

S. Lido

« la Belle au bois dormant »
rnational Ballet of the marquis de Cuevas)

Lipnitzki

« l'Oiseau de feu »
(Marjorie Tallchief, George Skibine)

Colette Masson

« Giselle »
chorégraphie
de Coralli
et Perrot
Ballet de
l'Opéra
de Paris

S. Lido

« Requiem »
chorégraphie
de Françoise Adret
Ballet-Théâtre
contemporain

Etats-Unis, de nombreux Russes donnent un essor au ballet. Les Américains organisent leurs compagnies : *Ballet Theatre* (Lucia Chase), *New York City Ballet* (Balanchine) ; plus récemment, ils illustrent des conceptions nouvelles, *American Dance Theatre* (Alvin Ailey), *Ballet U. S. A.* (Jerome Robbins). La tradition se transmet au Japon, en Australie. La critique chorégraphique naît. En France, après la Libération, les tentatives de jeunes compagnies marquent profondément le ballet contemporain : *Ballets des Champs-Elysées* (Jean Babilée, Janine Charrat, Roland Petit), *Ballets de Paris* de R. Petit (Colette Marchand, Renée Jeanmaire, Violette Verdy). Le marquis de Cuevas fonde son ballet (Rosella Hightower, Marjorie Tallchief, Serge Golovine, George Skibine). L'Américaine Carolyn Carlson introduit la « modern dance » à l'Opéra de Paris qui, à partir de 1973, regroupe les troupes du palais Garnier et de la salle Favart (Opéra-Comique) ; outre l'Opéra de Marseille, sous la direction de Joseph Lazzini (1959-1969) [qui fonda ensuite le *Théâtre français de la danse*], le Grand-Théâtre de Bordeaux, animé par Vladimir Skouratoff, plusieurs pôles concentrent un réel intérêt pour le ballet : Angers, qui accueille depuis 1972 le *Ballet-Théâtre contemporain* (dont le siège était la Maison de la culture d'Amiens) et le Centre lyrique et chorégraphique national ; Nantes, qui, au théâtre Graslin, voit les œuvres pleines de promesses du chorégraphe Jean Zierrat ; Strasbourg et le *Ballet du Rhin*, dont les destinées sont confiées au talentueux Peter Van Dijk (1974-1978). Le concours de Bagnolet (créé en 1968) révèle chaque année des valeurs sûres comme Maguy Marin, Régine Chopinot ou Jean-Claude Gallotta. Bruxelles a accueilli dès 1959 Maurice Béjart et son *Ballet-Théâtre*, qui avec les éléments du théâtre royal de la Monnaie a fondé le *Ballet du XX*[e] *siècle*, instrument idéal façonné par son créateur et apte à produire toutes ses œuvres. Les troupes traditionnelles des Pays-Bas, du Danemark, de Suède, de Norvège et de Finlande s'animent et se tournent vers le modernisme, comme en témoigne l'activité du *Nederlands Dans Theater* à La Haye et du *Het Nationale Ballet* à Amsterdam. En Allemagne, sous l'impulsion de maîtres nord-américains, anglais et allemands, plusieurs opéras (Hambourg, Stuttgart, Wuppertal avec Pina Bausch) ont une vie chorégraphique très animée. La Suisse avec Zurich, Bâle et Genève présente des spectacles intéressants. La Grande-Bretagne, où la tradition règne encore au *Royal Ballet* et au *London's Festival Ballet*, voit le *Ballet Rambert* s'orienter délibérément vers l'avant-garde (*New Ballet Rambert*) et produire des œuvres des jeunes chorégraphes Norman Morrice, Christopher Bruce, Geoffrey Cauley, etc. L'Italie donne asile à plusieurs festivals (Spolète, Gênes-Nervi). Aux Etats-Unis, outre le *New York City Ballet* sous la direction de George Balanchine et de Jerome Robbins, de nombreuses troupes classiques se sont constituées. Le *Harlem Ballet*, sous les auspices de la Harkness Foundation, est une pépinière d'éblouissantes révélations (Manola Ascensio, Chris Jensen, Zane Wilson, Christopher Aponte). La danse moderne est toujours largement représentée et, en dehors de Martha Graham et de son école, les formations d'avant-garde de Merce Cunningham et de Paul Taylor ont une large audience, ainsi que le *Dance Theatre* du Noir américain Alvin Ailey, le *Dance Theatre* d'Alvin Nikolais et la *José Limón Dance Company*. Le Canada possède plusieurs compagnies importantes (*Ballet national canadien*, les *Grands Ballets canadiens*, le *Royall Ballet* de Winnipeg). L'Europe centrale dispose désormais de troupes solides, qui elles aussi s'orientent vers le ballet contemporain (Tchécoslovaquie : *Ballet Proha ;* Hongrie : *Ballet Sopianae*). L'U. R. S. S. affiche toujours un respect de la tradition classique que se partagent, dans un style pourtant différent, le théâtre Kirov (Leningrad) et le théâtre Bolchoï (Moscou). Les Opéras des républiques fédérées sont pour la plupart d'un très haut niveau (Kiev, Novossibirsk).
La Chine, le Japon avec Carlotta Ikeda, l'Australie, le Pérou, le Mexique, l'Argentine, Cuba ont leurs troupes nationales, ainsi que les Philippines et les pays de l'Afrique noire.

Ballet (Gilbert), neurologue français (Ambazac 1853 - Paris 1916). Premier chef de clinique de Charcot en 1882, professeur de clinique des maladies mentales à Sainte-Anne, il a écrit : *Leçons de clinique médicale* (1897), *Traité de pathologie mentale* (1903).

balletomane, balletomanie → BALLET.

ball-flower [bolflɔer] n. m. (mot angl. signif. *fleur à boule*). Ornement très usité en Angleterre dans les monuments de la fin du XIIIe s. et du XIVe s.

Ballif (Claude), compositeur français (Paris 1924). Après avoir travaillé à Paris avec Olivier Messiaen, puis à Berlin avec Boris Blacher, sous l'appellation de *Métatonalité*, il tente de faire une synthèse du tonal et de l'atonal. On lui doit plus de cinquante œuvres ainsi que de nombreux écrits théoriques et un ouvrage sur *Berlioz*.

Ballin (Claude), orfèvre français (Paris 1615 - *id.* 1678). Il travailla à la manufacture royale des meubles de la Couronne (Gobelins) et fut directeur du balancier des Médailles. — CLAUDE II (1661 - 1754), neveu du précédent, également orfèvre, est l'auteur de la couronne du sacre de Louis XV (Louvre) et du *surtout de l'Ermitage*.

Ballin (Albert), armateur allemand (Hambourg 1857 - *id.* 1918). Directeur général de la Hamburg Amerika Linie en 1900, il chercha à favoriser un rapprochement de son pays avec l'Angleterre.

balling n. m. (du nom du chimiste allemand C. J. N. *Balling* [1805 - 1868]). Densimètre à flotteur, étalonné à 20 °C, donnant directement la teneur en sucre d'une solution. ● *Degré Balling,* degré indiqué par le densimètre Balling : *10,6 °Balling indiquent que 100 g de jus contiennent 10,6 g de sucre à 20 °C.*

ballistre n. f. Partie de la monture d'un chandelier.

Ballivián (José), homme politique bolivien (La Paz 1804 - Rio de Janeiro 1852). Président de la République (1841-1847), il fut victorieux des Péruviens à Ingaví (1841). — Son fils ADOLFO (La Paz 1831 - Oruro 1874) fut président de la République en 1873.

ballon → BALLE 1.

Ballon, ch.-l. de c. de la Sarthe (arr. et à 21 km au N. du Mans) ; 1 269 h. Donjon du XVe s.

Ballon ou **Balon** (Jean), danseur et chorégraphe français (Paris 1676 - *id.* 1739). Danseur à l'Opéra (1691), il succéda à Beauchamps comme compositeur des ballets du roi.

ballonné, ballonnement, ballonner, ballonnet, ballon-sonde → BALLE 1.

ballot → BALLE 2.

ballota n. f. Labiacée fétide, aux fleurs violacées, des décombres.

ballottage n. m. Résultat d'un scrutin où aucun candidat n'a réuni les conditions exigées par la loi pour que l'élection soit acquise au premier tour. ● *Scrutin de ballottage,* nouveau scrutin ouvert lorsqu'il y a eu ballottage. ◆ **ballotté, e** adj. Se dit d'un candidat en ballottage.

ballottement → BALLOTTER.

ballotter v. tr. (de *ballotte,* petite boule ou balle). Secouer violemment en tous sens : *Par gros temps, la mer ballotte les navires.* ‖ *Fig.* Rendre indécis, faire hésiter : *Les sentiments divers qui ballottent un prisonnier.* ✦ v. intr. Exécuter une série de mouvements rapides et alternatifs : *Des livres qui ballottent dans une valise.* ◆ **ballottement** n. m. Action de ballotter un corps ; mouvement d'un corps ballotté : *Le ballottement des voyageurs dans le train.*

ballottine → BALLE 2.

ball-trap [boltrap] n. m. (angl. *ball,* boule, et *trap,* ressort). Appareil à ressort lançant en l'air des pigeons d'argile servant de cible. (S'emploie pour s'exercer au tir des oiseaux.) — Pl. *des* BALL-TRAPS.

Ballu (Théodore), architecte français (Paris 1817 - *id.* 1885). Il éleva l'église Sainte-Clotilde (avec Gau), l'église de la Trinité (1861-1875), restaura la tour Saint-Jacques et reconstruisit l'Hôtel de Ville de Paris (1873), en collaboration avec Deperthes. (Acad. des bx-arts, 1872.) — Son fils ALBERT (Paris 1849 - *id.* 1939), également architecte, effectua des fouilles à Timgad.

balluche ou **baluche** n. f. *Fam.* Sot, nigaud (vieilli). [On dit aussi BALLUCHARD.]

balluchon → BALLE 2.

ballus [lys] n. m. Petite araignée sauteuse, duvetée, des forêts. (Famille des salticidés.)

Bally (Charles), linguiste suisse (Genève 1865 - *id.* 1947), élève et successeur de Saussure à la chaire de grammaire comparée et de linguistique générale de Genève. Il est l'auteur d'un *Traité de stylistique française* (1909) et de *Linguistique générale et linguistique française* (1932 ; 2e éd., 1945).

Bally (SOCIÉTÉ ANONYME C. F.), l'un des plus importants groupes mondiaux de l'industrie de la chaussure, constitué à Zurich en 1907.

Ballymena, v. de l'Irlande du Nord (comté d'Antrim) ; 16 500 h.

Balmaceda (José Manuel), homme politique chilien (Santiago 1838 - *id.* 1891). Président de la République en 1886, il voulut gouverner sans le Congrès (1891). Une junte insurrectionnelle lui fit opposition. Battu, il se suicida.

Balmat (Jacques), guide français (Chamonix 1762 - dans la vallée de Sixt 1834). En compagnie du Dr Paccard, il fit la première ascension du mont Blanc le 8 août 1786, puis conduisit la caravane de H. B. de Saussure, qui atteignit le sommet en août 1787.

balme n. f. V. BAUME.

Balme (COL DE), col des Alpes, mettant en relation la vallée française de l'Arve et la vallée suisse du Trient ; 2 202 m.

Balmer (Johann Jakob), physicien suisse (Lausen 1825 - Bâle 1898), qui établit la formule donnant les longueurs d'onde des raies du spectre visible de l'hydrogène (1885) :

$$\frac{1}{\lambda} = R\left(\frac{1}{2^2} - \frac{1}{m^2}\right),$$

où *m* est un nombre entier, et R la *constante de Rydberg.*

Balmes viennoises, collines du bas Dauphiné (Isère), au-dessus du Rhône.

Balmont (Konstantine Dmitrievitch), poète russe d'inspiration symboliste (Ivanovo-Voznesensk 1867 - Paris 1942).

Balmoral (CHÂTEAU DE), château d'Ecosse (comté d'Aberdeen), résidence d'été des souverains de Grande-Bretagne.

balnéaire adj. (lat. *balnearis*). Relatif aux bains : *Station balnéaire.*

balnéation n. f. (du lat. *balneum,* bain). Action de prendre ou de donner des bains à des fins thérapeutiques. ◆ **balnéothérapie** n. f. Traitement par l'emploi méthodique des bains. ◆ **balnéothérapique** adj. Relatif au traitement par l'emploi des bains.

B. A. L. O., sigle du *Bulletin des annonces légales obligatoires.*

bâlois, e adj. et n. Relatif à Bâle ; habitant ou originaire de cette ville.

balotchi n. m. V. BALOUTCHE.

Balouba(s). V. BALUBA(S).

balourd, e adj. et n. (ital. *balordo*). D'un esprit épais et obtus : *Se conduire comme un balourd.* || Gauche, maladroit : *Démarche balourde.* || — SYN. : *butor, lourdaud, maladroit, malappris.* || — **balourd** n. m. Appareil permettant de déterminer l'excentricité d'un obus. || Fraction non équilibrée du poids d'une pièce tournante. (Une pièce animée d'un mouvement de rotation a du balourd lorsque son centre de gravité n'est pas sur l'axe de rotation.) ◆ **balourdage** n. m. Action de balourder. ◆ **balourder** v. tr. Mesurer le balourd d'une pièce tournante au moyen d'une *machine à balourder,* ou équilibreuse, et l'annuler. ◆ **balourdise** n. f. Caractère d'une personne balourde : *Cette réponse dénote sa balourdise.* || Parole ou action de balourd : *Dire, faire des balourdises.*

baloutche, baloutchi, béloutche ou **béloutchi** adj. et n. Relatif au Baloutchistan, ou Béloutchistan (Pākistān occidental) ; habitant ou originaire de ce pays. ◆ **baloutchi** ou **balotchi** n. m. Langue de la famille iranienne, parlée par plus de 1 500 000 individus.

Baloutchistan, Baluchistān, Béloutchistan, région de l'Asie méridionale, s'étendant sur l'Iran oriental et le Pākistān, au N. de la mer d'Oman.

● *Géographie.* C'est un désert compartimenté par des montagnes orientées du S.-O. au N.-E., qui se raccordent aux chaînes de l'Afghānistān oriental. Sur la côte (Makrān), la pêche et l'exploitation des marais salants sont les principales ressources. Dans l'intérieur, les populations vivent de l'élevage seminomade (moutons, chèvres, chameaux). On pratique la culture du blé, du coton, de l'orge et de la vigne dans quelques oasis. Le Baloutchistan dispose de ressources minérales variées : charbon de la région de Sibi, chrome d'Hindubāgh, antimoine, fer, soufre de Kūh-i-Sultān.

● *Histoire.* Soumis par les Arabes au VIIIe s., puis vassal de la Perse, le pays acquit son indépendance au XVIIIe s. Il fut annexé en partie à l'Empire indo-britannique en 1879 (traité de Gandamak), puis en totalité en 1887.

balsa [za] n. m. Bois fourni par les bombacacées du genre *ochroma.* (Plus léger que le liège, isolant thermique et phonique, très résistant à l'écrasement, il sert en aéronautique sous forme de contre-plaqué et pour la fabrication de modèles réduits.)

balsamea [za] n. m. Genre d'arbres ou d'arbustes qui fournissent divers baumes : myrrhe, bdellium, baume de Judée, etc. (Famille des burséracées.) [Syn. BALSAMIER ou BAUMIER.]

balsamine [za] n. f. Plante herbacée aux fleurs zygomorphes, aux capsules à déhiscence brusque. (Nom générique : *impatiens.* Type de la famille des *balsaminacées ;* ordre des géraniales.)

balsamique [za] adj. (lat. *balsamum,* baume). Qui a les propriétés et, en particulier, l'odeur du baume ; parfumé : *Une brise balsamique.* ✦ n. m. Médicament balsamique.

balsamocitrus [balzamositrys] n. m. Rutacée de l'Afrique tropicale, servant surtout de porte-greffe pour l'oranger.

balsamum [zamɔm] n. m. Baume* produit par des plantes de la famille des térébinthacées.

Balsan (François), explorateur français (Châteauroux 1902 - Neuilly-sur-Seine 1972). Il a effectué des expéditions en Ethiopie, au Baloutchistan et au Kalahari.

Balsas (RÍO DE LAS), fl. du sud du Mexique, qui draine les régions comprises entre la Sierra Madre du Sud et le plateau central, tributaire du Pacifique ; 724 km.

Balšides, dynastie qui régna sur le Monténégro et l'Albanie (1366 - 1421).

Balta, région de Roumanie formée par le lit majeur, très marécageux, du Danube, entre Călăraşi et le delta.

les anciennes Halles centrales de Paris, par V. **Baltard**

Lauros

Balta (José), colonel et homme politique péruvien (Lima 1816 - *id.* 1872). Ministre en 1865, il s'insurgea contre le président Prado (1867) et fut président de la République de 1868 à 1872. Battu par Prado aux élections de 1872, il fut fusillé par ordre de Tomás Gutiérrez.

Baltalimani, village de Turquie, sur la rive européenne du Bosphore. Un traité y fut signé entre la Russie et le gouvernement ottoman, en vue de rétablir l'ordre dans les principautés danubiennes (1er mai 1849).

Baltard (Louis Pierre), architecte, peintre, graveur et écrivain français (Paris 1764 - *id.* 1846). Son œuvre principale est le palais de justice de Lyon. — Son fils VICTOR (Paris 1805 - *id.* 1874) fut directeur des travaux de Paris. C'est un des précurseurs de l'architecture du fer (église Saint-Augustin; Halles centrales, 1854, auj. disparues).

balte ou **baltique** adj. Se dit des pays, des populations qui avoisinent la mer Baltique. ● *Pays baltes,* ensemble des trois pays qui bordent la mer Baltique depuis l'embouchure du Niémen jusqu'au golfe de Finlande : Estonie, Lettonie et Lituanie. (V. *encycl.*) ◆ **baltique** adj. Relatif à la mer Baltique et aux régions environnantes. ● *Bouclier baltique,* région de roches très anciennes (cambriennes), qui s'étend en Finlande et en Suède. ✦ n. m. Groupe de langues indo-européennes unies aux langues slaves par de nombreux traits communs, et comprenant le *lette,* le *lituanien* et le *vieux prussien.* ◆ **balto-finnois** n. m. et adj. Ensemble de langues appartenant au groupe finnois. (V. FINNO-OUGRIEN.)

— ENCYCL. ***pays baltes.*** Les populations baltiques se rattachent à deux grands groupes ethniques : celui des *Finno-Ougriens,* comprenant les Lives, les Ingriens et les Estes; et celui des *Baltes,* comprenant les Prussiens, les Lettons et les Lituaniens.

Ces populations conservèrent longtemps une civilisation et une organisation politique très primitives. Ce n'est qu'au XIIIe s. que le christianisme commença à y pénétrer : évangélisation du moine Meinhard († 1196), fondation de Riga (1201) par le chanoine Albert de Buxhövden, constitution de l'ordre des chevaliers Porte-Glaive en 1204. Un arbitrage pontifical de 1225 fit du Nord une possession civile et ecclésiastique des Danois, et du Sud, un fief tenu du roi de Danemark par les chevaliers Porte-Glaive. Ceux-ci fusionnèrent avec les chevaliers Teutoniques (1237), assurant la mainmise des Allemands sur les pays baltes. La Hanse contrôla totalement le commerce.

La Lituanie, seule, échappa à la domination des barons baltes, et sa destinée se confondit avec celle de la Pologne et du catholicisme. Au contraire, l'Estonie et la Lettonie devaient se convertir au luthéranisme à la fin du XVIe s., et conserver leur structure sociale particulière jusqu'au milieu du XXe s., à travers les vicissitudes politiques qui les firent passer successivement sous les dominations suédoise (Estonie), polonaise (Livonie) ou russe (Courlande). Après avoir subi, au cours de la Seconde Guerre mondiale, le flux et le reflux des armées nazies et soviétiques, les pays baltes furent incorporés en 1945 à l'U. R. S. S. avec le statut de république socialiste soviétique.

— *Hist. mil.* ● *Première Guerre mondiale.* Les pays baltes furent envahis (1915) par les Allemands, qui, à la faveur de la désagrégation du front russe (1917), puis de la paix de Brest-Litovsk (mars 1918), les occupèrent complètement. Ils ne furent évacués qu'en 1919, au départ des corps francs allemands qui s'y étaient reformés après l'armistice du 11 nov. 1918.

● *Seconde Guerre mondiale.* L'Estonie, la Lettonie et la Lituanie furent occupées et annexées par l'U. R. S. S. dès juin 1940. En 1941, les Allemands envahirent ces territoires, que les armées soviétiques (Tcherniakhovski et Govorov) réoccupèrent en 1944, à l'exception de la Courlande, où les forces allemandes résistèrent jusqu'à l'armistice du 8 mai 1945.

balthazar n. m. Grosse bouteille de champagne, équivalant à seize bouteilles ordinaires.

Balthazar, régent de Babylone, fils du roi Nabonide. Il fut détrôné et tué par Cyrus en 539 av. J.-C. Le Livre de Daniel (chap. V) raconte, d'autre part, que, lors d'un festin, Balthazar se fit apporter, par forfanterie, les vases sacrés que Nabuchodonosor avait jadis enlevés du temple de Jérusalem. Il vit alors une main tracer sur la muraille des caractères mystérieux : *Mané, Thécel, Pharès.* Le prophète Daniel lui en donna le sens; ils annonçaient sa mort et le partage de son royaume.

Balthazar, nom de l'un des Rois mages.

Balthus (Balthasar KLOSSOWSKI, dit), peintre français (Paris 1908). Très construits, mais souvent nimbés d'une lumière pâle ou sourde qui mange la couleur, ses paysages, ses intérieurs avec leurs figures de jeunes filles ont une qualité troublante, à la fois intime et distanciée. Il a été nommé directeur de l'Académie de France à Rome en 1961.

Baltimore, v. des Etats-Unis (Etat du Maryland), sur le Patapsco; 905 800 h. Archevêché catholique métropolitain des Etats-Unis; évêché anglican. Université. Important musée des beaux-arts. Le port, sur la baie de Chesapeake, est le quatrième des Etats-Unis. Sidérurgie; raffinerie de pétrole; produits chimiques.

Baltimore (George CALVERT, 1er baron) [Kipling, Yorkshire, v. 1580 - Londres 1632], fondateur d'une colonie dans la région de la Chesapeake et du Delaware. — Son fils aîné, CECILIUS, 2e baron **Baltimore** (1603 - 1676), reçut la charte de propriété du Maryland.

Arsicaud

Honoré de **Balzac**
par Boulanger

baltique → BALTE.

Baltique (MER), mer de l'Europe septentrionale, comprise entre la Suède, la Finlande, l'U. R. S. S., la Pologne, l'Allemagne et le Danemark. Cette mer, qui forme deux grands golfes, celui de Botnie et celui de Finlande, communique avec la mer du Nord par les détroits danois : Øresund, Grand- et Petit-Belt. Ses eaux sont peu salées, surtout dans le fond des golfes ; les marées y sont faibles, comme les profondeurs.

Baltique-mer Blanche (CANAL), canal de l'U. R. S. S., entre Povonets, sur le lac Onega, et la baie de Soroka ; 227 km.

Baltistān, région septentrionale du Cachemire, presque entièrement comprise dans le Pākistān ; elle possède les très grands sommets du Karakoram.

balto-finnois → BALTE.

Baluba(s) ou **Balouba(s),** peuple noir du sud du Zaïre ; 500 000 individus env. Son organisation sociale est de type féodal ; il a formé plusieurs royaumes et domine encore diverses populations. Pendant la période qui a suivi l'indépendance de l'ancien Congo belge (1960), les Balubas se sont opposés dans de nombreux combats aux partisans de la sécession katangaise. Leurs sculptures comptent parmi les plus belles d'Afrique.

Baluchistān. V. BALOUTCHISTAN.

baluchithérium [rjɔm] n. m. Fossile du Baloutchistan, le plus grand mammifère terrestre ayant jamais existé (8 m de long). [Famille des rhinocéridés.]

baluchon → BALLE 2.

Balue (Jean), prélat français (Angles-sur-l'Anglin v. 1421 - Ripatransone, Italie, 1491). Aumônier de Louis XI, secrétaire d'Etat, cardinal, il négocia contre le roi avec Charles le Téméraire et fut enfermé au château de Loches (1469-1480).

balustrade → BALUSTRE.

balustre n. m. (ital. *balaustro ;* du lat. *baldustium,* calice de la fleur de grenadier [parce que le petit pilier nommé « balustre » a la forme de ce calice]). Petit pilier, généralement assemblé à d'autres par une tablette pour former une balustrade. ‖ Colonnette soutenant la main courante d'un escalier. (Initialement en bois, le balustre fut transposé dans la décoration en pierre à la Renaissance. Il comprend : le chapiteau, la tige, ou vase, composée de la panse et du col, et le piédouche.) ‖ Colonnette ornant le dos d'un siège. (C'est un élément courant en ébénisterie depuis la Renaissance.) ◆ **balustrade** n. f. Rangée de balustres unis par une tablette, placée le long de lieux de circulation où il y aurait quelque danger. ‖ Clôture à jours et à hauteur d'appui, bordant une galerie ou une terrasse.

Baluze (Etienne), érudit français (Tulle 1630 - Paris 1718). Bibliothécaire de Colbert (1667), professeur de droit canon au Collège royal (1670), il a donné des éditions d'auteurs ecclésiastiques, des recueils de textes et des ouvrages d'histoire.

Balzac (Jean-Louis GUEZ, dit **de**), écrivain français (Angoulême, baptisé en 1597 - *id.* 1654). Durant son séjour à Rome, où il accompagne le cardinal de La Valette, il commence à écrire des lettres, qui ont un grand retentissement. Lorsqu'il quitte l'Italie en 1622 pour se rendre à Paris, il y est déjà presque célèbre. Il ne se fixe pourtant pas dans la capitale, et jusqu'à la fin de sa vie, il réside le plus souvent dans son domaine de Charente. Son premier recueil de lettres publié en 1624, obtient un succès prodigieux dans toute l'Europe. Il donne ensuite *le Prince* (1631) et *le Socrate chrétien* (1652). Après sa mort, on publia *les Entretiens* (1657) et l'*Aristippe* (1658). Son talent oratoire a contribué à la formation de la prose classique. (Acad. fr., 1634.)

Balzac (Honoré DE), écrivain français (Tours 1799 - Paris 1850). Son enfance, qui se passe hors du milieu familial, est marquée par six années d'études au collège de Vendôme (1807-1813). A l'automne 1814, le jeune Honoré s'installe avec sa famille dans le quartier du Marais. Après quelques essais dans le droit et dans le notariat, il proclame en 1819 sa vocation littéraire et fait paraître sous divers pseudonymes quelques romans noirs. Déçu il cherche le succès, à partir de 1826, dans les affaires, se lance dans l'édition, puis dans l'imprimerie et même dans la fonderie, expérience malheureuse qui se solde, en 1828, par 50 000 F de dettes. Cet échec et l'amou d'une femme (Laure de Berny) déterminent son retour définitif à la littérature. En 1829 paraît le premier roman signé Honoré de Balzac : *les Chouans*. Il mène alors le train d'un dandy. En 1832 débute un long « drame d'amour » avec « l'Etrangère », la comtesse polonaise Eveline Hanska (1800-1882). C'est la période où Balzac encadre ses œuvres passées et futures dans un triptyque, pour faire l'histoire de la société : les *Etudes de mœurs,* où il reprend les *Scènes de la vie de province* (notamment, en 1833, *Eugénie* Grandet*) et les *Scènes de la vie parisienne* (entre autres, *le Père* Goriot,* 1834-1835); les *Etudes philosophiques,* qui, inaugurées par *la Peau* de chagrin* en 1831, se continuent par *Louis Lambert* (1832), *Séraphita* (1833) et *la Recherche de l'absolu* (1834); enfin, les *Etudes analytiques,* dont la première, *la Physiologie du mariage,* avait été publiée en 1830. En 1834, Balzac commence à appliquer le retour systématique des personnages.

A partir de 1835, d'autres chefs-d'œuvre paraissent (*le Lys* dans la vallée,* 1835; *Illusions* perdues,* 1837-1843). C'est en 1841 que, préparant une édition de ses *Œuvres complètes,* il imagine de grouper l'ensemble sous le titre de *la Comédie* humaine* et conçoit un vaste plan destiné à compléter les œuvres déjà parues par d'autres romans, afin de donner une image complète de la société contemporaine. En 1842, M. Hanski meurt. Désormais, l'espoir d'épouser l'Etrangère domine sa vie : en 1842, il va voir Mme Hanska à Saint-Pétersbourg; en 1845-1846, il l'accompagne à travers toute l'Europe occidentale. Son activité littéraire se ralentit. Après *la Rabouilleuse** (1842) et *Splendeurs* et misères des courtisanes* (1838-1847) paraissent *les Parents pauvres* (*la Cousine* Bette,* 1846; *le Cousin* Pons,* 1847). En 1850, à Berditchev, il épouse enfin Eveline Hanska. Le retour à Paris s'effectue en mai, mais Balzac, gravement malade, meurt le 18 août. Un plan de 1845 prévoyait 137 romans et récits : 85 furent achevés, 50 restèrent à l'état d'ébauches, mais 6 furent inventés postérieurement. Cette société de plus de 2 000 personnages que nous montre *la Comédie humaine,* société hantée par le pouvoir de l'argent et dominée par l'ombre de Napoléon, a sa vie, mais aussi sa généalogie et sa géographie; l'œuvre de Balzac est la fresque de la France à la veille des Temps modernes.

Balzac (MAISON DE), à Paris, rue Raynouard, maison de l'écrivain (de 1840 à 1847), et que la Ville de Paris acquit en 1908 pour la convertir en musée.

balzacien, enne adj. Relatif à Balzac : *Etudes balzaciennes.* ‖ Qui rappelle les romans de Balzac, la manière de Balzac : *Une description balzacienne.*

balzan → BALZANE.

balzane n. f. (ital. *balzano;* lat. *balteus,* ceinture). Tache de poils blancs autour du pied des chevaux, et pouvant s'étendre jusqu'au genou. ◆ **balzan, e** adj. Se dit d'un cheval noir ou bai qui a des balzanes.

Bamako, capit. du Mali, sur la rive gauche du Niger; 196 800 h. Archevêché. Marché important, relié à Dakar par voie ferrée. Ce fut le siège d'une conférence des peuples noirs africains, sous la présidence d'Houphouet-Boigny, en sept. 1957. Une seconde conférence réunit en déc. 1958 les représentants des nouvelles républiques de la Communauté.

Bambara(s), peuple noir de l'Afrique occidentale, vivant au Mali et au Sénégal. Il appartient au groupe *manding.*

Bambari, v. de la République centrafricaine; 25 500 h.

Bamberg, v. d'Allemagne (Allem. occid., Bavière), au pied du Jura franconien; 73 100 h. C'est un remarquable exemple de l'urbanisme allemand médiéval et baroque. Sa cathédrale possède un des ensembles sculpturaux les plus importants du XIIIe s. Industrie textile. L'évêché fut fondé en 1007. La ville fut incorporée à la Bavière en 1803.

Bamberg
« le Chevalier »
dans la cathédrale (XIIIe s.)

Huber Irmer

Bamberger (Ludwig), écrivain et homme politique allemand (Mayence 1823 - Berlin 1899), libéral, chef du soulèvement du Palatinat bavarois en 1848.

bambin, e n. (ital. *bambino*). Petit garçon, petite fille, avec une nuance de tendresse, d'amitié affectueuse : *Un bambin qui dort en suçant son pouce.*

bambochade → BAMBOCHE.

bamboche n. f. (ital. *bamboccio,* pantin). *Fam.* Débauche, ripaille : *S'abrutir dans la bamboche.* ◆ **bambochade** n. f. Composition représentant un sujet vulgaire, grotesque ou pittoresque. ‖ *Fam.* Partie de plaisir. ◆ **bambocher** v. intr. *Fam.* Mener une vie peu sérieuse, où dominent les bons repas, pris de côté et d'autre ; faire la noce : *Passer sa jeunesse à bambocher.* ◆ **bambocheur, euse** adj. et n. *Fam.* Qui aime à bambocher. [On dit aussi BAMBOCHARD.]

Bamboche. V. VAN LAAR (Pieter).

bambocher, bambocheur → BAMBOCHE.

bambou n. m. (mot malais). Nom commun à 25 genres de graminacées arborescentes, dont le chaume ligneux, creux, sauf aux nœuds, et atteignant 45 m de haut à Java, est propre à d'innombrables usages : objets usuels ou décoratifs, cloisons, clôtures, cannes, etc. (On en fait aussi des nattes, du papier, et les jeunes pousses sont comestibles.) || Canne faite de ces roseaux. || Perche utilisée par les acrobates de cirque pour leurs exercices. ● *Bambou refendu,* bois servant à la fabrication de cannes à pêche, formé de six sections triangulaires recollées. || *Coup de bambou* (Fam.), insolation, défaillance brusque ; folie.

Bambouk (le), région située sur la rive gauche du Sénégal et sur la rive droite de la basse Falémé, aux confins du Sénégal, de la Guinée et du Mali. Ses mines d'or alimentèrent jusqu'au XVIIIe s. un très actif commerce vers la Méditerranée.

bamboula n. f. Danse des Noirs. ● *Faire la bamboula* (Pop.), faire la noce.

Bambouto (MONTS), massif montagneux à la frontière du Cameroun méridional et du Nigeria ; 2 300 m env.

bambusicole n. f. Perdrix d'Indo-Malaisie.

Bambyce, en gr. **Bambukê** et **Hiérapolis** à dater des Séleucides. *Géogr. anc.* V. grecque de Syrie, restaurée par les Séleucides. Centre du culte de la Grande Mère et d'Atargatis.

Bamiléké(s), population du sud-ouest du Cameroun. Les Bamilékés sont de bons cultivateurs et des commerçants habiles.

Bāmiyān, v. de l'Afghānistān, entre l'Hindū Kūch et le Kūh-i-Bābā ; 46 000 h. Grand centre commercial entre l'Inde et l'Occident du IIe au VIIe s. Nombreux monastères (IIe-Ve s.), près de bouddhas gigantesques (53 m, 35 m de haut) taillés dans les falaises.

Bamoum(s), population du sud-ouest du Cameroun.

1. ban n. m. (empr. au germ.). Proclamation officielle et publique d'un événement : *Ban de mariage.* || Arrêté municipal fixant la date à laquelle peuvent être exécutés certains travaux agricoles. || Appel au service militaire. || Roulement de tambour et sonnerie de clairon précédant ou clôturant certaines cérémonies militaires (remises de décorations, par ex.) : *Ouvrir, fermer le ban.* || *Dr. féod.* Proclamation soit pour ordonner, soit pour défendre. || Peine consistant à bannir un coupable du royaume ou du ressort d'une juridiction. || Ensemble des feudataires tenus envers le roi ou le seigneur au service militaire, qu'ils soient vassaux directs (*ban* proprement dit) ou vassaux indirects (*arrière-ban*). ● *Etre en rupture de ban,* être dans l'état d'une personne affranchie de toute contrainte que pourraient lui imposer son état, la société où elle vit, etc. || *Etre en rupture de ban avec sa famille,* vivre séparé de sa famille. || *Lever le ban et l'arrière-ban,* convoquer les vassaux en armes pour faire la guerre. || *Mettre au ban de la société,* déclarer indigne, dénoncer au mépris public. || *Mettre quelqu'un au ban de l'Empire,* dans le Saint Empire, le déclarer déchu de ses droits. || *Rupture de ban,* délit qui consiste, pour un banni, à rentrer sur le territoire de sa patrie, et, pour un interdit de séjour, à paraître dans une localité avant la fin de l'interdiction.

2. ban n. m. Unité monétaire divisionnaire de la Roumanie, valant un centième de leu. — Pl. *des* BANI.

bán n. m. (mot slave signif. *maître, seigneur*). Titre porté à l'origine par les dignitaires croates qui gouvernaient un territoire dénommé *banat.* (Au Moyen Age, le bán était une sorte de vice-roi exerçant les prérogatives civiles et militaires de son souverain. On distinguait les báns de Dalmatie, de Croatie, d'Esclavonie, de Bosnie, etc.) ◆ **banat** n. m. Dignité de bán. || Territoire administré par un bán.

Bāna, écrivain sanskrit du VIIe s., auteur d'un roman (*Kadambarī*) et d'une œuvre historique (*Harsha-Charita*).

banal, e, aux ou **als** adj. (de *ban* 1). Qui bénéficiait du droit de banalité*. || *Fig.* Accessible à tout le monde ; employé par tout le monde : *Difficulté banale. Artifice banal.* || Commun, plat : *Roman banal.* || — SYN. : *courant, habituel, ordinaire, quelconque, usuel, vulgaire.* || — REM. Au sens propre, le plur. de *banal* est *banaux.* Au sens figuré, l'usage est, en général, d'employer le pluriel *banals.* ◆ **banalement** adv. De façon banale : *S'exprimer banalement.* ◆ **banalisation** n. f. Action de banaliser. || Mode d'utilisation d'une locomotive dont la conduite est assurée successivement par plusieurs équipes. (On obtient ainsi de la machine un rendement économique supérieur.) ◆ **banaliser** v. tr. Rendre banal, commun : *Formule de politesse banalisée par l'usage.* || Mettre une locomotive sous le régime de la banalisation. || Equiper une voie de telle sorte qu'elle puisse être utilisée à la fois comme voie montante et comme voie descendante : *La voie est banalisée de Dijon au tunnel de Blaisy.* || Supprimer les caractères distinctifs, en particulier pour un véhicule de la police. ◆ **banalité** n. f. A l'époque féodale, servitude consistant dans l'usage obligatoire et public d'un objet appartenant au seigneur. (Conséquence du droit de justice et de police, elle s'appliquait essentiellement aux moulins, aux fours, aux pressoirs. Ce fut un des droits seigneuriaux les plus lourds et les plus détestés.) || Fig. Caractère de ce qui est commun : *Banalité d'une conversation, d'une existence.* || Pensée ou formule peu originale : *Un discours tout en banalités.*

Banana, port du Zaïre (prov. du Bas-Zaïre), sur l'estuaire du fleuve (rive nord). Base militaire.

banane n. f. (portug. *banana,* empr. au guinéen). Fruit comestible du bananier. (Elle renferme une pulpe amylacée à consistance fondante, de forme cylindrique, sous une « peau » allongée à section subtriangulaire; la banane se récolte verte et mûrit dans le navire bananier, puis dans une mûrisserie.) || *Fig.* et *pop.* Décoration; galon. || Butoir de pare-chocs. ● *Banane de mer,* poisson du genre *albula**. || *Fiche banane,* fiche mâle de prise de courant. ◆ **bananeraie** n. f. Plantation de bananiers. ◆ **bananier, ère** adj. Qui concerne la banane *: Wagon bananier.* ● *Navire bananier,* ou *bananier* n. m., navire spécialement conçu pour le transport des bananes. (Les bananiers sont des navires de moyen tonnage, dont la coque comporte plusieurs faux ponts, pour éviter l'écrasement des fruits et pour faciliter la circulation de l'air de réfrigération.) || — ***bananier*** n. m. Arbuste vivace rhizomateux, aux très grandes feuilles textiles et fourragères, porteur d'une inflorescence polygame dont la partie femelle fructifie en un régime de bananes. (Le bananier réclame un climat assez chaud et humide, de type équatorial atténué. Famille des musacées.)

bananier et sa fleur

Potentier-Atlas-Photo

Banaras. V. BÉNARÈS.

banat → BÁN.

Banat, région de l'Europe centrale, dans le bassin pannonien; anc. prov. turque. Occupé par Soliman le Magnifique en 1552, restitué aux Habsbourg par le traité de Passarowitz (1718), le Banat fut repeuplé par des immigrants allemands. En 1919, il a été partagé entre la Hongrie, la Roumanie et la Yougoslavie, ces deux derniers Etats en recevant la plus grande partie. Le Banat yougoslave est une riche plaine de lœss; le Banat roumain est plus varié : une plaine fertile forme le bassin moyen du Timiş; les *monts du Banat* appartiennent aux Carpates.

banban ou **bamban** adj. et n. *Pop.* et *péjor.* Boiteux, boiteuse.

Banbury n. m. (nom déposé). Type de malaxeur à grande puissance, servant à la mastication du caoutchouc.

banc [bɑ̃] n. m. (germ. **banki*). Siège étroit et long, pour plusieurs personnes, pouvant être muni d'un dossier. || Siège réservé à une catégorie de personnes dans certaines assemblées, dans les tribunaux, etc. : *Le banc des ministres. Le banc des accusés.* || Couche géologique de 5 cm à 1 m environ d'épaisseur, que l'on peut suivre sur une certaine distance et qui peut servir de repère pour l'exploitation. || Dans les carrières, couche entière de pierre, limitée par deux lits de carrière consécutifs. || Amas de sable ou de galets qui se forme sur un littoral ou dans le lit d'une rivière, et dont la formation et le déplacement dépendent du mouvement des eaux. || Troupe innombrable de poissons de divers genres, qui, comme les harengs, apparaissent à certaines époques de l'année. || Partie d'un champ non retournée par la charrue. || Bâti en métal ou en bois pouvant servir

banc du XVe s. *musée des Arts décoratifs Paris*

Larousse

Larousse

banc à broches (filature)

à différents usages dans de nombreux corps de métier. || *Hist.* Cour ou conseil d'un souverain. ● *Banc à broches,* machine faisant partie de l'ensemble du matériel de filature. || *Banc d'épreuve,* ensemble d'appareils qui permettent d'éprouver la résistance du canon des armes à feu. || *Banc d'essai,* installation permettant de déterminer les caractéristiques d'une machine à différents régimes. || *Banc d'Hippocrate,* lit muni de treuils, qui servait autref. à remettre les cuisses luxées ou fracturées. || *Banc* ou *chambre des huissiers,* bureau établi auprès des cours et tribunaux, pour le dépôt des actes et pièces que les huissiers doivent notifier d'avoué à avoué. || *Banc d'œuvre,* place réservée, dans les églises, aux membres des conseils de fabrique et aux marguilliers. || *Banc d'optique,* règle graduée horizontale, servant à l'étude des systèmes optiques centrés. || *Banc du roi* (*King's Bench*), tribunal anglais jugeant, au Moyen Age, les affaires intéressant le roi par leur nature ou par l'importance des personnes en cause. || *Banc à tirer,* appareil pour étirer les métaux en fil et pour obtenir des tubes métalliques sans soudure. || *Sur les bancs,* à l'école, au collège, à l'université. ◆ **banc-balance** n. m. Bâti oscillant sur lequel on monte un moteur pour mesurer sa puissance. — Pl. *des* BANCS-BALANCES. ◆ **bancbrocheuse** n. f. Ouvrière travaillant aux bancs à broches. ◆ **banquereau** n. m. *Mar.* Petit banc ou basfond. ◆ **banquette** n. f. Banc en pierre dans l'embrasure d'une fenêtre. || Replat artificiel entravant l'érosion du sol. || Epaulement conservé dans les talus des tranchées ou des remblais pour leur donner plus de stabilité. || Chemin pratiqué sur le talus d'une voie ferrée, d'un canal, d'une route. || Siège commun aménagé dans une voiture de chemin de fer, dans une automobile. || Banc placé, jusqu'en 1759, de chaque côté de la scène d'un théâtre et réservé aux spectateurs de distinction. ● *Banquette irlandaise,* talus gazonné servant d'obstacle dans une course de chevaux. || *Banquette de tir,* partie surélevée du sol d'une tranchée permettant de tirer pardessus le parapet. || *Jouer devant les banquettes,* jouer devant une salle à peu près vide. || *Sauts de banquette,* exercices d'un acrobate prenant, pour sauter, son point d'appui sur les poignets croisés de deux partenaires. ◆ **banquier** n. m. Navire qui fait la pêche de la morue sur le banc de Terre-Neuve.

bancable, bancaire → BANQUE.

bancal, e, als adj. et n. (germ. **banki*). Qui a une jambe ou les jambes tortues. ✦ adj. Tortu, en parlant des jambes : *Avoir les deux jambes bancales.* || Se dit d'un meuble dont l'un des pieds est plus court que les autres : *Fauteuil bancal.* || *Fig.* Mal établi ; qui n'a pas une assise solide : *Raisonnement bancal.* || — ***bancal*** n. m. Nom donné, vers 1800, au sabre courbe de la cavalerie légère (par oppos. à la *latte,* sabre droit de la cavalerie lourde).

banc-balance, bancbrocheuse → BANC.

banchage → BANCHE.

banche n. f. Banc de roche tendre ou d'argile durcie. || Panneau de coffrage utilisé pour la construction des murs en béton ou en pisé. ◆ **banchage** n. m. Procédé de construction des murs. ◆ **banchée** n. f. Portion de mur en pisé ou en ciment, obtenue en remplissant complètement une banche. ◆ **bancher** v. tr. Couler du béton ou du pisé à l'aide de banches.

Banchieri (Adriano), compositeur, organiste et théoricien italien (Bologne 1567 - *id.* 1634). Il fonda l'académie *dei Floridi* à Bologne. Il a écrit des traités, des œuvres vocales d'église ou madrigalesques, des œuvres pour orgue et instruments.

banco n. m. (ital. *banco*). Jeu de cartes appelé aussi BANQUE. ● *Faire banco,* au baccara et à d'autres jeux, tenir seul tout l'enjeu contre la banque. ✦ interj. Sert à indiquer cette décision : *Il y a vingt-cinq louis. — Banco !*

Banco (PARC NATIONAL DU), réserve forestière de la Côte-d'Ivoire, près d'Abidjan ; 3 000 ha.

Banco. V. BANQUO.

bancor n. m. Dénomination que Keynes donnait, dans son plan, à une monnaie spéciale réservée aux règlements internationaux.

bancoul → BANCOULIER.

bancoulier n. m. Grand arbre de l'Asie du Sud-Est, au fruit oléagineux. (Famille des euphorbiacées.) ◆ **bancoul** n. m. *Noix de bancoul,* fruit du bancoulier. (V. aussi ALEURITE.)

bancroche adj. et n. *Fam.* Qui a les jambes tortues. || En parlant des choses, tortu, contourné : *Lettre bancroche.*

Bancroft (Richard), prélat anglican (Farnworth, Lancashire, 1544 - Londres 1610), archevêque de Canterbury en 1604.

Bancroft (George), historien et homme politique américain (Worcester, Massachusetts, 1800 - Washington 1891). Ministre de la Marine, il créa l'académie navale d'Annapolis et ordonna l'occupation du Texas. Ministre à Londres (1846-1849), il représenta ensuite les Etats-Unis auprès de la Prusse (1867-1874). Il est l'auteur d'une *Histoire des Etats-Unis* (12 vol., 1834-1874).

Bancroft (Hubert Howe), ethnographe américain (Granville, Ohio, 1832 - San Francisco 1918). Il a étudié les races du Pacifique.

Banda (ÎLES), archipel d'Indonésie, au S. de Céram. Des fosses marines atteignent 7 300 m de profondeur dans la *mer de Banda.*

bandage, bandagiste → BANDE.

bandar n. m. V. RHÉSUS.

Bandar, anc. **Masulipatam,** puis **Masulipatnam,** port de l'Inde (Āndhra Pradesh); 101 300 h. Anc. comptoir anglais, hollandais, et français. Industries textiles (cotonnades), alimentaires et chimiques.

Bandar 'Abbās ou **Bender Abbas,** port d'Iran, sur le détroit d'Ormuz; 14 300 h.

Bandaranaike (Sirimavo Ratwatte Dias), femme politique de la république de Sri Lanka (Balangoda 1916). En 1959, après l'assassinat de son mari Solomon BANDARANAIKE, Premier ministre, elle est élue présidente du Freedom Party et assume la charge de Premier ministre de 1960 à 1965. Revenue au pouvoir de 1970 à 1977, elle dirige une coalition de gauche tout en réprimant les mouvements d'extrême gauche.

Bandar Būchīr ou **Bender Buchir,** port d'Iran, sur le golfe Persique; 30 500 h.

Bandar Chāh auj. **Bandar Torkman,** port d'Iran, sur le golfe Persique.

Bandar Chāhpūr auj. **Bandar Khomeyni,** port d'Iran, sur le golfe Persique.

Bandar Seri Begawan, capit. du sultanat de Brunei; 37 000 h.

1. bande n. f. (germ. **binda*). Long et étroit morceau d'une substance mince et souple, que l'on tend sur ou autour de quelque chose qu'il s'agit de consolider ou de couvrir en partie : *Réparer un livre en y collant une bande de tissu.* ‖ Tout ce qui est étroit et allongé : *Une bande de terre.* ‖ Rebord élastique qui entoure le tapis d'un billard. ‖ Portion de plan comprise entre deux droites parallèles. ‖ Inclinaison transversale que prend un navire quand l'arrimage est mal fait, ou sous l'effort du vent, d'une force quelconque. ‖ Tension d'un ressort. ‖ Partie allongée légèrement saillante, dans les architraves, les chambranles, etc. ‖ Léger bossage ornant les colonnes. ‖ Bandeau au pourtour ou à l'intérieur d'un trumeau de croisée, dans les constructions en brique. ‖ Dispositif d'assemblage de cartouches utilisé pour l'alimentation des armes automatiques à grand débit. ‖ Pièce héraldique qui traverse l'écu, de l'angle dextre du chef à l'angle senestre de la pointe. ● *Bande d'absorption,* partie sombre, dans un spectre lumineux, due à l'absorption de certaines radiations par une substance interposée sur le parcours des rayons lumineux. ‖ *Bande de fréquence,* ensemble des fréquences comprises entre deux limites. ‖ *Bande dessinée,* histoire racontée en une série de dessins. ‖ *Bande lombarde,* pilastre en mince saillie sur un mur, uni à un pilastre voisin par une bande en plein cintre ou en festons de demi-cercles. ‖ *Bande magnétique,* ruban en matière plastique servant de support aux oxydes magnétiques utilisés pour l'enregistrement des sons au magnétophone. (On utilise également des bandes magnétiques pour l'entrée ou la sortie des données dans les calculatrices électroniques.) ‖ *Bande perforée,* bande de papier dans laquelle des chiffres et des lettres sont enregistrés sous forme de perforations. ‖ *Bande de protection,* espace maintenu exempt de végétation le long d'une voie ferrée. ‖ *Bande sonore,* nom donné à la pellicule cinématographique sur laquelle le son est enregistré. (On dit aussi BANDE-SON.) ‖ *Bande d'usure,* partie amovible, rapportée sur une pièce soumise à un frottement glissant ou tournant, pour la préserver de l'usure. ◆ **bandage** n. m. Action de tendre un ressort. ‖ Action d'assujettir ou d'entourer avec une bande. ‖ Ce qui sert à faire cette action. ‖ Partie extérieure d'un pneumatique d'automobile. ‖ Bande de métal entourant extérieurement la jante d'une roue de voiture. ‖ Assemblage de bandes destinées à protéger, à contenir ou à comprimer une partie du corps. (On utilise des bandages en gaze ou en toile lorsqu'on désire une tension constante non élastique. On emploie le crêpe élastique ou les bandes tissées avec du caoutchouc si l'on recherche un maintien plus souple.) ● *Bandage herniaire,* appareil formé de bandes de tissu ou de cuir, muni de pelotes, armé ou non de pièces métalliques, qui sert à obtenir la réduction permanente d'une hernie qui ne peut être opérée pour des raisons générales ou locales. ◆ **bandagiste** n. et adj. Personne qui fabrique, ajuste et vend des bandages. ◆ **bandé** adj. et n. m. *Hérald.* Divisé en nombre pair de parties égales d'émaux alternés, dans le sens de la bande. ◆ **bande-annonce** n. f. Extraits d'un film servant à faire sa publicité avant sa présentation. — Pl. *des* BANDES-ANNONCES. ◆ **bandeau** n. m. Bande d'étoffe ou de tricot, élastique ou non, qui ceint la tête. ‖ Cheveux partagés sur le milieu du front et lissés de chaque côté de la tête : *Bandeaux qui couvrent les oreilles.* ‖ Bande, linge que l'on applique sur les yeux de quelqu'un pour l'empêcher de voir. ‖ Renfoncement entre deux moulures, taillé après coup. || Assise de pierre, saillante et horizontale, qui marque les différents étages au pourtour d'un édifice. (De profil variable et parfois complexe, le bandeau est souvent très orné ; il devint, au XVIe s., un véritable entablement avec architrave, frise et corniche.) || Frise placée en tête d'un chapitre de livre ou d'un article de revue. || Planche mince, étroite, qui remplace une corniche, au-dessus d'un lambris de hauteur. ● *Arracher le bandeau à quelqu'un* (Fig.), le tirer d'erreur ou d'illusion. || *Avoir un bandeau sur les yeux,* ne rien comprendre, ne rien remarquer. ◆ **bandelette** n. f. Bande mince et légère : *Bandelette de linon.* || Bande dont les Egyptiens entouraient les momies. || En architecture, ornement du genre plate-bande, en plus étroit. (On dit aussi TÉNIE.) || Petite moulure plate. || En anatomie, nom donné à certains organes ou parties d'organe, en raison de leur forme. ● *Bandelettes coliques,* épaississements musculaires, d'un centimètre de large, qui parcourent toute la longueur du côlon. || *Bandelettes optiques,* cordons blancs issus des angles postérieurs du chiasma optique. ◆ **bander** v. tr. Couvrir, entourer d'une bande ou d'un bandeau : *Bander une plaie, un bras. Bander les yeux d'un condamné à mort.* || Tendre avec effort : *Bander un arc, un ressort. Bander toute sa volonté.* || *Archit.* Syn. de FORMER : *Bander une voûte.* || **— se bander** v. pr. Tendre son énergie : *Chevaux qui se bandent dans l'effort.* ● *Se bander les yeux* (Fig.), s'aveugler volontairement, refuser de voir la réalité. ◆ **banderole** n. f. Longue bande d'étoffe attachée au haut d'une hampe et servant d'ornement. (Syn. FLAMME.) || Longue bande d'étoffe portant une inscription. (Syn. PHYLACTÈRE.) ● *Coup de bande-*

Bécassine

Ed. Le Terrain vague-Larousse

Barbarella

Pravda la survireuse

role, dans l'escrime au sabre, coup qui frappe diagonalement l'adversaire de l'épaule gauche au flanc droit. ◆ **banderoler** v. intr. Poser des banderoles pour arrêter le gibier. ◆ **bande-son** n. f. Syn. de BANDE SONORE. — Pl. *des* BANDES-SONS. ◆ **bandoir** n. m. Ressort qui tend un mécanisme.

— ENCYCL. ***bande dessinée.*** Gratifiée d'origines plus ou moins lointaines (les peintures rupestres, la colonne Trajane, la tapisserie de la reine Mathilde, les enluminures des manuscrits médiévaux, les gravures satiriques anglaises du XVIIIe s.), la bande dessinée ne prend en réalité sa forme et sa fonction que dans sa diffusion de masse par la presse, quotidienne ou hebdomadaire d'abord, puis par des supports spécialisés (mensuels, albums, *comic-books*). Les *Histoires en estampes* (1846-1847) de Toepffer, les aventures de *Max und Moritz* (1865) de Whilhelm Busch, *la Famille Fenouillard* (1889) de Christophe appartiennent, en fait, à sa préhistoire. Son ère réelle débute avec la lutte que se livrent, au début du siècle, les deux magnats de la presse américaine, J. Pulitzer et W. R. Hearst (65 titres de bandes dessinées entre 1900 et 1904; 165 entre 1905 et 1909), à travers le supplément dominical en couleurs de leurs journaux. Au début simple illustration d'un récit (proche de l'imagerie d'Epinal), la bande dessinée se crée bientôt un espace spécifique : le dessin inclut des taches blanches cernées d'un trait et destinées à recevoir le texte (les « ballons »). D'abord humoristique (d'où le nom de *comics*), la bande dessinée traite une grande variété de thèmes, de la contestation enfantine (*The Katzenjammer Kids,* 1897, de Rudolph Dirks) au domaine du rêve (*Little Nemo in Slumberland,* 1905, de Winsor

Tintin

Larousse

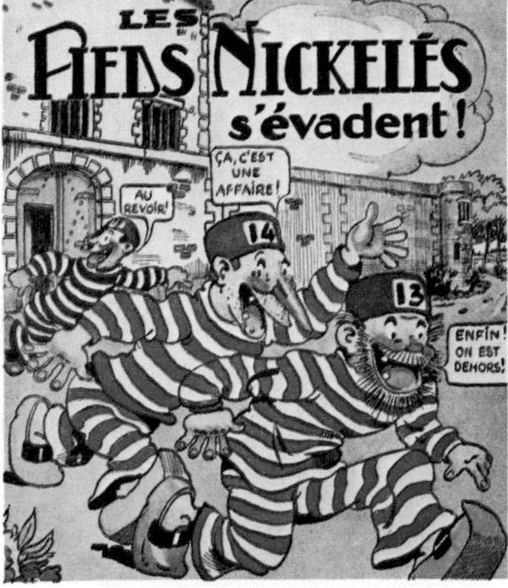

Larousse

Tarzan

les Pieds Nickelés

McCay) et aux problèmes de la famille de l'insertion sociale (*la Famille Illico,* 1915, de G. MacManus). Alors que Bud Fisher crée, en 1907, aux Etats-Unis, la première bande quotidienne (*daily strip*), l'Europe garde au texte la primauté avec deux bandes d'idéologies opposées : *Bécassine* (1905), de Pinchon et Caumery, et *les Pieds Nickelés* (1908), de Forton. Cet archaïsme subsistera jusqu'à *Zig et Puce* (1925), d'Alain Saint-Ogan.

Tandis que certains dessinateurs américains voient dans la bande dessinée, au-delà d'un simple divertissement, un nouveau mode d'expression narrative (*Krazy Kat,* 1910, de Pat Sullivan), la diffusion s'accroît considérablement par la création d'agences de distribution, les *syndicates,* qui contrôlent financièrement et idéologiquement les dessinateurs (les *cartoonists*). Ils assurent ainsi le succès parallèle des bandes qui peignent les joies de la famille bourgeoise (*family strip*) et de celles qui placent l'indispensable part de rêve dans l'aventure policière (*Secret Agent X-9*), exotique (*Jungle Jim*) ou d'anticipation (*Flash Gordon*), trois bandes d'Alex Raymond, tandis que l'héroïsme s'impose dans l'espace avec *Tarzan,* d'Harold Foster (1929) et Burne Hogarth (1934), et dans le temps avec *Prince Valiant* (1937).

Mais l'intérêt majeur de la bande dessinée réside dans le fait qu'elle enregistre avec une fidélité remarquable les événements économiques et sociaux contemporains : l'Amérique de la grande dépression et du New Deal se console avec la débrouillardise de *Mickey Mouse* (1928), la vigueur irrépressible de *Popeye* (1929) ou les exploits fantastiques de *Batman* et de *Superman* (1938). Les héros de bande dessinée combattront contre l'Allemagne ou le Japon avant les G. I. et resteront mobilisés pendant toute la durée de la guerre froide (*Malle Call,* 1942, et *Steve Canyon,* 1947, de Milton Caniff). Et, si les Américains cherchent à oublier les bouleversements politiques et culturels de l'après-guerre dans les épisodes mélodramatiques du *soap opera* (l'« opéra savonneux »), illustré par Stan Drake (*The Heart of Juliet Jones,* 1953), la crise sociale apparaît d'une part dans les *horror comics,* rapidement interdits pour leur violence et qui sont à l'origine de législations sévères dans tous les pays du monde (Comics Code américain, loi de 1949 en France, Code Europress Junior de 1966), d'autre part dans les bandes « intellectuelles » (*Pogo,* 1949, de Walt Kelly ; *Peanuts,* 1950, de Charles Schulz), qu'amplifient le succès du mensuel *Mad* (2 500 000 exemplaires en 1954) et les publications de l'« underground ». L'Europe connaît, avec un léger retard, une évolution semblable : si *Tintin,* de Hergé (1929), *Spirou,* de Rob Vel puis de Franquin, ou *Astérix,* de Goscinny et Uderzo, se proposent encore avant tout le divertissement de la jeunesse, la bande dessinée s'adresse à un public adulte avec J.-C. Forest (*Barbarella,* 1962) et devient radicalement contestataire avec l'équipe de *Hara Kiri* (1960) puis, en 1969, de *Charlie-Hebdo* (Reiser, Wolinski, Cabu). Cette évolution du contenu de la bande dessinée s'accompagne de recherches sur le graphisme, qui intègre, dès les années 30, des procédés picturaux et cinématographiques (contre-plongée, gros plans, ellipses) et qui se poursuit aujourd'hui à travers l'organisation d'espaces fantastiques, oniriques (*The Silver Surfer* aux Etats-Unis ; Fred ou Druillet en France) fantasmatiques (Marcel Gotlib, Mandryka) violents (*Rank Xeros,* en Italie, de Liberatore et Tamburini).

Si l'U. R. S. S. maintient (Congrès international des écrivains pour la jeunesse, 1973) sa condamnation absolue de la bande dessinée, celle-ci n'en apparaît pas moins dans plusieurs publications clandestines et même dans une revue officielle ukrainienne comme *le Poivrier.* Les pays en voie de développement, qui se réclament du socialisme, l'utilisent d'ailleurs, à l'exemple de la Chine (*lianhuanhua :* de 20 à 100 pages de format de poche, 1 à 3 images par page accompagnées de légendes ; sujets : le passé national ou l'explication d'un objectif fixé par le gouvernement), pour présenter les problèmes économiques et culturels à un public peu cultivé (ainsi à Cuba, en Yougoslavie, en Algérie).

2. bande n. f. (goth. *bandwa,* signe, étendard ; de l'anc. provenç. *banda*). Groupe d'hommes ou d'animaux réunis dans un dessein quelconque : *Une bande de buveurs. Une bande de loups.* || *Péjor.* Parti, clique : *Etre de la bande de quelqu'un.* || Nom donné, jusqu'au XVIIe s., à une formation militaire appelée ensuite *légion,* puis *régiment : Une bande d'artillerie.* (Les bandes d'infanterie étaient appelées *bandes de pied.* Les *bandes noires,* formées de lansquenets allemands au service de la France, groupés derrière un drapeau noir, furent décimées à Pavie en 1525. Les bandes de Picardie, sous Louis XI, et celles de Piémont, sous Louis XII, dénommées *vieilles bandes,* étaient célèbres par leur bravoure ; elles ont donné naissance aux régiments d'infanterie.) || — SYN. : *compagnie, horde, troupe.* ● *Bande armée* (Dr. pén.), groupement de personnes réunies en vue de commettre certaines infractions en usant de violence. || *Bande de* (Pop.), terme d'injure adressé à plusieurs personnes : *Bande d'imbéciles !* || *Faire bande à part,* se mettre à l'écart ; et, au *fig.,* isoler ses intérêts de ceux des autres.

bandé, bandeau → BANDE 1.

Bandeira (Manuel), poète brésilien (Recife 1886 - Rio de Janeiro 1968). Son lyrisme, d'une grande complexité formelle, doit à la simplicité de ses thèmes quotidiens d'avoir touché un public très populaire (*Carnaval,* 1919 ; *Libertinage,* 1930 ; *Opus 10,* 1952 ; *Etoile du soir,* 1958).

bandeirantes n. m. pl. Au Brésil, aventuriers, chercheurs d'or qui multiplièrent, du milieu du XVIe s. au XVIIIe s., les expéditions cruelles contre les populations noires et indiennes.

bandelette → BANDE 1.

Bandello (Matteo), conteur italien (Castelnuovo Scrivia, Tortona, v. 1485 - Agen 1561). Poète de cour, il voyagea beaucoup avant de se fixer à Agen, où il fut nommé évêque en 1550. En 1554, il publia trois recueils de *Nouvelles.* Un quatrième recueil parut en 1573.

bander → BANDE 1.

bandera n. f. (en esp. *bannière*). Compagnie d'infanterie dans l'armée espagnole.

banderille n. f. (esp. *banderilla*). Dard orné de bandes de papier coloré ou de rubans, que les toreros piquent par paire sur le garrot des taureaux pour les stimuler, et qui doit y demeurer. ◆ **banderillero** n. m. Torero spécialement chargé de poser les banderilles.

banderole, banderoler → BANDE 1.

Bandiagara, localité du Mali, située sur un plateau de grès limité par de vertigineuses falaises, au pied desquelles sont établis les villages des Dogons ; 3 800 h.

Band-i-Bavān, chaîne montagneuse d'Afghānistān ; 3 500 m env.

bandicoot [kut] n. m. Marsupial carnivore et fouisseur d'Australie. (Nom sc. : *macrotis.* Famille des péramélidés.)

bandière n. f. (ital. *bandiera,* bannière). Sorte de futaine rayée. ● *Front de bandière,* autrefois, front d'une armée rangée en bataille.

bandine n. f. Farine de sarrasin. ‖ Le sarrasin lui-même.

Bandinelli. V. ALEXANDRE III, pape.

Bandirma, v. de Turquie, sur la mer de Marmara ; 25 000 h.

bandit n. m. (ital. *bandito,* banni). Individu qui se livre, seul ou en bande, à des attaques à main armée. ‖ *Fam.* Individu malhonnête, homme dont on a lieu de se plaindre. ● *Bandit de grand chemin,* bandit qui attaquait les voyageurs sur la grand-route. ‖ *Bandit d'honneur,* celui qui, pour des raisons d'honneur personnel, s'est révolté contre la société et s'est affranchi de ses lois. ‖ *Etre fait comme un bandit,* avoir les vêtements sales et déchirés. ◆ **banditisme** n. m. Mœurs de bandit ; actions criminelles : *Des régions peu civilisées où sévit encore le banditisme.*

bandite n. f. (de l'allem. *Band,* lien). *Droit de bandite,* dans les Alpes-Maritimes, droit — supprimé en 1963 — qui conférait à ses titulaires la possibilité de faire paître leur bétail sur des terrains publics ou sur certains terrains privés.

banditisme → BANDIT.

Bandjermassin. V. BANJERMASSIN.

Bandoeng. V. BANDUNG.

bandoir → BANDE 1.

Bandol, comm. du Var (arr. et à 19 km à l'O. de Toulon) ; 6 713 h. Port et station balnéaire en face de l'île de Bendor.

Bandol (Jean) ou **de Bandol.** V. JEAN DE BRUGES.

bandoulier ou **bandolier** n. m. (esp. *bandolero*). Bandit, aventurier, contrebandier (vieilli).

banderilles

bandoulière n. f. (esp. *bandolera*). Bande de cuir ou d'étoffe portée en diagonale sur la poitrine et qui servait à soutenir une arme. ● *En bandoulière,* se dit d'un objet porté en écharpe de l'épaule à la hanche opposée : *Porter une musette en bandoulière.* ‖ *Escher en bandoulière,* enfiler l'hameçon de telle sorte qu'il soit placé juste derrière la tête du poisson.

Bandoung. V. BANDUNG.

bandoura n. f. Instrument à cordes, d'origine tatare, employé encore en Orient et dans certains pays slaves.

Bāndra, v. de l'Inde (Mahārāshtra), banlieue de Bombay, dans l'île de Salsette ; 71 800 h.

Bandung, Bandoeng ou **Bandoung,** v. d'Indonésie, dans l'ouest de l'île de Java ; 1 201 700 h. En avr. 1955, une conférence réunit les représentants de 29 pays asiatiques et africains. Elle condamna le racisme et le colonialisme, et prôna le développement de la coopération entre les participants.

Banér (Johan Gustafsson), général suédois (Djursholm, près de Stockholm, 1596 - Halberstadt 1641). Commandant en chef de l'armée suédoise en 1634, vainqueur de la bataille de Chemnitz (1639), il conquit la Bohême.

banette n. f. V. VIGNA.

Báñez (Domingo), dominicain espagnol (Valladolid 1528 - Medina del Campo 1604), confesseur de sainte Thérèse d'Ávila et commentateur de saint Thomas.

Banff, v. du Canada (Alberta), dans les montagnes Rocheuses ; 4 100 h. Important parc national.

Almasy

Bangkok
entrée du temple du Bouddha Emeraude

Bánffy (baron Dezső), homme politique hongrois (Kolozsvár 1843 - Budapest 1911). Président du Conseil (1895-1898), il fit voter les lois dites « politico-religieuses ».

bang n. m. *Aéron.* V. BING-BANG.

Bang (Bernhard), vétérinaire et bactériologiste danois (Sorø 1848 - Copenhague 1932). Il étudia la tuberculose ovine, découvrit le bacille de la brucellose et montra qu'il pouvait se communiquer à l'homme.

Bang (Herman), écrivain danois (Adserballe 1857 - Ogden, Utah, 1912). Son œuvre respire l'atmosphère désillusionnée de la fin du siècle (*Générations désespérées,* 1880).

Bangalore, v. de l'Inde, capit. du Karnātaka ; 1 540 700 h. Archevêché catholique. Textiles ; constructions aéronautiques.

bāngarū n. f. Dialecte du hindī occidental, parlé par environ 4 millions de personnes au S.-E. du Pendjab.

Bange (Charles RAGON DE), officier d'artillerie français (Balignicourt 1833 - Le Chesnay 1914). Technicien remarquable, il organisa un système d'artillerie (*système de Bange*) composé de matériels légers et lourds. Mis en service de 1877 à 1881, certains de ces canons, rustiques et précis, mais à tir lent, furent utilisés jusqu'en 1940.

Bangka ou **Banka,** île d'Indonésie, au S.-E. de Sumatra. Importants gisements d'étain.

Bangkahulu, anc. **Bengkulu, Benkulen** ou **Benkoelen,** v. d'Indonésie, dans le sud de Sumatra ; 20 100 h. Elle fut la capitale des établissements anglais en Insulinde.

bangkok n. m. Paille d'origine exotique, utilisée pour la fabrication des capelines.

Bangkok, officiellement **Krung Thep,** capit. de la Thaïlande depuis 1782, sur la rive gauche d'un des bras du Ménam, près de son embouchure ; 4 870 000 h. Grand centre commercial ; rizeries, soieries, savonneries.

Bangladesh ou **Bangla Desh** (*république du*), Etat d'Asie correspondant à l'ancien Pākistān oriental ; 142 776 km^2 ; 101 millions d'h. Capit. *Dacca.*

● *Géographie.* L'Etat s'étend principalement sur la majeure partie du delta commun formé par le Gange et le Brahmapoutre sur le golfe du Bengale. Coupé par le tropique du Cancer, le Bangladesh a un climat chaud en permanence. Il s'agit d'une région basse et très arrosée, au moins pendant l'été, saison de la mousson. Le littoral, zone amphibie, est sujet à de désastreux raz de marée.
La population est constituée de Bengalis musulmans (à la différence de ceux de l'Inde), ce qui explique la partition, en 1947, du Bengale. Le peuplement est extrêmement dense, plus de 700 h. en moyenne au kilomètre carré, chiffre augmentant régulièrement du fait de la forte croissance démographique et d'autant plus impressionnant que l'agriculture, ressource presque unique du Bangladesh, emploie au moins les quatre cinquièmes de la population active. La principale culture vivrière est de loin celle du riz, mais dont l'apport (20 millions de tonnes) ne suffit pas aux besoins locaux. Le pays est le premier producteur mondial de jute, principale ressource à l'exportation, mais bien insuffisante pour combler le lourd déficit de la balance commerciale. Les ressources minières sont presque inexistantes. L'industrie est pratiquement limitée à la valorisation de la production agricole, en dehors d'une aciérie implantée à Chittagong, premier port et deuxième ville du pays derrière la capitale Dacca. Surpeuplé, dépourvu de ressources naturelles, ravagé régulièrement par des catastrophes naturelles (inondations) et une guerre courte mais cruelle, le Bangladesh apparaît comme l'un des Etats les plus démunis du tiers monde.

● *Histoire.* L'indépendance du Bengale-Oriental, sous le nom de Bangladesh, est proclamée le 26 mars 1971 par Cheikh Mujibur Rahman, leader de la ligue Awami. Cette indépendance ne devient effective qu'en décembre, à la fin de la guerre indo*-pakistanaise qui suit cette sécession. (V. PĀKISTĀN.) Abu Sayyid Chaudhury est élu président de la République par la première assemblée constituante du Bangladesh, et Mujibur Rahman devient Premier ministre, ministre de l'Intérieur, de la Défense et de l'Information. L'armée indienne se retire du pays en mars 1972, tandis que les Bihārīs, d'origine indienne, accusés de collaboration avec les troupes pakistanaises, sont internés dans des camps de concentration.
Désormais, le Bangladesh doit tenter de reconstituer une infrastructure économique.

Bangladesh, rue à Dacca

Dans ce dessein, elle signe des traités d'assistance avec l'Inde et l'U. R. S. S., et, en mars 1972, les banques et les principales industries sont nationalisées. En décembre, la Constitution du nouveau pays est votée. Elle institue une démocratie parlementaire dans laquelle le Premier ministre est choisi par le président de la République, lui-même élu par l'Assemblée. Aux premières élections générales, en mars 1973, la ligue Awami de Mujibur Rahman remporte une victoire éclatante avec 74 p. 100 des voix, emportant ainsi 291 sièges sur 300 à l'Assemblée.
Mais, après trois ans d'indépendance, le pays vit pratiquement dans l'anarchie. Les assassinats politiques, le banditisme et la corruption sévissent. La situation économique est rendue de jour en jour plus catastrophique par les séquelles de la guerre, les inondations et la mauvaise gestion du pays : le prix des denrées de première nécessité augmente de manière démesurée et la famine empire.
En décembre 1974, après l'assassinat d'un membre de la ligue Awami, le gouvernement décrète l'état d'urgence et prend une série de mesures restreignant les libertés des personnes soupçonnées de stockage des biens de première nécessité et de sabotage économique. Parallèlement, les droits constitutionnels sont suspendus et toute activité politique interdite. En janvier 1975, Mujibur Rahman est investi des pleins pouvoirs. Il succède à Mohammadullah à la présidence de la République, dont Chaudhury avait démissionné fin 1973. Il abolit le système parlementaire et instaure un régime présidentiel appuyé par la ligue Awami devenue parti unique.
Mais le 15 août 1975 éclate un coup d'Etat au cours duquel Mujibur Rahman trouve la mort. Le nouveau gouvernement présidé par Khondakar Moushtaque Ahmed est renversé le 4 novembre. Après un autre coup d'Etat, le 7 novembre, le général Ziaur Rahman devient chef de l'Etat en 1977. Sa fonction est confirmée par une élection au suffrage universel (1978). Après l'assassinat de Ziaur Rahman (1981), Abdus Sattar est élu président de la République. En 1982, il est destitué par un putsch militaire. Le général Ershad, nouvel homme fort du régime, se proclame chef de l'Etat (11 déc. 1983). Le référendum de mars 1985 consolide son pouvoir. Dans le domaine économique, le nouveau régime s'ouvre au libéralisme (dénationalisation de grands groupes, appel aux capitaux étrangers).
Le Bangladesh est devenu membre du Commonwealth en 1972 et membre des Nations unies en 1974. En avril 1974 des accords, mettant un terme à la guerre, sont signés avec l'Inde et le Pākistān. Les relations avec New Delhi continuent d'être difficiles.

Bangor, v. de Grande-Bretagne (pays de Galles ; Caernarvonshire) ; 14 000 h. Université ; collèges. Centre religieux pendant le haut Moyen Age.

Bangouélo (LAC). V. BANGWEULU.

Bangui, capit. de la République centrafricaine, sur l'Oubangui, près de rapides qui y interrompent la navigation ; 301 800 h.

Bangweulu ou **Bangouélo** (LAC), grand lac marécageux de la Zambie.

Bani (DJEBEL), montagne du Maroc, bordant l'Anti-Atlas vers le S.

Bani, riv. du Mali, le plus important affluent du Niger (confluent à Mopti), formée par le Baoulé et le Bagoé, venus de Côte-d'Ivoire.

bani n. m. pl. *Monn.* V. BAN 2.

banian n. m. (hindoustānī *baniyan,* marchand). Membre d'une secte brahmanique de la caste des Vaiçya. ● *Figuier des banians,* figuier de l'Inde, remarquable par les racines adventives qui retombent de ses branches, et qui contribuent à les soutenir et à les nourrir.

Banihāl (COL DE), col du Cachemire (Inde), conduisant à Srīnagar.

Banī Suwayf. V. BENI-SOUEF.

Bāniyās ou **Banias,** v. de Syrie (prov. de Lattaquié), sur la Méditerranée ; 11 200 h. Port pétrolier.

Bāniyās, localité de Syrie (prov. de Damas), au pied de l'Hermon ; 200 h. Source du Jourdain dans une grotte consacrée à Pan. C'est l'anc. **Paneion,** puis **Paneas.**

Banja Luka, v. de Yougoslavie (Bosnie) ; 89 900 h. Anc. forteresse. Mosquée du XVIe s.

banjārī n. f. Groupe de langues indo-aryennes, parlées par environ 500 000 nomades répartis dans toute l'Inde.

Banjermassin ou **Bandjermassin,** v. d'Indonésie, dans le sud de Bornéo, sur le Barito ; 281 700 h. Port pétrolier et raffinerie.

banjo n. m. (mot angl. d'orig. esp.). Sorte de guitare ou de mandoline utilisée dans le jazz ancien et dont la caisse est tendue d'une peau. (Il existe des banjos à 4, 5 et 6 cordes.) || Carter de pont arrière d'automobile.

Banjul, anc. **Bathurst,** capit. de la Gambie, sur l'estuaire du fleuve Gambie ; 39 500 h.

bank n. f. (mot angl.). Papier spécial servant à la fabrication des valeurs mobilières et des billets de banque.

Banka. V. BANGKA.

banking principle (expression angl.), thèse selon laquelle la *liberté d'émission* des billets de banque devrait être laissée aux banques d'émission, la quantité de billets en circulation dépendant en définitive non de la volonté de la banque d'émission, mais des besoins du public.

bankiva n. f. Espèce de gallinacés du genre coq, sauvage en Indo-Malaisie, et considérée parfois comme l'origine de la poule domestique.

bank-note n. f. (mot angl.). Billet de banque anglais. — Pl. *des* BANK-NOTES.

Banks (DÉTROIT DE), bras de mer séparant, au S.-E. du détroit de Bass, la petite île de Cap-Barren de la Tasmanie.

Banks (ÎLE DE), île de l'archipel Arctique.

Banks (ÎLES DE), îles de la Mélanésie (Vanuatu).

Banks (sir Joseph), naturaliste anglais (Londres 1743 - Isleworth 1820). Il accompagna Cook (1768-1771) et rassembla de riches collections d'histoire naturelle.

Banks (Nathaniel Prentiss), général nordiste américain (Waltham 1816 - *id.* 1894). Gouverneur du Massachusetts (1857-1859), il commanda, pendant la guerre de Sécession, le département du Golfe (1862-1864).

banlieue n. f. (de *ban* 1 et *lieue*). Ensemble des agglomérations qui environnent un centre urbain et participent à son activité. (V. *encycl.*) ◆ **banlieusard, e** adj. et n. *Fam.* Qui habite la banlieue d'une grande ville, et en particulier la banlieue parisienne : *Un train plein de banlieusards.* ✦ adj. Qui a les caractères de la banlieue : *Rue banlieusarde. Accent banlieusard.*

— ENCYCL. ***banlieue.*** Ce mot, employé dès le XIIIe s., désignait le territoire qui s'étendait autour d'une ville, et sur lequel s'exerçait la juridiction de l'autorité seigneuriale ou municipale qui y avait le *droit de ban.* De nos jours, il a acquis un sens plus général : c'est le territoire suburbain dont les habitants participent aux activités de la ville. Au XIXe s. et au XXe s., ces agglomérations se sont développées considérablement, et des banlieues spécialisées sont apparues : banlieues résidentielles, industrielles, maraîchères, etc. Les relations entre la ville et la banlieue se manifestent par d'importants mouvements quotidiens de population.

banlieusard → BANLIEUE.

Ban-lon n. m. (nom déposé). *Text.* Traitement qui confère au fil synthétique une très grande élasticité.

Ban Mê Thuôt, v. du Viêt-nam du Sud, dans le Darlac (plateaux moïs) ; 30 000 h. Centre commercial.

Bann, fl. de l'Irlande du Nord, qui traverse le Lough Neagh ; 137 km.

Bannalec, ch.-l. de c. du Finistère (arr. de Quimper), à 15 km au N.-O. de Quimperlé ; 5 039 h. Conserveries de légumes.

banne n. f. (lat. *benna,* empr. au gaulois). Panier d'osier. ‖ Toile, bâche tendue pour garantir les marchandises ou les clients des intempéries. ‖ *Pêch.* Nappe du tramail. ◆ **bannelle** n. f. Petite corbeille d'osier. ◆ **banner** v. tr. Couvrir d'une banne. ◆ **banneton** n. m. Petit panier sans anse, dans lequel on fait lever la pâte avant la cuisson du pain. (On dit aussi PANETON.) ◆ **bannette** n. f. Petite banne. ‖ Plateau à anses, en faïence de Rouen (XVIIe et XVIIIe s.).

Banne d'Ordanche, sommet basaltique d'Auvergne (Puy-de-Dôme), dans le massif du Mont-Dore ; 1 515 m.

bannelle, banner → BANNE.

banneret → BANNIÈRE.

Bannerman. V. CAMPBELL-BANNERMAN.

bannerole → BANNIÈRE.

banneton, bannette → BANNE.

banni → BANNIR.

bannière n. f. (du germ. *ban**, drapeau). Drapeau féodal. ‖ Enseigne du chevalier banneret. (V. *encycl.*) ‖ Ensemble des vassaux qui marchaient sous la bannière d'un seigneur. ‖ Etendard qui sert de ralliement à des confréries ou à des sociétés ; et, au *fig. : La bannière de la liberté.* ‖ Longueur de ligne comprise entre le scion et le flotteur, ou entre le scion et l'hameçon. ‖ *Pop.* Chemise : *Se promener en bannière.* ‖ — SYN. : *drapeau, enseigne, étendard, oriflamme.* ● *Bannière de France,* nom donné à une bannière d'azur à fleurs de lis d'or, arborée par Charles VII. ‖ *C'est la croix et la bannière,* il faut passer par une foule de formalités, de difficultés. ‖ *Ecu en bannière,* écu en principe réservé aux chevaliers bannerets. ◆ **banneret** n. m. Seigneur d'un fief qui comptait un nombre suffisant de vassaux (50, le plus souvent) à conduire à l'armée du suzerain. (Les *chevaliers bannerets,* chefs d'un contingent du ban, mentionnés à partir de Philippe Auguste, disparaissent avec les réformes militaires de Charles VII.) ◆ **bannerole** n. f. Echarpe attachée au casque de tournoi.

bannières
détail d'une miniature du XIVe s.
Bibliothèque nationale

B.N.

— Encycl. **bannière.** *Hist.* La bannière, portée par le roi et les chevaliers bannerets, apparaît comme le symbole de seigneurie, une armoirie de tournoi, un privilège militaire. Mais l'infanterie des communes marchait aussi sous une bannière, la bannière paroissiale ou la *croix* (d'où l'expression *c'est la croix et la bannière,* signifiant une mobilisation générale des forces communales et seigneuriales). A partir de Louis XI, la bannière perd sa signification militaire et devient un emblème surtout religieux.

Bannière du Reich, en allem. *Reichsbanner,* organisation de défense des partis de la coalition de Weimar, fondée en 1924 contre les partis nationalistes et dissoute en 1933. L'emblème était noir, rouge et or.

Banning (Emile), administrateur belge (Liège 1836 - Ixelles 1898). Il participa à la création de l'Etat indépendant du Congo.

bannir v. tr. (francique **bannjan*). Condamner à quitter un pays : *Bannir quelqu'un de sa patrie.* ‖ Eloigner sans retour : *Bannir quelqu'un d'une association.* ‖ *Fig.* Chasser, arracher (en parlant des choses) : *Bannir les illusions, le mensonge.* ◆ **banni, e** adj. et n. Expulsé de sa patrie ; proscrit, exilé : *Le retour des bannis dans leur patrie après une amnistie.* ◆ **bannissable** adj. Qui mérite d'être banni, expulsé. ◆ **bannissement** n. m. Peine politique criminelle infamante, qui consiste à interdire à quelqu'un le séjour dans son pays ou dans un lieu quelconque, et qui est auj. en désuétude. ‖ *Fig.* Action d'écarter de soi comme néfaste : *Le bannissement d'un défaut, d'une habitude.*

Bannockburn, v. de Grande-Bretagne (Ecosse, comté de Stirling) ; 4 500 h. Victoire de Robert Bruce sur les Anglais, sauvegardant l'indépendance de l'Ecosse (1314).

Banon, ch.-l. de c. des Alpes-de-Haute-Provence (arr. et à 25 km au N.-O. de Forcalquier) ; 973 h. Fromages de chèvre dits *banons.*

banque n. f. (ital. *banca,* comptoir de changeur). Entreprise qui avance des fonds, en reçoit à intérêt, escompte des effets moyennant une prime, facilite les paiements des particuliers et des entreprises par des prêts et même, parfois, par la création de moyens de paiement. (V. *encycl.*) ‖ Lieu où s'exercent les opérations de banque. ‖ *Par extens.* Le corps, l'ensemble des banquiers. ‖ *Absol.* La Banque de France. (Dans ce sens, prend une majuscule.) ‖ *Dialect.* Comptoir sur lequel on vend quelque chose. ‖ Longue table robuste sur laquelle sont placés les colis remis à la consigne d'une gare. ‖ Jeu de cartes, appelé aussi BANCO. ‖ A certains jeux de cartes ou de hasard, mise de fonds engagée par celui qui tient le jeu, pour payer les gains de ses adversaires. ‖ Celui qui tient le jeu. ● *Banque d'affaires,* banque dont l'activité principale est, outre l'octroi de crédits à plus de deux ans, la prise et la gestion de participations dans les affaires existantes ou en formation. ‖ *Banque de crédit à moyen et à long terme,* banque dont l'activité principale consiste à ouvrir des crédits dont le terme est au moins égal à deux ans. ‖ *Banque de dépôts,* banque qui reçoit du public des dépôts, mais qui ne peut investir qu'une fraction de ses ressources dans les entreprises. ‖ *Banque de données,* établissement qui conserve et centralise les informations recueillies par les sondages d'opinion. ‖ *Banque d'émission,* établissement bancaire jouissant du privilège d'émettre des billets de banque. ‖ *Banque d'os,* établissement où l'on conserve, pour usage chirurgical, des greffons osseux prélevés aseptiquement dans les deux heures qui suivent la mort. ‖ *Banque populaire,* société coopérative à capital variable, qui facilite le crédit des petites entreprises. (Créées en 1917, les banques populaires s'apparentent aux banques de dépôts.) ‖ *Banque de sang,* établissement où sont stockés des flacons de sang conservé, classés par « groupes », et délivrables sur demande des médecins ou des chirurgiens. ‖ *Banque d'yeux,* clinique ophtalmologique où l'on conserve des cornées prélevées sur des volontaires, immédiatement après leur mort. ‖ *Billet de banque,* v. BILLET. ‖ *Faire sauter la banque,* gagner tout l'argent que le banquier a mis en jeu. ‖ *Tenir la banque,* être le banquier, tenir le jeu contre les autres joueurs. ◆ **bancable** adj. Se dit d'un effet de commerce pouvant être réescompté à la Banque de France, c'est-à-dire tiré à 90 jours au plus sur une place où fonctionne un bureau de la Banque de France, et revêtu d'au moins trois signatures (tireur, tiré et, généralement, banquier ayant procédé à l'escompte), ou bien seulement de deux signatures (tireur et tiré) s'il est accompagné d'un dépôt de garantie. ‖ *Par extens.* Se dit d'un effet de commerce facilement négociable. ◆ **bancaire** adj. Relatif à la banque. ◆ **banquier, ère** adj. Relatif à la banque ou aux banquiers : *Organisations banquières.* ‖ — **banquier** n. m. Personne qui fait le commerce de la banque, qui possède ou dirige une maison de banque. ‖ Celui qui tient le jeu contre les autres joueurs. ● *Banquiers ecclésiastiques,* officiers laïques qui avaient le privilège de solliciter en cour de Rome les actes relatifs aux bénéfices ecclésiastiques. (Ils furent supprimés en 1791.) ‖ *Etre le banquier de quelqu'un,* lui fournir de l'argent.

— Encycl. **banque.** L'existence du commerce de banque dans une civilisation suppose des conditions non seulement économiques et monétaires (existence d'une activité commerciale à financer et de capitaux à employer), mais aussi morales (non-interdiction religieuse du prêt à intérêt).

● *Dans l'Antiquité.* Les temples sont les premiers centres bancaires connus (Delphes, Ephèse) ; cependant, dès le IVe s. av. J.-C., on trouve, en Grèce, des banquiers laïcs (*trapé-*

zites). A Rome, l'apparition du commerce de banque est assez tardive (IIe s. av. J.-C.). Sous la République, il est le monopole d'une catégorie de citoyens, les chevaliers, ou *publicains,* mais sous l'Empire apparaissent des banquiers privés (*argentarii*).

● *Au Moyen Age.* Après une période de stagnation (invasions, disparition du grand commerce, prohibition du prêt à intérêt), l'activité bancaire reprend au XIe s. avec la renaissance du commerce. Les opérations financières sont pratiquées par les juifs, par les templiers et par des Lombards. Les grandes foires développent les mouvements de fonds, mais l'insécurité des transports donne naissance à la *lettre de paiement,* évitant le transfert effectif du numéraire.

● *De la Renaissance au XVIIIe siècle.* Le développement des échanges à la Renaissance donne une impulsion considérable à la banque. C'est l'époque des grands banquiers (Médicis, Fugger) ; on voit apparaître la *lettre de change* et la technique de l'*escompte.* Il se crée aussi de véritables établissements bancaires à Milan, à Venise et à Gênes. Une profonde transformation part d'Angleterre au XVIIe s. : les orfèvres, banquiers de la Cité de Londres, acceptent le dépôt à vue, qui entraîne l'usage du chèque (v. 1670).

● *Au XIXe siècle.* Les structures bancaires subissent une double évolution : d'une part, le développement économique rend nécessaire la création de banques puissantes (cinq grandes banques anglaises, *Big Five;* en France, Comptoir d'escompte de Paris en 1848, Crédit Lyonnais en 1863, Société générale en 1864, etc.) ; d'autre part, l'émission du billet de banque, substitué à la monnaie métallique, est peu à peu retirée aux banques privées au profit de *banques d'émission.*

● *Les banques contemporaines.* La profession a été réglementée par de nombreux textes (1940, 1941, 1966 et 1967). On compte aujourd'hui : 253 *banques de dépôts* (dont 3 banques nationales, 20 banques régionales, 69 banques locales de province, 6 « maisons de réescompte », 95 banques diverses, 57 banques étrangères et 3 banques monégasques) ; 24 *banques d'affaires ;* 49 *banques de crédit à long et à moyen terme,* soit, au total, 326 *banques inscrites.* La pluralité des opérations effectuées par les diverses banques les a rapprochées les unes des autres. Cependant, les banques de crédit à long et à moyen terme diffèrent des banques d'affaires en ce qu'elles ne s'associent pas à la gestion des entreprises.

En plus des banques, il existe 422 *établissements financiers,* enregistrés au Conseil national du crédit, et s'occupant de ventes à tempérament, de crédit-bail, de crédit immobilier, d'opérations sur valeurs mobilières.

Le secteur public bancaire. Il comprend des administrations d'Etat (Trésor public, Chèques postaux, Caisse nationale d'épargne), des sociétés de droit privé mais dont la direction est nommée par l'Etat (Crédit foncier de France, B. F. C. E., Crédit national), le secteur mutuelliste, les sociétés de développement régional (S. D. R.), l'Institut de développement industriel (I. D. I.).

Banque de France, banque créée en 1800 et nationalisée en 1945, qui effectue, en sus des opérations de banque ordinaires, des opérations de banque à caractère public, notamment l'émission des billets de banque.

La Banque de France a été fondée par un groupe de négociants et de banquiers avec l'appui de Bonaparte. A l'origine, la Banque de France partageait le droit d'émettre des billets avec cinq autres établissements à Paris. Le privilège exclusif qui lui fut conféré en 1803 ne valait que pour Paris ; il fut étendu au territoire métropolitain en 1848. Pendant la première moitié du XIXe s., le montant des émissions ne fut limité que par la nécessité de se trouver constamment en mesure de rembourser à vue les billets. En 1848, un maximum fut assigné à la circulation fiduciaire par un décret, fréquemment modifié par la suite. En 1928, on substitua au plafonnement une règle de couverture proportionnelle (le montant de l'encaisse or devant égaler 35 p. 100 au moins du montant cumulé des billets en circulation et des soldes créditeurs en comptes courants). Cette disposition, suspendue en 1939, n'a pas été abrogée.

A l'origine, la Banque de France était administrée par un gouverneur et par deux sous-gouverneurs, nommés par décret. Les deux cents plus forts actionnaires élisaient un conseil de régence, les représentant auprès du gouvernement de la Banque. Le conseil de régence a été remplacé en 1936 par un conseil général, dont les membres sont presque tous désignés par l'Etat.

La création de signes monétaires par la Banque de France intervient soit à l'occasion des opérations qu'elle traite, conformément à ses statuts, avec les banques ou avec des particuliers, et qui représentent les concours qu'elle apporte à l'économie du pays (opérations sur or et sur devises, réescompte des effets de commerce, achats et ventes d'effets à court terme sur le marché monétaire, avances sur titres), soit par le jeu des avances à l'Etat (avances permanentes, avances exceptionnelles devant recevoir une approbation législative).

La Banque de France occupe une place tout à fait particulière dans l'organisation bancaire. C'est à elle que doivent avoir recours les établissements détenteurs de dépôts à vue pour mobiliser leurs actifs lorsque ces dépôts diminuent. Ultime dispensatrice de monnaie légale, réserve centrale des banques, la Banque de France se trouve en position d'établir sur la distribution du crédit un contrôle efficace, qui s'exerce par voie d'autorisation préalable ou au moment même du réescompte. Cette vocation particulière s'est affirmée de plus en plus nettement depuis la nationalisation.

Banque française du commerce extérieur, établissement bancaire créé en 1946-1947 pour faciliter le financement des opérations de commerce extérieur par l'octroi de crédits. Le capital a été souscrit par des établissements publics et les banques nationalisées.

Banque internationale pour la reconstruction et le développement (**B. I. R. D.**), organisme bancaire international créé en 1945 pour financer la reconstruction des pays dévastés par la guerre et pour contribuer à l'équipement des pays sous-développés.

Banque nationale pour le commerce et l'industrie (B. N. C. I.), banque de dépôts créée en 1932 et nationalisée en 1945. Elle devient en 1966 la Banque nationale de Paris (B. N. P.).

Banque de Paris et des Pays-Bas, banque d'affaires française créée en 1872 par la fusion de la Banque de Paris (1865) et de la Banque de crédit et de dépôts des Pays-Bas (1863). Elle a été nationalisée en 1982.

Banque des règlements internationaux (B. R. I.), organisme conçu en 1929 par les experts internationaux pour réévaluer le montant des réparations de guerre exigées de l'Allemagne. La Banque des règlements internationaux doit favoriser la coopération des banques centrales nationales et fournir des facilités pour les opérations financières internationales.

banquer v. intr. *Pop.* Payer.

banquereau → BANC.

banqueroute n. f. (ital. *banca,* banc, et *rotta,* rompu [allusion au vieil usage de rompre le banc, ou comptoir, du banqueroutier]). La banqueroute — simple ou frauduleuse — est une infraction pénale recouvrant les principales fraudes commises à l'occasion d'un règlement* judiciaire ou d'une liquidation* de biens. Elle entraîne la faillite* personnelle de la personne à l'encontre de laquelle elle est prononcée. ‖ — SYN. : *débâcle, déconfiture, faillite, krach.* ● *Banqueroute publique,* suspension du paiement des arrérages aux porteurs de rentes d'Etat. (La dépréciation monétaire évite aux Etats modernes de recourir à cette pratique.) ◆ **banqueroutier, ère** n. et adj. Personne qui a fait banqueroute.

banquet n. m. (ital. *banchetto,* petit banc). Repas pris en commun par un certain nombre de personnes, et en particulier par les membres d'un même groupement, à l'occasion d'une fête. ● *Banquets réformistes,* banquets tenant lieu de réunions publiques, organisés à la fin du règne de Louis-Philippe par les hommes de l'opposition, pour propager les idées de réforme. (La *Campagne des banquets* prit une allure de plus en plus révolutionnaire ; l'interdiction, par Guizot, du dernier banquet du 22 févr., à Paris, fut à l'origine de la révolution de 1848.) ◆ **banqueter** v. intr. (conj. **4**). Prendre part à un banquet ; participer à de bons repas : *Il menait joyeuse vie, riant et banquetant.* ◆ **banqueteur** n. m. Celui qui banquette.

Banquet (LE) [en gr. *Sumposion*], dialogue de Platon (385 env. av. J.-C.), qui a pour cadre un banquet offert par Agathon à ses amis, dont Aristophane, Alcibiade et Phèdre, et pour objet l'amour et la science du beau. Tout en y exposant sa doctrine esthétique, Platon a su tracer de chaque personnage, en particulier de Socrate, un portrait vivant. Sous le même titre, Xénophon a écrit un ouvrage de philosophie morale (v. 365 av. J.-C.).

banqueter, banqueteur → BANQUET.

banquette, banquier [Mar.] → BANC.

banquier → BANQUE.

banquise n. f. Ensemble des glaces formées, dans les régions polaires, par la congélation de l'eau de mer. (La banquise se forme lorsque la température de l'eau de mer s'abaisse au-dessous de — 1 °C ou de — 2 °C. Ses mouvements aboutissent à la formation de monticules chaotiques [*hummocks*]. Les limites des banquises arctiques et antarctiques subissent de grandes variations selon les saisons, surtout dans l'Antarctique.)

banquiste n. m. (de *banque,* au sens ancien de *table, tréteau*). Saltimbanque.

Banquo ou **Banco,** gouverneur écossais (XIe s.). Devenu suspect à Macbeth, il fut égorgé (v. 1050). Cet épisode a fourni à Shakespeare le sujet d'une scène de *Macbeth :* dans un banquet offert par l'usurpateur à sa cour, l'*ombre de Banquo,* visible pour lui seul, apparaît et le glace de terreur.

Banská Bystrica, v. de Tchécoslovaquie, capit. de la Slovaquie-Centrale, dans les monts Métallifères ; 40 100 h. Anciennes mines d'argent et de cuivre ; métallurgie des métaux non ferreux ; cimenteries.

bantam adj. Se dit, en boxe, d'un poids léger (de 50,802 à 53,524 kg pour les professionnels).

Banten ou **Bantam,** v. et anc. sultanat d'Indonésie, à l'extrémité ouest de Java. Le port, visité par les Portugais dès 1511, devint le premier comptoir de la Compagnie néerlandaise des Indes orientales à Java. Après plusieurs révoltes, le pays fut transformé en colonie d'administration directe en 1843.

banteng n. m. Bœuf sauvage de l'Insulinde.

Banting (sir Frederick GRANT), médecin et physiologiste canadien (Alliston, Ontario, 1891 - Musgrave Harbor 1941). Son nom est lié à la découverte de l'insuline, qu'il isola avec Macleod, Best et Collip. Ses recherches lui valurent en 1923, avec Macleod, le prix Nobel de médecine.

bantou, e adj. Relatif aux Bantous : *Peuplades bantoues.* ‖ — **bantou** n. m. Désignation conventionnelle d'un ensemble de langues négro-africaines étroitement apparentées, constituant une extension méridionale de la famille soudanaise.

Bantous, ensemble de populations de l'Afrique sud-équatoriale (à l'exception des Bochimans et des Hottentots), qui parlent des langues de la même famille, mais qui appartiennent à des types ethniques fort divers. (Les principales tribus bantoues de l'Afrique orientale et méridionale sont les Zoulous et les Matabélés, qui, au XIXe s., parvinrent à créer des Etats puissants.)

Bantoustan, nom donné en Afrique du Sud aux « foyers bantous » créés à partir de 1963. Le principal est le Transkei.

Banū Hammād. V. ḤAMMĀDIDES.

Banū Sirādj, nom arabe des **Abencérages.**

Banville (Théodore DE), poète français (Moulins 1823 - Paris 1891). Adepte de « l'art pour l'art », il a donné le chef-d'œuvre de cette école de virtuosité avec les *Odes funambulesques* (1857). Dans son *Petit Traité de poésie française* (1872), il défend les règles strictes et prône la valeur de la rime riche.

banvin n. m. (de *ban* 1 et *vin*). *Dr. féod.* Ban ou proclamation par laquelle le seigneur autorisait l'ouverture de la saison de vente du vin. ‖ Monopole de vente du vin que se réservait le seigneur avant cette ouverture.

Banyuls-sur-Mer, comm. des Pyrénées-Orientales (arr. de Céret), à 39 km au S.-E. de Perpignan; 4 250 h. Station balnéaire. Port de pêche. Vins liquoreux réputés.

Banzer Suárez (Hugo), homme politique bolivien (Santa Cruz 1921). Président de la République de 1971 à 1978, il s'est appuyé sur l'armée et la Phalange bolivienne pour réprimer l'opposition.

baobab n. m. (empr. à une langue africaine). Arbre des régions chaudes de l'Ancien Monde, au tronc souvent plus large que haut, au bois tendre, au fruit acidulé. (Cet arbre, de longévité presque illimitée, pousse surtout à l'état isolé dans les savanes, qu'il caractérise. Nom générique : *adansonia.* Famille des bombacacées.)

Bao-Daï (Huê 1913), empereur d'Annam en 1925, à la mort de son père Khaï-Dinh. Sous la pression du Viêt-minh, il abdiqua le 25 août 1945, puis tenta de regrouper le Viêtnam de 1949 à 1955, date à laquelle il fut définitivement écarté par référendum.

Baoulé, riv. d'Afrique (Côte-d'Ivoire et Mali), formant, avec le Bagoé, le Bani, affluent du Niger.

Baoulé(s), peuple noir de la Côte-d'Ivoire; 400 000 indiv. env. Ils habitent des savanes à l'endroit où la limite de la forêt recule vers le S. Leur organisation est de type féodal. Leur statuaire est un des sommets de l'art nègre.

Baouman (Nikolaï Ernestovitch), homme politique russe (1873 - 1905). Militant bolchevique, organisateur du journal *Iskra* (*l'Etincelle*), dirigeant du comité révolutionnaire de Moscou, adepte de Lénine, il fut assassiné par des membres des « Cent-Noirs ».

Baour-Lormian (Pierre), poète et auteur dramatique (Toulouse 1770 - Paris 1854). Il traduisit en 1801 les *Poésies d'Ossian* et railla, dans des satires, le romantisme naissant. (Acad. fr., 1815.)

Baoussé Roussé (les « Rochers rouges »), falaises de la côte méditerranéenne, entre Menton et Vintimille. Célèbres grottes, sites préhistoriques. (V. GRIMALDI.)

Baoutchi, en angl. **Bauchi,** région du Nigeria central, au N. de la Bénoué. Importants gisements d'étain (Jos, Naraguta).

Bapaume, ch.-l. de c. du Pas-de-Calais (arr. et à 22 km au S. d'Arras); 4 085 h. (*Bapalmois*). Victoire de Faidherbe sur les Prussiens (1871). Enjeu de combats meurtriers pendant la Première Guerre mondiale.

baphia n. m. Arbuste africain et malgache, au bois rouge, plus dense que l'eau. (Ordre des légumineuses.)

Bapst, famille d'orfèvres-joailliers, originaire de Souabe. GEORGES MICHEL (1700 - Paris 1770), son fils GEORGES FRÉDÉRIC et son petit-neveu HÉBRARD furent joailliers de la Couronne, ainsi que PAUL ALFRED († 1879), petit-fils d'Hébrard. — CONSTANT († 1849), fils d'Hébrard, fut à la mode sous la monarchie de Juillet. — GERMAIN (Paris 1853 - *id.* 1921), qui s'associa avec Falize, a publié une *Histoire des joyaux de la Couronne* (1887).

Goldner

baobab

baptême [batɛm] n. m. (du gr. *baptismos,* immersion). Dans la religion chrétienne, sacrement dont l'effet est d'effacer le péché originel et de rendre chrétien : *Administrer le baptême.* (V. *encycl.*) ‖ Fête dont on accompagne ordinairement le baptême. ‖ Bénédiction solennelle précédant la mise en service d'une chose personnifiée par un nom : *Le baptême d'une cloche, d'un navire.* ● *Baptême de l'air,* premier vol d'un passager dans un aéronef. ‖ *Baptême de la ligne, du tropique,* cérémonie burlesque qui a lieu lorsqu'un navire ou ses passagers passent l'équateur ou un tropique pour la première fois. ‖ *Baptême maçonnique,* nom donné à l'« adoption », cérémonie symbolique par laquelle une loge adopte l'enfant d'un de ses membres. ‖ *Nom de baptême,* prénom donné à celui qui est baptisé. ‖ *Fig. Recevoir le baptême du feu,* aller au combat pour la première fois. ◆ **baptisé, e** adj. et n. Qui a reçu le baptême. ◆ **baptiser** v. tr. Faire chrétien par le baptême. ‖ Bénir solennellement (une cloche, un navire). ‖ Donner un nom à : *Baptiser son cheval Bucéphale.* ‖ *Fam.* Mêler d'eau (une boisson) : *Baptiser du lait, du vin.* ‖ Asperger d'eau une personne : *Au passage de l'équateur, on baptise ceux qui ne l'ont pas encore franchi.* ◆ **baptiseur** n. m. Personne qui baptise. ◆ **baptismal, e, aux** adj. Relatif au baptême : *Eau baptismale.* ‖ Conféré par le baptême : *Innocence baptismale.* ● *Fonts baptismaux,* sorte de bassin où l'on baptise; partie de l'église où ces fonts sont établis. ‖ *Robe baptismale,* robe blanche que le néophyte portait autref., pendant huit jours, après avoir reçu le baptême. ◆ **baptisme** n. m. Doctrine d'après laquelle le baptême ne doit être administré qu'à des adultes professant la foi et la repentance, et de préférence par immersion. (Issu de l'anabaptisme*, il groupe 30 millions de fidèles.) ◆ **baptistaire** adj. *Extrait baptistaire,* extrait d'acte de baptême. ‖ *Registre baptistaire,* registre qui contient les actes de baptême. ◆ **baptiste** n. Partisan du baptisme. ◆ **baptistère** n. m. Lieu du culte où l'on conférait le baptême. ‖ Petit édifice construit à cet usage près des basiliques. (Les anciens baptistères étaient conçus pour le baptême par immersion. Les premiers furent élevés à partir du IVe s. Chaque ville épiscopale possédait le sien. D'abord en forme de tour, les baptistères furent ensuite construits sur le plan polygonal. Citons ceux de Ravenne, de Vérone, de Pise, de Florence, de Saint-Jean-de-Latran à Rome, de Saint-Jean à Poitiers, et de Saint-Front à Périgueux. Très tôt, ils furent dédiés à saint Jean-Baptiste.)

— ENCYCL. ***baptême.*** ● *Doctrine catholique.* Le baptême est un sacrement institué par Jésus-Christ, dont le rite essentiel consiste en une ablution accompagnée d'une invocation sacramentelle aux trois personnes de la Sainte Trinité : « Je te baptise au nom du Père, du Fils et du Saint Esprit. » La matière en est l'eau naturelle, symbole de la purification de l'âme. Elle est appliquée sous la triple forme de l'*immersion,* de l'*affusion* (pratique générale de l'Eglise en Occident depuis le XVe s.) ou de l'*aspersion.* Le baptême efface le péché originel, les fautes commises avant sa réception, et les peines qui y sont liées. Il est administré par les ministres du culte, mais, en cas de danger de mort, toute personne, même non baptisée, peut et doit baptiser. De l'ordonnance de Villers-Cotterêts (1539) à la Révolution française, les actes de baptême ont tenu lieu d'état civil.

« Baptême du Christ »
Maître de Rheinfelden (XVe s.)
musée de Dijon

Giraudon

baptistère de Pise

Bevilacqua

● *Doctrine des chrétiens non catholiques touchant le baptême.* 1° Dans l'Eglise luthérienne, le baptême consiste dans l'union mystique de l'eau et de la parole divine. Le baptême des enfants est administré sous forme d'aspersion.

2° Dans l'Eglise réformée : pour Zwingli, il est un symbole de la grâce qu'il représente et ne confère pas; pour Calvin, il n'est pas nécessaire que la foi *actuelle* précède le baptême.

3° L'Eglise anglicane admet la régénération des enfants par le baptême.

4° Les quakers ne pratiquent pas le rite extérieur du baptême.

baptisé, baptiser, baptiseur, baptismal, baptisme, baptistaire, baptiste, baptistère → BAPTÊME.

Baquedano (Manuel), général chilien (Santiago 1826 - † 1897). Chef des forces chiliennes contre le Pérou (1879-1881), il assuma le pouvoir en 1891.

baquet → BAC 3.

baqueter → BAC 3.

baquettes n. f. pl. Tenailles pour tirer les fils métalliques à la filière.

baquetures → BAC 3.

1. bar n. m. (moyen néerl. *baar*). Poisson osseux des estuaires, voisin de la perche, apprécié pour sa chair.

2. bar n. m. (du gr. *baros,* pesanteur). Unité de mesure de pression, valant 10^5 pascals, utilisée pour la mesure de la pression atmosphérique. (Le bar équivaut à l'hectopièze, soit environ 750 mm de mercure.)

3. bar n. m. (angl. *bar,* comptoir de cabaret). Débit de boissons où les consommateurs se tiennent debout ou bien assis sur de hauts tabourets, devant le comptoir. ‖ Tout lieu où l'on consomme des boissons, alcoolisées ou non, dans un théâtre, un paquebot, etc. ‖ Le comptoir lui-même : *Prendre une consommation au bar.* ◆ **barmaid** [meid] n. f. Serveuse dans un bar. ◆ **barman** [mən] n. m. Serveur dans un bar.

Bar, v. de Yougoslavie (Monténégro), sur l'Adriatique; 8 600 h. Centre touristique.

Bar (COMTÉ, puis DUCHÉ DE). Le comté de Bar, ou Barrois*, fondé vers 959 par Ferry Ier, duc de Haute-Lorraine, s'étendit rapidement et comprit Bar-le-Duc, Saint-Mihiel, Pont-à-Mousson, Briey. Un de ses comtes, Henri III (1291-1302), se reconnut vassal du roi de France en 1301 pour ses biens situés sur la rive gauche de la Meuse; ainsi fut constitué le *Barrois mouvant* (capit. Bar-le-Duc); le reste demeura terre d'Empire. La Lorraine et le Barrois furent unis en 1480 par René II de Lorraine. Le Barrois fut annexé par la France en même temps que la Lorraine en 1766.

Bar (CONFÉDÉRATION DE), union formée en 1768, à Bar (Podolie), par les patriotes polonais, pour lutter contre la mainmise de la Russie après l'élection de Poniatowski. La confédération ne put empêcher le premier partage de la Pologne (1772).

Bara (Joseph), enfant célèbre par son héroïsme (Palaiseau 1779 - près de Cholet 1793). Hussard dans l'armée républicaine, il fut pris dans une embuscade et sommé de crier « Vive le roi! »; il répondit « Vive la République! » et tomba percé de coups.

Bara(s), peuple de Madagascar, occupant un vaste plateau au S. de la région des Betsiléos; 190 000 indiv. env. Ces éleveurs de bœufs sont assez proches des Bantous d'Afrique.

Baraba, steppe de l'U. R. S. S. (R. S. F. S. de Russie), en Sibérie occidentale, entre l'Irtych et l'Ob'. C'est une région de grande culture céréalière.

Barabbas, émeutier que les Juifs préférèrent voir libérer à l'occasion de la Pâque, plutôt que Jésus, qu'ils voulurent faire crucifier.

bar

Six

Bārābudur, Borobudur ou **Boroboudour,** site du centre de Java. Grand temple édifié vers 850, formant un immense piédestal à étages, de plan polygonal, et abondamment décoré de bas-reliefs.

Baracaldo, v. d'Espagne (prov. de Biscaye), près de Bilbao; 109 200 h. Métallurgie lourde.

baracan n. m. Grosse étoffe de laine.

Baradā, riv. de Syrie, née dans l'Anti-Liban, et qui se perd dans les marais d'Al-Ateibe ('Utayba); 83 km.

baradeau ou **barradeau** n. m. Fossé pour l'écoulement des eaux de pluie dans un champ. ◆ **baradine** ou **barradine** n. f. Fossé creusé sur un versant montagneux pour réduire l'érosion du sol.

Baradée (Jacques), dit en syro-arabe **Al-Baradaï,** et en gr. **Zanzalos,** moine syrien († Edesse 578), évêque monophysite d'Edesse et fondateur de l'Eglise jacobite.

baradine → BARADEAU.

Bărăgan (le), région de Roumanie formant la partie orientale de la plaine valaque. Cette steppe aux sols riches est un ancien terrain de pâturage, mis récemment en culture.

baragnon n. m. Fossé latéral d'un champ.

baragouin n. m. (du breton *bara,* pain, et *gwin,* vin, ou *gwenn,* blanc). Langage incompréhensible par suite d'une mauvaise prononciation, d'un vocabulaire impropre, d'une syntaxe incorrecte : *Le baragouin obscur d'un mauvais interprète.* ‖ Langue étrangère qu'on ne comprend pas : *Un Allemand parlant son baragouin.* ◆ **baragouinage** n. m. Action de baragouiner ; langage inintelligible. ◆ **baragouiner** v. tr. et v. intr. Parler mal une langue : *Au bout de trois mois de séjour à Madrid, il baragouinait l'espagnol.* ‖ Parler une langue que les autres ne comprennent pas. ‖ S'exprimer d'une manière inintelligible : *Baragouiner un discours.* ◆ **baragouineur, euse** n. Personne qui baragouine.

Baraguey d'Hilliers (Louis), général français (Paris 1764 - Berlin 1813). Arrêté avec Custine et emprisonné jusqu'au 9-Thermidor, il prit part aux campagnes napoléoniennes. Prisonnier en 1812, il mourut peu après. On lui attribue les *Mémoires posthumes de Custine par un de ses aides de camp.* — Son fils ACHILLE, maréchal de France (Paris 1795 - Amélie-les-Bains 1878), s'étant rallié au prince Louis-Napoléon, fut nommé commandant de l'armée de Paris. Il prit Bomarsund et reçut le bâton de maréchal en 1854. Vainqueur des Autrichiens à Melegnano (1859).

Barail (François Charles DU), général français (Versailles 1820 - Neuilly-sur-Seine 1902). Il prit part aux expéditions d'Afrique et du Mexique, combattit la Commune (1871) et participa à la réorganisation de l'armée comme ministre de la Guerre (1873-1874). Il est le créateur de l'état-major général de l'armée.

baraka n. f. (mot ar. de l'Afrique du Nord, signif. *bénédiction*). Influence bénéfique que sont censés exercer des saints ou des objets provenant d'eux ou leur appartenant. ‖ *Fam.* Chance, destin favorable.

Baraka khān, petit-fils de Gengis khān, qui régna sur le Qiptchaq de 1257 à 1266 et qui se convertit à l'islām. Il lutta contre Hūlāgū, conquérant de la Perse, et contre son successeur Abaqa. Il mourut au cours d'une de ces campagnes, à Tiflis.

Baraka khān (Al-Malik al-Sa'īd Nāṣir al-dīn Muhammad), cinquième sultan baḥrite d'Egypte (1277-1279), fils de Baybars, renversé par Qalā'ūn en 1279.

baranesthésie n. f. (gr. *baros,* poids, et *anesthésie*). Perte de la faculté de discriminer les poids, conséquence d'une altération de la sensibilité profonde.

Baranja, en hongr. **Baranya,** région de Yougoslavie et de Hongrie, entre le Danube et la Save, formée par un ensemble de plateaux bolsés et de collines calcaires.

Baranov ou **Baranof** (Alexandre Andreïevitch), explorateur et marchand russe (1746 - 1819). Il établit des relations commerciales avec la Chine, la Californie, et prit possession de l'Alaska en 1799.

Baranovitch (Lazar'), prélat russe († 1694). Recteur à Kiev, il a joué un rôle très important dans les relations entre les tsars et la Petite Russie.

Barante (Guillaume Prosper BRUGIÈRE, baron DE), historien et homme politique français (Riom 1782 - Barante 1866). Auditeur au Conseil d'Etat (1806) et préfet sous Napoléon Ier, pair de France et ambassadeur sous Louis-Philippe, il est l'auteur d'une *Histoire des ducs de Bourgogne* (1824). [Acad. fr., 1828.]

Bárány (Robert), médecin autrichien d'origine hongroise (Vienne 1876 - Uppsala 1936). Ses études sur le nystagmus vestibulaire lui valurent, en 1914, le prix Nobel de médecine.

baraque n. f. (ital. *baracca*). Construction légère permettant de loger les troupes dans les camps. ‖ Construction analogue qui abrite des pêcheurs, des chasseurs, des ouvriers, des outils, etc. ‖ Boutique faite de planches : *Baraque foraine.* ‖ *Fam.* Maison mal bâtie, ou mal tenue, et, *par extens.,* maison quelconque (péjor.). ◆ **baraquement** n. m. Action d'établir les troupes dans des baraques. ‖ Ensemble de constructions provisoires destinées à abriter des soldats, des réfugiés, etc. ‖ Syn. de BARAQUE : *Loger dans un baraquement.* ◆ **baraquer** v. intr. S'établir dans des baraques : *Troupes qui vont baraquer.* ‖ S'accroupir, en parlant du chameau. ✦ v. tr. Etablir dans des baraques (peu us.) : *Baraquer les soldats.*

Baraque Michel, un des points culminants de la Belgique, dans les Ardennes ; 675 m.

baraqué, e adj. *Pop. Homme bien baraqué,* homme à forte et large carrure.

baraquement, baraquer → BARAQUE.

Baraqueville, ch.-l. de c. de l'Aveyron (arr. et à 19 km au S.-O. de Rodez) ; 2 225 h.

Barat (sainte Madeleine Sophie). V. MADELEINE SOPHIE BARAT (sainte).

Barataria (ÎLE DE), île du *Don Quichotte* de Cervantès, dont Sancho Pança obtient le gouvernement, et où il éprouve, au milieu d'incidents comiques, tous les désagréments qu'entraîne le pouvoir.

baraterie → BARATIN.

barathromètre n. m. (gr. *barathron,* abîme, et *metron,* mesure). Instrument mesurant la rapidité et la direction des courants marins.

Baratier (Augustin), général français (Belfort 1864 - sur le front de Reims 1917). Il participa à plusieurs expéditions en Afrique, en particulier à la mission Marchand, dont il trace la route (1896).

Baratieri (Oreste), général italien (Condino 1841 - Sterzing 1901). Garibaldien de l'expédition des Mille (1860), gouverneur de l'Erythrée, il fut vaincu par les Ethiopiens de Ménélik à Adoua (1896).

baratin n. m. (de l'anc. franç. *barater,* tromper). *Pop.* Boniment, bavardage intarissable : *Aimer à faire du baratin.* ◆ **baraterie** n. f. *Baraterie du patron,* préjudice volontaire porté aux armateurs, aux chargeurs, aux propriétaires ou aux assureurs, par celui qui commande un navire ou par toute personne faisant partie de l'équipage. ◆ **baratiner** v. tr. et intr. *Pop.* Raconter des boniments. ◆ **baratineur, euse** adj. et n. *Pop.* Qui sait baratiner.

barattage → BARATTE.

baratte n. f. (anc. franç. *barate,* agitation). Appareil dans lequel on bat la crème pour obtenir le beurre. (Les anciennes barattes en bois étaient souvent tronconiques avec un arbre vertical, ou en forme de tonneau tournant autour de son axe horizontal [*baratte normande*]. Il existe plusieurs modèles modernes de barattes, souvent métalliques [acier inoxydable]. Les *barattes continues* fournissent le beurre sous forme de ruban prêt à être moulé.) ‖ Appareil où l'on obtient une émulsion eau-huile, en margarinerie. ◆ **barattage** n. m. Transformation de la crème en beurre dans une baratte. ‖ Production d'une émulsion, ou crème, en margarinerie. ● *Barattage de la mer de lait,* mythe de la production de l'ambroisie, raconté dans les textes épiques de la mythologie hindoue. ◆ **baratté** n. m. Syn. de BABEURRE. ◆ **baratter** v. tr. Agiter la crème dans la baratte pour faire le beurre.

Baratynski ou **Boratynski** (Evgheni Abramovitch), poète russe (dans le gouvern. de Tambov 1800 - Naples 1844). Il est l'auteur de poèmes d'inspiration byronienne, puis philosophique (*Eda,* 1826; *le Crépuscule,* 1842).

barbacane n. f. (ar. *barbak-kaneh,* galerie servant de rempart devant une porte). Ouvrage avancé, assurant, dans une place forte, la défense extérieure d'une porte ou d'un pont. ‖ Meurtrière. ‖ Baie étroite et longue qui donne de l'air et du jour à un local. ‖ Ouverture oblongue ménagée dans la maçonnerie d'un ouvrage d'art pour faciliter l'écoulement des eaux d'infiltration.

barbacou n. m. Autre nom du TRAPPISTE, oiseau de l'Amérique équatoriale, au bec rouge, moustachu à sa base. (Famille des bucconidés.)

Barbade (la), en angl. **Barbados,** île des Petites Antilles. Etat indépendant, membre du Commonwealth, depuis 1966; 430 km^2; 260 000 h. Cap. *Bridgetown.* Importante production de sucre de canne, de pétrole, de coton, de bauxite. Tourisme. Ce fut la première île antillaise occupée par les Anglais (v. 1625).

barbadine n. f. Passiflore grimpante de l'Amérique du Sud, au fruit mucilagineux, comestible, ressemblant à un œuf d'oie.

barban n. m. Nom provençal d'un insecte thysanoptère (*thrips*), parasite de l'olivier.

Barbançois-Villegongis (Charles, marquis DE), agronome français (château de Villegongis, près de Châteauroux, 1760 - † 1822), qui introduisit en France les mérinos d'Espagne.

Barbançon (Marie DE), héroïne française du XVIe s., épouse du chef huguenot Jean des Barres, et célèbre par la résistance qu'elle soutint au château de Bannegon (Berry) après la mort de son mari, en 1569.

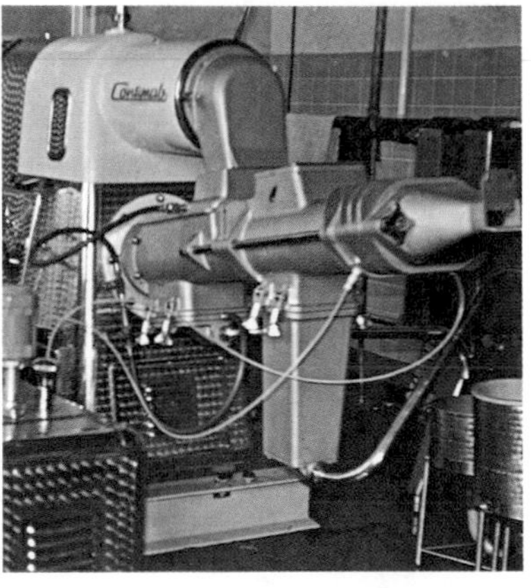

Larousse

baratte en continu

Barbanègre (Joseph, baron), général français (Pontacq 1772 - Paris 1830), célèbre par sa défense de Huningue (1815).

barbant → BARBE.

barbaque n. f. (du roum. *berbec,* mouton [que les soldats français auraient rapporté de la Dobroudja en 1855] ; ou de l'esp. *barbacoa,* animal rôti en entier [mets peu goûté des troupes du Mexique en 1862]). *Pop.* Viande de mauvaise qualité.

barbare adj. et n. (lat. *barbarus;* du gr. *barbaros,* non-Grec, c'est-à-dire étranger). Etranger, pour les Grecs et les Romains, puis pour la chrétienté : *Les hordes barbares. Les invasions des Barbares.* (V. *encycl.*) ‖ Qui n'est pas civilisé : *Peuple barbare.* ‖ Inculte, grossier; contraire aux règles, au goût : *Musique barbare.* ‖ Cruel, inhumain : *Conduite barbare.* ‖ — CONTR. : *civilisé, cultivé, doux, policé, sociable.* ✦ adj. Se dit de la forme d'un mot inexistant ou non

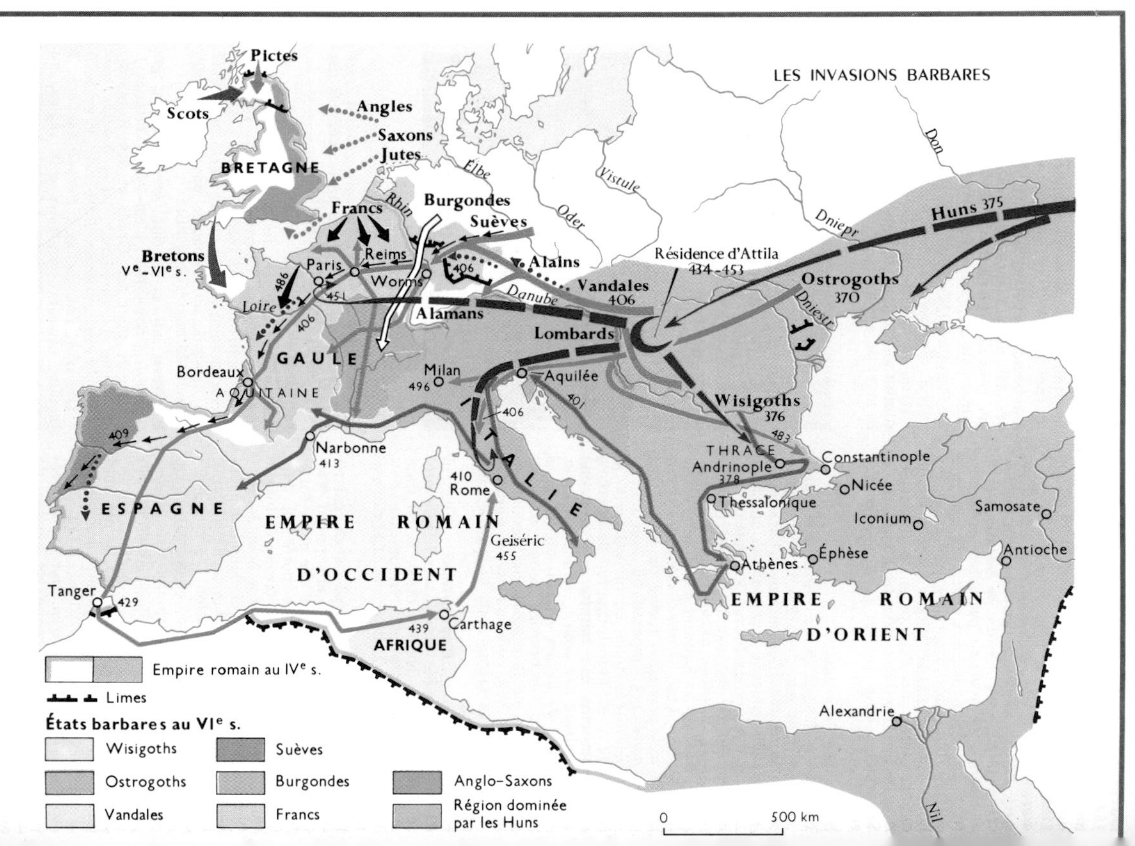
LES INVASIONS BARBARES
Pictes
Scots
Angles
Saxons
Jutes
BRETAGNE
Francs
Burgondes
Suèves
Alains
Bretons Ve–VIe s.
Vandales 406
Alamans
Lombards
Résidence d'Attila 434–453
Huns 375
Ostrogoths 370
Wisigoths 376
GAULE
AQUITAINE
ESPAGNE
ITALIE
AFRIQUE
THRACE
EMPIRE ROMAIN D'OCCIDENT
EMPIRE ROMAIN D'ORIENT
Rhin
Elbe
Oder
Vistule
Dniepr
Don
Danube
Dniestr
Loire
Nil
Paris
Reims
Worms
Bordeaux
Narbonne 413
Milan 496
Aquilée
410 Rome
Geiséric 455
Carthage
Tanger
Andrinople 378
Constantinople
Nicée
Thessalonique
Athènes
Éphèse
Iconium
Samosate
Antioche
Alexandrie
486
451
406
409
429
439
401
483
Empire romain au IVe s.
Limes
États barbares au VIe s.
Wisigoths
Ostrogoths
Vandales
Suèves
Burgondes
Francs
Anglo-Saxons
Région dominée par les Huns
0
500 km

conforme à l'usage : « *Vous faisez » est une forme barbare, au lieu de « vous faites »*. ◆ **barbarement** adv. De façon cruelle : *Traiter quelqu'un barbarement.* ◆ **barbarie** n. f. Défaut de civilisation : *Un peuple plongé dans la barbarie.* ‖ Cruauté, férocité : *La barbarie révoltante d'un criminel.* ‖ Action cruelle : *Ce serait une barbarie de le laisser dehors sous la neige.* ‖ A la fin de la conquête romaine, sous le règne d'Auguste, ensemble des forces qui menaçaient la culture gréco-latine. ‖ Chez les nations chrétiennes, les nations qui ne le sont pas : *La Hongrie fut le rempart de l'Europe contre la barbarie.* ‖ — SYN. : *cruauté, férocité, inhumanité, sauvagerie.* ◆ **barbarisme** n. m. Forme d'un mot ou mot lui-même qui n'existe pas dans une langue à une époque déterminée (par oppos. à *solécisme,* faute de syntaxe) : *Le futur « cueillira », au lieu de « cueillera », est, au XXe s., un barbarisme.* ‖ Faute qui consiste dans l'emploi de ce mot ou de cette forme.

— ENCYCL. ***barbare.*** Pour les Grecs, le mot désignait tout ce qui n'était pas grec, aussi bien les peuples de brillante civilisation, comme les Perses et les Egyptiens, que les populations primitives, comme les Sarmates, les Scythes, les Germains. Chez les Romains, le mot s'appliquait aux étrangers à la Méditerranée romaine. Il prit vite un sens péjoratif ; Cicéron, Tacite définirent le Barbare comme l'homme qui ignore la civilisation.

● *Les invasions barbares.* Généralement, on donne le nom d'« invasions barbares » à l'irruption des peuples germaniques au IVe s. dans l'Empire romain, provoquant son effondrement politique. Mais on peut les faire commencer plus tôt dans le temps, et les prolonger jusqu'au XIe s., car, derrière les Germains, d'autres peuples vont s'abattre sur l'Europe : Slaves, Scandinaves, Bulgares, Magyars, Arabes, Turcs... Après une première alerte au Ier s. av. J.-C. (Cimbres, Teutons), le monde barbare encerclant l'Empire romain ne va cesser d'accentuer sa pression. Une deuxième poussée brutale a lieu au IIIe s. ; les *Francs* et les *Alamans* dévastent la Gaule, l'Espagne, l'Italie du Nord, mais la réorganisation militaire de Constantin permet de contenir de nouveaux raids. En même temps, les contacts des Barbares avec les Romains sont facilités par leur conversion à l'arianisme (Ulfilas, chez les Goths). La brusque poussée des *Huns,* chassés d'Asie, provoque une grande migration de peuples ; les *Wisigoths,* qui ont franchi le Danube (376), sont installés en Thrace par l'empereur Théodose, puis, sous la direction d'Alaric, ils ravagent la Grèce, s'emparent de Rome (410) et finissent par s'établir en Aquitaine. Les *Vandales,* les *Suèves* et les *Alains,* après avoir franchi le Rhin (406), dévastent la Gaule, passent en Espagne, puis, repoussés par les Wisigoths, s'installent en Afrique (429). Pendant ce temps, les *Alamans* ont occupé l'Alsace, et les *Burgondes,* l'actuel Palatinat, puis la Savoie (443). Les *Francs,* installés par Julien dans le nord de la France, progressent, réduisant les royaumes non barbares d'Aetius et de Syagrius. Dès 407, d'autre part, les *Angles* et les *Saxons* envahissent le nord de l'Europe et la Bretagne (Grande-Bretagne actuelle). Enfin, les *Huns* eux-mêmes, sous la direction d'Attila, font irruption en Gaule (451), puis en Italie, mais échouent devant Rome, défendue par le pape Léon le Grand (452). A la fin du Ve s., sur l'ordre de l'empereur d'Orient Zénon, les *Ostrogoths* de Théodoric s'installent en Italie. Ainsi, au début du VIe s., la domination romaine s'est effondrée en Occident ; à sa place se sont formés des Etats barbares : Anglo-Saxons en Bretagne, Francs et Burgondes en Gaule, Wisigoths en Espagne, Vandales en Afrique, Ostrogoths en Italie.

barbarée n. f. (lat. *barbaraea*). Crucifère des ruisseaux, voisine du cresson.

barbarement → BARBARE.

Barbaresque n. et adj. Habitant ou originaire de la Barbarie, ou Berbérie.

Barbari (Jacob WALCH, dit **Iacopo de'**), peintre italien d'origine allemande (Venise v. 1440 - Bruxelles ? 1516). Surtout connu comme graveur (scènes allégoriques et mythologiques), il influença Dürer. D'après son monogramme, il fut désigné sous le titre de MAÎTRE AU CADUCÉE. Le Louvre conserve de lui une *Vierge à la fontaine.*

barbarie → BARBARE.

Barbarie ou **États barbaresques,** nom donné jadis aux régions de l'Afrique du Nord-Ouest, comprenant le *Maroc,* l'*Algérie,* la *Tunisie* et parfois aussi la *Tripolitaine,* appelées par les géographes arabes *Maghreb* (c'est-à-dire le « Couchant »). Le nom de « Barbarie », employé dès l'Antiquité, est une altération de celui de *Berbérie* (ou *pays des Berbères**).

Barbarie (CANARD DE), espèce de canard domestique originaire d'Amérique, appelé aussi CANARD D'INDE ou CANARD MUSQUÉ.

Basseau

Barbarigo (Agostino) [1419-1501], doge de Venise de 1486 à 1501. Il annexa Chypre (1489), puis forma contre Charles VIII la ligue de Venise, dont l'armée fut battue à Fornoue (1495).

Barbarigo (Gregorio). V. GRÉGOIRE (saint).

barbarin, e adj. Se dit d'une race de moutons de l'Afrique du Nord, à grosse queue et à cornes très développées. ‖ — ***barbarin*** n. m. Monnaie des Arabes d'Espagne. ‖ Autre nom usuel du *grondin**.

barbarisme → BARBARE.

Barbaro (Giosafat), marchand et voyageur vénitien (Venise 1413 - *id.* 1494). Il visita le sud de la Russie et la Perse, et rédigea un compte rendu de ses voyages.

Barbaroux (Charles Jean Marie), homme politique français (Marseille 1767 - Bordeaux 1794). Conventionnel girondin, il dut se réfugier à Caen, puis à Bordeaux après le 2 juin 1793, et fut guillotiné.

barbastelle n. f. Chauve-souris d'Europe et de l'Afrique du Nord. (Nom générique : *synotus.*)

Six

barbeaux

Barbazan, ch.-l. de c. de la Haute-Garonne (arr. et à 14 km au S.-O. de Saint-Gaudens) ; 386 h. Eaux thermales.

Barbazan (Arnaud Guilhem, sire DE), gentilhomme bigourdan (en Bigorre v. 1360 - Bulgnéville 1431), célèbre pour sa vaillance pendant la guerre de Cent Ans, et surnommé, avant Bayard, LE CHEVALIER SANS REPROCHE. Il fut le chef de sept chevaliers français qui relevèrent le défi de sept chevaliers anglais à Montendre en 1402. Nommé par le roi gouverneur de Champagne et de Brie, il fut mortellement blessé à Bulgnéville et enterré à Saint-Denis.

barbe adj. et n. m. (ital. *barbero*). Se dit d'un cheval de selle, rustique et sobre, dont les Arabes font le plus grand cas.

barbe n. f. (lat. *barba*). Ensemble des poils qui poussent sur les joues et le menton de l'homme adulte : *Barbe blonde, brune.* ‖ Ensemble des poils qui poussent sous la mâchoire inférieure ou près du nez de certains mammifères : *Barbe de chat, de phoque, de singe.* ‖ Nom donné à divers objets qui offrent quelque ressemblance avec la barbe ou un bouquet de poils ; bavures, filaments que l'on remarque sur les bords de certains objets après qu'on les a coupés : *Les barbes d'une pièce de métal, d'une feuille de papier.* ‖ Chacun des poils implantés le long du tuyau d'une plume. ‖ Poil raide qui prolonge la glume des graminacées « barbues ». ‖ Région située à la face externe de la lèvre inférieure du cheval, et qui correspond au lieu de réunion des deux branches du maxillaire inférieur. ‖ Chacune des parties découpées de la queue de pêne, sur lesquelles agit le panneton de la clef. ● *A la barbe de,* au su, au vu, en la présence de quelqu'un. ‖ *Avoir de la barbe au menton,* avoir atteint l'âge viril, ou bien appartenir au sexe masculin. ‖ *Barbe en collier,* barbe étroite et courte encadrant le visage. ‖ *Faire la barbe,* couper la barbe. ‖ *La barbe!* (Fam.), exclamation pour signifier que quelqu'un ou quelque chose vous importune. ‖ *Rire dans sa barbe,* en soi-même. ‖ *Vieille barbe,* individu dont les idées et les mœurs sont périmées. ‖ — ***barbes*** n. f. pl. Pièces de toile ou de dentelle que portaient les femmes à leur coiffure aux XVIIe et XVIIIe s. ◆ **barbant, e** adj. *Pop.* Ennuyeux. ◆ **barbé, e** adj. *Hérald.* Se dit des animaux dont la barbe est d'un émail particulier. ◆ **barbeau** n. m. Poisson osseux de rivière, muni de quatre barbillons (d'où son nom). [Famille des cyprinidés.] ‖ Nom usuel du *bluet** et d'autres centaurées. ‖ *Pop.* Souteneur. ‖ ◆ **barbe-de-bouc** n. f. Nom usuel du *salsifis* et de divers champignons (clavaire, hydne). — Pl. *des* BARBES-DE-BOUC. ◆ **barbe-de-capucin** n. f. Salade faite avec les feuilles étiolées de la chicorée sauvage. — Pl. *des* BARBES-DE-CAPUCIN. (Syn. FRISÉE.) ◆ **barbe-de-Jupiter** n. f. Trèfle jaune. — Pl. *des* BARBES-DE-JUPITER. (V. ANTHYLLIS.) ◆ **barbe-de-vache** n. f. Hydne. — Pl. *des* BARBES-DE-VACHE. ◆ **barbelé, e** adj. Se dit d'une arme dont le fer est garni de dents ou de pointes : *Flèche barbelée.* ● *Fil de fer barbelé,* ou *barbelé* n. m., fil de fer muni de pointes, utilisé pour les clôtures ou, à titre militaire, comme matériel de défense accessoire : *Un réseau de barbelés.* ◆ **barbelure** n. f. Aspérité disposée en barbe d'épi : *Les barbelures d'une flèche.* ◆ **barber** v. tr. *Pop.* Ennuyer. ◆ **barbet** n. m. et adj. Race de chiens d'arrêt, appréciée pour la chasse au canard. ● *Crotté comme un barbet,* couvert de boue (en parlant d'une personne). [V. aussi BARBETS.] ◆ **barbette** n. f. et adj. Femelle du barbet. ✦ n. f. *Cost.* Guimpe en forme de mentonnière, portée du XIIe au XVe s. par les femmes âgées, les veuves et les religieuses. ‖ Loche* de rivière. ‖ Autref., plate-forme surélevée permettant le tir des canons par-dessus le parapet. ‖ *Arg. mil.* L'arme du génie. ● *Canon en barbette,* canon établi à ciel ouvert sur le pont d'un navire. ‖ *Tourelle barbette,* tourelle sans toiture, sur un cuirassé (XIXe s.). ◆ **barbican** n. m. Oiseau africain piciforme, au plumage noir, jaune et rouge, au bec dentelé et moustachu. (Nom générique : *pogonornis*. Famille des capitonidés.) ◆ **barbiche** n. f. Barbe en forme de petite touffe au menton; barbe peu fournie. ◆ **barbichette** n. f. Petite barbe. ◆ **barbicornis** [nis] n. m. Papillon américain aux ailes inférieures spatulées. ◆ **barbier** n. m. Celui dont la profession était de raser et de soigner la barbe. ‖ Coiffeur. ‖ Nom de divers poissons portant soit un « rasoir » (épine dorsale de l'*acanthure*), soit un « plat à barbe » (ventouse gastrique du *lepadogaster*). ◆ **barbier-chirurgien** n. m. Autref., celui qui exerçait les professions de barbier et de chirurgien. — Pl. *des* BARBIERS-CHIRURGIENS. ◆ **barbière** n. f. Pièce d'armure destinée à protéger le cou, le menton et la bouche. ‖ Plat ovale échancré. ‖ Guéridon tripode, surmonté d'une glace à hauteur de visage (milieu du XIXe s.). ◆ **barbifier** v. tr. *Fam.* Raser, faire la barbe. ‖ Ennuyer. ◆ **barbille** n. f. Bavure à une pièce de monnaie ou à un flan monétaire. ◆ **barbillon** n. m. Petit barbeau. ‖ Appendice sensoriel de la région buccale des poissons, et, *par anal.,* appendice du frein de la langue du bœuf et du cheval, et fanon du menton des oiseaux de basse-cour. ◆ **barbin** n. m. Pièce de l'ourdissoir, qui sert à guider le fil. ◆ **barboche** n. f. Lime à ébarber, qu'on utilise pour l'affûtage des scies. ◆ **barbon** n. m. Homme d'un âge plus que mûr. ‖ *Bot.* V. ANDROPOGON. ◆ **barbot** n. m., **barbotin** n. m., **barbotte** n. f. Noms donnés indifféremment à la *lotte** et à la *loche**, poissons de rivière. ◆ **barbouze** n. f. *Pop.* Barbe. ‖ *Fig.* et *pop.* Policier appartenant à un service secret. ◆ **barbu, e** adj. et n. Qui a de la barbe : *Un vieillard barbu. Un barbu sympathique.* ‖ Muni de barbes, d'appendices en forme de barbe, de barbillons : *L'œillet barbu. Les fanons de la baleine sont barbus.* ‖ Race de poules à plumes développées sous l'oreillon et sous le menton. ‖ — **barbu** n. m. Oiseau tropical piciforme, mangeur d'insectes et de fruits. (Nombreux genres, dont le *barbican.* Famille des capitonidés.) ‖ — **barbue** n. f. Poisson plat, voisin du turbot, mais à peau lisse. (Sa chair, délicate, se prépare braisée, pochée ou accommodée de différentes sauces. Famille des pleuronectidés.) ◆ **barbule** n. f. Mousse du sol formant des pelotes bombées, arrondies, peu colorées. ‖ Rameau implanté sur une barbe de plume* d'oiseau. (Chaque barbe porte deux rangées de *barbules,* l'une munie de crochets, l'autre non; leur engrènement assure l'étanchéité de la plume.) ◆ **barbure** n. f. Bavure existant sur une pièce fondue.

barbet

Le Houelleur

Barbe (sainte), vierge et martyre († Nicomédie v. 235), patronne des canonniers, des mineurs, des pompiers, des carriers. — Fête le 4 déc.

barbé → BARBE.

Barbé de Marbois (François, marquis DE), homme politique français (Metz 1745 - Paris 1837). Il fut nommé par Bonaparte ministre du Trésor, puis premier président de la Cour des comptes, poste qu'il occupa jusqu'en 1834. Il devint ministre de la Justice dans le cabinet Richelieu.

barbeau → BARBE.

Barbe-Bleue, conte de Perrault. Barbe-Bleue va tuer sa septième femme parce que la curiosité a fait découvrir à celle-ci les cadavres des six épouses qui l'ont précédée, mais les deux frères de la jeune femme arrivent à temps et tuent Barbe-Bleue.

barbecue [kju] n. m. (mot anglo-amér. empr. à l'esp. *barbacoa,* d'orig. indienne). Appareil de cuisson à l'air libre, fonctionnant au charbon de bois, pour griller ou rôtir viande ou poisson.

barbe-de-bouc, barbe-de-capucin, barbe-de-Jupiter, barbe-de-vache → BARBE.

Barbedienne (Ferdinand), fondeur français (Saint-Martin-de-Fresnay 1810 - Paris 1892). Il reproduisit de nombreuses sculptures anciennes et modernes.

barbelé, barbelure → BARBE.

Barbentane, comm. des Bouches-du-Rhône (arr. d'Arles), à 11 km au S.-O. d'Avignon; 3 249 h. (*Barbentanais*). Restes d'enceinte. Forêt.

barber → BARBE.

Barber (Samuel), compositeur américain (West Chester, Pennsylvanie, 1910 - New York 1981). On lui doit des pages instrumentales, des œuvres pour voix, chœurs et orchestre (*Prayers for Kierkegaard,* 1954).

Barberini, famille romaine, originaire de Barberino (Val d'Elsa). Le fondateur de cette dynastie, FRANCESCO (Florence 1528 - Rome 1600), se fixa à Rome v. 1550. Parmi ses représentants les plus célèbres, on compte : MAFFEO, cardinal, puis pape sous le nom d'Urbain VIII* (1623-1644) ; — ANTONIO *le Vieux* (Florence 1569 - Rome 1646), frère de Maffeo, cardinal (1624) ; — FRANCESCO (Florence 1597 - Rome 1679), neveu de Maffeo, cardinal ; — TADDEO (Rome 1603 - Paris 1647), neveu de Maffeo, lieutenant général de l'Eglise, puis préfet de Rome ; — ANTONIO *le Jeune* (Rome 1608 - Nemi 1671), neveu de Maffeo, cardinal. Leur palais, à Rome, construit en 1630, fut un magnifique musée. En matière politique, ils voulurent, comme instruments du Saint-Siège, dominer l'Italie. Leur impopularité les obligea à se retirer en France. La famille des Barberini s'éteignit en 1736, et ses biens passèrent aux Colonna.

Barberino (Andrea DA). V. ANDREA DA BARBERINO.

Barbey d'Aurevilly
par Emile Lévy

Braun

Barberousse. V. FRÉDÉRIC Ier, empereur germanique.

Barberousse, nom donné par les historiens occidentaux aux deux pirates turcs, fondateurs de l'Etat d'Alger au XVIe s., 'Arūdj et Khayr al-Dīn, son frère. C'est à ce dernier, en fait, successeur de 'Arūdj, que s'applique ce surnom. Il reconnut la suzeraineté du sultan Selim, qui lui conféra le titre de pacha. Il s'empara de l'île du Peñon (1529) et créa le port d'Alger. Après s'être joint à la flotte française contre Charles Quint (1543-1544), il mourut à Constantinople en 1546.

Barbès (Armand), homme politique français (Pointe-à-Pitre, Guadeloupe, 1809 - La Haye 1870). Membre de l'opposition républicaine, il fut condamné à mort à la suite de l'insurrection du 12 mai 1839 et envoyé en détention perpétuelle ; il fut libéré par la révolution de 1848. Elu député de l'Aude, il tenta de constituer un gouvernement insurrectionnel à l'Hôtel de Ville (15 mai 1848). Il fut condamné, puis gracié par Napoléon III en 1854, et mourut en exil volontaire.

barbet → BARBE.

barbets n. m. pl. Surnom donné aux vaudois du Dauphiné et du Piémont, puis aux calvinistes des Cévennes.

barbette → BARBE.

Barbey d'Aurevilly (Jules), écrivain français (Saint-Sauveur-le-Vicomte 1808 - Paris 1889). Il a écrit des romans, qu'il situe d'ordinaire dans le Cotentin (*l'Ensorcelée,* 1854 ; *le Chevalier Des Touches,* 1864), des nouvelles (*les Diaboliques**, 1874), des études littéraires. Son œuvre est un singulier mélange de catholicisme, de dandysme, de byronisme, de satanisme et d'intelligence raffinée.

Barbezieux-Saint-Hilaire, ch.-l. de c. de la Charente (arr. de Cognac), à 35 km au S.-O. d'Angoulême ; 5 404 h. Papeterie. La localité donne son nom à une race de poules noires, bonnes pondeuses, renommées pour leur aptitude à produire des chapons.

Barbezieux (Louis François Marie LE TELLIER, marquis DE), ministre français (Paris 1668 - Versailles 1701), fils de Louvois. Il obtint la survivance du secrétariat à la Guerre (1685) et devint secrétaire d'Etat en titre en 1691.

Barbiano, famille italienne du XIVe s. ALBERICO **da Barbiano** († 1409), premier condottiere, organisa la « Compagnie de Saint-Georges », bande de mercenaires, pour lutter contre les Français.

barbican, barbiche, barbichette, barbicornis → BARBE.

Barbié du Bocage (Jean Denis), cartographe français (Paris 1760 - *id.* 1825), auteur de cartes d'histoire ancienne.

barbier → BARBE.

Barbier de Séville (LE) *ou la Précaution inutile,* comédie en 4 actes et en prose, de Beaumarchais (1775). Le vieux docteur Bartholo cache dans une maison bien gardée sa pupille Rosine, qu'il espère épouser, mais le comte Almaviva réussit, grâce à la complicité du barbier Figaro et à deux déguisements successifs, à arriver jusqu'à elle ; il parvient même à mettre dans son jeu don Bazile, maître à chanter de Rosine, dans lequel Bartholo plaçait toute sa confiance.

Giraudon

école de **Barbizon**
« le Printemps », par Th. Rousseau *(détail)*
Louvre

Barbier de Séville (LE), opéra en 2 actes de Rossini, livret de C. Sterbini, créé en 1816 à Rome, au théâtre Argentina.

Barbier (Auguste), poète français (Paris 1805 - Nice 1882), auteur de *Iambes* (1830-1831), poèmes satiriques, dans lesquels il invective la société née de la révolution de 1830. (Acad. fr., 1869.)

barbier-chirurgien, barbière, barbifier, barbille, barbillon, barbin → BARBE.

Barbin (Claude), libraire français (Paris 1629 - *id.* 1700), éditeur de Corneille, de Molière, de Boileau, de La Fontaine et de Mme de La Fayette.

barbital n. m. Dénomination commune de la diéthylmalonylurée, hypnotique. ‖ Suffixe désignant un groupe de médicaments (appelés aussi « barbituriques ») dont les propriétés hypnotiques sont variables dans leur rapidité, leur intensité et leur durée, selon la nature et la position des radicaux fixés sur le noyau « barbital » qu'ils possèdent. ◆ **barbiturique** adj. et n. m. *Acide barbiturique,* uréide que l'on obtient par action de l'ester malonique sur l'urée. (Syn. MALONYLURÉE.) [C'est un solide cristallisé, ayant des dérivés importants en thérapeutique (véronal, phénobarbital, etc.).] ‖ Se dit aussi de ses dérivés. ◆ **barbiturisme** n. m. Intoxication par les dérivés de l'acide barbiturique. (L'intoxication aiguë, qui résulte le plus souvent d'une tentative de suicide, se manifeste par des signes neurologiques variés, qui peuvent aller jusqu'au coma profond ; l'intoxication chronique peut donner lieu à des troubles psychiques. ◆ **barbituromanie** n. f. Toxicomanie aux barbituriques.

barbitiste n. m. Sauterelle prédatrice des vignes et des pêchers.

barbiturique, barbiturisme, barbituromanie → BARBITAL.

Barbizon, comm. de Seine-et-Marne (arr. de Melun), sur la bordure ouest de la forêt de Fontainebleau ; 1 273 h. — La localité a donné son nom à un groupe de peintres, l'*école de Barbizon* (Corot, Th. Rousseau, J.-F. Millet, Decamps, Diaz, P. Huet, Troyon).

Barblan (Otto), organiste et compositeur suisse (Scanf, Engadine, 1860 - Genève 1943), auteur d'œuvres pour orgue, orchestre et chœur, et de l'hymne national suisse, ***Ô** monts indépendants*.

barboche, barbon → BARBE.

Barbon (Praise God), prêcheur anglais (1596 ? - 1680), dont le nom fut souvent déformé en **Barebone** ou **Barebones,** et célèbre par ses extases mystiques.

Barbosa (Duarte), voyageur portugais (Lisbonne v. 1480 - Cebu 1521). Il accompagna Magellan dans son voyage et périt avec lui.

Barbosa (Rui), prosateur et homme politique brésilien (Bahia 1849 - Petropolis 1923), l'un des sept membres du gouvernement provisoire (1889-1891) et le représentant brésilien à la 2e Conférence de la paix, à La Haye, en 1907.

Barbosa du Bocage. V. BOCAGE.

barbot → BARBE.

barbotage → BARBOTER.

Barbotan-les-Thermes, écart de la comm. de Cazaubon (Gers, arr. de Condom), à 6 km au S.-O. de Gabarret. Eaux thermales.

barbotement → BARBOTER.

barboter v. intr. (de l'anc. franç. *barbeter,* variante de *bourbeter;* de *bourbe*). S'agiter dans un liquide : *Des enfants qui barbotent dans une mare.* || Fouiller avec le bec dans l'eau bourbeuse ou dans la boue, en parlant d'oiseaux aquatiques : *Les canards aiment à barboter.* || Marcher dans la boue. ● *Faire barboter un gaz,* le faire passer à l'état de bulles dans un liquide, généralement dans un dessein d'absorption ou de purification. ✦ v. tr. *Pop.* Voler, chiper : *Barboter une montre.* ◆ **barbotage** ou **barbotement** n. m. Action de barboter. || Passage d'un gaz à travers un liquide, en vue de le purifier. || Breuvage pour bestiaux, fait de farine ou de son délayé dans l'eau. || *Fig.* Fait de s'embarrasser dans une affaire; gâchis. || *Pop.* Vol. ● *Graissage par barbotage,* méthode de graissage du moteur dans laquelle l'huile contenue dans le carter est projetée sur les organes en mouvement. ◆ **barboteur, euse** n. Personne qui barbote, qui a l'habitude de barboter. || — ***barboteur*** n. m. Appareil utilisé en chimie pour faire réagir un gaz sur un liquide, par lent passage du gaz à travers le liquide. || Dispositif pour le lavage et l'épuration méthodiques du gaz d'éclairage. || — ***barboteuse*** n. f. Vêtement d'enfant d'une seule pièce, avec ou sans manches, formant culotte. ◆ **barbotine** n. f. Mélange d'eau, de pâte neuve et de rognures de pâte, employé par les céramistes pour le coulage.

Manuel

Henri **Barbusse**

1. barbotin → BARBE.

2. barbotin n. m. (du nom de son inventeur, le capitaine de vaisseau *Barbotin*). Couronne en acier sur laquelle les maillons d'une chaîne viennent s'engrener successivement, l'un verticalement, et le suivant horizontalement. || Roue dentée reliée au moteur et entraînant la chenille d'un véhicule tout terrain.

barbotine → BARBOTER.

barbotte → BARBE.

Barboude. V. BARBUDE.

barbouillage → BARBOUILLER.

barbouiller v. tr. Couvrir grossièrement d'un enduit de couleur : *Barbouiller de jaune une statue.* || Couvrir d'une substance salissante, salir : *Un mécanicien barbouillé de cambouis.* || Peindre sans art et sans goût : *Barbouiller un paysage.* || Ecrire rapidement et mal : *Barbouiller un article de journal.* ● *Barbouiller le cœur,* donner légèrement la nausée. ◆ **barbouillage** ou **barbouillis** n. m. Action d'appliquer grossièrement une peinture. || Résultat de cette action. || Ecriture illisible. ◆ **barbouilleur** n. m. Peintre appliquant grossièrement une peinture. || Personne qui aime à griffonner : *Barbouilleur de murs.* || Mauvais écrivain ou mauvais peintre : *Un médiocre portrait dû à quelque barbouilleur.*

barbouze, barbu → BARBE.

Barbude ou **Barboude,** en angl. **Barbuda,** île des Petites Antilles (Leeward Islands), dépendance d'Antigua ; 1 100 h.

barbue, barbule, barbure → BARBE.

Barbusse (Henri), romancier français (Asnières 1873 - Moscou 1935), auteur du *Feu** (1916, prix Goncourt), œuvre réaliste sur la vie des combattants de la Première Guerre mondiale, et d'ouvrages militant en faveur du communisme.

Barca, surnom d'**Hamilcar.** (V. aussi BARCIDES [*les*].)

Barcarès (LE), comm. des Pyrénées-Orientales (arr. et à 18 km au N.-E. de Perpignan); 2 221 h. Station balnéaire.

barcarolle n. f. (de l'ital. *barcaruolo,* gondolier). A l'origine, chant des gondoliers. || Pièce vocale ou instrumentale de rythme ternaire composé (6/8 ou 12/8).

barcasse n. f. Grande barque utilisée pour le débarquement des passagers et des marchandises lorsque le navire ne peut se mettre à quai.

Barcelona, v. du Venezuela ; 76 400 h. Centre commercial.

Barcelone, en esp. **Barcelona,** v. d'Espagne, ch.-l. de prov., sur la côte de Catalogne, au N. du delta du Llobregat et au pied du massif du Tibidabo ; 1 745 100 h. Archevêché. Université. La vieille ville, près du port, contraste, par ses ruelles étroites, avec la ville moderne, au plan quadrangulaire. L'industrie se concentre dans les faubourgs littoraux : constructions mécaniques, montage d'automobiles, métallurgie, industries chimiques, raffineries de pétrole. Les textiles (coton), développés plus anciennement, se localisent dans les vallées de l'arrière-pays. Barcelone est le premier port d'Espagne.
● *Histoire.* Ancienne colonie phocéenne, occupée par les Carthaginois, puis par Rome, Barcelone fut la capitale des Wisigoths. Indépendante à partir de 874 et réunie à

l'Aragon au XIIe s., elle fut, au XIIIe s., une des plus grandes places bancaires et commerciales d'Europe. La découverte de l'Amérique lui coûta sa prospérité, qu'elle ne retrouva que dans la seconde moitié du XIXe s. Barcelone, violemment bombardée par l'aviation italienne en mars 1938, ne fut conquise par les troupes franquistes que le 25 janv. 1939.

● *Beaux-arts.* La ville a conservé de très nombreux monuments romans (San Pedro de las Puelas, San Pablo del Campo), gothiques (cathédrale, Santa María del Mar, Diputación provinciale, Ayuntamiento, Lonja), baroques et classiques. De l'époque moderne sont les œuvres de l'architecte Gaudí y Cornet (église de la Sagrada Familia, parc Güell). Montjuich possède un musée d'art catalan et un village espagnol bâti pour l'Exposition de 1929. Musée Picasso.

Barcelone (TRAITÉ DE), traité par lequel Charles VIII abandonna à Ferdinand le Catholique le Roussillon et la Cerdagne (1493).

Barcelonnette, ch.-l. d'arr. des Alpes-de-Haute-Provence, dans l'Ubaye ; 3 314 h. Restes d'enceinte. Anc. centre d'émigration vers le Mexique. Centre touristique.

Barcides (les), famille carthaginoise puissante au temps des guerres puniques, illustrée par Hamilcar dit *Barca* et par ses fils Hannibal, Hasdrubal et Magon.

Barcillonnette, ch.-l. de c. des Hautes-Alpes (arr. et à 28 km au S.-O. de Gap) ; 83 h.

Barclay de Tolly (Mikhaïl Bogdanovitch, prince), maréchal russe d'origine écossaise (Luhde Grosshoff, Livonie, 1761 - Insterburg 1818). Ministre de la Guerre en 1810, il

Kreuger

Barcelone
le port, dominé par la forteresse de Montjuich; *ci-contre,* église de la Sagrade Familia (Gaudí y Cornet)

commanda l'armée de l'Ouest lors de l'invasion française en 1812, et se distingua au cours des campagnes d'Allemagne (1813) et de France (1814). Feld-maréchal après la prise de Paris, il devint en 1815 commandant en chef des armées russes.

Barclays Bank Limited, la plus ancienne et la plus importante banque anglaise, fondée dans la seconde moitié du XVIIe s.

bard n. m. Civière, brancard pour transporter à bras les fardeaux. || Charrette utilisée pour le transport de grosses charges (blocs de pierre, par ex.). ◆ **bardage** n. m. Déplacement et transport des fardeaux très pesants. || Protection en planches aménagée autour d'un ouvrage d'art. ◆ **bardée** n. f. Matériaux remplissant un bard. ◆ **bardelle** n. f. Brancard d'un bard. ● *Banc à bardelles,* banc à deux bras sur lesquels le verrier roule sa canne, ou pontil, pour façonner la pièce. ◆ **barder** v. tr. Transporter sur un bard. ◆ **bardeur** n. m. Manœuvre du bâtiment, qui transporte les pierres.

barda n. m. (ar. *barda'a,* bât d'âne). *Arg. mil.* Ensemble de l'habillement et de l'équipement confiés à un soldat. || *Fam.* Bagages.

bardage → BARD.

Bardaï, oasis du Sahara (Tchad), dans le Tibesti.

bardane n. f. (mot d'orig. lyonnaise et signif. *punaise*). Composée (haut. 1 m) aux fleurs violettes, dont les bractées, crochues, se prennent dans le pelage des animaux, assurant ainsi la dispersion des graines.

Bardane le Turc, chef des troupes d'Asie Mineure, proclamé empereur en 803 par ses soldats. Trahi, il se soumit à Nicéphore Ier.

Bardanes. V. PHILIPPIKOS.

Bardas, patrice byzantin du IXe s., frère de Théodora, impératrice régente de Byzance. Il réussit à écarter Théodora pendant la minorité de Michel III. Devenu césar, il fit déposer le patriarche Ignace et le remplaça par Photios (858). Michel III le fit assassiner (866).

Bardas Phokas. V. PHOKAS (Bardas).

Bardas Skleros. V. SKLEROS (Bardas).

barde n. m. (lat. *bardus;* d'orig. gauloise). Poète et chanteur, chez les Celtes. || *Par extens.* Tout poète héroïque ou lyrique. ◆ **bardit** n. m. Nom donné par les romantiques aux chants des bardes, et particulièrement aux chants guerriers des Germains et des Gaulois.

barde n. f. (esp. *barde,* empr. à l'ar.). Armure du cheval de guerre (XIIIe-XVIe s.). || Tranche mince de lard dont on enveloppe les pièces de gibier et les volailles qu'on veut rôtir, pour les garantir des coups de feu, et dont on garnit également le fond du récipient dans lequel se cuit un braisé. ◆ **barder** v. tr. Couvrir un cheval de bataille d'une barde. || Couvrir un combattant d'une armure : *Barder de fer un chevalier.* || Recouvrir de fer, d'acier, etc., pour protéger ou consolider : *Une vieille porte bardée de ferrures.* || Couvrir, munir à profusion : *Etre bardé de couvertures;* et, au *fig. : Un ouvrage bardé de citations.* || Recouvrir d'une barde de lard un morceau de viande, une volaille ou un gibier.

1. bardeau n. m. Planche mince en forme de tuile, revêtant la façade ou le toit des bâtiments en pays de montagne. || Ensemble de planchettes jointives clouées sur les solives, sur lesquelles on forme l'aire en plâtre qui doit recevoir un carrelage.

2. bardeau n. m. *Zootechn.* V. BARDOT.

bardée → BARD.

Bardeen (John), physicien américain (Madison, Wisconsin, 1908). Il a reçu deux fois le prix Nobel de physique : en 1956, en même temps que W. H. Brattain et W. Shokley, pour la mise au point du transistor à germanium; en 1972, avec L. Cooper et J. R. Schrieffer, pour leur théorie de la supraconductibilité.

bardelle → BARD.

barder v. tr. → BARD et BARDE n. f.

barder v. intr. (de *barder,* glisser; mot d'un patois de l'Est). *Ça va barder* (Pop.), cela va devenir dangereux.

bardeur → BARD.

Bardi, famille florentine. De 1250 à 1350, sa compagnie marchande fut l'une des plus importantes puissances financières et bancaires d'Europe.

Bardi (Giovanni), patricien florentin (Florence 1534 - Rome? 1612). Dans sa maison, il réunit des poètes et des musiciens (Peri, Cavalieri, Caccini), qui furent les premiers artisans du mélodrame.

Bardia, localité de Libye, sur la Méditerranée, près de la frontière égyptienne. Au cours de la campagne de Libye (1940-1942), Bardia changea cinq fois de mains entre Britanniques et Germano-Italiens.

bardiglio n. m. (mot ital.). Nom de plusieurs marbres italiens et corses. ● *Bardiglio de Bergame,* mélange de quartz et de sulfate de calcium, succédané du marbre.

bardis [di] n. m. Ensemble de madriers placés longitudinalement dans la cale d'un navire pour éviter le ripage d'un chargement de grains en vrac.

bardit → BARDE n. m.

Bardiya, frère de Cambyse, connu également sous le nom grec de **Smerdis.** Il fut vraisemblablement assassiné sur l'ordre de Cambyse. Plus tard, le mage Gaumâta* se fit passer pour lui.

Bardo (LE), comm. de Tunisie (banlieue de Tunis); 40 700 h. Musée archéologique. Ancienne résidence des beys, où fut signé le *traité du Bardo,* dit aussi « de Qaṣr Sa'īd », le 12 mai 1881. Le bey Muḥammad al-Ṣadūq, par ce traité, concédait à la France le droit d'occuper en Tunisie certains points jusqu'à ce que l'administration locale « fût en état de garantir le maintien de l'ordre ». La France nommait un ministre résident auprès du bey.

Bardo (MUSÉE DU). V. ALGER.

Bardonnèche, en ital. **Bardonecchia,** comm. d'Italie, dans les Alpes (Piémont, prov. de Turin), à la sortie du tunnel du Mont-Cenis ; 2 700 h. Sports d'hiver.

bardot ou **bardeau** n. m. (de l'anc. provenç. *barda,* sorte de bât). Hybride du cheval et de l'ânesse, moins résistant que le mulet et possédant les défauts de caractère de l'âne. || Mulet qui, en tête de la troupe, porte les provisions du muletier. || Papier de rebut.

Bardot (Brigitte), actrice de cinéma française (Paris 1934). Lancée par le film de Roger Vadim *Et Dieu créa la femme* (1956), elle sut acquérir une vive popularité qui se confondit, un temps, avec un véritable mythe sociologique. Elle tourna notamment dans *En cas de malheur* (C. Autant-Lara, 1958), *la Vérité* (H. G. Clouzot, 1960), *Vie privée* (L. Malle, 1962), *le Mépris* (J.-L. Godard, 1963).

barège n. m. Etoffe de laine légère, non croisée. (Vx.) || Tissu de coton à l'aspect pelucheux.

Barèges, comm. des Hautes-Pyrénées (arr. d'Argelès-Gazost), sur le Bastan, et à 7 km au N.-E. de Luz-Saint-Sauveur ; 344 h. Station thermale et centre de sports d'hiver.

barème n. m. (de *Barrême*,* nom d'un mathématicien du XVIIe s.). Livre de comptes tout faits. || Table ou répertoire de données numériques disposées pour une consultation sûre, commode et rapide.

Barenboïm (Daniel), chef d'orchestre et pianiste israélien (Buenos Aires 1942). Il dirige l'Orchestre de Paris depuis 1975.

Barentin, comm. de la Seine-Maritime (arr. et à 17 km au N.-O. de Rouen) ; 12 776 h. (*Barentinois*). Musée de sculpture en plein air. Textiles ; moteurs électriques.

Barentin (Charles DE), homme politique et jurisconsulte français (1738 - Paris 1819). Garde des Sceaux en 1788, il fut l'adversaire de Necker, voulut s'opposer aux prétentions du Tiers, en 1789, et dut émigrer.

Barenton, ch.-l. de c. de la Manche (arr. d'Avranches), à 10 km au S.-E. de Mortain ; 1 696 h.

Barents ou **Barentsz** (Willem), explorateur néerlandais (île de Terschelling v. 1555 - Novaïa Zemlia 1597). Il conduisit deux expéditions dans les mers arctiques, à la recherche du passage du Nord-Est vers la Chine. Il découvrit la Novaïa Zemlia (Nouvelle-Zemble), l'île des Ours et le Spitzberg.

Barents (MER DE), mer bordière de l'océan Arctique, entre la Scandinavie, le Svalbard et la Novaïa Zemlia ; 1 400 000 km². Pénétrée par les eaux tièdes de l'Atlantique, cette mer est accessible en toute saison (port de Mourmansk).

Barentsz (Dirck), peintre hollandais (Amsterdam 1534 - *id.* 1592). Il travailla en Italie, dans l'atelier de Titien. On cite de lui *Groupe de quatorze gardes civiques* (1562, Rijksmuseum d'Amsterdam).

Barère de Vieuzac (Bertrand), homme politique français (Tarbes 1755 - *id.* 1841). Conventionnel, il passa des Girondins aux Montagnards. Membre du Comité de salut public, il fut emprisonné au 9-Thermidor et proscrit comme régicide sous la Restauration.

Paramount

Brigitte **Bardot**

baresthésie n. f. (gr. *baros,* poids, et *aisthêsis,* sensibilité). Sensibilité des organes profonds (os, muscles, viscères, etc.) à la pression, contribuant à informer le cerveau de l'orientation spatiale du corps et de ses diverses parties. (V. ÉQUILIBRE.)

baréter v. intr. Syn. de BARRIR.

Barétous, pays des Pyrénées (Pyrénées-Atlantiques), formé par la vallée du Vert, au S.-O. d'Oloron.

barette n. f. Jeu de rugby où certaines règles sont adaptées (pas de placage) pour qu'il puisse être pratiqué par des enfants.

Baretti (Giuseppe), écrivain italien (Turin 1719 - Londres 1789). Polémiste passionné, il attaqua notamment le maniérisme en littérature.

Barfleur, comm. de la Manche (arr. de Cherbourg), près de la *pointe de Barfleur,* extrémité nord-est du Cotentin ; 630 h. Station balnéaire. Petit port qui fut très important au Moyen Age. En 1692 eut lieu, près de la pointe de Barfleur, la bataille dite « de La Hougue* ».

Bārfurūch. V. BĀBUL.

1. barge n. f. (bas lat. *barga*). Sorte de barque gréée d'une voile carrée, et utilisée pour la pêche en rivière. || Péniche de débarquement. || Bateau à fond plat, sans gouvernail ni appareil de propulsion, utilisé pour le transport des pondéreux sur les voies navigables. || Meule de foin rectangulaire.

2. barge n. f. Oiseau échassier du bord des eaux, voisin des chevaliers.

Bargello (le), palais de Florence (1234-1346), devenu musée national de sculpture.

Bevilacqua

le Bargello, cour intérieure

barguignage → BARGUIGNER.

barguigner v. intr. (du francique *borganjan,* emprunter). *Fam.* Hésiter longtemps et visiblement avant de se décider, surtout quand il s'agit d'un marché (ne s'emploie en général que négativement) : *Il acheta tout le lot sans barguigner.* ◆ **barguignage** n. m. *Fam.* Hésitation, difficulté à se décider : *Allons! pas tant de barguignage!* ◆ **barguigneur, euse** n. *Fam.* Personne lente à se déterminer.

barhydromètre n. m. (gr. *barus,* pesant, *hudôr,* eau, et *metron,* mesure). Instrument destiné à mesurer la pression exercée par l'eau à diverses profondeurs.

Bari ou **Bari delle Puglie,** port d'Italie, dans les Pouilles, ch.-l. de prov. ; 363 000 h. Archevêché. Université. Industries alimentaires ; raffinerie de pétrole ; textiles. Conquise par Robert Guiscard en 1071, la ville fut prospère au Moyen Age grâce à ses relations commerciales avec la Syrie.

baria n. m. Langue négro-africaine du groupe nilotique, parlée dans l'Ethiopie du Nord-Ouest.

baribal n. m. Gros ours noir d'Amérique.

baricaut → BARIL.

barigoula n. f. V. LACTAIRE.

barigoule n. f. (provenç. *barigoulo*). Apprêt spécial aux artichauts, qui sont garnis d'un hachis à base de champignons, bardés de lard, et braisés avec du vin blanc.

Barika, v. d'Algérie, dans la cuvette du Hodna ; 11 800 h.

baril [ri ou ril] n. m. Petite barrique, petit tonneau : *Un baril de vin.* || Quantité de matière contenue dans un baril. || Ancienne mesure de capacité qui valait à Paris 18 boisseaux, ou 235 litres. ● *Baril de galère,* baril servant de provision d'eau douce dans une embarcation. ◆ **baricaut** ou **barriquaut** n. m. Petit baril. ◆ **barillet** n. m. Petit baril : *Barillet à vinaigre.* || Magasin cylindrique du revolver, mobile autour de son axe, et destiné à recevoir les cartouches. || Partie du corps de pompe dans laquelle joue le piston. || Partie cylindrique d'un bloc de sûreté, dans une serrure. || Boîte du ressort d'entraînement d'un mécanisme d'horlogerie quelconque. || Grand récipient allongé, utilisé dans l'industrie du gaz. || Lentille ou groupe de lentilles qui se visse sur la monture d'un objectif. || Pièce des métiers à filer ayant la forme d'un tambour, et sur laquelle s'enroulent des cordes ou des chaînes. ◆ **barillon** n. m. Sorte d'aréomètre. || Réservoir proche d'un étang, pour recevoir le poisson.

Barili ou **Barile** (Antonio di Neri), sculpteur et architecte italien (Sienne 1453 - *id.* 1517), auteur de sculptures et de marqueteries pour la cathédrale de Sienne (auj. à San Quirico d'Orcia).

Barili (Giovanni), sculpteur et marqueteur italien (Florence - † Sienne v. 1531). Il travailla au Vatican d'après Raphaël.

barillet → BARIL.

Barillet (Louis), peintre-verrier et mosaïste français (Paris 1902 - *id.* 1948), un des rénovateurs de l'art du vitrail (Notre-Dame de la Trinité, à Blois).

barillon → BARIL.

Bārind, région de l'Inde et du Bangladesh, entre le Gange et le Brahmapoutre, peu fertile et peu peuplée.

barine n. m. (mot russe). Seigneur russe, dans la Russie des tsars.

Baring (Francis), financier britannique (Larkbear, Devon, 1740 - Londres 1810), fondateur d'une banque qui resta sous le contrôle de sa famille jusqu'en 1890 ; directeur de la Compagnie des Indes orientales.

Baring (Evelyn), comte **Cromer.** V. CROMER.

Baring (Maurice), écrivain anglais (Londres 1874 - Beauly, Ecosse, 1945), auteur de romans : *Daphne Adeane* (1926), *l'Angoissant souvenir* (1928), *l'Habit sans couture* (1929).

Baringo, lac du Kenya, au S. du lac Rodolphe.

bariolage, bariolé → BARIOLER.

barioler v. tr. (de *barrer,* au sens de « rayer », et de l'anc. franç. *rioler,* rayer). Rapprocher des couleurs criardes, qui ne vont pas ensemble. ◆ **bariolage** n. m. Action de barioler ; état de ce qui est bariolé : *Le bariolage des toilettes féminines.* ◆ **bariolé, e** adj. Marqué de bandes ou de taches bizarrement assorties. ◆ **bariolure** n. f. Réunion de couleurs contrastées : *Les bariolures des tapis.*

Bari(s), population nilo-chamitique du Soudan, sur les rives du Nil Blanc ; 300 000 indiv. env.

baris [ris] n. m. Petit charançon dont la larve vit dans la tige des crucifères et du réséda.

Barisāl, v. du Bangladesh ; 69 900 h.

Barisan (MONTS), chaîne de montagnes de Sumatra (Indonésie), qui s'étend sur toute la longueur de l'île ; elle porte plusieurs volcans, dont le Kerintji (3 801 m).

Barito, le plus long fleuve de Bornéo (partie indonésienne), tributaire de la mer de Java ; 900 km env.

Barjac, ch.-l. de c. du Gard (arr. d'Alès), à 32 km à l'O. de Pont-Saint-Esprit ; 1 241 h.

barjelade n. f. Semis d'avoine, froment et légumineuses pour donner du fourrage. || Ce fourrage. || Variété de vesce. (On écrit aussi BARGELADE.)

Bar-Jesu, surnommé **Elymas,** magicien de l'entourage de Sergius Paulus, proconsul de Chypre au temps de saint Paul.

Barjols, ch.-l. de c. du Var (arr. de Brignoles), à 21 km au N.-E. de Saint-Maximin ; 2 016 h. (*Barjolais*). Tanneries.

barkhane n. f. Dune en forme de croissant, progressant sur une surface non sableuse.

Barking, agglomération de la banlieue est de Londres ; 72 300 h. Industries diverses.

Barkla (Charles Glover), physicien anglais (Widnes, Lancashire, 1877 - Edimbourg 1944), qui étudia la polarisation et le pouvoir pénétrant des rayons X. (Prix Nobel de physique, 1917.)

Barkly West, centre diamantifère d'Afrique du Sud (prov. du Cap), sur le Vaal.

Bar-Kokheba, Ben Kosba ou **Ben Koseba** (« Fils de l'étoile »), surnom donné à **Simon,** chef de la deuxième révolte juive (132-135). Julius Severus réduisit la résistance juive, et Bar-Kokheba fut enfermé dans la forteresse de Béthar, où il périt.

Barkyārūq (1079-1104), sultan seldjoukide (1094-1104).

Barlaam ou **Varlaam,** moine basilien (Seminara v. 1290 - † 1348). Il s'opposa violemment à la doctrine de l'hésychasme, défendue par Grégoire Palamas. Condamné par le concile de 1341, il se soumit et devint évêque de Gerace (Calabre).

Barlach (Ernst), sculpteur, poète et dramaturge allemand (Wedel, Holstein, 1870 - Güstrow, Mecklembourg, 1938). Se rattachant à l'expressionnisme, il sculpta, sur bois, des figures inspirées du Moyen Age allemand.

Bar-le-Duc, ch.-l. de la Meuse, à 231 km de Paris, dans le Barrois, sur l'Ornain ; 20 029 h. (*Barrois* ou *Barisiens*). Anc. capit. du duché de Bar. Restes d'une enceinte et du château. Dans l'église Saint-Pierre, mausolée de René de Chalon par Ligier Richier, représentant un squelette. Industries métallurgiques, mécaniques, alimentaires et textiles ; horlogerie. Patrie de François de Guise, Oudinot, Exelmans et R. Poincaré.

Barletta, v. d'Italie (Pouilles, prov. de Bari), sur l'Adriatique ; 76 700 h. Port actif. Pêche. Produits chimiques.

Barlin, comm. du Pas-de-Calais (arr. et à 10 km au S. de Béthune) ; 7 832 h.

barlong, ongue adj. (anc. franç. *berlonc ;* du lat. *bis,* deux fois, et de *long*). Plus long d'un côté que de l'autre.

barlotière n. f. Barre de fer plat, qui sert à maintenir les panneaux de vitrail.

Barlow (Joel), poète, pamphlétaire et diplomate américain (Redding, Connecticut, 1754 - Żarnowiec, près de Cracovie, 1812). Il vint en Europe au moment de la Révolution française. La Convention lui accorda le titre de citoyen français. Il est l'auteur d'une épopée grandiloquente en l'honneur de l'Amérique, *la Colombiade* (1787).

Barlow (Peter), mathématicien et physicien anglais (Norwich 1776 - Woolwich 1862). Il perfectionna le télescope achromatique, s'intéressa à certaines questions ferroviaires et détermina la façon de compenser, sur un navire, l'action exercée par les masses métalliques sur l'aiguille de la boussole. En 1828, il imagina un appareil donnant un mouvement continu à l'aide des forces électromagnétiques (*roue de Barlow*).

Barlow (MALADIE DE) [du nom du médecin anglais sir Thomas *Barlow,* 1845-1945], forme infantile du scorbut.

barmaid → BAR 3.

Barmakides ou **Barmécides,** famille persane qui fournit les premiers ministres persans de l'Empire des califes. KHĀLID combattit contre les Omeyyades pour amener les 'Abbāssides au pouvoir. Il fut vizir d'Abū al-'Abbās al-Saffāḥ, puis d'Al-Manṣūr. — Son fils YAḤYĀ fut précepteur du futur Hārūn al-Rachīd, devint directeur de sa chancellerie, puis vizir en 786, et gouverna l'Empire jusqu'en 803, aidé de ses deux fils FAḌL et DJA'FAR. A cette date, ils tombèrent dans une disgrâce totale, probablement victimes de leur grande influence. Leur libéralité resta proverbiale.

barman → BAR 3.

Barmécides. V. BARMAKIDES.

Barmen, anc. v. d'Allemagne, auj. quartier de Wuppertal.

barn n. m. (par antiphrase de l'angl. *big as a barn,* grand comme une grange). Unité de surface, valant 10^{-24} cm^2, employée en physique nucléaire pour l'évaluation de la section efficace du noyau d'un atome.

Barnabé (saint), juif originaire de Chypre, l'un des premiers convertis au christianisme, considéré comme l'un des Douze Apôtres. Il fut choisi avec Paul pour évangéliser Chypre et l'Asie Mineure. Les Actes et l'Evangile de Barnabé sont certainement apocryphes. — Fête le 11 juin.

barnabites n. m. pl. Religieux de l'ordre des Clercs réguliers de Saint-Paul, fondé en 1530 par saint Antoine Marie Zaccaria. (Ils s'établirent en 1538 au cloître Saint-Barnabé, à Milan.)

Lauros - Bibliothèque de l'Arsenal

couverture du programme du cirque **Barnum,** en tournée à Paris en 1900

Barnaoul, v. de l'U. R. S. S. (R. S. F. S. de Russie), en Sibérie, sur l'Ob'; 439 100 h. Industries chimiques. Textiles.

Barnard (Edward Emerson), astronome américain (Nashville 1857 - observatoire Yerkes, Wisconsin, 1923). Il est surtout connu pour ses recherches et ses travaux sur la Voie lactée et les comètes.

Barnard (Christian), chirurgien sud-africain (Beaufort West, prov. du Cap, 1922). Il a pratiqué la première greffe d'un cœur humain (1967).

Barnave (Antoine), homme politique français (Grenoble 1761 - Paris 1793). Envoyé aux États généraux en 1789, il exerça sur l'Assemblée une grande influence. Il fut condamné à mort sous la Terreur pour avoir été conseiller de la famille royale. Il est l'auteur d'une *Introduction à la Révolution française,* publiée en 1843.

Barnes (Albert C.), médecin, collectionneur et écrivain d'art américain (Merion, Pennsylvanie, 1878 - près de Philadelphie 1951). La *Barnes Foundation,* à Merion, est riche, notamment, de près de deux cents Renoir et de cent Cézanne, ainsi que d'une importante collection d'art nègre.

Barnes (Ralph M.), ingénieur-conseil américain (Clifton Mills, Virginie-Occidentale, 1900). Il s'est consacré à l'étude des mouvements et des temps, ainsi qu'aux observations instantanées.

Barneveld, v. des Pays-Bas (Gueldre), dans la Veluwe; 26 300 h. Aviculture.

Barnevelt (Jean VAN OLDEN). V. OLDENBARNEVELT.

Barneville-Carteret, ch.-l. de c. de la Manche (arr. de Coutances); 2 327 h. (avec l'anc. comm. de *Carteret*). Plage.

Barnsley, v. de Grande-Bretagne (Yorkshire); 74 650 h. Houille; métallurgie.

barnum [nɔm] n. m. (de *Barnum* n. pr.). Personne qui organise, à grand renfort de publicité, des tournées avec exhibition de phénomènes et spectacles à sensation.

Barnum (Phineas Taylor), entrepreneur de spectacles américain (Bethel, Connecticut, 1810 - Bridgeport, Connecticut, 1891). Homme d'affaires avisé, doué d'un sens très efficace de la publicité, il assura sa renommée en exhibant de ville en ville certains « phénomènes » (tels la prétendue nourrice noire de George Washington ou le nain Tom Thumb). Fondateur de l'American Museum en 1841, où il offre à la curiosité des foules une célèbre « galerie de monstres », il est également imprésario pour la cantatrice Jenny Lind et promène à travers le monde entier, à partir de 1871, un cirque itinérant, le *Greatest Show on Earth* (dont la ménagerie comporte plusieurs animaux vedettes, comme l'éléphant Jumbo) qui, en 1881, fusionnera avec le cirque de James Anthony Bailey.

baro n. f. Engin de pêche prohibé. (C'est une roue tournant sous l'action du courant, garnie de filets à la place des pales pour pêcher le saumon et l'alose.)

barocentrique adj. *Courbe barocentrique,* lieu géométrique de tous les centres de courbure correspondant à un méridien terrestre.

Baroche (Federico **Barocci** ou **Baroccio,** ou **Fiori d'Urbino,** plus connu sous le nom de), peintre et graveur italien (Urbino v. 1528 - *id.* 1612). Influencé par le Corrège, puis par le Rosso, il est l'auteur de peintures aux tons adoucis (*la Circoncision,* Louvre) et contribua à propager le goût de la gravure originale.

Baroche (Pierre Jules), avocat et homme politique français (La Rochelle 1802 - Jersey 1870). Membre du comité de la rue de Poitiers dès 1848, ministre de l'Intérieur (1850), puis des Affaires étrangères (1851), il se rallia au coup d'Etat du 2-Décembre. Il fut président du Conseil d'Etat de 1852 à 1863. Ministre chargé des Cultes et de la Justice (1863-1869), il s'opposa à la publication intégrale du *Syllabus.*

Baroda, v. de l'Inde (Gujerāt) ; 467 400 h. Textiles ; industries chimiques.

barodet n. m. (du nom du député Désiré *Barodet* [1823-1906], qui en demanda la création). Recueil établi au début de chaque législature, et qui renferme les articles inscrits par les candidats sur leurs programmes.

barogramme → BAROGRAPHE.

barographe n. m. Baromètre enregistreur donnant la courbe des altitudes atteintes par un aéronef. ◆ **barogramme** n. m. Courbe inscrite par le barographe.

Baroja (Pío), écrivain espagnol (Saint-Sébastien 1872 - Madrid 1956). Sa trilogie *Terre basque* (1900-1909) est consacrée à son pays natal ; dans une seconde trilogie (1904), il s'attaque au problème de l'ordre et montre des aventuriers en lutte contre la société. Ensuite, il compose, entre 1918 et 1935, une série de vingt romans (*Mémoires d'un homme d'action*), où il s'insurge contre tout ce qui fait obstacle à la liberté inviduelle.

baromètre n. m. (du gr. *baros,* pesanteur, et *metron,* mesure). Instrument qui sert à mesurer la pression atmosphérique. (V. *encycl.*) ‖ *Fig.* Ce qui sert à mesurer : *La presse est considérée comme le baromètre de l'opinion publique.* ◆ **barométrie** n. f. Mesure de la pression atmosphérique. ◆ **barométrique** adj. Relatif au baromètre : *Hauteur barométrique.* ● *Nivellement barométrique,* v. NIVELLEMENT.

— ENCYCL. **baromètre.** Le baromètre à mercure est analogue à l'appareil dont s'est servi Torricelli pour mettre en évidence la pression atmosphérique. Il comporte un tube, renversé verticalement sur une cuve à mercure, et dans lequel on a fait le vide. Il s'établit dans le tube une colonne de mercure, dont la longueur, au-dessus du niveau du mercure dans la cuve, est en moyenne de 76 cm au niveau de la mer. Au-dessus du mercure est la chambre barométrique, où il y a le vide. La pression exercée par cette colonne est donc égale à la pression atmosphérique. Pour une hauteur de 76 cm à 0 °C, elle a pour valeur

$$76 \,.\, 13{,}6 \,.\, 981 = 1{,}013 \,.\, 10^6 \text{ baryes}$$

(13,6 étant la masse volumique du mercure, et $g = 981$, l'intensité de la pesanteur).

En un même lieu et à la même température, la pression atmosphérique est proportionnelle à la hauteur barométrique, d'où l'utilisation du centimètre de mercure comme unité de pression. Toutefois, la masse volumique du mercure dépend de la température, et g varie avec l'altitude et la latitude. La hauteur de mercure lue sur le baromètre doit donc subir diverses corrections ; on doit calculer la valeur qu'elle aurait si la température était 0 °C, et si g avait sa valeur normale (altitude 0, latitude 45°). On dit alors que « la pression est évaluée en centimètres de mercure normal ».

Sur le principe de l'appareil précédent existent divers types de baromètre à mercure, en particulier les baromètres de haute précision des laboratoires, et des appareils transportables (*baromètre de Fortin*). On peut aussi remplacer le tube et la cuvette (*baromètre à cuvette*) par un simple tube recourbé (*baromètre à siphon*). Dans le

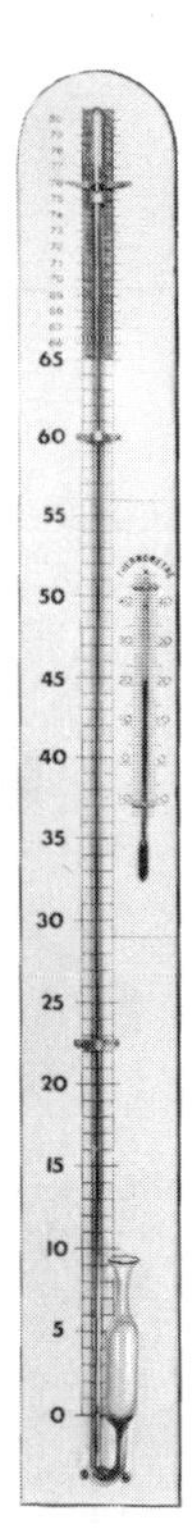

à gauche **baromètre** de Fortin

à droite **baromètre** à siphon

Larousse

baromètre à cadran, une aiguille, commandée par un flotteur placé sur le mercure de la courte branche du siphon, se déplace devant un cadran, gradué par comparaison avec un baromètre étalon. Il est très utilisé pour la prévision du temps.

Les *baromètres anéroïdes,* ou *baromètres métalliques,* ne comportent pas de liquide et sont fondés sur l'élasticité des métaux. Celui de *Vidie* se compose d'une caisse cylindrique en cuivre, vide d'air ; la paroi supérieure est mince et cannelée pour être déformable ; la pression atmosphérique, qui tendrait à l'écraser, est équilibrée par un ressort intérieur. Lorsque la pression varie, le centre de cette paroi subit un déplacement, qui est transmis à une aiguille mobile devant un cadran gradué. En remplaçant cette aiguille par un petit levier dont l'extrémité, garnie d'encre, s'applique sur un papier porté par un cylindre animé par un mouvement d'horlogerie, on obtient un *baromètre enregistreur.*

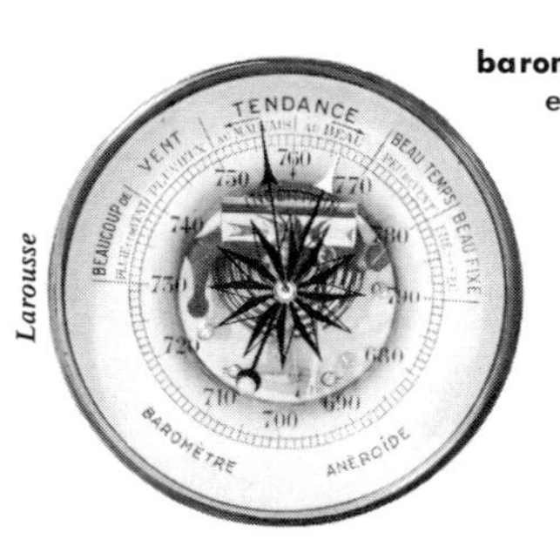

Larousse

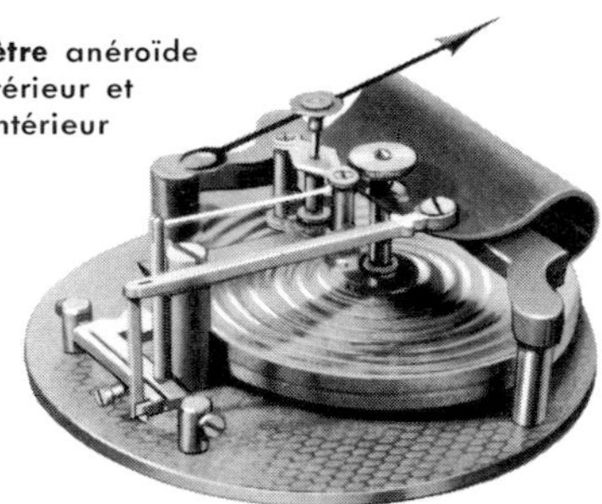

baromètre anéroïde extérieur et intérieur

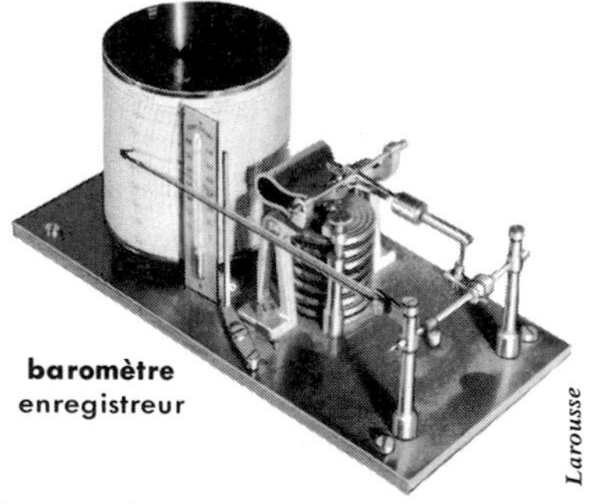

baromètre enregistreur

Larousse

La connaissance de la pression atmosphérique est indispensable pour certaines mesures (pression d'un gaz, température d'ébullition, etc.). D'autre part, à un même instant, cette pression varie avec l'altitude ; la différence de niveau entre deux stations est donnée, en fonction des pressions, par des formules de « nivellement barométrique » ; le baromètre peut être gradué en altitudes (altimètre). Mais le baromètre a surtout des emplois en météorologie*.

barométrie, barométrique → BAROMÈTRE.

barometz n. m. Grande fougère de la Chine du Nord, au rhizome laineux en partie aérien, source de curieuses légendes.

1. baron n. m. Morceau de mouton comprenant les gigots, les selles et les filets.

2. baron n. m. (francique **baro,* homme libre). Seigneur féodal relevant directement du roi ou d'un grand feudataire. || Plus tard, simple dénomination nobiliaire. (V. *encycl.*) || *Iron.* Personnage qui occupe une position importante dans certains secteurs de l'économie : *Les hauts barons de la finance.* ◆ **baronet** ou **baronnet** n. m. et adj. Titre britannique, intermédiaire entre baron et chevalier, et créé en 1611 par Jacques Ier d'Angleterre. ◆ **baronétage** n. m. Qualité de baronet. ◆ **baronnage** n. m. Dignité de baron. || Cour ou escorte d'un baron. || L'ensemble des barons du royaume. ◆ **baronne** n. f. Femme titulaire d'une baronnie. || Femme d'un baron. ◆ **baronnial, e, aux** adj. Qui dépend d'une baronnie ; relatif à un baron. ◆ **baronnie** n. f. Terre qui conférait à son possesseur le titre de baron. || Chacun des quatre fiefs principaux du royaume latin de Jérusalem : principauté de Galilée, comté de Jaffa, seigneurie de Montréal ou d'Outre-Jourdain, et seigneurie de Tyr.

— ENCYCL. ***baron.*** Les barons furent tout d'abord les grands personnages du royaume (*hauts barons*). Puis il y eut des *barons ordinaires,* relevant de ces grands feudataires.

Le Grand Coutumier de France ne reconnaît que trois hauts barons, ceux de Bourbon, de Couci et de Beaujeu, dont les baronnies furent ensuite érigées en duchés. Le titre de baron fut dès lors réservé à de petits nobles, venant après le vicomte dans la hiérarchie nobiliaire. Supprimé par la Révolution, le titre fut rétabli par Napoléon en 1808.

Baron (Michel BOYRON, dit), acteur et auteur dramatique (Paris 1653 - *id.* 1729). Après avoir été l'un des meilleurs acteurs de la troupe de Molière, il passa, à la mort de celui-ci, à l'Hôtel de Bourgogne. Il est l'auteur de comédies, notamment de *l'Homme à bonnes fortunes* (1680).

Baron (Raoul), vétérinaire français (Dreux 1850 - Paris 1908), auteur d'une doctrine définissant les types zoologiques et leurs variations.

baronarcose n. f. Anesthésie en circuit fermé, sous pression supérieure à la pression atmosphérique, et utilisée en chirurgie thoracique pour pallier le collapsus pulmonaire pendant l'ouverture de la plèvre.

Baroncelli (les), famille florentine, dont une branche se fixa dans le comtat Venaissin. PIERRE **Baroncelli,** trésorier du cardinal Giuliano Della Rovere, épousa la fille d'un Pazzi (1474) et acheta la seigneurie de Javon. A la troisième génération, la famille s'intégra à la noblesse française.

Baroncelli-Javon (Folco DE), félibre provençal (Aix-en-Provence 1869 - Avignon 1943). Il partagea sa vie entre Avignon, où il dirigea le journal félibréen *l'Aïoli,* et la Camargue, où il mena la vie de gardian.

Baroncelli-Javon (Jacques DE), cinéaste français (Bouillargues 1881 - Paris 1951). On lui doit *Ramuntcho* (1919), *le Père Goriot* (1922), *Nêne* (1923), *Pêcheur d'Islande* (1924), *l'Arlésienne* (1929), *la Duchesse de Langeais* (1942).

baronet, baronétage → BARON 2.

Baronius ou **Baronio** (Cesare), cardinal et historien italien (Sora 1538 - Rome 1607). Disciple de Philippe Neri, il lui succéda comme supérieur de l'Oratoire, devint confesseur du pape Clément VIII, cardinal (1596) et bibliothécaire de la Vaticane (1597). Il est l'auteur d'*Annales ecclésiastiques* (jusqu'en 1198).

baronnage, baronne, baronnet, baronnial, baronnie → BARON 2.

Baronnies (les), région des Alpes du Sud (dép. de la Drôme), entre le Diois et la montagne de Lure ; 1 532 m. C'est un ensemble de montagnes calcaires, orientées de l'O. à l'E.

Baronova (Irina), danseuse russe (Pétrograd 1919). Engagée aux Ballets russes de Monte-Carlo, de René Blum, en 1932, elle devint étoile au Ballet Theatre de New York (1940), puis dans l'Original Ballet russe (1946). Elle créa *les Présages, l'Oiseau bleu, Hélène de Troie, Choreartium.*

baroque adj. et n. (portug. *barroco,* perle irrégulière). Bizarre, avec quelque chose d'inattendu qui choque : *Une idée baroque. Un vêtement baroque.* ‖ — SYN. : *bizarre, choquant, étrange.* ‖ Se dit d'un style, né à la faveur de la Contre-Réforme*, qui s'est développé aux XVIe, XVIIe et XVIIIe s. dans divers pays catholiques. (V. *encycl.*) ◆ **baroquisme** n. m. Tendance artistique qui se caractérise par le mouvement et le goût de l'effet théâtral. (Le mot s'oppose à *classicisme.*)

— ENCYCL. ***baroque***. L'art baroque est issu de l'art de la Contre-Réforme catholique. La Contre-Réforme avait entrepris la reconquête du pays et des âmes, que la Réforme protestante avait détachés de Rome au XVIe s. S'opposant à l'art de la Renaissance, chargé de paganisme antique, l'art de la Contre-Réforme, destiné, conformément à l'esprit du concile de Trente, à promouvoir l'enseignement de la religion, est empreint d'une majestueuse autorité. Il trouve son expression dans l'église du Gesù, à Rome, élevée en 1568 par Vignole. A l'art sobre de la Contre-Réforme succède un art qui, lui aussi, se met au service de la religion, mais qui emploie toutes les ressources du génie humain pour proclamer très haut la gloire de Dieu. Cet art, que l'on appellera *baroque,* est un art lyrique exubérant qui veut étonner, éblouir ; il y parvient par des effets de masse, de lumière et de mouvement, et sacrifie l'ordre à la sensation.

Né en Italie, il rayonne ensuite, du XVIe au XVIIIe s., sur la plupart des pays catholiques : Espagne, Flandre, Allemagne du Sud, Autriche, Bohême, colonies d'Amérique du Sud, etc. Au XVIIIe s., il donnera naissance aux styles rocaille et rococo.

L'art baroque veut rendre l'église, et donc la religion, tout à la fois grandiose et accueillante. Marquant sa préférence pour les lignes courbes, colonnes torses et volutes, il utilise toutes les techniques de l'art et toutes les formes pour décorer les édifices religieux avec somptuosité.

Le baldaquin de Saint-Pierre de Rome, élevé en 1624 par le Bernin, architecte, peintre et sculpteur italien (1598-1680), est le véritable manifeste de l'art baroque par le mouvement de l'ensemble, les jeux de couleur du bronze, l'emploi des colonnes torses. L'œuvre sculptée n'est pas une œuvre de musée : elle est accordée au cadre pour lequel elle a été conçue et forme ici un élément essentiel du décor de la basilique.

A la fin du XVIIe et au XVIIIe s., l'art baroque triomphe en Espagne. Relativement mesuré tout d'abord, en particulier avec Churriguera, il donne naissance à un style de plus en plus grandiloquent et surchargé, le style churrigueresque : la sacristie de la chartreuse de Grenade, construite par Luis de Aravelo, de 1727 à 1764, est caractéristique de cette exubérance monumentale. L'art baroque s'exaspère et atteint son plus haut degré de frénésie dans les colonies espagnoles et portugaises d'Amérique.

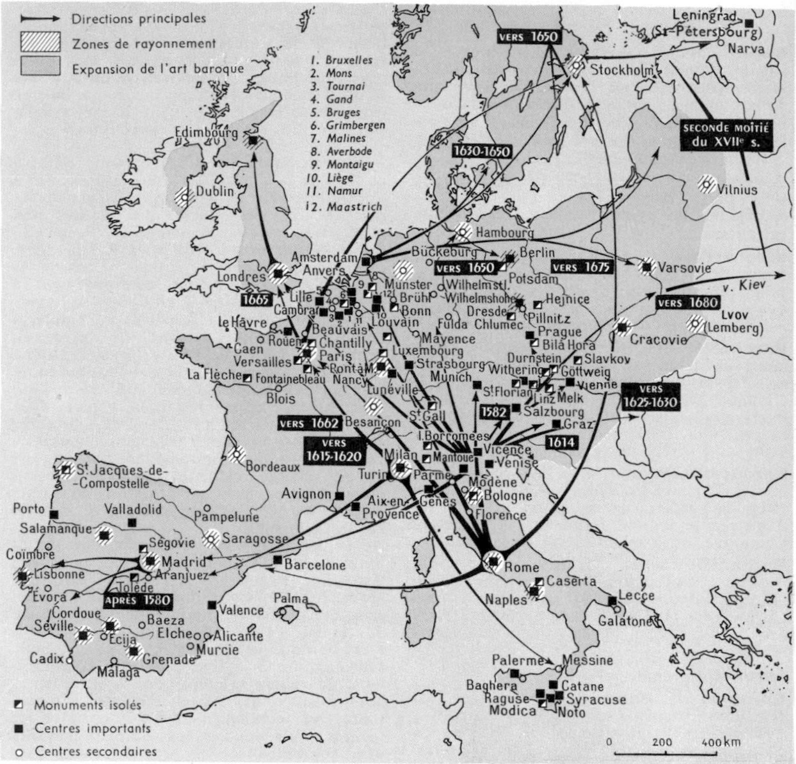

Directions principales
Zones de rayonnement
Expansion de l'art baroque

1. Bruxelles
2. Mons
3. Tournai
4. Gand
5. Bruges
6. Grimbergen
7. Malines
8. Averbode
9. Montaigu
10. Liège
11. Namur
12. Maastrich

Monuments isolés
Centres importants
Centres secondaires

0 200 400 km

expansion de l'art **baroque** en Europe occidentale

Vienne, château du Belvédère

Huber-Irmer

église de San Francisco d'Acatepec ▷
(Etat de Puebla, Mexique)

Munich : maison des frères Asam ▽

Irmer

Bottin

villa du prince Palagonia
(corps central), Bagheria (Sicile) ▽

Chapon

Jidébé

Venise : Santa Maria della Salute

Rome : église Sainte-Agnès ▽

Rome
fontaine du Triton
par le Bernin

Louis-Frédéric-Rapho

Louis-Frédéric-Rapho

Le baroque s'exprime aussi en architecture civile : c'est un art de cour, expression de l'absolutisme des princes, dont l'orgueil se caractérise par l'ampleur des plans et le faste de la décoration. De cette somptuosité témoigne le palais du Zwinger, à Dresde, œuvre de Pöppelmann (1662-1736).

baroscope n. m. Sorte de balance supportant des poids égaux mais de volumes différents. (En équilibre dans l'air, elle ne l'est plus dans le vide, ce qui met ainsi en évidence la poussée d'Archimède, due à l'air.)

barosma n. m. Rutacée diurétique et aromatique de l'Afrique du Sud (15 espèces).

barot n. m. V. BARROT.

barotaxie n. f. Sensibilité organique à la pression orientée. (Parmi ses manifestations, il faut signaler l'enroulement des plantes volubiles, le rhéotactisme des poissons de rivière, l'équilibration, etc.)

baroter, barotin → BARROT.

barotraumatique adj. Se dit des troubles ou des lésions qui résultent de l'action d'une variation de pression sur l'organisme

Barotseland, région de l'ouest de la Zambie; ch.-l. *Mongu.*

barotte n. f. Récipient servant au transport des vendanges, dans le sud-ouest de la France.

baroud [rud] n. m. (mot ar.). *Arg. mil.* Combat : *Aller au baroud.* (Ce terme fut employé à l'origine par l'armée d'Afrique.) ◆ **baroudeur** n. m. Individu qui aime le baroud.

barouf ou **baroufle** n. m. (ital. *baruffa*). *Pop.* Bruit, tapage.

Barousse (VALLÉE DE), pays des Pyrénées (Hautes-Pyrénées), drainé par l'Ourse.

Barqah ou **Barkah,** en ital. **Barce,** v. de Libye, en Cyrénaïque; 10 000 h.

barque n. f. (anc. provenç. *barca;* du bas lat. *barca,* d'orig. obscure). Nom générique de petits bateaux, pontés ou non, à voilure très variable et de faible tonnage (généralement inférieur à 100 tonneaux) : *Barque de pêcheur.* ‖ Dans les forêts de pins, fosse où l'on dépose la gemme récoltée. ‖ Cuve en bois en usage dans les teintureries. ● *Bien mener sa barque,* bien conduire son entreprise. ‖ *Mener en barque* (Fam.), induire en erreur. ◆ **barquée** n. f. Charge d'une barque. ◆ **barquette** n. f. Petite barque. ‖ Récipient rappelant la forme d'un bateau. ‖ Petite pâtisserie de forme ovale, faite avec de la pâte à tarte, et dont la garniture peut être salée ou sucrée.

Larousse

Barras en costume de membre du Directoire *cabinet des Estampes*

Barquisimeto, v. du Venezuela, capit. de l'Etat de Lara, au N. de la cordillère de Mérida; 334 300 h. Centre de production de café, de cacao, de sucre; mines de cuivre.

Barr, ch.-l. de c. du Bas-Rhin (arr. et à 17 km au N. de Sélestat); 4 615 h. Textiles.

Barra (ÎLES), îles de la partie sud de l'archipel des Hébrides; 1 700 h. Pêcheries.

Barrabas. V. BARABBAS.

barracuda n. m. V. SPHYRÈNE.

barradeau n. m. V. BARADEAU.

barradine → BARADEAU.

barrage, barragiste → BARRE.

Barrancabermeja, v. de Colombie (dép. de Santander), sur le río Magdalena; 71 100 h. Centre pétrolier.

barranco n. m. (mot esp.). Ravin qui entaille un cône volcanique cendreux.

Barranquilla, v. de Colombie, ch.-l. du dép. de l'Atlántico, sur le río Magdalena; 521 100 h. Industries diverses. C'est le principal port colombien.

Barraqué (Jean), compositeur français (Paris 1928 - *id.* 1973), l'un des principaux représentants de la tradition sérielle. Il est l'auteur de *la Mort de Virgile.*

Barraquer (Joaquín), géodésien espagnol (1834 - 1906). Pionnier des mesures gravimétriques, il fut l'un des promoteurs de la triangulation en Espagne.

barras [ras] n. m. Dépôt résineux résultant de l'évaporation de la gemme sur le pin maritime : *Le galipot est un barras de haute qualité.* ◆ **barrasquite** n. f. Sorte de binette qui sert à détacher le barras du pin.

Barras (Paul, vicomte DE), homme politique français (Fox-Amphoux, Provence, 1755 - Paris 1829). Député du Var à la Convention, représentant en mission à l'armée d'Italie, il fut, avec Tallien et Fouché, l'homme du 9-Thermidor. Commandant en chef de l'armée de l'Intérieur au 13 vendémiaire an IV, il réprima l'insurrection royaliste contre la Convention. Elu directeur, il décida le coup d'Etat du 18-Fructidor (4 sept. 1797). Après le 18-Brumaire, il se retira à Bruxelles.

Napoléon l'exila à Rome en 1810, puis le fit interner à Montpellier.

barrasquite → BARRAS.

Barraud (Maurice), peintre et illustrateur suisse (Genève 1889 - *id.* 1954).

Barraud (Henry), compositeur français (Bordeaux 1900). On lui doit *la Farce de Maître Pathelin,* opéra-comique (1938) ; *Numance,* tragédie lyrique (1950) ; des œuvres vocales, de la musique symphonique et religieuse et des œuvres pour piano.

Barrault (Jean-Louis), acteur et metteur en scène français (Le Vésinet 1910). Après avoir reçu les leçons de Dullin et adapté *Numance* de Cervantès (1936), il débute en 1940 à la Comédie-Française dans *le Cid,* met en scène *Phèdre* de Racine, puis *le Soulier de satin* de Claudel (1943). Il fonde avec sa femme, Madeleine Renaud, une compagnie installée au théâtre Marigny de 1947 à 1956. De 1959 à 1968, il assume la direction de l'Odéon-Théâtre de France. Il crée le Théâtre d'Orsay (1974-1980), puis s'installe au Théâtre du Rond-Point. Au cinéma, il a incarné divers personnages, en particulier le mime Deburau, dans *les Enfants du paradis,* de Marcel Carné (1944).

barre n. f. (lat. pop. *barra,* d'orig. obscure, sans doute gauloise). Longue et étroite pièce de bois ou de métal, rigide et droite : *Une barre maintenait la porte fermée.* || Bande colorée : *Une barre lumineuse marque l'horizon.* || Nom de divers appuis ou supports : *Barre de cheminée.* || Longue pièce de bois ou de métal, utilisée dans la charpente moderne triangulée. || Pièce de bois à arêtes arrondies, que l'on suspend entre les chevaux à l'écurie. (On dit mieux BAT-FLANC.) || Dispositif de manœuvre du gouvernail d'un navire. || Chacune des traverses de la mâture et de la membrure d'un navire. || Pièce du métier à bonneterie, dont le mouvement détermine une opération de tricotage. || Pièce de bois croisant les fonds d'un tonneau. || Espace entre les incisives et les molaires inférieures du cheval, dont la muqueuse est sensible, et où l'on place le mors. || *Par extens.* Espace semblable chez d'autres mammifères. (Syn. DIASTÈME.) || Chacune des mâchoires du sanglier. || Enceinte à l'intérieur de laquelle siègent les magistrats d'un tribunal, et qui est fermée par une barre servant d'appui aux avocats au moment de leurs plaidoiries. || *Par extens.* Lieu de comparution. || Crête rocheuse aiguë, redressée à la verticale : *La barre des Ecrins.* || Zone formée par des vagues déferlant en puissants rouleaux sur certains rivages (en Afrique notamment). || Haut-fond qui se forme à l'entrée d'un estuaire, au contact du courant fluvial et des vagues. || Flèche sableuse qui se forme sur certaines côtes plates, et qui peut émerger pour former un cordon littoral. || Intercalation de roche stérile, parallèle aux épontes, dans une couche minéralisée. || Pièce héraldique traversant l'écu de l'angle senestre du chef à l'angle dextre de la pointe. || Obstacle à franchir pour le saut en hauteur ou le saut à la perche. || Tringle en bois fixée horizontalement aux murs des studios de danse, et servant de point d'appui pour les exercices ; ensemble des exercices effectués à cette barre, s'opposant au « milieu ». ● *Barre d'accouplement,* pièce de la timonerie de direction d'une automobile, qui relie les leviers de fusée, solidaires des roues directrices, en les maintenant dans deux plans parallèles. || *Barre d'alésage,* dans une

Jean-Louis **Barrault**

Keystone

aléseuse, barre cylindrique servant de porte-outil, entraînée à une extrémité par la broche, et reposant de l'autre dans une lunette. || *Barre d'attelage* ou *d'accouplement,* dispositif pour relier deux véhicules de chemin de fer et pour assurer leur traction sans chocs ni à-coups. || *Barre de contrôle,* barre métallique contenant des matériaux (cadmium, béryllium, bore) absorbant les neutrons, et que l'on introduit dans les piles atomiques pour en régler la marche. || *Barre de coupe,* ensemble des pièces métalliques affûtées servant à couper céréales et fourrages. (Syn. LAME ou SCIE.) || *Barre à disques,* tige d'acier terminée aux deux extrémités par des disques, pour les haltérophiles. || *Barre d'équilibre,* conducteur électrique réalisant la mise en parallèle des inducteurs en série de plusieurs génératrices, en vue d'améliorer la répartition du courant entre ces machines. || *Barre d'excentrique, de tiroir, de relevage,* etc., pièce destinée à relier ou à commander différents organes d'une locomotive. || *Barre de fesses,* courroie qui passe sur la croupe du cheval et qui vient se boucler de chaque côté aux boucleteaux de reculement. || *Barre fixe* (Gymn.), traverse horizontale de fer ou de bois, fixée par deux montants à plus de 2 m du sol. || *Barre d'harmonie,* petite plaque de sapin collée à l'intérieur de la table du violon. || *Barre d'impression,* organe d'impression des tabulatrices et des machines comptables. || *Barre omnibus,* conducteur électrique permettant de relier des sources de production à des circuits de distribution.

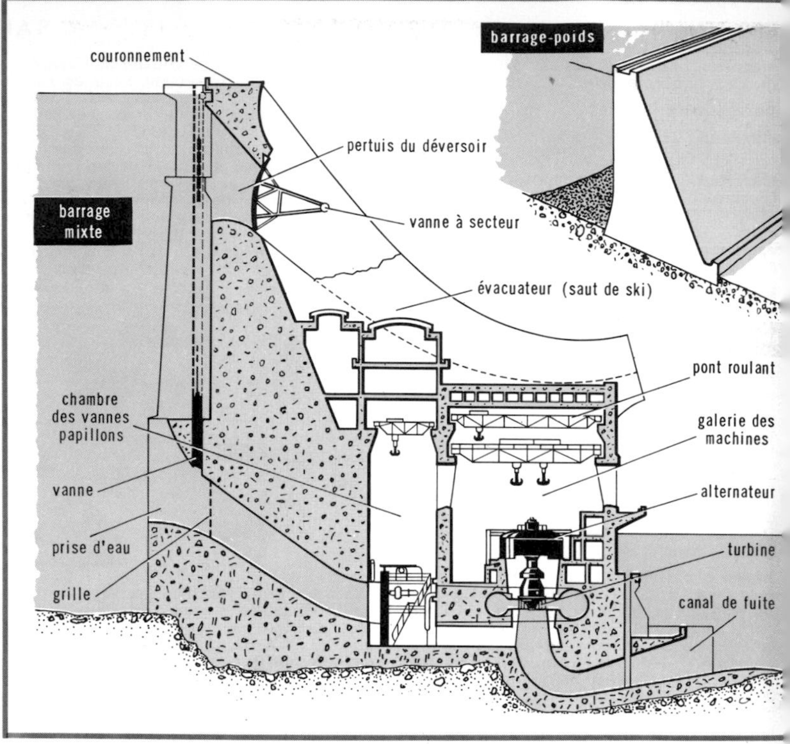

|| *Barre de mesure,* trait vertical sur la portée, qui divise le débit musical en cellules d'égale durée. (Son emploi s'est généralisé au début du XVIIe s.) || *Barre à mine,* tige d'acier utilisée pour le creusement à la main des trous de mine. || *Barres parallèles,* appareil de gymnastique composé de deux barres de bois. || *Barres de plongée,* organes de commande des gouvernails de profondeur, à bord d'un sous-marin. || *Barre de réaction,* pièce qui, dans les transmissions d'automobile ou d'autorail avec pont moteur, prend appui sur le châssis pour permettre l'application d'un couple à l'essieu. || *Barre de torsion,* barre élastique faisant fonction de ressort. || *C'est de l'or en barre* (Fig.), c'est une valeur absolument sûre, une chose de grande valeur, ou une personne d'une droiture absolue. || *Prendre, avoir barre* (ou *barres*) *sur quelqu'un,* avoir l'avantage sur lui, le dominer. || — **barres** n. f. pl. Jeu de plein air, où deux équipes, placées chacune dans un camp, essaient, en respectant certaines règles, de se capturer mutuellement des joueurs. ◆ **barrage** n. m. Action de barrer : *Le barrage d'une rue.* || Personnes ou obstacles disposés en vue de barrer un passage : *Un barrage de police.* || Obstacle artificiel au moyen duquel on coupe un cours d'eau. (V. *encycl.*) || Robinet ou vanne servant à isoler ou à sectionner des canalisations. || Obstacle intentionnellement disposé en travers ou le long d'une galerie de mine. || Match qui sert à départager les concurrents qui sont *ex aequo.* ● *Barrage roulant,* rideau de feu tendu par l'artillerie devant une troupe qui attaque. || *Barrage à saumons,* filet à larges mailles, guidant les poissons vers un carrelet de grande taille où ils seront capturés. || ***Tir de barrage,*** tir destiné à stopper une attaque terrestre ou à interdire aux avions adverses une zone déterminée (*barrage antiaérien de D.C.A.*). ◆ **barragiste** n. m. Professionnel chargé de la manœuvre des vannes de barrage. ◆ **barré, e** adj. Se dit d'un charbon ou d'un minerai contenant une partie stérile. (Syn. MIXTE.) ● *Chèque barré,* v. BARREMENT et BARRER. || *Dent barrée,* dent dont les racines présentent des coudures en sens contraire. || *Vergue barrée,* grande vergue du mât d'artimon carré. ✦ adj. et n. m. *Hérald.* Divisé

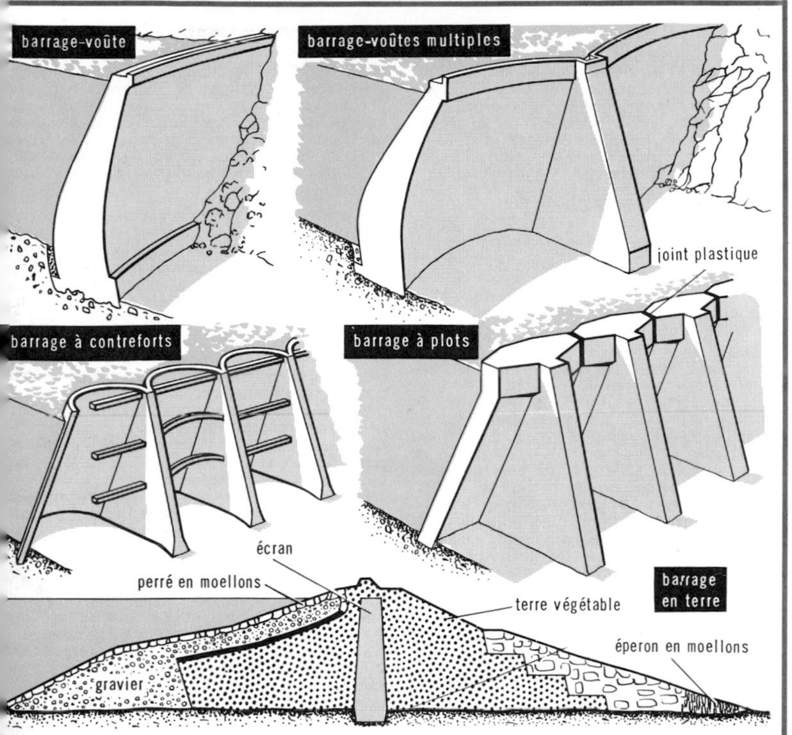

en un nombre pair de parties égales d'émaux alternés, dans le sens de la barre. (Quand le barré est coupé par un trait de tranché et que les émaux alternent dans les deux moitiés, on obtient le CONTRE-BARRÉ.) ◆ **barreau** n. m. Barre de petites dimensions, en bois ou en métal, qui sert de soutien, de fermeture, etc. : *Barreaux de chaise. Barreaux d'une fenêtre de prison.* ‖ Lieu où, à l'audience, les avocats se tiennent pour plaider, et qui était autrefois fermé par un barreau de bois ou de fer. ‖ La profession d'avocat. ‖ L'ordre des avocats, soit devant un tribunal ou une cour d'appel déterminée, soit pour l'ensemble de la France. ● *Barreau aimanté,* barre de substance ferromagnétique, dont on a fait un aimant permanent. ◆ **barreaudage** n. m. Interversion des deux files de rails sans les retourner. ‖ *Constr.* Petit ouvrage de défense se plaçant devant une baie. ◆ **barreauder** v. tr. Effectuer l'opération de barreaudage des rails. ◆ **barrefort** n. m. La plus grosse pièce de bois tirée d'un sapin. ◆ **barrement** n. m. Action de barrer* un chèque. (Le barrement est *général* s'il ne porte, entre les deux barres, aucune désignation; il est *spécial* si le nom d'un banquier ou d'un agent de change est inscrit entre les deux barres, le chèque ne pouvant alors être touché que par l'intermédiaire du banquier ou de l'agent de change.) ◆ **barrer** v. tr. Fermer au moyen d'une barre : *Barrer une porte, une fenêtre.* ‖ Obstruer, fermer : *Un roc qui barre toute la route. Des policiers barrent toutes les issues de l'immeuble.* ‖ Traverser comme d'une barre : *Le grand cordon de la Légion d'honneur barre sa poitrine.* ‖ Mettre une barre sur la queue d'une petite note, ce qui la rend brève. ‖ En lutherie, mettre une barre sous la table supérieure d'un violon ou d'un violoncelle. ‖ Faire obstacle, contrarier les projets de quelqu'un, l'empêcher d'atteindre son but. ‖ Rayer, annuler. ‖ Etayer, fortifier au moyen d'une barre : *Barrer une table, une porte.* ‖ Gouverner, en parlant d'une embarcation : *Barrer un voilier.* ● *Barrer un chèque,* tracer sur un chèque deux lignes parallèles, afin qu'il ne puisse ensuite être touché que par un banquier, un bureau de chèques postaux ou un agent de change auprès duquel le bénéficiaire du chèque est titulaire d'un compte.

(V. BARREMENT.) || *Barrer une enceinte,* la traverser avec un limier pour diminuer l'enceinte d'attaque. || *Barrer la voie,* en parlant d'un chien courant, sortir du fourré et aller par les chemins ou sentiers recouper la voie en avant pour l'enlever. ✦ v. intr. Tenir, manœuvrer le gouvernail : *Barrer adroitement.* || — **se barrer** v. pr. *Pop.* S'en aller. ◆ **barrette** n. f. Petite barre. || Pièce d'horlogerie, de bijouterie, en forme de petite barre. || Plaque qui ouvre ou ferme les orifices d'introduction ou d'évacuation de la vapeur dans une machine. || Pièce métallique plate, garnie d'aiguilles à sa partie supérieure, et utilisée en filature de lin, de jute et de laine. (On dit aussi GILL.) || Pince de métal ou d'écaille pour retenir les cheveux. || Fil reliant deux motifs de broderie en laissant un intervalle vide entre eux, et que l'on rebrode au point de feston ou de bourdon. || Nervure en relief, placée sur les patins d'engins chenillés pour augmenter l'adhérence de la chenille. ● *Barrette de crosse,* pièce de fer rivée sur une des faces de la crosse, remplaçant le battant de crosse, et sur laquelle se fixe la bretelle de l'arme. || *Barrette de décoration,* petit rectangle fixé sur l'uniforme et remplaçant une décoration. || *Barrette de sectionnement,* partie amovible d'un appareil, destinée à interrompre la continuité d'un conducteur électrique. ◆ **barreur** n. m. Celui qui tient la barre du gouvernail d'une petite embarcation. ◆ **barrier** n. m. Ouvrier qui manœuvrait la barre, ou verge, du balancier monétaire à bras. ◆ **barrière** n. f. Clôture formée d'un assemblage de pièces de bois ou de métal : *S'arrêter devant la barrière d'un passage à niveau.* || Obstacle naturel qui empêche d'accéder facilement d'un lieu à un autre : *Une barrière de montagnes.* || Petite palissade qui sépare les spectateurs de la piste, dans un cirque. || *Par extens.* Ensemble du personnel en uniforme placé à l'entrée des artistes. || Bureau, à l'entrée d'une ville, où l'on percevait les droits d'octroi. (A Paris, il y en avait soixante, installés lors de la création de l'octroi sous Louis XIV.) || Portillon installé, dans une mine, à la recette d'un puits, d'une bure ou d'un plan incliné. || *Fig.* Ce qui constitue un empêchement, un obstacle qui sépare : *Etre retenu par la barrière des conventions sociales.* ● *Barrière de dégel,* interruption obligatoire, en cas de dégel, de la circulation des véhicules lourds sur les routes qu'ils pourraient détériorer. || *Barrière de glace,* V. GLACE. || *Barrière placentaire,* opposition que présente le placenta au passage de certaines substances ou microbes, du sang de la mère au sang du fœtus. || *Barrière de potentiel,* champ électrostatique entourant le noyau d'un atome, et qui s'oppose à l'entrée ou à la sortie de particules électrisées.

— ENCYCL. **barrage.** Les premiers barrages alimentant des aqueducs furent construits au début de l'ère chrétienne par les Romains. Vers la même époque, de nombreux barrages permirent la mise en valeur de diverses vallées de l'Inde. La construction des barrages comporta la mise en œuvre de la terre, puis de la pierre et, enfin, du béton armé. Toutefois, certains barrages modernes sont construits en terre.

● Le *barrage de retenue* traverse le lit d'une rivière, formant une dénivellation du plan d'eau entre l'amont et l'aval. On distingue le barrage *à petits éléments* et le barrage *à grands éléments.* Le premier comprend les barrages *à fermettes, à hausses* et *à tambours.* Le second comprend les barrages *à vannes levantes, à cylindres* et *à segments.*

● Les *barrages-réservoirs,* ou *grands barrages,* sont établis en travers d'une vallée pour accumuler un certain volume d'eau ; ils peuvent être utilisés pour l'irrigation, pour la protection contre les crues et pour la production de force motrice. Ils sont de différents types : le *barrage-poids,* à profil triangulaire, résiste à la poussée de l'eau par son seul poids ; le *barrage-voûte* est un ouvrage à courbure convexe tournée vers l'amont, dans lequel la plus grande partie de la poussée de l'eau est reportée sur les rives par des effets d'arc ; le *barrage à contreforts* est formé d'un système de contreforts soutenant un mur amont, ou rideau étanche, constitué par des dalles planes ou des voûtelettes. Les *barrages en éléments non liés* comprennent : les *barrages en enrochements,* composés d'un massif trapézoïdal, construit par enrochements arrimés ou par enrochements en vrac, et d'un organe d'étanchéité souple placé sur le parement amont ou à l'intérieur du massif ; les *barrages en terre,* simples murs de retenue suffisamment étanches, construits avec la terre et les matériaux rocheux trouvés à proximité de l'ouvrage ; et les *barrages mixtes.*
Comme l'Administration peut seule disposer de l'énergie hydraulique depuis la loi du 16 oct. 1919, les particuliers ne peuvent établir de barrage sur un cours d'eau sans son autorisation, qui se manifeste, pour les ouvrages importants, par une concession* et, pour les autres, par une simple autorisation*.

→ V. illustration page précédente.

Barre (Jean-Jacques), médailleur français (Paris 1793 - *id.* 1855), graveur général de la Monnaie (1842-1855), auteur des monnaies de Louis-Philippe et de Napoléon III, et des sceaux de la République (1848). — Son fils ALBERT DÉSIRÉ (Paris 1818 - *id.* 1878) lui succéda dans sa charge.

Barre (Raymond), homme politique français (Saint-Denis-de-la-Réunion 1924). Premier ministre et ministre de l'Économie et des finances de 1976 à 1981, il tenta de limiter les problèmes posés par l'inflation (« plan Barre »).